G000244504

Wege der deutschen Literatur

Eine geschichtliche Darstellung

Verfaßt von
Hermann Glaser,
Jakob Lehmann,
Arno Lubos

Ullstein

Ullstein Sachbuch
Ullstein Buch Nr. 34492
im Verlag Ullstein GmbH,
Frankfurt/M – Berlin

Aktualisierte Neuauflage

Umschlagentwurf:
Dietmar Suchalla
Alle Rechte vorbehalten
© 1961, 1972, 1984, 1986, 1989
by Verlag Ullstein GmbH,
Frankfurt/M – Berlin
Printed in Germany 1993
Druck und Verarbeitung:
Ebner Ulm
ISBN 3 548 34492 5

30. Auflage Dezember 1993
Gedruckt auf alterungs-
beständigem Papier mit
chlorfrei gebleichtem Zellstoff

Die Deutsche Bibliothek –
CIP-Einheitsaufnahme

Glaser, Hermann:
Wege der deutschen Literatur: eine
geschichtliche Darstellung / verf. von
Hermann Glaser; Jakob Lehmann; Arno
Lubos. – Überarb. Neuaufl., 30. Aufl. –
Frankfurt/M; Berlin: Ullstein, 1993
    (Ullstein-Buch; Nr. 34492:
    Ullstein-Sachbuch)
    Erg. bildet: Wege der deutschen
    Literatur
    ISBN 3-548-34492-5
NE: Lehmann, Jakob:; Lubos, Arno:; GT

INHALT

Literaturgeschichte dient der zusammenfassenden Überschau der aus der Lektüre und Interpretation des einzelnen literarischen Kunstwerks gewonnenen Einsichten und Erkenntnisse; diese sollen geordnet und eingeordnet werden, damit das Gemeinsame und das dem jeweiligen Dichter und seiner Zeit Typische deutlich werden. Neben das dichterisch Gestaltete müssen Wollen, Absicht, Theorie sowie die geistigen Ursprünge, Anregungen und sonstigen Entstehungsursachen treten. Sie werden durch biographisches Wissen abgerundet. Diese Überlegungen bestimmten Anlage, Auswahl und Absicht der *Wege der deutschen Literatur*.

Die vorliegende Literaturgeschichte will ein Buch für den Lesenden und Lernenden sein, das den trockenen Leitfadenstil ebenso meidet wie den Anspruch lexikalischer Fülle. Im Mittelpunkt der Betrachtung stehen die literarische Ausprägung menschlicher Probleme sowie die kritische Auseinandersetzung des Schriftstellers mit der gesellschaftlichen Situation. Damit wird das Ineinander von philosophischer Grundhaltung und künstlerischem Gestaltungsdrang deutlich zu machen versucht. Indem sich die Darstellung auf Hauptgesichtspunkte und bedeutende Werke beschränkt, wahrt sie den Blick für die historische Entwicklung; indem sie eine Kenntnis der Weltbilder der Vergangenheit vermittelt, dient sie dem Weltverständnis durch die Dichtung auch in der Gegenwart. Nebensächliches, Einzelheiten und ausführliche Interpretation wie Kommentierung mußten umfangreicheren literaturgeschichtlichen Werken vorbehalten bleiben, weil es hier lediglich darauf ankam, eine Einführung in die grundsätzliche Problematik zu geben.

Bei aller Vorsicht gegenüber äußerlichen Epochenbezeichnungen und künstlich geschaffenen Schubfächern hat die Herausarbeitung des Typischen und Gemeinsamen einer Epoche ihre Berechtigung; denn das Auftreten geistiger und künstlerischer Nachbarschaft oder gar Verwandtschaft ist ein aufschlußreiches und beachtenswertes Faktum in der Geschichte unserer Kultur. Die Abgrenzung neuer Strömungen von älteren, die Übergänge vom Vorangegangenen zum Folgenden drängen sich einer literaturgeschichtlichen Betrachtung, die sich mit einer losgelösten, isolierten Betrachtung des Einzelwerkes nicht zufriedengibt, weil sie deren Unzulänglichkeit einsieht, von selbst auf. Die Frage nach dem Weiterwirken, Lebendigbleiben und den Anstößen für Neu- und Umgestaltungen gibt dem Einzelwerk und seinem Verfasser erst das notwendige Gewicht und stützt die jeder Generation aufgetragene Wertung. Dabei wird es das besondere Anliegen eines sinnvoll erarbeiteten Epochenverständnisses bleiben, in der Vielfalt der Erscheinungen das Bleibende, Daseinerhellende, Lebensnotwendige und Menschen- wie Personenbildende des betreffenden Zeitabschnittes im Auge zu behalten und immer wiederkehrende Möglichkeiten der Lebensbewältigung und somit menschlicher Seinsweise schlechthin herauszustellen. Nur in einer solchen anthropozentrischen Sicht wächst das Verständnis für die Eigenart und den wechselnden Anspruch bestimmter Zeitauffassungen.

In diesem Sinn konnten für die Hauptabschnitte die allgemein gebräuchlichen Epochenbezeichnungen z. T. beibehalten werden, ebenso für die zeitbedingten Unterabschnitte. Daneben vermitteln die Seitenglossen die eigentlichen Aspekte der Betrachtung bzw. deren Ergebnisse. Sie versuchen, die charakteristischen Züge eines Dichters und die wichtigsten Anliegen des Denkens und künstlerischen Schaffens einer Epoche zum Ausdruck zu bringen. Möglichst verständlich und eindeutig geben sie kurzgefaßt und zugespitzt die Quintessenz der Darstellung, ohne zu simplifizieren und zu konstruieren. Damit aber werden sie gleichzeitig zu Gliederungspunkten und Gedächtnisstützen und erleichtern Zusammenfassung und Überblick. Diese, das jeweils Wesentliche bezeichnenden Glossen verbinden das Dargelegte auch mit dem Textband (*Wege der deutschen Literatur – Ein Lesebuch*, Ullstein Buch), der zur weiteren Vertiefung herangezogen werden kann. Die dort gebotenen, exemplarisch zu verstehenden literarischen Zeugnisse ermöglichen es, die hier aufgezeigten literarhistorischen Entwicklungen und anthropologischen Seinsweisen zu überprüfen und zu ergänzen; vor allem aber dienen sie der Veranschaulichung.

Die Verfasser stimmen der Ansicht von Hans Robert Jauß zu,

wenn er sagt: »Das literarische Werk ist kein für sich bestehendes Objekt, das jedem Betrachter zu jeder Zeit den gleichen Anblick darbietet. Es ist kein Monument, das monologisch sein zeitloses Wesen offenbart. Es ist vielmehr wie eine Partitur, auf die immer erneuerte Resonanz der Lektüre angelegt, die den Text aus der Materie der Worte erlöst und ihn zu aktuellem Dasein bringt.« Bei diesem Prozeß der Aneignung (wobei »literarische Bildung« als existentielle Bereicherung verstanden wird) will dieser Band helfen – indem er Vergangenes vergegenwärtigt, Gegenwärtiges ordnet und übersichtlich macht –, Zusammenhängen nachzugehen und Anregungen zum Nachdenken sowie zu selbständiger Lektüre zu geben. Eine literaturgeschichtliche Orientierungshilfe darf weder als Enzyklopädie noch als verbindlicher Kanon (als Richtschnur, Leitfaden) verstanden werden; geweckt werden soll die Freude, sich mit literarischen Phänomenen auseinanderzusetzen.

»Wenn Geschichte nicht verwechselt wird mit bloß Gewesenem; wenn Geschichte aktiviertes Gedächtnis ist, eingeholte Vergangenheit; wenn Geschichte betreiben heißt, eine Sache aus ihren Voraussetzungen verstehen und in ihren Folgen; wenn, mit einem Wort, Geschichte als Unterbau der jeweiligen Gegenwart verstanden wird, als Chance, aus Vergangenem das Gegenwärtige zu begreifen und das Künftige zu vermuten; dann ist Geschichte die redlichste Schutzwehr gegen die Verführung durch plakative Illusion und penetrante Ideologie, gegen die Suggestion der heillosen Heilsversprechung.« (Peter Wapnewski)

Die Position, von der aus diese Literaturgeschichte vor langer Zeit (1961) geschrieben wurde, brauchte nicht verändert zu werden; im Gegenteil; nach einer Phase der Abwertung von Geschichtsverständnis besteht heute wieder und zunehmend ein Bedürfnis nach historischer Orientierung. Wie das Vorwort zur ersten Auflage deutlich macht, ging es den Verfassern freilich von Anfang an darum, Historismus und Positivismus zu vermeiden und statt dessen die in geschichtlichen Abläufen zutage tretenden geistig-seelischen Strukturen sichtbar zu machen. Diese anthropozentrische Sicht soll nicht privatistische Unverbindlichkeit fördern; unser Blick für die sozio-ökonomischen wie rezeptionsästhetischen (die Publikumswirkung beachtenden) Bedingtheiten ist heute schärfer geworden; doch darf neben der gesellschaftlichen Relevanz von Literatur ihre Bedeutung für das Selbstverständnis des Individuums nicht unterschätzt werden. Sowohl für den einzelnen wie für die Gesellschaft erweisen sich Literatur und Literaturgeschichte als das große Arsenal eines pluralen Menschenbildes, als historisch sich darbietende »Seelenbilder«, die uns zum Vergleich und zur Auseinandersetzung mit unserem Psychogramm auffordern, ja dieses erst überhaupt bewußt zu machen helfen. Begriffen wie »Pluralismus«, »Menschenbild«, »Lebenshilfe« ist eine berechtigte Skepsis entgegenzubringen; sie können leicht zu affirmativen Leerformeln werden; das ändert nichts an der Notwendigkeit, weiterhin, am Beispiel und mit Hilfe der Literatur, um die Deutung des Menschen sich zu bemühen. Die vorliegende Darstellung versucht dabei, sowohl den »Jargon der Eigentlichkeit« als auch den »Jargon der Dialektik« zu vermeiden, mit Einfühlung und Engagement (auf der Basis von Information*) den »Wegen der deutschen Literatur« nachzuspüren – bis in die unmittelbare Gegenwart hinein.

Für die Auflage 1989 wurden nicht nur umfangreiche Ergänzungen vorgenommen; der Band wurde in weiten Bereichen umgearbeitet und neugeschrieben. Bei allem Erfolg, wie er der Darstellung seinerzeit und in den darauffolgenden Jahren zuteil wurde, wollten die Verfasser ihren Leserinnen und Lesern gegenüber nicht die »Keuner-Erfahrung« machen: »Ein Mann, der Herrn K. lange nicht gesehen hatte, begrüßte ihn mit den Worten: ›Sie haben sich gar nicht verändert.‹ ›Oh!‹ sagte Herr K. und erbleichte.« (Bertolt Brecht)

---

* Die Daten der Werkangaben betreffen (ausgenommen die Handschriften des Mittelalters) Erstveröffentlichungen, d. h. auch Vorabdrucke in Zeitschriften und bei Schauspielen Erstaufführungen, soweit diese vor der Drucklegung erfolgten. Divergenzen zwischen früheren und endgültigen Fassungen sind insofern berücksichtigt, als bei gravierenden Unterschieden das Datum der vollständigen Ausgabe genannt ist. In gleicher Weise geschieht die Wiedergabe der gelegentlich unterschiedlichen Titel der Ausgaben.

ALTDEUTSCHE DICHTUNG

Was hier unter dem Begriff »Altdeutsche Dichtung« zusammengefaßt wird, reicht von den literarischen Zeugnissen der vordeutschen Ursprünge über die Entfaltung der kirchlichen Literatur bis zur ritterlich-höfischen Blütezeit und zum Ausgang des Mittelalters.

In das Dunkel der germanischen Dichtung senkt die deutsche Dichtung ihre Wurzeln. Beim Fehlen jeder schriftlichen Überlieferung kann der hohe Stand der Kultur bei der damals noch ungetrennt lebenden germanischen Völkerfamilie nur aus frühen Ablagerungen in späteren literarischen Werken – besonders der literarischen Kleinkunst – erschlossen werden.

Erst seit dem 8. Jahrhundert, einer Zeit also, in der die antike Überlieferung und die Lehren des Christentums zu ernsthafter und verinnerlichter Auseinandersetzung anregten, gibt es eine literarische Tradition. Von da ab sind wir nicht mehr ausschließlich auf den heidnischen Bodensatz in lebendig gebliebenen Sprüchen, Rätseln und anderen Kleinformen angewiesen, wenn wir Zeit und Schaffen, Geist und Wollen, künstlerische Mittel und sprachliche Gestaltung würdigen.

In der Zeit der fränkischen Kaiser liegen die Ansätze zum eigentlich deutschen Schrifttum in althoch- und altniederdeutscher Sprache. Es findet in der Gestalt Karls des Großen ein hohes Vorbild und einen mächtigen Förderer. Jetzt taucht auch der Begriff der lingua theodisca auf, der die heimische Sprache meint und sie vom Lateinischen und Romanischen absetzt. Die lebhafte Auseinandersetzung mit dem Christentum prägt entscheidend den geistigen Charakter dieser Dichtung, die sich dann unter den Ottonen und ihrer Hinwendung zur Antike auch noch der lateinischen Sprache bedient. Das 11. und 12. Jahrhundert schließlich, besonders die Zeit der Salier, greifen in brennend ernstem religiösem Ringen die Fragen des Glaubens auf und geben die Dichtung fast ausschließlich in die Hände der

Geistlichen. Die Bewegung von Cluny, die Anfänge der Scholastik und Mystik sowie das Trauma der Kreuzzüge liefern den weltanschaulichen Hintergrund für das im wesentlichen religiös und kirchlich bestimmte Schrifttum dieser Zeit.

Um 1150 setzt ein jäher Umbruch ein, der schließlich mit der ritterlich-höfischen Dichtung die erste große Blütezeit der deutschen Dichtung heraufführen sollte. Ein neues Menschenbild mit eigenem Denken, Empfinden und Daseinsgefühl sowie mit eigener Kunstform und Sprache (den mittelhochdeutschen Dialekten) tritt uns entgegen, das nach außen hin im kaiserlichen Glanz der Stauferzeit sichtbaren Ausdruck fand, innerlich aber seine gesellschaftlichen und künstlerischen Ideale mit den sittlich-humanen des Christentums zu vereinen wußte.

Der Untergang der kaiserlichen Macht bringt dann freilich rasch auch das Ende dieser Blütezeit. Die Literatur des ausgehenden Mittelalters bietet ein buntschillernd herbstliches Bild, das neben Verfall und Abbau allerdings auch vielfach neue Ansätze und stilles Wachstum aufweist. In schweren Kämpfen, Plagen, Nöten erkennen wir die Wehen zur Geburt eines neuen Zeitalters.

Die Betrachtung der deutschen Literatur kann erst dort einsetzen, wo Literatur Sprachkunst wird, wo über die bloße Nutz- und Zweckanwendung des Wortes hinaus der menschliche Geist die Schönheit der Sprache begreift und auch aus ästhetischen Gründen zu formen, zu bilden, zu sprechen und zu schreiben beginnt. Wo aber liegt solcher Anfang? Ist es vielleicht so – wie Johann Georg Hamann meinte –, daß überhaupt die Poesie die Muttersprache des menschlichen Geschlechts ist? Hat sich jener Goldschmied, der um 400 n. Chr. auf dem (zu kultischem Gebrauch gedachten) *Trinkhorn von Gallehus* mit Runen stolz seinen Namen einritzte, nicht auch schon als Sprachkünstler erwiesen, als er die rollenden R und die gaumenden H zum stabenden Reim zusammenfügte?

ERSTE KUNDE

ᛖᚲ ᚺᛚᛖᚹᚨᚷᚨᛋᛏᛁᛉ ᚺᛟᛚᛏᛁᛃᚨᛉ ᚺᛟᚱᚾᚨ ᛏᚨᚹᛁᛞᛟ

ek	h l	ewagastiR	holtijaR	horn a	tawido
Ich,		Hlewagast,	der Holting,	das Horn	stellte her

Bei den germanischen Schriftzeichen der Runen (ahd. runa = Geheimnis) unterscheidet man Losrunen und die daraus hervorgehenden jüngeren Schriftrunen. Bei den Losrunen handelt es sich um Buchenholzstäbchen (daraus unser »Buchstabe«), in die geheimnisvolle Losungen eingeschnitzt waren und die vom Priester mit abgewandtem Gesicht auf den Boden geworfen wurden. Er las sie auf (davon »lesen«) und verwendete sie zur Deutung des göttlichen Willens.

Die Schriftrunen wurden in Holz, Stein oder Metall geritzt; sie dürften wohl zwischen dem 1. Jahrhundert v. Chr. und dem 2. Jahrhundert n. Chr. entstanden sein und sich an das lateinische Schriftvorbild gehalten haben.

Der auf das Germanische weisende althochdeutsche Vers besteht aus einer Langzeile, die in zwei Halb- oder Kurzzeilen zerfällt. Jede Halbzeile hat zwei Hebungen (die Anzahl der dazwischenliegenden Senkungen ist nicht festgelegt), die »stabend« reimen, d. h. die erste und die zweite (später nur noch die erste) Hebung der einen Kurzzeile beginnt mit dem gleichen Buchstaben wie die Hebung der nachfolgenden Kurzzeile: Ek *Hl*ewagastiR *H*oltijaR *H*orna tawido.

Die Literatur der Germanen ist in ihren frühen Anfängen wahrscheinlich Kultdichtung gewesen: Gebete, Opfersprüche, Götterpreislieder. Felsritzungen weisen auch hin auf ein Jahreslaufspiel vom sterbenden und auferstehenden Gott. WORT UND MAGIE Sprichwörter, mythische Rätseldichtungen und Losungen gingen von Mund zu Mund. Wir hören von Seherinnen, die als geehrte Gäste zu den Bauern kamen und ihnen Aufklärung über die Ernteaussichten und die Gesundheit von Mensch und Vieh erteilten: »Unbesät werden Äcker tragen. / Böses wird besser, Balder kehrt heim.« Zaubersprüche wurden gemurmelt, Wunden, Geschwüre, verletzte Gliedmaßen und andere Krankheiten »besprochen«:

»Bên zi bêna, / bluot zi bluoda, / lid zi geliden. / sôse gelîmida sîn!
– Bein zu Bein, Blut zu Blut, Glied zu Glied, als ob sie geleimt seien!«
lautet der zweite *Merseburger Zauberspruch*. Und der *Wurmsegen:*
»Geh aus, Wurm, mit neun Würmelein! / Vom Mark ins Bein! / Vom Bein ins Fleisch! / Vom Fleisch in die Haut! / Von der Haut in den Pfeil!«

Die beiden *Merseburger Zaubersprüche* (der andere zeigt, wie man einen Gefangenen mit Hilfe der Zauberformel befreien kann) weisen auf die heidnische Frühzeit hin. Sie wurden 1841 in der Dombibliothek zu Merseburg gefunden und dementsprechend benannt. Viele der besonders wirksamen Zaubersprüche sind später vom Christentum aufgenommen und umgeformt worden: *Lorscher Bienensegen; Straßburger Blutsegen* (zum Blutstillen); *Weingartner Reisesegen.*

Von den weltlichen Ereignissen ist es vor allem die Hochzeit gewesen, die den Germanen Anlaß zum Liede gab: die Verbindung der Menschen und ihre Schöpferkraft in der Zeugung. Beim Hochzeitsleich (brudleih, brydlâc) taten sich die Teilnehmer zum Reigentanz zusammen. Man vermutet auch Tanzlieder, Chorgesänge zu Gelagen, zu Leichenfeiern und wirklichkeitsnahe Arbeitslieder. Es mag auch schon eine ums Detail bemühte lyrische Aussage gegeben haben, wie sie uns vergleichsweise aus der irischen Dichtung überliefert ist, mit einem feinnervigen, geradezu impressionistischen Verhältnis zur Natur etwa: »Kleines Getöse, liebliches Getöse, zarte Musik der Wellen, ein Kuckuck mit süßer Stimme auf Wipfeln. – Sonnenstäbchen spielen im Sonnenstrahl, die jungen Rinder haben... des Berges liebgewonnen. – Die Wellen reichten zum Kind hinauf und lachten ringsumher, und es lacht die Wellen an und berührte mit der Hand den Schaum der Wellenkämme, leckte den Wellenschaum wie den Schaum frischgemolkener Milch.«

Doch steht solch lieblich-arkadischer Weltsicht, die unter einem heiteren südlichen Himmel besser gedeihen konnte, die nordisch-mythische Dunkelheit entgegen.

Der germanische Glaube spiegelt die Fragwürdigkeit allen Seins, gründet in düsterer Weltendstimmung. Die wenigen Kunstwerke, die uns erhalten sind (z. B. der Drachenkopf von Oseberg), künden in ihrer barock verschlungenen Ornamentik davon; geheimnisvoll verstrickte Drachenkörper und Vögel sowie böse Geister überwiegen. – Siegfried und Beowulf müssen gegen furchtbares Getier kämpfen; Grausiges geschieht in Abgründen und Schluchten. Dräuende Köpfe steckten die Wikinger an den Bug ihrer Schiffe und mußten sie im heimischen Hafen wieder abnehmen, um die Geister des Landes nicht zu erschrecken.

GÖTTER-DÄMMERUNG

Der Lauf der Welt vollzieht sich in Schlag und Gegenschlag zwischen feindlichen Lagern. Böse Feinde sitzen um Midgard und Asgard, die Heimstätten der Menschen und Götter; der Fenriswolf, die Midgardschlange, Loki, Muspell und seine Söhne – eine ganze Brut wartet auf die Möglichkeit der Zerstörung. Am Rande der Welt sammeln sich alle zum Überfall: die Götter- und Menschendämmerung steht bevor. Sie werden eines Tages von draußen hereinbrechen und alle Schrecken entfesseln. Das Schlachtfeld ist schon ausgewählt. Der große Weltenbaum fault bereits; böse Tiere benagen seine Wurzeln und Äste. Was bleibt? Keine Rettung; nur das Aufsichnehmen des Schicksals. Stolz, tragischer Mut – der Mut des Verzweifelten: hugomstorr, hugstorr, storhugdigr, af modi storom... spricht etwa aus der Edda-Dichtung. (Nach H. Naumann)

DER HELDEN TATENRUHM

Dann bricht eine Zeit gewaltiger völkischer Umwälzungen an, die tiefe seelische Spuren im Bewußtsein und Unterbewußtsein der Menschen hinterläßt: Loslösung von Heimat und Scholle, von der Sippe, ein Hinausziehen in die Unsicherheit der Ferne, Begegnung mit anderen und höheren Kulturen, Zusammenstoß mit anderen Völkern. Aufstieg und Untergang, Sieg und Niederlage werden zum Mythos, der sich über Jahrhunderte in der Sage erhält.

375 n. Chr. waren die Hunnen ins Ostgotenreich eingefallen, die große Völkerwanderung der germanischen Stämme begann. Um 500 wird das Burgunderreich am Rhein ein Opfer der aus dem Osten vorstürmenden Horden. 410 wird Alarich im Busento in Süditalien begraben. 507 müssen die Westgoten vor den Franken auf den spanischen Raum zurückweichen. 493 zieht Theoderich in Ravenna ein, 533 fallen die letzten Ostgoten am Vesuv gegen eine überwältigende byzantinische Macht. 429 setzen die Vandalen nach Afrika über, 533 unterliegen sie gegen Ostrom. 568 strömen die langobardischen Stämme in die norditalienische Tiefebene ein.

Inmitten großräumiger Unternehmungen, die getragen werden von einem rückhaltlosen und rücksichtslosen Drang in die Weite, ist das Fühlen und Dichten dem Großen, Erhabenen zugewandt. Die Tat ist alles, der Ruhm alleiniger, unverlierbarer Besitz: »Besitz stirbt, / Sippen sterben, / Du selbst stirbst wie sie; / eins weiß ich, / das ewig lebt: der Toten Tatenruhm.«

Umgeworfen wird das alte Rechts- und Gesellschaftssystem der Gleichen unter Gleichen. Die Gefolgschaft bedarf harter und starker Führung in den Zeiten der Gefahr. Nur Helden können bestehen, ihnen gilt das Lied.

Priscus, der byzantinische Gesandte am Hof Attilas, erzählt, wie germanische Sänger Lieder zu dessen Ruhm sangen. – Cassiodor erwähnt, daß Theoderich dem Frankenkönig anläßlich seines Sieges über die Westgoten im Jahre 507 einen Sänger und Harfenspieler geschickt habe. – Als Gelimer, der letzte Vandalenkönig, in seiner Bergfeste belagert wird, erbittet er von seinen Feinden eine Harfe, um ein Lied über die Größe und Tragik seines Schicksals anstimmen zu können. – Wie Einhard berichtet, ließ Karl der Große die »alten barbarischen Lieder« sammeln und aufzeichnen; sein Sohn jedoch, Ludwig der Fromme, ordnete ihre Vernichtung an. Trotzdem wissen wir ungefähr, welche Form und welchen Inhalt sie besessen haben. In Island nämlich lebten die alten Götter- und Heldenlieder weiter, da sich hier der christliche Einfluß erst verhältnismäßig spät durchsetzen konnte. In der *Lieder-Edda* (Edda = Buch von Oddi) finden wir viele Texte allgemein-germanischen Ursprungs, so z. B. Hildebrands Sterbelied, das Lied von der Weltenschöpfung und dem Weltenbrand, von Wieland dem Schmied, von der Hunnenschlacht.

Die Heldenlieder sind wohl ursprünglich vor dem Herrn in der Halle und der festlich versammelten Kriegergefolgschaft, der Drucht, von einem kunstbegabten Standesgefährten vorgetragen worden. Später entwickelte sich eine eigene Form des Sängers; er hieß Skop, ahd. skopf, scof, kam weit herum, immer auf wîdsith (= Weitfahrt). Ein angelsächsisches Epos aus dieser Zeit ist danach *Wîdsith* benannt. Später haben Mönche die Heldenlieder aufgeschrieben und so teilweise bewahrt, freilich zugleich christianisiert und damit manches in ihrem Wesen verändert.

Wir kennen im wesentlichen fünf germanische Sagenkreise mit entsprechenden Heldenliedern:

1. den ostgotischen Sagenkreis mit Ermanarich, Theoderich (Dietrich von Bern) und Hildebrand, dem Waffenmeister;

2. den Nibelungen-Sagenkreis mit einer nordischen und einer deutschen Fassung, behandelnd die Gestalten Gunther, Gernot, Giselher, Siegfried, Kriemhild, Hagen, Brünhild, Volker;

3. die westgotischen Sagen um Walter von Aquitanien;

4. die langobardischen Sagen um König Rother;

5. den Merowinger-Sagenkreis mit Hugdietrich und Wolfdietrich, das sind Chlodwig und sein Sohn.

In einer Zeit drohender Ungewißheit, ruheloser Wanderung gedeihen Mißtrauen und Angst. »Auf der Hut« muß jeder überall sein. »Nach allen Türen, eh man eintritt / soll sorglich WÊWURT man sehen, / soll scharf man schau'n: / Nicht weißt du SKIHIT gewiß, ob nicht weilt ein Feind / auf der Diele vor dir.« – »Von seinen Waffen / weiche der Mann / keinen Fuß auf dem Feld, / denn er weiß nicht genau, / wann auf den Wegen / des Speers er draußen bedarf.« – »Mit dem Gere nehme man Gaben entgegen, Spitze gegen Spitze.« – Nur dem Freund kann man trauen: »Jung war ich einst, / einsam zog ich, / da ward wirr mein Weg; / glücklich war ich, / als den Begleiter ich fand, / den Menschen freut der Mensch.« – Oft aber steht selbst der Freund, der Vater oder der Sohn in den Reihen des Feindes. Was geschichtlich von der Schlacht auf den Katalaunischen Feldern als Tatsache überliefert ist, daß Goten gegen Goten, Germanen gegen Germanen kämpften, durchweht die Sage als Sippenzwiespalt, -kampf und -rache; Hildebrand steht gegen Hadubrand.

Alle Züge, die den germanischen Menschen der Völkerwande-

rungszeit, d. h. der vorchristlichen Epoche, kennzeichnen, abheben
vom Vor- und Nachher, seine große Stunde und seine Tragik ausmachen, sind eingefangen im *Hildebrandslied*.

Dreißig Jahre sind es her, daß der Held mit seinem Gefolgsherrn Dietrich
von Bern vor Odoaker aus dem Lande hat weichen müssen. Frau und Kinder
ließ er zurück. Bei seiner Rückkehr trifft er mit dem nun voll erwachsenen
Sohn zusammen, der ihn als »alten Hunn« schmählich beschimpft. Hildebrand weiß, daß es der eigene Sohn ist, der ihm nun gegenübersteht, und
sucht ihn zu besänftigen; aber das starrsinnige Mißtrauen des Jungen, die
Beschimpfungen, vor allem der Vorwurf der Feigheit, treffen seine Kriegere-
ehre so, daß er sich zum Kampfe rüstet. Der Sieg des Vaters bedeutet den Tod
des Sohnes. – Aber vorher bricht das Lied ab, über den tragischen Ausgang
keinen Zweifel lassend.
   Der Ursprung des Hildebrandsliedes dürfte in Bayern zu suchen sein. Es
ging aus der gotischen Dietrichsage hervor und wurde aus dem süddeutschen
Raum an die übrigen Stämme weitervermittelt. Im fränkischen Gebiet ist es
um 810 niedergeschrieben worden – und zwar niederdeutsch eingefärbt.

Das harte Geschehen spiegelt sich in der Sprache, knapp im Ausdruck und bildhaft in der Wortwahl, sowie in den dramatischen Wech-
selreden der unterschiedlichen Charaktere. Eine rauhe und harte
Tonformung untermalt die Unerbittlichkeit des Schicksals: »Welaga
nû, waltant got, wêwurt skihit«, sagt Hildebrand. »Wêwurt« ist das
Unheil, das über den Menschen nach göttlichem Ratschluß herein-
bricht; willenlos ist man ihm ausgeliefert, handelnd vollzieht man es
selbst. Held ist, wer dem Schicksal nicht ausweicht. Das Leben kann
für Hildebrand nun keinen Wert mehr haben; aber in der germanischen Ordnung der Werte steht die Ehre am höchsten.

Vom 3. bis zum 8. Jahrhundert haben die Germanen – meist durch freie Entscheidung – das Christentum angenommen. Die gotische *Bibelübersetzung* des **Wulfila**, die Gestalten der West-
EK GELÔBO gotenkönige und des Ostgoten Theoderich, die Gesetz-
IN GOT gebung der Langobarden mit wesentlich christlichen Elementen sind Zeugen für die Fruchtbarkeit die-ser Verschmelzung. Der Frankenkönig Chlodwig nahm als Sieger das Christentum an. Irische Missionare, die oft nur auf sich gestellt wa-ren, ohne weltliche Macht im Hintergrund, stießen in die Gebiete des heutigen Deutschland vor.

Die Bibelübersetzung des Westgoten Wulfila (ca. 311–382) ist aber noch aus einem anderen Grund von besonderer Bedeutung: Sie stellt das älteste Denk-mal germanischer Sprache und Schrift dar. Wulfila, der als Abkömm-ling kleinasiatischer Christen zum arianischen Bischof geweiht worden war (340), entwickelte eine neue (gotische) Schrift, die sich vorwiegend aus grie-chischen Buchstaben, aber auch aus lateinischen Schriftzeichen und germa-nischen Runen zusammensetzte. – Das Original ist verlorengegangen. Von den Resten der Abschriften findet sich das schönste Stück in der Universi-tätsbibliothek zu Upsala (Schweden), der *Codex argenteus*.

Der Germane, der in der Völkerwanderungszeit die ganze Unsicher-heit des irdischen Daseins erleben und die Gefährdung des einzelnen Menschen wie die der Völker an seinem eigenen Leibe oder am Schicksal der anderen erfahren mußte, fühlte sich, gnadenlos einem unbarmherzigen, unerbittlichen Geschick unterworfen, angesichts des Todes von tiefer Erschütterung heimgesucht. Nun öffnete er sich dem Christentum, das seine Seele geheimnisvoll anrührte, ihm die Ahnung eines jenseitigen Lebens bestätigte und Geborgenheit ver-hieß. Gottvater und Christus sind die neuen »Gefolgsherren«, denen man Treue bis in den Tod gelobt: »Ek gelôbo in got.«

»Gilaubistû in got fater almahtîgan?« hebt das *Fränkische Taufgelöbnis* an und fährt fort: »Ih gilaubu. Gilaubistû in Christ gotes sun nerienton? Ih gilaubu. Gilaubistû in heilagan geist? Ih gilaubu.«

Alles, worum der Mensch bislang hatte ringen müssen, was er verehrte und ersehnte: Vater, Macht, Reich, Brot, was ihn verstrickte: Versuchung, Schuld, Übel und Not – all das erlebt er im christlichen Glauben unter neuer Sicht. Es wird in eindeutigen moralischen Gesetzen und Geboten verankert. Gelöst und halb schon erlöst überantwortet sich der Germane der christlichen Ordnung. Das uns vielfach überlieferte *Vaterunser* mag so am Anfang jeder Bekehrung gestanden haben. Im *Weißenburger Katechismus* des 9. Jahrhunderts lautet es:

»Fater unsêr, thu in himilom bist, giuuîhit sî namo thin; quaeme richi thîn: uuerdhe uuilleo thin, sama sô in himile endi in erthu. Broot unseraz emezzigaz gib uns hiuti. Endi farlâz uns sculdhi unsero, sama sô uuir farlâzzêm scolôm unserêm. Endi ni gileidi unsih in costunga, auh arlôsi unsih fona ubile. Amen.«

Der Germane sann über den engen Kreis des Daseins hinaus, auch wenn Mittelgart, die vom Wasser umgürtete Erde, ihm der Grund aller Wirklichkeit war. Seinem spekulativen Geist kam WELT- das Christentum entgegen, indem es sowohl die Frage SCHÖPFUNG nach dem ersten wie nach dem letzten Tag stellte, UND -ENDE Weltschöpfung und Menschheitsdämmerung mit in den Mittelpunkt der Glaubenslehre brachte. Zwei Werke der christlich-germanischen Literatur sind erhalten, die der »Wunder größtes« und der »Schrecken schrecklichsten« sich zum Thema setzten. In neun stabreimenden Langzeilen schildert das *Wessobrunner Gebet* die Erde vor der Erschaffung durch Gott und läßt so auf dem Hintergrund der gewaltigen Öde und Leere die Größe der Schöpfungstat ahnen:

»Dat gafregin ih mit firahim   firiuuizzo meista,
dat ero ni uuas   noh ûfhimil,
noh paum ...   noh pereg ni uuas,
ni ... nohheinîg   noh sunna ni scein ...«

»Das erfragte ich unter den Menschen als der Wunder größtes, / daß Erde nicht war, noch das Himmelsgewölbe, / noch Baum, noch Berg nicht war, / noch irgendeines, noch die Sonne nicht schien, / noch der

Mond nicht leuchtete, noch der Meersee. / Als da nichts war der En-
den noch der Wenden, / und da war der eine allmächtige Gott, / der
Männer mildester, und da waren auch manche mit ihm, / gütliche
Geister.«

Muspilli dagegen gibt die Schilderung des Weltendes und des Jüngsten Gerichts: Die Seele wird vor den Richterstuhl Gottes gebracht,
eine apokalyptische Vision heraufbeschworen:

> »Das Moor saugt sich auf, in Lohe versengt der Himmel,
> Mond fällt. Mittelgart brennt.
> Stein stürzt. So fährt der Straftag in die Lande.
> Fährt mit dem Feuer durch die Völker.
> Da kann kein Verwandter dem anderen helfen vor dem Weltbrande,
> Wenn der breite Glutregen alles verbrennt
> Und Feuer und Luft alles verfegt.
> Wo ist dann die Mark, um die man mit seinen Magen stritt?
> Die Mark ist verbrannt, die Seele steht gebannt.
> Wer weiß, mit welcher Strafe: so fährt sie hin zum Male...«

Das Wessobrunner Gebet ist wahrscheinlich kurz nach 800 in Sankt Emmeram in Regensburg niedergeschrieben worden. Die Darstellung des Chaos
beruht auf nordischen Quellen, die über die angelsächsische Dichtung nach
Deutschland gebracht worden waren.

Die Sprachform des Muspilli weist ins späte 9. Jahrhundert. Ein Bayer hat
das Gedicht auf die leeren Blätter einer Handschrift gesetzt, die in St. Emmeram gefunden wurde. Die verhältnismäßig späten erhaltenen Niederschriften dürfen nicht darüber hinwegtäuschen, daß beide Gedichte wesentlich
älter sind.

Die Christianisierung bedeutete nicht, daß nun im Künstlerischen
alle Tradition abriß und das Christliche sich ungehindert entfaltete.

ZWISCHEN
STOLZ UND
DEMUT

Die germanische Welthaltung ist – seitdem Ludwig der
Fromme den Befehl zur Zerstörung der nichtchristli-
chen Literatur gab – zumindest unterschwellig noch
lange Zeit wirksam und dringt immer wieder in die
christlichen Werke der Mönche ein.

Das Hildebrandslied war in der uns erhaltenen Fassung Anfang des
9. Jahrhunderts in Fulda niedergeschrieben worden. Sieht man von
der zweimaligen Anrufung Gottes durch Hildebrand ab (irmingot,
waltant got), so spricht sich hier das heidnische Element noch ganz
freimütig und unbekümmert aus. – Das *Ludwigslied*, Preislied auf

den jungen Westfrankenkönig Ludwig, der die Normannen 881 bei
Saucourt schlug, rückt zwar vom alten Typus in Form und Inhalt ab.
Der Sieg ist zugleich ein Sieg Gottes, der Herrscher ein christlicher
Held, Diener Gottes. Die Schlacht beginnt mit einem geistlichen
Lied auf seiten der Franken. Dennoch bewahrt die Dichtung wesentliche Züge des germanischen gefolgschaftlichen Denkens und erinnert in vielem an das germanische Fürstenpreislied. Gott ist Ludwigs
magaczogo (Erzieher), Ludwig steht zu ihm in einer Art Gefolg-
schaftsverhältnis. Am Ende singt der Dichter weniger das Lob Gottes
als ein Heil dem König, der den Sieg errungen hat. Gott der Herr, so
heißt es, verlieh Ludwig viele Tugenden, vor allem aber »fronisc gi-
thigini, / stuol hier in Vrankôn« (»kühne Gefolgsmannen, einen
Thron hier in Franken«).

Und selbst dort, wo das Preis- und Heldenlied in voller Umkeh-
rung seines ursprünglichen Sinnes zur Darstellung von Leben und
Leid des »sanftmütigen, gütigen Christus« verwendet wird, sind germanische Elemente – Stolz, Aufbegehren, Kampf- und Streitmut,
auch die Angst vor dem Schicksal – nicht verkennbar.

Ein niedersächsischer, wohl dem Landadel entstammender und
mit der Skopdichtung vertrauter Geistlicher schuf im Auftrag Ludwigs des Frommen um 830 den *Heliand,* ein gewaltiges Epos mit 6000
Versen über das Leben Jesu. Das Bemühen des Verfassers um eine
deutsche Schriftsprache steht im Dienste der Verbreitung des Christentums.

Im Mittelpunkt der Messiade steht die Bergpredigt, die Botschaft des Friedens, der Liebe und Demut; aber sie kommt aus dem Munde eines majestä-
tisch gebietenden Gottessohnes und Ehrfurcht einflößenden Gefolgsherrn,
des »hebancuning« (Himmelskönigs), dem die Jünger »gesidos« (Gefolgsleute) sind. Auch in Einzelszenen kann der christliche Verfasser sein germanisches Erbe nicht verleugnen, etwa bei der Gefangennahme Christi, als die
trauernden Jünger im Kreise um den Herrn untätig dastehen, bis Petrus
plötzlich der Zorn packt und ihm der »Mut wallt«:

> »... Da erboste sich
> der schnelle Schwertdegen, Simon Petrus:
> ihm wallte wild der Mut, kein Wort mocht' er sprechen,
> so härmt' es ihm im Herzen, als sie den Herrn ihm da
> zu greifen begehrten. Ingrimmig ging
> der dreiste Degen vor den Dienstherrn steh'n,

> hart vor seinen Herrn. Sein Herz war entschieden,
> nicht blöd in der Brust. Blitzschnell zog er
> das Schwert von der Seite und schlug und traf
> den vordersten Feind mit voller Kraft,
> davon Malchus ward durch des Messers Schärfe
> an der rechten Seite mit dem Schwert gezeichnet,
> am Gehör verhauen; das Haupt war ihm wund,
> daß ihm waffenblutig Backen und Ohr
> barst im Gebein und das Blut nachsprang
> aus der Wunde wallend. Als die Wange schartig war
> dem vordersten Feinde, wich das Volk zurück,
> den Schwertbiß scheuend.«

Zum Germanisch-Christlichen fügt Karl der Große das Römisch-Christliche als neues Element hinzu. Er bemüht sich um eine Wiederbelebung der Antike (Karolingische Renaissance), beschäftigt sich vorzugsweise mit Augustins Buch *De civitate Dei* und beruft den

CHRISTEN-
TUM IM ZEI-
CHEN DER
ANTIKE

gelehrten Angelsachsen **Alkuin** an seinen Hof. Die christliche Unterweisung des Volkes und seiner geistigen wie geistlichen Führer soll auf dem Boden des antiken Bildungsgutes, der artes liberales, erfolgen. Zentrum der Bemühungen ist Aachen. Eine Akademie wird gegründet, eine Bibliothek angelegt, Handschriften antiker Autoren werden vervielfältigt, Kommentare verfaßt. Neben Alkuin wirken als Historiker der Franke **Einhard,** der in seine *Vita Caroli magni* willkürlich und ohne Anpassung ganze Sätze, ja Abschnitte aus Sueton einfügt, und **Paulus Diaconus,** der eine *Langobardengeschichte* schreibt. **Hrabanus Maurus,** Schüler Alkuins, wird später Leiter der Klosterschule in Fulda, 847 Erzbischof von Mainz. Die Anregung, die Karl gibt, wird aufgegriffen: Klöster, Stifte, Schulen widmen sich systematisch der Erarbeitung antik-christlichen Bildungsgutes. In Bayern treten hervor: Salzburg, Freising, Regensburg (mit dem Kloster Sankt Emmeram), im Alemannischen Sankt Gallen, die Reichenau (mit dem Abt **Walafried Strabus**) und deren Tochtergründung Murbach im Elsaß, ferner Würzburg und Fulda, Lorsch und Mainz im fränkischen Raum.

In einem Augenblick, als die Germanen noch unfähig waren, dem großen Reichtum ihrer Phantasie Gestalt zu geben, ihre Kunst formlos und traditionslos dastand, auf der anderen Seite der lateinische

Süden mit seinem Überfluß an überlieferter Form, aber ohne die tragenden Seelenkräfte, schwach geworden war, »hob Karl nicht nur die deutsche, sondern die ganze abendländische Kunst über den toten Punkt hinweg, als er sein deutsches Volk nötigte, in die Überlieferung der Antike einzutreten« (Georg Dehio).

Die entscheidenden Auswirkungen dieser Verbindung sollten sich freilich erst viel später einstellen. Die Zeit nach Karl ist zunächst geprägt durch ein tastendes Sich-Orientieren im neuen Kulturraum, vergleichbar den ersten Lese- und Schreibversuchen aufnahmebereiter, aber noch ungewandter Schüler. Die praktisch-religiösen Bedürfnisse stehen im Vordergrund: man übersetzt und kommentiert katechetische Hauptstücke, das apostolische Credo, Taufgelöbnisse, Anleitungen zur Beichte, die Ordensregel des heiligen Benedikt (von der sich Karl 787 bei einem Besuch in Monte Cassino eine Abschrift hatte geben lassen).

Die ersten Übersetzungen versuchte man auf dem Gebiet des Wörterbuchs oder Glossars. Mit sklavischer Treue zum Urtext wird Wort für Wort, Satz um Satz eingedeutscht, ohne Zusammenhang mit dem Gesamtsinn.

Die umfänglichste Übertragung dieser Zeit war die der lateinischen Version der *Evangelienharmonie* Tatians, die von einigen Mönchen in Fulda unter Leitung ihres Abtes Hrabanus Maurus vorgenommen wurde. Man hielt sich auch hier noch sehr eng an die lateinische Vorlage, übertrug also z. B. die typischen Infinitiv- und Partizipialkonstruktionen wortwörtlich. – Hrabanus, der bedeutsame Anreger, der Bibliothek und Schule zu Fulda einem Höhepunkt zuführte, war ein Rheinfranke aus der Mainzer Gegend. Er wurde 776 geboren und 822 Abt des Klosters, das er zu einem Zentrum fränkischer Bildung machte. 847 erfolgte seine Berufung auf den Mainzer Erzbischofsstuhl. 856 ist er gestorben.

Um 870 schloß **Otfried,** der Schulleiter des Klosters Weißenburg, sein großes Gedicht vom *Leben und Leiden Christi* (den »Krist«) ab.

POETISCHE
FORMUNG

Schon rein äußerlich ist nun der Bruch mit der germanischen Dichtung vollständig vollzogen: das Werk hat das Gewand des viertaktigen, stablosen, paarigen Endreimverses erhalten. Otfried ist ein Neuerer, er sucht das Ohr des Laien durch dichterische Form zu gewinnen. Im Gegensatz zum Verfasser des »Heliand«, der in der Ausmalung realistischer Szenen schwelgt (etwa der Verwandlung des Wassers in Wein bei der Hochzeit zu Kana, die in der Ausgelassenheit eines germanischen Festgelages geschildert wird), gibt Otfried nur die trockene Erwähnung: »Da zerging das Getränk, und es gebrach an Wein.« Der biblische Stoff ist außerdem bei Otfried mit theologischer Gelehrsamkeit umsponnen, Auslegungen der Bibelworte sind eingefügt, die Stoffdarbietung wird mehr und mehr zum dogmatischen Lehrbuch.

Auf der anderen Seite jedoch zeigt sich eine überraschende, bis jetzt in der Dichtung fehlende Innigkeit und Zartheit lyrischen Gefühls. Gerade die Schilderung Mariens weist in ihrer poetischen Farbig- und Lieblichkeit einen neuen Weg. Mariä Verkündigung durch den Engel Gabriel lautet bei Otfried:

»Du schimmernd weißer Edelstein,   der Erde lenkt und Himmelreich
Jungfrau Maria keusch und rein,   und alles, was da lebt, zugleich.
vor allen Frauen, die geboren,   Er war es, der die Welt erschuf
bist du zur Mutter auserkoren.   – zu künden dies, ist mein Beruf –,
Denn einen Sohn wirst du erhalten,   Gottvaters einziger Sohn, ihm gleich
der über alle Welt soll walten,   von Ewigkeit zu Ewigkeit.«

Die Klage der Maria Magdalena am Grab faßt der Dichter in die weichen Strophen:

»Mir ist ser ubar ser,   Sie eigun mir ginomanan
ni ubarwintu ih iz mer,   liabon druhtin minan,
ni wan es untar manne   thaz min liaba herza:
iamer drost gewinne!   bi thiu ruarit mih thiu smerza.«

Nach Otfried bricht die hoffnungsvoll begonnene Dichtung in deutscher Sprache zunächst wieder ab. In dem Jahrhundert nach Karl

LATEINISCHES ZWISCHENSPIEL dem Großen gewinnt die Geistlichkeit immer mehr an Einfluß. Sie bekennt sich nicht nur zum antik-christlichen Geist, sondern auch zur lateinischen Sprache. Zusammen mit der Politik der sächsischen und salischen Kaiser, die vorwiegend auf Italien ausgerichtet ist, wendet sich der Blick der um Bildung Bemühten nach Rom. Horaz und Vergil werden zu Vorbildern (»Ottonische Renaissance«).

Ein unbekannter Autor (wohl nicht der Mönch **Ekkehard** aus St. Gallen, wie man ursprünglich glaubte) nahm sich Vergils »Aeneis« zum Vorbild und übertrug eines der ältesten germanischen Heldenlieder, das Geschehen um Hildegund und Walther sowie Hagen von Tronje, die sich als Geiseln am Hofe Attilas befinden und von dort fliehen, in lateinische Hexameter: *Waltharius manu fortis* (um 900).

Um 940 wurde von einem lothringischen Mönch ein Tierepos in lateinischen Hexametern, eine Allegorie über die Flucht eines Geistlichen mit vielen zeitgeschichtlichen Anspielungen, aufgezeichnet: *Ecbasis captivi.*

Die gelehrte Nonne **Roswitha von Gandersheim** (im Harz) schuf nach dem Vorbild der römischen Dichter Terenz und Plautus zwischen den Jahren 960 und 970 Dramen in lateinischer Prosa. Dabei wollte sie die Märtyrer und Märtyrerinnen des christlichen Glaubens verherrlichen und deren Tugend auf dem Hintergrund oft recht realistisch und derb gezeichneter Szenen hervorheben. Bei der Schilderung der Hölle (»Unheimliches Leuchten – da standen sie, bleiche Gesichter, / die fahlen Lichter in ausgemergelten Händen, / die Seelen aller Verfluchten – und unter ihnen, / auf feuerumlohtem Throne erhöht – der Satan...«) ist Roswitha von der neuen, strenge Askese und Demut fordernden, an die ewige Verdammnis mahnenden cluniazensischen Bewegung mitbestimmt.

Die Reformbewegung nahm ihren Ausgang vom Kloster Cluny (Burgund) um die Mitte des 10. Jahrhunderts. Sie suchte sowohl bei der Welt-Geistlichkeit wie im mönchischen Leben die MEMENTO strenge Zucht wiederherzustellen und den staatlichen MORI! Übergriffen auf die Rechte der Kirche entgegenzutreten. Es galt auch, den Laien enger an die Kirche zu binden; er wird nun in den unbarmherzigen Dualismus von Diesseits und Jenseits, von Welt und Gott hineingestellt. Seine Verlorenheit in der Sünde könne nur durch die große Heilstat Gottes überwunden werden, die allein in der Kirche fortwirke.

Weitere Orden entstehen (die Kartäuser, Prämonstratenser, Zisterzienser). Sie tragen das neue Gedankengut rasch in weite Kreise. Auch Kunst und Literatur geraten unter ihren Einfluß.

Noch zwischen den Zeiten steht das Lied des Bamberger Kanonikus **Ezzo** (um 1060), ein Lobpreis der Schöpfung von ihren Anfängen über das Alte und Neue Testament auf Gottes Größe und Liebe. Das streng gebaute und in lapidarer Sachlichkeit den Hörer aufrüttelnde Lied bedeutet den Anfang der volkssprachigen Literatur.

Bald wird die Beschäftigung mit der Antike wie jedes Bestreben nach verfeinerter Bildung als Verweltlichung abgetan; die Welt sei die Stätte der Verderbtheit und Sündhaftigkeit. Das Wort soll allein dazu dienen, ins Gewissen des Menschen zu dringen, ihm die Verwerflichkeit seines irdischen Tuns vor

Augen zu halten. Das Wort gemahnt an Tod und Jenseits und fordert zu einer tätigen, innigen Hingabe an Christus und die Kirche auf. Gott und Satan, Seligkeit und Verdammnis stehen sich in schroffem Gegensatz gegenüber. Wer sich für Gott und das Heil entscheidet, verläßt die dem Teufel verfallene Welt und verachtet ihren trügerischen Glanz.

»Nû denchent, wib unde man,	Nun denket dran, Weib und Mann,
war ir sûlint werdan.	was ihr sollt werden dann!
ir minnont tisa brôdemi	Ihr minnet diese Vergänglichkeit
unde wânint iemer hie sîn.	und wähnet, hier zu sein allezeit;
si ne dunchet iu nie sô minnesam,	sie dünke euch noch so minnenswert,
eina churza wîla sund ir si hân:	nur kurze Frist ist sie euch beschert:
ir ne lebint nie sô gerno manegiu zît,	Lebtet ihr noch so gerne manche Zeit,
ir muozent verwandelôn disen lib.	ihr müsset verwandeln diesen Leib.«

Der Verfasser dieses *Memento mori!* ist ein alemannischer Prediger um 1070. Mahnend zeigt er seinen Lesern die Vergänglichkeit des Leibes; nur wer an seine Seele denkt, wird den Tod überwinden können: »Ihr wähnet, hier immer zu leben, ihr müsset Rechenschaft geben. / Ihr müsset alle sterben, ihr könnt es nicht anders erwerben.«

Ein rheinfränkischer Dichter schildert etwa um die gleiche Zeit das *Jüngste Gericht*: Der Himmelskönig wird die Scheidung der Gerechten von den Bösen vornehmen. Den einen winkt das Paradies, den anderen droht unausweichlich die Hölle.

Frau Ava (gest. 1127) stellt in ihrer dichterischen Wiederbelebung des Neuen Testaments *(Geschichte Johannes' des Täufers; Leben Jesu)* das eschatologische, weltendzeitliche Moment in den Vordergrund: *Antichrist; Jüngstes Gericht.* – Der missionarischen Didaktik dienten ebenso Heiligen-Viten und legendäre Erzählungen.

Unter der Legendendichtung ragen die *Visionen des Ritters Tundalus* hervor (1150 erschienen). Ein irischer Ritter besucht das Jenseits; das Grauen der Hölle wird breit und schrecklich ausgemalt.

Als unbarmherziger Strafprediger erweist sich **Heinrich von Melk**, ein Mann offensichtlich adliger Herkunft, der sich später in ein Kloster zurückgezogen hat. Um 1160 tritt er mit zwei Gedichten hervor: *Priesterleben* (»Möchte jemand mit herrlicher Speise das Himmelreich gewinnen und mit wohlgesträhltem Bart und mit hochgeschorenem Haar, so wären sie alle heilig fürwahr!«) und *Erinnerung an den Tod.* Anklage und Entrüstung, Ironie und Zorn stehen im Dienste seiner Wortgeißel, die er auf alle Stände herniedersausen läßt. Da sind die Verfehlungen schlemmender Mönche, ihre Buhlerei und Simonie; da sind die Habgier und Hoffart, Genußsucht und Unzucht des Adels und des einfachen Menschen.

In der »Erinnerung an den Tod« steht die Edelfrau an der Bahre ihres Geliebten. Er, der einst Minnelieder sang und tanzte, liegt stumm da und gibt den Geruch der Verwesung von sich. Nur dem Guten und Gottesfürchtigen wird die Erlösung zuteil: »Im himil dâ ist elliu chlage fremde, under den himelischen sende; dâ sint die gedanck alle vrî, dâne waiz niemen, wasz angest sî.«

Zu dieser Zeit hatte sich freilich die cluniazensische Reformbewegung schon überlebt. Bereits früher waren inmitten der harten Schläge einer auf Buße und Demut ausgehenden Literatur weichere und hellere Töne erklungen: Die aufsteigende Marienfrömmigkeit hatte eine ausgeprägte Marienlyrik im Gefolge. Überlieferungen aus der ersten Hälfte des 12. Jahrhunderts zeigen, wie hier die Jungfrau und Mutter neben der Trinität eine Rolle zu spielen beginnt. Sie ist die Vertraute des einfachen Volkes, Mittlerin zu Gott, erfüllt von liebendem Verständnis für die Sünden und Verirrungen der Menschen.

MARIA
ZE TROSTE

> »Hilf mir, frouwe, sô diu sêle von mir scheide,
> sô kum ir ze trôste,
> wan ich geloube, daz dû bist
> muoter unde maget beide.« (*Mariensequenz* aus Muri)

In allen Mariendichtungen (u. a. **Wernhers** *Marienleben; Melker Marienlied; Arnsteiner Marienlied*) verbinden sich in der Hauptgestalt Himmelsglorie und menschliche Nähe. Maria gilt in Seligkeit und Schmerz als Idealbild der Frau; ihrem Herzen öffnet sich die leid- und angstgetriebene Kreatur:

> »Send in meinem Sinn,   daß ich an Vater und an Sohn
> du Himmelskönigin,   und an den heiligen Geist
> wahrer Rede Linde,   den Glauben finde.«

Aber noch von einer anderen Seite wird das »Memento mori!« der cluniazensischen Bewegung in Zweifel gezogen: Um die Mitte des 12. Jahrhunderts finden wir eine geistlich-weltliche Lyrik, die auf die Verherrlichung des derben Genusses und der Leidenschaften

CARPE
DIEM!

ausgeht, zugleich aber auch angriffsfreudig soziale Kritik vorträgt. Diese Poesie wird getragen von vagierenden (gescheiterten) Klerikern und Studenten; sie sind die Spielleute der geistlichen Herrn, schreiben lateinisch, verbringen aber sonst ihre Zeit mehr in der Taverne als am Schreibpult.

Nicht viele dieser »heidnischen«, um Gesang, Wein und Liebe kreisenden Lieder sind an die Oberfläche der schriftlichen Überlieferung getaucht. In einer *Vagantenbeichte* schreibt der **Archipoeta,** der Erzpoet, der um 1160 zum Gefolge Reinalds von Dassel, eines engen Vertrauten Barbarossas, gehörte:

»Mihi est propositum   »Mein Begehr und Willen ist,
in taberna mori,   in der Kneipe sterben,
ubi vina proxima   wo mir Wein die Lippen netzt,
morientis ori...«   bis sie sich entfärben...«

Die unbekannten Verfasser der *Carmina burana* (»Lieder aus Beuren«, einer aus dem Kloster Benediktbeuren stammenden lateinisch-deutschen Sammlung) schwelgen häufig in anakreontischen Tändeleien:

»Kume kum geselle mîn   Süezer rosenvarwer munt,
ih enbîte harte dîn;   kum und mache mich gesunt;
ih enbîte harte dîn,   kum und mache mich gesunt,
kume, kum geselle min.   süezer rosenvarwer munt.«

Die entscheidendste Veränderung aber zog herauf mit dem Anbruch der Ritterdichtung, die etwa ab 1130 das literarische Leben zu bestimmen begann.

DIE RITTERLICH-HÖFISCHE BLÜTEZEIT

Schon zu Beginn des 12. Jahrhunderts zeigt sich, daß der Geistliche in der Dichtung nicht mehr allein maßgebend ist. Weltliche Epen entstehen: teils werden einheimische Erzählstoffe oder solche aus Frankreich, teils orientalische Märchen, die man durch die Kreuzzüge kennengelernt hatte, aufgegriffen und neu gestaltet. Der fahrende Spielmann trägt die Lieder von Hof zu Hof, von Markt zu Markt. Dabei kann man zwei Rangstufen unter den Spielleuten feststellen: eine niedere und eine höhere Zunft; solche, die bei Volksbelustigungen (bei Volksfesten, Kirchweihen, Jahrmärkten, Hochzeiten), und solche, die am Hofe, bei den vornehmen Damen und Herren der Burgen, auftraten.

Auch die von Geistlichen geschaffene Dichtung zeigt häufig eine weltliche Blickrichtung. Man will nicht mehr allein Gott, sondern **DIE LUST AM ABENTEUER** auch der Welt gefallen; man ersetzt dogmatische Lehre und mahnenden Predigtton durch Spannung und erregende Erzählung. Die Welt wird »erfahren«; Abenteuer, Brautwerbungsgeschichten, Kreuzzüge, Wunder und Geheimnisse des Orients sind die neuen Themen.

Schon der lateinisch abgefaßte, um 1060 in Anlehnung an einheimische und hellenistisch-byzantinische Sagen entstandene *Ruodlieb* stellte eine Art Ritterspiegel dar. Der Held ist ein Edelmann, mit allen Vorzügen des Leibes und der Seele, erfüllt von den christlichen Tugenden. Die adlige Gesellschaft zieht an uns vorüber mit Krieg und Jagd, Fest und Musik, Spiel und Tanz. Der junge Ruodlieb wird von seinem Herrn nicht reich genug belohnt; er bricht mit seinem Knecht in die Fremde auf, um Ruhm und Schätze zu erwerben. Bis nach Ägypten führt sein Weg. Der Ruf der Mutter bringt ihn wieder in die Heimat zurück. Als Lohn erhielt er von seinem Dienstherrn zwölf Lebensregeln; im Laufe der Zeit sollen sie sich ihm als sehr nützlich erweisen. Zwei mitgebrachte Brote enthalten zudem kostbare Schätze. Im Auftrage seines Neffen geht nun Ruodlieb auf Brautfahrt; doch soll auch er bald heiraten.

Gott zeigt der Mutter in einem Traum den bevorstehenden Aufstieg des Sohnes an; er wird die schöne Königstochter Heriburg freien. Hier bricht das Gedicht ab.

Das *Alexanderlied* des **Pfaffen Lamprecht** (um 1120/40) zeigt zwar im Sinne der cluniazensischen Bewegung den makedonischen König und Feldherrn in seiner heidnischen Maßlosigkeit, Größe und Vergänglichkeit. Er wird hingestellt als warnendes Beispiel für die Unersättlichkeit irdischen Machtstrebens: Solange der Mensch lebt, ist seine Gier mit keinem Golde aufzuwiegen; deckt ihn die Erde, ist er zu nichts mehr nütze. Vanitas vanitatum und memento mori! Auf der anderen Seite erscheint Alexander immer mit der Bezeichnung der »wunderliche« Alexander, verkörpert er doch den wunderbaren Glanz der Welt, zu dem sich auch der geistliche Autor hingezogen fühlt. Mit liebevollen Strichen wird der Zauber des Orients eingefangen.

Da ist etwa die Szene, in der Alexander auf seinem persischen und indischen Feldzug singende Mädchen trifft, die im Frühling den Kelchen seltsamer Wunderpflanzen entschweben:

»Vil manich scône magetîn   durch den sûzlichen dôz,
wir al dâ funden,   den wir hôrten in dem walt,
di dâ in den stunden   ih und mîne helede balt
spileten ûf den grûnen clê.   vergâzen unser herzeleit
Hundirt tûsint unde mê   und der grôzen arbeit
di spileten unde sprungen;   und alliz daz ungemah
hei wi scône si sungen,   und swaz uns leides ie gescach.«
daz beide cleine unde grôz

Im *Rolandslied* des **Pfaffen Konrad** (um 1140) wird der Tod des treuen Ritters Roland, der unter Karl dem Großen am Kriegszug gegen die Mauren teilnahm, besungen. Karl erscheint als das Idealbild des Ritters: geistliches wie weltliches Oberhaupt des Volkes, lebensfreudig, zugleich aber in seiner ritterlichen Gesinnung von Gott durchdrungen. Die kriegerischen Taten werden mit Freude an einer farbigen Darstellung ausgebreitet.

Ein in Bayern lebender rheinfränkischer Spielmann ist (um 1150) der Verfasser des Versepos *König Rother*. Zweimalige Heerfahrt und eine Brautentführung sind das Thema; êre, zuht, milte, muot, triuwe (aber auch Schlauheit) zeichnen den Helden aus, der als Ahnherr Karls des Großen gesehen wird.

Das Epos *Herzog Ernst* (wohl von einem Bamberger Geistlichen um 1180 stammend) hat einen geschichtlichen Kern. Es geht um den Kampf zwischen Kaiser und Herzog, zwischen Reichs- und territorialer Gewalt. Hineinverwoben sind Teile des orientalischen Abenteuerromans von Sindbad dem Seefahrer. Der Hunger der Leser nach phantastischen Abenteuern sollte befriedigt werden.

Herzog Ernst von Schwaben unternimmt, um die Gunst des mit ihm verfeindeten Stiefvaters, Kaiser Otto I., wiederzugewinnen, eine Kreuzfahrt. Der Zug geht über Ungarn, den Balkan nach Konstantinopel. Ernst steht dem christlichen König von Mohrland (dem äthiopischen König) gegen den Sultan von Babylon (Kairo) bei. Nach wundersamen Ereignissen (Magnetberg, einäugige Riesen u. a.) kehrt der Held über Bari und Rom in die Heimat zurück; der Stiefvater nimmt ihn gnädig auf.

Immer mehr tritt der Ritter in der Dichtung hervor. Der Höhepunkt der mittelalterlichen Literatur meldet sich an. Um 1170 ist es soweit: In plötzlicher, überraschend prächtiger Blüte tritt die HÖVESCHEIT Ritterdichtung zutage, vornehm, stolz und hochgebildet, weltfroh und weltgewandt, zugleich aber religiös durchdrungen. Die aus der Ministerialität aufsteigende neue Herrscherschicht verficht mit der ganzen Bewußtheit und dem Ehrgeiz der Aufstrebenden die neue Standesehre, die in ein strenges System gepaßt und zu einer Art Kastengeist entwickelt wird. Der Mönch hört auf, eine repräsentative Rolle zu spielen. Die Entwicklung höfischer Kultur geht vom romanischen Westen aus und drängt über den niederländischen Raum ins deutsche Reich. Zahllose Wörter der Rittersprache bezeugen den französischen Ursprung: schevalier, kurteis, garzûn, cumpanîe, kastêl, palas, turnei, tjoste, lanze, melodîe, moraliteit. – Die Höfe geben den Mittelpunkt ab; »höfisch« bekommt den Sinn von »höflich«; hövescheit gilt als Wertbegriff. Das Dörfliche aber, die dörperie, wird abgewertet (»dörper« = Tölpel).

Die äußeren Tugenden des Ritterstandes zeigen sich in Kampf und Turnier. Fünf Arten der tjost, des ritterlichen Angriffs, zählt Wolfram von Eschenbach auf. Jeder, der etwas auf sich halte, müsse sie beherrschen. Im Waffenspiel zeigen sich Ausdauer und Stärke, Gewandtheit und List. Die großen Turniere bleiben im Gedächtnis der

Nachwelt als prächtige Schauspiele erhalten, etwa jenes Mainzer Pfingstfest im Jahre 1184, da Friedrich Barbarossa mit den Fürsten und Edlen des Reiches die Schwertleite seiner beiden Söhne beging.

Körperliche Kraft und Gewandtheit machen eine Seite des ritterlichen Wesens aus. Zugleich steht die seelische Bildung ebenbürtig daneben. Die Idee leib-seelischer Harmonie bestimmt das Menschenideal der höfischen Zeit; »zuht« (Selbstbeherrschung), »hôher muot« (seelische Hochstimmung), »froide« (die Fähigkeit, auch den Widerwärtigkeiten das Beste abzugewinnen), »êre«, »triuwe«, »staete«, »milte« (den Untergebenen wie den Feinden gegenüber) werden angestrebt. Über allem aber steht »mâze« – die Tugend des Maßhaltens: »Aller werdekeit ein fuegerinne / daz sît ir zewâre, frouwe mâze« (Walther von der Vogelweide). Ein solches Ethos ist freilich nicht einfach Besitz, sondern muß erst durch harte innere Kämpfe errungen werden. Aus der Spannung von Diesseits und Jenseits, weltlich und geistlich, Schönheit und Sünde, Sollen und Wollen gelingt es der ritterlichen Kultur, zur ausgewogenen Mitte vorzustoßen. Der »werlt êre« und »gotes hulde« gehen eine harmonische Verbindung ein. Tugend wird dabei aber letztlich nicht als zu erwerbendes Bildungsgut, sondern als Gabe und Gnade Gottes begriffen. Drei Dinge müsse der Mensch erwerben – meint Walther –: Gut, Ehre, Gottes Huld... »daz guot und werltlich êre / und gotes hulde mêre / zesamene in ein herze komen«. Gottes Huld ist dabei das Wichtigste: »der zweier übergulde«.

GOTES HUL-DE UND DER WERLT ÊRE

Die höfische Dichtkunst greift das Standesideal in immer neuen Variationen auf. Sie ist unrealistisch, idealisierend und will der überhöhten Bildungsidee dienen. So zeichnen die höfischen Epen eine aristokratische Welt. Auch hier fließt der Kulturstrom von West nach Ost: der nordfranzösische Versroman, die Kunst der Troubadoure gelten als Vorbild. Der aus dem deutsch-niederländischen Grenzgebiet stammende **Heinrich von Veldeke** »inpfete« (nach den Worten Gottfrieds von Straßburg) »daz erste rîs in tiutscher zungen«, indem er den Roman *d'Eneas* in freier Form ins Deutsche übertrug. **Eilhart von Oberg** schuf das älteste deutsche Tristan-Epos. In den drei Jahrzehnten 1190–1220 entstehen dann die großen Werke; jetzt schaffen Hartmann, Wolfram, Gottfried, Heinrich von Morungen, Reinmar und Walther.

Heinrich von Veldeke wurde zwischen 1140 und 1150 geboren. Er nannte sich nach seinem Heimatdorf (im Limburgischen, westlich von Maastricht) und gehörte einem Ministerialengeschlecht an. 1184 nahm der Dichter, der eine geistliche Bildung genossen hatte, wohl aber nicht Geistlicher war, am Mainzer Hoffest Barbarossas teil. Etwa um 1210 dürfte er gestorben sein.

Sein um 1170 begonnener Versroman *Eneit* beruhte auf einem französischen Äneasroman, der auf Vergils Werk zurückging. Die Flucht aus Troja, der Aufenthalt bei der Königin Dido, die Hadesfahrt, die Landung in Italien, die Ansiedlung dort und die Ehe mit Lavinia bilden die Höhepunkte der Darstellung. Dabei wird das ritterlich-vorbildhafte Verhalten des Äneas gebührend herausgestrichen und die Minnehandlung um Äneas und Dido bzw. Lavinia ausgesponnen.

Die Sage um den geheimnisvollen König Artus und seine Tafelrunde bedeutete für die höfische Dichtung einen weiteren Kristallisationspunkt. Hier mündet auch die keltisch-britannische Sagendichtung in die französische und deutsche Literatur ein. Der Sagenkreis war zuerst von dem Franzosen Chrétien de Troyes gestaltet worden. **Hartmann von Aue** hat ihn für Deutschland erschlossen. Alles Geschehen in dieser Welt ist Aventiure – eine Lebensform, die nur dem ritterlichen Menschen begreiflich erscheint. Die Tat ist jeden materiellen Zweckes entkleidet; die Leistung als solche gibt den Lebenssinn, da sie den Wert des Mannes erhöht. Im wunderbaren und märchenhaften Geschehen vielverschlungener Handlungen wird Ehre erworben und bestätigt. Nie sollte der Ritter aus der Hochspannung und Hochstimmung kampfgewohnten Daseins ins Behaglich-Gemächliche zurücksinken. »Sich verliegen« gilt als Schimpf und Schande.

Erec, der Held von Hartmanns gleichnamigem Epos, hat sich mit der schönen Enite vermählt. Nach der Hochzeit »verliegt« er sich, wird aber von seiner Frau mit leichtem Spott wieder zu Rittertaten angetrieben.

Anders das Problem im *Iwein:* Hier wird nicht Minne zur Gefahr fürs Rittertum, sondern Iweins Drang zur Aventiure bedroht die Liebe. Iwein, der Laudines Gunst im Kampf gegen deren Gemahl erworben hat, zieht wieder aus, versichert aber, über Jahresfrist zurückzukommen. Da er den Termin verpaßt, wird er von der Geliebten verflucht. Eine Wundersalbe heilt den vom Wahnsinn geschlagenen Helden; durch eine Reihe von Abenteuern sucht er seine Ehre wiederherzustellen, d. h. in diesem Falle Laudines Liebe zurückzugewinnen. Er hilft den Armen und schützt die Schwachen. Da verzeiht ihm Laudine. – Auch hier erweist sich Hartmann als ein »weiser Kenner und milder Richter der menschlichen Seele«.

Damit wendet sich Hartmann indirekt gegen eine Veräußerlichung des ritterlichen Tuns. Indem er die Aventiure aufs Soziale hin ausrichtet, bestätigt er die religiöse Wurzel des höfischen Weltbildes. Im *Armen Heinrich* erzählt er von der Gefahr, die dem Menschen droht, wenn er Gott vergißt und völlig im Weltleben aufgeht.

Heinrich ist ein Ritter, der mit allen Glücksgütern gesegnet ist: »Alsô rich / der geburte und des guotes / so der êren und des muotes.« Er ist »eine Blume der Jugend«, ein »Spiegelglas der Freude«, eine »Krone der Tugend«. Aber Gott gibt er wenig Raum in seinem Denken und Handeln. Da überfällt ihn die Strafe des Aussatzes. Nun hilft nichts mehr; es ist, wie die Schrift sagt: »Media vita in morte sumus.« Der Ritter muß büßen. Aber das Töchterlein des Bauern, bei dem er in Einsamkeit und Abgeschlossenheit lebt, erbarmt sich seiner; es ist zum freiwilligen Opfertod bereit, der – so sagt der Arzt in Salerno – Heinrich wird heilen können. Heinrich nimmt das Opfer zunächst an; doch als es so weit ist, der Arzt schon das Mädchen töten will, verzichtet er. Heinrich ist jetzt entschlossen, alles Leid geduldig zu ertragen. Da er sich in sein Geschick mit »Maß und Zucht« fügt, Gottes Willen auch im Schrecklichen anerkennt, erfährt er Gottes Huld und Gnade. Hartmanns Epos endet in der Harmonie von Gott und Welt. Heinrich wird gesund, er heiratet das Mädchen.

> »als müeze ez uns allen
> ze jungest gevallen.
> der lôn den sî dâ nâmen,
> des helfe uns got. âmen.«

Von Hartmanns Leben ist nur sehr wenig bekannt. Er wird wohl Ministeriale gewesen sein und eine gelehrte Bildung genossen haben. (»Hartmann, dienstman was er ze Ouwe«, so charakterisiert sich der Dichter selbst.) Das Geschlecht seines Herrn sei »ze Swâben gesezzen«. Neben Minnelyrik und Versepen dichtet er die Legende von *Gregorius*, dem Kind einer Geschwisterliebe, das für die unwissentliche Heirat der Mutter lange und schwer büßt, bis es Gott zum Papst bestimmt.

Immer mehr war das Christentum zur Volksreligion geworden. Rituelle und dogmatische Fragen treten zurück, das allgemein moralische Anliegen rückt jedoch in den Vordergrund. Die Religion sucht die geistigen und seelischen Bedürfnisse des Menschen zu befriedigen. Das Emotionale im Menschen, die Gefühlsseite, gewinnt über eine bloß verstandesmäßige Religionsausübung die Oberhand. Die Mystik, das Ansehen der Bettlerorden, auch die aus dem Bemühen um

Erneuerung und Verinnerlichung entstehenden Häresien sind Ausdruck solcher Entwicklung. Durch die Kreuzzüge wird zudem die Ritterschaft eng mit der Kirche verbunden, die Kirche ihrerseits durch ritterliche Einflüsse gewandelt. Der »christliche Ritter« ist das Ergebnis solch gegenseitigen Sich-Durchdringens. Man kann **Wolfram von Eschenbachs** *Parzival*-Epos als die symbolhafte Darstellung dieser Verschmelzung von Christentum und Rittertum ansehen.

Als »weiser Mann« galt Wolfram: »Der wise man von eschenbach: laien munt nie baz gesprach.« Nach seinen eigenen Angaben ist der Dichter um 1170 geboren worden; er ist ritterbürtig und stolz auf sein Rittertum. Sein Heimatstädtchen wie auch der Ort seiner Grablegung (gest. 1220) ist wahrscheinlich Eschenbach bei Ansbach. Da er unbegütert war, mußte er sich durch Wanderungen immer neu »der Herrengunst versichern«. Seine Gönner finden wir im Gebiet des Mains und des Odenwalds. Daneben sehen wir ihn an dem durch seine Mäzenrolle bekannten Hof Hermanns von Thüringen. Zeitweise hat Wolfram, der mit viel Liebe von Frau und Töchterchen spricht, auch auf seinem kleinen heimischen Burgsitz gelebt.

Der »Parzival« ist der erste deutsche Entwicklungsroman in der Form des höfischen Epos. Grunderlebnisse des Menschen, sein Werden wie seine Bestimmung sind eingefangen; die Auseinandersetzung mit Zeit und Welt wird vollzogen.

Parzival ist der »tumbe tor«, das von der Mutter ängstlich behütete Kind, das in der Geborgenheit des Waldes aufwächst, eines Tages jedoch im Drang nach ritterlicher Bewährung ins Ungeborgene aufbricht, Bildung und Lehre erfährt, bei seinem ersten Besuch in der Gralsburg aber abgewiesen wird. Angesichts des kranken Gralskönigs vergißt Parzival, mitleidsvoll nach der Ursache von dessen Leiden zu fragen. Erziehung und Bildung sind bei ihm noch nicht mit ungekünstelter, natürlicher und wahrer Menschlichkeit verbunden. Nun fällt der Held von Gott ab; er, dem »zwîvel herzen nâchgebûr« ist, wähnt sich von Gott im Stich gelassen: »hât er haz, den wil ich tragen!« Als ruheloser Einzelkämpfer zieht Parzival durch die Welt. Abenteuer reiht sich an Abenteuer. An einem Karfreitag gelangt er zu dem Einsiedler Trevrizent. Dieser klärt ihn über die Verirrung seines Trotzes und über die Güte Gottes auf. Parzival findet zu Gott zurück; »saelde« zieht ein (frohes Gelingen): er wird zum König des Grals berufen.

Wer zum Gral gelangt, dem wird der »sêle ruowe« und des »lîbes vröude« zuteil; er ist Symbol der Harmonie von Gott und Welt, Aufforderung, es mit der Verwirklichung des christlichen Rittertums ernst zu nehmen – »gotes hulde und der werlt êre zu erlangen«.

»Swes leben sich sô verendet,	»Wes Lebens so sich endet,
daz got niht wirt gepfendet	daß er Gott nicht entwendet
der sêle durchs lîbes schulde,	die Seele durch des Leibes Schuld
und der doch der werlde hulde	und er daneben doch die Huld
behalden kann mit werdekeit,	der Welt mit Ehren sich erhält,
daz ist ein nütziu arbeit.«	der hat sein Leben wohl bestellt.«

Neben dem »Parzival« verfaßte Wolfram noch die Epen *Titurel,* eine Liebeserzählung von Sigune und Schionatulander (die beide im »Parzival« schon auftraten), und *Willehalm,* die Geschichte des heiligen Markgrafen von Orange, mit dem Grundproblem höfisch-ritterlicher Dichtung: wie ein Ritter zugleich ein Heiliger sein könne.

Außerhalb der weitgehend westlichen Einflüssen unterworfenen Dichter, die romanische Stoffe und Quellen aufgreifen, DER NIBE- steht der unbekannte Verfasser des *Nibelungenliedes.* LUNGE NÔT Mag die Eingangsstrophe auch ganz dem ritterlichen Ideal von höfischer Tätigkeit entsprechen:

»Uns ist in alten maeren	wunders vil geseit
von heleden lobebaeren,	von grôzer arebeit,
von fröuden, hôchgezîten,	von weinen und von klagen,
von küener recken strîten,	muget ir nu wunder hoeren sagen« –

dahinter ragt doch die Welt des altgermanischen Heldenliedes wieder auf mit schwelendem Betrug, Mord, Haß, mit Rache und Heldentum, Tapferkeit, Sieg und Untergang. Hier gilt nicht die Aventiurenwelt noch die Festlichkeit der Artus-Tafelrunde. Dunkle Schicksalsmächte bestimmen Geschehen und Handlung. Der Leitsatz des Werkes ist, daß alle Freude zuletzt Leid gebiert.

Siegfried ist durch sein Bad im Drachenblut – bis auf eine Stelle im Rücken – unverwundbar geworden. Er besitzt den Schatz der Nibelungen, hat dem Burgunderkönig Gunther geholfen, Brunhilde zu besiegen und zu freien, und dafür selbst Gunthers Schwester Kriemhild zum Weib bekommen. Hagen tötet Siegfried auf einer Jagd im Odenwald; Brunhilde hat ihn dazu angestachelt, als sie erfuhr, daß nicht Gunther, sondern Siegfried sie bezwungen hat. – Nach der Trauerzeit wird Kriemhild die Gemahlin des Hunnenkönigs Etzel. Sie lädt die Burgunder an den Hof, um die Blutrache an Hagen vollziehen zu können. Da die anderen treu zu ihrem Gefährten stehen, vernichtet Kriemhild in ihrem Blutrausch die eigene Sippe und erschlägt Hagen, der bis zuletzt gekämpft und ausgehalten hat. Dafür aber wird nun auch sie von Hildebrand, dem Waffenmeister Dietrichs von Bern, getötet.

Das Epos geht nicht nur motivisch auf die Zeit der Völkerwanderung zurück. Hier ist »eine Sprache aus Stein, und die Verse sind gleichsam gereimte Quader. Hie und da, aus den Spalten, quellen rote Blumen hervor wie Blutstropfen oder zieht sich der lange Efeu herunter wie grüne Tränen.« (Heinrich Heine)

Gewiß verkörpert Siegfried auch die Tugenden des mittelalterlichen Ritters; die Hauptgestalten des Epos, Kriemhild und Hagen, haben jedoch mit den Idealgestalten der höfischen Kunst wenig zu tun. Es geht nicht um der »werlt êre«, sondern um Grausamkeit und Härte, um grimmiges Warten auf die Stunde der Rache, um stolzes Untergehen in der Schicksalsstunde der Bewährung. Am Schluß trägt Kriemhild den Kopf des Bruders vor Hagen hin, um sodann ihn – den Hohnlachenden – eigenhändig zu erschlagen. Da ist von Maß, Tugend, Zucht und Ehre nichts zu spüren. Alle sterben ohne Klagen und ohne Gedanken an Gott oder das Jenseits. Statt Gottes Huld stehen Willenshärte, Treue, Schicksalsergebung im Mittelpunkt. Das Ganze ist noch einmal ein »wêwurt skihit«, wenn auch in den Tönen einer sanfteren Sprache:

> »I'ne kan iu niht bescheiden, waz sider dâ geschach:
> wan ritter unde vrouwen weinen man dâ sach,
> dar zuo die edeln knehte, ir lieben friunde tôt,
> hie hât daz maere ein ende: daz ist der Nibelunge nôt.«

Das »Nibelungenlied« dürfte im ersten Jahrzehnt des 13. Jahrhunderts entstanden sein. Es war Wolfram bekannt. Der Nibelungendichter hingegen hatte Hartmanns »Iwein« gelesen. Er war wahrscheinlich ritterlichen Geblüts (nicht Spielmann, wie ursprünglich angenommen wurde) und stammte aus dem österreichischen Donaugebiet. – Die »Nibelungenstrophe« setzt sich aus vier Langzeilen zusammen, deren jede durch eine Zäsur in zwei Kurzzeilen mit je drei Hebungen geteilt ist; die letzte Kurzzeile hat jedoch vier Hebungen. Als Reimschema gilt a a b b.

Neben dem »Nibelungenlied« weist auch das *Kudrunlied* (von einem
Dichter bayerischer Herkunft) zurück auf die germanische Frühzeit.
Die Sage kommt aus dem Norden und schildert das Schicksal einer
geraubten Königstochter, die von den Ihren in erbitterter Schlacht
wieder befreit wird. Doch endet das Epos mit Fest und Hochzeit; die
harten Töne des Nibelungenliedes sind gemildert, das christliche Element herrscht vor. Kudrun ist nicht die Speerjungfrau, sondern die
stolze Dulderin.

Das edle Geschlecht der Ritter beugt sich vor Gott, und es beugt
sich vor der Frau. Zum Herren- und Gottesdienst tritt der Frauendienst, die höfische Minne. Die Frau, die gesellschaft-
LIEP UNDE lich eine hohe Stellung einnimmt, wird auch sittlich er-
LEIT höht. Sie gilt als vollkommen, rein und daher als Erzieherin des Mannes. Für sie leistet der Ritter oft seine
Waffentaten; Schlacht und Aventiure dienen der Werbung um die
Gunst der Frau. Daneben aber tritt die Leidenschaft der Liebe. Sie
steht als süßes Leid und leidvolle Seligkeit im Mittelpunkt von *Tristan
und Isolde,* dem Epos, das – nach den Berichten zeitgenössischer wie
späterer Dichter – **Gottfried von Straßburg** (bürgerlicher Herkunft;
gest. um 1210) verfaßt hat.

> »Swem nie von liebe leit geschach,   liep unde leit die wâren ie
> dem geschach ouch liep von liebe nie.   an minnen ungescheiden.«

Tristan, von seinem Oheim, dem König Marke, beauftragt, zieht nach Irland;
er soll um die schöne Isolde werben. Nachdem er heimlich an Land gegangen ist, besiegt er einen Drachen, der die Gegend in Schrecken versetzt.
Tristan gelingt es, Isolde für seinen Herrn zu gewinnen, doch auf der
Rückfahrt trinken beide den Liebestrank, der eigentlich für Marke bestimmt
ist; ihre Liebe kennt nun keine Grenzen mehr. Marke und Isolde heiraten
zwar; aber die beiden Liebenden hintergehen den König immer wieder. Sie
werden deshalb vom Hofe verwiesen, fliehen in den Wald, in die selige Lie-
beszweisamkeit der »Minnegrotte«. Schließlich muß Tristan den Hof endgültig verlassen. Während Isolde wieder zu Marke zurückkehrt, zieht Tristan
nach der Normandie, besteht vielerlei Kriegsabenteuer und gewinnt die
Liebe der Isolde Weißhand, bleibt aber unglücklich im verzehrenden Erinnern an die erste Isolde. Hier bricht das Epos ab.

Minne ist für Gottfried eine besondere Qualität des Menschen, eine
Leidenschaft ohne Grenzen, die jede Ordnung neben sich zerstört

und zerstören muß. Moral, Ethik zerfallen vor dem Ansturm der Leidenschaft. Doch umkleidet der Dichter die Liebe mit einer aus religiösem Bereich stammenden Weihe. Durch Leid vorbereitet, gelangen Tristan und Isolde zur »unio mystica«, zum leib-seelischen Einswerden:

> »Tristan und Isôt, ir und ich,
> wir zwei sîn iemer beide
> ein dinc ân' underscheide.«

In der Minnegrotte, die ihnen geradezu religiöse Kultstätte wird, verbringen die Liebenden Tage der weltabgeschiedenen Seligkeit im
Dienst der Venus. Zugleich aber erscheint die Liebe bei Gottfried
immer wieder als dämonische Naturgewalt, die zu Schuld, Betrug,
Untreue und sündhafter Verstrickung führt. So läßt der Dichter – um
diese Antinomie symbolhaft sichtbar zu machen – Tristan und Isolde
im Zauber des Liebestrankes zueinander finden, unschuldig-schul-
dig. Nichts wird sie mehr trennen können: »ouwê Tristan unde Isôt, /
diz tranc ist iuwer beider tôt.«

Der Ritter wirbt und singt um die Gunst der edlen Frau. Sie gilt
als das irdische Abbild des Schönen und Guten; wer sie ehrt, beschützt und umwirbt, adelt und erhöht sich selbst:
»swer guotes wîbes minne hât, / der schamt sich aller
missetât« (Walther). Diese »Erziehungsarbeit« der
frouwe geht so weit, daß sich der Liebende in seiner
Existenz nur durch sie gehalten und gerechtfertigt sieht. **Reinmar von
Hagenau** (etwa 1160–1210) – neben dem **Ritter von Kürenberg** (um
1160), **Friedrich von Hausen** (gest. 1190), **Heinrich von Morungen**
(gest. 1222) und Kaiser **Heinrich VI.** (1165–97) einer der frühen Minnesänger – hat dies in dem berühmten Wort zusammengefaßt: »stirbet sî, sô bin ich tôt«.

SWER GUO-
TES WÎBES
MINNE HÂT

Der ritterliche Minnesänger kommt aus verschiedenen Kreisen:
aus armer Ministerialenfamilie, mittlerem oder hohem Adel oder gar
aus der Familie des Kaisers selbst. Was er in seiner Lyrik zu sagen hat,
wird »sagwürdig« erst im Blick auf die Frau, die das Dichten »entbin-
det«. Die Frau ist die »Sonne des Lebens«; als solche hat sie Morungen gefeiert. Am Sternenhimmel der höfischen Gesellschaft gehe sie
leuchtend auf.

Der Minnesang unterscheidet hohe und niedere Minne. In der niederen streben Mann und Frau zur körperlichen Vereinigung, zu schnell vergehendem Genuß, zu Hingabe und sinnlichem Glück. In der hohen Minne blickt der Mann verehrend zur vollkommenen Geliebten auf, die ihm Herrin (oft auch die Frau seines Herrn) ist und die zu erringen er von vornherein für unmöglich hält. Zwar ist das Minnelied erotisch ausgerichtet, oft unverhüllte Ehebruchspoesie; es erwächst nicht zuletzt aus der unnatürlichen Atmosphäre des Burglebens, wo eine Gruppe junger Männer um die Schloßherrin geschart war und wenig Gelegenheit hatte, dem anderen Geschlecht zu begegnen; doch sind letztlich »schame« und »kiusche« die Werte, die hochgeschätzt werden und jede »edle frouwe« zieren. Niemals darf das Werben des Sängers erhört werden; die Frau würde dadurch an Wert verlieren. Aus der schmerzlichen Spannung von Verlangen und Entsagen erwächst das Lied, das Liebeslied gleichsam aus der Ferne.

Der Minnesang ist uns im wesentlichen in drei wichtigen Handschriftensammlungen überliefert:
in der *Kleinen Heidelberger Liederhandschrift* (ohne Bilder), wohl im 13. Jahrhundert in Straßburg geschrieben;
in der *Weingartner Liederhandschrift,* die um 1300 in Konstanz geschrieben und mit Bildern der einzelnen hier vertretenen Dichter versehen ist;
in der *Großen Heidelberger Liederhandschrift* (mit Bildern und Wappen; 14. Jahrhundert), die auch *Manesse-Handschrift* genannt wird, da ihre Niederschrift von der Züricher Patrizierfamilie Manesse angeregt wurde.
Ferner sind noch zu erwähnen die *Würzburger* und *Jenaer Liederhandschrift* (letztere mit Noten).

Der Kürenberger leitet des »Minnesangs Frühling« ein. Die Veredelung des Mannes durch die Liebe zeigt sich hier erst in Ansätzen. Noch ist das Werben und Dienen nicht immer platonisch, nicht immer Fern-Liebe. Im Gegenteil: Der Kürenberger erweist sich als erfahrener Liebhaber. In seinen weiblichen Seelenbildern überwiegen die begehrenden, gewährenden, unbefriedigten Frauen: »Si muoz der mîner minne / iemer darbende sin«, heißt es in einem seiner Lieder. Bald jedoch erklingen andere Töne. Der Minnesänger klagt; Jammer bricht sich ungehindert Bahn. »Es ist ein klage und nicht ein sanc« (Hartmann). Die Freude ist kurz – »der jâmer alzelanc« (**Dietmar von Eist**). – Leidenschaftliche Ausbrüche bestimmen Heinrich von

Morungen. Immer nur sagt die Frau: »Neinâ, nein, / neinâ, neinâ neinâ nein. / daz brichit mir mîn herze inzwei. / Maht du doch etewenn sprechin: Jâ jâ jâ jâ jâ jâ jâ jâ / daz lît mir an dem herzen nâ.«

Die Freunde werden zum Kriegszug gegen die spröde Herrin aufgerufen: »Helft mir singen, daß sie mich erhört; schreit alle, daß mein Schmerz ihr Herz durchdringt; sie quält mich allzu lange. Auch nach dem Tod werde ich nicht von ihr lassen; was mag sie da von meinem Tod erhoffen?«

> »Waenet ir, ob ir mich toetet
> daz ich iuch danne niemer mê beschouwe?
> nein, iuwer minne hât mich des ernoetet
> daz iuwer sêle ist mîner sêle vrouwe.«

Hoffnungslose Trauer spricht aus den Minneklagen: »waz ich nu niuwer mäere sage, desn darf ich mich nieman frâgen: ich enbin niht vrô.« Dem Dichter bleibt nichts anderes, als sein Leid vorbildlich zu tragen: »des einen und deheines mê wil ich ein meister sin di wîle ich lebe: / daz niht mannes sîniu leit sô schône kan getragen.«

Der höfische Minnesang geht mit **Walther von der Vogelweide** zu Ende. Ihm gilt einseitige Liebe nichts mehr: »minne entouc niht eine.« Die vergebliche Werbung, die Sprödigkeit der Herrin, ihre Unerreichbarkeit, Liebesleid und Liebestraum dürften nicht Gegenstand des Liedes sein. »Minne ist zweier Herzen wunne!« Hatte Reinmar sich ganz der Willkür und dem Stolz der Frau unterworfen (»stirbet *sî*, sô bin *ich* tôt«), so wird bei Walther die Herrin nur durch das Lied verklärt; ohne den Dichter würde sie keine Bedeutung haben: »sterbe *ich*, so ist *sie* tot.« Über graues Haar, das er im Dienste der Geliebten bekomme, klagt Reinmar. Walther spottet: Auch sie werde älter; man solle sich rächen, indem man ihre Runzeln mit der Gerte glätte.

Walther wendet sich mit seinem Lied an Frauen, »die kunnen danken«. Unbeschwertes, sinnenhaftes Glück ist nun sein Thema. Er

HERZE-
LIEBEZ
VROUWELÎN

besingt das »herzeliebe vrouwelîn«, ihren roten Mund, das gläserne Ringlein an ihrem Finger, das kostbarer sei als der Goldring der Königin. Die Natur spielt im Liebesreigen mit:

>Under der linden
an der heide,
dâ unser zweier bette was,
dâ mugt ir vinden
schône beide
gebrochen bluomen unde gras.
vor dem walde in einem tal –
tandaradei!
schône sanc diu nahtegal.«

Walther war ritterlichen Standes; der Beiname »von der Vogelweide« dürfte auf den Heimatsitz hinweisen; doch ist uns seine Herkunft unbekannt. Er mag aus Österreich oder dem mittelfränkischen Feuchtwangen gestammt haben. Seine erste Stellung fand der Dichter um 1190 am Babenberger Hof in Wien. Um 1198 beginnt sein unstetes und mühseliges Wanderleben. Die aufgewühlte politische Situation der Zeit spiegelt sich in Walthers Gedichten und Sprüchen. Er lernt ganz Süd- und Mitteldeutschland kennen. 1199 war er zu Weihnachten in Magdeburg, kurz darauf auf der Wartburg. Von Friedrich II., in dessen Dienste er schließlich trat, erhielt er um 1220 ein kleines Lehen in oder bei Würzburg: »Ich hân mîn lêhen, al diu werlt, ich hân mîn lêhen! / nu entfürhte ich niht den hornunc an die zêhen . . .« Glücklich ist der Dichter, daß nun die Ruhelosigkeit ein Ende hat. Doch begegnen wir ihm auch danach immer wieder auf Wanderschaft. Der Kreuzzug von 1227–29 ist das letzte Ereignis, das Walther erwähnt; kurz darauf dürfte er gestorben sein und seine Grabstätte in Würzburg gefunden haben.

Glanz und Elend des höfischen Zeitalters hat Walther von der Vogelweide erlebt und durchlitten. Er, der von tätiger Vaterlandsliebe erfüllt ist und mit der vaterländischen Lyrik der Dichtung ein neues Feld erschließt, muß sehen, wie der Untergang des Reiches und damit die allgemeine Zerrüttung heraufziehen. Walther hat um die deutsche Ehre gebangt, aber unbestechlich die Zeichen der Zeit registriert:

DES REI-
CHES NOT

>sô wê dir, tiuschiu zunge,
wie stêt dîn ordenunge!
daz nû diu mugge ir künec hât
und daz dîn êre alsô zergât!«

Walther wußte als Fahrender von Fürstengunst und -neid zu erzählen. Die Unbehaustheit seiner Existenz hat er stellvertretend empfunden als Heimatlosigkeit des Menschen schlechthin. In seiner großen *Ele-*

gie (1227) hat er dieser persönlichen wie allgemeinen Stimmung ergreifend Ausdruck gegeben. »Dem Dichter ist, als erwache er aus langem Schlaf. Die Augen sind ihm plötzlich aufgegangen, und er sieht das wahre Wesen alles irdischen Lebens, die Vergänglichkeit, die ihm zugleich in der Veränderung der Welt seit seiner frohen Jugend schmerzlich bewußt wird: Feld und Wald sind nicht wiederzuerkennen, nur das Wasser, jenes Urbild des Vergehenden, fließt noch wie einst; die Jugend ist schwunglos geworden; Damen und Ritter mühen sich nicht mehr um höfische Sitte, Trauer herrscht allenthalben seit jenem bösen Bannstrahl des Papstes gegen den Kaiser. Walther untersucht den Sinnentrug der Welt: Von außen ist sie schön und farbig, von innen finster wie der Tod.« (Friedrich Ranke)

> »Owê war sint verswunden alliu mîniu jâr!
> ist mir mîn leben getroumet oder ist ez wâr?
> daz ich ie wânde ez waere, was daz alles iht?
> dar nâch hân ich geslâfen und enweiz es niht.«

Das ausgehende Mittelalter ist reich an politischen, wirtschaftlichen, religiösen und sozialen Kämpfen, zu denen auch noch Seuchen und Naturkatastrophen kamen. Mit dem Ende der Stauferkaiser und dem Niedergang des Papsttums bricht auch die das kulturelle Leben verpflichtende geistige Einheit zusammen. Diesseits und Jenseits, im ritterlichen Ideal geeint, scheinen erneut unüberbrückbar geschieden. Überhaupt verfällt die höfische Welt, in der das Rittertum tonangebend war, zusehends; sie wird aufgrund der wachsenden Bedeutungslosigkeit und Verarmung des Ritterstandes bespöttelt und verlacht. Bürgerliche Derbheit und bäuerliche Urwüchsigkeit verdrängen die »Hohe Minne« und den »Hohen Mut«.

Ulrich von Lichtenstein (um 1200 einem steirischen Ministerialengeschlecht entsprossen) lebt zwar noch ganz in der ritterlichen Minnekultur und gibt uns prächtige Einblicke in das Leben seiner Zeit, die in der dichterischen Wiedergabe seines *Frauendienstes* aufleuchten; aber alles wirkt schon stark übertrieben und gekünstelt, so wenn er, als Frau Venus oder Ritter Artus verkleidet, im Dienste seiner Schönen durch die Lande reist und nicht zuletzt eine Attraktion für das in Scharen herbeiströmende Volk abgibt.

MINNE-
SANGS
ENDE

Als Dienst für die Dame beschreibt er, wie er etwa das Handwaschwasser der Angebeteten getrunken, sich ihr zuliebe einen im Turnier gebrochenen Finger abgehackt und der frouwe zugesandt habe.

Nun erscheint auch der Bauer in der Literatur. Den armen Leuten hatte zwar schon Walthers Anteilnahme gegolten; jetzt aber drängen sich bäuerische Töne, herb, derb, grob, nach vorn und schaffen satirisch grelle Gegensätze zum Ritterlichen. **Neidhart von Reuental** (zwischen 1180 und 1237, bayerischer Herkunft) schildert die Vergnügungen auf dem Land, etwa den Tanz in der Bauernstube. Er steigt den Dorfschönen nach, dabei werden die Burschen seine Rivalen:

> »Wol ir, dez sie saelic sî,
> swer sie minnet, der belîbet sorgen frî.
> Sie ist unwandelbaere,
> wîten garten tuot sie rüeben laere.«

Auch der **Tannhäuser** (geb. um 1200 in der Gegend von Nürnberg) durchbricht immer wieder die Grenzen höfischer Konvention. Er verspottet die Minnesänger und setzt ihrem Klagen die Aufzählung der verborgenen Reize der Geliebten entgegen, die dem Liebhaber der »niederen Minne« eben nicht verschlossen bleiben. »Mein Herz strebt zur Geliebten« – dichtet **Berthold Steinmar von Klingenau** (1251–93) – »als wie ein Schwein in einem Sacke zum Lichte«. Das Glück erfährt der Liebende auf dem Strohsack. Parodistisch versetzt er das *Tagelied* in die Stallwelt von Knecht und Magd, die der Kuhhirt mit seinem Hornstoß weckt. Hier zeigt sich ein Umschlagen vom zarten Minnesang zur derbsten Dörperlyrik.

Der Stricker, ein bürgerlicher Dichter fränkischer Herkunft, hat als »Heimatloser« die Welt durchzogen und Schwänke, Novellen, Fabeln, Parabeln und Lehrsprüche verfaßt. Die von ihm entwickelte Form der moralisch-satirischen und schwankhaften Verserzählung wird im späten Mittelalter sehr beliebt. Er konterfeit die Menschen, die offensichtlich betrogen sein wollen, getreulich mit ihren Lastern und Schwächen. Seine Klage gilt der sittlichen Verwilderung in allen Ständen.

WIDER DIE ZUCHTLOSIGKEIT

Besonders beim Adel herrschten Trägheit und Zuchtlosigkeit. Komme ein Minnesänger, ein Prediger des Ehebruchs, an einen Hof, so solle man den Frauenverführer mit Blumen, Laub, Gras, mit Vogelsang und dem klaren Quell unter der Linde abspeisen, »dâ von er singet allezît«.

Weniger satirisch hart sind die Merksprüche, die uns **Freidank** in *Freidanks Bescheidenheit* (= Bescheid wissen) hinterlassen hat. Wahrscheinlich ist ein Oberdeutscher aus dem ersten Drittel des 13. Jahrhunderts der Verfasser. Inhalt und Form seiner zweiteiligen Lehrsprüche ähneln der späteren epigrammatischen Dichtung:

>Gote dienen âne wanc
deist aller wîsheit anevanc.«

>Swer waenet daz er wîse sî
dem wont ein tôre nâhe bî.«

>Wir gevallen alle uns selben wol,
des ist daz lant gar tôren vol.«

Freidank erkennt, wie die ritterliche Weltordnung zerfällt; er ist aber in seiner ständischen Auffassung von der Dreiteilung in gebûren, ritter, pfaffen (der Kaufmann heißt bei ihm noch wuocher und ist vom Teufel geschaffen) bedingungslos dem Mittelalter zugewandt.

»Der letzte Ritter«, Kaiser **Maximilian I.** (1459–1519), versucht mit seiner Dichtung dem ritterlich-höfischen Leben noch einmal einen Aufschwung zu geben. Zusammen mit einigen Mitarbeitern schreibt er das höfische Epos *Teuerdank* (1517) (= der Hochdenkende), in dem er seine eigene ritterlich-höfische Brautwerbung mit allen ihren Hindernissen – abenteuerlich ausgeschmückt – erzählt. Im *Weißkunig* wird von seinen politischen und kriegerischen Unternehmungen berichtet.

BAUER UND RITTERS- MANN
In dem satirischen Epos *Meier Helmbrecht* von **Werner dem Gartenaere** (um die Mitte des 13. Jahrhunderts im Innviertel zu Hause) hat diese Zeit des sozialen Umbruchs ihre eindrucksvollste Schilderung erfahren.

Der von Mutter und Schwester verwöhnte Sohn des alten Helmbrecht lehnt es ab, zeitlebens in Ehren ein Bauer zu bleiben. Er will es den Rittern gleichtun, die in Prunk und Üppigkeit dahinleben, freilich meistens zu Raubrittern herabgesunken sind: Lämmerschling, Schluckdenwidder, Höllensack, Rüttelschrein, Kühlfraß, Wolfsgaumen, Wolfsdarm usw. lauten die Namen der »Edlen«. Einmal kehrt der junge Helmbrecht in die Heimat zurück und tut groß mit seinen Erlebnissen. Sein Vater aber weiß noch aus seinen Jugendjahren, wie schön und edel es einst am Hofe zuging: die Frauen und die Ritter waren »sueze ougenweide«. Man wußte, was Treue und Ehre bedeuteten, daß man die Armen und Waisen zu beschützen, für Land und Volk zu sorgen hatte:

>Als vil weiz ich der alten site.
sun, nû êre mich dâ mite
und sage mir die niuwen!«

Da fängt der Sohn an zu berichten, und es entsteht ein Bild der Verworfenheit:

> »Daz tuon ich entriuwen.
> daz sint nû hovelîchiu dinc:
> ›trinkâ, herre, trinkâ trinc!
> trinc daz ûz, sô trinke ich daz.‹«

Wer schmeicheln und lügen kann, der ist ein Ritter. Betrügen ist »hövescheit«. Als fein gilt, wer den andern hinterlistig kränkt, und wer schimpft und poltert, ist tugendreich. Die so leben, wie man es einst tat, hat man nicht gern; man meidet ihre Gesellschaft wie die des Henkers.

> »Der alten leben, geloubet mir,
> die dâ lebent alsam ir,
> die sint nû in dem banne
> und sint wîbe unde manne
> ze genôze alsô maere
> als ein hâhaere.«

Helmbrecht kehrt zu seinen Spießgesellen zurück; doch wird ihr Räubernest bald ausgehoben. Verstümmelt und geblendet sucht er Asyl beim Vater. Dieser aber weist ihn nun ab: Helmbrecht hat sich nicht an die menschliche und nicht an die göttliche Ordnung gehalten, sich weder um der »werlt êre« noch um »gotes hulde« gekümmert; nun muß er büßen. Bauern hängen ihn am nächsten Baum auf.

Hat man dieses Epos die erste europäische Dorfgeschichte genannt, so könnte man die kurzen Verserzählungen zweier anderer Dichter des 13. Jahrhunderts die ersten Novellen heißen: den *Guten Gerhard* von **Rudolf von Ems** (von der Burg Hohenems in Vorarlberg, etwa 1220 bis 1254) und *Herzmaere, Der Welt Lohn* und *Otto mit dem Barte* von **Konrad von Würzburg** (etwa 1230–87). Beide suchten Gottfried von Straßburg nachzuahmen, mußten aber erkennen, daß die Welt anders geworden war; der Bürger beginnt eine Rolle zu spielen. So blieben auch ihre großen »ritterlichen« Werkpläne, Rudolfs *Weltchronik* und Konrads *Trojanerkrieg*, Fragmente.

Von Steinmar v. Klingenau über Konrad v. Würzburg, **Hugo v. Montfort** (1357–1423), **Oswald v. Wolkenstein** (1377–1445), der an die Stelle der hohen frouwe die eigene Braut und Ehefrau setzt und eigene Erlebnisse besingt, geht der Weg zum sogenannten Volkslied. Der Begriff

Das volkstümliche Lied

(erst aus späterer Zeit von Herder stammend) meint das Volkstüm-
lichwerden der liedhaften Gedichte, die so zu Gemeinschaftsliedern
wurden. Immer mehr nehmen sich ihrer die sangesfreudigen bürgerlichen Kreise an, »zersingen« ursprüngliche Texte und Melodien und
schaffen damit typische Prägeformen mit einfachem Reim, Refrain,
schlichter Sprache und immer wiederkehrenden Bildern. Bald geht
es dabei um allgemein menschliche Gefühle, wie Liebeslust und -leid
(Nachtigall, ich hör' dich singen; Jetzt gang i ans Brünnele), um Trinken und Schlemmen *(Den liebsten Buhlen, den ich han, / der leit beim
Wirt im Keller)*, um Heimweh und Abschied *(Zu Straßburg auf der
Schanz; Innsbruck, ich muß dich lassen)*, oder es sind Standeslieder
von Landsknechten, Jägern, Reitern, Bauern und Handwerkern.

Daneben gibt es noch die Volksballade, ein volkstümliches Lied,
das stofflich um ritterlich-höfische oder sagenhafte Ereignisse bereichert ist. Von den Gestalten des Jüngeren Hildebrandsliedes bis
zum Raubritter Eppelein von Geilingen reichen die Lieblingshelden
oder Schreckensgestalten des Volkes, die in kräftig-anschaulicher
Sprache geschildert werden. Hierher gehören auch die zahlreichen
historischen Volkslieder, die politische Begebenheiten oder Helden,
z. T. recht parteiisch, besingen. Von den Sammlungen, auf die später
die Romantiker zurückgreifen, sind das *Liederbuch der Clara Hätzle-
rin* (1471) und das *Rostocker Liederbuch* (1478), das auch Melodien
enthält, am berühmtesten geworden.

Weit stärker noch machte sich das Bedürfnis des einfachen Volkes
im religiösen Leben und der damit zusammenhängenden Literatur
bemerkbar. In einer Zeit, die ohne starken Kaiser den gegenseitigen
Intrigen der Fürsten ausgesetzt war, in der (1305) die »babylonische
Gefangenschaft« der Päpste in Avignon eine Reihe von Schismen
und wenig erfolgreiche Reformkonzilien zum Gefolge hatte, in der
die Pest die deutschen Lande bedrohte und die Flagellanten mit blutigen Peitschen durch den Schmutz der Städte und den Staub der Land-
straßen zogen, wurde die Sehnsucht des Volkes nach religiöser Auf-
richtung und spürbarem Trost im Glauben immer stärker. Die Menge
wußte mit dem Gedankengebäude der Scholastik nichts anzufangen.
Das war etwas für die Gebildeten bzw. Theologen.

Scholastik (von lat. schola, scholasticus = Schule, Lehrer) bezeichnet den
mittelalterlichen Versuch, mit Hilfe der Philosophie (besonders der Dialek-

tik des Aristoteles) die von den Kirchenvätern (Patristik) aufgestellten Glau-
benslehren wissenschaftlich zu begründen und nachzuweisen. Ihre Hauptvertreter, die in Oxford, Paris und Köln lehrten, waren Anselm von Canter-
bury (1033–1109), Petrus Abälardus (1079–1142), Albertus Magnus (Albert
von Bollstädt; 1193–1280) und Thomas von Aquin (1225–76). Seine *Summa theologica* umriß die Stellung des Menschen zwischen dem bloß Materiellen und dem rein Geistigen.

Den Bedürfnissen der Laienkreise aber kamen die Predigerorden
der Minoriten, der Dominikaner und Franziskaner entgegen. Hatten die Benediktiner ihre Kirchen und Klöster fe-
stungsgleich auf Berge und Anhöhen, die Prämonstratenser und Zisterzienser in große Waldungen (in der
Nähe ihrer Rodungsarbeiten) gebaut, so errichteten
diese neuen Orden ihre Gotteshäuser inmitten der Städte. Getreu
dem Vorbild ihres Begründers, Franz von Assisi, sahen die Franziskaner ihre Hauptaufgabe in der Seelsorge und im Predigen. Da die Predigten in deutscher Sprache abgefaßt und bilderreich, dramatisch,
rhetorisch wirksam sein mußten, bieten ihre Niederschriften häufig
Meisterwerke spätmittelhochdeutscher bzw. frühneuhochdeutscher
Prosa.

VOLKS-
PREDIGT

Einen großen Zulauf in ganz Süddeutschland, der Schweiz, Österreich und Ungarn fand der Bußprediger **Berthold von Regensburg**
(gest. 1272), der seinen Predigten, in denen er kirchliche Mißstände
anprangerte und zu einer Erneuerung im Glauben aufrief, dichterisches Feuer, gewinnende Herzlichkeit, Kraft der Erschütterung und
Inbrunst der Andacht verlieh.

Ein hervorragender Kanzelredner, der der deutschen Sprache bislang unerreichte seelische Bereiche erschloß, war auch der Domini-
kanermönch **Meister Eckhart** (1260–1327), Abkömmling des thüringischen Rittergeschlechts von Hochheim bei Gotha. Schon in Jugendjahren war er Mönch geworden und hatte später als gefeierter
Magister in Paris, Straßburg und Köln gelehrt. 1326 wurde er wegen
angeblicher Irrlehren angeklagt. Der kanonische Prozeß erbrachte
nach seinem Tod die Verurteilung einiger seiner Lehrsätze. Er war
der bedeutendste Geist seines Ordens und zählt zu den großen Den-
kern des Mittelalters überhaupt. Was er lehrte und predigte, war eine
neue Form der Mystik.

Die religiöse Bewegung der Mystik versucht – ganz entsprechend

dem Bedürfnis der Zeit und ihrer Menschen – das Überirdische,
Göttliche nicht durch begriffliche Verstandesarbeit,
GEBURT
GOTTES IN sondern durch Abkehr von der Sinnenwelt und Ver-
DER SEELE senkung in das eigene Ich zu erfahren, »durch Aufgehen des eigenen Bewußtseins in Gott mit diesem eins
zu werden«. »Der Mensch soll Gott erleben in allen Dingen und soll
sein Gemüt gewöhnen, daß er allzeit Gott gegenwärtig habe in seinem Sinn, in Meinung und Minne« – schreibt Eckhart und fordert
dazu »Abgeschiedenheit«, weil nur sie zum Erschauen der Gottheit,
zur Vereinigung mit ihr – ohne menschliche oder heilige Mittler –
verhelfe.

Für Eckhart ist Gott das Übergeistige und Überkörperliche, das
Unnennbare. Nur unter Ausschaltung der ratio und in abgrundtiefer
Versenkung könne man zur Erahnung des absolut unbestimmbaren
Gottes kommen.

Besonders die Frauenseele erlebte die mystische Vereinigung mit
dem Göttlichen gefühlsmäßig eindrucksvoll und innig – oft nicht ganz
frei von erotischen Empfindungen.

Die Äbtissin **Mechthild von Magdeburg** (etwa 1210–82), hohem Adel entstammend, verließ zwanzigjährig ihre Familie und lebte als arme und unbekannte Begine ganz ihrer Gottesminne. Ihr Offenbarungsbuch *Das fließende
Licht der Gottheit,* das sie auf Veranlassung ihres Beichtvaters niederzu-
schreiben begonnen hatte, zählt zu den schönsten mystischen Schriften des
Mittelalters. Es ist uns nur in der hochdeutschen Übertragung durch Heinrich von Nördlingen (um 1340) und nicht in seiner niederdeutschen Urfas-
sung bekannt. Mechthild fühlt sich als Braut Gottes und ist bei der Erkenntnis seiner Größe tief ergriffen von der menschlichen Kleinheit.

Unter den Schülern Eckharts ragen zwei besonders hervor: der
männlich harte **Johannes Tauler** (etwa 1300–61), Dominikaner-Pre-
diger zu Straßburg, der vor allem Werktätigkeit, Bekennen und sittliche Willensbildung lehrte, und **Heinrich Seuse** (1295–1366), geboren
am Bodensee, der adelige Minnesänger Gottes, eine lyrische Natur,
deren Seelentöne besonders in dem weitverbreiteten *Büchlein der
ewigen Weisheit* aufklingen.

Ein besonderes Verdienst kommt den mystischen Schriften für die Anreiche-
rung des Wortschatzes unserer Sprache und ihr Geschmeidigmachen für das
Gedanklich-Begriffliche zu. Wörter wie Bildung, Eindruck, Einfluß, begrei-

fen, fühlen, einsehen, einbilden, Anschauung, Verwandlung, Läuterung, Einheit, Gleichheit, Persönlichkeit, Gottheit u. a. verdankt die deutsche Prosa den Mystikern, ihren Predigten, Schriften, Selbstzeugnissen, Bekenntnissen, Briefen und Missionsberichten.

Neben dieser Sprachleistung der deutschen Mystik treten die übrigen religiösen Dichtungen zurück. Lediglich die Mysterienspiele um das Oster- und Passionsgeschehen, die Weihnachts- GEISTLICHES und Dreikönigsgeschichte sowie um sonstige biblische SCHAUSPIEL Stoffe gewinnen noch an Bedeutung, weil ihnen aus dem Bedürfnis des Volkes nach innerer Beteiligung am Gottesdienst heraus eine gesteigerte Anteilnahme sicher war. Erst unter dem Einfluß der Reformation gehen sie dann stark zurück, weil Aufmachung, Zurschaustellung sowie Glanz und Pomp als Veräußerlichung abgelehnt wurden.

Die Entstehung der Mysterienspiele – und damit der Beginn des Dramas auf deutschem Boden – ist eng mit dem Gottesdienst verknüpft (»Misterien« von lat. ministerium = geistliche Verrichtung; griech. mysterion – zu mystes = Eingeweihter, myein = die Augen schließen). Keimzellen der Mysterienspiele waren die lateinischen Sequenzen, Textstützen für die langgedehnten Koloraturen, die beim Gottesdienst auf der letzten Silbe des Halleluja gesungen wurden. Ihr wahrscheinlicher Begründer war um das Jahr 900 der in Sankt Gallen lehrende Mönch **Notker Balbulus.** Sein Klosterbruder (und Musiklehrer) **Tutilo** unterlegte dieser Jubilatio einen lateinischen Bibeltext und ließ ihn von zwei Sängergruppen, die jeweils eine Person oder Gruppe der biblischen Handlung vertraten, in abwechselndem Frage-und-Antwort-Gesang vortragen. Indem man den Sängern noch die notwendigen Gesten und Bewegungen zuwies, entstand das mittelalterliche Osterspiel, das aufgrund der Bedeutung dieses christlichen Hauptfestes bald zahlreiche Nachahmungen fand.

Tutilos Spiel nach dem Markus-Evangelium Kap. 16 verlief wie folgt: Zwei Knaben oder Priester stellen den wachenden Engel dar und nehmen in der Kirche vor dem Altar (= Grab Christi) Aufstellung. Währenddessen nähern sich unter Wechselgesängen drei Priester, Maria Magdalena, Maria und Salome darstellend, dem Altar und suchen den totgeglaubten Christus, um ihn zu salben. Da verkündet ihnen der Engel die Auferstehung des Herrn.

Nach dem Muster dieser sogenannten Ostertrope des Tutilo entwickelte sich eine Fülle von geistlichen Spielen, zunächst alle dem Osterjubel verhaftet. Aber schon im 12. Jahrhundert findet sich die berühmte *Wehklage Mariens (Planctus Mariae),* deren Inhalt als Wechselgesang zwischen der Mutter Christi und Johannes unter dem Kreuz ein Ausdruck verzweifelten Schmerzes ist. Aus diesem Singspiel ging später ein selbständiges Karfreitagsdrama hervor, das bald auch eine deutschsprachige Fassung fand und zur Quelle der späteren großen Passionsspiele wurde, von denen z. B. die Oberammergauer und Erler auf unsere Zeit überkommen sind. Mit immer größerer Ausweitung der Themenkreise auf das Weihnachts- und Dreikönigsgeschehen, auf Spiele um den verlorenen Sohn, um Josef oder die keusche Susanne, um die klugen und törichten Jungfrauen tritt unter Hereinnahme von Schmausereien und Schwelgereien eine gewisse Verweltlichung ein, so daß die Spiele nicht mehr im Kircheninnern, sondern auf dem Kirchhof oder dem Platz vor der Kirchentür aufgeführt werden. Hand in Hand damit geht auch die stückweise Ablösung der lateinischen Texte durch deutsche; zuletzt sind nur noch die Regieanweisungen in Latein gegeben.

Immer stärker – vor allem in diesem Zeitraum – bemächtigen sich die Mysterienspiele der Herzen des Volkes und werden Volksdichtung. Religiöser Ernst und echtes empfindungsreiches religiöses Gefühl bestimmen bis ins späte Mittelalter hinein den Grundcharakter dieser Spiele. Darüber hinaus wollen sie freilich auch schon mehr sein als lediglich Andacht. Das Salbenkrämermotiv des Osterspiels z. B. bietet mancherlei Ansätze zur Posse und Groteske und wird ähnlich vielen anderen geeigneten Motiven reichlich ausgenützt. In den großen Weltendramen und Passionsspielen haben wir es dann schon mit richtigem »Theater« zu tun. Damit ist auch die Zeit nicht mehr weit, da vom aufstrebenden Bürgertum das Triviale, der derbe Spaß und Ulk, oft mit wüsten Schimpfereien, Prügel- und Trinkszenen, ins Spiel gebracht werden. Aber selbst noch in diesen Spätformen der weiterreichenden Fastnachtsspiele finden sich religiöse Kernstellen, so etwa das weltlich frivole Treiben der Maria Magdalena und ihre plötzliche Bekehrung, die Auferweckung des Lazarus, Judas' Verrat und Selbstmord oder zahlreiche Höllen- und Teufelsszenen.

Einen Versuch, gegen den zunehmenden Verfall der Sitte und die allgemeine Unsicherheit einzuschreiten und die bewährte Rechtsüberlieferung für die Praxis gereinigt und brauchbar zu erhalten, stellt der *Sachsenspiegel* dar. Er ist die erste Aufzeichnung sächsischen Rechtes, die der anhaltische Schöffe **Eike von Repgow** im ersten Drittel

RECHT UND
FRIEDE

des 13. Jahrhunderts – zunächst in Latein, dann in deutscher Übertragung – vornahm. Aus zwei großen Teilen bestehend (dem allen Ständen gemeinsamen Landrecht und dem Lehnsrecht für den Adel), stellt er das erste große deutsche Prosawerk in niederdeutscher Sprache dar. Tradition, Religion und Vernunft bestimmen Eikes Rechtsdenken, das – mit dem sicheren Blick für Zweckmäßigkeit – Ehre und Treue, Pflichtgefühl und Gemeinschaftssinn, vor allem aber Friedfertigkeit und Ordnung den entsittlichenden Mächten der Zeit entgegenhält. Mancherlei landsmannschaftliche Bearbeitung des »Sachsenspiegels« (z. B. *Schwabenspiegel*) künden von seiner ungewöhnlichen Verbreitung und außerordentlichen Wirkung. In Preußen und Sachsen blieb er gültiges Recht bis ins 19. Jahrhundert.

DER HUMANISMUS

Nach der Karolingischen und Ottonischen Renaissance zeichnete sich im 14. Jahrhundert eine dritte und noch stärkere Welle der Wiederbelebung des klassischen, vor allem des römischen Altertums ab. Sie kam aus Italien, zum Teil auch aus Frankreich. Schon in ihren Ansätzen stellte sie etwas anderes dar als die beiden früheren Versuche (weshalb man sie als *die* Renaissance bezeichnet), etwas Neuartiges, das sich in die christlich-mittelalterlichen Vorstellungen nicht mehr bruchlos einfügte. Sie beschränkte sich nicht auf die Entdeckung christlicher Züge in der römischen und griechischen Kultur oder solcher Motive, die sich der christlichen Denkweise angleichen ließen, sondern sie war eine Entdeckung der Antike an sich, ihres Wesens, ihres Ideengehalts. Es ging um ein anderes Lebens- und Menschenbild.

Zum erstenmal entstand dem im Christentum verhafteten Mittelalter eine Gegenwelt, die nicht unbedingt im Religiösen verankert war, in der vielmehr die diesseitige Gestaltungskraft des Menschen eine Rolle spielte. Das irdische Dasein sollte nicht überwunden, sondern gestaltet, geformt werden. – »Rinascimento« bedeutete jetzt nicht nur wissenschaftliche Betrachtung und stoffliche Auswahl, sondern auch lebensnahe, reale Bezogenheit zur Antike.

Der Wille, sich aufs Altertum zu besinnen, kam zwangsläufig in Italien auf. Jahrhundertelang hatten fremde Herrscher eine hegemoniale Macht ausgeübt. Als das Reich der Staufer zusammenbrach, eine Aussicht auf Unabhängigkeit bestand, mußte man, um sich eine bedeutsame eigenständige Geschichte bewußt zu machen, in die Blütezeit des römischen Imperiums zurückblicken.

Die der mittelalterlichen Denkwelt entgegengesetzten Wertmaßstäbe offenbaren sich in den Idealbildern der römischen Heroen, der Weltgestalter, der selbsttätigen und bindungslosen Diesseitsmen-

schen. Römischer Cäsaren- wie auch Republikanergeist bestimmten
die neuen Verhältnisse Italiens. In den meisten Kleinstaaten herrschte der Typ des unumschränkten, gewalttätigen Principe, den später
der florentinische Staatsmann und Schriftsteller Niccolò Machiavelli
(1469–1527) als Ausdruck eines höheren Menschentums feierte, und
zugleich rührte sich der Geist der attischen Demokratie und der römischen Republik. In Rom versuchte Cola di Rienzo (1313–54), gegen
die päpstliche Herrschaft die republikanische Staatsform durchzusetzen, die den einstigen Glanz Roms wiederherstellen sollte. Er wurde
allerdings vertrieben, flüchtete nach Deutschland und war hier einer
der ersten Vermittler der Renaissance.

Der Wille, sich aus der alten Gebundenheit zu lösen, autonom
Welt und Schicksal zu formen, wie überhaupt das Bewußtsein
menschlichen Eigenwertes und selbständiger geistiger Macht wirkten
sich gleich stark in den Bereichen der Wissenschaft, Kunst und Literatur aus. Neue, ans Altertum anknüpfende philosophische Systeme
entwickelten sich zusammen mit einer neuen Richtung der naturwissenschaftlichen Forschung, die der kirchlichen Lehre ebenfalls kein
Vertrauen mehr schenkte.

War der Mensch der mittelalterlichen Literatur (auch der höfischen) in seinem Handeln unselbständig, eingegrenzt ins Bewußtsein
göttlicher Allmacht und Letztgültigkeit, war er geführt und geleitet
von den kirchlichen und ritterlichen Gesetzen, so stellte die Dichtung
der Renaissance (vergleichbar mit der bildenden Kunst, die vor allem
die Schönheit des Erotisch-Körperlichen vergegenwärtigte) den eigentlich freien, nach Selbstbehauptung strebenden, emanzipierten
Menschen dar. Dessen Grundtendenz sollte die Entwicklung der natürlichen Begabungen sein. Regeln, die für alle Lebensbereiche gegeben wurden, dienten nicht der religiös-sittlichen Erziehung und der
Schaffung einer kollektiven Einheitlichkeit, sondern der Förderung
und Vervollkommnung der Fähigkeiten. Dies war auch die Absicht
der zahlreichen Poetiken (Lehren über die Kunst des Dichtens). Verbindlich waren nur ästhetische Normen. Im wesentlichen galt es, Erfolg und Fortschritt zu erzielen.

Die Prototypen des machtvoll regierenden und zugleich geistig aufgeschlossenen Fürsten, des weltgewandten Adligen (Kavaliers), des
reichen, geschäftskundigen Bürgers und des von der antiken Kulturwelt durchdrungenen Gelehrten, Künstlers und Poeten zeichneten

sich allesamt durch eine starke individuelle Substanz aus, die dem Mittelalter fremd war.

Dante Alighieri (1265–1321) lehnte sich zumeist noch an christliche Vorstellungen und Wertmaßstäbe an (etwa in seiner *Divina Commedia,* einem Epos über das Jenseits von Hölle, Fegfeuer und Himmel, in dem zahlreiche Gestalten des Altertums auftreten und Bernhard von Clairvaux die reinste Form des Menschseins verkörpert). Hingegen demonstrierte Giovanni Boccaccio (1313–75) – trotz seiner Begeisterung für Dante – die volle Diesseitigkeit des Renaissancemenschen; sein *Il Decamerone,* eine Sammlung von 100 Novellen, ist eine Verkündigung höchster Weltlust, wie überhaupt die jetzt beginnende »Novella« (Kurzgeschichte, Anekdote) und die etwas später aufkommende »Facetia« (schwankhafte, vorwiegend satirische Skizze) ein ungebundenes, freiheitliches Dasein am krassesten wiedergeben.

In der Lyrik ragte neben Dante (*Vita nuova,* »Neues Leben«) vor allem Francesco Petrarca (1304–74) hervor, der weltfrohe, leidenschaftliche, aber auch tief besinnliche Dichter des *Canzoniere* an die junge, verheiratete Laura de Noves. Die Stimmungen schwankten zwar noch zwischen Weltbejahung und Weltflucht, doch gestalteten auch die Lyriker aus einem freien, individuellen Empfinden heraus; die Schranken und sittlichen Normen, die sie sich auferlegten, resultierten aus eigener Einsicht.

Die zentrale Stellung im Leben nimmt der sich seines Wertes bewußte Mensch ein, der eine Beziehung zum Übernatürlichen aufnehmen, aber auch ablehnen kann. Er fühlt sich als unabhängiger Herr über sich und die Erde. Dieses neue Menschenbild brachte eine starke Progressivität hervor. Während das Mittelalter als Mystik, Scholastik und als Nachfolge höfischer Dichtung sich in Deutschland noch lebenskräftig weiterentwickelte, zog aus Italien der Geist der Latinisten, Poeten und Oratoren ein, der die »wahren« und »echten« Wissenschaften zu lehren versprach und das Dunkel vergangener Jahrhunderte durch die Klarheit antiken Geistes beenden wollte.

In Deutschland konnte sich die Renaissance nicht so stark entfalten wie in Italien. Nicht nur, daß hier die natürlichen geschichtlichen Voraussetzungen fehlten; vor allem war das mittelalterliche Denken (mit einem entsprechenden, namentlich kirchlichen Schrifttum) zu mächtig, um sich rasch und widerspruchslos überwinden zu lassen. Man beschränkte sich zunächst (und mitunter auch in der späteren Zeit) auf philologische und historische Studien über die Antike und auf das pädagogische Anliegen, eine feinere menschliche Bildung zu erreichen. »Humanitatis studia« oder »Humaniora« wurden die Fächer an Universitäten und Gymnasien genannt, die sich mit der Antike befaßten. Wir sprechen deshalb nicht von einer deutschen »Renaissance«, vielmehr von einem deutschen »Humanismus«.

Die Autoren übernahmen zunächst nur die Stilkunst der altrömischen und neulateinischen (italienischen) Literatur. Rhetorische Gewandtheit, preziöse Wortwahl und vielgliedriger STILKUNST Satzbau galten als Ausdruck einer höheren, den mittelalterlich-lateinischen Schriften überlegenen Bildung, als Beweis wahren Kundigseins der Antike. In dem imitatorischen Formalismus regte sich allerdings schon das Verlangen nach einem neuen Lebensgefühl.

Der erste humanistische Autorenkreis entstand in Prag, vor allem auf Anregung Kaiser **Karls IV.** (1346–78; geb. 1316) und seines Kanzlers **Johann von Neumarkt** (geb. ca. 1315–20; gest. 1380). 1350 kam Cola di Rienzo nach Prag, 1355 Petrarca.

Karl IV. (aus dem Hause Luxemburg, König von Böhmen) hatte die Pariser Universität besucht und war allen neuen geistigen Bestrebungen zugetan. Er nahm die Lehren der Italiener bereitwillig auf und stand mit Petrarca auch später in freundschaftlichem Briefverkehr. – Johann von Neumarkt (wahrscheinl. aus Neumarkt/Schles.) trat in den Dienst der böhmischen Krone, wurde Bischof und 1353 Cancellarius. Rienzo verehrte er, wie es seine lateinischen Briefe aussprechen, »in brüderlicher Liebe«, »von ungezählter Fülle der Blüten überschüttet«. »Niemals leidet der Neumarkter an Schlaftrunkenheit, wenn du zu singen anfängst, niemals läßt er sich, von der Wolke der Unwissenheit verwirrt, vom Wege der Wahrheit ableiten. Niemals ist durch den Griffel der mich beratenden dichterischen Frühlingsmuse eine giftige Stilroheit entstanden.«

Rienzo und Petrarca waren für ihn die Vorbilder; im Bewußtsein der Unterlegenheit gegenüber den Meistern der italienischen Sprache, in der Beklemmung, aus dem nordischen Mittelalter »zerlumpter Ausdrucksweise« zu stammen und damit unbeholfen zu erscheinen, rang Neumarkt um die neue Eloquenz, den »einschmeichelnden Reiz der erlesenen Worte«, um die »gefällige Anmut der Redeblüten«, die »ruhige Kunstsprache des antiken Stils«. Seine Schriften sind allesamt von diesem Streben beherrscht: in lateinischer Sprache *Das Leben des heiligen Wenzeslaus* und ein *Reisebrevier,* eine Sammlung von Breviergebeten, eine der prachtvollsten Handschriften der Zeit, sodann die Übertragungen aus dem Lateinischen *Buch der Liebkosung* (religiöse Traktate) und *Hieronymus* (eine Eloge in Briefen auf den heiligen Gelehrten, den gerade die Humanisten hochschätzten; vgl. den Kupferstich von Dürer).

Ebenso wichtig wie das stilistische Novum dieser Werke war Neumarkts grundlegende Reform der Prager Kanzleisprache, die auf den sehr unterschiedlichen Sprach- und Stilgebrauch der einzelnen fürstlichen Landeskanzleien einen vereinheitlichenden Einfluß ausübte. Voraussetzungen wurden geschaffen für ein den Dialekten übergeordnetes, allgemeines Deutsch, wie es später Luther verwirklichte.

Ein erster gedanklicher Durchbruch der Renaissance zeigte sich in der Dichtung *Der Ackermann aus Böhmen,* kurz nach 1400 ver-

Der Wert des Menschen

faßt von **Johann von Tepl** (etwa 1350–1415; Rektor der Lateinschule und Stadtschreiber in Saaz). Dieses dialogische Prosastück ist eine leidenschaftliche, nach Gerechtigkeit und Wahrheit suchende Aussprache zwischen einem Ackermann (Johann von Tepl selbst) und dem Tod, der ihm seine junge Frau geraubt hat. Der Kläger wirft dem Tod nicht nur Willkür und Maßlosigkeit vor, sondern auch Geringschätzung des Menschen. Aus diesen Worten spricht, selbst wenn sie sich auf den Schöpfungsplan Gottes berufen, das neue Wertgefühl des humanistischen Menschen.

Kläger: »Wie macht Ihr zunichte, beschimpfet und verunehret Ihr den werten Menschen, Gottes allerliebstes Geschöpf, womit Ihr auch die Gottheit selber schmähet. Jetzt erst erkenne ich, daß Ihr voller Lügen seid und nicht im Paradiese erschaffen, wie Ihr saget. Wäret Ihr in dem Paradiese in die Welt gesetzt, so wüßtet Ihr, daß Gott den Menschen über sie alle gestellt hat, ihm die Herrschaft über alles übergeben und seinen Füßen untertan gemacht hat, so daß also der Mensch über die Tiere des Erdreichs, über die Vögel des Himmels, die Fische des Meeres und alle Früchte der Erde herrschen sollte, wie er es auch tut. Sollte demnach der Mensch so erbärmlich, böse und unrein sein, wie Ihr saget, wahrlich, so hätte Gott nichts Gutes und Nützliches geschaffen.« [gekürzte Transkription]

Der Tod allerdings – und hierin äußert sich das Ringen zwischen dem Menschenbild des Mittelalters und dem der Renaissance – kann diese Hochschätzung des Menschen mit dem Hinweis auf seine eigene Macht widerlegen: »Noch ist das Allergrößte, daß ein Mensch nicht wissen kann, wann, wo oder wie wir über ihn urplötzlich fallen und ihn jagen, zu laufen den Weg der Tödlichen. Die Bürde müssen tragen Herren und Knechte, Mann und Weib, reich und arm, gut und böse, jung und alt. O leidige Zuversicht, wie wenig achten dein die Dummen. Wenn es zu spate ist, so wollen sie alle fromm werden. Das ist alles Eitelkeit über Eitelkeit und Beschwerung der Seele.«

Gott schließlich, der zum Richter angerufen wird, gesteht beiden gleich viel Recht zu: Der »Kläger«, der Mensch, »habe Ehre! Tod, siege!«

Ein antithetisches Lebensgefühl ist ausgedrückt (das dann vor allem für die Epoche des Barock bezeichnend ist). Der Ackermann (als Humanist) personifiziert das Bewußtsein menschlicher Kraft und Größe; der Tod (der als mittelalterlicher Vanitas-Prediger auftritt) bezeichnet das Eingeständnis irdischer Hinfälligkeit, die Erkenntnis der Ohnmacht gegenüber dem Schicksal.

Der Humanismus verbreitete sich zunächst in Böhmen, sehr bald auch in Deutschland und in östlichen Ländern. Bedeutsame Anregungen gingen von der Universität Prag aus, der von Karl IV. 1348 gegründeten und sehr rasch aufblühenden ersten deutschen Hochschule.

Die Universität

»Und es kamen aus fremden Ländern, wie England, Frankreich, der Lombardei, Ungarn und Polen, sowie aus den einzelnen benachbarten Ländern Studenten hierher, auch Söhne von Edlen und Fürsten. Die Stadt Prag erlangte durch die Universität großen Ruhm und wurde in fremden Ländern so bekannt, daß wegen der Menge der Studierenden das Leben beträchtlich teuer ward; so groß war die Menge, in der sie hier zusammenströmten. Als Herr Karl sah, daß die Schule in rühmlicher Weise zunahm, schenkte er den Studenten die Häuser der Juden; und er setzte darin ein Kollegium von Magistern, die täglich lesen und diskutieren sollten. Auch gründete er zu ihrem Gebrauch eine Bibliothek und gab für den Unterricht die notwendigen Bücher in Überfluß.« (Aus der *Chronica ecclesiae Pragensis* des Tschechen Benesch Krabice)

Die Prager Universität verlor allerdings ihr Ansehen aufgrund von religiösen und nationalen Streitigkeiten zwischen der deutschen und tschechischen Lehrer- und Studentenschaft. Der Theologe Johannes Hus verneinte wesentliche Glaubenssätze der Kirche (deshalb wurde er 1415 auf dem Konstanzer Konzil hingerichtet), und zudem verlangten die Tschechen größere Rechte bei Abstimmungen und Regelungen an der Universität. 1409 verließen 60 Dozenten und etwa 2000 Studenten die Kaiserstadt und gründeten in Leipzig eine Ersatzuniversität. Unterdessen waren in Wien, Heidelberg, Köln und Erfurt Universitäten entstanden.

An den Universitäten wurden Vorlesungen über Poesie und Beredsamkeit, über Sprache und Dichtung des klassischen Altertums gehalten. Zum erstenmal wurde die Dichtung als eigenständiger Schaffensbereich betrachtet, als Ausdruck eines künstlerischen Agens, einer Gestaltung, die sich durch die Schönheit der Sprache und die Vielfalt der Gedanken selbst rechtfertigt.

Die Dichtkunst sollte den Menschen erfreuen, bereichern und bilden. Daher sollte der Dichter in möglichst vielen Wissenschaften bewandert sein, sich als Universalgelehrter (Polyhistor) ausweisen. Besonders geschätzt wurden seinerzeit geographische und historische Länder- und Städtebeschreibungen in poetischer Form, zudem Elogen auf Fürsten und Patrizier, und zwar mit geschichtlichen Vergleichen und Allegorien aus der Antike.

Zahlreiche Humanisten zogen von Universität zu Universität, gründeten (auch in Provinzstädten) Gymnasien, Bibliotheken und wissenschaftliche Vereine (sodalitates) und suchten Fürstenhöfe und Patrizierhäuser auf, um von Mäzenen (nach dem Römer Maecenas zur Zeit des Augustus) unterstützt zu werden. Sie diskutierten auf den großen Konzilien zu Konstanz (1414–18) und Basel (1431–49) mit italienischen Gelehrten, Literaten und Bischöfen; und nicht wenige bemühten sich, die neue italienische Literatur in Deutschland bekannt zu machen.

Niklas von Wyle (1410–79) aus dem Schweizer Aargau, Kanzler des Grafen von Württemberg, übersetzte 18 Werke, u. a. von Boccaccio, Poggio (S. 83) und Enea Silvio Piccolomini TRANSLATIO (1405–64), einem hervorragenden Poeten und kunstsinnigen Kirchenfürsten. In der Gesamtausgabe *Translatzion oder Tütschungen* (1478) war das Glanzstück Piccolominis Liebesnovelle *Euriolus und Lucretia*.

Auch **Heinrich Steinhöwel** (1412–83), in Schwaben geboren,

Stadtarzt in Ulm, gehörte dem württembergischen Humanisten-Kreis an. Er übertrug den anonymen Reise- und Abenteuerroman *Apollonius von Tyrus* (1471), Teile aus Boccaccios »Il Decamerone«, Schwänke von Poggio und Fabeln des Griechen Äsop.

Im Gegensatz zu den Übersetzungen Johanns von Neumarkt gab es keine Bindungen mehr an religiöse Themen.

Den zahlreichen Translationen kam die Erfindung der Buchdruckerkunst durch den Mainzer Johann Gutenberg (um 1450) zustatten. Die Ausgaben der Druckereien trugen ein Wesentliches dazu bei, die adligen Höfe und das aufstrebende Bürgertum in den Geist des Humanismus einzuführen.

Gegen Ende des 15. Jahrhunderts begannen Übertragungen aus der griechischen Literatur. Obwohl schon Petrarca auf Homer hinge-wiesen hatte, war der Einfluß der griechischen Antike bisher sehr gering gewesen. Eigentlich erst durch die Einwanderung byzantini-scher Gelehrter, die vor den Türken geflüchtet waren SCHOLA (1453 Eroberung Konstantinopels), wurde griechi-GRAECA sches Schrifttum in Italien und bald auch in Frankreich und Deutschland bekannt. Der Niederländer **Rudolf Agricola** (1443–85; eigentl. Roelof Huysman; die Humanisten latini-sierten häufig ihre Namen), der in Italien studiert und dort jahrelang gelebt hatte, war einer der ersten Lehrer des Griechischen in Deutschland. An mehreren Universitäten wurden Lehrstühle für Griechisch eingerichtet. Schüler des Agricola führten in die Latein-schule den Griechisch-Unterricht ein und begründeten somit das Hu-manistische Gymnasium.

An der Leipziger Universität lehrte **Konrad Celtis** (1459–1508) Griechisch. Er stammte aus der Gegend von Würzburg, hatte im Ge-lehrtenkreis Agricolas seine Ausbildung erhalten und bemühte sich auf zahlreichen Reisen (bis nach Prag und Krakau) um die Verbrei-tung der humanistischen Wissenschaften. 1487 wurde ihm von Kaiser Friedrich III. der Titel eines »Poeta laureatus« verliehen.

Ein Jahr zuvor war seine *Ars versificandi,* die erste Dichtungslehre im deutschen Bereich, erschienen. An Beispielen aus Horaz sind for-male Fragen erörtert, Konstruktionsarten des Gedichts und antike Versmaße erklärt (wobei dem griechischen Hexameter der Vorrang gegeben wird), aber auch inhaltliche Ziele gesetzt. Gemäß Horaz (»delectare aut prodesse«) sei es die Aufgabe der Poesie, den Geist

über die schweren Sorgen des Alltags zu erheben und von den körperlichen Lasten zu befreien.

Celtis schrieb selber eine Reihe Horazischer Oden (mit z. T. philosophi-
schem Inhalt). Sehr gut gelungen sind seine *Quattuor libri amorum* (1502),
in denen (in lateinischen Distichen) vier Mädchen bzw. Frauen, die in verschiedenen Gegenden leben, verherrlicht und im Zusammenhang mit ihrem
Land charakterisiert werden.

Celtis war einer der ersten Universitätslehrer, der sich mit der
Reichsgeschichte befaßte. Überhaupt existierte im Humanismus ein
starkes Interesse an der Geschichte. Zumeist lehnte man sich an römische Historiker an. Die Forderung »Ad fontes!« bezog sich auf
die biblische bzw. theologische, aber auch auf die ge-
AD FONTES! schichtliche Quelle.

Der Elsässer **Jakob Wimpheling** (1450–1528) versuchte, eine bis in die Gegenwart reichende deutsche Geschichte zu
schreiben (Teile erschienen 1505), und hob in seiner *Germania* (1501)
den deutschen Charakter des Elsaß hervor. Hier regte sich bereits der
Nationalgeist des späten Humanismus.

Dem Hochhumanismus, der weiterhin vom italienischen Rinascimento beeinflußt wurde und der gleichermaßen in Frankreich, England, Ungarn und Polen verbreitet war, lag ein durchaus europäisch-
abendländisches Bewußtsein zugrunde. Ein Konsens entstand allein
schon durch die lateinische Sprache, die in allen Humanisten-Kreisen
beherrscht und verwendet wurde.

Erasmus von Rotterdam (1466–1536), der bedeutendste Gelehrte
seiner Zeit, in den Niederlanden aufgewachsen, zuletzt in Basel ansässig, unterhielt zu unendlich vielen Humanisten in fast ganz Europa
freundschaftliche Beziehungen. (Es heißt, an manchen Tagen habe er
dreißig bis vierzig Briefe geschrieben.) Auch in Schriften und Büchern bekannte er sich zur Idee der abendländischen Einheit, des
gegenseitigen Verständnisses und der Toleranz.

Erasmus wandte sich gegen eine allzu überschwengliche Renais-
sance (deshalb griff er Reuchlin und Hutten an) und gegen die Ver-
weltlichung des Christentums (die er vor allem auf die
CHRISTUS   Renaissance-Päpste zurückführte). Das Endziel war
UND SO-   ihm eine Welt des verständigen und untadeligen Men-
KRATES   schen. Und darin sah er keinen grundsätzlichen Unter-

schied zwischen Antike und Christentum. In den Dialogen *Colloquia familiaria* (»Vertraute Gespräche«, 1518) werden Christus und Sokrates als nahezu gleichwertige Idealgestalten angesehen.

Erasmus wünschte sich eine aufgeschlossene, mit Hilfe der Antike aufgeklärte und von früheren »Fälschungen« befreite Theologie. Sein Streben nach einer kritischen, allseits orientierten »wahren Theologie« war eine wichtige Voraussetzung zur Reformation Luthers.

Der »wahren Theologie« widmete Erasmus die Mehrzahl seiner Werke, die Ausgaben von Aristoteles und Augustinus, eine Sammlung von etwa 4000 Sprichwörtern, die scharfe Spitzen gegen den Papst enthielten, sein »Handbüchlein des christlichen Streiters« (*Enchiridion militis Christiani*, 1503), seine für die Reformatoren grundlegende griechische Ausgabe des Neuen Testamentes (mit lateinischer Übersetzung und Anmerkung, 1516) und auch seine volkstümlich gewordene Satire »Lob der Torheit« (*Morias encomion seu laus stultitiae,* 1511), in der die Narrheit in einer Rede vor einer großen Versammlung ihre Macht über alle Länder, Geschlechter und Stände preist. Hinter dem Spott stand das Eingeständnis, daß die wahre Theologie in der gegenwärtigen Zeit nicht zu verwirklichen sei. So hat sich Erasmus von der Lutherischen Reformation abgekehrt, die ihm zu heftig und zu radikal erschien und seiner Vorstellung von Toleranz und Versöhnung widersprach.

Hingegen war **Johannes Reuchlin** (1455–1522), der sich als Mentor vor allem junger Humanisten hervortat, ein äußerst progressiver Gelehrter, ein Fehdeautor und Pamphletist. Ihm ging es um eine radikale Auseinandersetzung mit der herkömmlichen Theologie. Zum Beispiel forderte er Lehrstühle und Seminare für GEGEN DIE hebräische Sprache, damit eine Untersuchung der alt- BARBAREI testamentlichen Urschrift geschehen könne. Insgesamt verlangte Reuchlin von den Wissenschaften eine totale Kritik an den Überlieferungen.

In Pforzheim geboren, in Frankreich zum Juristen ausgebildet, stand er im Dienste des Grafen von Württemberg und des Kurfürsten von der Pfalz; ab 1520 war er in Ingolstadt und Tübingen Professor für Griechisch und Hebräisch. Da er in einem Rechtsgutachten für Toleranz gegenüber den Juden eintrat, verwickelte er sich in einen Streit mit Kölner Theologen, den er in der Schrift *Augenspiegel* (1511) mit polemischer Schärfe darlegte. Um eine beträchtliche Anhängerschaft nachzuweisen, veröffentlichte er 1514 an ihn gerichtete »Briefe berühmter Männer« *(Clarorum virorum epistolae).* In der Flut von Auseinandersetzungen schrieben – als Gegenstück – etwa vier oder fünf Freunde (anonym) 110 »Briefe von Dunkelmännern« *(Epistolae obscurorum virorum,* 2 Bde. 1515–17), fingierte Elaborate, die sie ausgemacht konservativen oder einfach frei erfundenen Literaten unterschoben (u. a. einem Dollenkopffius, Mistladerius, Schlauraff). Die Dümmlichkeit der angeblichen Schreiber sollte die bornierte Unduldsamkeit der gesamten scholastisch-orthodoxen Kreise kennzeichnen. So schreibt z. B. ein Johannes Coclearligneus (zu deutsch: Löffelholz) an den Magister Ortvinus Gratius (an den alle Briefe gerichtet sind), er habe Leute entdeckt, die zu den »Verschworenen« Reuchlins gehören und mit Ulrich von Hutten konspirieren, auch einen gefährlichen Poeten, »der griechische Gedichte machen kann«.

In einem schauderhaften Latein sollten die Unarten kirchlicher Tradition zutage treten: irrationaler Dogmatismus, übermäßiger Wunderglaube, Engstirnigkeit, Anspruch auf Macht und deshalb die Suche nach Ketzern.

Viele Humanisten schufen Ansätze zu einer Reform der Theologie und der Kirche, aber die meisten beteiligten sich nicht an der Reformation und den konfessionellen Konflikten. Die Fragen, die Luther Zwingli, Calvin und die Gründer anderer Glaubensgemeinschaften aufwarfen, lagen ihnen zu sehr im dogmatischen, d. h. mittelalterlichen Denken. Selbst Reuchlin hielt sich zurück. Die Abneigung war berechtigt, denn durch die Reformation wurde wieder die Theologie die vorherrschende Wissenschaft.

DER SPÄTHUMANISMUS

Der Teil der Humanisten, der für die Fragen der Reformation gewonnen wurde und sich auf das Kampffeld der Theologie begab, löste sich aus der extrovertierten und kosmopolitischen Weltlichkeit humanistischen Dichter- und Gelehrtentums. Die antiken Studien dienten nur noch der Theologie, vor allem der Auslegung der Bibel – oder aber allein dem Anspruch, gebildet zu erscheinen; die große Weltschau fehlte. Zudem konnte den protestantischen Humanisten Italien, von dem die Gegenreformation ausging, nun nicht mehr Ursprung und Vorbild sein. Luther und Hutten warfen den Römern äußerste Barbarei vor; dafür besann man sich auf die volkhaften Werte der Deutschen.

»Führwahr«, rief Hutten aus, »die Deutschen haben überall rote Farbe, denn sie leben in Freuden und gutem Vertrauen; sie enthalten sich der Dinge, die das Gemüt verbrennen, das Herz betrüben und das Blut mindern; ich sehe sie sich nicht viel Sorge machen, in Ängsten mager werden oder sich selbst verzehren. Es wäre den Deutschen heilsam und gut, wenn sie mit Eifer und Fleiß die Üppigkeit der Fremden und die ausländische Verweichlichung von sich abhielten und austrieben und ihr Wesen wieder zu der früheren Starkmütigkeit und zu der alten Tugend zurückbrächten.«

Es entstand ein nationaler Humanismus, der alle konfessionellen und politischen Fragen in sich aufnahm und der, gerade weil seine konfessionellen Bestrebungen auf das Volk einwirken sollten, sich zumeist der deutschen Sprache bediente.

Martin Luther (1483–1546) versuchte, die einzelnen Mundarten (die bisher eigenständig gesprochen und geschrieben wurden) einander anzugleichen, eine »gemeinste deutsche Sprache« zu schaffen. Luther (in Eisleben geb.) verbrachte seine gesamte Lebenszeit in Mitteldeutschland (als Student in Erfurt, als Mönch im dortigen Augustinerkloster und ab 1508 als Professor in Wittenberg). Er ver-

DEUTSCHE
GEMEIN-
SPRACHE

wendete die Mundart seiner Heimat, die sprachgeographisch Verbindungen von nord- und süddeutschen Dialekten aufwies. Hinzu kam der Sprachgebrauch der sächsischen Kanzlei, der (aufgrund der Prager Stilanweisungen Johanns von Neumarkt) allgemeinverständliche Redewendungen enthielt. Die volle Kraft dieses Deutsch ergab sich jedoch aus dem Verständnis des Dolmetschen für die Denk- und Gefühlsart des Volkes.

»Man muß nicht die Buchstaben in der lateinischen Sprachen fragen, wie man soll Deutsch reden, wie diese Esel tun, sondern man muß die Mutter im Hause, die Kinder auf der Gassen, den gemeinen Mann auf dem Markt drumb fragen und denselbigen auf das Maul sehen, wie sie reden, und darnach dolmetschen; so verstehen sie es denn und merken, daß man Deutsch mit ihn redet.« »Es ist Dolmetschen nicht eines jeglichen Kunst. Es gehöret dazu ein recht frumm, treu, fleißig, forchtsam, christlich, gelehret, erfahren, geübet Herz.«

Mit der Ausgabe des *Neuen Testaments* (1522) und des *Alten Testaments* (1534) beginnt sprachgeschichtlich die »neuhochdeutsche« Zeit. Zu der Sprache Goethes und Hölderlins bedurfte es freilich noch mancher Entwicklungsstufen, aber es war die entscheidende Wende eingetreten in der Gestaltung einer gemeinsamen und ausdrucksreichen deutschen Sprache. Das Deutsch Luthers verbreitete sich auch durch seine zahlreichen Streitschriften (*An den christlichen Adel deutscher Nation; Von der Freiheit eines Christenmenschen;* zus. 1520), seine Briefe, seine Fabeln (*Etliche Fabeln aus dem Esopo* [Äsop], 1530) und vor allem seine Kirchenlieder.

Luther hat, wie er selber sagte, das deutsche Kirchenlied nicht erstmals geschaffen, aber er brachte es zur Geltung, indem er ihm in der Liturgie einen bedeutenden Platz einräumte. Er dichtete 40 Lieder. Es sind teils Übertragungen aus Psalmen und lateinischen Hymnen *(Aus tiefer Not schrei ich zu Dir; Ein feste Burg ist unser Gott; Herr Gott, Dich loben wir)*, teils Bearbeitungen von volkstümlichen Liedern *(Nun freut euch, lieben Christen gmein)* und auch eigene Schöpfungen *(Erhalt uns, Herr, bei Deinem Wort)*. Wie seine Prosa, so zeichnen sich auch seine Lieder durch einen kernigen und lebensvollen Stil aus.

Einer der eifrigsten Anhänger Luthers war **Ulrich von Hutten** (1488–1523), ein fränkischer Ritter (geb. auf Burg Steckelberg bei

Fulda), ein Wanderpoet und Kriegsmann, der in Italien und Deutschland weit herumgekommen war und sich schon an den »Dunkelmännerbriefen« beteiligt hatte. Obgleich er **DEUTSCHE** nur den Beginn der Reformation erlebte, war er in sei-**NATION** ner Denkart ein Humanist der Spätepoche. Er stritt gegen das päpstliche Rom und die südländische Überfremdung (die »römische Tyrannei«) und sang ein Loblied auf die »wohlgesittete deutsche Nation«. Vor allem die Traktate in seinem *Gesprächbüchlein* (1521) sind von einem unbändigen nationalen Glauben beseelt.

Vom deutschen Kaiser und vom Kurfürsten von Sachsen (der Luther beschützte) erwartete Hutten eine Stärkung des Reiches; und in die deutsche Geschichte zurückblickend, bezeichnete er Arminius, den Befreier von römischer Knechtschaft, als den »Freiesten, Unbesiegtesten und Deutschesten«.

Zudem war Hutten ein glänzender Latinist und Gräzist, aber auch ein begabter deutschsprachiger Lyriker. Seine Lieder haben – wie sein Charakter – etwas Stürmisches, Derbes und Landsknechtsmäßiges an sich.

»Ich hab's gewagt mit Sinnen	Nun ist oft diesergleichen
Und trag' des noch kein Reu,	Geschehen auch hievor,
Mag ich nit dran gewinnen,	Daß einer von den Reichen
Noch muß man spüren Treu.	Ein gutes Spiel verlor:
Darmit ich mein'	Oft große Flamm
Nit eim alicin	Von Fünklein kam,
Wenn man es wollt' erkennen;	Wer weiß, ob ich's werd rächen.
Dem Land zu gut;	Steht schon im Lauf,
Wiewohl man tut	So setz' ich drauf:
Ein' Pfaffenfeind mich nennen...	Muß gehen oder brechen!«

Im Zeitalter der Religionskämpfe war neuer Stoff gegeben für die – im Hochhumanismus aufgekommene (vgl. S. 73) – antikirchliche und andererseits der Kirche verpflichtete Satire. Die literari-**GROBIA-** schen Streiter der Glaubensparteien, bestrebt, die **NISMUS** Schwächen und Mängel der gegnerischen Konfession ins grelle Licht des Spottes zu setzen, gebrauchten allerdings sehr häufig den Grobianismus des Spätmittelalters. Nur selten gelang ein geistvoller Witz; zumeist wurden nur Derbheiten und Unflätigkeiten hervorgebracht.

Der Rheinhesse **Erasmus Alberus** (1500–53) versuchte in seiner Satire *Der Barfüßer Mönche Eulenspiegel und Alkoran* (1542), die Gestalt des heiligen Franziskus zu verzerren, und ließ in seinen Fabeln, die er nach der Vorlage des Griechen Äsop anlegte, den Papst als bösartiges Tier auftreten.

Auf katholischer Seite tat sich der elsässische Franziskaner **Thomas Murner** (1475–1537) durch sein Versepos *Von dem großen Lutherischen Narren* (1522) hervor, das zwar einige spaßige Anspielungen, zumeist aber nur plumpe Beschimpfungen enthält. – Schon vor der Reformation hatte Murner Satiren auf die »Narrheit« geschrieben (*Der Schelmen Zunft; Die Narrenbeschwörung*, zus. 1512). Seine Vorlage war *Das Narrenschiff* (1494) des Straßburgers **Sebastian Brant** (1457–1521), eine epische Dichtung, in der allgemeine Mißstände, wie etwa das närrisch überhebliche Gebaren einzelner Stände, die Putz-, Mode- und Trunksucht angeprangert werden.

Ein elementares Talent besaß lediglich **Johann Fischart** (aus Straßburg; 1546–90). Zwar mischte auch er im Streit der Konfessionen kräftig mit und gelangte in seinen Pamphleten gegen die päpstliche Kirche, namentlich die Jesuiten, nicht über das Zeitgemäße hinaus, aber in seinen belletristischen Werken schuf er eine kluge, mitunter hintergründige Komposition satirischer Bilder.

Sein Epos *Flöh-Hatz* (1573) ist die gelungenste satirische Tierdichtung dieser Zeit. Ein Floh, der eben dem Tode entronnen ist, klagt vor Jupiter in rhetorischem Pathos die Frauen an, die sein Geschlecht mordgierig verfolgen. Der Kanzler der Flöhe übernimmt auf Anordnung Jupiters die Verteidigung der Frauen. Nach eingehender gerichtsmäßiger Untersuchung wird schließlich den Frauen doch das Recht zugesprochen, die Flöhe zu töten. Hintergründigkeit entsteht durch die Feststellung, daß Jupiter selber den Flöhen das böswillige Treiben aufgetragen hat.

In einem äußerst drastischen und absichtlich vertrackten Stil ist der Roman *Geschichtschrift* (auch: *Gargantoa,* 1575) abgefaßt, eine freie Übertragung und Ergänzung des ersten Bandes von François Rabelais' Romanwerk »Gargantua et Pantagruel« (1533). Vielartige (u. a. kirchliche und politische) Mißstände werden am Beispiel einer Familie von Riesen aufgezeigt. Der gefräßige Gargantoa ist ein Kind Grandgusiers, des Königs im Reich Utopien. Beschreibungen seiner Jugend, der Heldentaten, des ungeschlachten Lebens und zahlreiche Randszenen und Glossen ergeben das »verwirrete ungestalte Muster der heut verwirrten ungestalten Welt«.

Grobianisches findet sich auch in humoristischen und satirischen Werken der Meistersinger, der Poeten im kleinbürgerlichen Handwerkertum. Seit dem 14. Jahrhundert hatten sich innerhalb der

Handwerkszünfte (u. a. in Mainz, Straßburg, Worms
MEISTER- und Augsburg) dichterische Zirkel (»Bruderschaften«,
SINGER »Singschulen«) gebildet. Mit Hilfe zahlreicher Regeln,
die in »Tabulaturen« festgehalten wurden, sollte eine
aufwendige, der humanistischen Kunstfertigkeit und Gelehrtheit
entsprechende Lyrik hervorgebracht werden. Daneben entstanden
aber auch sehr derbe Poeme.

Bekannt wurde (vor allem durch Richard Wagners Oper »Die Meistersinger von Nürnberg«) der Schuster **Hans Sachs** (1494–1576). Die
meisten seiner 4275 Lieder sind schulisch-schablonenhafte, hochtra-
bende Lehrdichtungen. Hingegen gelangen ihm einige Schwänke,
Possen und Fastnachtsspiele.

Seine Versschwänke handeln z. B. von den Annehmlichkeiten des Schlaraf-
fenlandes, von einem diebischen Schneider, der aus Barmherzigkeit in den
Himmel eingelassen wird und sich dort ungebührlich aufführt, von einem
Koch, der seinem Herrn weismachen will, daß die Kraniche nur ein Bein
haben (nach Boccaccio), von einem Raubritter, dem die ausgeplünderten
Kaufleute noch dafür dankbar sein sollen, daß er ihnen nicht die Kleidung
abnimmt, von Sankt Peter, der einen eingelassenen Trupp Landsknechte
wieder aus dem Himmel hinauslocken muß oder der sich vom Herrn für einen Tag die Weltherrschaft ausbittet, aber die ganze Zeit damit zubringt, eine
Geiß richtig zu hüten.

> »Petrus sprach: Lieber Herre mein,
> Nimm wieder hin das Zepter dein
> Und deine Macht! Ich begehr' mitnichten
> Forthin dein Amt mehr auszurichten.
> Ich merke ja, daß ich kaum weiß,
> Wie ich soll lenken eine Geiß
> Ohn' Angst und Müh' und Arbeit groß.
> Vergib mir, Herr, mein' Torheit bloß!
> Ich will fortan der Herrschaft dein,
> Solang' ich leb', nicht reden ein.«

Auch die Fastnachtsspiele (kurze humoristische Szenenfolgen, die beim Fast-
nachtsumzug aufgeführt wurden) sind aus einem frischen volkstümlichen
Humor gestaltet. Im *Roßdieb von Fünsing* wollen die sich sehr gescheit dün-
kenden Bauern die Hinrichtung des Diebes aufschieben, da sonst das noch
nicht geschnittene Korn am Galgen zertreten werde. Der Dieb aber, dem
man bis zum Zeitpunkt der Ernte die Freiheit und sogar noch ein Zehrgeld
schenkt, läßt sich nicht mehr blicken. Das Spiel vom *Kälberbrüten* stellt die

Dummheit eines Bauern dar, der während der Abwesenheit seiner Frau den
Haushalt durcheinanderbringt und sich schließlich auf einen Käse setzt, um
aus ihm Kälber auszubrüten. *Der fahrende Schüler im Paradies,* ein junger
Student, redet einer Bäuerin ein, aus dem Paradies zu kommen und dort
ihren verstorbenen Mann getroffen zu haben, und da er vorgibt, ins Paradies
zurückzukehren, erhält er von ihr für den Verstorbenen ein reiches Bündel
Kleidung und zwölf blanke Gulden. (Eigenhändige Sammlung des Gesamtwerkes 1567)

Stärker als die Volksbühne der Meistersinger kam das Schultheater,
die Laienbühne der Gymnasien, zur Geltung. Aufgeführt wurden
altrömische Schauspiele und Nachgestaltungen antiker
DIE CHRIST-　Stoffe (zumeist von Schulmeistern verfaßt, wobei die
LICH LEHR-　nicht immer einwandfreie Moral eines Plautus, Terenz
WEIS'　　　und Seneca »ausgebessert« wurde), schließlich auch
deutschsprachige Stücke, die besonders Szenen aus der Bibel enthielten. Die Schulen standen nun wieder unter sehr autoritärem Einfluß
der Theologie. Die Schauspiele hatten weit mehr reformatorischen
als humanistischen Charakter; sie selber sollten eine »Schule« für religiöse Überzeugung und sittliche Bildung sein.

Der aus Niederösterreich stammende **Paul Rebhuhn** (1505–46), Lehrer am
Gymnasium in Zwickau, der besonders in den zwischen die Handlungen ein-
gesetzten Chorgesängen ein gutes sprachliches Talent zeigte, verfaßte ein
altbiblisches *Spiel von der gottfürchtigen und keuschen Frauen Susannen*
(1536), das von anderen Dichtern oftmals nachgeahmt wurde, und eine
Hochzeit zu Kana (1538), wobei er auch darin die christlichen Sittenlehren in
den Vordergrund stellte.
　Nikodemus Frischlin (1547–90) aus Württemberg, Lehrer in Tübingen und
Laibach, dessen lateinische Stücke von seinem Bruder übersetzt wurden,
schrieb ebenfalls eine *Susanne,* vergegenwärtigte in seiner *Rebekka* eine gut-
christliche Brautwerbung und Hochzeit, zeichnete in einem Dramen-Frag-
ment *Josef* das Idealbild eines christlichen Mannes und gab in den deutsch-
sprachigen Stücken *Ruth* und *Frau Wendelgart* (einem Legendenspiel um die
Tochter des deutschen Königs Heinrich I.; 1579) Regeln für einen anständigen und frommen Lebenswandel.

Auf katholischer Seite lag das Schuldrama in der Hand der Jesuiten.
Zuerst erschienen lateinische Bearbeitungen von Legenden und Sa-
gen. Zur großen Entfaltung kam das Jesuitendrama aber erst im
Barock (S. 112).

Das in diesem Jahrhundert erwachende Interesse am Drama wurde noch sehr wesentlich von den Wanderbühnen gefördert: den be-
rufsmäßigen englischen, niederländischen und schließ-
Die Spekta- lich auch deutschen Komödiantentruppen, die von
kelbühne Stadt zu Stadt zogen und antike, vor allem aber englische Schauspiele zur Aufführung brachten.

England erlebte in dieser Zeit eine einzigartige Blüte des Dramas, die z. T.
auf Einflüsse der italienischen Renaissance zurückzuführen ist. Vor allem
Christopher Marlowe (1564–93) und William Shakespeare (1564–1616)
schufen renaissancistische, mit diesseitigen Wirklichkeiten und realen Fragen sich auseinandersetzende Dramengestalten. Zugleich aber versuchten
sie (etwa Marlowe im *Faustus* und Shakespeare im *Hamlet*), seelische und
schicksalhafte Hintergründe darzulegen bzw. anzudeuten. Ein Typus auto-
gener Individualität tritt hervor, der den deutschen Humanisten im Grunde
fremd war. Begriffen wurde er erst von Dichtern und Publizisten der späten
»Aufklärung« und des »Sturm und Drang«.

Man begeisterte sich an den schaurigen Szenen der englischen Dramen. In den primitiven Übersetzungen und Aufführungen wurden
die Spannungseffekte von Mord- und Schandtaten hervorgehoben
(Spektakelstücke). Die dargebotene (oft unsinnige) Theatralik übernahmen viele deutsche Dramendichter.

Andersartig waren die Ansätze zu einem deutschen Roman; sie
gingen auf mittelalterliche Epen, Legenden und Sagen zurück, auf
»Volksbücher«, die bis ins 18. Jahrhundert erschienen.

Zu den beliebtesten Volksbüchern gehörten der *Till Eulenspiegel,*
die Possengeschichte vom Braunschweiger Bauernbur-
Volksbuch schen, der mit scheinbarer Dummheit Städter und
Bauern foppt, – *Das Buch von den Schildbürgern,* den
Einwohnern der sächsischen Stadt Schilda, die durch ihre Be-
schränktheit manchen Schabernack anstellen, – die Legende von der
Pfalzgräfin Genovefa, die während der Abwesenheit ihres Gemahls
dem bösartigen Burgverwalter ausgeliefert ist, sich aber seinen Anträgen und Drohungen standhaft widersetzt, – die Sage vom *Ewigen Juden,* dem unstet umhergetriebenen, nach Vergebung und Ruhe su-
chenden Ahasverus, – und schließlich die ebenfalls erst im 16. Jahrhundert entstandene *Historia von D. Johann Fausten, dem weitbe-
schreiten Zauberer und Schwarzkünstler* (Frankfurter Ausg. 1587),

auf die Marlowes Drama »The Tragical History of D. Faustus« (Buchausg. 1604) zurückgeht.

Ein Doktor Faust hat um 1500 tatsächlich gelebt. Er stammte aus Schwaben, war Theologe und soll sich mit Astrologie, Magie und anderen Dunkelwissenschaften befaßt haben, um die Welt der Geister zu beschwören. – Im Volksbuch geht Faust, Sohn eines Bauern aus der Gegend von Weimar, Theologe in Wittenberg, der »alle Gründ am Himmel und auf Erden erforschen«, die »Elemente spekulieren« will, ein Bündnis mit dem Teufel (Mephistopheles) ein. Der Vertrag lautet auf 24 Jahre, in denen Faust in die verbotenen Künste eingeführt wird und u. a. auf einem Höllenroß eine Weltfahrt unternimmt. Nach der abgelaufenen Frist fällt seine Seele trotz Reue und Wehklagens dem Teufel zu. – Faust ist gleichviel mittelalterlicher Schwarzkünstler wie auch Humanist, der eine reiche Gelehrsamkeit, vor allem über Astronomie und Geographie, vorzuweisen hat und sich in der Kunst des Disputierens versteht. Er ist eine Zwiegestalt aus mystisch-magischen Triebkräften und rein rationalem humanistischem Erkenntnisdrang, eine Zwielichtgestalt, deren gedankliche und dichterische Auslegung unerschöpflich ist.

Neben den Volksbüchern, die zumeist – in sehr lockerer Anreihung von Geschichten – unglaubwürdige Stoffe wiedergaben, entstand eine zwar ebenso volkstümliche, aber zeitnahe, nüchterne, geradezu »realistische« Prosa. **Jörg Wickram** (ca. 1505–60; Ratsdiener in seiner Geburtsstadt Colmar, Stadtschreiber in Burkheim) schilderte vor allem bürgerliches Leben, – schlicht und BÜRGER-TUGEND bieder. Es kam ihm nicht auf poetische Effekte an, sondern auf eine eingängige Belehrung, ganz aus der Sicht des fleißigen, tugendhaften Bürgers. Aufgrund der didaktischen Absicht brachte er durchgehende, gut komponierte Handlungen, thematisch schlüssige »Romane«, zustande. Freilich fehlte ihm noch ein psychologisches Verständnis.

Der Roman *Der jungen Knaben Spiegel* (1555) geht von zwei gegensätzlichen Elternhäusern und von Verhältnissen in der Schule aus und erklärt an Beispielen eines braven, strebsamen Bauernsohnes, der schließlich ein hohes Amt erhält, und eines verzärtelt aufgezogenen und bald gescheiterten jungen Adligen die Notwendigkeit einer strengen sittlichen Erziehung. Im Roman *Von guten und bösen Nachbarn* (1556) sind Geschehnisse in einer Kaufmanns- und einer Handwerkerfamilie geschildert, Auseinandersetzungen zwischen den Familien, aber auch versöhnliches Verhalten und hilfreiches Handeln. Auch in dem ins Ritterlich-Höfische abschweifenden Roman *Der*

Goldfaden (1557) bewährt sich eine aufrechte, gutherzige Gesinnung. Der Hirtenknabe Leufried widersteht allen Anfechtungen und gewinnt dadurch die Liebe einer Grafentochter.

Lehrhaftes findet sich sogar in den Schwänken *Das Rollwagen-Büchlein* (1555), die z. T. auf die seinerzeit vielgelesenen Fazetien des Florentiners Gian-Francesco Poggio Bracciolini (1380–1459) zurückgehen. Sie sollten (vor allem als Reisewagen-Lektüre) der Kurzweil dienen. In einem lebhaften, aufmunternden und anschaulichen Stil sind zumeist Streiche und Possen von Bürgern, Bauern und Landsknechten geschildert und Eigenarten elsässischen Volkslebens wiedergegeben. Anflüge von Pikanterien werden durch moralische Unterweisungen verdrängt. Ausgesprochen Grobianisches ist hier wie in den Romanen vermieden.

Der Erfolgsroman dieser Zeit war *Amadis de Gaula,* der in Spanien verfaßt und in Frankreich umgearbeitet und erweitert worden war.

HÖFISCHER
ANSTAND

Die Frankfurter Ausgabe (aufgrund dt. Nachträge 24 Bde., 1569–95) erschien unter dem Titel *Amadis aus Frankreich.* Das Riesenwerk ist eine Mischung aus ritterlichen Aventüren und Idealen der Renaissance, ein Lehrbuch höfischen Anstands und eine »Schatzkammer schöner, zierlicher Orationes, Sendbriefe, Gespräche, Vorträge, Vermahnungen und dergleichen«.

Der Königssohn Amadis, als uneheliches Kind am Meeresufer ausgesetzt, aber von einer Fee beschützt und an einem königlichen Hofe aufgezogen, bewährt sich in vielen Kämpfen, Streitereien und Kabalen. Auch auf seinen weiten Fahrten (bis in den Orient) bleibt er der gewandte, besonnene, untadelige Hofmann und Kavalier. Zu Recht gewinnt er die (schon lange umschwärmte) Prinzessin Oriana zur Frau.

Es waren nicht nur die phantastischen Abenteuer, die schwülstigen Liebesszenen und spannenden Verwicklungen zu »bewundern«, sondern auch die »Zierlichkeit und Wohlredenheit« mit den »lieblichen, anmutigen Phrasibus«. Die deutsche Übertragung, die eine Fülle von lateinischen, spanischen und französischen Ausdrücken aufwies, da man nachweisen wollte, daß »alles nach fremdländischen Mustern ging«, bedurfte eines eigenen Fremdwörterbuchs (1579).

Während sich von der Reformation her allmählich eine auf deutsche Verhältnisse bezogene, einheimische und volkstümliche Literatur durchsetzte, ist im »Amadis«-Roman noch einmal die ursprüngliche humanistische Bindung an ausländische, namentlich romanische Einflüsse ausgedrückt. Der Absicht, das Bürger- und Bauerntum zu schildern, religiös und moralisch auf das Volk einzuwirken, stand eine Darstellung weltweiten Geschehens, aristokratischer Weltoffenheit und Daseinsfreude gegenüber.

DAS BAROCK

Der Gegensatz zwischen den Ideen des Humanismus und der Reformation (der zumeist von einer gemeinsamen nationalen Tendenz verdeckt worden war) trat wesentlich deutlicher im 17. Jahrhundert hervor. Der Humanismus, der vorwiegend eine Erforschung der diesseitigen Welt beabsichtigte und ihr seine Leistungs- und Gestaltungskraft widmete, stand zur Reformation, die den Weg zu religiöser Verinnerlichung neu erschlossen hatte und den Blick wieder aufs Jenseits lenken wollte, in einem gleichen Widerspruch wie einstmals zur strengen Religiosität des Mittelalters.

Auf der einen Seite regte sich der diesseitige Gestaltungswille des Humanisten, sein Streben nach Vielseitigkeit, Ausgewogenheit und weitgreifender Bildung, sein Selbstbewußtsein, das über jeden Zweifel hinwegsah und jede Fragestellung mit rationaler Klarheit zu lösen versuchte, seine Weltgewandtheit und Welterfahrenheit. Verlangt wurde ein weiterer Ausbau der Wissenschaften, der Philologie, der Historik, Geographie, Mathematik, Astronomie, Botanik und Medizin, und eine Vervollkommnung der Poesie. Hier bewiesen nichttheologische Fakultäten und gebildete Fürstenhöfe einen universalen Geist. Bildnisse, Bauten und Bücher erschienen in ihrer Schönheit und ihrem Ideenreichtum als Ausdruck höchster menschlicher Vollkommenheit.

Hingegen hatte die Reformation wieder eine religiöse Besinnung ausgelöst. Das religiöse Engagement wurde zudem noch durch die katholische Gegenreformation herausgefordert. Hinzu kam das Erlebnis des Dreißigjährigen Krieges, das dem Menschen das Bewußtsein der Hinfälligkeit alles Irdischen gab und ihn einen seelischen Schutz und Trost in der Religion suchen ließ. Gerade im Leidenszustand während des Krieges haben sich viele Menschen Gott zugewandt.

Im religiösen Weltbild des Barock sind Gott und das Diesseits vollkommene Gegensätze. Das Diesseits, dessen Chaos man erlebte, galt als Ort gänzlicher Sündhaftigkeit und Destruktion, als Spielfeld teuflischer Macht. Deshalb suchte man (etwa in mystischen Traumbildern) nach Gott, einem gütigen (»frommen«) Gott, der sich im irdischen Dasein nicht erkennen ließ; und daher war dem religiösen Menschen der Tod kein furchtbarer Widersacher, sondern der Erlöser von der Lebensqual, der ersehnte »Vermittler« zum göttlichen Reich.

Es ging um ein gefühlsmäßiges »Erschauen Gottes«; denn Gott, der anscheinend die Welt ihrem Schicksal überließ, die Herrschaft des Bösen gestattete, ließ sich nicht rational erklären, ohne daß man in Zweifel, vor allem hinsichtlich seiner Allmacht, Güte und Gerechtigkeit, verstrickt wurde. Der Mensch mußte dieser Gefahr das Dennoch seines Glaubens entgegensetzen, eine Bereitschaft zu unbedingtem Vertrauen; er mußte die Fragen, die sich auftaten, mit dem Einsatz seiner emotionalen Bindung an Gott überdecken. Nur dadurch verfiel er nicht ganz der Erkenntnis des Ausgeliefertseins, der Existenzangst, die ihn während des Dreißigjährigen Krieges besonders stark bedrohte. Seine geradezu fanatische Religiosität resultierte aus Verzweiflung. Obwohl er im irdischen Leben von Gott nichts erwarten konnte, bekannte er sich zu ihm.

Dieses Höchstmaß an Religiosität ließ sich jedoch nicht immer aufbringen. Oft im Augenblick tiefsten Verzagtseins lieferte sich der Mensch der Antithese aus, einem renaissancistischen Lebensgefühl, einer Euphorie, die das Diesseits feierte, starke Sinnenreize und betäubende Effekte hervorbrachte. Keine Epoche hat sich so sehr dem Sinnlichen (dem Erotischen, Schwelgerischen und Prächtigen) hingegeben wie das Barock, vor allem in der Baukunst, Malerei und Poesie. Der Lehrsatz, den günstigen Augenblick, die sich bietende Chance, zu nützen (»Carpe diem!« – »Genieße den Tag!«), ergab sich aus dem Verlangen, religiöse Zweifel und Existenzangst zu überspielen. Dem christlichen Stoizismus, der ein inniges Verhältnis zum Tod proklamierte (»Memento mori!« – »Denke daran, daß du sterben mußt!«), stand eine absolute Bejahung des irdischen Lebens gegenüber.

Zwischen »Weltflucht« und »Weltsucht« lag die Spannung des barocken Menschen. (Der Ausdruck »Barock« stammte vermutlich aus dem Portugiesischen und bezeichnete etwas Unregelmäßiges, Mißgestaltetes.) Das Weltgefühl war zerrissen, »antithetisch«; die ruhende Mitte fehlte. Entsagungs-, Jenseitsstimmung und höchste Weltlust lagen in ständigem Widerstreit zueinander, und keiner der beiden Seiten gelang ein endgültiger Triumph. Versuche, die Gegensätze zu überbrücken, brachten zumeist nur grelle Dissonanzen hervor.

Hinzu kamen Wandlungen im politischen, gesellschaftlichen und kirchlichen Leben und in der Kunstanschauung, die sich bereits in der zweiten Hälfte des 16. Jahrhunderts angebahnt hatten. Der fürstliche Absolutismus breitete sich aus, setzte dem bürgerlichen Stadt- und dem ritterlichen Ständestaat ein Ende, ließ keinen Raum mehr für freiheitliche Gedanken und förderte die künstlerische Konzentration auf den Hof. Daraus erklärt sich der mitunter höfische Charakter der Barockkultur.

Genauso total war der Machtanspruch der päpstlichen Kirche, die im Geiste Loyolas, des Jesuitenordens, den Individualismus der Reformation auszuschalten versuchte. Wesentliche Einflüsse kamen aus Spanien. Dramen Calderóns, spanische Mönchs- und Nonnenmystik, die katholische Philosophie eines Suárez und auch spanische Schelmenromane waren Vorbilder. Aus der spanischen und italienischen Literatur stammten die aufwendige Rhetorik, das Übermaß an Bildern, das Pathos mit »Zentnerworten«. Auch das Geringste wurde maßlos gesteigert, gigantisch überhöht. Aus dem Willen heraus, sich von den irdischen Zwängen freizumachen, versuchte der barocke Künstler und Poet, etwas Absolutes, Letztes, Unendliches oder zumindest etwas außergewöhnlich Prachtvolles darzustellen.

Kennzeichen der schlesischen Barockdichtung ist das scharf zugespitzte Gegeneinander von Diesseitsflucht und Diesseitsbindung in der Person ein und desselben Dichters, ja oft in einem Werk. Demgegenüber haben sich die übrigen Richtungen der Barockliteratur zu einer endgültigen Entscheidung durchzuringen versucht, wenngleich auch dort Dissonanzen vorhanden waren.

Die schlesischen Dichter nahmen in der Literatur des 17. Jahrhunderts eine gewisse Vorrangstellung ein. Dies verdankten sie zunächst ihrem Landsmann **Martin Opitz** (1597–1639), der in seinen Betrachtungen über Sprache, Stil, Verskunst und die Aufgaben der einzelnen Gattungen der Poesie eine formale Grundlage geschaffen hatte. Sein *Buch von der deutschen Poeterei* (1624), das – auf die zahlreichen Poetiken des Humanismus folgend – die dichterischen Formen und Aussagearten in Gesetzen festzulegen suchte, galt über ein Jahrhundert hinaus als Richtlinie und Maßstab allen poetischen Gestaltens.

DEUTSCHE POETEREI

Opitz (als Sohn eines Fleischermeisters in Bunzlau geboren) hatte sich schon als Gymnasiast mit Fragen der Poesie auseinandergesetzt. In einer lateinischen Schulrede, *Aristarchus oder Von der Verachtung der deutschen Sprache* (1617), hatte er die ersten Ergebnisse und auch die weiteren Ziele festgelegt, nämlich die deutsche Dichtung zwar im Sinne des Humanismus, jedoch auf der Grundlage der deutschen Muttersprache neu zu aktivieren. Opitz löste sich nie von den humanistischen Poetiken, von den Vorbildern der Griechen und Römer, aber seine bedeutende Leistung besteht darin, daß er die humanistische Tradition den Erfordernissen der deutschen Sprache angepaßt hat.

An der Universität Heidelberg, an der er zu Beginn des Krieges (1619) studierte, in einem Kreise junger Freunde und altbewährter, aber ebenso fortschrittlicher Gelehrter, konnte er seine Gedanken weiterbilden und sich im Gebrauche einer deutschen Dichtersprache schulen. Auf seiner Flucht vor den Verheerungen und Greueln des Krieges, in Dänemark, entstanden seine ersten großen lyrischen Versuche, die *Trost-Gedichte in Widerwärtig-*

keit des Krieges (1633 gedr.), die ein geradezu nationales Bekenntnis aussprechen und auf die Vergangenheit der deutschen Volkspoesie hinweisen. Opitz fand und erfand Belege, aus denen er die Berechtigung einer deutschen Dichtung herleitete. In seiner Poetik erwähnte er stolz die deutsche Literatur des Mittelalters und die altgermanische Bardendichtung, wie er auch später das *Annolied* aus der Zeit um 1100 (einen Lobgesang auf den Kölner Erzbischof Anno) entdeckte und veröffentlichte (1639).

In Weißenburg hingegen, in der Residenzstadt des Fürsten von Siebenbürgen, wo Opitz 1622/23 als Magister tätig war, in einem Lande, das einst zum römischen Imperium gehört hatte, wirkte auf ihn die Nähe der Antike.

Die Poetik, die Opitz nach seiner Rückkehr aus Siebenbürgen in Schlesien niederschrieb, resultierte aus dem Willen, eine möglichst einheitliche Dichtung zu schaffen und diese durch Übernahme der humanistischen, der altbewährten antiken Formen zu einem höchstrangigen Kunstgegenstand zu erheben. Dabei spielte die Absicht mit, eine – gleichsam koordinierte – nationale Literaturbestrebung auszulösen. Sehr maßgeblich war der Gedanke des Wettstreits mit der renommierten Poesie des Auslands.

Auch wenn Opitz ausdrücklich eine natürliche Veranlagung voraussetzte, sah er die Dichtung doch unter sehr rationalen Gesichtspunkten. Sie war ihm eine gelehrte Kunst für Gelehrte. Ihre Grundlage war die Kenntnis des Griechischen und Lateinischen sowie der Verfahrensweise der berühmten Klassiker. Er übernahm die alten Gattungsbegriffe (etwa: Tragödie, Komödie, Odendichtung, Epigramm, Satire), wobei er gelegentlich die antiken Regeln mit zeitgemäßen Normen verknüpfte. So sollte die Tragödie – wie insgesamt die heroische Dichtung – in der Welt von Fürsten und Potentaten, die Komödie hingegen nur im Lebensbereich einfacher Leute spielen (dies war offensichtlich ein Zugeständnis an den fürstlichen Absolutismus).

GELEHR-
TENKUNST

Der ernsthaften Dichtung trug Opitz den Mahnruf Memento mori! auf. Das Gegenüberstellen von Vergänglichem und Ewigem erachtete er als die wesentliche Lehrweise. Die Absicht sprachlicher Vervollkommnung vereinbarte er mit moralischer Didaktik. Dichtung war ihm eine komplexe Aktion von Kunstfertigkeit, Bildung und Besinnung.

Als Versmaß empfahl Opitz nach der Vorlage eines französischen Alexanderliedes aus dem 12. Jahrhundert einen sechsfüßigen Jambus (Wechsel von

Senkung und Hebung), in dessen Mitte eine Verspause (Zäsur) liegt. Dieser
sog. »Alexandriner« wurde erst im folgenden Jahrhundert vom Hexameter
verdrängt.

In späteren Jahrhunderten wurden die Opitzschen Regeln als eine
Beengung des dichterischen Vermögens und Verkennung der seelischen Schöpferkraft allzu heftig kritisiert. Zumindest muß die Absicht anerkannt werden, der immer noch verbreiteten lateinischen
Poesie und der Fremdwörterei ein Ende zu setzen und dabei nachzuweisen, daß sich eine anspruchsvolle deutschsprachige Dichtung
durchaus verwirklichen ließ.

In den folgenden Jahren schuf Opitz (er war zuletzt Hofhistoriograph des
polnischen Königs und starb in Danzig) eine Reihe von Übersetzungen aus
der antiken und zeitgenössischen Literatur; er wollte Anregungen geben,
»Muster« vorlegen.

   Als Dramen-Modelle übertrug er die *Trojanerinnen* von Seneca (1625) und
die *Antigone* von Sophokles (1636). Mit der Übersetzung von Rinuccinis
Dafne (1627) führte er das pomphafte italienische »dramma per musica«, die
Oper, in die deutsche Literatur ein (Musik von Heinrich Schütz). Ebenso
bemühte er sich um die Verbreitung neuartiger Romane, den ein politischen und geschichtlichen »Schlüsselroman« *Argenis* (in lat. Sprache verf.
von John Barclay) übersetzte (2 Bde. 1626–31) und eine bereits bestehende
deutsche Fassung des »Schäferromans« *Arcadia* (von Philip Sidney) überarbeitete (1638).

   Als lyrische Stilmuster schrieb Opitz selber Lieder, Oden und Sonette
(u. a. ersch. in der Ausgabe *Deutscher Poematum Erster Teil – Anderer Teil,*
1629; verb. Aufl. 1637). Mitunter finden sich in ihnen eine natürliche Anmut
und ein heiteres Gedankenspiel.

»Itzund kommt die Nacht herbei,	Nach den Monden frag ich nicht,
Vieh und Menschen werden frei,	Dunkel ist der Sternen Licht,
Die gewünschte Ruh geht an,	Weil sich von mir weggewendt
Meine Sorge kommt heran.	Asteris, mein Firmament.
Schöne glänzt der Mondenschein	Wenn sich aber naht zu mir
Und die güldnen Sternelein;	Dieser meiner Sonnen Zier,
Froh ist alles weit und breit,	Acht ich es, das beste sein,
Ich nur bin in Traurigkeit.	Daß kein Stern noch Monde schein.«

Wesentlich stärker als bei Opitz äußert sich der Zwiespalt zwischen Bejahung und Verneinung des Daseins in der Lyrik des **Christian Hof(f)-
mann von Hof(f)mannswaldau** (1616–79; aus Breslau). In Danzig

hatte er Opitz kennengelernt, aber ihm kam es auf einen überwälti-
genden Inhalt und exorbitanten Stil an. Eine effektvol-
MANIE-   le, prunkende und hochgeschraubte Sprache fand er
RISMUS   im italienischen Barock, bei den Meistern der poetischen Galanterie, Marino und Guarini. Der »Marinismus« oder »Manierismus« (von: maniert = gekünstelt) Hofmannswaldaus und seiner Nachfolger suchte die sprachliche wie
auch inhaltliche Übersteigerung, die Großartigkeit sinnenberau-
schender Bilder, die ausgeklügelte Eloquenz und galante Geziertheit,
– in jeder Weise den verblüffenden Effekt. (*Herrn von Hoffmanns-*
waldau und andrer Deutschen ... Gedichte, 7 Bde. 1695–1727; die
ersten 2 Bde. hrsg. von Benjamin Neukirch, vgl. S. 126)

Abgesehen von den schon bei Opitz vertretenen antiken Gottheiten, erschienen Tuberosen und Hyazinthen, Rosenduft und Parfüm, Ambra, Nektar und
Marzipan, Alabaster und Purpur, Marmor und Seide, Rubine und Saphire in
übermäßiger Häufung. Aber mit gleicher Intensität wurden das auffallend
Häßliche, das Kranke, der Tod, das Skelett, die Verwesung dargestellt.

Vergänglichkeit der Schönheit

»Es wird der bleiche Tod mit seiner kalten Hand
Dir, Lesbie, mit der Zeit um deine Brüste streichen,
Der liebliche Korall der Lippen wird verbleichen;
Der Schultern warmer Schnee wird werden kalter Sand.

Der Augen süßer Blitz, die Kräfte deiner Hand,
Für welchen solches fällt, die werden zeitlich weichen.
Das Haar, das itzund kann des Goldes Glanz erreichen,
Tilgt endlich Tag und Jahr als ein gemeines Band.

Der wohlgesetzte Fuß, die lieblichen Gebärden,
Die werden teils zu Staub, teils nichts und nichtig werden;
Dann opfert keiner mehr der Gottheit deiner Pracht.

Dies und noch mehr als dies muß endlich untergehen,
Dein Herze kann allein zu aller Zeit bestehen,
Dieweil es die Natur aus Diamant gemacht.«

Von dem überwiegend konkret-metaphorischen »Marinismus« (»lieblicher
Korall der Lippen«, »Augen süßer Blitz«, »Goldes Glanz«) läßt sich der
»Manierismus« insofern unterscheiden, als er ins Sprachesoterische tendiert.
Wie bereits in der Opitzschen Diktion »Dunkel ist der Sternen Licht« werden
Sprach-Koinzidenzen angestrebt (»Der Schultern warmer Schnee«) und dar-

über hinaus vollends verschlüsselte Chiffren geschaffen. So etwa vergegenwärtigt das Wort »Diamant« nicht nur die begreifbaren Qualitäten der Härte, Dauerhaftigkeit, Reinheit, Kostbarkeit etc., es verweist auch auf eine innere, geradezu geheimnishafte Substanz. Es ist nicht nur befrachtet mit dem Wissensgut der Alchimie und mit dem im Barock noch sehr vieldeutigen Begriff der »Natur«, sondern auch mit der Intensität unbestimmter Farbigkeit, unübersehbaren und kontrastierenden Kolorits, magischen Zauberglanzes und magischer Zauberkraft. Derartige Sprachtendenzen sind Ausdruck einerseits des poetischen Experimentierens, andererseits auch des (im weitesten Sinne) mystischen Elements barocker Weltauffassung. In dem Gedicht *Schlackenwerk* formulierte Hofmannswaldau: »Du hast den Dorn in Rosen mir verkehret / Und Kieselstein zu Kristallin gebracht. / Dein Segen hat den Unwert mir verzehret, / Und Schlackenwerk zu gleichen Erz gemacht. / Du hast als Nulle mich den Zahlen zugesellt. / Der Welt-Gepränge gilt, nachdem es Gott gefällt.« Hofmannswaldaus Freund Daniel Casper von Lohenstein schrieb im Gedicht *Der Magnet ist Schönheit:* »Das Meer ist unser Leben, / die Liebeswellen sind die Angst, in der wir schweben, / die Segel, wo hinein bläst der Begierden Wind, / ist der Gedanken Tuch. Verlangen, Hoffnung sind / die Anker. Der Magnet ist Schönheit. Unser Strudel / sind Bathseben. Der Wein und Überfluß die Rudel. / Der Stern, nach welchem man die steifen Segel lenkt, / ist ein benelkter Mund.«

Mit Hofmannswaldau (der in Breslau hohe Regierungsämter bekleidete) war **Andreas Gryphius** (1616–64; Syndikus im Fürstentum Glogau) befreundet. Zudem hatte er mit Opitz brieflichen Kontakt. Er ließ sich von ihnen beeinflussen, aber er konnte sich weder für den humanistischen Rationalismus noch für einen rigorosen Manierismus voll und ganz entscheiden. Vor allem aber fehlte ihm eine Neigung zur weltfrohen Galanterie. Gekünstelt heitere Töne finden sich bei ihm nur selten. Gryphius ging es vielmehr um die Aufdeckung menschlicher Verworfenheit und Hinfälligkeit und den Hinweis auf ein erlösendes Jenseits. Er war einer der eindringlichsten Schilderer irdischer »Vanitas«. Bezeichnend sind seine *Kirchhofs-Gedanken* (in der Ausg. *Deutscher Gedichte Erster Teil,* 1657).

VANITAS

»Die Herrlichkeit der Erden
Muß Rauch und Aschen werden,
Kein Fels, kein Erz kann stehn.
Dies, was uns kann ergetzen,
Was wir für ewig schätzen,
Wird als ein leichter Traum vergehn.

Was sind doch alle Sachen,
Die uns ein Herze machen,
Als schlechte Nichtigkeit?
Was ist des Menschen Leben,
Der immer um muß schweben,
Als eine Phantasie der Zeit?

> Der Ruhm, nach dem wir trachten,
> Den wir unsterblich achten,
> Ist nur ein falscher Wahn.
> Sobald der Geist gewichen
> Und dieser Mund erblichen,
> Fragt keiner, was man hier getan.«
> (Aus *Vanitas! Vanitatum Vanitas!*)

Gryphius (in Glogau geb.) hatte – vor allem nach dem Tod seines Vaters – eine harte, schmerzliche Jugend erlebt. Ein Mäzen ermöglichte ihm eine Bildungsreise ins Ausland. Er lernte (u. a. als Student in Leyden) das niederländische Schauspiel kennen, außerdem Stücke, die von englischen Komödianten aufgeführt wurden, und Dramen Senecas. Von daher und von der Opitzschen Poetik empfing er die ersten Anregungen zur eigenen dramatischen Gestaltung.

Gryphius war der erste deutsche Schauspieldichter, den man mit namhaften ausländischen Dramatikern vergleichen konnte. Er schuf ein Kunstdrama, das den inhaltlichen und sprachlichen Anforderungen seiner Zeit gerecht wurde. Mehr als ein Jahrhundert hindurch behaupteten sich seine Stücke auf der deutschen Bühne (zumindest auf Bühnen von Komödiantentruppen). Rhetorisches Pathos, theatralischer Aufwand und schaudervolle Effekte fanden großen Anklang. Erst Lessing und andere Kritiker der »Aufklärung« setzten den Aufführungen der »Haupt- und Staatsaktionen«, »Märtyrerdramen« und »christlichen Lehrstücke« ein Ende.

Leo Armenius oder Fürstenmord (1646 entstanden, gedr. mit Oden und Sonetten 1650), ein Trauerspiel aus der byzantinischen Geschichte des 9. Jahrhunderts, ist – wie jedes Gryphiussche Drama – eine Anklage gegen Gewalt und Maßlosigkeit. Der skrupellos an die Macht gelangte Kaiser Leo wird Opfer einer Verschwörung, weil er sich von seiner Frau überreden läßt, die Aburteilung seines Widersachers aufzuschieben; er erfährt nun den Fluch der eigenen Gewalttätigkeit.

Dagegen ist das Drama *Ermordete Majestät oder Carolus Stuardus* (1657) kontradiktorisch angelegt. Der Katholik Karl I., Enkel der Maria Stuart, wird zwar nicht durchwegs glorifiziert, aber (obwohl Gryphius ein überzeugter Protestant war) als Hüter göttlicher Ordnung hingestellt. Cromwell und andere Anführer der Revolution werden gebrandmarkt als Vollstrecker teuflischer Anarchie.

Eine totale Entgegensetzung beabsichtigte Gryphius im Trauerspiel *Catharina von Georgien oder Bewährete Beständigkeit* (1654). Die christlich

fromme Königin widersteht den Anträgen und Drohungen des persischen
Schahs, erduldet in der Gefangenschaft Qual und Folter und läßt sich töten,
weil sie der Verheißung des Jenseits vertraut. – Das gleiche Märtyrer-Motiv
findet sich im letzten Trauerspiel, *Großmütiger Rechts-Gelehrter oder Ster-*
bender Aemilius Paulus Papinianus (1659), in einem Stück aus der römischen
Kaisergeschichte. Papinianus, ein unbestechlicher Richter, der sich weigert,
eine Mordtat des Caracalla zu rechtfertigen, wird zusammen mit seinem
Sohn hingerichtet. Caracalla und das Rom des Zerfalls und Untergangs sind
eine Zeit- und Weltallegorie.

Das Schauspiel *Cardenio und Celinde oder Unglücklich Verliebete* (1657),
hervorgegangen aus einer italienischen, ursprünglich spanischen Novelle,
trägt sich vorwiegend im Bereich des höheren Bürgertums zu, enthält aber
keine spezifisch bürgerlichen Motive. Es ist (wie alle Dramen) ein Lehrstück;
nur endet es ausnahmsweise positiv. Cardenio begehrt die untadelige Olym-
pia, die sich mit Lysander vermählt, und will Lysander töten. Er läßt sich mit
Celinde ein, der Mätresse eines Ritters, und erlebt ein grausiges Ritual: Celinde will dem Ritter, den er erschlug, das Herz herausschneiden, um daraus
einen Liebestrank zu bereiten. Am Schluß, geläutert, von den Leidenschaften befreit, geloben Cardenio und Celinde, sich auf Gott und die Ewigkeit zu
besinnen.

Die leitbildhaften Personen gelangen, ungeachtet der Wechselfälle
des Schicksals, der Marter und Pein, zu einer stoischen Gelassenheit.
Der leibliche Tod bedeutet für sie eine Befreiung der Seele, einen
Triumph über die irdischen Qualen. »Reyen« (aus der attischen Tragödie übernommene Chorgesänge), Prophezeiungen, Geisterer-
scheinungen, Botenberichte und Monologe verweisen auf das irdische Chaos und das göttliche Reich.

Daneben wollte Gryphius eine »Komödie« schaffen, wie sie Opitz
vorschwebte, ein Schauspiel einfacher Thematik und schlichter Personen. Seine »Freudenspiele« (»Scherz- und Schimpf-
SCHERZ UND spiele«) enthalten einen derben Humor, der das Dü-
SCHIMPF   stere und Mahnende beinahe verdeckt. Zumindest
zwei Stücke sind Gryphius gelungen: *Absurda Comica*
oder Herr Peter Squentz (1658) und *Horribilicribrifax* (1663).

Squentz, Schulmeister in Rumpelskirchen, und seine Komödiantengilde, die
aus tölpligen Handwerkern besteht, führen vor dem König Theodorus das
Spiel »Pyramus und Thisbe« auf. Erhebliche »Säue« (Fehler) werden gemacht, da sich die Akteure nicht aufeinander einstellen können. Aber Theodorus (Zuschauer auf einer zweiten, distanzierten Bühne) spendiert, weil ihn
das Fiasko erheitert, eine Handvoll Gulden. Die Vorlage zu diesem Stück

war eine Szene in Shakespeares »Sommernachtstraum«. – Horribilicribrifax, ein Großsprecher wie der »Miles Gloriosus« von Plautus, ein ausgedienter Hauptmann, zieht nach erlogenen heldenmütigen Kriegstaten auf Liebesabenteuer aus, gerät aber an einen gleichartigen Prahlhans, den Hauptmann Daradiridatumtarides, der sich »Windbrecher von Tausendmord« nennt. Am Schluß versöhnen sich die beiden, in groteskem Fremdwörterjargon schwadronierenden »Helden«, um nicht ein Duell austragen zu müssen. – Die Stücke sind Zeitbilder voller Heiterkeit und Ernst; sie gehen über die Fastnachtspossen und Hanswurstiaden des 16. Jahrhunderts weit hinaus. Ein Muster für eine gehaltvolle Komödie war damit freilich noch nicht geschaffen.

Während in der stilistischen Gestaltung Gryphius eine Zwischenstellung zwischen Opitz und Hofmannswaldau einnahm, hat sich der
TRIUMPH
DER
ANARCHIE
zweite seinerzeit berühmte Dramatiker, **Daniel Casper von Lohenstein** (1635–83), vollkommen dem Marinismus verschrieben; er ist daher ebenso wie Hofmannswaldau in späteren Jahrzehnten scharf verurteilt worden. Der Marinismus war ein Stilmerkmal der barocken Spätzeit. Verbunden mit ihm war eine dramatische Steigerung zu höchsten und verblüffendsten Effekten, zu denen vor allem abstoßende Szenen mit Mordtaten und Greueln herhalten mußten. Der sprichwörtlich gewordene »Lohensteinsche Schwulst« brachte eine Verzerrung des Tragischen ins Gräßliche hervor. Thematisch entsprachen die Trauerspiele den Anweisungen Opitzens und den Historien- und Legendendramen von Gryphius. Eine Welt der Anarchie feiert ihre Triumphe, die Stoffe sind Verfallsepochen der römischen und türkischen Geschichte entnommen und als Spiegelbilder der Gegenwart, als Mahnzeichen vorgestellt, von denen das Gebot Memento mori! ausgeht.

Ob in dem Märtyrerstück *Ibrahim Bassa* (1650), in dem der christliche Feldherr von seinem Sultan zum Tode verurteilt wird, oder in den Geschichtsdramen *Cleopatra* (1661), *Agrippina* (1665) und *Sophonisbe* (1669), immer sind Sittenlosigkeit und Laster hochgespielt, die den Zuschauer in Schrecken versetzen sollen, die aber nicht ohne heimliche Freude des Dichters breit ausgemalt sind. Sinnenlust und Jenseitsschau: beides liegt eng nebeneinander, und eben dadurch entsteht eine grelle Dissonanz. Darin gleicht den Dramen der Monumental-Roman *Großmütiger Feldherr Arminius... nebst seiner durchlauchtigen Thusnelda* (2 Bde. 1689/90), der um die Schlacht im Teutoburger Wald eine Vielzahl von historischen Geschehnissen und Abenteuern reiht und in unsäglich vielen Exempeln, die sich mit der eigentlichen Handlung kaum noch berühren, die Verworfenheit des Römertums beleuchtet.

Am Ende der Epoche steht ein Lyriker, der den barocken Zwiespalt aus seinem eigenen Erleben, aus innerster Erfahrung heraus, darlegte: **Johann Christian Günther** (1695–1723). Sein Dichten ist erregt von der Qual des Uneinsseins, einem Schwanken zwischen derber Ausgelassenheit und moralischer bzw. religiöser GETREUE Besinnung. Dem Drang, das Dasein auszukosten, wiSCHMERZEN dersetzte sich die Einsicht, Gott gegenüber verantwortlich zu sein, ein ebenso totaler Wille des Verzichts. Die ergreifendsten Gedichte Günthers sind die Bekenntnisse eines verfehlten Lebens, Feststellungen der Ausweglosigkeit, – schonungslose Selbstbekenntnisse (die es bis dahin in der Barocklyrik nicht gab).

Günther (als Sohn eines Arztes in Striegau geb.) kam mit dem Studium (zunächst in Wittenberg und Leipzig) nicht voran. Wahrscheinlich war er dem Alkohol verfallen. Um sich Geld zu beschaffen, schrieb er Gelegenheitsgedichte. Die Aussicht auf eine Stelle als Hofdichter in Dresden verscherzte er sich durch ungebührliches Betragen. Obwohl er ernsthaft versprach, Theologie zu studieren, wies ihn sein Vater aus dem Haus. Erschöpft und zerrüttet starb er in Jena. – Goethe bezeichnete ihn als »entschiedenes Talent, fruchtbar im höchsten Grade«, und meinte: »Er wußte sich nicht zu zähmen, und so zerrann ihm sein Leben und sein Dichten.«

Sein Leid drückte Günther – im Gegensatz zum barocken Pathos – in schlichten Worten aus. Seine Sprache ist verhalten und nüchtern, bereits beeinflußt vom Stil des beginnenden 18. Jahrhunderts. Bezeichnend ist seine ganz und gar unemphatische Formulierung »getreue Schmerzen«.

> »Schweig du doch nur; du Hälfte meiner Brust;
> Denn was du weinst, ist Blut aus meinem Herzen.
> Ich taumle so und hab an nichts mehr Lust
> Als an der Angst und den getreuen Schmerzen,
> Womit der Stern, der unsre Liebe trennt,
> Die Augen brennt.
>
> Genug! Ich muß; die Marterglocke schlägt.
> Hier liegt mein Herz, da nimm es aus dem Munde

Und heb es auf, die Früchte, so es trägt,
Sind Ruh und Trost bei mancher bösen Stunde,
Und lies, so oft dein Gram die Leute flieht,
Mein Abschiedslied.

Erinnre dich zum öftern meiner Huld
Und nähre sie mit süßem Angedenken!
Du wirst betrübt, dies ist des Abschieds Schuld,
So muß ich dich zum ersten Male kränken.
Und fordert mich der erste Gang von hier,
So sterb ich dir.«

(Aus *Abschiedsaria*)

Günther wurde seinerzeit lediglich als ein »deutscher Ovid« geschätzt. Erst nach seinem Tod erschien eine *Sammlung von Deutschen und Lateinischen Gedichten* (4 Bde. 1724–35). Seine bekennt-
nishaften und selbstreflexiven Gedichte wurden erst in späteren Epochen vollends begriffen und anerkannt.

Wahrscheinlich war es ein Zufall, daß gerade schlesische Dichter (auch viele zweitrangige schlesische Autoren) das antithetische Lebensgefühl besonders kraß und grell akzentuierten. Eine derart totale Dissonanz findet sich bei den anderen Barockdichtern nur sehr selten (etwa in den Romanen von Grimmelshausen, die allerdings nicht dem Manierismus entsprachen, der bei den Schlesiern vorherrschte). Konflikte und Spannungen sind sichtbar, aber sie stehen unter dem Vorzeichen einer getroffenen Entscheidung; und dadurch erweisen sich die meisten Werke als relativ maßvoll und ausgeglichen.

Martin Opitz, der gemäßigste Autor unter den Schlesiern, war das Vorbild. In den poetologischen Fragen stimmten mit ihm die »Sprachgesellschaften« überein, die einer verfeinerten deutschen Sprache dienten und dabei eifrig, oft übereifrig bemüht waren, der Fremdwörterei ein Ende zu setzen. Ob in den Gesellschaften in Hamburg, Dresden, Nürnberg, Königsberg oder in der Weimarer »Fruchtbringenden Gesellschaft« (auch »Palmenorden« genannt), deren Mitglieder sich durch sprachreine Übersetzungen italienischer und französischer Werke hervortaten, – insgesamt strebte man danach, im Sinne Opitzens eine neue deutsche Dichtung zu begründen.

GEREINIGTE SPRACHE

Alles Fremdländische wurde aus der Sprache verstoßen, die Fremdwörter erhielten deutsche Namen, allerdings zuweilen recht unglückliche, wenn man für Natur »Zeugemutter«, Person »Selbstand«, Vers »Dichtling«, Venus »Lustinne«, Pistole »Reitpuffer«, Fenster »Tageleuchter« oder für Nase »Löschhorn« setzte. Aber es finden sich auch viele wertvolle Neuschöpfungen, etwa Blutzeuge, Bücherei, Gesichtskreis, Schaubühne, Vollmacht, Liebespaar.

Ebenso schloß man sich an die Lyrik von Opitz an, vor allem an die

unbeschwerten, heiteren Gedichte. **Paul Fleming** (1609–40; geb. im
sächsischen Erzgebirge, Arzt in Hamburg) war ein be-
EIN
geisterter Verehrer Opitzscher Poesie, die er in Leipzig
GETREUES
durch einen Kreis junger Schlesier kennengelernt hat-
HERZE
te. Unter seinen zahlreichen Gelegenheitsgedichten
sind vor allem die Studenten- und Trinklieder bezeichnend, humorvolle Poeme, die manche volksliedhaften Wendungen enthalten.

Die dunkleren Töne des Seelenschmerzes werden verdrängt von
einem festen Gottvertrauen. In Kirchenliedern und Bekenntnisge-
dichten *(In allen meinen Taten; Ich zieh in ferne Lande)* sind eine
unbedingte Kraft des Glaubens und eine männliche Selbstzucht ausgedrückt.

> »Was klagt, was lobt man doch? Sein Unglück und sein Glücke
> Ist ihm ein jeder selbst. Schau alle Sachen an.
> Dies alles ist in dir, laß deinen eitlen Wahn,
> Und eh du fürder gehst, so geh in dich zurücke.
> Wer sein selbst Meister ist und sich beherrschen kann,
> Dem ist die weite Welt und alles untertan.«

1633–39 nahm Fleming an einer Gesandtschaftsreise nach Rußland und Per-
sien teil, die der Herzog von Holstein-Gottorp veranlaßt hatte, um Handels-
beziehungen anzuknüpfen. In einem Sonetten-Zyklus schilderte er manche
Abenteuer der Expedition, Sitten und Gebräuche einzelner Völker, die zauberhafte Atmosphäre des Orients, aber auch sein Verlangen, in die vom
Krieg verheerte Heimat zurückzukehren. – In vielen Gedichten beklagte er
die »Mutter Deutschland«, das zerrüttete, friedlose Reich. (Ausg. u. a. *Teutsche Poemata*, 1642)

Fleming war eine durchaus gutherzige Natur, besorgt um die Mitmenschen und aufgeschlossen für Freundschaft und treue Liebe
(»Ein getreues Herze wissen, / Hat des höchsten Schatzes Preis«).

»Treu« und »Freundschaft« besang in gleicher Weise **Simon Dach**
(1605–59), in Memel geboren, Professor für Poetik in Königsberg
und Mentor des ostpreußischen Dichterkreises. Auch ihm ging es um
eine gefühlvolle, aber dennoch schlichte, ans Volkslied anklingende
Lyrik. Als fleißiger Gelegenheitsdichter verfaßte er zahlreiche Eh-
rengedächtnisse (Nachrufe), Glückwünschungen, Hochzeits- und
Freundschaftscarmina. (Die Gedichte erschienen in vielen Einzelaus-
gaben 1632–96.)

»Der Mensch hat nichts so eigen,   Wann er mit seinesgleichen
So wohl steht ihm nichts an,   Soll treten in ein Band,
Als daß er Treu erzeigen   Verspricht sich, nicht zu weichen
Und Freundschaft halten kann.   Mit Herzen, Mund und Hand.«

Einfach und volkstümlich ist auch der Stil seiner Kirchenlieder. *Sei getrost, o meine Seele* und *Ich bin ja, Herr, in deiner Hand* sind ein

SEI GE-
TROST, O
MEINE SEELE
Ausdruck schlichten Gottvertrauens und innerer Ausgeglichenheit.

Mit **Paul Gerhardt** (1607–76) erreichte das evangelische Kirchenlied seinen Höhepunkt. Es hatte sich seit den Liedern der Reformation, die in der Stimmung des Glaubenskampfes entstanden und das Bekenntnis der gesamten Gemeinde waren, zu einer tief persönlichen Empfindungsdichtung gewandelt, aus der das Leid, aber auch der Trost und die Zuversicht des Einzelmenschen sprechen. Dadurch erlangte das Kirchenlied – wie wir es gerade bei Gerhardt sehen – trotz aller drängenden Nöte eine harmonische Grundstimmung, die aus dem Bewußtsein kam, daß inmitten aller weltlichen Mängel und Laster der Mensch in der Obhut Gottes geborgen sei. Gerhardt vertraute unbedingt auf »des großen Gottes Tun«.

Das Persönliche der Gerhardtschen Diktion zeigt sich schon daran, daß viele seiner Lieder mit »Ich« beginnen. Aus individueller Empfindung und innerer Ausgeglichenheit, getragen von Milde und Freundlichkeit, entstand ein Gefühlsklang, der nichts von dem typisch barocken Pathos an sich hat, sondern in schlichter, herzinniger Weise eine tiefe Liebe zu Gott und den Geschöpfen ausdrückt. »Geh aus, mein Herz, und suche Freud / In dieser lieben Sommerzeit / An deines Gottes Gaben.« Die Natur gibt ein Beispiel der göttlichen Herrlichkeit und läßt den Glanz des Himmels erahnen. Die »güldene Sonne« mit ihrem »herzerquickenden lieblichen Licht« ist ein Beweis der Gnade Gottes. Und wenn »Die güldnen Sternlein prangen / Am blauen Himmelssaal«, dann mahnt der Lebensabend, aber das Vertrauen auf Christus überwindet die Furcht:

»Breit aus die Flügel beide,
O Jesu, meine Freude,
Und nimm dein Küchlein ein!
Will Satan mich verschlingen,
So laß die Englein singen:
Dies Kind soll unverletzet sein.«

Unter den Jesus-Liedern Gerhardts ist das gefühlsstärkste die Heilandsklage
»O Haupt voll Blut und Wunden, / Voll Schmerz und voller Hohn!« (Von
Johann Sebastian Bach in der Matthäus-Passion vertont.) Doch auch hier
steht nach dem Leiden Christi und dem Mitleiden des Menschen die Zuversicht:

> »Erscheine mir zum Schilde,
> Zum Trost in meinem Tod,
> Und laß mich sehn dein Bilde
> In deiner Kreuzesnot.
> Da will ich nach dir blicken,
> Da will ich glaubensvoll
> Dich fest an mein Herz drücken.
> Wer so stirbt, der stirbt wohl.«

Gerhardt (in Gräfenhainichen/Sachs. geb.) war 1657–67 Diakon in Berlin
und geriet in einen konfessionellen Streit mit dem Kurfürsten. Er starb in
Lübben. Zu den bekanntesten Liedern gehören: *Befiehl du deine Wege; Wach
auf, mein Herz, und singe; Nun ruhen alle Wälder; Wie soll ich dich empfangen.*

Ebenso wie in einem Teil der Lyrik zeichnete sich in einigen Romanen (hingegen nur sehr selten in Schauspielen) eine einfache, unge-
künstelte, »gegenmanieristische« Schreibart ab. Mitunter wurden
volkstümliche Stilmittel eingesetzt, allgemeinverständliche Handlungen geschaffen und Bilder von der untersten Volksschicht entworfen, zugleich aber auch anstehende religiöse und moralische Fragen vorgebracht. Beabsichtigt
wurde eine lebensnahe und von jedermann begreifba-
re Darstellung. – Das herausragende (zumindest als
Dokumentation bis heute aktuell gebliebene) Werk ist der Zeit- und
Kriegsroman *Der abenteuerliche Simplicissimus* (1669) des **Hans
Jakob Christoffel von Grimmelshausen** (1621–76). Allein schon die
Absicht, Selbsterlebtes wiederzugeben, Bericht zu erstatten, verdrängte ein ausgesprochen poetisches Anliegen.

LANDS-
KNECHT
UND EIN-
SIEDLER

In Gelnhausen geboren, erlebte Grimmelshausen die Plünderung der Stadt
und kam mit zwölf Jahren ins Feldlager. Als Landsknecht diente er in bayerischen Truppen, wurde vom Krieg hin und her geworfen, lag vor Magdeburg
und Soest, durchstreifte das Oberrheintal, war Regimentsschreiber in Offen-
burg und am Ende des Krieges Soldat in der bayerischen Festung Wasser-

burg. Dann versuchte er, sich in ein bürgerliches Dasein einzugewöhnen; zuletzt war er Schultheiß des Straßburger Bischofs in der badischen Marktgemeinde Renchen.

Die Frage, inwieweit der einzelne das Chaos verschuldete und inwieweit er die Kraft zur Läuterung besaß, diese typische Barockfrage stellte Grimmelshausen an sich selbst. Indem er von sich Rechenschaft forderte, hat er seinen Bericht gedanklich vertieft, den seelischen Konflikt des barocken Menschen in voller Wahrheit dargelegt.

»Ich las einstmals, wasmaßen das Oraculum Apollonis den römischen Abgesandten, als sie fragen, was sie tun müßten, damit ihre Untertanen friedlich regiert würden, zur Antwort geben: Nosce te ipsum, das ist, es sollte sich jeder selbst erkennen. Solches machte, daß ich mich hintersann und von mir selbst Rechnung über mein geführtes Leben begehrte, weil ich ohnedas müßig war. Da sagte ich zu mir selber: Dein Leben ist kein Leben gewesen, sondern ein Tod, deine Tage ein schwerer Schatten, deine Jahre ein schwerer Traum... Du bist durch viel Gefährlichkeiten dem Krieg nachgezogen und hast in demselbigen viel Glück und Unglück eingenommen... Aber nun, du o meine arme Seele, was hast du von dieser ganzen Reise zuwege gebracht? Dies hast du gewonnen: Ich bin arm an Gut, mein Herz ist beschwert mit Sorgen, zu allem Guten bin ich faul, träg und verderbt, und was das Allerelendeste, so ist mein Gewissen ängstig und beschwert; du selbsten aber bist mit vielen Sünden überhäuft und abscheulich besudelt! Der Leib ist müde, der Verstand verwirrt, die Unschuld ist hin, meine beste Jugend verschlissen, die edle Zeit verloren. Nichts ist, das mich erfreuet, und über dies alles bin ich mir selber feind.«

Der Weg zu dieser Erkenntnis, zur Läuterung, durchzieht den gesamten Roman: Simplicissimus ist als Knabe eine ungebildete »Bestia«, die roh und verwahrlost bei einem Spessartbauern aufwächst. Von marodierenden Soldaten vertrieben, lernt er bei einem Einsiedler das Beten. Doch aus dem frommen Leben, das er sich vorgenommen, reißt ihn der Krieg heraus, er wird von Soldaten entführt, wird Hofnarr eines Kommandanten und verfällt den Versuchungen des wilden Kriegslebens. Noch einmal, als er aus der Gefangenschaft von Kroaten entkommen kann, entschließt er sich, Einsiedler zu werden; doch wie weit er von dem Ziele entfernt ist, erweist sich, als er dem Zauber der Hexen auf dem Blocksberg erliegt und wieder in die Sündhaftigkeit geworfen ist. Als Musketier und Marodeur jagt er dem irdischen Glück nach und erlebt alle Höhen und Tiefen des sich rasch wandelnden Kriegsgeschicks. Und doch bricht in seinem Welttaumel oft genug der religiöse Schmerz durch. Mit seinem Freund, seinem »Herzbruder«, wallfahrtet er nach dem Kloster Einsiedeln. Er hört, daß der Eremit, der ihn einst unterrichtete, sein Vater war. Mit einem schwedischen Offizier zieht er nach Rußland. Er besucht Rom, gelobt, in die Einsamkeit zu gehen, unternimmt aber dann eine zweite, wiederum sehr abenteuerliche Weltreise. Nach einem Schiffsunglück beschließt er sein Leben auf einer einsamen Insel im Atlantischen Ozean.

In Grimmelshausens »Simplicianischen Schriften« (Romanen) *Der seltsame Springinsfeld, Trutz Simplex* (zus. 1670) und *Das wunderbarliche Vogel-Nest* (1672) herrschen Beschreibungen
DER von Kriegsereignissen, Schandtaten und Schelmereien
SCHELM vor und wiederholen sich; moralische Skrupel äußern sich zumeist nur am Schluß, führen dann allerdings zu der gleichen Weltentsagung wie im ersten Roman.

Verknüpfungen sind hergestellt durch Simplex und seinen Sohn (die jedoch nur am Rande auftreten), den Kriegskameraden Springinsfeld, die Landstörtzerin Courasche und ein »teuflisches« Mädchen, das eine unsichtbar machende Tarnkappe, das Vogelnest, besitzt. Springinsfeld hatte sich mit der Courasche und dem Mädchen eingelassen; er scheint sich besonnen zu haben und findet eine Zuflucht im Hause des Simplex. – Die Marketenderin und Soldatenhure Courasche (Bertolt Brecht schrieb ein Schauspiel über diese Figur) nimmt sich hin und wieder, aber nicht ernstlich vor, ein anständiges Leben zu führen; sie läßt sich mittreiben und endet irgendwo im herumziehenden Gesindel.

Ein Hellebardier, der sich das Vogelnest angeeignet hat, beobachtet Gemeinheiten, Verstellungen und Niedertracht; er greift hilfreich ein, rettet Menschen aus ärgster Not, treibt aber auch einen erbärmlichen Schabernack. Am Ende beschließt er, ehrsam zu leben, sich als Bürger zu bewähren. – Genauso wird ein Kaufmann, der das Vogelnest erhielt und sich mit magischen Künsten befaßt, von Reue gepackt; er vertraut sich seinem Beichtvater an, und dieser vernichtet das Vogelnest als Instrument des Teufels.

Die ersten Schelmenromane stammten aus Spanien. In den meisten Werken und in den deutschen Imitationen überwiegen abenteuerlich-schwankhafte Szenen, zeit- und gesellschaftskritische Passagen und Lügengeschichten. Die stoffliche Vielfalt wird zusammengehalten von der Figur des »Picaro« (daher die Bezeichnung »pikarischer« Roman), eines umherziehenden Haudegens, Tunichtguts (»Landstörtzers«) und Aufschneiders. – Wesentlich subtiler ist der Typus des adligen, antiquiert-ritterliche Konventionen pflegenden Picaro, den u. a. Miguel de Cervantes (1547–1616) im Roman *Don Quixote* (erste dt. Übers. 1621) beschrieb.

Johann Beer (1655–1700; geb. in Oberösterreich, Musiker und Konzertmeister in Sachsen) schilderte in einem seiner zahlreichen Schelmenromane, *Zendorii à Zendoriis teutsche Winternächte* (1683), den Zwiespalt eines adligen Picaro, das Verlangen nach Abenteuern und die Einsicht, daß das heimatliche Schloß Sicherheit und ein gutes Auskommen bietet. Zendorius beteiligt sich dann ausgiebig an höfischen Festlichkeiten.

Christian Reuter (geb. 1655 als Sohn eines Bauern in der Gegend von Bitterfeld, Student in Leipzig; gest. etwa 1712) präsentierte im Roman *Schelmuffskys wahrhaftige kuriöse und sehr gefährliche Reisebeschreibung zu Wasser und zu Lande* (Titel der zweiteiligen Fassg. 1696/97) einen Lügen-Picaro. Dieser erzählt von unglaublichen Begebnissen, vom Untergang eines Schiffes mit 6000 Passagieren, von einem Aufenthalt beim Großmogul von Agra und der Chance, dort oberster Minister zu werden, von einer Gefangenschaft bei Seeräubern, einem Lotteriegewinn in Venedig, aber auch von der ergebnislosen Heimkehr nach Schelmerode. – Ein kurioser Wille spielt mit, in die Welt der Potentaten und Honoratioren zu gelangen.

Die größte Faszination besaß im Barock der fürstliche Hof. Die einschlägigsten Romane waren (in der Art des »Amadis«-Romans, S. 83) immense Konvolute über die höfische Gesellschaft. Phantastische Gestalten aus mittelalterlichen Epen und Sagen tauchten wieder auf, Ritter, die sich mit Despoten, Zauberern und Drachen herumschlagen, Repräsentanten von Staaten und Völkern (deshalb die Bezeichnung »Staatsroman«) und Kavaliere, die Zeit aufbringen für Galanterie und echte Liebe.

HONNÊTE
HOMME

In den fünf Bänden *Die durchleuchtige Syrerin Aramena* (1669–73), verfaßt von Herzog **Anton Ulrich von Braunschweig-Wolfenbüttel** (1633–1714), ergibt sich das aufwendige und verwirrende Geschehen vor allem aus Verwechslungen zahlreicher Personen. Aramena (die u. a. als Ritter auftritt) wird von dem Tyrannen Beloch (ihrem Oheim) begehrt, aber von dem Fürsten Marsius gerettet, woraufhin die 17 männlichen und die 17 weiblichen Hauptpersonen zueinander finden und eine Riesenhochzeit veranstaltet wird.

Anshelm von Ziegler (1663–97; Gutsbesitzer in der sächsischen Lausitz) schrieb einen gleichartigen (dreibändigen) Roman: *Die asiatische Banise* (1689). Balacin von Ava, der die Tochter des Königs von Pegu liebt, befreit sie aus den Fängen des Eroberers und Unmenschen Chaumigrem. Das Ganze spielt sich ebenfalls in einem exotischen Lande ab, in Hinterindien, und endet mit einem prächtigen Fest.

Mit der höfischen Literatur hängt die – aus italienischen, spanischen und englischen Werken übernommene – Schäferdichtung (Pastoralpoesie) zusammen. Zwar ist sie ein Ausdruck der »Weltflucht«, des Sichsehnens nach ländlicher Abgeschiedenheit und einfacher, naturverbundener Lebensweise, aber sie enthält ein galant-höfisches oder wenigstens großbürgerlich-patrizisches Dekor. Im Gegensatz zum Einsiedler-Motiv im »Simplicissimus«-Roman geht es nicht um eine Wandlung des Menschen, sondern um die Ausnützung eines sich anbietenden Idylls. Die Schäfer und Schäferinnen sind modisch gekleidet und die Schäferhütten prachtvoll ausstaffiert. Der Dichter brachte seinen kulturellen Fundus hinein, und um vollends die Präsenz der Kunst nachzuweisen, verwendete er einen gezierten Stil.

DER
GALANTE
SCHÄFER

Opitz, der eine deutsche Übertragung des »Arcadia«-Romans überarbeitete (S. 92), verfaßte eine Prosa- und Lyrik-Dichtung *Schäferei von der Nymphen Hercinie* (1630). Hirten zeigen dem ins Gebirge hinaufsteigenden Dichter die Wunder der Natur und eine von Gold und Edelstein strotzende Höhle der Waldnymphe Hercinie. Das Gebirge ist »ein Spazierplatz der liebhabenden Gemüter«. »Du könntest es einen Wohnplatz aller Freuden, eine fröhliche Einsamkeit, ein Lusthaus der Nymphen und Feldgötter, ein Meisterstück der Natur nennen.«

In Nürnberg entstand 1644 eine Gesellschaft der »Pegnitz-Schäfer«, ein »Pegnesischer Blumenorden« (genannt nach einem Fluß, der durch Nürnberg fließt). **Georg Philipp Harsdörffer** (1607–58), **Johann Klaj** (1616–56) und **Sigmund von Birken** (1626–81), die vorherrrschenden Autoren, verwendeten in ihren Schäfergedichten einen marinistischen oder zumindest wort- und reimspielerischen Stil. Klaj formulierte: »Die Hirten in Hürden begehen den Maien, / man zieret und führet den singenden Reihen, / die Reihen, die schreien um neues Gedeihen, / die Herde, die schellt, / der Rüde, der bellt, / das Euter, das schwellt.«

Philipp von Zesen (1619–89; geb. in der Gegend von Dessau, Gründer der »Teutschgesinnten Genossenschaft« in Hamburg) schloß sich an die Schäferlyrik der Nürnberger an und brachte in seinen Roman *Adriatische Rosemund* (1645) ein prächtiges Pastoralgemälde hinein: Rosemund, aus dem »adriatischen« Venedig stammend, in Amsterdam ansässig, wird von ihrem Geliebten verlassen, weil ihr Vater Einwände erhebt, und zieht sich in eine Schäferhütte zurück, in eine kostbar ausgestattete Eremitage; sie trägt ein »leichtes Sommerkleid von schäl- oder sterbe-blauem, zerhauenem Atlas, mit einem rose-farben seidenen Futter, wie die Schäferinnen zu tragen pflegen«.

BAROCKE MYSTIK

»Mensch, werde wesentlich; denn wenn die Welt vergeht,
So fällt der Zufall weg, das Wesen, das besteht.«

Der Sinnspruch Johann Schefflers verweist auf einen absolut emotionalen Versuch, die irdischen Gebrechen, Konflikte und Ängste zu überwinden. Der Mensch könne »wesentlich« werden, wenn er sich ins Innerste seiner Seele zurückzieht, die dort vorhandene Substanz Gottes aufspürt und dadurch »in Gott eingeht«. (Die Chiffre »das Wesen« bezeichnet die vollendete Einheit von Seele und Gott.)

Wie bereits in der mittelalterlichen Mystik wurde eine totale Verflechtung (»Vermählung«) mit Gott gesucht, eine äußerst gefühlsmäßige, visionäre und daher geheimnishafte Vereinigung, die zumeist nur chiffriert angedeutet werden konnte.

Jedoch kamen in der barocken Mystik – bei der Betrachtung der Wesenheit Gottes – oftmals sehr wirklichkeitsnahe Fragen auf, vor allem Zweifel an einer sinnvollen Ordnung und Gesetzhaftigkeit in der »Natur« (der irdischen Sphäre insgesamt). »Alles, was in der Natur läuft, das quälet sich«, schrieb Jakob Böhme. »Warum hat Gott ein peinlich leidend Leben geschaffen? Möchte es nicht ohne Leiden und Qual in einem besseren Zustande sein?«

Letztlich aber mündete auch das theosophische Forschen in rein intuitive Ahnungen aus. Die esoterische Beziehung zu Gott ließ sich mit den Mitteln des Verstandes ebenso wenig erklären wie die Beschaffenheit der Seele. Und deshalb ließ sich auch die Eigenart der Beziehung nicht theologisch definieren. Im Grunde ging es um das Erlebnis der Berührung und Verschmelzung mit Gott. In einem solchen Traumzustand gelange der Mensch zur »Gelassenheit«, sagte Böhme, »zu göttlicher Beschaulichkeit, daß er Gott in ihm sieht und mit ihm redet und Gott mit ihm, und versteht, was Gottes Wort, Wille und Wesen ist«.

Jakob Böhme (1575–1624) leitete die barocke Mystik ein. Er beeinflußte zahlreiche »Schwarmgeister«, Bibel-Exegeten und Häretiker, die nach einer Offenbarung, einer theosophischen oder ekstatischen Erleuchtung, suchten.

Böhme (in der Gegend von Görlitz geb.) hatte sich in Görlitz als Schuster niedergelassen und einem Kreis von Alchimisten, Naturmagiern und Sektierern angeschlossen; ihnen verdankte er vor allem seine theologischen und philosophischen Kenntnisse und seine sprachliche Ausdrucksfähigkeit.

Die Theosophie Böhmes ging aus der antithetischen Weltauffassung hervor und bezog sich daher auf das Verhältnis von Gott und Welt, Frömmigkeit und Sünde. Die entscheidende Frage lautete, ob Gott wirklich und vollkommen gut sein könne, wenn die irdische Welt, die er schuf und lenkt, sündhaft und lasterhaft ist. Die THEOSOPHIA Antwort, zu der sich Böhme durchrang, war theologisch nicht zu rechtfertigen, aber dem Mystiker begreiflich: Indem eine Verflechtung mit Gott geschieht, Gott teil hat am Menschen, müsse er auch am Bösen beteiligt sein. Gut und Böse, Jenseits und Diesseits, seien eine umfassende Wesenseinheit. »Denn der heiligen Welt Gott und der finstern Welt Gott sind nicht zween Götter: Es ist ein einiger Gott. Er ist selber alles Wesen, Er ist Böses und Gutes, Himmel und Hölle, Licht und Finsternis...«

Auf zahlreiche Fragen, die sich aus dieser These ergaben, ging Böhme nicht ein; er verfuhr nicht systematisch und wollte nicht allgemeinverständlich sein. Seine Werke, u. a. *Aurora, das ist: Morgenröte im Aufgang* (verf. 1612, gedr. postum 1634; später unter ähnlichen Titeln ersch.) und *Mysterium magnum* (1640), enthalten Teilerkenntnisse, die sich miteinander oft nicht vereinbaren, und sind in einem vieldeutigen Stil abgefaßt. Das Geheime der magischen Wissenschaften, der absichtlich verschleiernde Ausdruck, nur dem Eingeweihten zugedacht, belebt und erregt die Metaphysik dieser Nacht- und Traumwerke.

Von Böhme und anderen Mystikern stammende Gedanken und Visionen übertrug **Daniel Czepko** (1605–60) in seine sechshundert Sinnsprüche *Monodisticha* (verf. ca. 1647). Scheffler verwendete dann die gleiche Form des zweizeiligen Alexandriner-Spruchs.

Johann Scheffler (1624–77; geb. in Breslau), der sich »Schlesischer Bote«, **Angelus Silesius**, nannte, brachte eine unendliche

Vielfalt von Gedanken und visionären Eindrücken hervor, z. T. einfache Lebensregeln, zumeist aber vollkommen intuitive, dunkel-
gründige und sich widersprechende »Schauungen«. Es
IGNORANTIA   ging ihm nicht um theosophische Erkenntnisse, son-
MYSTICA   dern um ein wunderbares Erfassen des göttlichen Seins
und der von einem gütigen Gott gelenkten »Natur«. Er
versuchte, alles Gegensätzliche durch einen totalen Emotionalismus
zu verdrängen. Entscheidend war für Scheffler das Vertrauen auf
Gott, nicht das Nachsinnen über Gottes Wesenheit, auch nicht eine
Definition der eigenen Existenz.

> »Ich weiß nicht, was ich bin; ich bin nicht, was ich weiß;
> Ein Ding und nicht ein Ding, ein Stüpfchen und ein Kreis.«

Diese Unbedingtheit, die den Zweifel an Gott aufheben, Gott rechtfertigen
sollte, ist nicht zuletzt auf den Einfluß der Gegenreformation zurückzuführen. Scheffler trat 1653 zum Katholizismus über und diente ihm als Priester
und Streittheologe. Seine Lieder (*Heilige Seelenlust,* 1657) und seine 1500
Sinngedichte (deren zweite Auflage 1675 unter dem Titel *Cherubinischer
Wandersmann* erschien) enthalten viele undogmatische Äußerungen, aber
keine schlüssigen häretischen Tendenzen. Jedes Poem drückt eine augen-
blickliche Erfahrung und Eingebung aus, ohne logischen Zusammenhang.
    Letztlich forderte Scheffler einen Verzicht auf das irdische Leben, eine
Vereinigung mit Gott durch den Tod. Im Breslauer St.-Matthias-Stift unter-
zog er sich härtester Askese, die zu seinem Tod führte.

> »Ich will dich lieben, meine Stärke,
> Ich will dich lieben, meine Zier,
> Ich will dich lieben mit dem Werke
> Und immerwährender Begier.
> Ich will dich lieben, schönstes Licht,
> Bis mir das Herze bricht.«

In der Mitte des 16. Jahrhunderts war der Katholizismus durch das Trienter Konzil gefestigt worden. Aus dem Geist des Konzils, dem Bewußtsein machtvoller Einigkeit, und aus einer entsprechenden Siegeszuversicht wuchs ein triumphales Glaubensbarock hervor. In allen Bereichen der Kunst entstanden monumentale Verherrlichungen der Kirche, gigantische Verkündigungen katholischer Religiosität, Werke mit einem enormen Aufwand an Pracht und Pomp.

Michelangelo, Bramante, Raffael, Sangallo und Bernini errichteten die Peterskirche als architektonisch-symbolischen Mittelpunkt der päpstlichen Christenheit. Palestrina komponierte GEGENRE- eine Musik des Triumphes. Calderón de la Barca FORMATION (1600–81) verfaßte (außer geschichtlichen und zeitkritischen Stücken) überaus effektvolle, die Kirche und den Glauben preisende sakramentale Dramen.

An der Gegenreformation beteiligte sich maßgeblich die »Societas Jesu«, der Jesuitenorden (gegr. 1534). Ignatius von Loyola, der erste Ordensgeneral (einst spanischer Offizier), hatte eine bedingungslose Unterwerfung unter den Willen des Papstes zugesichert, um eine gelenkte und gezielte Missionierung zu erreichen. Die Jesuiten (in wissenschaftlichen Kollegien geschult) konzentrierten sich vor allem auf Fürstenhäuser, aristokratische Kreise und das höhere Bürgertum. Als Berater, Beichtväter und Pädagogen ging es ihnen nicht zuletzt um eine politische Beeinflussung der herrschenden bzw. gebildeten Schichten. Die ersten deutschen Stützpunkte gründeten sie in Köln, Wien, Ingolstadt (wo sich die bayerische Landesuniversität befand) und München.

Außer einer umfänglichen Traktatliteratur setzten die Jesuiten vor allem das Schauspiel ein, das als Kampf- und Propagandamittel die stärkste Wirkung versprach. Jede Aussage diente dem Ruhm Gottes und dem Totalitätsanspruch der Kirche. Die Gegenreformation pre-

digte einen durchaus gerechten Gott und schrieb letztlich alle Schuld
am Weltübel dem Abfall vom alten Glauben, dem Menschen selbst,
zu. Sie beantwortete damit die – namentlich in der häretischen Mystik erörterte – Frage nach dem Wesen Gottes und dem Ursprung des
Bösen.

Die Jesuiten verwendeten etwa vier Gattungen von Schauspielen: eucharisti-
sche Dramen, die (ebenso wie die Oster- und Weihnachtsspiele des Mittelalters) aus der Liturgie kirchlicher Festtage hervorgingen und besonders als
Darstellungen während der Fronleichnamsprozession ein großes Schauge-
pränge entfalteten; – »Kaiserspiele« (Ludi Caesarei), die für den fürstlichen
Hof berechnet waren und den Kaiser oder andere hohe Persönlichkeiten
(häufig unter Zuhilfenahme historischer und biblischer Stoffe) ehren sollten;
– Trauerspiele, zumeist Parabeln aus der Bibel, aus Heiligenlegenden, aus
der Kirchengeschichte und der antiken Mythologie, die den Zuschauer zur
Tugend anhalten und vom sündhaften Handeln abschrecken sollten; –
schließlich Lustspiele (Ludi saturnales), in denen der gleiche Zweck durch
eine satirische Kennzeichnung menschlicher Torheiten und Laster verfolgt
wurde.

In den meisten, namentlich in lateinischsprachigen Stücken kam es
nicht so sehr auf inhaltliche Einzelheiten an (wenngleich mitunter ein
Kommentator den Inhalt erläuterte). Gestik und Szenenbild hatten
den Vorrang gegenüber dem Wort; die Zuschauer sollten vor allem
vom Aufwand der Darbietungen beeindruckt werden.

Die Großräumigkeit der Bühne, die gleichsam ins Überirdische
hinauffragte, die Massenauftritte (oft von mehreren hundert Personen), die prunkvolle Kostümierung, die schwelgerische Dekorations-
architektur und -malerei, zudem die Instrumentalmusik, die Chöre
und Tanzpantomimen demonstrierten eine Einheit der Künste zum
Lobe Gottes.

Die Stücke wurden von Schülern und Studenten aufgeführt. Die
Verfasser waren zumeist Lehrer an Gymnasien und Universitäten.

Der bedeutendste Schauspieldichter war **Jakob Bidermann** (1578–
1639; geb. in Ehingen/Schwaben). Vor allem sein Trauerspiel *Cenodoxus* (1602; dt. Übers. von Joachim Meichel, 1635) besitzt eine starke religiöse Aussagekraft. Die Handlung oszilliert zwischen Welt-
herrlichkeit, Reichtum, Genuß – und Gottes Anspruch, Gerechtigkeit und Strafe.

Bidermann war Lehrer am Münchener Jesuitengymnasium. In München wurde 1607 sein Trauerspiel *Belisarius* aufgeführt, die Geschichte eines ehrgeizigen, weltsüchtigen Feldherrn, der sich in seiner Hybris an dem Papst Silverius vergeht und von Gott in die ewige Verdammnis gestoßen wird.

In der Komödie *Macarius* findet ein reicher Prasser doch noch den Weg zu Gott, indem er seinem Reichtum entsagt (ebenfalls gedr. in der Sammlg. *Ludi theatrales sacri*, »Geistliche Theaterstücke«, 1666).

Cenodoxus, ein Arzt und Gelehrter in Paris, ist seiner Eitelkeit und Hoffahrt gänzlich verfallen. Zumal er wegen seines Wissens und seines scheinbar untadeligen Lebenswandels überall verehrt wird, geht er in seiner Überheblichkeit so weit, die Existenz Gottes abzustreiten. Er stirbt, ohne dem Rat der Conscientia (seinem Gewissen) zu folgen, und wird deshalb von Christus verurteilt. In einem Gerichtsverfahren klagt ihn der Teufel Panurgus an:

> »Jedoch hat er ja wohl gewißt,
> Daß er von dir erschaffen ist,
> Daß er von dir zu jeder Zeit
> Beruefen wurd zur Seligkeit.
> Er aber hat es nur veracht,
> Verworfen und darvon getracht.
> Und ich hab ihm geruefen kaum,
> Verheißen lauter Tand und Traum,
> Alsbald hat er mir geben statt,
> Gehört und gfolget meinem Rat ...
> An allen Orten, Tag und Nacht
> Hat er nach eitler Ehr getracht ...«

Einer der begabtesten lateinischen Lyriker war **Jakob Balde** (1604–68; geb. im Elsaß, Prediger und Pädagoge in Ingolstadt und am Münchener Hof). In seinen Gedichten (u. a. in der Ausgabe *Silvae lyricae*, »Lyrische Wälder«, 1643) ließ er nahezu alle Themen und Motive des Jesuitenbarocks aufklingen: das Bewußtsein irdischer Vanitas, die Liebe zu Gott und den Heiligen, die Vaterlands- und Freundesliebe, das idyllische Erlebnis der Natur und die Freude an Architektur und Malerei.

Eine innige Harmonie mit Gott verkündete vor allem **Friedrich Spee von Langenfeld** (1590–1635; in der Gegend von Düsseldorf geb., Lehrer in Köln und Trier). Seine Gedichte und Lieder *Trutz-Nachtigall* (postum 1649) sind überschwenglich und begeistert, weich und gemütstief, Ausdruck einer zärtlich schwärmenden Gottesminne.

GOTTES-
MINNE

Mitunter enthalten sie den manieristischen und süßlichen Ton der Schäferpoesie.

»Trutz-Nachtigall« ist das Büchlein genannt, »weil es trotz allen Nachtigallen süß und lieblich singet, und zwar aufrichtig poetisch«. Zum Lobe Gottes und der Natur mit den Nachtigallen um die Wette zu singen, ist das eigentliche Anliegen der Lieder. Im Morgengrauen wandert der Dichter durch den Wald und hört die Vögel die göttliche Herrlichkeit preisen. Die Seele fragt die Natur, wo Jesus weile, und wird vom Pfeil der göttlichen Liebe getroffen.

»Trutz-Nachtigall man's nennet,	Geld, Pomp und Pracht auf Erden,
Ist wund von süßem Pfeil:	Lust, Freuden es verspott,
In Lieb es lieblich brennet,	Und achtet's für Beschwerden,
Wird nie der Wunden heil.	Sucht nur den schönen Gott.«

Die Dichtung der Jesuiten erhielt sich (vor allem an Hochschulen und Gymnasien) bis ins 18. Jahrhundert hinein, verlor aber – wie der Orden insgesamt – an Bedeutung. Von vielen Fürsten, die sich zu einem »aufgeklärten Absolutismus« bekannten, wurden die Jesuiten unterdrückt oder ausgewiesen. Ohnehin konnte sich der Katholizismus im Zeitalter der »Aufklärung« nicht weiter ausbreiten.

BAROCKE SATIRE

Roheit und Verwilderung während des Dreißigjährigen Krieges und
andererseits eine modisch aufgeputzte Hof- und Bürgerkultur evo-
zierten eine umfängliche Satire. Das »Gemeine«, das
GEGEN · · · · Verhalten des Pöbels, wurde ebenso angeprangert wie
ALAMODE · · das »Welt-Wesen« der »von Heuchelei und Torheit be-
kleideten Schergen-Teufel und Venus-Narren«. Politische Aspekte spielten mit; bedauert wurden der Zerfall des Reiches,
die Auflösung nationaler Einheit und der Verlust deutscher Sitte und
Lebensart.

Opitz hatte auf die satirische Dichtung hingewiesen und als Proben
Epigramme des Römers Martial übersetzt. Weit mehr beachtet und
imitiert wurden die zeitkritischen Gedichte des Engländers John
Owen (1560–1622). An sie schloß sich auch **Friedrich von Logau**
(1604–55; geb. in der Gegend von Brieg/Schles.) an. Bekannt wurde
er eigentlich erst durch eine Ausgabe, die Lessing und Karl Wilhelm
Ramler 1759 herausbrachten; gerade in der Epoche der »Aufklärung« schätzte man seine Satiren auf den fürstlich-absolutistischen
Hof.

Logau war Beamter des Herzogs von Brieg. Unter dem Pseudonym Salomon von Golaw beschrieb er die kleine, gänzlich unbedeutende, aber sich aufblähende und von Hofleuten überfüllte Residenz,
ein Getriebe voller Ehrgeiz, Kabalen und Schmeicheleien, eine Kulisse barocker Pracht, Prahlerei und französischer Mode und Sitten
(*Salomons von Golaw Deutscher Sinn-Gedichte drei Tausend*, 1654).

> »Von des Hofes Hofeleben hast du viel gelesen?
> O das Lesen ist viel besser als da selbsten sein gewesen.«
>
> *Ein Weltmann*
> »Was heißt politisch sein? Verdeckt im Strauche liegen,
> Fein zierlich führen um und höflich dann betrügen.«

Brief-Edle

»Wo ein gemalter Brief und ausgekaufte Bullen,
Wer edel noch nicht ist, erst edel machen sollen,
So kann wohl eine Maus des Adels sich vermessen,
Die einen solchen Brief hat unversehns gefressen.«

Auf Celerem

»Celer lief nun aus der Schlacht,
Denn es kam ihm gleich zu Sinne,
Daß er, würd' er umgebracht,
Nachmals mehr nicht fechten künne.«

Hofediener

»Was muß doch manchen Tölpel so wert bei Hofe machen?
Man kann nicht alles merken; oft sind es Kammersachen.«

»Die Damen, die sich gerne schminken,
Die lassen sich wohl selbst bedünken,
Daß wo Natur an ihren Gaben
Muß etwas übersehen haben.
Drum: Wo man Schmuck und Schminke schauet,
Tut töricht, wer der Farbe trauet.«

Ein Nachfolger Logaus, der Schweizer **Johannes von Grob** (1643–97), schrieb zusammenfassend: »Aber Deutschland scheint bezaubert, daß es mit der Kleidertracht / samt dem Gehen, Tun und Schreiben sich zu Frankreichs Affen macht.«

In den Kampf gegen die Fremdländerei hat der aus einer spanischen Familie stammende Elsässer **Johann Michael Moscherosch** (1601–69) mit kräftigen Vers- und Prosasatiren eingestimmt. Sein Held Philander (*Wunderliche und wahrhaftige Gesichte Philanders von Sittewald,* 2 Bde. 1642/43), der auf seiner Wanderung alle Narrheiten der Welt kennenlernt, gelangt in eine sagenhafte Burg, in der die »uralten deutschen Helden« hausen, die Bewahrer altgermanischer Sitte und Freiheit, die nichts zu tun haben wollen mit dem eitlen Gehabe, der welschen Haartracht, der neumodischen Kleidung und der fremdwörterischen Rede. »Altes Wesen her!« ruft Witukind, »alte Gebärden her, alte Herzen her!«

Die Klage über das durch die ausländischen Einflüsse derart gesteigerte »Weltwesen« kam natürlich auch von kirchlicher Seite, bezeichnenderweise weniger von den Jesuiten als von den älteren, traditionellen Orden. **Abraham a Santa Clara** (1644–1709), ein schwä-

DIE BÖSE
WELT

bischer Augustiner namens Johann Ulrich Megerle, der in Bayern und am Hofe zu Wien predigte, wetterte in bildhaften Volkspredigten und Kanzelschriften gegen die Unmäßigkeit und Eitelkeit der Zeit. »Alle drängten sich«, urteilte ein Zuhörer, »von Pater Abraham die Wahrheit zu hören, und solcher Zulauf rührte nicht von dem Schutze des Kaisers her, sondern aus dem Geheimnis, so er besaß, alle Menschen zu zwingen, seine ungeheuchelte Wahrheit zu hören«. Schiller, der ihn »ein prächtiges Original« nannte, hat die Kapuzinerpredigt in »Wallensteins Lager« nach der Vorlage seiner Predigten gegen die Türken abgefaßt.

Eine seiner gewaltigsten Mahnpredigten hielt Abraham a Santa Clara unter dem Eindruck der Pest, die 1679 Wien heimsuchte (gedr. unter dem Titel *Merks Wien,* 1680). Es ist, als spiegle sich in den Wortbildern noch einmal die ganze geistige Farbigkeit der Epoche wider.

»O Mensch, laß dir's gesagt sein, laß dir's geklagt sein, schrei es aus, alles, allen, allenthalben: Es muß gestorben sein, nicht vielleicht, sondern gewiß! Auf den Frühling folgt der Sommer, auf den Freitag folgt der Samstag, auf das Drei folgt das Viere, auf die Blühe folgt die Frucht, auf den Fasching folgt die Fasten – ist gewiß; auf das Leben folgt der Tod: Sterben ist gewiß.

Das Leben ist allein beständig in der Unbeständigkeit, und wie ein Blatt auf dem Baum, auf dem Wasser ein Flaum, ein Schatten an der Wand, ein Gebäu auf dem Sand sich kann rühmen geringfügiger Beständigkeit, noch minder darf ihm zumessen das menschliche Leben.

Klopf mir beileib nicht, wann ich dir werde folgende Worte für der Tür singen: Heut rot – morgen tot, heut ›Ihr Gnaden‹ – morgen ›Gnad dir Gott‹, heut ›Ihr Durchleucht‹ – morgen ›eine tote Leich‹, heut allen ein Trost – morgen ›tröst ihn Gott‹, heute kostbar – morgen Totenbahr, heute hui – morgen pfui!«

Zu den bekanntesten Werken zählen *Judas, Der Erz-Schelm,* eine mit Schwänken und Kommentaren versehene Lebensbeschreibung des Judas Ischarioth (4 Bde. 1686–95), die »seltsamen und wunderlichen Geschichten« *Heilsames Gemisch Gemasch* (1704) sowie die postum erschienenen Ausgaben vorwiegend zeitkritischer Predigten, Traktate und Parabeln *Geistlicher Kramer-Laden* (3 Bde. 1710–19) und *Abrahamische Lauber-Hütt* (3 Bde. 1721–23).

Das Barock setzte sich bis in die Mitte des 18. Jahrhunderts fort, aber nur in ausgesprochen kirchlichen Kreisen und in trivialen Dichterzirkeln. Es wurde vom Rationalismus der »Aufklärung« verdrängt. Nach einem Jahrhundert emotionalen Ringens faszinierte die Forderung, sich mit einem befreienden Schritt in die Klarheit des Geistes zu retten, sich eine leichte und lebensnützliche Orientierung zu verschaffen. Vanitas-Empfindungen, Verzweiflungen und mystische Erahnungen wurden als unnötiger Ballast angesehen. Erst die Romantik schaute – aus einem inneren Anteil heraus – in die barocke Epoche zurück.

DIE AUFKLÄRUNG

Zwiespältigkeit war die Grundsituation, aus der heraus der barocke Künstler schuf; er fühlte sich ausgeliefert den göttlichen und teuflischen Mächten, der Sinnenfreude und Lebensangst. Im nachfolgenden 18. Jahrhundert klingen diese Spannungen ab; der Mensch der Aufklärungszeit bemüht sich um eine harmonische, lebensfrohe Ausgeglichenheit; er sieht zumindest seine Aufgabe darin, im »Hier und Nun« zu planen, zu wirken und glücklich zu sein (mag ihn auch die »unvergnügte Seele« mitunter daran hindern). Solche Weltgläubigkeit bedeutet gewissermaßen ein Umkippen aus der vertikalen, nach oben und unten gerichteten, zweckfreien Blickrichtung des barocken Menschen in die horizontale: Die Welt ist weit und groß und schön; man macht sie sich untertan.

Die Welt ist ein »Bauplatz für alles erdenklich Nützliche, Wohltätige und Lebensfördernde, für Institute und Apparate zur Verfeinerung, Erleichterung und Erhöhung des Daseins, für babylonische Türme, die sich zum Himmel recken, um ihm sein Geheimnis zu entreißen, ein unermeßlich weites, unerschöpflich reiches Operationsfeld für die Betätigung und Steigerung der Kräfte des reinen Verstandes, des Verstandes, der sich ganz auf sich selbst stellt, sich alles zutraut, vor nichts zurückschreckt, durch nichts zu enttäuschen ist.« (Egon Friedell)

Ein derart säkularisiertes Weltgefühl mußte sich naturgemäß in Fragen der Religion am deutlichsten auswirken: Das Metaphysische – Gott über und hinter der Welt – wird nun weitgehend ausgeklammert, die Angst vor dem Jenseits häufig abgebogen; an die Stelle des Sehnens nach dem erlösenden Tod tritt der Vollzug der wirkenden Tat. Für den Denker der Aufklärungszeit ist Gott (sofern er nicht im »deistischen« Sinne als absolut jenseitig begriffen wird) *in* der Welt; sie erscheint somit auch nicht mehr als Stätte des Teufels, der bösen Leidenschaften und Triebe, als Austragungsort wilder innerer und

äußerer Kämpfe voller Furchtbarkeit und Gräßlichkeit; sie ist nun
Stätte des Friedens, der Harmonie, des Glücks und der Seligkeit.

Die neue Glaubenshaltung kann man als »natürliche Religion« bezeichnen:
einesteils, weil aus der Natur die positiven Wesenszüge des Göttlichen erkannt und andererseits die religiösen Erkenntnisse und Empfindungen als
angeboren, als »natürlich« aufgefaßt werden. Damit werden freilich dogmatische Fragen weitgehend außer acht gelassen, wie überhaupt der Einfluß der
Kirche fast vollständig verlorengeht. Die christlichen Elemente gelten nur
noch insoweit, als sie mit der Vernunft in Übereinstimmung zu bringen
sind; besonders wird die Offenbarung als Ausdruck des Irrationalen mit
Skepsis betrachtet. Der absolute Anspruch des Christentums wie auch anderer Religionen muß dem Toleranzgedanken weichen: Alle Menschen sind
Gottes Kinder, so müssen sie auch alle vor ihm und untereinander gleichen
Wertes sein.

Der barocke Mensch hatte die Welt durch seine Sinne erlebt, trieb-
haft, instinktiv, intuitiv; die Welt blieb ihm Chaos, Fragment, zwielichtig und unergründbar. Der Mensch der Aufklärungszeit ge-
braucht die Ratio; er gewinnt Einblick und Überblick, er sieht Regeln und Gesetze wirksam, die Ordnung bedeuten. »Wenn wir einen
zerbrochenen Knochen, ein Stück Fleisch von einem Tiere oder einen abgerissenen Zweig von einer Pflanze erblicken, so schaut uns
daraus nur Unordnung entgegen; der tüchtige Anatom dagegen, der
derartige Stücke mit ihrem Ganzen verbunden kennt und seinen Bau
versteht, wird die Zweckmäßigkeit in ihnen zu deuten wissen. So ist
es auch mit unserem Urteil über die Welt«, äußerte Leibniz.

Die erkenntnistheoretischen philosophischen Strömungen, die den Verstand
als Organ des Welterlebens und Weltverstehens propagieren, lassen sich als
Empirismus und Rationalismus bezeichnen. Der Empirismus, der in England seinen Ursprung hat (John Locke, 1632–1704; David Hume, 1711–76),
legt besonderen Wert auf die Beobachtung, die die Seele mit Erfahrungen
bereichere, Empfindungen hervorrufe und Vorstellungen wecke. Diese ord-
ne dann der Geist und verwende sie für seine »Urteile«: Nihil est in intellectu,
quod non antea fuerit in sensu. Der Rationalismus betont mehr die ordnende
Verstandesarbeit, d. h., er untersucht die Kategorien und Prinzipien, nach
denen der Geist das durch die Erfahrung gewonnene Material sichtet, gliedert und verarbeitet. **Immanuel Kant** (1724–1804) geht in seiner *Kritik der
reinen Vernunft* (1781) so weit, daß er die Empirie von der Ratio abhängig
macht, d. h. Erfahrungen, nach denen wir später (a posteriori) zu Urteilen
gelangen, nur deshalb für möglich hält, weil sie schon von vornherein (a prio-

ri) in uns kategorial angelegt sind. Das »Ding an sich« ist zwar nicht erkennbar; wir benötigen aber seine Anschauung auch nicht, da wir seine »Beurteilung« bereits in uns tragen.

Kant weist mit seiner Philosophie bereits über die Aufklärung hinaus; er stützt sich auf einen Bereich der »reinen Vernunft«, er verzichtet auf die Empirie, auf die unbedingte Erfahrung der tatsächlichen Welt. Für den Menschen der Aufklärungszeit stehen dagegen Welt und menschliche Vernunft noch in einem engen, wesensmäßigen und tatsächlichen Zusammenhang: da der Mensch die Welt mit seiner Vernunft erkennen und ergründen kann, muß diese Welt auch selbst »vernünftig« sein. Die erkenntnistheoretischen Überlegungen treffen hierin mit der religiösen Überzeugung zusammen: nur eine »vernünftige« Welt kann Theodizee, Rechtfertigung Gottes, sein. – Weil Gott in allem und damit auch im Kleinsten lebt und wirkt, kann der Mensch kraft seines Verstandes auch im Kleinsten noch das Geordnete, Gesetzmäßige, Vernünftige nachweisen. Für **Gottfried Wilhelm Leibniz** (1646–1716) ist die Welt aus lauter Monaden (Urkörperchen) zusammengesetzt, die – in sich gestuft, vom Niedrigsten bis zur ultima ratio rerum, Gott selbst, reichend – in sich selbständig, zugleich aber auch Spiegel des Universums sind. Damit erklärt sich, warum die unendliche Vielfältigkeit der »Weltkörper« und des Weltgeschehens nicht als absolutes Chaos sich darstellt, sondern als geplante Ordnung: Da jede Monade in sich vernünftig ist (von göttlicher Vernunft »festgesetzt«, geschaffen und durchdrungen), stehen alle Monaden in Parallelität zueinander, stimmen sie alle harmonisch zusammen. So gelangt Leibniz zu der Erkenntnis von der »prästabilierten Harmonie« dieser Welt. – Eine von Gott geschaffene, von Gott bewegte und belebte, gegliederte, harmonische Welt kann nur die beste aller Welten sein.

Leibniz' Philosophie gipfelt in dem Satz, der zugleich den Optimismus aufgeklärter Geisteshaltung dokumentiert: »Diese höchste Weisheit nun verbunden mit einer Güte, die nicht minder unendlich ist als sie, hat nur das Beste wählen können. Denn wie ein geringeres Übel eine Art von Gut ist, so ist ein geringeres Gut eine Art von Übel, wenn es einem größeren im Wege steht: und es gäbe im Handeln Gottes etwas zu berichtigen, wenn es möglich wäre, es besser zu machen. Und wie in der Mathematik, sobald es weder Maximum noch Minimum und überhaupt nichts Ausgezeichnetes gibt, alles gleichförmig wird oder, wenn das nicht möglich ist, überhaupt nichts zustande kommt,

so kann man in betreff der vollkommenen Weisheit, die nicht weniger geregelt ist als die Mathematik, sagen: Wenn es unter den möglichen Welten keine
beste (optimum) gäbe, dann hätte Gott überhaupt keine hervorgebracht.«

Der barocke Mensch hatte sich mehr oder weniger als Objekt ge-
fühlt, als »unfrei«, dem Schicksal ausgeliefert wie seinen eigenen
Trieben und Instinkten; er sah sich als Sünder, als »Kreatur«. In der
Aufklärungszeit erwachte das Selbstbewußtsein des Menschen.
(Hier zeigen sich Berührungen mit der Renaissance bzw. dem »Humanismus«.) Zusammen mit der Entdeckung der Vernunft wird nun
der Eigenwert der Person und Individualität erkannt. Der Mensch als
Geistwesen fühlt sich als Krone der Schöpfung. »Aufklärung ist der
Ausgang des Menschen aus seiner selbst verschuldeten Unmündigkeit. Unmündigkeit ist das Unvermögen, sich seines Verstandes ohne
Leitung eines anderen zu bedienen. Selbstverschuldet ist diese Unmündigkeit, wenn die Ursache derselben nicht am Mangel des Verstandes, sondern der Entschließung und des Mutes liegt, sich seiner
ohne Leitung eines andern zu bedienen. Sapere aude! Habe Mut,
dich deines eigenen Verstandes zu bedienen! ist also der Wahlspruch
der Aufklärung.« (Immanuel Kant)

Die Neubewertung der Vernunft (der res cogitans) als des eigentlich Wesentlichen und Charakteristischen des Menschen in Unterscheidung zum Ungei-
stigen, Kreatürlichen (der res extensa) hatte René Descartes (1596–1650)
eingeleitet; das Denken schien ihm überhaupt alleiniger Ursprung und Beweis der Existenz zu sein: Cogito ergo sum. Damit wird der Mensch in den
Mittelpunkt des Erforschens gerückt. »Nichts Nützlicheres gibt es hier zu
erforschen, als was die menschliche Erkenntnis sei und wie weit sie sich er-
strecke«, heißt es bei Descartes.

Vernunft, Geist, Verstand – wit und common sense (wobei freilich die
englischen Modeworte mehr aufs praktisch-alltägliche Verhalten hin-
zielen) prägen den Aufklärer. Toleranz im gesellschaftlichen, religiösen und politischen Bereich gehört ebenfalls zum neuen Leitbild. Das
bedeutet die Emanzipation unterdrückter Minderheiten (z. B. der
Juden), den Aufstieg unterdrückter Klassen (der Bürger), die Überwindung nationaler Schranken (im Sinne des Weltbürgertums). Die
neue Kultur ist von vornherein auf Breite angelegt; sie lehnt jede
esoterische Abkapselung ab. Der Weg zu ihr führt über Belehrung,
Erbauung und Erziehung; auch die Dichtung wird durch das didakti-

sche Anliegen geprägt: Sie will weder die Welt beklagen noch »zwecklos« besingen; sie will die Welt verbessern. Schließlich ist der Aufklärer ein Mensch, der in dieser »besten aller Welten« auch für sich das Beste zu gewinnen sucht: Glück und Lebensgenuß sind ihm wichtiges Ziel. Er will die Möglichkeiten ausschöpfen, die dem Menschen als Geist- und Körperwesen zur Verfügung stehen; aber er will sie »vernünftig« ausschöpfen, mit Maß und Zurückhaltung (um dem Laster wie der Reue zu entgehen). Harmonie ist oberstes Gebot: Einheit und Zusammenklang von Geist und Körper – Kalokagathia (körperliche und geistige Vollkommenheit).

Solides und dauerndes Glück setzt ein geordnetes Staatswesen voraus, in dem der Mensch sich entfalten kann, ohne der Willkür eines Tyrannen ausgeliefert zu sein: Das Gesetz muß die Gewalt beherrschen und beschränken – die Forderung nach Gewaltenteilung im Staat erhob Montesquieu (1689–1755) auf Grund des Studiums englischer Verhältnisse. Die menschliche Freiheit darf nicht angetastet werden – Voltaire (1694–1778) griff in Dichtung und Streitschrift geistreich und mutig Mißstände an. Der Staat hat allein dem Wohle seiner Bürger zu dienen – der preußische König **Friedrich II.** (1712–86) schrieb vom aufgeklärten Herrscherstandpunkt aus einen *Antimacchiavell* (»Der Fürst ist der erste Diener des Staates«); auch das Recht des Menschen auf materiellen Wohlstand muß gewährleistet sein. – Der Versuch, äußere Umstände zu schaffen, in denen sich das Idealbild des Menschen verwirklichen lasse, führte sowohl zum Amerikanischen Befreiungskampf wie zur Französischen Revolution; beide Ereignisse müssen als Früchte aufklärerischen Bestrebens gewertet werden. »Wir halten die Wahrheit selbst für einleuchtend, daß alle Menschen gleich geschaffen sind, so daß sie von ihrem Schöpfer mit gewissen unveräußerlichen Rechten ausgestattet sind, wozu Leben, Freiheit und das Streben nach Glückseligkeit gehören; daß zur Sicherung dieser Rechte Regierungen unter den Menschen eingesetzt sind, welche ihre gerechte Vollmacht von der Zustimmung der Regierten ableiten«, heißt es in der Declaration of Independence; und in der Déclaration des droits de l'homme et du citoyen steht: »Der Zweck jeder staatlichen Vereinigung ist die Erhaltung der natürlichen und unverjährbaren Menschenrechte. Das sind die Rechte auf Freiheit, Eigentum, Sicherheit und Widerstand gegen Unterdrückung.«

DER RATIONALISMUS

Das Zeitalter der Aufklärung kündigt sich in der Dichtung am frühesten in einer Reihe von Satiren an, die einen Abgesang auf die barokke höfische Kunst darstellen und den Sieg des »gesunden Menschenverstandes« proklamieren. Die geistige Umorientierung geht dabei Hand in Hand mit einer soziologischen Umschichtung.

Es ist durchaus bezeichnend, wenn **Friedrich Rudolf von Canitz** (1654–99), der nach seinem Studium in Leyden und Leipzig lange Zeit in diplomatischen Diensten stand und auf vielen Reisen durch Europa das höfische Leben genau kennengelernt hatte, in seinen Satiren *Nebenstunden unterschiedlicher Gedichte* (1700) den »Vorzug des Landlebens« preist, d. h. der stickigen Luft der Paläste die Reinheit und Natürlichkeit des einfachen Daseins entgegenhält. Diese Haltung finden wir zwar schon in der barocken Schäferdichtung; sie wird aber nun mit einer prononcierten politischen Note versehen.

WIDER DIE
UNNATUR

> »Hier ist mein eigener Grund, der mir selbst angestorben,
> hier ist kein Fußbreit mehr durch schlimmes Recht erworben,
> kein Stein, der Witwen drückt und Waisen Tränen preßt,
> kein Ort, der einen Fluch zum Echo schallen läßt.«

Die Satiren von **Benjamin Neukirch** (1665–1729), der in seiner Jugend ganz im Sinne von Lohenstein und Hofmannswaldau gedichtet hatte, wenden sich entschieden gegen den »parfümierten Stil« der spätbarocken Dichter, gegen ihre Exklusivität, ihren Manierismus und ihre Künstlichkeit. »Mein Reim klingt vielen schon sehr matt und ohne Kraft: / Warum? Ich tränk ihn nicht mit Muskatellersaft, / ich speis' ihn auch nicht mehr mit teuren Amberkuchen, / denn er ist alt genug, die Nahrung selbst zu suchen.« (*Satiren und Poetische Briefe*, postum 1732)

Die Absage an den Ästhetizismus der spätbarocken höfischen Kultur war ein Wagnis, denn immer noch stand die Schlesische Dichterschule in großem Ansehen; die neuen Ziele konnten sich nur zögernd durchsetzen. »So lang ich meinen Vers nach gleicher Art gewogen«, schreibt Neukirch – und er spiegelt damit nicht nur seine persönliche Situation, sondern auch die seiner Mitstreiter wider –, »dem Bilde der Natur die Schminke vorgezogen, / der Reime dürren Lein mit Purpur ausgeschmückt / und abgeborgte Kraft den Wörtern angeflickt, / so war ich auch ein Mann von hohen Dichtergaben«. Jetzt aber, da er der Spur nachgezogen sei, »auf der man zur Vernunft beschämt zurücke kreucht«, sei er von der dichterischen Prominenz verbannt.

Zunächst war die Satire ein Mittel im Kampf gegen eine als überholt betrachtete Lebensordnung; später jedoch, in der nächsten Generation, bekam sie einen mehr positiven, konstruktiven Charakter. Satire ist nun Ausdruck des »Wit« (das schwierig zu übersetzende englische »wit« bedeutet so viel wie Geist, Intellekt, Gemüt, geistreich im humorvollen Sinne, und entspricht dem damaligen Inhalt des Wortes Witz). **Gottlieb Wilhelm Rabener** (1714–71), ein wichtiger Mitarbeiter der Zeitschriften *Belustigungen des Verstandes und Witzes* und *Neue Beiträge* (auch *Bremer Beiträge* genannt), leitete die Satire aus der allgemeinen Menschenliebe ab, aus dem Drang, die Sitten zu verbessern, die Welt glücklicher zu machen.

SATIRE AUS
MENSCHEN-
LIEBE

»Wer den Namen eines Satirenschreibers verdienen will, dessen Herz muß redlich sein. Er muß die Tugend, die er andre lehrt, für den einzigen Grund des wahren Glücks halten. Das Ehrwürdige der Religion muß seine ganze Seele erfüllen... Er liebt seinen Mitbürger aufrichtig. Ist dieser lasterhaft, so liebt er den Mitbürger doch und verabscheut den Lasterhaften. Die Laster wird er tadeln, ohne der öffentlichen Beschimpfung die Person desjenigen auszustellen, welcher lasterhaft ist und noch tugendhaft werden kann. Er muß eine edle Freude empfinden, wenn er sieht, daß sein Spott dem Vaterlande einen guten Bürger erhält und einen andern zwingt, daß er aufhöre, lächerlich und lasterhaft zu sein. Er muß die Welt und das ganze Herz der Menschen, aber vor allen Dingen muß er sich selbst kennen. Er muß liebreich sein, wenn er bitter ist. Er muß mit einer ernsthaften Vorsicht dasjenige wohl überlegen, was er in einen scherzhaften Vortrag einkleiden will. Mit einem Worte, er muß ein rechtschaffener Mann sein!«

Diese Vorrede, mit der Rabener seine *Sammlung satirischer Schriften* (1751–55) einleitet, enthält in nuce wesentliche Grundzüge aufge-

klärter Dichtungslehre: Die Dichtung als Satire steht im Dienste einer allgemeinen Verbesserung der Sitten und der gesellschaftlichen
Moral; sie muß sich gründen auf einer exakten und klaren Menschen-
kenntnis (»the proper study of man is man«, hatte Alexander Pope
[1688–1744] gesagt), muß bei ihren Angriffen der Person des Gegners
in leidenschaftsloser Objektivität und Distanz gegenüberstehen, dafür aber kompromißlos und standfest in der Sache sein.

Was Rabener als Programm aufstellte, in seinen eigenen Satiren
aber nur notdürftig erfüllen konnte (es handelt sich um spöttische,
ziemlich oberflächliche Angriffe gegen kleine Adlige,
DIE FACKEL   Dorfjunker, Dorfpfarrer, Schullehrer, Advokaten,
DER WAHR-   Offiziere, heiratslustige Witwen und alte Jungfern aus
HEIT   bürgerlichen Familien), hat **Georg Christoph Lichtenberg** (1742–99) mit humoristischem und satirischem Talent verwirk-
licht.

Lichtenberg wurde als das achtzehnte Kind eines Pastorenehepaares in der
Nähe von Darmstadt geboren. Er studierte in Göttingen Mathematik und
Naturwissenschaften. Nach einer Englandreise, bei der er Shakespearesche
Dramen kennenlernte und sich besonders mit den satirischen Stichen Ho-
garths beschäftigte, wurde er Professor für Physik an der Universität Göttingen. Lichtenberg war durch einen Unfall, den er als Kind erlitten hatte, ver-
wachsen; dies scheint der Grund gewesen zu sein für eine gewisse Insichge-
kehrtheit. Andererseits wurde ihm jedoch eine ausstrahlende Güte nachge-
rühmt; sie spricht auch aus dem ergreifenden biographischen Fragment
Nachrichten und Bemerkungen des Verfassers über sich selbst, das er seinen *Vermischten Schriften* (postum 1800–06) voranstellte.

Lichtenberg war fast ausschließlich Aphoristiker; seine Gedanken
kreisten dabei vorwiegend um politische, moralische, pädagogische
und physiognomische Fragen und Probleme. Er entlarvt mit milder,
freundlicher Hand; sein Tadel ist weder bissig noch bösartig. »Jeder
Mensch hat auch seine moralische backside, die er nicht ohne Not
zeigt und die er so lange als möglich mit den Hosen des guten Anstandes zudeckt.« Er will im Sinne aufklärerischer Satire durch Witz den
Menschen zu sich selbst hinführen und damit bessern. »Über nichts
wird flüchtiger geurteilt, als über die Charaktere der Menschen, und
doch sollte man in nichts behutsamer sein.« Seine Aphorismen erschienen in den »Vermischten Schriften« und erwiesen sich als ein
bedeutsames Vermächtnis der Aufklärung.

Lichtenberg war in vielem ein Außenseiter, der Vernunft verschrieben, ihr aber nicht hörig. Er legte besonderen Wert auf Traumgesichte als Offenbarung wesentlicher Züge der menschlichen Seele; er las im menschlichen Antlitz, glaubte an die Bedeutung der Physiognomie; er begeisterte sich für die Irrealität und Irregularität Shakespearescher Dramen. In seinem Schaffen ließ er sich von Spontaneität, plötzlicher Eingebung und intuitiver Erkenntnis leiten. *Sudelhefte* nannte er seine Tagebücher, in die er sich seine aphoristischen Bemerkungen notierte.

Hingegen betrachtete sich der absolut fortschrittliche »aufgeklärte« Dichter als ein Künstler strenger Systematik. Er propagierte die »Regeln«, war überzeugt von dem gesetzmäßigen Ab- DIE REGELN lauf dichterischer und denkerischer Schöpfungsprozes- SIND ALLES se. In methodischer Überlegung und verstandesmäßiger Erarbeitung sah er den alleinigen legitimen Weg zu einer Wahrheit, die menschlich verbindlich, gesellschaftlich positiv und ethisch erhöhend wirken sollte. »Regelhaftigkeit« war somit letztlich das Mittel zu sittlichen Erneuerung des Menschen.

»Zu allererst wähle man sich einen lehrreichen moralischen Satz, der in dem ganzen Gedichte zum Grunde liegen soll, nach Beschaffenheit der Absichten, die man sich zu erlangen vorgenommen. Hierzu ersinne man sich eine ganz allgemeine Begebenheit, worin eine Handlung vorkommt, daran dieser erwählte Lehrsatz sehr augenscheinlich in die Sinne fällt.«

Solche gedanklich-ideelle Ausrichtung, wie sie hier von **Johann Christoph Gottsched** (1700–66) ausgesprochen ist, und die damit verknüpfte Unterdrückung dichterischer Phantasie und elementarer Begabung mußten zu einer gewissen rationalen Erstarrung führen. Jedoch wurden der Dichtung auch neue und bedeutsame Aspekte erschlossen. An Hand bestimmter Denkmodelle zeigt der Aufklärer die Möglichkeiten humanitären Fortschritts auf. So zeichnet sich ein Weg ab von Gottsched zu Lessings »Nathan« und Goethes »Iphigenie«.

Gottsched wurde in Ostpreußen geboren, floh nach seinem Studium vor den Werbern des Soldatenkönigs nach Leipzig und wurde dort Professor für Philosophie und Dichtkunst. Er strebte eine Reform der Sprache, der Literatur und des Theaters an. Um der deutschen Literatur einen weiteren Geltungsbereich zu sichern, verwarf er den Dialekt wie überhaupt jede rohe und ungehobelte Diktion.

Zugleich aber mißbilligte er auch jede spontane und eigenwillig-ur-
sprüngliche Ausdrucksweise, da sie den Anforderungen echten Stils
(Klarheit, Allgemeingültigkeit, Einfachheit und Natürlichkeit) nicht
entspräche. Vor allem in dem *Versuch einer kritischen Dichtkunst
vor* [für] *die Deutschen* (1730) war Gottsched nach der französischen
Literatur hin orientiert. Die possenhaften Harlekinaden, die italienischen Ausstattungsopern wie die barocken Haupt- und Staatsaktionen wurden verworfen, und an ihrer Stelle wurde das »regelmäßige
Drama« gefordert. Die drei Einheiten (des Ortes, der Zeit, der Handlung) sollten wieder verbindlich sein. Der Tragödie wird die Exemplifizierung eines moralischen Satzes aufgetragen, die Komödie habe
die Laster und Schwächen der Menschen satirisch zu zeigen.

Gottsched versuchte, seine Theorien selbst in die Praxis umzusetzen. Er
arbeitete mit der berühmten Schauspielerin Karoline Neuber und deren
Mann, Johann, der Prinzipal einer Theatertruppe war, zusammen. In der
sechsbändigen Ausgabe *Deutsche Schaubühne* (1740–45) präsentierte er
u. a. 16 Übersetzungen aus dem Französischen. Zudem schrieb er selber Dramen, z. B. ein Stück über den Selbstmord des jüngeren Cato zur Zeit Cäsars
(*Sterbender Cato*, 1731).
   In **Christian Weise** (1642–1708) hatten Gottscheds Theorien und Forderungen einen frühen Vorläufer gehabt. Er war Magister und Rektor in Zittau
(seiner Geburtsstadt). Dort führte er auch die meisten seiner Schuldramen
auf, die er auch selbst einstudierte. Die insgesamt 55 Stücke sind biblischer
oder historischer Art bzw. Lustspiele. Sie sollen (wie auch seine Romane,
z. B. *Die drei ärgsten Erznarren in der ganzen Welt*, 1672) neben einer rein
formalen Schulung den jungen Menschen ethische Prämissen spielerisch zu-
gänglich und Tugenden im Rahmen einer abenteuerlich bewegten Handlung
schmackhaft machen.

Im Rahmen der lehrhaften Zielsetzung, welche die Dichter der Aufklärungszeit kennzeichnet, gewinnt auch die Fabel wieder Bedeutung. Gerade sie konnte die Forderung nach anschaulicher und all-
gemeingültiger Darstellung, nach überzeugender Exemplifizierung
moralischer Grundsätze und der damit verbundenen
FABULA   Nutzanwendung im praktischen Leben erfüllen. Als
DOCET   Muster galt neben Äsop der Franzose Lafontaine
            (1621–95). Fast alle führenden Dichter der Aufklärung
haben Fabeln übersetzt, neu gefaßt oder selbst geschrieben. Lessing
gab drei Bücher mit Fabeln (1759) heraus und fügte ihnen fünf theo-

retische Abhandlungen bei. Die *Fabeln und Erzählungen* (1746–48) **Christian Fürchtegott Gellerts** (1715–69) greifen Alltagsepisoden auf und fassen diese in gültige »Merksätze« zusammen. Die Moral wird bald spitzbübisch bieder, bald weinerlich-sentimental vorgetragen. Da sind z. B. *Die beiden Hunde*; der eine ist verspielt und lustig, der andere treu und wachsam. Beide verkörpern zwei Seiten des Lebens. Gellert tritt als »vernünftiger Zeitgenosse« fürs »gute Herz« ein, das viel mehr Wert habe als »ein bißchen Witz«.

Gellert war als Sohn eines Pastors im Erzgebirge geboren worden; nach seinem Studium wirkte er als Professor der Poesie und Beredsamkeit in Leipzig. Sein Leben verlief ohne besondere Höhepunkte, aber auch ohne besondere Krisen. Seine Ängstlichkeit und Zurückhaltung waren Ausdruck einer sehr früh auftretenden Kränklichkeit, von der er vergeblich sich zu heilen suchte. Die Trauer über seinen Tod war allgemein, es schien geradezu, als ob sein Grab zu einer nationalen Wallfahrtsstätte werden sollte.

Wie in seinen »Fabeln« war Gellert auch sonst ein Mann des Mittelmaßes. Er zeichnete sich weder durch kühne Phantasie noch durch dichterische Leidenschaft aus; er hielt sich auf dem Wege der Vernunft. Seine Sprache war nüchtern und vermied schwierige Metaphern; er dachte, empfand und redete wie viele. Das Gottvertrauen, die einfache, unkomplizierte, aber erfüllte Religiosität, die sich auch in seinen *Geistlichen Oden und Liedern* (1757) spiegelt, runden sein Bild.

Neben den Fabeln und religiösen Liedern hat Gellert Romane und Dramen geschrieben. Der Familienroman *Leben der schwedischen Gräfin von G.* (1748), der Einflüsse des englischen sentimentalen Romans (vor allem der *Pamela* von Samuel Richardson; 1689–1761) zeigt, hat einen abenteuerlichen Handlungsablauf: Ein Kriegsheimkehrer aus Sibirien kommt zu seiner Frau zurück, die inzwischen seinen Freund geheiratet hat; dieser gibt sie an den ersten Gatten zurück. Nach dessen Tod jedoch setzt die Frau – dem Wunsche ihres ersten Mannes entsprechend – die Ehe mit dem zweiten wieder fort. Diese Geschichte ehelicher Wirrungen sollte dazu dienen, die stoische Gelassenheit dem Schicksal gegenüber, die vernünftige Haltung einer durchaus ehrenvollen und tugendreichen Frau zu dokumentieren. Es gehört zum Wesen dieser Frau, daß sie sich nicht vom Schicksal zerschmettern läßt, sondern – sich selber treu – der jeweiligen Situation das Beste abzugewinnen, sich in das Unvermeidliche zu schicken weiß. All das schloß freilich viel Rührseligkeit ein. Dementsprechend schrieb Gellert anläßlich der Heraus-

gabe seiner moralisch-didaktischen Komödien *Die Betschwester; Das Los in
der Lotterie; Die zärtlichen Schwestern* (1747), in denen Tugend und Vernunft
über Schwäche und Laster siegen: »Sollten einige überhaupt tadeln, daß sie
eher mitleidige Tränen als freudiges Gelächter erregen: so danke ich ihnen
zum voraus für einen so schönen Vorwurf.«

Solche Anreden (Vorreden) an den Leser ersetzen die im Barock
und Humanismus geläufige Widmung an den Mäzen; das Publikum
hat sich vervielfacht. Literarische Zeitschriften – nach dem englischen Vorbild der »Moralischen Wochenschriften«, des *Tatler, Spec-*
DIE VER-   *tator* und *Guardian* – verbreiten sich auch in Deutsch-
NÜNFTIGEN   land; angesichts einer zu politischer Ohnmacht verur-
TADLER   teilten Kleinstaaterei widmen sie sich fast ausschließlich künstlerischen Fragen. Diese Publikationen, die
bald einem volkstümlichen, bald einem höheren Niveau zustrebten,
machen ihre Aufgabe oft schon im Namen deutlich: Es gab den *Ver-
nünftler,* die *Diskurse der Maler* (von Bodmer und Breitinger in Zürich herausgegeben), *Die vernünftigen Tadlerinnen* und den *Biedermann* (von Gottsched in Leipzig), die »Bremer Beiträge« *(Neue Beiträge zum Vergnügen des Verstandes und Witzes), Briefe, die neueste
Literatur betreffend* (von Nicolai, Mendelssohn und Lessing), den
Teutschen Merkur (von Wieland).

Aus all diesen Versuchen, denen oft nur eine sehr kurzfristige
Existenz beschieden war, ragt der *Wandsbecker Bote* heraus, eine
von 1771 bis 1775 bestehende Zeitung, die viermal wöchentlich er-
schien und durch die Mitarbeit des Dichters **Matthias Claudius** An-
BESINNUNG   sehen und Berühmtheit erlangte: »Man muß den Men-
AUF VER-   schen nur vernünftig ansprechen, und man wird sich
NUNFT UND   wundern, wie er's begreift – Asmus omnia sua secum
GEMÜT   portans oder sämtliche Werke des Wandsbecker Bo-
ten.« – Im »Handgepäck« befanden sich Vernunft,
Herz, Gemüt und Schalkhaftigkeit, alles verpackt mit dem heißen
Bemühen, die Menschen zu belehren, ihnen mit einer gängigen prak-
tischen Moral in den Widerwärtigkeiten des Lebens weiterzuhelfen.

1740 war Claudius als Sohn eines Pfarrers bei Lübeck geboren worden. Nach
dem Studium der Theologie und der Staatswissenschaften lebte er zunächst
in Kopenhagen, in freundschaftlichem Umgang mit Klopstock, dann als Redakteur in Hamburg (mit Lessing bekannt) und schließlich als Leiter des

»Boten« in Wandsbeck. Er war sodann mit den Mitgliedern des Göttinger
Hainbundes eng befreundet und starb 1815 in Hamburg. Als Volksschriftsteller war er »fromm in tiefster Seele, mit einer gegen das Alter wachsenden
Neigung zu einer herzlichen, doch engen Pietisterei, in den Wissenschaften
nicht unbewandert, voll Bedürfnis nach beständigem Umgang mit Büchern,
mit Kunst, mit geistigen Menschen. Und aus den beiden auseinanderstreben-
den Elementen dieser beweglichen Seele, aus dem Streit zwischen Schön-
heitssinn und Grobfädigkeit, zwischen Bildungsdrang und Naturburschen-
tum, zwischen Lehrhaftigkeit und Poesie entstand ein typisch deutscher Humor« (Hermann Hesse). »Ich bin kein Gelehrter und habe mich nie für etwas
ausgegeben«, schrieb Claudius in einem »Valet« an seine Leser; »und ich
habe als einfältiger Bote nichts Großes bringen wollen, sondern nur etwas
Kleines, das den Gelehrten zu wenig und zu geringe ist. Das aber habe ich
nach meinem besten Gewissen gebracht; und ich sage in allen Treuen, daß ich
nichts Besseres bringen konnte.«

Als Lyriker schlägt Claudius einfache, volksnahe Töne an, ohne sich
jedoch im allzu Vordergründigen zu verlieren. Die Echtheit des Emp-
findens, die Natürlichkeit der Aussage, die Menschlichkeit des Wol-
lens, die edle Einfalt und stille Bescheidenheit seiner Bilder und Metaphern, die echte Lebensfreude bei einem innigen Bewußtsein von
der Nähe des Todes, das aus dem Wissen um die Gefährdung des
Menschen erwachsende, tiefgründende Gottvertrauen – all das
macht einige seiner Gedichte und Lieder zu den schönsten der deutschen Lyrik *(Der Mond ist aufgegangen; Bei dem Grabe meines Vaters; Der Mensch; Der Tod; Kriegslied; Motette* [»Der Mensch lebt
und bestehet...«]).

Die literarische Aufklärung gipfelt in **Gotthold Ephraim Lessing**
(1729–81). Als Dichter und Theoretiker war er äußerst vielseitig –
ein Meister des dialektischen Denkens: skeptisch, satirisch, aphoristisch, polemisch, vom »Fabelcharakter« der Dichtung, ihrer praktischen Nutzanwendung zur Verbesserung der Sitten
und Moral wie auch von der Notwendigkeit künstlerischer Gesetze und Regeln überzeugt. Doch hat er in
seinem Werk abgestreift, was die belehrende Dichtung
der Aufklärungszeit beschwerte: die gedankliche
Starrheit und überschwengliche Sentimentalität, die moralisch süße
wie volkstümlich sich anbiedernde Seichtigkeit der Aussage. Von allen Vorläufern und Zeitgenossen am meisten Lichtenberg verwandt,
verläßt Lessing die engen Grenzen bloßer Belehrung und wird zum

ERZIEHUNG
DES MEN-
SCHENGE-
SCHLECHTS

wahren Erzieher seines Volkes. Damit ist er auch Wegbereiter des Humanitätsideals der »Klassik«. Bei ihm klingt schon die »alles versöhnende Menschlichkeit« und das »Zwischen uns sei Wahrheit« der Goetheschen »Iphigenie« auf.

Lessing wurde zu Kamenz in der Lausitz als Sohn eines Pfarrers geboren. Er besuchte die Fürstenschule zu Meißen und studierte nach dem Willen des Vaters Theologie. Doch gab er das Studium bald auf, um sich der Literatur zu widmen. Als freier Schriftsteller war er in Berlin tätig, wo er mit Voltaire und dem Philosophen Moses Mendelssohn zusammenkam. Als Sekretär des Generals von Tauentzien ging er nach Breslau und erlebte dort den Siebenjährigen Krieg. Ab 1767 hielt er sich in Hamburg auf und war als Dramaturg am Theater tätig. Schließlich fand er eine Anstellung als herzoglich braunschweigischer Bibliothekar in Wolfenbüttel. Nach kurzer Ehe starben seine Gattin und sein Kind. »Freilich zerrt mir der kleine Ruschelkopf auch die Mutter mit fort!« schrieb er aus dieser Zeit der tiefsten Not an den Freund Johann Joachim Eschenburg. »Denn noch ist wenig Hoffnung, daß ich sie behalten werde. – Ich wollte es auch einmal so gut haben wie andere Menschen. Aber es ist mir schlecht bekommen.«

Lessings Dichten und Denken wird von einem tiefen Streben nach Wahrheit bestimmt. Der Erkenntnisdrang war ihm – auch wenn er sich in seiner Skepsis der Unerreichbarkeit des Zieles bewußt war – das entscheidende Kriterium für die progressive Leistungsfähigkeit des Menschen. Der Mensch ist nur dort wahrhaft Mensch, wo er denkt, und nur wo er denkt, ist er ganz Mensch: »Nicht die Wahrheit, in deren Besitz irgendein Mensch ist oder zu sein vermeint, sondern die aufrichtige Mühe, die er angewandt hat, hinter die Wahrheit zu kommen, macht den Wert des Menschen. Denn nicht durch den Besitz, sondern durch die Nachforschung der Wahrheit erweitern sich seine Kräfte, worin allein seine immer wachsende Vollkommenheit bestehet.«

Die Geschichte war für Lessing der Ausdruck einer steten geistigen Weiterentwicklung und damit zugleich Zeugnis für die fortschreitende Versittlichung des Menschen. Als vordringliche Aufgabe der Religion sah er es an, diesen Prozeß der Reifung mitzubewirken.

In seiner Schrift *Die Erziehung des Menschengeschlechts* (1780) zeigt er die drei Stufen dieser Entwicklung: Das Alte Testament kündet von dem strafenden Gott, der das Volk durch »sinnliche Strafen und Belohnungen« zum Gu-

ten zwingt. »Ein besserer Pädagoge muß kommen und dem Kinde das erschöpfte Elementarbuch aus den Händen reißen. Christus kam.« Der
Mensch bedurfte nun für seine moralischen Handlungen edlerer, würdigerer
Beweggründe. Christus gab dem Menschen die Verheißung von der Unsterblichkeit der Seele. Der dritte Abschnitt, der Höhepunkt des geschichtlichen
Vorgangs, ist der Augenblick, da der Mensch weder aus Strafe noch in Aussicht auf Verheißung das Gute tut und das Böse meidet; er tut es dann kraft
seiner vernünftigen Einsicht: »Sie wird kommen, sie wird gewiß kommen,
die Zeit der Vollendung, da der Mensch, je überzeugter sein Verstand einer
immer besseren Zukunft sich fühlt, von dieser Zukunft gleichwohl Bewe-
gungsgründe zu seinen Handlungen zu erborgen nicht nötig haben wird; da er
das Gute tun wird, weil es das Gute ist, nicht weil willkürliche Belohnungen
darauf gesetzt sind, die seinen flatterhaften Blick ehedem bloß heften und
stärken sollten, die inneren besseren Belohnungen desselben zu erkennen.
Sie wird gewiß kommen, die Zeit eines neuen ewigen Evangeliums, die uns
selbst in den Elementarbüchern des Neuen Bundes versprochen wird.«

Lessings Ziel als Dichter war es, den Menschen auf den Weg zur absoluten Sittlichkeit zu bringen, ihn zu erziehen. Dabei war das didaktische Ziel oft größer als das schöpferische Vermögen: »Ich bin
weder Schauspieler noch Dichter. Ich fühle die lebendige Quelle

DIE TU-
GEND
DER TOLE-
RANZ

nicht in mir, die durch eigene Kraft sich emporarbei-
tet, durch eigene Kraft in so reichen, so frischen, so
reinen Strahlen aufschießt: ich muß alles durch Druck-
werk und Röhren aus mir heraufpressen.« Um so mehr
aber wiegen bei ihm sittliche Haltung und Tat, die uns
– über ästhetische Fragen hinweg – in Lessing den großen wegweisenden Geist der Aufklärung sehen lassen. Lessings letztes Werk, das
»dramatische Gedicht« *Nathan der Weise* (1779), muß somit als sein
wesentlichstes betrachtet werden.

Im Hause des Juden Nathan in Jerusalem ist Recha aufgewachsen, die nicht
ahnt, daß sie nicht dessen Tochter, sondern eine Christin ist; Nathan hat sie –
nach dem Verlust seiner sieben, von den Christen ermordeten Söhne – an
Kindes Statt angenommen. Bei einer Feuersbrunst kommt sie während der
Abwesenheit Nathans beinahe um, doch hat ein von dem Sultan Saladin ge-
fangengehaltener Tempelherr das Mädchen im letzten Augenblick gerettet.
Nach einer Reihe von Verwicklungen stellt sich heraus, daß Retter und Gerettete Geschwister sind. Mit dieser Handlung verknüpft ist das Geschehen
um den Sultan und dessen Schwester Sittah, die den reichen Juden zunächst
als Helfer in ihren Geldschwierigkeiten, dann aber als einen wahren Freund
gewinnen.

Lessing gibt ein Ideenschauspiel, in dessen kunstvoll gefügtem Handlungsablauf die Positionen des Hasses erschüttert werden, die Figuren als Verkörperungen religiöser Gegensätze in Toleranz zueinander finden. Der Jude erlebte den Haß der Christen; dafür nahm er ein armes Christenkind an Tochter Statt an. Der Tempelherr ist zunächst fanatischer Christ; er will das Haus des Juden nicht betreten; er überwindet jedoch sein Vorurteil in der Liebe zu Recha und angesichts der Großmütigkeit des Nathan. Saladin wird geläutert durch die Worte des Juden, die ihn überzeugen, daß allen religiösen Anschauungen irgendeine Wahrheit oder eine Ähnlichkeit mit der Wahrheit innewohnt. Als er nämlich den Juden zu sich kommen läßt und nach der Echtheit der konkurrierenden Religionen fragt, antwortet ihm dieser mit einer Parabel: Ein Mann hatte drei Söhne, sie waren ihm alle drei gleich lieb. Jedem wollte er den Kraft verheißenden Ring vererben, den er am Finger trug – »der die geheime Kraft besaß, vor Gott und Menschen angenehm zu machen«. Da ihm dies jedoch nicht möglich war, ließ er gleiche Ringe anfertigen, und jeder der Söhne glaubte, daß er allein den rechten nun besäße. Doch wird der Betrug offenbar, die drei gehen zum Richter; dieser spricht:

> »»Und gewiß,
> daß er euch alle drei geliebt und gleich
> geliebt: indem er zwei nicht drücken mögen,
> um einen zu begünstigen. Wohlan!
> Es eifre jeder seiner unbestochnen,
> von Vorurteilen freien Liebe nach!
> Es strebe von euch jeder um die Wette,
> die Kraft des Steins in seinem Ring an Tag
> zu legen! komme dieser Kraft mit Sanftmut,
> mit herzlicher Verträglichkeit, mit Wohltun,
> mit innigster Ergebenheit in Gott
> zu Hilf'! Und wenn sich dann der Steine Kräfte
> bei euren Kindes-Kindeskindern äußern:
> so lad' ich über tausend tausend Jahre
> sie wiederum vor diesen Stuhl. Da wird
> ein weis'rer Mann auf diesem Stuhle sitzen
> als ich, und sprechen. Geht!« – so sagte der
> bescheid'ne Richter.«

Wie am Beispiel Saladins und am Gegenbeispiel des pseudochristlichen Patriarchen angedeutet wird, glaubte Lessing, daß mitmenschliche Gesinnung nur in einem geordneten Staate, in einem in Zufriedenheit und Einigkeit lebenden Volk gedeihen könne. Dies war durchaus gegenwartsnah gemeint. In einem Augenblick der tiefsten Zerrissenheit der deutschen Nation schien ihm dieses Ziel ferner denn je zu sein.

Lessing führte den Kampf um eine nationale Besinnung auf ästhetisch-kritischem Gebiet: eine »deutsche Kunst« schien ihm das zunächst allein realisierbare Ziel zu sein. Die Überfremdung war ihm hier – wie im politischen Bereich – durch das Vorherrschen der Franzosen evident. Er wollte Voltaire und Corneille, dem Geist des französischen Rationalismus, eine »deutsche Aufklärung« entgegenstellen. Da sich nun die Franzosen ihrerseits auf die Griechen beriefen, zum anderen der deutsche »Literaturpapst« Gottsched die Franzosen als poetisch maßgeblich herausgestellt hatte, weitete sich die kritische Tätigkeit Lessings zu einer Auseinandersetzung mit Gottsched und der griechischen Kunst.

KAMPF UM EINE DEUTSCHE BÜHNE

Der Siebzehnte Literaturbrief (*Briefe, die neueste Literatur betreffend,* 1759–65) beginnt mit der programmatischen Feststellung: »Niemand, sagen die Verfasser der ›Bibliothek‹, wird leugnen, daß die deutsche Schaubühne einen großen Teil ihrer ersten Verbesserung dem Herrn Professor Gottsched zu danken habe. Ich bin dieser Niemand; ich leugne es geradezu. Es wäre zu wünschen, daß sich Herr Gottsched niemals mit dem Theater vermengt hätte.« Der Hauptvorwurf, den Lessing erhebt, besteht darin, daß Gottsched das französische Drama in Deutschland zum Maßstab gemacht habe, wo es doch weder echten antiken Geist enthalte noch überhaupt dem deutschen Wesen entspreche. Lessing weist stattdessen auf die englische Tragödie hin, besonders auf Shakespeare, und erwähnt als möglichen Stoff für einen künftigen deutschen Shakespeare die Sage vom Doktor Faustus (er hatte selbst eine Faustszene geschrieben, sie allerdings als Fragment eines alten Volksdramas ausgegeben).

In *Laokoon oder Über die Grenzen der Malerei und Poesie* (1766) verwarf er die stereotype Auffassung von einem einheitlichen künstlerischen Grundprinzip (Horaz: ut pictura poesis) und wandte sich gegen die von Winckelmann vertretene These der »Edlen Einfalt und stillen Größe« aller bedeutsamen antiken Überlieferungen. Er interpretierte die von Winckelmann als Beispiel hingestellte späthellenistische Laokoon-Skulptur nicht als den anti-

ken Ausdruck verhaltenen und bezähmten Schmerzes schlechthin, sondern
als Erfordernis der bildenden Kunst allgemein, dem Zustand des Schmerzes
ein erträgliches Aussehen zu verleihen. Der bildende Künstler, der einen
Moment-Zustand unwiderruflich und unveränderlich festhält, sei ästhetischen Normen unterworfen, nicht aber der Dichter, der das Geschehen im
Zeitablauf darstellt und somit auch das Unästhetische als vollkommene Tragik – für einen Augenblick – offenbaren kann. An Beispielen wird nachgewiesen, daß der antike Dichter das Gräßliche zum Vorschein brachte, daß die
preziöse Idylle, wie sie Winckelmann bei den Griechen und Gottsched bei
den Franzosen sah, in der Dichtung nicht verbindlich ist.

Geistvoll, aber zuweilen auch kritisch überspitzt sind die Urteile über die
derzeitige Literatur (das Drama im besonderen) und die Neuinterpretation
der Poetik des Aristoteles in der *Hamburgischen Dramaturgie* (1767–69).
Die Rezensionen über Aufführungen an dem kurz zuvor eröffneten Hamburger Nationaltheater weiten sich zu grundsätzlichen Überlegungen. Die
Behauptung, die französischen Dramatiker hätten die (von Aristoteles der
Tragödie zugrunde gelegte) Katharsis falsch verstanden, führt zu der Maxime, daß »vermittels des Mitleids und der Furcht« die innere »Reinigung« des
Zuschauers bewirkt werden müsse. Es sei ein Irrtum, »Phobos« (Furcht) als
»terreur« (Erschrecken vor dem Helden) zu deuten. Vielmehr: Man sollte
mit dem Helden bangen, sich gleichsam mit ihm identifizieren und somit
auch um sich selbst bangen. Katharsis ist demnach »Verwandlung der Leidenschaften in tugendhafte Fertigkeiten«. – Außerdem werden das starre
Schema der drei Einheiten (s. Gottsched) und die immer noch gängigen
Imitationen christlicher Märtyrerdramen (s. die Anfänge bei Gryphius) abgelehnt. Das Vorbild Shakespeares wird beschworen, allerdings mit der Warnung vor einer maßlosen Vergötterung des Geniehaften.

Indem Lessing den Anspruch der Franzosen auf die legitime Nachfol-
geschaft der Antike abweist, sucht er die Eigenständigkeit der deutschen Kunst theoretisch zu begründen, ihre Berechtigung letztlich
aus einem echten Verständnis des Griechentums abzuleiten; er erweist sich auch damit als Vorläufer der Klassik. Auf der anderen Seite
aber – und so bereitet er den Boden für die nachfolgenden Epochen
des Sturm und Drang und der Romantik – betont er die Verwandtschaft von deutschem und englischem Geist, räumt Originalität und
Phantasie wie auch dem Genie größere Möglichkeiten ein.

Lessing hat seine theoretischen Erkenntnisse in die Praxis umzusetzen versucht. Exemplarisch will er zeigen, wie das neue deutsche
Drama aussehen könnte.

Mit *Miss Sara Sampson* (1755) bewährte er sich erstmals als Theaterdichter. Er nennt das Stück ein »deutsches Trauerspiel« – wenn es auch sehr stark nach englischem Vorbild gearbeitet war – und eine »bürgerliche Tragödie«. Beides sind grundlegende Neuerungen. Einesteils wird hier die Absage an die französisch orientierte Dramatik programmatisch vollzogen, zum anderen das Tragische im Bereich des Bürgerlichen aufgedeckt. Zugleich wird das Drama – ein verführtes Mädchen, vom Liebhaber verlassen, von der Nebenbuhlerin vergiftet, verzeiht sterbend in übermenschlichem Edelmut allen ihren Widersachern – zum Beispiel für den Sieg der Tugend; und dieser über allem stehende Edelmut ist wiederum Ausdruck einer »vernünftigen«, humanitären Grundhaltung, aber ohne Pathos und in Prosa dargeboten.

Das zweite – zwar nicht milieuhaft, aber tendenzmäßig – »bürgerliche« Trauerspiel Lessings, das die Mängel des ersten Wurfes nicht mehr zeigt, *Emilia Galotti* (1772), versetzt das Livius entnommene Geschehen (»Das Schicksal einer Tochter, die von ihrem Vater umgebracht wird, weil ihm ihre Tugend werter ist als ihr Leben«) in eine bürgerliche Denkwelt. Mit einer dialektisch zügig fortschreitenden Sprache wird das absolutistische Regime in seiner Unmoral bloßgestellt, die Idee der Reinheit und Tugend auf der Folie düsterer Intrige sichtbar gemacht. Zum erstenmal wird von bedeutender Hand das Wesen »bürgerlicher Liebe« und »höfischer Kabale« gestaltet und somit ein politisches Drama geschaffen.

Um der entarteten Willkür und Gier des Hettore Gonzaga, des Prinzen von Guastalla, der in Emilia, die Tochter des Obersten Galotti, verliebt ist, Genüge zu leisten, arrangiert sein Kammerherr Marinelli, eine gemeine Kreatur, eine Entführung, bei der der Verlobte des Mädchens getötet wird. Durch die ehemalige Mätresse des Prinzen, die Gräfin Orsina, wird der Oberst Galotti auf die sittliche Gefährdung aufmerksam gemacht, in die der Fürst Emilia gebracht hat. Da erdolcht er seine eigene Tochter, ehe der Tyrann sie schänden kann.

In *Minna von Barnhelm oder Das Soldatenglück* (1767) illustriert Lessing seine Ansichten vom »deutschen Lustspiel«. Ein zeitgeschichtlicher Stoff findet Verwendung. Das Stück ist »wahrste Ausgeburt des Siebenjährigen Krieges«. »Die Anmut und Liebenswürdigkeit der Sächsinnen überwindet den Wert, die Würde, den Starrsinn der Preußen.« (Goethe)

Der edle Major von Tellheim ist nach dem Ende des Siebenjährigen Krieges in eine schlimme Lage geraten: Er hat sein Vermögen verloren und fühlt sich durch Verleumdungen in seiner Ehre verletzt. In einem Berliner Gasthof, wo er zur Zeit haust, begegnet ihm seine ehemalige Verlobte, Minna von Barnhelm, die ihn lange Zeit vergeblich gesucht hat. Nun scheint einer Vereinigung nichts im Wege zu stehen; doch glaubt der Major, sich in seiner Lage nicht mit dem Fräulein verbinden zu können. Als diese jedoch sich selbst als Verstoßene und Enterbte ausgibt, der Major sich damit als Beschützer aufgerufen fühlt, wenden sich die Dinge. Der eintreffende Oheim und eine Botschaft des Königs, die Rehabilitierung bedeutet, führen das Ganze einem glücklichen Ende zu.

Lessing hatte während seiner Tätigkeit in Schlesien ähnliche Schicksale erlebt; nun verarbeitete er sie zu einem Lustspiel, das jedoch in der Haupthandlung teilweise einen geradezu tragischen Unterton erhält. Da aber den wichtigsten Charakteren komische Pendants beigegeben sind (der redlichpatzige Bediente des Majors, Just, die listig-muntere Zofe Franziska, der gewitzte Gastwirt), werden die Klippen des Ernstes jeweils geschickt umspielt. Als Episodenfigur, dabei aber von symptomatischer Bedeutung, erscheint im 4. Akt der Falschspieler Riccaut de la Marlinière, in dem die negativen Seiten französischer Wesensart bloßgestellt und dem Gelächter überantwortet werden sollten.

DAS LITERARISCHE ROKOKO

Von ganz anderer Natur als Lessing und doch mit ihm durch das gemeinsame Ziel aufklärerischer Lebens- und Weltbewältigung verbunden, erwies sich **Christoph Martin Wieland,** der zweite Große der Epoche.

Wieland wurde 1733 bei Biberach (Württemberg) als Sohn eines Geistlichen geboren. Nach pietistischer Jugenderziehung – ein frömmelnder Einschlag machte sich besonders in seinen ersten Werken bemerkbar –, Studien in Erfurt und Tübingen, einer Reise zu Bodmer und Breitinger in die Schweiz wurde er als Professor der Philosophie nach Erfurt berufen. Auf Grund seines Staatsromans *Der goldene Spiegel* (1772) ernannte ihn Herzogin Anna Amalia 1772 zum Erzieher ihrer beiden Söhne. In Weimar starb Wieland im Jahre 1813. Sein dichterisches Werk zeigt eine ungemeine Produktivität: Übersetzungen (darunter 22 Shakespeare-Dramen), Satiren, Versepen (*Musarion*, 1768; *Oberon*, 1780), Romane (*Die Abenteuer des Don Sylvio von Rosalva*, 1764; *Die Abderiten*, 1774) bilden den Hauptbestandteil.

Wieland war dem Grazilen zugeneigt, ein Verfechter des Esprits, der leichten und eleganten Form – der »Franzose« unter den Dichtern der Zeit. »Ein kleines Schweinchen von der Herde des Epikur«, so hat man ihn verspottet – und verkannt. Auch er steht wie Lessing auf dem Boden der Aufklärung, einer Form der Aufklärung freilich, die das barocke Erbe stärker als alle anderen Strömungen übernimmt und verarbeitet. Wieland zeigt Züge des späten Barock wie des Rokoko, der Aufklärung wie des Irrationalismus.

DIE GOLDENE MITTE

»Barockdichtung gleicht einer Landschaft mit starker, oft gigantisch kühner Vertikalgliederung, schroffen Bergen, die ins Jenseits streben, und tiefen Tälern mit reißenden Bächen, Klüften und Wäldern voll Geheimnissen; Rokokodichtung ist eine flache Landschaft mit klarer geometrischer Ordnung der horizontal gelagerten Teile, See, Fluß, Stadt, Dorf, Feld und Wald. Die Vernunft kann alles überblicken. Die Anlage des Ganzen ist so, daß wir sie durchaus als zweckmäßig billigen müssen. Kein Rätsel und kein Wunder birgt sich in ihr.« (Emil Ermatinger)

Das, was die Größe und Tragik des Barock ausmacht: der Mensch zwischen Lust und Verzweiflung, Hölle und Himmel, verflacht im Rokoko; an die Stelle gigantischer Zerrissenheit tritt das Wohlbehagen an dem rational gefundenen »goldenen Mittelmaß«. Der »Lebenskünstler« ist das letzte Ziel.

Musarion (in der gleichnamigen Dichtung) spricht aus, was dem Rokoko-Weltmann Wieland zeitlebens höchstes sittliches Ideal gewesen ist; glücklich ist, wer

> ». . . nicht stets von Tugend spricht, noch, von ihr sprechend, glüht,
> doch ohne Sold und aus Geschmack sie übet;
> und, glücklich oder nicht, die Welt
> für kein Elysium, für keine Hölle hält,
> nie so verderbt, als sie der Sittenrichter
> von seinem Thron – im sechsten Stockwerk – sieht,
> so lustig nie als jugendliche Dichter
> sie malen, wenn ihr Hirn von Wein und Phyllis glüht.«

Unter solchem Vorzeichen muß die im Barock übliche stoische Weltsicht Epikur und Horaz weichen. »Die zwei angelegensten Wünsche, worin alle Menschen übereinkommen, sind: KALOKA- gesund und glücklich zu sein«, schreibt Wieland in sei- GATHIA ner *Cyklopen-Philosophie* (1793).

Aber während die Cyklopen – Odysseus trifft sie auf seiner Irrfahrt an – ihr Leben nur damit zu genießen glauben, daß sie »dem Bauch, dem größten aller Götter«, opfern, »sich Essen und Trinken alle Tage schmecken und keinen Gram zum Kopfe steigen lassen«, predigt Wieland als eigentliche Lebenserfüllung das Ideal der Kalokagathia, der Harmonie von Leib und Geist, der Grazie, da die Sinnlichkeit vergeistigt und versittlicht, die reine Sittlichkeit leibhaftig und lebensnah wird. Sowohl die geistige Welt ist Wirklichkeit wie die körperliche; erst wenn beide zusammenfinden, kann der Mensch wahrhaft leben: »Wißt, in der Harmonie, die in den Trieben tönt, liegt alles Glück.«

»Das erste, was die auf mich selbst geheftete Betrachtung an mir wahrnimmt«, heißt es an einer Zentralstelle von Wielands Bildungsroman *Agathon* (1766/67), »ist, daß ich aus zwei verschiedenen und einander entgegengesetzten Naturen bestehe: einer tierischen, die mich mit allen andern Lebendigen in dieser sichtbaren Welt in eine Linie stellt; und einer geistigen, die mich durch Vernunft und freie Selbsttätigkeit unendlich hoch über jene erhebt. Durch jene hange ich auf tausendfache Weise von allem, was außer mir ist, ab, bin den Bedürfnissen, die allen Tieren gemein sind, unterworfen... durch diese fühle ich mich frei, unabhängig, selbständig... Gleichwohl, da nun einmal diese Vereinigung das ist, was den Menschen zum Menschen macht: Worin anders könnte die höchste denkbare Vollkommenheit der Menschheit bestehen als in einer völligen, reinen, ungestörten Harmonie dieser beiden zu Einer verbundenen Naturen?«

Die »Geschichte des Agathon«, die Lessing in der »Hamburgischen Dramaturgie« den ersten und einzigen deutschen Roman für den denkenden Kopf von klassischem Geschmack nannte, zeigt die Entwicklung eines jungen Mannes, der in einem wechselvollen Leben seinen Weg durchs Abend- und Morgenland nimmt, u. a. Delphi und Athen, Smyrna und Tarent besucht, vom Glück verwöhnt und vom Unglück verfolgt wird. Er erlebt Feldherrngröße und Seeräuberunwesen, höchsten Ruhm wie dessen Sturz, Anerkennung und Verbannung. Durch den Materialismus eines Sophisten und die praktische Belehrung einer Hetäre wird er als Idealist und Schwärmer zu Fall gebracht und muß seinen »idyllischen und enthusiastischen Scheinlösungen« entsagen. Dafür gewinnt er aber Übereinstimmung mit dem »Lauf der Welt« und der »Natur der Dinge« und sieht nun auch die menschliche Sinnlichkeit weder als sentimentale Empfindung noch als brutales Laster mehr an, sondern lernt sie als Zeichen einer harmonischen Verbindung von Geist und Körper wahrhaft genießen. Agathons Bildungsziel ist erreicht, als die Gegensätzlichkeit seiner menschlichen Natur – und der Konflikt zwischen »Tierischem« und Geistigem – in Vernunft, Geschmack und rechtem Maß zur Lösung kommt. Die Schwester Agathons führt den bezeichnenden Namen Psyche: »Meine Augen, die schon lange gewohnt waren, anders zu sehen, als man in meinem damaligen Alter zu sehen pflegt, sahen in Psyche kein reizendes Mädchen, sondern die liebenswürdigste aller Seelen, deren geistige Schönheit aus dem durchsichtigen Flor eines irdischen Gewandes hervorschimmerte.«

Das sittliche Ideal Wielands und sein heiterer, vernünftiger und maßvoller Optimismus verlaufen sich in den breiten Bahnen zeitgenössischer Anakreontik. »Der Zweck des Lebens ist das Vergnügen«, meint **Johann Peter Uz** (1720–96) in seinem *Versuch über die Kunst,*

stets fröhlich zu sein (1760). Drei Dinge führten uns dazu: der Genuß
schöner Natur, die Betrachtung der Kunst, das Erlebnis
DIE KUNST,   der Sinnenfreude. Aber nur der Weise, der maßvoll zu
FRÖHLICH   genießen weiß, wird wirklich glücklich sein; Glück liegt
ZU SEIN   in der Ruhe unseres Gemüts begründet . . . »denn seine
reinste Lust / entspringt nicht außer ihm; sie quillt in seiner Brust«.

Neben Uz treten besonders **Friedrich von Hagedorn** (1708–54),
Wilhelm Ludwig Gleim (1719–1803, wegen seiner Gönnerrolle jungen Poeten gegenüber »Vater Gleim« genannt) und **Ewald Christian
von Kleist** (1715–59; Offizier im Heere Friedrichs des Großen – bei
Kunersdorf tödlich verwundet) hervor (S. 150).

Auf den Spuren Anakreons gefallen sie sich in geselligen Wein-
und Liebesliedern, Epigrammen und Fabeln. Es handelt sich um allerlei Tändelei: »Rosen pflücke, Rosen blühn, / morgen ist nicht
heut! . . . Trinke, küsse! Es ist / heut Gelegenheit!« (Gleim) Die üblichen Utensilien schäferlichen Schabernacks, Lämmer, Bänder, Glä-
ser, Weinflaschen, untermalen das heitere Kolorit, das freilich gelegentlich in senile Schlüpfrigkeit verfällt (wobei man sich auf Wieland
berufen konnte). In der Prosadichtung tritt **Salomon Gessner** (1730–
88) hervor, der uns mit seinen *Idyllen* (1756) in eine arkadische Natur
versetzt. Es sind Rokokostückchen im Sinne des französischen Malers Watteau, mit neckischen Lauben und schattigen Buchen, schön
durchglühtem Morgen- und Abendhimmel, auf dem die Wölkchen
tanzen, während die Grazien sich hinter dem Gebüsch lagern, vom
Satyr belauscht. Von Fall zu Fall jedoch durchbricht ein dionysischer
Klang die Tonlage der Banalität, auf die die anakreontische Dichtung
der Zeit gestimmt ist. Denn »Wein« – ein Gott in den Trauben – mag
auch Besessenheit, Verzückung bedeuten; »Rose« wird zum tiefgreifenden Symbol für Liebesleid und Liebeslust. Dann wird Anakreontik freudig bewegtes Bekenntnis zur Schönheit der Welt, das aber
zugleich überschattet ist vom Bewußtsein irdischer Vergänglichkeit:
diese Nachbarschaft erst gibt ihr Größe und Tiefe. »Eine Schale des
Harms, eine der Freuden wog / Gott dem Menschengeschlechte . . .«,
schrieb Hölty (S. 178).

DIE EMPFINDSAMKEIT

Der optimistischen Philosophie der Aufklärungszeit erschien die Welt als ein großartig übersichtlich angelegtes Gebäude, in dem alles geordnet und geregelt seinen Weg geht. Die Natur galt als das Wunderwerk einer über allem stehenden, in allem wirkenden Vernunft, und diese Vernunft wiederum wurde als Ausdruck göttlichen Geistes empfunden. Aus der Gleichsetzung von Natur–Vernunft–Gott erwächst das Preislied des Dichters zur Erbauung seiner Mitmenschen: Lob der Natur, Lob der Vernunft, Lob Gottes; Barthold Heinrich Brockes erwies sich dabei als bieder-nüchterner, Albrecht von Haller als philosophierend-eindringlicher, Friedrich Gottlieb Klopstock als leidenschaftlich-dithyrambischer Sänger.

»Die Welt ist in ihrer ganzen Anlage wunderbar. Das unendlich Gute auf dem Erdboden und die unendliche Mannigfaltigkeit der

DIE VOLL-
KOMMENE
WELT

Geschöpfe auf demselben wirken bei einem aufmerksamen Zuschauer, daß er an allen Orten neue Süßigkeiten der göttlichen Liebe fühlet und schmecket«, heißt es in der Vorrede zu Brockes *Landleben in Ritzebüttel,* ein Wort, das als Motto über dem Gesamtwerk des Dichters stehen könnte. 1680 in Hamburg geboren, hatte **Barthold Heinrich Brockes** die kaufmännische Laufbahn eingeschlagen; er war 1720 Senator in Hamburg geworden, 1735 Amtmann in Ritzebüttel; 1747 ist er gestorben. Mit praktisch-kaufmännischem Blick begutachtet Brockes auch als Dichter die Welt und ihr Geschehen; wie die Schiffe die Schätze der ganzen Erde in den Hamburger Hafen einliefern, so erscheint ihm die Natur als Hort der Güter, die zum Wohle und Nutzen des Menschen bestimmt sind. Das war Theodizee für den Alltags- und Hausgebrauch, ein *Irdisches Vergnügen in Gott* – wie der Titel seiner wesentlichen Gedichtsammlung lautet (9 Bde. 1721–48). Die hier veröffentlichten »physikalischen und moralischen Gedichte«, die vom »schönen Bau der Erde« bis zum kleinsten »bewundernswer-

ten Stäubchen« eine Bestandsaufnahme der Natur darstellen, zeichnen sich durch eine genaue Naturbeobachtung aus und sind voller
Glücksgefühl über die »vernünftige Wunderwelt« dieser Erde: »Wie
glücklich, wer, wie wir, von Stadt und Hof entfernt, / den Schöpfer im
Geschöpf vergnügt bewundern lernt.«

Gewiß muß diese Dichtung bei dem Versuch, möglichst genaue Konturen zu
zeigen, alles Detail wiederzugeben und die Existenz des Bösen weitgehend
auszuklammern oder zu verharmlosen, philiströs wirken. Brockes scheut
sich nicht, die Zweckmäßigkeit eines gebratenen Lammkopfes auf sieben
Seiten zu erläutern; er erwähnt in einer »Liste einiger uns von Gott geschenk-
ten und erhaltenen Gaben« bei dem Abschnitt »Wundergaben unseres Körpers« gleich alle Organe und Gliedmaßen (44 »und viele andre Glieder«); der
Schnupftabak muß ihm die Weisheit verkünden: »Lieber Mensch, auch du
bist Staub!« Vom Wolf meint Brockes – denn die Frage nach der Existenzbe-
rechtigung des Bösen in dieser besten aller Welten quält den Dichter: »...
sind auch in Wölfen viele Dinge zu unserm Nutzen noch zu finden. / Wir
haben nicht nur ihrer Bälge im scharfen Frost uns zu erfreuen, / es dienen
ihrer Glieder viele zu großem Nutz in Arzeneien.« Über solches und ähnliches spotteten später Goethe und Schiller mit Recht in den »Xenien«: »Welche Verehrung verdient der Weltenschöpfer, der gnädig, / als er den Kork-
baum schuf, gleich auch die Stöpsel erfand.«
    Auf der anderen Seite aber überzeugen die manchmal geradezu impressio-
nistisch geschilderten Naturszenerien, welche die feinsten Schattierungen in
Licht und Farbe widerzuspiegeln vermögen. »Führe mich, Alter, nur immer
in deinen geschnörkelten Frühlingsgarten! / Noch duftet und taut frisch und
gewürzig sein Flor«, schrieb Mörike, und er mag dabei an Gedichte wie
Kirschblüte bei der Nacht; Über das Firmament; Die Kornblume gedacht
haben.

Tiefer als Brockes sucht **Albrecht von Haller** (1708–77) der Frage
nach der prästabilierten Harmonie nachzugehen. Er grübelt mehr
nach, er zeigt nicht den fröhlich-oberflächlichen Optimismus. »Ins
Innre der Natur dringt kein erschaffener Geist, / zu glücklich, wann
sie noch die äuß're Schale weist« – bis zu solchem Agnostizismus führen ihn manchmal Skepsis und erkenntnistheoretischer Pessimismus.
Und doch hält auch Haller an der Gleichung Natur–Vernunft–Gott
fest. Das zeigt besonders sein Gedicht *Vom Ursprung des Übels*
(1734), in dem er die Berechtigung und Notwendigkeit des Bösen und
Schlimmen in dieser Welt darlegt. Gott hat egoistische und »soziale«
Triebe in uns gelegt; wenn wir den Kampf in uns nicht siegreich beste-

hen, verfallen wir der Sünde. Der ständigen Auseinandersetzung entspringen jedoch Bewegung und Leben. Es ist wie bei den physischen
Übeln (der aus einem alten Schweizer Patriziergeschlecht stammende Haller war Arzt, als Professor in Göttingen Gründer des Botanischen Gartens und des Anatomischen Instituts): Der Schmerz ist für
den Heilungsprozeß notwendig, er ist der »bittre Trank, womit der
Leib sich heilet«.

Mit dem Gedicht *Die Alpen* (1729) beginnt die große Gedanken-
dichtung, die dann mit Schiller und Hölderlin ihren Höhepunkt er-

DAS IDEAL DES NATÜR-LICHEN MENSCHEN
reicht. Haller zeigte – entgegen den Schäferträumen
des Barock und Rokoko – den wahren Charakter seiner Heimat, die Naturschilderung didaktisch dahingehend erweiternd, daß er in jedem Bewohner dieser erhabenen Landschaft die erhabene Freiheit des Menschen verkörpert findet. Hier klingt schon Rousseaus »Zurück zur
Natur!« an, freilich ohne jede Sentimentalität, vielmehr mit den zu-
rückhaltenden, »vernünftigen« Worten eines kritisch-naturwissen-
schaftlichen Beobachters.

Der »Älpler« lebt fern von den Gebräuchen und Mißbräuchen der
städtischen Zivilisation, er ist vom Übel abgeschirmt durch die hohen
Mauern der Berge. – »Er zeigt der Freiheit Wert, wie Gleichheit an
den Gütern / und der Gesetzen Furcht des Standes Glück erhält. / Er
weiß, wie die Gewalt selbst-herrschender Gebieter, / zuerst das Volk
erdrückt und dann von selbsten fällt. / Er rühmt der Eintracht Macht,
und daß vereinte Kräften / auch an ein schwaches Land des Glückes
Flügel heften.«

In diesem Zusammenhang kann auch **Johann Gottfried Schnabels** (1692–
1750) *Die Insel Felsenburg (Wunderliche Fata einiger Seefahrer)* (1731–43)
stehen. Ein utopischer Inselstaat wird als das Dorado gepriesen, in dem bürgerliche Menschen in einer Mustergemeinschaft zufrieden und in familiärer
Geborgenheit leben können. Inmitten einer harmonischen Natur herrschen
Duldsamkeit, Einfachheit und Natürlichkeit, Vernunft und Sittlichkeit.
Schnabel folgt damit Daniel Defoes (1659–1731) berühmtem *Robinson Cru-
soe,* der ungezählte Nachahmer fand, wobei freilich das Abenteuerliche immer mehr überwog. Auf der anderen Seite zeigt Schnabel auch die Sehnsucht
der Zeit nach einer neuen staatlichen Ordnung und nimmt die Tradition des
utopischen Staatsromans wieder auf (von Thomas Morus' *Insula Utopia,*
1516, zu Wielands *Der goldene Spiegel,* 1772, und Klopstocks *Die deutsche
Gelehrtenrepublik,* 1774).

In seinem *Unvollkommenen Gedicht über die Ewigkeit* (1736) unternimmt es Haller, in immer neuen Ansätzen den »höchsten Gedanken« – die Unendlichkeit Gottes – dichterisch zu bewältigen: ein dithyrambisches Umkreisen, das im Fragment steckenbleibt (steckenbleiben mußte). Hier zeigt sich der Dichter nicht mehr als »Beobachter«, hier fühlt er sich als Organ des Göttlichen, als poeta inflammatus: »O Gott! Du bist allein des Alles Grund! / Du, Sonne, bist das Maß der ungemeßnen Zeit, / du bleibst in gleicher Kraft und stetem Mittag stehen, / du gingest niemals auf und wirst nicht untergehen, / ein einzig Jetzt in dir ist Ewigkeit! / Ja, könnten nur bei Dir die festen Kräfte sinken, / so würde bald, mit aufgesperrtem Schlund, / ein allgemeines Nichts des Wesens ganzes Reich, / die Zeit und Ewigkeit zugleich, / als wie der Ozean ein Tröpfchen Wasser, trinken.«

Die Dynamik des Stils wie die grandiose Bemühung weisen auf **Friedrich Gottlieb Klopstock** (1724–1803).

Er wurde zu Quedlinburg als Sohn eines pietistischen Advokaten geboren, besuchte die Fürstenschule Schulpforta und studierte in Jena und Leipzig Theologie. Auf Einladung Bodmers reiste er nach Zürich (vgl. die Ode »Der Zürcher See«), doch entfremdeten sich beide bald. Klopstock kehrte nach Hamburg zurück, ging später nach Kopenhagen, wo ihm der Dänenkönig eine Pension aussetzte. Seine Frau, Meta Moller (Cidli), die er 1754 geheiratet hatte, verlor er schon nach vier Jahren.

Klopstocks *Oden* (gesammelt 1771) sind seit 1748 das Ereignis, »das mit einem Schlag die geheimsten Tendenzen der Zeit zu erfüllen schien und bis heute die Grenze bedeutet zwischen einer bloß historisch und einer noch unmittelbar verständlichen Epoche deutscher Lyrik« (Max Wehrli). So neuartig jedoch auch die

PREIS DER HÖCHSTEN WERTE

rhapsodische Begeisterung, die starke Phantasie und das kosmische Lebensgefühl wirken mußten, mit dem der Dichter die großen Themen »Gott und Unsterblichkeit« *(Die Frühlingsfeier),* die Natur *(Der Eislauf; Der Zürcher See),* Tugend, Freundschaft und Liebe *(An meine Freunde; Fanny-, Cidli-Oden),* Freiheit und Mannesmut besang, die Thematik liegt ganz im aufklärerischen Bereich. Als Aufklärer ist Klopstock durchdrungen von dem Glauben, daß alles gut ist, weil es vernünftig ist, und die hohen Tugenden nur gesungen und besungen werden müßten, damit der Mensch ihnen treu bleibt bzw. zu ihnen zurückkehrt:

eine dithyrambische Erziehung des Menschengeschlechts! Seine Dichtung ist zudem Ideenlyrik, ist reichlich mit Reflexion und philosophischer Überlegung durchsetzt: »Klopstock zieht allem, was er behandelt, den Körper aus, um es zu Geist zu machen« (Friedrich Schiller). Und schließlich ist die innere wie äußere Form (der Bau der Sätze wie die Art des Versmaßes [Ode!]) streng gesetzlich, verstandesmäßiger Erkenntnis und Überlegung entsprungen.

Nur selten schwingt die Begeisterung des Dichters in freie Rhythmen über, wie etwa in der »Frühlingsfeier«:

> »Nicht in den Ozean der Welten alle
> will ich mich stürzen! Schweben nicht,
> wo die ersten Erschaffnen, die Jubelchöre der Söhne des Lichts,
> anbeten, tief anbeten! und in Verzückung vergehn!
>
> Nur um den Tropfen am Eimer,
> um die Erde nur will ich schweben und anbeten!
> Halleluja! Halleluja! Der Tropfen am Eimer
> rann aus der Hand des Allmächtigen auch!«

Damit leitet Klopstock eine neue Entwicklung ein, die auf Hölderlin zuführt; ihre Konturen treten auch in programmatischen Erklärungen Klopstocks zutage, so wenn er ganz im Sinne der späteren Originalgenies des Sturm und Drang in der Abhandlung *Von der heiligen Poesie* davon spricht, daß das »Genie ohne Herz nur ein halbes Genie« sei. »Die letzten und höchsten Wirkungen der Werke des Genies sind, daß sie die ganze Seele bewegen. Wir können hier einige Stufen der starken und der stärkeren Empfindungen hinaufsteigen. Dies ist der Schauplatz des Erhabenen.«

Als Hauptwerk betrachtete Klopstock sein großes Versepos *Der Messias,* dessen eröffnende drei Gesänge 1748 erschienen, das aber erst nach Jahrzehnten beendet wurde (1773). Die Begeisterung darüber war überschwenglich, vor allem bei der Jugend, die hier einen neuen Ton und die Überwindung einer bereits als Fessel empfundenen rationalen Haltung verspürte. Dabei gewann die Paraphrase der Leidensgeschichte Jesu Christi (Klopstock ließ sich von dem Engländer John Milton [1608–74] und seinem *Paradise Lost* wie *Paradise Regained* inspirieren) durch den Hexameter, der die Monotonie des Alexandriners vermied und so dem Sinn gerechter wurde, an Wärme. Die breite und aufgequollene Darstellung zerstörte freilich die Möglich-

DAS HEIL
DER ERLÖ-
SUNG

keit innerer Erschütterung: Der Dichter versuchte, durch eine er-
drückende Quantität an Worten und Metaphern seiner Begeisterung
Ausdruck zu verleihen. Klopstock begreift zudem – als Kind der Aufklärung – auch nicht die Tragik vom Leiden und Tod Christi in ihrer
ganzen Tiefe; er bekundet nur die von der Daseinsfreude seiner Zeit
getragene optimistische Auffassung, daß Christi Tod die Sünden-
nacht beendet und die Befreiung des Menschen endgültig vollzogen
habe:

> »O Aufgang aus der Höh', o des Herrn Sohn, du o Licht
> von dem Licht, der erlöst hat.
> O Urquell, es ergeußt, o des Heils Quell, wie ein Strom,
> wie ein Meer, so gebeutest du, von dem Lichtthron sich herab
> der Erschaffenen Glück! Erzengel, merkt auf,
> wie das Heilmeer durch den Weltkreis weit sich ergeußt.«

Neben seinem »Messias« und anderer geistlicher Dichtung (Dramen, Oden)
sowie seinen Natur- und Liebesgedichten war Klopstock zusammen mit Ewald
Christian von Kleist (Gedichtzyklus *Der Frühling*, 1749) Bahnbrecher einer
national gesinnten Literatur geworden, in der die Dramentrilogie *Hermanns
Schlacht – Bardiet für die Schaubühne* (1769) *Hermann und die Fürsten* (1784)
Hermanns Tod (1787) die wichtigste Stellung einnimmt. Im Sinne einer nationalen Erneuerung muß auch Klopstocks Prosaschrift *Die deutsche Gelehrtenrepublik* (1774) verstanden werden, in der er einer Art »Deutscher Akademie für Sprache und Dichtung« das Wort redet.

   Ein herbes, aber in vielem richtiges Urteil hatte schon Lessing über Klopstocks Bemühungen gesprochen: »Wer wird nicht einen Klopstock loben? /
Doch wird ihn jeder lesen? – Nein! / Wir wollen weniger erhoben / und fleißiger gelesen sein.«

Man sieht, wie bei Lessing, Klopstock, Wieland – den drei Höhepunkten der Aufklärungszeit – das dichterische Werk zugleich wei-
terweist; neue Ansätze und neue Ziele werden sichtbar. Das gilt auch für andere Gestalten der Epoche:
der Keim zu ihrer Überwindung liegt in ihr selbst beschlossen.

**ANBRUCH
DES IRRATIO-
NALISMUS**

   So erfährt etwa der Glaube an die Vernunft bei Albrecht von Haller eine skeptische Beurteilung. In seinen *Gedanken über Vernunft,
Aberglauben und Unglauben* stehen die bezeichnenden Verse:

»Dein Wissen ist Betrug und Tand dein höchstes Gut.
Du fehlst, sobald du glaubst, und fällst, sobald du wanderst,
wir irren allesamt, nur jeder irret anderst.«

Stimmen werden laut, die der Vernunft das Herz entgegenstellen, die Macht und Kraft des Gefühls, das Subjektive, das Wunderbare, den Enthusiasmus gegen die Vernunft, das Objektive, das Tatsächliche, das Alltägliche ausspielen. Von Gellerts sentimentalen Lustspielen sagte Klopstock anerkennend: »Des Herzens Wert / zeigt auf dem Schauplatz keiner mit jenem Reiz, / den du ihm gabst.« Daß er »mitleidige Tränen« hervorrufe, hatte der Dichter selbst von seinen Dramen und Prosastücken erhofft.

Lichtenberg meinte, daß unsere ganze Geschichte bloß eine Geschichte des wachen Menschen sei; er fordert eine stärkere Beachtung der Träume und des im Traum sich offenbarenden Unbewußten. Lessing hatte in der »Hamburgischen Dramaturgie«, ähnlich wie Lichtenberg, auf Shakespeare hingewiesen, der nicht nach den Regeln des Verstandes, sondern aus Intuition und Instinkt, aus seinem »Genie« heraus geschaffen habe. Besonders hebt er den »Hamlet« hervor und hier die Geistererscheinung: »Ist es durchaus nicht erlaubt, Gespenster und Erscheinungen auf die Bühne zu bringen? Folglich ist diese Quelle des Schrecklichen und Pathetischen für uns vertrocknet? Nein; dieser Verlust wäre für die Poesie zu groß... Wir glauben keine Gespenster mehr? Wer sagt das... Wir glauben jetzt keine Gespenster kann also nur soviel heißen: in dieser Sache, über die sich fast ebensoviel dafür als darwider sagen läßt, die nicht entschieden ist und nicht entschieden werden kann, hat die gegenwärtige herrschende Art zu denken den Gründen darwider das Übergewicht gegeben.« Das ist sehr vorsichtig ausgedrückt, schließt aber die Bejahung des Irrationalen, »Unvernünftigen«, durchaus ein.

In der Abhandlung *Enthusiasmus und Schwärmerei* (1775) schließlich preist Wieland den Enthusiasmus als das »wahre Leben«: »Hebet eure Augen auf und sehet: was sind Menschenseelen, die diesen Enthusiasmus nie erfahren haben? und was sind die, deren gewöhnlichster natürlichster Zustand er ist? – Wie frostig, düster, untätig, wüst und leer jene! Wie heiter und warm, wie voller Leben, Kraft und Mut, wie gefühlvoll und anziehend, fruchtbar und wirksam für alles, was edel und gut ist, diese!«

Die geschlossenste Kunsttheorie im Zeichen des anbrechenden Irrationalismus finden wir bei den beiden Schweizern Bodmer und Breitinger.

Johann Jakob Bodmer, geb. 1698 zu Greifensee, wurde zunächst Kaufmann, dann aber Professor für vaterländische Geschichte in Zürich. Als Herausgeber stöberte er Literaturdenkmäler aus dem deutschen Mittelalter auf. Goethe umriß Bodmers sorgende Tätigkeit für die jungen Dichter seiner Zeit mit dem Wort, daß dieser eine »Gluckhenne für junge Talente« sei. Klopstock, Wieland, Ewald Christian von Kleist, Gessner, Goethe, Heinse u. a. haben ihn besucht und kürzere oder längere Aufenthalte bei ihm verbracht. Bodmer starb 1783 in Zürich.

Auch **Johann Jakob Breitinger** lebte die meiste Zeit in Zürich (1701 dort geboren, 1776 dort gestorben). Er war Professor für alte Sprachen am Gymnasium. Zusammen mit Bodmer gab er die wichtige Zeitschrift *Diskurse der Maler* heraus (Malerei und Dichtung erschienen ihnen – im Gegensatz zu Lessing – als innerlich nah verwandte Gebiete), mit der sie Gottsched und den anderen »Vernünftlern« entgegentraten.

Für Bodmer und Breitinger war Kunst weder ein Produkt des Verstandes noch vornehmlich an den Verstand gerichtet; sie kehrten stattdessen die Bedeutung des Gemüts für den Schöpfungs- wie Aufnahmeprozeß hervor. Nicht das, was uns vernünftig und verständig erscheine, packe uns am stärksten, sondern das, was über die Welt des Alltäglichen hinausreiche: das Wunderbare. In der Vorrede zu seinen *Kritischen Abhandlungen von dem Wunderbaren in der Poesie* (1740) erklärte Bodmer, daß die philosophischen Wissenschaften und die Neigung zur verstandesmäßigen Erklärung der Welt die Deutschen zugleich matt und trocken habe werden lassen. »Das Wunderbare braucht in der Poesie keine Wahrheit, sondern Wahrscheinlichkeit . . . Wenn wir in die unsichtbare Welt der Geister hinübergehen, so eröffnet sich uns eine neue Quelle des Wunderbaren.« Ähnlich äußerte sich Breitinger in seiner Schrift *Kritische Dichtkunst* (1740).

Das waren freilich noch immer Überlegungen, die der Vernunft, d. h. rationaler Betrachtung entsprangen und in kritischen und gelehrten Abhandlungen über Poesie – besonders beliebt in der Aufklärungszeit – niedergelegt wurden; auf deduktivem, verstandesmäßigem Wege fand man den Wert der Intuition. Dagegen hat der anbrechende Irrationalismus im Pietismus eine existentiell erfüllte Lebenshaltung zum Ursprung.

Wir können im Pietismus einen Nachfahren der mystischen Bewegungen seit dem Mittelalter sehen. Er ging im 17. Jahrhundert aus der protestantischen Kirche hervor und stellte der in starrer Vernünftelei festgefahrenen Theologie das aus der persönlichen Erfahrung erwachsende Glaubenserlebnis entgegen. In diesem Sinne wirkten z. B. **Philipp Jakob Spener** (1635–1705) und **August Hermann Francke** (1663–1727). Im Kirchenlied findet die neue Einstellung ihren Ausdruck in **Nikolaus Ludwig Graf von Zinzendorfs** (1700–60) *Sammlung geistlicher und lieblicher Lieder* (1725) und **Gerhard Tersteegens** (1697–1769) *Geistliches Blumengärtlein inniger Seelen* (1729). Im Rahmen einer methodisch geübten Selbstbeobachtung und Selbstdemütigung soll der Mensch über die Katharsis der Zerknirschung für die Eingebung des »göttlichen Heiles« bereit gemacht werden, denn nur dann könne der »Durchbruch der Gnade Gottes«, die »innere Wiedergeburt«, erfolgen. Das bedeutet in einem Zeitalter der Ratio und des entschiedenen Vernunftglaubens eine Wiederentdeckung der Seele und einen damit in Verbindung stehenden Aufschwung einer Kultur des »Gefühlslebens«. Im dichterischen Bereich zeigt sich ein sorgfältiges Eingehen auf die menschlichen »Herzens- und Seelenstimmungen«. Tagebücher werden beliebt (bis hin zu Goethes »Werther«); introspektive Schilderungen setzen sich durch. Diese Empfindsamkeit, deren Vertreter sich durchweg als »schöne Seelen« fühlen und auch so genannt werden, findet einen weiteren Kristallisationspunkt in einem neuen Naturgefühl, das dem der Aufklärung entgegensteht: hier wird durch ein »Sich-Versenken« eine Heilswahrnehmung angestrebt; die zunächst »zweckfreie Begeisterung« mündet in einen überschwenglichen Optimismus aus. Die Macht des Gefühls soll eine bessere Einsicht in die Welt verschaffen.

GLAUBE ALS ERLEBNIS

Klopstock, Claudius, Gellert, der junge Wieland und viele andere (zuweilen auch Lessing) waren vom Pietismus beeinflußt. Durch den Einsatz des Gefühls ließen sich die mühsamen rationalistischen Verfahrensweisen, die auftretenden religiösen Zweifel und die notdürftigen Versuche einer »Theodizee« verdrängen: mit einer großen Geste des Erleuchtetseins, einem pathetischen Bekenntnis der Empfindung.

Die Gestimmtheit des Ich war ein bequemer – und zugleich auch sehr schöpferischer – Maßstab. Es war relativ leicht, allein aus der

Intuition zu dichten. Der Pietismus schuf einen immensen poetischen
Spielraum, indem er dem Gefühl den Vorrang gab. Damit trug er zur
Emotionalität der Sturm-und-Drang-Bewegung und der folgenden
Romantik bei.

DER STURM UND DRANG

Das Ungenügen an einer rein auf die Vernunft begründeten Kultur mit zunehmender Erstarrung in Regelhaftigkeit und Pedanterie hatte schon in den eigenen Reihen der Aufklärung eine Hinwendung zum Gefühl mit sich gebracht. Wenn auch die Empfindsamkeit in vielem auf rationale Geisteshaltung zurückgeführt werden kann, so lagen damit doch bereits entscheidende Anzeichen vor, die einen Umschlag des Rationalismus in eine Epoche des Irrationalismus erwarten ließen. Diesen Durchbruch vollzieht der Sturm und Drang. Gewiß führt auch er in manchem nur fort, was schon begonnen war: Sein soziales Streben nach Weltverbesserung ist durchaus aufklärerisch, da es mit Hilfe vernünftiger Kritik und Einwirkung eine Erziehung des Menschengeschlechts für möglich hält; seine Gefühlstrunkenheit hat einiges mit der Sentimentalität der Aufklärung und der Gefühlskoketterie des Rokoko gemein. Und doch bildet der Sturm und Drang eine tiefe Zäsur, hinter der ein ganz neues Menschen- und Weltbild entsteht. Schon seine Anreger, erst recht seine Hauptvertreter sind nach Denken und Fühlen, ja von ihrer Gesamtexistenz her »neue Menschen«, wie sie die Aufklärung nicht gekannt hat. Darüber hinaus werden seine bedeutendsten Vertreter, der junge Goethe und der junge Schiller, später zu den großen Repräsentanten der deutschen Klassik; die Entdeckung Homers macht den Blick auf die griechische Dichtkunst frei und ebnet somit den Weg zu einem neuen Verständnis der Antike; die Rolle, die der Sturm und Drang dem Gefühl zuerkennt, die Betonung des Wertes intuitiver Erlebnisweise und die Ehrfurcht vor dem Geheimnis nehmen Züge der Romantik voraus; das soziale Empfinden und die soziale Anklage – humanitärem Denken entsprungen, in jugendlich bewegter Sprache vorgetragen – weisen auf Büchner, Hauptmann und Kaiser.

Im Mittelpunkt des neuen Menschenbildes steht die Idee der Freiheit, und zwar einer Freiheit in gesellschaftlich-politischer, in persön-

licher und in künstlerischer Hinsicht. Gegen Fürstenwillkür und Ty-
rannendruck steht der Anspruch auf Gleichberechtigung und Men-
schenrecht. Der einzelne fordert das Recht auf Entwicklung und Entfaltung seiner Individualität, wie sie seinem Wesen und seinen Anlagen entspricht. Der Künstler schließlich löst sich von den Regeln und
Bindungen vermeintlicher Gesetze, die alles Schöpferische nivellie-
ren und das Geniale ersticken. Das Genie wird dem Verstand und der
Vernunft übergeordnet; »Genie« ist der Dichter aus dem Herzen und
Gefühl; er gilt als Mittler des Irrationalen und Sprachrohr Gottes.
Die Formulierung »es dichtet« wird zu einer oft verwendeten Um-
schreibung solch ekstatischen Zustands.

Englische Einflüsse bestimmen die Genielehre in wichtigen Punkten. Schon
der Philosoph David Hume (1711–76) hatte (in seinen Werken *Abhandlun-*
gen über die menschliche Natur, 1740, und *Untersuchung über den menschli-*
chen Verstand, 1748) die Haltlosigkeit einer rationalistischen Weltordnung
und -erklärung aufgezeigt und auf die Wichtigkeit der Erfahrung verwiesen.
Edward Young (1681–1765) entdeckte die Bedeutung der Phantasie neu für
das dichterische Schaffen und prägte auch den Begriff des »Originalgenies«:
»Niemals ist jemand ohne göttliche Begeisterung ein großer Mann geworden.«

Indem das Genie nicht dichtet, weil es will, sondern weil es muß,
verliert Kunst ihren Zweckcharakter und wird oftmals zur Offenbarung. Obwohl sie aus subjektivem Erleben herauswächst, will sie ins
Allgemeingültige, Mythische und Kosmische vorstoßen.

Gleichwohl eignet dem Sturm und Drang auch ein starkes Interesse an der Wirklichkeit, das sich vornehmlich in der Behandlung sozialer Fragen spiegelt. Das humanitäre Ethos des Originalgenies, dem
das Herz für die Armen und Geschundenen dieser Erde schlägt und
den ein heiliger Zorn erfaßt gegen Ausbeuter und Despoten, ist so
stark, daß für das eigene Leiden an der Zeit mitunter Selbstvernichtung als der Weisheit letzter Schluß propagiert wird. Der Gegensatz
von unendlicher Weite und endlicher Enge führt zu einer Zerrissenheit, die in das »Faustische« als Zeichen dieser Epoche einmündet,
zumal der Konflikt zwischen der überkommenen Kultur und einer
neu verstandenen Natur noch hinzukommt.

In seiner Kulturkritik war der Sturm und Drang wesentlich beeinflußt von
Jean Jacques Rousseau (1712–78). Dessen bahnbrechende Preisschrift für

die Akademie von Dijon (1750) hatte die Ausbreitung der Kultur für den sittlichen Verfall verantwortlich gemacht und die Geschichte des menschlichen Fortschritts als unaufhaltsamen Entartungsprozeß bezeichnet: »Der Mensch, der denkt, ist ein entartetes Tier.« Der Mensch im Schoße der Natur dagegen ist gut, rechtschaffen und glücklich. Man muß zur Natur zurückkehren: »Retour à la nature!« Nur so lösen sich die persönlich-familiären und erzieherischen (*Emil oder Die Erziehung,* 1762) wie die politischen Probleme (*Der Staatsvertrag,* 1762).

Der Ruf nach dem Naturzustand hatte für die Dichter des Sturm und Drang weitgehende Folgen: Man glaubt – im Gegensatz zu einer galanten Literatur im Dienst höfischer Kreise – die Poesie nur dort rein und echt vorzufinden, wo sie naturhaft, ursprünglich ist, beim Volk und bei Dichtern (wie Shakespeare und Homer), die die Nähe zu Natur und Volk noch nicht verloren hatten. Auch die geschichtlichen Denkmäler (der Baukunst etwa) finden nur dann Wertschätzung, wenn sie mehr Natur als Kultur, mehr Gefühl als Verstand zu verraten scheinen und im Nationalen und Heimischen verwurzelt sind.

DIE ANREGER

Da der Sturm und Drang in der Vernunft kein Organ der Welt- und
Lebenserfahrung mehr sieht, gilt ihm jedes »System« als ein Hindernis auf dem Weg zur Wahrheit. An die Stelle von kritischem Erfassen
und theoretischem Überlegen treten intuitives Ahnen, Staunen, Er-
griffensein – und auch »tätiges Leben«. »Denken Sie weniger und
leben Sie mehr!« – ruft **Johann Georg Hamann** (1730–88) seinen
Zeitgenossen zu.

»Magus des Nordens« (nordischer Magier) wurde der aus Ostpreußen stammende Hamann genannt. Als Sohn eines Arztes in Königsberg geboren, studierte er Theologie und unternahm als Hofmeister und Kaufmann Reisen
nach Amsterdam und London, bis ihn eine religiös tief aufwühlende Bekehrung aus seinem wilden und zügellosen Leben riß. Fortan sah er seinen eigentlichen Lebenssinn darin, bahnbrechend zu sein für eine irrationale Welt-
und Lebenssicht.

Hamanns Schriften wollen nach seinen eigenen Worten »Kreuzzüge«
sein gegen die Lügen-, Schau- und Maulpropheten der Aufklärung«, die von der »Schlange Philosophie mit dem Ap-
GEFÜHL IST   fel Vernunft« verführt worden seien. Seine Sprache ist
ALLES   dunkel, vieldeutig, mit Bildern überlastet. Die Wahrheit könne nicht begriffen, sondern nur geahnt wer-
den; dazu müsse sie die Sprache in immer neuen Anläufen umkreisen.

Der griechische Philosoph Sokrates (*Sokratische Denkwürdigkei-
ten,* 1759), der dem Geist mißtraut und sich als Sprachrohr des Dai-
monion gefühlt habe, galt Hamann als Vorbild. Entsprechend müsse
sich auch der Dichter dem Born alles Schaffens, dem reinen Gefühl,
zuwenden. In den *Kreuzzügen eines Philologen* (1762) findet sich der
Satz: »Poesie ist die Muttersprache des menschlichen Geschlechts;
wie der Gartenbau älter als der Acker, Malerei als Schrift, Gesang als

Deklamation, Gleichnisse als Schlüsse, Tausch als Handel. Ein tiefe-
rer Schlaf war die Ruhe unserer Urahnen und ihre Bewegung ein
taumelnder Tanz. Sieben Tage im Stillschweigen des Nachsinnens
oder Erstaunens saßen sie – und taten ihren Mund auf – zu geflügel-
ten Sprüchen.«

Dichtung ist dem Sturm und Drang nicht Errungenschaft von Bildung, sondern Naturgabe, die im Volk am ursprüng-
lichsten und elementarsten hervorsprudelt. »Je wilder,
POESIE DES   d.i. je lebendiger, je freiwirkender ein Volk ist – desto
VOLKES   wilder, d.i. lebendiger, freier, sinnlicher, lyrisch handelnder müssen auch, wenn es Lieder hat, seine Lieder sein«
(Herder).

1760 hatte der Schotte James Macpherson in England ältere Dichtungen veröffentlicht, die er – was sich später als Fälschung erwies – einem Sänger Ossian zuschrieb. 1765 gab der englische Bischof Percy *Reliquies of Ancient
English Poetry* heraus. – In Deutschland hatte **Heinrich Wilhelm von Ger-
stenberg** (1737–1823) in seinen *Briefen über Merkwürdigkeiten der Literatur*
(1766/67) mit der Edda bekannt gemacht und das *Gedicht eines Skalden* herausgegeben.

Gottfried August Bürger (1747–94), als Sohn eines Pastors in einem
kleinen Harzdorf geboren, hatte nach seinem Studium zunächst als
Dozent, dann als Professor für Ästhetik in Göttingen der Balladen-
sammlung Percys in Deutschland den Weg geebnet. Unter deren Einfluß wandte er sich selbst der Volkspoesie zu und schrieb eine Abhandlung zu diesem Thema: *Herzensausguß über Volkspoesie*
(1776). – Viele von Bürgers Gedichten, auch seine Balladen *Lenore,
Der wilde Jäger, Das Lied vom braven Mann* sind im Volkston gehalten, wobei er den farbig-grellen Moritatenstil der Jahrmärkte mit
einprägsamen Naturszenen zu verbinden wußte. – Unglückliche Fa-
milienverhältnisse verzehrten Bürgers Talent, inspirierten ihn allerdings auch zu innig empfundenen Liebesliedern an »Molly«, die
Schwester seiner ersten Frau.

Von den Gedichten **Johann Gottfried Seumes** (1763–1810) sind später vor
allem zwei in Fibeln und Lesebücher eingegangen – Liedhaftigkeit mit aufklärerischer Nutzanwendung verbindend: *Der Wilde* (»Seht, wir Wilden sind
doch bess're Menschen...«) und *Die Gesänge* (»Wo man singet, laß dich
ruhig nieder, / ohne Furcht, was im Lande glaubt; / wo man singet, wird man

nicht beraubt: / Bösewichter haben keine Lieder.«) Seume, ein Bauernsohn,
hatte ein bewegtes, durch schwere Schicksalsschläge geprägtes Leben: Nach
dem Theologiestudium in Leipzig wurde er bei einer Reise nach Paris von
hessischen Werbern gefangen und als Soldat nach England verkauft, um gegen die Amerikaner zu kämpfen; nach seiner Befreiung geriet er preußischen
Werbern in die Hände. Nach einer Lehrertätigkeit trat er als Leutnant in
russische Dienste. Die Beschreibung seiner Fußreise nach Syrakus (*Spaziergang nach Syrakus*, 1802) ist eines der bedeutendsten deutschen Reisebücher.

An die neue Entwicklung konnte **Johann Gottfried Herder** (1744–
1803) anknüpfen, als er sich seinerseits mit der Volksdichtung beschäftigte und alte Lieder zusammenzutragen begann. 1778/79 erschienen seine *Volkslieder*. Von dieser Veröffentlichung und dem mit
ihr verknüpften Aufruf, auf Gassen, Fischmärkten, in den Bauern-
stuben und auf den Tanzböden altes Liedgut aufzuspüren, ging eine
ungeahnte Wirkung aus. Der »Kathederpoesie«, von Gebildeten für
Gebildete geschrieben, wird eine Abfuhr erteilt.

URKRAFT
ALLER
KRÄFTE

Eine große Seereise hatte sich als entscheidendes Erlebnis erwiesen, das Herders geistiges Schaffen einleitete
(Journal meiner Reise im Jahre 1769).

Als Sohn eines Lehrers und Küsters in Ostpreußen geboren, hatte Herder
nach dem Studium der Theologie und Medizin in Königsberg zunächst das
Amt eines Geistlichen angetreten, was ihn jedoch nicht befriedigte. Bald
löste er sich von allen Bindungen: »Ich mußte also reisen.« Der lange Aufenthalt auf dem Schiff, das durch das erregende Erlebnis des Meeres geförderte
intuitive Erschauen und Erfassen erweckt in ihm den Geschichtsdenker. Im
»Journal« entwirft er seine hochfliegenden Pläne: eine Universalgeschichte
der Bildung der Welt zu schreiben. – Zeitlebens hat Herder, der später auf
Veranlassung Goethes als Oberkonsistorialrat nach Weimar berufen wurde,
an diesem gigantischen Unternehmen gearbeitet, ohne es vollenden zu können. Fragmentarisches Anregen lag ihm mehr als systematische Ausarbei-
tung. Die *Ideen zur Philosophie der Geschichte der Menschheit* (1784–91)
zeigen den Menschen als Naturgeschöpf, das sich aber, der Humanität zu-
strebend, in dem ihm zustehenden Raum der Freiheit geistig-sittlich zu entwickeln und weit über die Tierwelt und die eigene physische Existenz zu
erheben weiß. So prägt seelische Kraft die Epochen der Menschheit; hinter
allem aber steht letztlich Gott, die »Urkraft aller Kräfte«.

Hatten die Historiker der Aufklärung die Vergangenheit stets an der
Gegenwart gemessen und nach der Frage beurteilt, ob das geschicht-

liche Werden dem Fortschritt, der Verstandeserleuchtung gedient habe, so sollte nun die Geschichtsbetrachtung »psychologisch« vorgehen. Herder sieht in jeder geschichtlichen Erscheinung eine eigene seelische Komponente wirksam. So wie er bei der Seele des Menschen keine Einteilung und Zergliederung duldet, sondern sie als lebendiges Ganzes erfaßt, sind für ihn auch Natur und Geschichte ein »Einziges«, durch eine Seele miteinander verbunden, Gleichnis und Symbol einer alles durchwaltenden Göttlichkeit.

Das Wort ist für Herder (im Gefolge Hamanns) Aussage über die Urerlebnisse des Menschen, über seine Gefühle, Empfindungen und Leidenschaften. Sprache war am Anfang Gesang, Dichtung. »Die Natursprache aller Geschöpfe, vom Verstande in Laute gedichtet, ein Wörterbuch der Seele, eine beständige Fabeldichtung voll Leidenschaft und Interesse; das ist die Sprache in ihrem Ursprung, und was ist Poesie anderes?« Die eigene Zeit habe sich dagegen »so tief in die dunklen Werkstätten des Kunst- und Verstandesmäßigen verloren, daß sie das weite, helle Licht der ursprünglichen Natur in früheren Jahrhunderten nicht mehr zu erkennen vermag«. In seiner *Abhandlung über den Ursprung der Sprache* (1770) fordert er so die Rückkehr zum Ursprünglichen.

Auf der Rückreise von Nantes, wohin Herder zunächst nach seiner »Flucht« gekommen war, kam es in Straßburg 1770 zu einer schicksalhaften Begegnung mit dem jungen **Johann Wolfgang Goethe** (1749 bis 1832).

»Durch mannigfaltige Fragen«, so berichtet Goethe, »suchte er sich mit mir und meinem Zustand bekanntzumachen, und seine Anziehungskraft wirkte immer stärker auf mich. Ich war überhaupt sehr zutraulicher Art, und vor ihm besonders hatte ich gar kein Geheimnis ... Was die Fülle dieser wenigen Wochen betrifft, welche wir zusammen lebten, kann ich wohl sagen, daß alles, was Herder nachher allmählich ausgeführt hat, im Keim angedeutet ward und daß ich dadurch in die glückliche Lage geriet, alles, was ich bisher gedacht, gelernt, mir zugeeignet hatte, zu komplettieren, an ein Höheres anzuknüpfen, zu erweitern.«

So fand der begeisterungsfähige junge Goethe in Herder den geistigen Mentor. In einer zunächst Herder zugeschriebenen
BESEELTE
BAUKUNST
Schrift legt er Zeugnis ab, wie tief dessen Geschichtsauffassung in ihm Wurzeln geschlagen hatte: *Von deut-*

scher Baukunst (1773). Der Anblick des Straßburger Münsters macht ihm deutlich, was »beseelte Geschichte«, »beseelte Baukunst« bedeuten, er erfährt im Wesen der Gotik das Wesen deutscher Baukunst überhaupt.

Während Renaissance und Aufklärung die Gotik als barbarisch verachtet hatten, sieht Goethe in ihr »Naturgewalt« wirksam. Das Fahle und Melancholische, Wildgewachsene und Chaotische dieser Architektur spiegeln zugleich seine Seelenstimmung. Es graut ihm zunächst vor dem Anblick eines »mißgeformten, krausborstigen Ungeheuers«; denn aufgewachsen ist er im Geiste einer Welt, die alles gotisch nannte, was nicht »ins System paßte«, »von dem gedrechselten, bunten Puppen- und Bilderwerk an, womit unsre bürgerliche Edelleute ihre Häuser schmücken«. Aber dann erschauert er vor dem Meisterwerk Erwin von Steinbachs: »Wie in Werken der ewigen Natur, bis aufs geringste Zäserchen, alles Gestalt, und alles zweckend zum Ganzen; wie das festgegründete ungeheure Gebäude sich leicht in die Luft hebt; wie durchbrochen alles und doch für die Ewigkeit! Deinem Unterricht dank ich's, Genius, daß mir's nicht mehr schwindelt an deinen Tiefen, daß in meine Seele ein Tropfen sich senkt der Wonneruh des Geistes, der auf solch eine Schöpfung herabschauen und gottgleich sprechen kann: Es ist gut!«

DIE GENIEBEWEGUNG

Herder hat Goethe auch hingeführt zu den beiden großen Vorbildern, die fortan der Dichtung der jungen Generation als Wegweiser dienen sollten: Homer und Shakespeare. Beide seien darin gleich, daß sie sich nicht an Regeln gehalten, daß sie nur zwei Bücher gelesen: das Buch der Natur und das Buch der Menschen. Alles andere ersetzte ihnen das Genie.

Der Kampf gegen die Regeln reicht noch in die Aufklärung zurück. Bodmer und Breitinger hatten sich gegen Gottscheds ästhetische Diktatur, Lessing hatte sich im 17. Literaturbrief gegen die starren drei Einheiten der Franzosen gewandt. Der Künstler solle frei sein – vor allem frei von Regeln, Eingrenzungen und Einschränkungen des Verstandes; als »Originalgenie« schaffe er aus einem geheimnisvollen Zwang der Natur heraus.

»Wenn bei einem Manne«, heißt es bei Herder, »mir jenes ungeheure Bild einfällt: ›Hoch auf einem Felsengipfel sitzend, zu seinen Füßen Sturm, Ungewitter und Brausen des Meeres; aber sein Haupt in den Strahlen des Himmels!‹ so ist's bei Shakespeare ... Da ist nun Shakespeare der größte Meister, eben weil er nur und immer Diener der Natur ist.«

Das Originalgenie ist ganz Natur, von der Leidenschaft des Vollbringenwollens, von wilder Tatkraft und ungestümem Trotz besessen. Solche Gedanken rumorten auch im jungen Goethe weiter und fanden ihren markanten Ausdruck in der Festrede *Zum Shakespearetag,* die er am 14. Oktober 1771 vor versammelten Freunden im väterlichen Haus am Hirschgraben in Frankfurt hielt:

TITANEN-
TROTZ

»Ich rufe Natur! Natur! Nichts so Natur als Shakespeares Menschen. Da habe ich sie alle überm Hals. Laßt mir Luft, daß ich reden kann! Er wetteiferte mit dem Prometheus, bildete ihm Zug vor Zug seine Menschen nach, nur in kolossalischer Größe, darin liegt's, daß wir unsre Brüder verkennen – und dann belebte er sie alle mit dem Hauch seines Geistes ... Die erste Seite, die ich in ihm las, machte mich auf zeitlebens ihm eigen, und wie ich mit dem

ersten Stück fertig war, stund ich wie ein Blindgeborener, dem eine Wunder-
hand das Gesicht in einem Augenblick schenkt...«

Goethe hatte sich als Originalgenie bekannt, war aber selbst noch
nicht profiliert mit eigenen Dichtungen hervorgetreten; doch sollte
ihn die Zeit von 1771 bis 1775 nun reichliche Ernte einbringen lassen
und die hohe Zielsetzung, die die Aufrufung Shakespeares einschloß,
rechtfertigen.

Goethe war als Sohn des Kaiserlichen Rates Johann Kaspar Goethe in gut-
bürgerlichen Verhältnissen in Frankfurt am Main geboren worden. Die Mutter, Katharina Elisabeth, geb. Textor, Tochter des Stadtschultheißen, regte in
ihrer »Frohnatur« die Phantasie des Knaben durch vieles Erzählen an. Nach
Privatunterricht, den auch der Vater erteilte, ging der 16jährige an die Leipziger Universität, um Rechtswissenschaft zu studieren. Das galante Klima
sagte dem Lebenslustigen zwar zu, brachte ihn aber dichterisch auf den Ab-
weg tändelnder Rokoko-Anakreontik. Nach schwerer Erkrankung, anderthalb Jahren Privatstudien in Frankfurt (durch die Bekanntschaft mit Susanna
von Klettenberg – einer »schönen Seele« – pietistischem Einfluß offen) ging
er 1770/71 nach Straßburg, um sein Studium abzuschließen. Eine tiefe Liebe
verband ihn mit Friederike Brion aus Sesenheim, die in einer Reihe bewegter, naturverbundener Lieder – der ersten Erlebnislyrik seines Schaffens –
ihren Niederschlag fand: *Willkommen und Abschied; Mit einem gemalten
Band; Mailied.* Als Lizentiat kehrte Goethe nach Frankfurt zurück und suchte das Schuldgefühl seiner Untreue durch ein wildes Genietreiben im Kreise
Gleichgesinnter zu verdrängen.

Äußerlich verlief sein Leben zunächst in geordnet bürgerlichen Bahnen.
Er wirkte als Advokat in seiner Heimatstadt, eng befreundet mit dem Kriegs-
zahlmeister Johann Heinrich Merck aus Darmstadt. 1772 finden wir ihn am
Reichskammergericht zu Wetzlar. Dort lernte er Charlotte Buff kennen und
lieben, riß sich aber von ihr, die mit einem andern verlobt war, unter schweren inneren Kämpfen los. Der Versuch einer neuen Bindung in Frankfurt mit
Élisabeth Schönemann (Lili) endete in einem Zerwürfnis. Kurz vor einer
Reise in die Schweiz lernte er den Erbprinzen Karl August von Weimar kennen, der ihn nach seiner Thronbesteigung 1775 nach Weimar berief.

Lieder und Hymnen *(Wanderers Sturmlied; Prometheus; Ganymed;
Mahomets Gesang; An Schwager Kronos)* spiegeln die innere Hal-
tung Goethes in der Frankfurter Geniezeit. Mythologische Gestalten
erscheinen dem Stürmer und Dränger als Verkörperung der eigenen
Existenz. Kronos leitet die Kutsche des Lebens auf ihrer rasenden
Fahrt. Titanentrotz steht neben verlangender Hingabe, Prometheus

neben Ganymed. In freien Rhythmen und sinnlich bildkräftiger Sprache drücken sich leidenschaftliches Fühlen und persönliches Erlebnis aus und lassen Gedichte entstehen, die von innen wachsen wie Organismen. Der Mensch ist umfangen von göttlichen Kräften und »hingegeben den kosmisch-metaphysischen Gewalten«, die mythisch erfahren werden.

Als beginnender Dramatiker suchte Goethe nach Stoff und Gestalt von shakespearehafter Größe. Beides fand er im »Götz« (*Götz von Berlichingen mit der eisernen Hand*, 1773). Auf das Ideal des spätmittelalterlichen Ritters werden alle Tugenden übertragen, die man schmerzlich in der eigenen Zeit und Gesellschaft vermißte: Götz ist Helfer der Bedrängten, patriarchalisch fürsorglicher Herr, urwüchsiger Haudegen, der das Herz auf dem rechten Fleck hat und keine offene Rede scheut, tapfer und verwegen, frei und unabhängig, gehorsam seinem Kaiser und Gott, ganz Natur, der Tradition zugetan, Todfeind der Fürsten und Kämpfer gegen Ungerechtigkeit. Götz scheitert: Er zerbricht an der Welt, aber auch an der Einsicht, daß Gutes Schlechtes gebiert, Heil und Unheil immer miteinander verknüpft sind.

FREIES MENSCHENTUM

Entsprechend der Forderung des Sturm und Drang nach Freiheit von den Regeln und »Einheiten« gleitet im »Götz« eine den Schauplatz ständig ändernde Szenenfolge an uns vorüber; unzählige Nebenhandlungen werden eingeschoben. An dramatischen Höhepunkten jagen sich die Bilder, die häufig nur aus ein paar Gesprächsfetzen bestehen. Die neue Einheit, die das Drama zusammenhält, ist im Sinne Shakespeares der Charakter des Helden.

Auch das Drama *Egmont* gehört in die Sturm-und-Drang-Epoche des jungen Goethe, obwohl es erst 1787 in Rom in einer zweiten Fassung abgeschlossen wurde. 1775 hatte es der Dichter in Frankfurt begonnen.

AMOR FATI

Der Kampf der Niederlande gegen die spanische Unterdrückung gibt den Rahmen des Spiels ab, die politischen und gesellschaftlichen Verhältnisse werden gut beleuchtet: das letztlich versagende Bürgertum, die Heuchelei der gesellschaftlichen Moral gegenüber der unbedingten Liebe Klärchens zu Egmont.

Obwohl Egmont von Wilhelm von Oranien gewarnt wird, glaubt er nicht

an die Hinterlist des von König Philipp II. abgesandten Alba. Er begibt sich
zu ihm, wird gefangengenommen und hingerichtet. Klärchen hat vergeblich
versucht, das Volk zur Befreiung aufzuwiegeln, nachdem dieses sich zu Beginn des Stückes so entschlossen gezeigt hat; sie tötet sich selbst. In einer
visionären Szene (die Schiller als einen Salto mortale in die Opernwelt tadeln
zu müssen glaubte) erscheint die Geliebte Egmont im Kerker als Verkörperung von Liebe und Freiheit.

Das Wesen Egmonts entspricht der Haltung des jungen Goethe in
Frankfurt: im eigenen Ich den Willen der Gottheit zu erfahren und
aus der Gewißheit dieser Einheit zu leben. So erklären sich sein
Leichtsinn, sein Unbeschwertsein von Angst, Sorge und Mißtrauen,
die als eines freien, heiteren Menschen unwürdig beiseite geschoben
werden. Egmont vertraut dem Schicksal und fühlt sich in ihm geborgen. Seine Gegenfigur ist (in der voritalienischen Fassung) Oranien,
ein kühler Rechner, schlauer Diplomat und vorsichtiger Gegner der
Spanier.

In Rom freilich wandelt sich die Gesamtkonzeption. Jetzt tritt Egmont vor
allem Alba entgegen; die Antithese wird aus dem privaten ins politische Leben verlegt. Egmont vertritt die Sehnsucht des Volkes nach Freiheit; Alba ist
der Vertreter übervölkischer Staatsräson. Und nun erscheint dem gereiften
Goethe die Haltung Albas nicht weniger gerechtfertigt, zumal das Verhalten
des Volkes später Alba recht gibt.
    Alba: »Freiheit! Ein schönes Wort, wer's recht verstünde. Was wollen Sie
für Freiheit? Was ist des Freisten Freiheit? – Recht zu tun!... Weit besser
ist's, sie einzuengen, daß man sie wie Kinder halten, wie Kinder zu ihrem
Besten leiten kann. Glaube nur, ein Volk wird nicht alt, nicht klug, ein Volk
bleibt immer kindisch.«
    Hier spricht der Verstand, bei Egmont das Herz. Für den italienischen
Goethe hat jeder und keiner recht, die Wahrheit liegt hinter und über diesen
Gegensätzen, die Wirklichkeit ist immer ein Nebeneinander, kein Entweder-
Oder; das macht die Spannung des Lebens aus.

Für den Frankfurter Goethe freilich bleibt das Wort Egmonts kennzeichnend, das an die Hymne »An Schwager Kronos« erinnert und den
Abschluß von *Dichtung und Wahrheit,* den autobiographischen Aufzeichnungen bis zum Ende der Frankfurter Zeit (erschienen 1833),
bildet:

»Wie von unsichtbaren Geistern gepeitscht, gehen die Sonnenpferde der

Zeit mit unsers Schicksals leichtem Wagen durch, und uns bleibt nichts, als mutig gefaßt die Zügel festzuhalten und bald rechts, bald links, vom Steine hier, vom Sturze da, die Räder wegzulenken. Wohin es geht, wer weiß es? Erinnert er sich doch kaum, woher er kam.«

In der Zeit von 1771–75 finden wir Goethe bei der Arbeit am Faust-stoff *(Urfaust).* Auch in der Gestalt des Faust zeigt sich der Gegen-satz dieser Frankfurter Jahre zwischen dem »titani-
DAS FAUSTI- schen Willen«, einem Gotte gleich das ganze All zu
SCHE umfassen, und der Erfahrung menschlichen Grauens und Ekels vor dem Leben, menschlichen Mitgefühls mit dem Leid und der Reue über das Böse. Das Gefühl eigener Schuld an Friederike gewinnt Motivcharakter für das Schicksal Mar-garethens (Kindsmordprozeß um eine Susanne Margaretha Brandt im Januar 1772 zu Frankfurt). Der unbefriedigte Forscher sucht Zu-flucht bei der Magie. In der Erdgeistbeschwörung setzt Goethe das Gegenstück zur dämonischen Liebeserfahrung: das urmächtige Hin-ausverlangen über die Gegebenheiten der Wirklichkeit. In beidem wird Faust schuldig, sein Schicksal hat sich am Ende der Gretchentra-gödie erfüllt; die Kerkerszene mit Mephistos Schlußwort: »Sie ist ge-richtet!« ist der Kontrapunkt zur Erdgeistbeschwörung. Gretchens Schrei: »Heinrich! Heinrich!« richtet Faust schlimmer als ein Urteil des Himmels. Ein solches Ende entsprach der faustischen Zerrissen-heit des Frankfurter Goethe.

»Ich stelle einen jungen Menschen dar«, schrieb Goethe in einem Brief aus dem Jahre 1774, dem Erscheinungsjahr seines Briefro-
LEIDEN- mans *Die Leiden des jungen Werthers,* »der, mit einer
SCHAFT UND tiefen, reinen Empfindung begabt, sich in schwärmen-
LEID de Träume verliert, sich durch Spekulation untergräbt, bis er zuletzt, durch dazutretende unglückliche Lei-denschaften, besonders eine endlose Liebe zerrüttet, sich eine Kugel vor den Kopf schießt«.

Goethe schrieb den »Werther« unter dem Eindruck persönlicher Erlebnisse mit Charlotte Buff in Wetzlar. Doch war seine Gefühls-welt auch bestimmt durch Rousseaus empfindsamen Roman »Die neue Heloïse« (1761) und das Erscheinen der Ossian-Dichtungen; zugleich ist das Werk der Höhepunkt einer seit Christian Weise be-merkbaren elegisch-sentimentalen Unterströmung, die über Brok-kes, Hagedorn, Gessner, Wieland zu Goethe hinführt – »Dichter der

unvergnügten Seele« (H. O. Burger). »Werther« traf wie kein zweites
Buch des Sturm und Drang den Nerv der Zeit und wurde ein Welter-
folg – bis hin zur Nachahmung der Werthertracht und einer Art
Selbstmordepidemie.

Für Werther ist Gefühl Selbstzweck; aber all seine Sehnsucht bleibt unerfüllt,
Einschränkung ist ihm fremd. In ländlicher Einsamkeit sucht er sich über den
Verlust einer lieben Freundin hinwegzuhelfen. Da lernt er Lotte kennen, die
Tochter eines Amtmanns. Sie ist verlobt, erwidert aber seine Zuneigung. In
das erste Glücksgefühl mischt sich bald die Gewißheit, daß er Lotte nie ganz
für sich wird haben können; sie fühlt sich Albert verpflichtet. Werther flieht,
wird aber von seiner Verzweiflung nach einiger Zeit wieder zur Geliebten
zurückgetrieben. Nach einem hoffnungslosen Auftritt endet sein Leben im
Selbstmord.

Werthers Religiosität ist pantheistisch gefärbt. Die Natur ist ihm
nicht nur Raum, in dem sich seine Gefühlskräfte voll entwickeln, sie
ist ihm geheimnisvolle Offenbarung des Göttlichen. Seine Seele ist
eins mit dem wechselnden Rhythmus der Natur: ein kurzer herrlicher
Frühling, ein schwüler Sommer, ein verhangener Herbst und früher
Winter. Wo es sonnig ist, sind breite Partien Homer eingebaut, wo es
düster und schwer wird, kommt Ossian zu Wort. Die Sprache bleibt
der jeweiligen Seelenlage adäquat, neben den für die Epoche kenn-
zeichnenden Sprachfetzen blüht eine lyrische Prosa, die von beseelter Schilderung bis zur Hymne reicht oder aber gelegentlich philosophischer Besinnung weicht. Die ganze Seligkeit des unendlichen Gefühls und Werthers tragisch dunkles Ende wären nicht zu denken ohne das Pindar-Erleben Goethes, dem u. a. auch sein »Ganymed« entstammt.

   Solche lyrisch-elegische Welthaltung lag dem jungen **Friedrich
Schiller** (1759–1805) nicht. Sein erstes Drama trug (von einem Unbekannten eingefügt) das Motto »In tyrannos!«; vor-
ausgegangen waren pathetische Gedichte mit Gedan-
kenbewegungen in die »Abgründe der Unendlichkeit«, »Prankenhiebe« des kommenden Tragikers.

IN
TYRANNOS

Das Geburtshaus des Dichters steht in Marbach, wo Schiller als Sohn des
Offiziers Johann Kaspar Schiller geboren wurde. Während ihn der Vater für
das theologische Studium bestimmt hatte, zwang ihn der Befehl des Herzogs
Karl Eugen, die Militär- und Beamtenschule auf Schloß Solitude bei Stutt-

gart (später als Akademie in Stuttgart) zu besuchen, in der er zunächst Rechtswissenschaft, später Medizin studierte. Der Knabe litt in der »Seelenfabrik und Sklavenplantage«, wie sie Schubart nannte, fand aber auch Zeit zu eigenen Arbeiten und machte Bekanntschaft mit der zeitgenössischen Literatur. Geheim, angeregt durch eine Erzählung Schubarts, entstanden *Die Räuber* (1781). Als Regimentsmedicus sein Leben fristend, arbeitete Schiller an weiteren literarischen Plänen. Im September 1782 floh er zusammen mit seinem Freund Streicher aus Stuttgart. Verärgert über die zweimalige »unerlaubte Entfernung« Schillers nach Mannheim, wo sein erstes Drama aufgeführt wurde, hatte der Herzog verboten, etwas anderes als medizinische Schriften von Schiller zu drucken. Ein zweijähriger Aufenthalt als Theaterdichter in Mannheim (mit dem Auftrag, jährlich drei Theaterstücke zu liefern!) brachte ihn in drückende Not, aus der ihn der Konsistorialrat Körner durch eine Einladung nach Leipzig und dann Dresden entriß. Nach einem vergeblichen Besuch beim Herzog in Weimar, der ihn auf Vermittlung von Frau von Kalb vor Jahren schon zum weimarischen Rat ernannt hatte, lernte Schiller in Volkstädt bei Rudolstadt seine spätere Gattin Charlotte von Lengefeld kennen. 1789 erhielt er auf Betreiben Goethes eine Professur für Geschichte in Jena, die er bis zu seiner schweren Erkrankung im Jahre 1791 ausübte.

In Schillers »Räubern« wird der Held Karl Moor durch die Intrigen seines Bruders Franz, der infernalischen Verkörperung eines konsequenten Materialismus und Atheismus, vom Vater verstoßen und seiner Geliebten Amalie entfremdet. Aus Enttäuschung an Mensch, Welt und Gott will er sein Leid an »diesem Jahrhundert« rächen. Er wird zum Hauptmann einer Bande von Räubern und Mördern, mit denen er die Zustände bei Hof und in der Gesellschaft zu ändern sucht. Freilich muß er bald erkennen, daß die von ihm bejahte Freiheit (»Das Gesetz hat noch keinen großen Mann hervorgebracht, doch die Freiheit brütet Kolosse und Extremitäten aus«) zu Willkür und Unrecht führt und man die verletzte göttliche Weltordnung auf diese Weise nicht retten kann. Damit zeigt sich bereits im ersten wilden Aufbegehren Schillers Suche nach Gesetz und Ordnung; selbst Franz spürt schließlich in seinem Gewissen die Wirklichkeit einer göttlichen Weltordnung, die er zu leugnen versucht hatte.

Die Sprache der »Räuber« stellt einen Höhepunkt des Sturm-und-Drang-Stils dar. Was an Wut, Haß, Rache, aber auch Schwärmerei und Empfindung angestaut ist, macht sich in lebendiger Gebärde Luft und erhält einen dramatischen Rhythmus und echten Dialogcharakter, der sich wesentlich von den Schreien und Gefühlsergüssen anderer Stürmer und Dränger unterscheidet. »Jeder Satz fast ist eine Anklage gegen Bestehendes, ein Zeitdokument ...« Shakespeare steht Pate für die rasenden Szenen, die mit Herzblut geschrieben sind und die bloße Rhetorik des spätbarocken Theaters oder das Gestelzte der französischen Bühne zu Plunder werden lassen. Hier wird die Bühne zum Tribunal.

Dementsprechend war auch die Wirkung der Erstaufführung 1782 in Mannheim, zu der sich heimlich der Dichter, damals Regimentsmedicus, begeben hatte. Ein Teilnehmer berichtet: »Das Theater glich einem Irrenhaus, rollende Augen, geballte Fäuste, heisere Aufschreie im Zuschauerraum! Fremde Menschen fielen einander schluchzend in die Arme, Frauen wankten, einer Ohnmacht nahe, zur Türe. Es war eine allgemeine Auflösung wie im Chaos, aus dessen Nebeln eine neue Schöpfung hervorbricht.«

1784 erhob Schiller, der die Korruption und Unmenschlichkeit am Stuttgarter Hof aus nächster Nähe hatte beobachten können, mit seinem bürgerlichen Trauerspiel *Kabale und Liebe* erneut scharfe Anklage gegen den Absolutismus und seine Machthaber. Der entleerten Konvention einer ehrlosen, entarteten Adelsschicht werden die Ehre und Tugendhaftigkeit der einfachen Stände entgegengestellt. »Halten zu Gnaden! Euer Exzellenz schalten und walten im Land. Das ist meine Stube. Mein devotestes Kompliment, wenn ich dermaleinst ein Promemoria bringe, aber den ungehobelten Gast werf ich zur Tür hinaus – halten zu Gnaden« (Vater Miller).

Die Liebe Ferdinands, des Präsidentensohnes, zu Luise Miller, der Tochter eines Musikers, wird durch den lasterhaften und machtgierigen Präsidenten sowie dessen Sekretär Wurm, der ein dämonisches Werkzeug seines Herrn ist, unterbunden. Planmäßig konstruierte Mißverständnisse zwischen den Liebenden und einschüchternde Drohungen (Verhaftung des alten Miller) führen zum Untergang der Liebenden, die im Tod (Mord und Selbstmord) erneut zueinander finden.

Schiller stellt neben die politische Welt der Intrigen einen neuen Idealismus des Gefühls. Das rein Menschliche, seine Würde triumphiert im Tod über alle Verstrickungen und Gebundenheiten.

Dem alten Musiker, der das brave, geduldige, hilflose Bürgertum der damaligen Zeit verkörpert, steht die Skrupellosigkeit des Hofes gegenüber, dessen Ruchlosigkeit die verzweifelte Klage des alten Kammerdieners am eindringlichsten verdeutlicht, als er der Mätresse des Fürsten, der Lady Milford, ein kostbares Schmuckkästchen mit Juwelen überbringt:

»Sie kosten ihn keinen Heller ... Gestern sind siebentausend Landskinder nach Amerika fort – die zahlen alles ... lauter Freiwillige! Es traten wohl so etliche vorlaute Bursch' vor die Front heraus und fragten den Obersten, wie teuer der Fürst das Joch Menschen verkaufe? – Aber unser gnädigster Landesherr ließ alle Regimenter auf dem Paradeplatz aufmarschieren und die Maulaffen niederschießen. Wir hörten die Büchsen knallen, sahen ihr Gehirn auf das Pflaster spritzen, und die ganze Armee schrie: ›Juchhe! Nach Amerika!‹«

Die Auflehnung gegen bestehende Ordnung und Gesellschaft ist ein besonderes Kennzeichen der dichterischen Gestalten des Sturm und Drang, auch dort, wo sie aus der Geschichte oder Mythologie gewählt werden. Gewaltiges und Gewaltsames, Kampf um versagtes Recht und großes Leiden geben Kain, Prometheus, Mahomet, Cäsar, Faust, Egmont ihre Aura.

DER HER-
RENMENSCH

Auch Schillers *Die Verschwörung des Fiesko zu Genua* (1783) gehört hierher. Fiesko ist ein männlich schöner Genuese, ein starker, von keinem Schicksalsschlag zu beunruhigender Held, zugleich ein Lebensgenie, der – wie die vom Sturm und Drang bevorzugten Herrenmenschen der Renaissance – von seinen zeitlichen Gütern verschwenderisch Gebrauch macht, ein Machiavelli von schauspielerischer Gewandtheit. Angeblich die Freiheit und Macht der Republik verteidigend, kann er der Versuchung der Macht selbst nicht widerstehen und muß fallen, ein Opfer seines Ehrgeizes und Tatenrausches.

Das neue Vollmenschentum mit Saft und Kraft setzen die Stürmer und Dränger dem Getändel mit dem Kleinen, Zierlichen und Zarten des Rokoko und seinem schlüpfrigen Pretiosentum entgegen, ohne jedoch das Schwelgen in Erotik, Schönheit und Kunst aufzugeben; es wird nur blutvoller, echter, sinnenhafter und dem Renaissance-Ideal angenähert, wie es **Johann Jakob Wilhelm Heinse** (1749–1803) in seinem Roman *Ardinghello und die glücklichen Inseln* (1787) nachzeichnet.

Ein sowohl körperliche wie geistige Vorzüge in sich vereinender Maler gründet auf den griechischen Inseln einen Idealstaat, in dem er mit seiner Geliebten und seinen Freunden ein Leben der Schönheit und Freiheit (frei von aller bürgerlichen Zwangsmoral) führt.

Der rechte Kerl, leidenschaftlich, unausgeglichen, zerrissen, zwischen Melancholie, Rührseligkeit und wildem Tatendrang schwankend, ist auch das Vorbild von Dichtern, die neben
KERLS UND KERL-ALLÜREN oder mit Goethe und Schiller dem Geniekult huldigen. Ein solcher unruhig strebender Geist war **Christian Friedrich Daniel Schubart** (1739–91), ein wandernder Prediger, Sänger und Journalist.

Bald erwerbslos, bald freigebig, bald Bettler, bald in vierspänniger Equipage, läßt er sich auf den Wogen seines wechselnden Glücks treiben; er geißelt in seiner Ulmer Zeitschrift *Deutsche Chronik* die Knechtschaft unter den Despotien. Da läßt ihn 1777 der Herzog Karl Eugen auf württembergisches Gebiet locken, verhaften und auf dem Hohen Asperg bis 1787 festhalten.

Schubarts Gedichte sind von Freiheitsliebe und Tyrannenhaß getragen *(Die Fürstengruft; Freiheitslied eines Kolonisten; Kaplied)*, spiegeln persönliches Leid *(Gefangner Mann, ein armer Mann)*, zeigen aber auch einen ursprünglich-volkstümlichen Ton *(Schwäbische Bauernlieder)*. Besonders in dem Gedicht »Die Fürstengruft« variiert Schubart das Sturm-und-Drang-Motiv »In tyrannos« mit revolutionärem Pathos und leidenschaftlicher Rhetorik:

> »Damit die Quäler nicht zu früh erwachen,
> Seid menschlicher, erweckt sie nicht.
> Ha! Früh genug wird über ihnen krachen
> Der Donner am Gericht.«

Einen scharfen Ton gegen Despotismus und Verschwendungssucht der Fürsten schlug auch **Johann Anton Leisewitz** (1752–1806) an. Sein *Julius von Tarent* (1776), das einzige von ihm zu Ende gebrachte Drama, behandelt den haßvollen Kampf ungleicher Brüder um eine Frau und beeinflußte als Schillers Lieblingsstück auf der Militärakademie dessen »Räuber«.

Heinrich Leopold Wagner (1747–79) stammt aus Straßburg. Er widmete sich juristischen Studien, kam 1770 mit Goethe zusammen und ließ sich auch in Frankfurt nieder, wo er bereits mit 32 Jahren starb. Er übersetzte aus dem Französischen und Englischen (u. a. »Macbeth«) und griff mit Satiren in das literarische Leben ein.

Sein bekanntestes Drama, *Die Kindermörderin* (1776), zeigt die

im Sturm und Drang besonders beliebten Motive: Verführung durch
Liebesbeteuerungen, Tod der Mutter, Flucht des Verführers, Ermordung des Kindes, Verzweiflung. Im ganzen blieb das Stück unecht,
gemacht, stark vergröbernd und veräußerlicht. Bezeichnend die so-
zialpädagogische Absicht im später geänderten Titel: »Evchen
Humbrecht oder Ihr Mütter merkt's euch.«

Weit kraftvoller und selbständiger war **Friedrich Maximilian Klinger** (1752–1831). »Mich zerreißen Leidenschaften, jeden anderen
müßte es niederschmeißen… Ich möchte jeden Augenblick das
Menschengeschlecht und alles, was wimmelt und lebt, dem Chaos zu
fressen geben und mich nachstürzen.«

Klinger war der Sohn einer Frankfurter Waschfrau, studierte mit Unterstützung Goethes Jura, zog mit einer Theatergruppe als Stückeschreiber von Ort
zu Ort, wurde Offizier im russischen Heer und stieg zum Chef des russischen
Kadettenkorps und Kurator der Universität Dorpat auf.

Klingers Drama *Sturm und Drang* (1776), ein wildbewegtes Stück,
gab der ganzen Bewegung ihren Namen. Seine *Zwillinge* (1776) behandeln das Motiv des Brudermords. Wahnsinn, Mord, Verwandten-
haß, Gotteslästerung, Blutschande, Unzucht, Raufen sind die wiederkehrenden Themen seiner exzentrischen Werke. In seinen Romanen (darunter *Fausts Leben, Taten und Höllenfahrt,* 1791) zeigt er die
Gefahren der Maßlosigkeit, lehrt dafür das Glück der Selbstbeschei-
dung.

Zeitlebens im Schatten Goethes verblieb der Livländer **Jakob Michael Reinhold Lenz** (1751–92).

Er lernte als Hofmeister in Straßburg Goethe kennen und hängte sich fortan
an dessen Sohlen, bis ihn der Herzog von Weimar 1776 auf Bitten Goethes
wegen Intrigierens des Landes verwies. Angefangen von der Liebe zu Friederike Brion, über die Verehrung Shakespeares und den Werther-Roman bis zu
den Gedichten versuchte er immer wieder, Goethe nachzuahmen, ohne zu
merken, wie er darüber Leben und Werk versäumte. Dem Wahnsinn verfallen, kam er nach Riga; 1792 fand man ihn in Moskau tot auf der Straße lie-
gend.

»Er lebt und webt in lauter Phantasie und kann nichts, auch manchmal nicht die unerheblichste Kleinigkeit aus der wirklichen Welt an
ihren rechten Ort legen.«

Dieses Charakterbild aus Lenzens sentimentalem »Werther«-Roman *Waldbruder* (Fragment), dessen Held den bezeichnenden Namen Herz führt, gilt für ihn selbst. Von Natur auf zart, weich und hingebungsvoll, fehlte seiner schwärmerischen Phantasie das Gegengewicht tätiger Wirklichkeitsverbundenheit.

Sein erstes Drama, *Der Hofmeister oder Vorteile der Privaterziehung* (1774), zeigt eine verworrene Handlung um einen labilen und schwachen Privatlehrer, der ein adeliges Mädchen verführt, sich kastriert und dennoch ein in ihn verliebtes Bauernmädchen heiratet. Die entehrte Schülerin findet ihr Glück bei einem edelmütigen Jugendfreund, der auch ihr Kind freundlich aufnimmt. (»Wenigstens, mein süßer Junge, werd ich dich nie durch Hofmeister erziehen lassen.«)

Die Soldaten (1776), stark von Shakespeare und der Sturm-und-Drang-Dramaturgie beeinflußt, stellen eine scharfe Polemik gegen die Verwilderung des Soldatenstandes dar; vor allem die Offiziere hätten nichts anderes zu tun, als den Bürgertöchtern nachzustellen, die – vom Glanz der Uniform verblendet – sich verführen lassen, dann aber, betrogen, in der Gosse landen; das Gretchen-Schicksal wird ins Grotesk-Sinnliche gewendet. – Bezeichnenderweise erinnerten sich an Lenz Autoren des Realismus und Naturalismus; Georg Büchner nahm Lenzens Weg in den Wahnsinn zum Vorwurf eines Novellenfragmentes.

DER GÖTTINGER HAIN

Dem Ideal der leidenschaftlich-ungezügelten Kraft und Freiheit tritt die Seligkeit der Empfindung und des reinen Gefühls als wichtige Ergänzung des Sturm-und-Drang-Menschen ebenbürtig zur Seite. Es gibt fühlende und fühlbare, empfindliche und empfindsame, schöne und zarte, leidende und weinende Herzen, und »Fülle« und »Ganzheit« des Herzens werden zu vielgebrauchten Modewörtern. Dichterische Sprache wird Herzenssprache.

Das zeigt sich schon in den Metaphern und Wortzusammenfügungen: sich türmende Fernen, fruchtende Fülle, der ewig belebenden Liebe vollschwellende Träne, heilig glühend Herz; Berge wolken himmelan, nachquellen, entgegenschäumen, entjauchzen, abwärtsschweben, silberprangen; Muttergegenwart, Flammengipfel, Nebelglanz, Sommerabendrot, Gipfelgänge, Zauberhauch, Blütenträume, Scheideblick u. a.

Die Empfindsamkeit, die im Sturm und Drang zutage tritt, hat verschiedene Wurzeln. Neben dem Einwirken Klopstocks und pietistischer Frömmigkeit lassen sich Einflüsse des Rokoko feststellen. In Frankreich kennzeichnete schon seit langer Zeit ein sentimentaler Zug die Erzählkunst, bis sie bei Rousseau einen neuen Höhepunkt findet. In der Comédie larmoyante wird die Rührseligkeit auf die Bühne verpflanzt (Tränenstücke). In England entwarf Samuel Richardson (1689–1761) in seinen Briefromanen empfindsame Familiengemälde. Oliver Goldsmith (1728–1774) verband in seinem *Vicar of Wakefield* Sentimentalität und Naturidylle. Lawrence Sterne (1713–1768) verdankte seinen Ruhm der Rührseligkeit seines *Tristram Shandy* und seiner *Sentimental Journey through France and Italy*.

Mit »empfindsam« und »Empfindsamkeit« hatte Lessing die englischen Wörter »sentimental« und »sentimentality« übersetzt. Macpherson schließlich hatte der Sentimentalität mit seinem *Ossian* die

düster melancholische Seite abgewonnen und Goethes »Werther«
entscheidend beeinflußt. Aber auch Schiller zeigt in
FÜLLE   seiner Jugendlyrik und den Frauengestalten der ersten
DES HER-   Dramen (Amalie in den »Räubern«) die zeitgebotene
ZENS   Rührseligkeit. Überhaupt erscheint die Frau in der
Weichheit ihres Gemüts und Herzens als sanfte, leidende, schmach-
tende, sich aufopfernde »schöne Seele«.

Kunstbeflissene Jünglinge, die in Göttingen studierten, hatten am
12. September 1772 in dem Dorf Weende einen Freundschafts- und
Dichterbund gegründet, indem sie »unter den heiligen Bäumen eines
Eichengrunds« ihren Schwur leisteten. Klopstocks Geist sollte als
Genius über der Vereinigung schweben; 1773 erschien er selbst bei
einer Sitzung. Nach Klopstocks Ode »Der Hügel und der Hain« ga-
ben sie ihrer Vereinigung den Namen »Göttinger Hainbund«. Ihre
Beiträge erschienen im *Göttinger Musenalmanach,* von dem aus eine
Woge der Sentimentalität über die deutschen Lande ging.

> »Dem Kußgelispel ähnlich, wenn Freunde sich
> Umarmen, rausche, Harfe! Du Lindenbaum,
> Geuß dein Geflüster in die Saiten
> Hainings! Er glühe in Wonnetaumel.«

So sang **Ludwig Heinrich Christoph Hölty** (1748–76) aus Hannover,
Sohn eines Pastors, der sich als Theologiestudent dem Hain an-
schloß. Seine von Klopstock beeinflußte Lyrik steht in manchem
noch der Dichtung der Rokoko-Anakreontik nahe; andererseits ist
aber die Mondscheintrunkenheit, die Schwärmerei der Romantik,
schon vorweggenommen. Daneben zeichnen sich seine Gedichte
durch schlicht-einfache Töne aus, durch ein inniges Naturverhältnis
und ein echtes Gottvertrauen:

> »Eine Schale des Harms, eine der Freuden wog
> Gott dem Menschengeschlecht; aber der lastende
> Kummer senket die Schale; immer hebet die andre sich.«

Johann Heinrich Voß (1751–1826) stammte aus einer einst leibeige-
nen Familie in Mecklenburg. Sein Großvater war ein freigelassener
Handwerker. Obwohl er nicht eigentlich zum Kreis der Stürmer und
Dränger gehörte, verschaffte ihm schon seine Herkunft Ansehen und
Geltung bei der jungen Generation.

Voß' Kindheit stand unter harten Entbehrungen, die er aber durch Fleiß überwand. Er wurde zunächst Lehrer in Eutin, später Privatgelehrter in Heidelberg.

Als Dichter trat Voß mit Idyllen hervor, die aus Erfahrungen seiner ländlichen Herkunft gespeist sind. In seiner *Luise* (1783) wechseln breit angelegte Landschaftsschilderungen mit behaglich ausgemalten Szenen bürgerlichen Alltags, beides auf dem Goldgrund einer gemäßigten Rührseligkeit. Wirkten seine Idyllen besonders auf Goethe und das Biedermeier nach, so erschloß er seiner Zeit in seinen Übersetzungen von Homers *Ilias* und *Odyssee* (1781–93) ein neues Verhältnis zur Antike. Daß Homer zum bleibenden – freilich auch sehr schulmeisterlichen – Bildungsgut der Deutschen wurde, ist nicht zuletzt sein Verdienst.

Ebenfalls zum Göttinger Hain gehörten die einander ähnlichen Brüder **Friedrich Leopold** (1750–1819) und **Christian zu Stolberg** (1748–1821), beide mit Goethe befreundet und ihn auf seiner Schweizer Reise begleitend. Geprägt waren sie von der tiefen Frömmigkeit und dem Zusammengehörigkeitsgefühl ihrer Familie und dem Reiz der seeländischen Landschaft (sie wuchsen in Dänemark auf); ihr Dichten war durch die Alten, Ossian, Shakespeare und die Volkspoesie bestimmt.

NACHT-GEDANKEN Neben Freundschaftskult und Liebessehnsucht umschließt die Sentimentalität des Sturm und Drang auch noch die Schwermut, die dem Gedanken an den Tod entstammt.

Seit 1754 die *Night Thoughts* des Engländers Edward Young verdeutscht wurden, tritt melancholische Todesstimmung immer wieder in den Mittelpunkt der Dichtung. Im Gefolge von Thomas Gray (1716–71) entsteht eine Kirchhofspoesie, die – im Gegensatz zu der des Barock – in ihrer Gefühlsbetontheit rührselig wirken will. *Elegie auf einen Dorfkirchhof; – auf einen Stadtkirchhof; – auf einen Vater; – auf ein verstorbenes Bauernmädchen* sind etwa Themen bei Hölty. Todesgesänge schrieb auch Schubart, der schon als Knabe »wie Hölty schauerliche Anwandlungen« hatte und die Gräber seiner toten Freunde und Bekannten besuchte, um »dem schwülen, dumpfen Gefühl seines Herzens unter schwarzen Kreuzen, Totenkränzen und morschen Gebeinen Luft zu machen«.

Am eindringlichsten fängt **Karl Philipp Moritz** (1757–93) in seinem
autobiographischen Roman *Anton Reiser* (5 Bde. 1785–94) die Todesstimmungen des Sturm und Drang ein.

Er will ein Seelengemälde geben, das bis ins Pathologische reicht. Lieblose
Jugend, Armenschule, Fußreisen, schließlich Eintritt in eine Schauspielerge-
meinschaft sind die äußeren Stationen des Lebensweges des Helden. Entscheidend für den Dichter aber ist dessen inneres Werden. Mystik und Pietismus auf der einen, die aufwühlende Lektüre von Shakespeares Dramen und
Goethes »Werther« auf der anderen Seite bestimmen Reisers seelische Depressionen und seine düstere, fatalistische Weltbetrachtung. Er leidet darunter, »daß er einen Tag wie alle Tage mit sich aufstehen, mit sich schlafen
gehen – bei jedem Schritte sein verhaßtes Selbst mit sich fortschleppen mußte«. In seinen Todesspekulationen fühlt er sich Hamlet verwandt: »Er dachte
sich nicht mehr allein, wenn er sich gequält, gedrückt und eingeengt fühlte; er
fing an, dies als das allgemeine Los der Menschheit zu betrachten.«

Moritz hatte mit dieser analysierenden und tiefdringenden Seelenstu-
die den Bereich des Sturm und Drang und seiner häufig sentimentalen, meist ekstatisch manifestierten Gefühlswelt verlassen; er nimmt
romantische Bemühungen vorweg, bricht zudem Bahn für das moderne tiefenpsychologische Seelenverständnis.

DIE KLASSIK

Führt man den Begriff »klassisch« auf seine Wortwurzel zurück, so ergibt sich die Bedeutung von etwas Besonderem, Musterhaftem, ja Einmaligem. In diesem Sinn muß auch die deutsche Klassik verstanden werden. Sie ist nur in einem geringen Maß Rückkehr zur Antike, Versuch einer Renaissance im Rahmen der Nachahmung der Alten, wenn auch **Johann Joachim Winckelmann** (1717–68) und **Wilhelm von Humboldt** (1767–1835) gerade das als Forderung und Aufgabe ihrer Zeit verkündeten.

In der Klassik erscheint der Mensch unter dem Anspruch von Freiheit und Humanität in seiner Gottähnlichkeit, als höchstes der natürlichen Lebewesen, als »schöne Seele«. Nur dort, wo eine solche Auffassung vom Menschen daseinsmäßig erfüllt war, konnte sie in der Dichtung überzeugend und wahrhaftig vertreten werden; die mangelnde Übereinstimmung von Werk und Person hätte das klassische Menschenbild in leeren Formalismus und seichten Optimismus absinken lassen – eine Gefahr, der dann die Klassizisten des 19. Jahrhunderts verfielen. So liegt die Einmaligkeit der Klassik letztlich in der Einmaligkeit ihrer Träger beschlossen: in den Dichtergestalten Goethe und Schiller. Sie haben das, was vor ihnen gedacht, gefühlt, geschaffen und vorbereitet wurde, in sich aufgenommen, erlebt, neu durchdacht, bereichert und neu gestaltet: den Fortschrittsgedanken Lessings, den Schöpfungsglauben Klopstocks, das Harmoniestreben Wielands, den Irrationalismus Hamanns, das Schönheitsideal Winckelmanns, das Humanitätsbewußtsein Herders. Sie haben die Bereiche menschlichen Geist- und Seelenlebens in Höhe und Abgrund durchschritten und in ihrem Humanitätsideal das Gesetz einer absoluten und verbindlichen Sittlichkeit als der Weisheit letzten Schluß erkannt und verkündet. Sie haben der Idee wie dem Ideal in dieser Welt der Wirklichkeiten den Anspruch auf Geltung zurückgewonnen.

Zwei Philosophen beeinflußten dabei das klassische Weltbild entscheidend: **Baruch Spinoza** (1632–77) und **Immanuel Kant** (1724–1804). Das Studium Spinozas hatte Goethe eine Weltordnung gezeigt, in der der Mensch in Demut und Entsagung sowie in der Achtung der Gesetze und Ordnungen seine Aufgabe zu erfüllen habe. Es hat ihn gelehrt, daß die Liebe zum Göttlichen gleichzusetzen sei mit einer streng geistigen wie sittlichen Bemühung, und damit seinen Subjektivismus der Sturm-und-Drang-Zeit erschüttert. Von Kant lernte Schiller, daß der Mensch über seine Neigungen Herr werden müsse, um seiner Pflicht – dem »guten Willen« – zu folgen. Er hatte Schiller den »kategorischen Imperativ« als Maßstab rechten Handelns verkündet: »Handle so, daß du die Menschheit sowohl in deiner Person als in der Person eines jeden anderen jederzeit als Zweck, niemals bloß als Mittel brauchst.« Zugleich aber hatten die philosophischen Studien in Schiller den Wunsch reifen lassen, den Kantschen Dualismus von Pflicht und Neigung, diesen ethischen Rigorismus, der die menschliche Existenz zu spalten drohte, zu überwinden.

JOHANN WOLFGANG GOETHE

Das erste Weimarer Jahrzehnt, 1775–86: Am 7. November 1775 traf
Goethe, der Einladung des Herzogs Karl August folgend, in Weimar
ein. »Nicht eine kleine Stadt, sondern ein großes Schloß«, nannte es
die französische Schriftstellerin Frau von Staël noch 1802. Das Land
war arm, fern der großen Handelswege gelegen, ohne Industrie; Weimar selbst ein ummauertes Landstädtchen mit 6000 Einwohnern.
Dem jungen Juristen Goethe konnte das kein Aufenthaltsort sein,
der besondere Erfolge versprach. Doch schrieb Goethe bereits am
22. Januar 1776 befriedigt an seinen Freund Merck: »Ich bin nun ganz
in alle Hof- und politischen Händel verwickelt und werde fast nicht
wieder weg können. Meine Lage ist vorteilhaft genug, und die Her-
zogtümer Weimar und Eisenach sind immerhin ein Schauplatz, um zu
versuchen, wie einem die Weltrolle zu Gesicht stünde.« Der 26jähri-
ge fand eine begeisterte Aufnahme und stürzte sich in die Amtsge-
schäfte, die ihn als engen Vertrauten und Ratgeber des Herzogs bald
mit allen Fragen des kleinen Landes (vom Unterhalt der Straßen bis
zur Feuerlöschordnung) konfrontierten. Als Beamter trug er mit
Freude eine anstrengende Berufslast, als Freund und Mentor des um
acht Jahre jüngeren Karl August nahm er an dessen ausgelassenen
Vergnügungen teil, versuchte ihn aber auch zu Zurückhaltung, Sparsamkeit und Klugheit zu erziehen. Während sich die junge Herzogin
Louise mangels freier Natürlichkeit sehr zurückhielt und zur Schwermut neigte, bewies die Mutter des Herzogs, Anna Amalia (1739–
1807), die mit zwanzig Jahren bereits Witwe geworden war, viel Sinn
für das geistige Leben. Sie hatte mit kluger Hand bedeutende Geister
an Stadt und Schloß gefesselt (so z. B. Wieland als Erzieher für den
Herzog), die Bibliothek ausbauen lassen und das Theater mitbegrün-
det; nun zeigte sie sich als besondere Gönnerin Goethes. Zusammen
mit ihrem Sohn machte sie Weimar zum geistigen Mittelpunkt
Deutschlands.

Entscheidend für die Entwicklung Goethes wurde die bald aufkeimende Freundschaft und Liebe zu Charlotte von Stein, der Frau des Oberstallmeisters: »Euch verdank ich, was ich bin. / Tag und Jahre sind verschwunden, / Und doch ruht auf jenen Stunden / Meines

WENDUNG ZUR KLASSIK Wertes Vollgewinn«, schrieb Goethe nach 45 Jahren (1820) im Rückblick (wobei das »Euch« auf die Geliebte und Shakespeare sich bezog). Aus diesem Seelenbunde – »Ach, du warst in abgelebten Zeiten / Meine Schwester oder meine Frau« –, der in vielen Gesprächen, Briefen, Gedichten und gemeinsamen Studien seinen Niederschlag fand, erwuchs Goethes neue Welt- und Lebenshaltung. Dem Einfluß der Frau von Stein war es vornehmlich zu danken, daß sich nun die Stürme der Jugend legten und sich jene Verwandlung des Dichters vollzog, an deren Ende der »klassische« Goethe stand. Dessen Dichtertum ruhte auf dem Boden der Pflicht, strengster Berufsmühe, stiller und liebevoller Zuneigung, dauernder Freundschaft. »Der Druck der Geschäfte ist sehr schön der Seele; wenn sie entladen sind, spielt sie freier und genießt das Leben. Elender ist nichts als der behagliche Mensch ohne Arbeit, das Schönste der Gaben wird ihm ekel.«

Goethe beginnt »mit außerordentlicher realistischer Strenge« die Arbeit am *Wilhelm Meister,* er schreibt eine Reihe kleinerer Dramen (u. a. *Die Geschwister*). Bei einer Fahrt zusammen mit dem Herzog in die Schweiz (1779) entsteht der *Gesang der Geister über den Wassern,* wenig später *Grenzen der Menschheit.* Beide Gedichte legen von dem Seelenwandel Goethes Zeugnis ab. *Torquato Tasso* wird begonnen, ebenso die Arbeit an *Iphigenie auf Tauris.* Dabei zeigte sich freilich schon, wie sich Goethe nach der anfänglichen schöpferischen Pause allmählich aus der Enge seiner beruflichen und gesellschaftlichen Verhältnisse heraussehnte und im Süden Befreiung und Lebensweite erhoffte.

Italienische und nachitalienische Zeit, 1786–94: Von einer Badekur, die Goethe zusammen mit dem Herzog, Herder und Frau von Stein nach Karlsbad geführt hatte, machte er sich am 3. September 1786 über den Brenner nach Italien auf. In Verona bestaunte er das Amphitheater, im Museo Maffei begegnete er zum erstenmal der griechischen Kunst; die hellenistischen Grabreliefs deutete er »im seelenhaften Sinn der Güte«: Die völlige Diesseitigkeit des antiken Menschen kenne kein Händefalten, kein Knien, keine Hoffnung auf eine

Auferstehung, nur ein Dasein in der Gegenwart. – Über Bologna, wo er die Raffael-Gemälde der Cäcilia und Agathe bewunderte (seine Iphigenie möge kein anderes Wort sprechen, als es dem Geist dieser Agathe entspreche!), eilte er – alles Mittelalterliche beiseite lassend – nach Rom, wo er vier Monate blieb. »Auch ich in Arkadien« – stellte er als Motto über das Tagebuch, das er nun begann *(Italienische Reise)*. Von Rom fuhr Goethe weiter nach Neapel und Sizilien. In Palermo faßte er den Plan, die Odyssee zu dramatisieren *(Nausikaa*-Bruchstück), im Botanischen Garten glaubte er, die »Urpflanze« gefunden zu haben, den Urtyp alles Pflanzlichen. Wieder in Rom, stellte er im Januar 1787 die Verfassung der *Iphigenie*, im September den *Egmont* fertig. Im Juni 1788 trat er nach ausgiebigen Kunststudien (im Kreise der Maler W. Tischbein, Angelika Kauffmann, Hr. Meyer und des Schriftstellers K. Ph. Moritz) die Heimreise an. Die Weimarer Freunde erkannten, daß er ein anderer geworden war. Goethe selbst gestand: »Ich vermißte jede Teilnahme, niemand verstand meine Sprache.« Der Herzog entband ihn von fast allen Amtspflichten, die Bindungen zu Frau von Stein lockerten sich mehr und mehr. Christiane Vulpius, eine Blumenmacherin (1764–1816), die ihm kurz nach der Rückkehr eine Bittschrift in Sachen ihres schriftstellernden Bruders überreicht hatte, behielt er in seinem Haus. 1789 wurde ihnen ein Sohn, August, geboren.

Goethe widmete sich ganz der Verarbeitung der römischen Erlebnisse *(Römische Elegien)* und seinen naturwissenschaftlichen Studien (die schon 1784 zur Entdeckung des Zwischenkieferknochens beim Menschen geführt hatten). 1789 erscheint *Torquato Tasso,* 1793 *Reineke Fuchs.* 1790 war Goethe nochmals in Italien, um Anna Amalia in Venedig abzuholen. 1792/93 nahm er im Gefolge des Herzogs am 1. Koalitionskrieg und an der Belagerung von Mainz teil *(Die Campagne in Frankreich).* Er begriff die Bedeutung der Weltwende, war aber durch die Gewaltsamkeit der Französischen Revolution erschreckt. Am Abend nach der Schlacht von Valmy sagte er zu den ihn befragenden Offizieren, daß von hier und heute eine neue Epoche der Weltgeschichte ausgehe.

Der Bund mit Schiller, 1794–1805: Goethe hatte Schiller schon 1788 im Haus von dessen späterer Schwiegermutter Frau von Lengefeld kennengelernt. Er hielt sich aber zurück, da er in Schiller immer noch den Dichter des Sturm und Drang sah, sich selbst aber davon längst distanziert hatte. Ein Gespräch in Jena im Sommer 1794 über natur-

wissenschaftliche und naturphilosophische Fragen, seine Mitarbeit
an der von Schiller herausgegebenen Zeitschrift *Die Horen,* vor allem
aber ein Briefwechsel, in dessen Verlauf Schiller eine tiefgreifende
Schilderung von Goethes Wesen und Schaffen gab, festigten die
Freundschaft, über die Goethe später im Rückblick sagte: »Es war
eine Epoche, die nicht wiederkehrt und dennoch auf die Gegenwart
fortwirkt und nicht bloß über Deutschland allein mächtig bleibenden
Einfluß ausübt.« Hinsichtlich Alter, Anlage, Herkunft, Schicksal
und Bildung verschieden, haben beide nur ganz selten zu gemeinsamer Arbeit zusammengefunden – in den *Xenien* etwa, 1797 (Distichen satirischen Inhalts über die damaligen Mißstände der Literatur). Doch war die Polarität ihres Wesens die beste Gewähr für eine
aus echter Zuneigung erwachsende, aus geistigem Verantwortungs-
gefühl stets unverfälscht und ehrlich bleibende gegenseitige Kritik,
die eine gegenseitige Anregung im dichterischen Schaffen einschloß.
»Dem Vortrefflichen gegenüber gibt es keine Freiheit als die Liebe«
(Schiller) – »Gegen große Vorzüge eines andern gibt es kein Ret-
tungsmittel als die Liebe« (Goethe).
Goethe hat damals und später immer wieder betont, daß er Schiller
eine zweite dichterische Schöpfungsperiode verdanke. »Sie haben
mir eine zweite Jugend verschafft und mich zum Dichter gemacht. Sie
haben mich von der allzu strengen Beobachtung der äußeren Dinge
und ihrer Verhältnisse auf mich selbst zurückgeführt; Sie haben mich
die Vielseitigkeit des inneren Menschen mit mehr Billigkeit anzu-
schauen gelehrt« (6. Januar 1798).

Das erste dichterische Werk der anhebenden Periode sind die *Unterhaltungen deutscher Ausgewanderten* (1793), die Novelle erprobend. Im Briefwechsel mit Schiller bemüht sich Goethe um eine neue Kunstlehre für die Dichtung mit lernbaren Gattungsgesetzen. Als weitere Werke entstanden in dieser Zeit: *Wilhelm Meisters Lehrjahre; Die natürliche Tochter; Faust I.* Dazu
entsteht eine Reihe von Balladen, darunter *Der Schatzgräber; Der Zauber-
lehrling; Die Braut von Korinth; Der Gott und die Bajadere; Der König in
Thule; Der Erlkönig.* 1805 starb Schiller. Im *Epilog zur Glocke* hat ihm Goethe ein ergreifendes Denkmal gesetzt und zugleich Rückblick auf die Jahre
der Gemeinsamkeit gehalten.

Der späte Goethe, 1805–32: Nach den Wirren der napoleonischen
Zeit, die 1808 eine Begegnung mit Napoleon zu Erfurt erbrach-

te, von der er mit stupender Objektivität und Ironie berichtete, wurde es einsam um den alternden Goethe. Es starben seine Mutter, Frau von Stein, Christiane, der herzogliche Freund und schließlich der Sohn. Auf einer Rheinreise lernte der Dichter Marianne von Willemer kennen, die als Suleika in den Gedichtzyklus des *West-östlichen Divan* (1814–19) einging. Die Arbeit an *Wilhelm Meisters Wanderjahren* und den *Wahlverwandtschaften,* an dem autobiographischen Werk *Dichtung und Wahrheit* und *Faust II* wurde wiederaufgenommen und beendet. In den Gesprächen mit Eckermann, dem treuen Privatsekretär und Adlatus seiner Spätzeit seit 1823, zieht Goethe das Fazit eines langen, »gelebten Lebens«. Das Goethehaus, in dem er als würdiger Patriarch, als großer geistiger Vertreter des Bürgertums waltete (Thomas Mann sprach von Goethe als dem »Repräsentanten des bürgerlichen Zeitalters«), wurde zum Treffpunkt von Schriftstellern und Künstlern aus aller Welt. Das von Goethe geprägte und mit tiefem Sinn erfüllte Wort von der »Weltliteratur« bekam aber auch dadurch seinen Sinn, daß Goethe unentwegt die Gemeinsamkeit aller künstlerischen Aussagen hervorhob bzw. in seinen Gedanken und Äußerungen sich ständig mit der Dichtung der Welt auseinandersetzte – mit der erweckenden Macht der englischen Literatur, der bildenden Italiens, der formenden Frankreichs, der theatralischen Spaniens, der öffnenden des Fernen Ostens, der sozialisierenden Amerikas. Am 22. März 1832 starb Goethe im Alter von 82 Jahren.

»Der Gedanke an den Tod läßt mich völlig ruhig, denn ich habe die feste Überzeugung, daß unser Geist ein Wesen ist ganz unzerstörbarer Natur; es ist ein Fortwirkendes von Ewigkeit zu Ewigkeit; es ist der Sonne ähnlich, die bloß unseren irdischen Augen unterzugehen scheint, die aber eigentlich nie untergeht, sondern unaufhörlich fortleuchtet«, hatte er noch kurz zuvor an einen Freund geschrieben.

Zusammen mit Charlotte von Stein las Goethe zu Beginn seiner Weimarer Zeit Spinoza, dessen Philosophie und Ethik in ihrer Gelassenheit ihn aus der Chaotik und Zerrissenheit der Sturm-und-Drang-Jahre hinausführte. »Ich fand hier eine Beruhigung meiner Leidenschaften, es schien sich mir eine große und freie Aussicht über die sinnliche und sittliche Welt aufzutun«, berichtet er darüber in *Dichtung und*

KLARHEIT
DES INTEL-
LEKTS

Wahrheit (1811–33). »Die alles ausgleichende Ruhe Spinozas kontra-
stierte mit meinem alles aufregenden Streben, seine mathematische
Methode war das Widerspiel meiner poetischen Sinnes- und Darstel-
lungsweise, und eben jene geregelte Behandlungsart, die man sittlichen Gegenständen nicht angemessen finden wollte, machte mich zu
seinem leidenschaftlichen Schüler, zu seinem entschiedensten Verehrer.«

Für Spinoza ist Gott gleichzusetzen mit der mathematischen Gesetzmäßigkeit, die in der Natur waltet; die Verbindung des Menschen mit Gott ist so des
Persönlichen entkleidet; sie bekommt einen abstrakt wissenschaftlichen
Charakter. In die Göttlichkeit der Natur eindringen zu wollen, heißt: sich
einer streng naturwissenschaftlichen Methode zu befleißigen, deren Klarheit
sich auch im eigenen seelischen Verhalten im Sinne einer Beruhigung, Klärung, Beschränkung niederschlagen muß. Die Liebe zu Gott ist »intellektuelle Reinigung«, amor intellectualis dei.

Damit war in Goethe der Wunsch erwacht, sich in die Welt der Ge-
setzmäßigkeit zu begeben, die »physica zu absolvieren«, um eines
Tages, über die Natur der Dinge hinausgehend, echten Zugang zur
Metaphysik zu gewinnen; Goethe wurde Naturforscher – und wäh-

TYPUS UND
METAMOR-
PHOSE

rend seines ganzen Lebens haben ihn diese Studien,
die sich nacheinander der Chemie, der Anatomie,
Knochenlehre, Pflanzen- und Gesteinslehre, der Geologie, Physik und Optik (*Zur Farbenlehre*, 1810) zu-
wandten, beschäftigt. Über alle Einzelheiten hinweg geht es ihm darum, den in der Natur wirkenden Grundzug, den Urtyp, den Arche-
typ, das »Einzige« in der »Erscheinungen Flucht«, zu erkennen, um
damit dem Wesen Gottes näherzukommen. Typus und Metamorphose sind seine Hauptbegriffe. Typus ist die sinnliche Form einer über-
sinnlichen Kraft der Natur, nach der immer wieder in strenger Gesetzmäßigkeit die gleichen Wesen entstehen; Typus meint die Vorstellung vom Ganzen, den schaubaren Begriff »des« Tieres, »der«
Pflanze. Die Einzelwesen sind untereinander nicht gleich, sondern in
immer neuen Umwandlungen (Metamorphosen) begriffen; das Werden aber vollziehe sich nach den gleichen Leitmotiven, hinter der
Vielfalt bleibe die Einheit spürbar.

In dem Gedicht *Über die Metamorphose der Pflanzen* (1790) hat Goethe seine Gedanken ausführlich dargelegt.

> »Dich verwirrt, Geliebte, die tausendfältige Mischung
> dieses Blumengewühls über den Garten umher...
> Alle Gestalten sind ähnlich, und keine gleichet der andern;
> und so deutet das Chor auf ein geheimes Gesetz,
> auf ein heiliges Rätsel...«

Die Lösung des Rätsels ist hier der Typus der Urpflanze, die Blume »an sich«: »Überall siehst du sie dann, auch in verändertem Zug.« – In dem Aufsatz *Natur,* der Goethes Gedankengänge dieser Zeit nach eigenem Zeugnisse voll wiedergibt (obwohl er wahrscheinlich von dem Schweizer Titus Tobler verfaßt wurde), spiegelt sich die gleiche Ansicht; zugleich ist hier in verstärktem Maße die pantheistische Glaubenshaltung des Dichters ausgedrückt, der sich auch darin auf Spinoza berufen konnte. »Natur! Wir sind von ihr umgeben und umschlungen – unvermögend, aus ihr herauszutreten, und unvermögend, tiefer in sie hineinzukommen... Sie schafft ewig neue Gestalten; was da ist, war noch nie, was war, kommt nicht wieder: alles ist neu und doch immer das Alte.«

Goethes Bemühen um das Typische weist auch der Kunst, im besonderen der Dichtkunst, neue Aufgabenbereiche zu. Sie sollte nicht nur einfache Nachahmung sein, genaues Studium der Gegenstände, sondern »Stil«, d. h. auf den tiefsten Grundfesten der Erkenntnis aufbauen, auf dem Wesen der Dinge, und nicht auf ihrem Erscheinungsbild (*Einfache Nachahmung der Natur, Manier und Stil,* 1787). Da aber Wesensschau, Eindringen ins »Innerste«, für den an Spinoza geschulten Goethe ein Eindringen nach den Regeln strengster Gesetzmäßigkeit bedeutete, hatte auch die Kunst in ihrem »Stilcharakter« strengen Gesetzen zu folgen.

Die Kunstauffassung des Sturm und Drang wird abgetan; die »klassische« Kunst wird verkündet: »Vergebens werden ungebund'ne Geister / nach der Vollendung reiner Höhe streben«, heißt es in *Natur und Kunst.* »Wer Großes will, muß sich zusammenraffen. / In der Beschränkung zeigt sich erst der Meister, / und das Gesetz nur kann uns Freiheit geben.«

Fortan stand Goethes Leben und Wirken unter dem Gedanken des Gesetzes. Das schloß ein, daß der titanische, prome-
GESETZ UND theische Stolz und Trotz des Stürmers und Drängers
DÄMON in sich zusammenbrach. Der Dichter erkannte, daß der Mensch nur ein unbedeutendes Glied im großen Weltengetriebe darstelle, dessen Aufgabe nicht in selbständiger Mitwirkung, sondern in demütiger Bescheidung bestünde.

Schon das Gedicht *Harzreise im Winter* (1777) hatte das Schicksalthema aufgegriffen: Jedem hat Gott den Weg vorgezeichnet; kein Sträuben hilft, die
Schranken sind festgelegt, der »eherne Faden« hält fest. Nach unerforschli-
chem Ratschluß, »geheimnisvoll-offenbar«, lenkt Gott die »erstaunte Welt«;
Trost wie Schmerz, Leid wie Glück fließen aus seiner Hand.

In *Grenzen der Menschheit* (1781) hatte der Dichter seinen »Prometheus«
rückgängig gemacht. Nicht mehr »den Göttern gleich«, küßt nun der Mensch
Gott den »letzten Saum seines Kleides / kindliche Schauer / treu in der Brust«.
Der Versuch, den Menschen selbst in den Mittelpunkt allen Seins zu rücken,
von dem der jugendliche Dichter ausgegangen war, endet in strenger Unterwerfung:

> »Denn mit Göttern
> soll sich nicht messen
> irgend ein Mensch.«

Das Bekenntnis zum Gesetz, zum unausweichlichen Schicksalscha-
rakter allen Geschehens, die damit verbundene Zurückdrängung der
eigenen Person, die Absage an jeden Subjektivismus waren Goethe
nicht leichtgefallen. Zu sehr widersprachen sie dem »Dämonischen«
seiner Seele, dem »Genialischen« seines Dichtertums. Nun erfährt er
im Beruf wie in der Verbindung zur Frau von Stein die Bedeutung des
Maßhaltens. »Alles ruft uns zu, daß wir entsagen sollen«, schreibt er
rückblickend in »Dichtung und Wahrheit« über diese Zeit. *Torquato
Tasso,* 1780 begonnen, 1789 beendet, wird zum dichterischen Ausdruck des inneren Kampfes. »Ich hatte das Leben Tassos, ich hatte
mein eigenes Leben, und indem ich zwei so wunderliche Figuren mit
ihren Eigenheiten zusammenwarf, entstand mir das Bild des Tasso,
dem ich als prosaischen Kontrast Antonio entgegenstellte.«

Torquato Tasso lebt am Hof des Herzogs von Ferrara; er ist hochangesehen,
besitzt im besonderen die Gunst der Frauen. Tasso verehrt die Prinzessin
Leonore schwärmerisch; er findet sein höchstes Glück, als diese ihn nach der
Überreichung des fertigen Epos »Das befreite Jerusalem« mit einem Lor-
beerkranz krönt. Doch hält das Glück nicht an. Antonio, der Staatssekretär
des Herzogs, tritt in den Kreis. In allem das Gegenbild zu dem genialischen,
aber subjektiv übersteigerten Tasso, entwickelt sich eine Rivalität zwischen
beiden, bei der der Weltmann dem Dichter mit dem Anspruch segensreicher
Tätigkeit entgegentritt: »Was gelten soll, muß wirken und muß dienen.« Es
kommt zum Streit. Der Herzog schlichtet und verhängt über Tasso, der den
Degen gezogen hatte, Zimmerarrest. Auch Antonio wird getadelt, aber während dieser die Rüge mit Beherrschung und Einsicht erträgt, rast jener gegen
sein Geschick und steigert sich in immer neue Wutausbrüche hinein. Aus der

Haft entlassen, will Tasso vom Hof weggehen; er reißt Leonore in stürmischer Umarmung an sich, die über diesen leidenschaftlichen Ausbruch entsetzt ist und zusammen mit ihrem Bruder überstürzt abreist. Zuletzt klammert sich Tasso an Antonio und an seine Dichtkunst: »Und wenn der Mensch in seiner Qual verstummt, / gab mir ein Gott zu sagen, was ich leide.«

Die Tragik des Geschehens besteht darin, daß Tasso nur Dichter, Antonio nur »Weltmann« ist – »die darum Feinde sind, weil die Natur nicht einen Mann aus ihnen beiden formte«. Tasso ist ein »gesteigerter Werther«, erfüllt von der Sehnsucht nach einer Frau, die für ihn unerreichbar ist, ein Mensch von schrankenloser Phantasie und hemmungsloser Ich-Bezogenheit; er versteht es nicht, ein Verhältnis zur Wirklichkeit zu gewinnen, Menschen und Dinge so zu nehmen, wie sie sind. Sein egozentrisches Hochgefühl führt zu Größenwahn, Neid, Mißtrauen, Eifersucht, Verfolgungsangst; Verletzung der Sitte ist die Folge seiner Wirklichkeitsferne. »Erlaubt ist, was gefällt«, ruft er in seiner Maßlosigkeit der Prinzessin zu. »Erlaubt ist, was sich ziemt«, antwortet diese. – Um größte Objektivität bemüht, neigt Goethe dennoch einer Verurteilung Tassos zu: Auch der Künstler hat die Verpflichtung zur geistig-sittlichen Bildung, die in der Unterordnung, im Maßhalten und in der Anerkennung der Gesetze sich erweist; das Genie muß sich beschränken, damit Humanität entstehe; die »Natur« muß durch Erziehung dazu gebracht werden, sich mit »echter Weltvernunft« zu vermählen, Führerin auf diesem Weg ist die »edle Frau« (Leonore zeigt Züge der Frau von Stein): »Nach Freiheit strebt der Mann, das Weib nach Sitte.« Doch Antonio ist nicht einfach Sieger in dem Wettstreit. So sehr er augenblicklich überlegen erscheint, seine Schwächen werden gleichermaßen deutlich. Goethe läßt beide Lebensformen als möglich bestehen; es gibt keine Synthese, alles bleibt in der Schwebe. Nach einem Wort Hugo von Hofmannsthals zeigt sich darin die Widersinnigkeit der Welt, die zu schmerzlichem Genuß einlädt.

»Tasso« scheint einen Wendepunkt in Goethes Entwicklung zu bedeuten: Der »Stürmer und Dränger« ist zum »Klassiker« geworden; doch taucht der Problemgehalt des Dramas – Genuß oder Entsagung, Leidenschaft oder Gesetz, Willkür oder Maß, Genie oder Begrenzung – auch in späteren Werken immer wieder auf. Wie zumeist bei Goethe sind dabei persönliche Erlebnisse Anlaß und Ausgangspunkt der Dichtung.

Die Begegnung mit der jungen und geistreichen Marianne Jung (nach ihrer Verheiratung: von Willemer), September 1815 (»Noch einmal Frühlingshauch und Sommerbrand...«), führt zu dem Wechselgesang der Gedichte im *West-östlichen Divan* (1819), in denen gebändigte Leidenschaft und schmerzliches Entsagen ihren Ausdruck finden.

Auch die Begegnung mit der jungen Ulrike von Levetzow in Marienbad 1823 läßt den alten Goethe am Ende seines Lebens wieder die Tasso-Situation erleben. So ist der Marienbader *Elegie* (1823) das Wort vorangestellt: »Und wenn der Mensch in seiner Qual verstummt, / gab mir ein Gott zu sagen, was ich leide.« Im leidenschaftlichen Ausbruch des Schmerzes gipfelt das Gedicht: »Mir ist das All, ich bin mir selbst verloren, / der ich noch erst den Göttern Liebling war«; doch bleibt die Kunst, durch die der Aufruhr der Gefühle seine Bändigung erfährt; durch das »Sagen« wird die Qual wenn auch nicht überwunden, so doch gebannt.

Distanzierter, abstrakter, mehr gelöst vom eigenen Erleben hat Goethe seiner Überzeugung von der Notwendigkeit der Unterordnung und des Maßhaltens in dem Roman *Die Wahlver-* GESETZ UND *wandtschaften* (1809) und in dem Drama *Die natürliche* NATUR *Tochter* (1803) Ausdruck gegeben. Das zeigt sich bis in den Stil hinein, der – im Gegensatz zur lyrischen Aussage – in der »Marmorkälte« der Zurückhaltung zu erstarren droht.

Eduard (»so nennen wir einen reichen Baron im besten Mannesalter«), der Held des Romans »Die Wahlverwandtschaften«, ist mit seiner einstigen Jugendliebe Charlotte verheiratet. Er lädt einen ihm befreundeten Hauptmann aufs Gut; Charlotte nimmt ihre Nichte, die schöne Ottilie, ins Haus. Der Baron entflammt für Ottilie, der Hauptmann faßt eine tiefe Zuneigung zu Charlotte. Aber während diese ihrer Leidenschaft zu entsagen wissen, da ihnen das Gesetz der Ehe höher erscheint als ihr persönliches Glück (»Unauflöslich muß die Ehe sein, denn sie bringt so vieles Glück, daß alles einzelne Unglück dagegen gar nicht zu rechnen ist«) – verstricken sich jene immer mehr in der Leidenschaft. Durch unselige Umstände fällt das Kind Charlottens, mit dessen Wartung Ottilie betraut ist, in den See und ertrinkt. Nun erkennt Ottilie ihre Schuld und beschließt, auf Eduard zu verzichten; sie stirbt; der Baron folgt ihr bald nach.

Auch der Mensch ist »Natur« – »Wahlverwandtschaften« ist ein Begriff aus der Chemie, der von der Lösung und Bindung gewisser Elemente spricht; doch steht dem »physischen Teil« des Menschen die Macht des Geistigen, das Ethische, gegenüber. Wer sich – wie Eduard und Ottilie – den »natürlichen Leidenschaften« überantwortet,

mißachtet die eigene Persönlichkeit, die im Sittlichen, in der Achtung
und Wahrung der »Gesetze«, beruht. Der Mensch vermag das »Un-
mögliche« und das »Übernatürliche«: Kraft seines freien Willens löst
er den Widerstreit zwischen Neigung und Pflicht durch den sittlichen
Akt der Entsagung.

In dem Schauspiel »Die natürliche Tochter« ist Eugenie das uneheliche Kind
des Herzogs, der sie nach dem Tod seiner Gattin anerkennen und in die königlichen Kreise einzuführen gedenkt. Der Plan scheitert an den Intrigen des
Bruders und seiner Clique. Eugenie wird entführt und soll auf eine ferne
Insel gebracht werden; dem Vater wird ihr Tod vorgetäuscht. Die Heirat mit
einem »Bürgerlichen«, einem »edlen Gerichtsrat«, und der damit vorgenommene Verzicht auf die hohe Abkunft bannen die unmittelbar drohende Gefahr. Eugenie hofft, eines Tages aus der Verborgenheit ihrem Vaterlande,
dem ein Umsturz droht, helfen zu können. Nach Goethes Plänen sollte das
Stück den ersten Teil einer Trilogie darstellen, die er über die Ereignisse der
Französischen Revolution zu schreiben gedachte.

Eugenie steht als die Verkörperung rührender Reinheit vor uns – in-
mitten einer Welt, die aller Gesetze der Sittlichkeit spottet und so
        ihrem moralischen wie physischen Untergang zutreibt.
GESETZ UND Zugleich aber ist in ihr die Hoffnung auf Rettung ver-
GESCHICHTE körpert, denn – dies war die Grundüberzeugung Goe-
        thes – nur durch Entsagung und Maßhalten, auf dem
Wege der Evolution, nicht des gewaltsamen Umsturzes, könnten die
herrschenden Zustände gebessert werden; wie im »Tasso« und in den
»Wahlverwandtschaften« ist eine »edle Frau« ausersehen, Erzieherin
des Menschengeschlechts zu werden.

    Damit ist auch Goethes Haltung zur Französischen Revolution um-
rissen. So sehr er über die Korruption und Verworfenheit des Ancien
régime entsetzt war, so streng lehnte er auch den gewaltsamen Umsturz und die Aufhebung aller gesetzlichen wie moralischen Schranken ab, die im Gefolge des Aufruhrs sich bemerkbar machten. Anarchie war ihm ein Greuel, weil ihr das Verständnis für das Ganze und
der Sinn für lebenserhaltende Ordnung fehle. »Anmaßung, Mißmut
und törichter Wahn« dürften den Gutgesinnten nicht die Erde ver-
leiden.

Dichterisch hat Goethe die Revolutionswirren (außer in der »Natürlichen
Tochter« und dem Epos *Reineke Fuchs* [1794]) zum Anlaß einer Reihe von

satirischen Spielen genommen: *Der Groß-Cophta* (1791); *Die Aufgeregten* (1793); *Der Bürgergeneral* (1793).

In *Hermann und Dorothea* (1798) ragt die Revolution als dunkler Hintergrund ins Geschehen, als drohende Gefahr für eine in Zucht und Ordnung, Hierarchie und Gesetzesachtung glückliche Welt. Es war hier Goethes Absicht, »das rein Menschliche der Existenz in einer kleinen deutschen Stadt und zugleich die großen Bewegungen und Veränderungen des Welttheaters aus einem kleinen Spiegel zurückzuwerfen«.

Im Mittelpunkt des Epos, dessen Form (Hexameter) Homer nachgebildet ist, steht die wohlhabende Bürgerfamilie des Löwenwirts, dessen Sohn Hermann den in der Nähe vorbeiflutenden, vor den französischen Heeren flüchtenden Menschen Hilfe und Unterstützung bringen will. Er lernt dort Dorothea kennen und wirbt sie als Magd für die Eltern an; in rasch aufflammender Liebe führt er jedoch das Mädchen als Braut ins väterliche Haus ein.

Der Ordnung des bürgerlichen Lebens (Wohlstand des Vaters, Gehorsam des Sohnes, Erfahrenheit des Pfarrers, Bedächtigkeit der Mutter) entspricht die Ordnung der Vertriebenen, die vom Richter geleitet werden und so ihren Auszug ohne Chaos und Panik vollziehen:

»Denn der Mensch, der zur schwankenden Zeit auch schwankend gesinnt ist,
der vermehret das Übel und breitet es weiter und weiter;
aber wer fest auf dem Sinne beharrt, der bildet die Welt sich.«

Die gleiche Beherrschtheit prägt auch das Verhalten der Liebenden. Für sie gilt das Wort aus dem »Tasso«: »Erlaubt ist, was sich ziemt.« Keine Stelle kann das besser deutlich machen als die Szene, da Dorothea, die Geliebte, auf dem Wege zu Hermanns Eltern strauchelt und hinzufallen droht:

» ... sie sank ihm leis auf die Schulter,
Brust war gesenkt an Brust und Wang' an Wange. So stand er,
starr wie ein Marmorbild, vom ernsten Willen gebändigt,
drückte nicht fester sie an, er stemmte sich gegen die Schwere.
Und so fühlt' er die herrliche Last, die Wärme des Herzens
und den Balsam des Atems, an seinen Lippen verhauchet,
trug mit Mannesgefühl die Heldengröße des Weibes.«

Wieder drängt Goethe das Individuelle der Erscheinung seiner Personen zurück, um das Typische des Menschen zu zeigen, das Bleibende in der Begegnung von Mann und Frau. Zur lebenserhaltenden Ordnung gehören auch Anstand und Sitte. Die Brunnenszene verdeutlicht noch ergreifender die Hintergründigkeit des Werkes: Die beiden jungen Menschen sind auf der Hut vor der Leidenschaft. Sie überlassen sich nicht ihrem begehrenden Verlangen, sondern zeigen in ihren Regungen und Gefühlen Verhaltenheit. Der Verzicht auf spontane Leidenschaftlichkeit zielt nicht auf philiströses Spießertum, das Goethe in der Gestalt des Apothekers andeutet, sondern soll zeigen, wie sich aus der Sicherheit eines unverwirrten Gefühls heraus das Leben meistern läßt. Voraussetzung dazu ist die Reinheit, die nicht alles begehrt, was gut und schön erscheint, sondern nur das dem einzelnen Gemäße zu ergreifen trachtet. Das meint der Pfarrer, wenn er vom Geheimnis des rechten Augenblicks spricht: »Der Augenblick nur entscheidet / über das Leben des Menschen und über sein ganzes Geschicke.« Der Glaube an die verläßliche Stimme im Herzen ist wichtiger als alles Bedenken und Planen, es ist der Glaube an reine Menschlichkeit, Humanität, wie sie sich auch bei Iphigenie findet.

Ist die eine Wesenskomponente des »klassischen Goethe« mit Maß, Gesetz, Ordnung zu umreißen, so ist die zweite, jene umschließend, die Humanität. Menschlichkeit ist dabei freilich nicht Besitz – wie etwa Herder meinte (»höchste Blüte der natürlichen Entwicklung«), sondern stets neu zu erkämpfendes Ziel eines oft sehr schweren Bemühens. Sie leuchtet am reinsten auf im Augenblick der Begegnung mit dem Du. Im Rahmen des Humanitätsstrebens bewegen Goethe drei Grundgedanken, die er in Werk und Leben zu verwirklichen und für die Erziehung der Menschen zusammen mit Schiller, wenn auch in anderer Weise, nutzbar zu machen suchte: die Idee der Schönheit (in der »Griechenlandsehnsucht« verkörpert), die Idee der Harmonie (durch west-östliche Begegnung gefördert), die Idee der Sozietät (in der neuen Welt Amerikas symbolisiert). Dementsprechend gipfelt Goethes klassisch-humanitäres Schaffen in der »Iphigenie«, im »West-östlichen Divan«, in »Wilhelm Meisters Wanderjahren«.

DAS STREBEN NACH HUMANITÄT

Leitbild für den neuen »schönen Menschen« war der antike Mensch, vornehmlich der Grieche. Darin war die Klassik vorbereitet durch die Aufklärung (schon Wieland hatte seiner Zeit die

DAS LEIT-
BILD DES
SCHÖNEN
MENSCHEN

»schöne Seele« zum Ziel gesetzt). **Johann Joachim Winckelmann** (1717–68) hatte beim Studium griechischer Kunstwerke (*Gedanken über die Nachahmung der griechischen Werke in der Malerei und Bildhauerkunst*, 1755) das Ideal der neuen Epoche angezeigt und vorweggenommen:

»Das allgemeine vorzügliche Kennzeichen der griechischen Meisterstücke ist ... eine edle Einfalt und eine stille Größe, sowohl in der Stellung als auch im Ausdrucke. So wie die Tiefe des Meeres allezeit ruhig bleibt, die Oberfläche mag noch so wüten, ebenso zeigt der Ausdruck in den Figuren der Griechen bei allen Leidenschaften eine große und gesetzte Seele.«

Winckelmann forderte zur Nachahmung der Griechen auf: »Der einzige Weg für uns, groß, ja wenn es möglich ist, unnachahmlich zu werden, ist die Nachahmung der Alten.« – Für Goethe war »die antike Natur in Winckelmann wieder erschienen« (*Winckelmann und sein Jahrhundert*, 1805). Dessen mehr aufs Formale zielende Überlegungen wandelten sich bei ihm in eine neue Auffassung von der Kunst. Von vornherein wurde von ihm der Begriff der Schönheit in Fortführung des Ideals der Kalokagathia begriffen als der Bund »aller Vollkommenheiten und Tugenden«: »Der Gott war zum Menschen geworden, um den Menschen zum Gott zu erheben.«

Damit hatte sich Goethe eindeutig zur seelischen Schönheit bekannt, zur Idee der schönen Seele, und nicht – was die Entartung des Klassischen ins Klassizistische bedeutet hätte – zum Idol des schönen Körpers. Freilich hatte auch Goethe auf seiner italienischen Reise, die ihm Erlösung aus der kalten und öden Welt des Nordens bedeutete, zeitweise einseitig im Sinnenglück »Antikes« zu finden erhofft. Die Liebe verlor so ihren sittlichen Halt, wenn sie auch durch sinnliche Offenheit, heidnischen Frohsinn und unbeschwertes Genießen bestach (*Römische Elegien*, 1788).

Höhepunkt der Griechenlandsehnsucht Goethes und des in ihrem Zeichen stehenden Humanitätsstrebens ist das Schauspiel *Iphigenie auf Tauris* (1776 konzipiert, im Frühjahr 1779 in einer ersten Prosafassung niedergeschrieben und aufgeführt, 1786/87 in seine endgültige Form – mit fünftaktigen Jamben – umgegossen). Goethe folgt dem griechischen Mythos, wie er von Euripides gestaltet worden war, formt ihn aber im Hinblick auf das Ende entscheidend um.

ZWISCHEN
UNS SEI
WAHRHEIT

Iphigenie, Tochter Agamemnons, ist durch Diana vor der Opferung, die ihr vom Vater und den Griechen auf göttliches Geheiß drohte, gerettet und nach Tauris entführt worden. Dort wirkt sie als Priesterin der Göttin. Sie hat viel Gutes stiften und die Menschenopfer abschaffen können. Aber ihr Heimweh (»Das Land der Griechen mit der Seele suchend«) bleibt. König Thoas von Tauris will Iphigenie als Gattin gewinnen; sie sucht durch allerlei Ausflüchte, schließlich durch das Bekenntnis ihrer unseligen Herkunft, ihn davon abzubringen. Da werden zwei Fremde gefangen; sie sollen von der Priesterin auf Befehl des Thoas, der über Iphigeniens Weigerung aufgebracht ist, wieder als Menschenopfer der Göttin dargebracht werden. Es stellt sich heraus, daß sie Griechen, ja Iphigeniens Bruder Orest und dessen Freund Pylades sind. Orest hatte Klytaimnestra, seine Mutter, und deren Buhlen umgebracht; seither irrt er, dem Wahnsinn nahe, umher; er kann den Fluch, der auf ihm lastet, nur dadurch lösen, daß er »die Schwester, die an Tauris' Ufer im Heiligtume wider Willen lebt«, nach Griechenland zurückbringt. Er mißversteht das Orakel, indem er in der »Schwester« das in Tauris befindliche Götterstandbild der Diana, Apollons Schwester, vermutet. Die Geschwister erkennen sich; Iphigenie wird zunächst zur Mitwisserin und Helferin des geplanten Tempelraubes. Doch bringt sie es schließlich nicht über sich, Thoas, der sie wie ein Vater behandelt hat, zu betrügen. Sie gesteht ihm den Betrug – und bewegt ihn dazu, alle in Frieden ziehen zu lassen.

Griechentum und Barbarentum stehen sich in dem Drama gegenüber. Iphigenie ist – obwohl furchtbare Geschehnisse das Schicksal ihrer Familie bestimmten (sie ist aus »Tantalus' Geschlecht«) – in ihrem Wesen die Verkörperung der Stille und Einfalt, der Ruhe und Klarheit, der Güte und Wahrhaftigkeit, die die wahre Menschlichkeit ausmachen. Ihr gegenüber steht Thoas, der Barbar, den jedoch der Einfluß ihres Menschentums zu Besserem und Schönerem hinführt: das fremde Ufer, das »jedem Fremden sonst voll Grausen war«, wird »hold und freundlich«. Der Konflikt entsteht, als Thoas Iphigenie zur Gattin machen möchte und Orest, vom Wahnsinn erfaßt, in den Bezirk wirkender Menschenliebe einbricht. Er ist von den Furien gehetzt – »es ist der Weg des Todes, den wir treten«. Er ist der »Geworfene«, von den Göttern Verlassene. Aber als er sich zur sittlichen Tat der Wahrhaftigkeit Iphigenie gegenüber bekennt (»Zwischen uns sei Wahrheit«) und ihr alles gesteht, wird er durch Iphigeniens Vertrauen geheilt. Iphigenie aber gerät nun ihrerseits in die entscheidende Krisis ihres Lebens: Sie steht zwischen der Liebe zum Bruder, den sie retten muß, und der Verehrung zu Thoas, den sie nicht betrügen will. Ein zweites Mal bringt die Wahrheit die Lösung: Iphigenie gesteht

nun dem König alles (»Es wird ein heimlicher Betrug geschmie-
det . . .«). Zugleich aber legt sie durch ihr menschliches Handeln auch
ihm das Gebot zur Menschlichkeit auf: »Wenn / ihr wahrhaft seid, wie
ihr gepriesen werdet, / so zeigt's durch euern Beistand und verherrlicht / durch mich die Wahrheit!« Aus der festen Überzeugung von der
Macht der Offenheit und Güte heraus wagt sie zu Thoas zu sagen:
»Verdirb uns – wenn du darfst.« Ihr Vertrauen weckt auch in ihm
Güte und Vertrauen, und er ringt sich zu seinem menschlich-ergrei-
fenden »Lebt wohl!« durch.

»Ganz verteufelt human« nannte Goethe sein Werk selbst. Es ist im Bereich
des Idealismus angesiedelt und zeigt uns eine Welt, die fern von jeder Wirklichkeit liegt. Der Gegensatz Grieche und Barbar ist nur ein scheinbarer:
Thoas steht auf dem gleichen sittlichen Boden wie Iphigenie; die »alles versöhnende Menschlichkeit« wandelt die Welt zur Theodizee. Aber gerade diese Wirklichkeitsferne macht das Drama zum weiterweisenden, heute noch
genauso aktuellen Aufruf: Wo Menschen zusammenkommen und zusammenleben, muß das Streben nach Wahrhaftigkeit ein Anliegen bleiben, das
sich über jedes Nützlichkeitsdenken erhebt. Nur so kann der Mensch aus den
Verstrickungen des Irrtums, der Bosheit und Brutalität, aus dem harten Le-
benskampf sich herauslösen, seine Natur und die Fesseln der Natur überwinden und das eigentlich Göttliche über sich erkennen und in sich verwirklichen: »Edel sei der Mensch, / hilfreich und gut! / Denn das allein / unterscheidet ihn / von allen Wesen, / die wir kennen« (*Das Göttliche,* 1783).

Die Menschlichkeit, wie sie Goethe an Iphigenie zeigt, ist freilich
letztlich nicht antik, sondern christlich; ihr Seelenton – die heilende
Kraft von Reinheit, Stille und Güte – hat auch die Sprache, besonders
den Jambenfluß der italienischen Bearbeitung, geprägt.

Völkerkundliche und literarische Studien hatten Goethe an die
Welt des Orients herangeführt. Die Liebe zu Marianne
von Willemer hatte dieser Beschäftigung eine persönliche Erlebnisgrundlage verliehen. So entstanden in den
Jahren 1814–19 die Gedichte des *West-östlichen Divan,* zu denen auch die Geliebte Verse beisteuerte.

GEBORGEN-
HEIT IN
GOTT UND
WELT

Die zwölf Bücher des »Divan« (= Versammlung) sind aufeinander abgestimmt: Buch des Sängers, Buch Hafis, Buch der Liebe, Buch der Betrachtungen, Buch des Unmuts, Buch der Sprüche . . . Sie beschäftigen sich vornehmlich mit religiösen und philosophischen Fragen; doch kehren sie auch

immer wieder zu einem Zwiegespräch zwischen Hatem oder Hafis (Goethe) und Suleika (Marianne) zurück.

Das Humanitätsgefühl des »Morgenlandfahrers« Goethe schließt vieles seiner »griechischen« Zeit mit ein; doch erhalten die Vorstellungen vom Göttlichen wie die Beurteilung der menschlichen Persönlichkeit nun andere Umrisse. Die Harmonie der Welt wird im »West-östlichen Divan« als Polarität von Ost und West erlebt. Vorrecht und Anspruch der abendländisch-griechischen Kultur gegenüber dem Barbarentum und der damit verknüpfte Bekehrungs- und Bekenntniseifer weichen einer objektiv erfaßten Weltenfülle:

> »Gottes ist der Orient!
> Gottes ist der Okzident!
> Nord- und südliches Gelände
> Ruht im Frieden seiner Hände.« *(Ta ismane)*

Das aus dem Erlebnis der coincidentia oppositorum (Zusammenfall der Widersprüche in der letzten Wahrheit) entspringende Glücksgefühl ist mystischer Art: »Zwischen oben, zwischen unten / Schweb ich hin zu muntrer Schau«, heißt es in *Schwebender Genius über der Erdkugel;* es ruht in der Geborgenheit einer Mitte, in der die Wirrungen des Lebens zur Ruhe kommen. »Und alles Drängen, alles Ringen / Ist ewige Ruh in Gott dem Herrn.« (*Zahme Xenien*)

In jeder Vielfalt des Kosmischen wie Irdischen, Kleinen wie Großen, Persönlichen wie Unpersönlichen spiegelt sich ein »Gleiches«, »Allgegenwärtiges«, »Gleichbleibendes«: das Göttliche – im Sinnbild der Geliebten.

> »In tausend Formen magst du dich verstecken,
> Doch, Allerliebste, gleich erkenn' ich dich;
> Du magst mit Zauberschleiern dich bedecken,
> Allgegenwärtige, gleich erkenn' ich dich.«

Für den Menschen erhofft sich Goethe aus der Zuwendung zum Orient neue Jugend, Wiedergeburt – ex oriente lux –:

> »Nord und West und Süd zersplittern,
> Throne bersten, Reiche zittern,
> Flüchte du, im reinen Osten

Patriarchenluft zu kosten!
Unter Lieben, Trinken, Singen
Soll dich Chisers Quell verjüngen.« *(Hegire)*

Diese Verjüngung schließt die heitere, anmutige Harmonie von Seele
und Sinnlichkeit ein. Das Ideal der Kalokagathia wird unter östli-
chem Vorzeichen neu verkündet. Goethe meint ein natürliches, ver-
standesfernes, unausgeklügeltes Genießen in dieser »schönsten und
besten aller Welten«: »... und sich nicht den Kopf zerbrechen... will
mich unter Hirten mischen, / an Oasen mich erfrischen... will in Bä-
dern und in Schenken, / heil'ger Hafis, dein gedenken...« Die Verjüngung gipfelt im Erlebnis der Persönlichkeit: »Höchstes Glück der
Erdenkinder / Sei nur die Persönlichkeit.«

Persönlichkeit ist allerdings für Goethe nun vornehmlich nicht
mehr geprägt durch die Kraft und Freiheit geistig-sittlicher Entscheidung, durch die Erringung und Bewahrung eines »Standpunktes«, sie
ist fließend (panta rhei), Natur, Metamorphose: »Alles könne man
verlieren / Wenn man bliebe, was man ist.« Doch ist dieses ständig
Sich-Verwandeln auf der anderen Seite auch ein Kreisen um den göttlichen Mittelpunkt, der Wechsel ist im Zentrum Einheit. Dem mystischen Mittelpunkt der Welt entspricht ein mystischer Mittelpunkt der
Person, der nicht fixierbar, aber erlebbar, dessen Ortung nicht durch
Klugheit, wohl aber durch Weisheit erfolgen kann. In dem Gedicht
Selige Sehnsucht haben das Weltbild und die Lebensauffassung, die
Goethe im »West-östlichen Divan« vertritt, am Bild des Schmetter-
lings ihr tiefsinnigstes Symbol gefunden. Er kreist um die Flamme,
wird von ihr angezogen und verbrennt in ihr, um zu neuer höherer
Gestalt aufzusteigen:

»Keine Ferne macht dich schwierig,
Kommst geflogen und gebannt,
Und zuletzt, des Lichts begierig,
Bist du, Schmetterling, verbrannt.«

Zugleich aber legt die letzte Strophe des Gedichts noch einmal ein
Bekenntnis ab zu der Wirkungsmöglichkeit und Wirkungspflicht des
Menschen im Hier und Jetzt:

»Und solang' du das nicht hast,
Dieses: Stirb und werde!

Bist du nur ein trüber Gast
Auf der dunklen Erde.«

Damit klingt auch die dritte Saite von Goethes Humanitätsideal an:
seine Vorstellung von der menschlichen Sozietät. Es gehe nicht dar-
BILDUNG um, in der Welt auszuhalten, sie durchstehen und
ZUR GE- überstehen zu wollen, Mensch gegen den Menschen zu
MEINSCHAFT sein; es gelte vielmehr, Mensch inmitten der Menschen
zu sein: Gast. Der etymologische Bedeutungswechsel
dieses Wortes von Feind zu Fremdling und Gastfreund mag Sinnbild
sein für die Aufgabe des Menschen, sich vom Menschenfeind zum
Menschenfreund zu wandeln. So gipfelt für den alten Goethe die Bildung des Menschen in dem Bekenntnis zur Gemeinschaft.

Der großangelegte, erst 1829 beendete Bildungsroman *Wilhelm Meisters
Lehr- und Wanderjahre* hat Goethe von früh an beschäftigt (seit 1776). Die
Wandlungen der goetheschen Persönlichkeit, die Vielschichtigkeit und Viel-
strebigkeit seines Lebens spiegeln sich in ihm. Die Handlung, bei der ur-
sprünglich an eine Auseinandersetzung mit dem zeitgenössischen Theater
gedacht war *(Wilhelm Meisters theatralische Sendung),* weitete sich und sollte
Gefäß werden für einen Kosmos von Gefühlen und Gedanken. Nur der
Hauptstrang des Geschehens kann somit gezeigt werden.

Wilhelm Meister ist der Sohn eines wohlhabenden Kaufmanns. Er schlägt
jedoch nicht die ihm vom Vater zugedachte bürgerliche Laufbahn ein, sondern geht zur Bühne, was er sich von frühester Kindheit an gewünscht hatte.
In einer Schauspielertruppe vergehen seine beruflichen wie persönlichen
Lehrjahre. Wirrungen, Intrigen, Liebschaften (Mariane, Philine), geheimnisvolle Begegnungen und Ereignisse (der Harfner, Mignon) enden damit,
daß ihm unter allerlei Zeremonien ein Lehrbrief ausgestellt wird. In Natalie
findet er eine Braut und eine neue Mutter für den Jungen, den er von der
inzwischen verstorbenen Mariane besitzt (*Wilhelm Meisters Lehrjahre,*
1795/96).

Mit seinem Sohn, Felix, zieht Wilhelm dann auf Wanderschaft *(Wilhelm
Meisters Wanderjahre)*. Ein ihm von der »Gesellschaft des Turmes«, einer
geheimnisvollen, freimaurerähnlichen Gemeinschaft, auferlegtes Gelübde
zwingt ihn, nie länger als drei Tage unter einem Dach zu verweilen; so erfährt
er die Welt in ihrer ganzen Fülle und Weite. Vielerlei Schicksale, oft recht
geheimnisvoller Art, kreuzen seinen Weg. Felix wird zur Erziehung in die
»Pädagogische Provinz« gegeben. Er findet dort Gelegenheit, sich in allen
Künsten zu üben, und wird zu den »drei Ehrfurchten« erzogen. Wilhelm
zieht weiter und trifft auf eine seltsame Versammlung, in der jeder ein Handwerk beherrschen muß; er selbst bildet sich zum Wundarzt aus. Alte Freunde

erscheinen; auch sie haben ein Handwerk gelernt. Die Gesellschaft will in die Neue Welt auswandern, und nur der darf sich anschließen, der sich als nützlich erweist. »Eilen wir deshalb schnell ans Meeresufer und überzeugen uns mit einem Blick, welch unermeßliche Räume der Tätigkeit offen stehen, und bekennen wir schon bei dem bloßen Gedanken uns ganz anders aufgeregt.«

Die Bildung Wilhelm Meisters besteht letztlich in der Wandlung vom Individuum zum Glied der Gemeinschaft; nur dadurch werde der Mensch voll Mensch, nur so verwirkliche er sich. Für den Goethe des Sozietäts-Ideals war das Individuum eine Idee, Gemeinschaft aber eine Realität; Kunst wurde ihm immer mehr zum ästhetischen Schein; praktische Tätigkeit galt ihm als die eigentliche Aufgabe des Menschen: »Suchet überall zu nützen, überall seid ihr zu Hause... Und dein Streben, sei's in Liebe, / Und dein Leben sei die Tat...« Wilhelm Meister beginnt als Schauspielschüler und endet als Arzt; er löst sich vom Bürgertum, um über seine Vaterschaft und die Versammlung der Handwerker zum Bürgertum zurückzukehren. Aber nun ist er durch seinen Weg, der viele Irrwege einschloß, vor jedem Philistertum bewahrt. Die Erfahrung hat ihn die Ehrfurcht gelehrt, die sein Sohn (Felix, der Glückliche) ohne Umwege, leichter und schneller in der »Pädagogischen Provinz« lernen kann: Ehrfurcht vor dem, was über uns ist, vor dem, was unter uns ist, und vor dem, was vor dem Menschen liegt. »Nun steht er stark und kühn, nicht etwa selbstisch vereinzelt; nur in Verbindung mit seinesgleichen macht er Front gegen die Welt.« Damit ist »der Mensch nach allen Seiten zu ein Mensch«. Goethe bezieht in seinen Humanitätsbegriff das Ideal der Gemeinschaft mit ein und faßt es ins Symbol der Neuen Welt. Die Beschäftigung mit Amerika, in das die Gesellschaft der Handwerker auswandern will, durchzieht die letzten Bücher des Romans. Wenn Goethe seinem Werk den Untertitel *Die Entsagenden* gab, so war dies der Ausdruck seines Wissens, daß eine neue Epoche der Weltgeschichte im Zeichen Amerikas heraufzog, in der die absolute Freiheit des Individuums ihre entscheidende Begrenzung im Recht der Gemeinschaft auf Leben, Glück und Wohlstand finde – eine Resignation, die den Aufruf zu neuer Energie und Leistung nach einem gewandelten Ziele einschloß.

Insgesamt also bietet sich uns das Klassische bei Goethe dar als ein Bekenntnis zu Maß und Gesetz, zur alles versöhnenden Menschlichkeit in Wahrhaftigkeit, Güte und Liebe, zur Ehrfurcht und Arbeit.

Das ist Goethes Humanität im Zeichen einer christlich gesehenen Antike, des Orients und der Neuen Welt.

Ein Fazit seines Schaffens zog der Dichter 1824 im Gespräch mit Eckermann: »Man hat mich immer als einen vom Glück besonders

RASTLOSES
SICH-
MÜHEN

Begünstigten gepriesen; auch will ich mich nicht beklagen und den Gang meines Lebens nicht schelten. Allein im Grunde ist es nichts als Mühe und Arbeit gewesen, und ich kann wohl sagen, daß ich in meinen fünfundsiebzig Jahren keine vier Wochen eigentliches Behagen gehabt. Es war das ewige Wälzen eines Steines, der immer von neuem gehoben sein wollte. Meine Annalen werden es deutlich machen, was hiermit gesagt ist.«

Diese Annalen scheinen freilich auf den ersten Blick eine andere Sprache zu sprechen, der Meinung von vielen, vor allem der Gegner Goethes, recht zu geben: glückhaft, genußreich, von Wohlstand geprägt sei dieses Leben gewesen, das eigene Erleben und Wirken habe stets den Mittelpunkt abgegeben. Gewiß war Goethe ein Künstler, dessen ganzes Schaffen Erlebnisdichtung war, Konfession eines langen Lebens, stets ichbezogen. Aber dieses Leben war gleichzeitig in einem sich selten ereignenden Fall exemplarisch, beispielhaft für kultiviert-menschliches Sein und Dasein schlechthin. Die Tiefe und Weite, die Größe und Breite seines Menschentums und seines Werkes erscheinen uns dadurch zeitlos, unverlierbar und gültig.

Auf der anderen Seite war dieses Leben durchweg nicht frei von Tragik, Lebenskämpfen, Mißverständnissen und Anfeindungen. Goethe fühlte sich immer wieder hart am Abgrund: »Ach, ich bin des Treibens müde!...« *(Wanderers Nachtlied)* – »Warte nur, balde / Ruhest du auch« *(Ein Gleiches)* sind zwei ergreifende Beispiele für das Todesbewußtsein des Dichters. Wenn dieser selbst nicht den Weg seines Werther ging, dann nur, weil er nicht auf Träumen und Hoffnungen beharrte, die sich mit der Welt der Wirklichkeiten nicht in Einklang bringen lassen, weil er – ganz anders als die nachfolgenden Kleist, Hölderlin und Hebbel – keine tragische Kluft aufriß zwischen dem genialen und dem Alltagsmenschen, sondern sich zeitlebens bemühte, im Einverständnis mit der Schöpfung zu leben, Vertrauen zum Leben zu haben, wie immer es auch sei und was immer es bringe: »Prüfungen erwarte bis zuletzt«. Goethe fand den Standpunkt für sein Leben, aus dem heraus er zur beispielgebenden und wegweisenden Bewältigung der andrängenden Mächte des Bösen und Furchtbaren kam. Das letzte und vielleicht größte Geheimnis seiner Humanität bestand darin, daß er »Entsagung und Geduld als Tugenden eines Geschöpfes« lehrte, »das unwiderruflich durch Raum und Zeit begrenzt ist« (Emil Staiger). Die aus der griechisch-römischen Ethik übernommene Idee der Notwendigkeit wird durch ihn »beseelt und vertieft von einer innigen Liebe zum Leben«, weil nur so die Menschheit Bestand haben könne.

Zwei Werke – Kammermusik und gewaltige Symphonie – können das dichterische Ergebnis dieses Lebens zusammenfassen; sie sind **URBILDER**   bei aller äußeren und inhaltlichen Verschiedenheit durch das gleiche Thema zusammengehalten: »Urworte Orphisch« und »Faust«.

Die *Urworte Orphisch* (1820) charakterisieren den Menschen und seine Stellung in dieser Welt.

Der erste Spruch, »Dämon«, sagt aus, daß angeborene Kraft und Eigenheit mehr als alles übrige das Schicksal des Menschen bestimmen: »Und keine Zeit und keine Macht zerstückelt / Geprägte Form, die lebend sich entwickelt.«

Die zweite Strophe – »Tyche, das Zufällige« – umreißt die Stellung des Menschen im Bereich des Sich-Wandelnden, »das mit und um uns wandelt«: im Bereich der Gemeinschaft, der Geselligkeit, der zwischenmenschlichen Beziehungen: »Im Leben ist's bald hin-, bald widerfällig ...«

»Eros, Liebe« besingt das Edelste, das aus dem Himmel niederstürzt, Wohl und Wehe verbreitend: »Gar manches Herz verschwebt im Allgemeinen, / Doch widmet sich das edelste dem Einen.«

»Ananke, Nötigung« weiß um die strenge dunkle Schicksalsgewalt, das Müssen, dem sich »Will' und Grille« zu beugen haben: »So sind wir scheinfrei denn nach manchen Jahren / Nur enger dran, als wir am Anfang waren.«

»Elpis, Hoffnung« verkündet die Überwindung des Schicksals; die »höchst widerwärtge Pforte wird entriegelt ... Ein Flügelschlag – und hinter uns Äonen!«

Der Faust-Stoff beschäftigte Goethe seit 1772; den *Urfaust* brachte er bereits mit nach Weimar. 1808 erschien *Faust I. Faust II* wurde erst aus dem Nachlaß herausgegeben. So begleitete diese Dichtung Goethe sein ganzes Leben hindurch. Aus der Puppenspielfabel – sie »klang und summte gar vieltönig in mir wieder« – wurde ein Epos, das Hölle, Erde und Himmel durchmaß.

Der historische Faust lebte zwischen 1480 und 1540 als Humanist, Astrolog und Zauberer. Von den Sagen über sein Leben ist die bedeutendste die *Historia von D. Johann Fausten,* die 1587 bei Johann Spies zu Frankfurt am Main herauskam. Daneben entstanden um den Faust-Stoff Volkslieder, Volksbücher (*Der Christlich-Meinende* von 1725 fand weite Verbreitung) und Schauspiele (seit 1600 durch englische Komödiantentruppen, im 17. und 18. Jh. auch durch deutsche Wandertruppen aufgeführt) sowie Kasperlestücke für die Puppenbühne.

Außer Goethe versuchten sich viele andere Dichter an der Gestaltung des Faust-Stoffes, z. B. Lessing, Klinger, Chamisso, Grabbe, Lenau, Heine, Vischer, Thomas Mann.

Goethes Faust ist der unzufriedene Grübler, der das Geheimnis der Welt und ihre Zusammenhänge vergeblich zu ergründen sucht, der darüber in Selbstmordgedanken gerät, aus denen ihn das anbrechende Osterfest befreit: »Die Erde hat mich wieder.«

Mephistopheles, der mit Gott eine Wette abgeschlossen hat, Faust vom rechten Weg abbringen zu können (»Prolog im Himmel«), erscheint als Pudel (»das also ist des Pudels Kern«) und geht mit dem Gelehrten einen Pakt ein: Er wird ihm alle geistigen wie sinnlichen Wünsche erfüllen, bis dieser zum Augenblick sagen möchte: »Verweile doch, du bist so schön.« Dann wird Mephistopheles Fausts Seele besitzen.

Die Reise durchs Leben beginnt in »Auerbachs Keller«, wo Faust die wilden Vergnügungen der Studenten kennenlernt; sie führt in die »Hexenküche«, in der er durch einen Verjüngungstrank in einen verliebten Jüngling verwandelt wird. Nun sieht er »Helenen in jedem Weibe«. Das unschuldige Geschöpf, an dem sich Fausts Liebessehnen in tragischer Weise erfüllen soll, ist Gretchen. Durch die geschickten Intrigen des Mephisto begünstigt, gelingt Faust die Verführung; doch erwacht er nun aus seinem Zynismus und wird echter Liebe fähig. Mephisto entflieht mit ihm, führt ihn zum großen Hexensabbath der »Walpurgisnacht« auf den Brocken, während Gretchen – als Kindsmörderin angeklagt – im Kerker den Tod erwartet. Faust kehrt zurück (»Heinrich! Mir graut's vor dir«), wird aber vom Teufel selbst wieder weggerissen – »sie ist gerichtet«. Aus der Höhe erklingt eine Stimme: »Ist gerettet.«

Der Tragödie zweiter Teil beginnt mit dem Heilschlaf Fausts, der in »anmutiger Gegend« durch den Luftgeist Ariel von »des Vorwurfs glühend bittren Pfeilen« und vom »erlebten Graus« befreit wird. Faust fühlt »des Lebens Pulse« wieder frisch lebendig schlagen. Sein weiterer Weg führt zum Hof des Kaisers, wo er den herrschenden Geldmangel durch die Ausgabe von Papiergeld behebt. Ein wildes Karnevalstreiben mit einem mythologisch durchsetzten Mummenschanz läuft ab.

Der Kaiser hat neue Wünsche: er will Helena und Paris vor sich sehen. Mephistopheles weist Faust darauf hin, daß er den Wunsch nur erfüllen könne, wenn dieser »zu den Müttern« hinabsteige, die als Göttinnen in raum- und zeitloser Tiefe thronen. Als Helena darauf zitiert werden kann, ist Faust von ihrer Schönheit hingerissen. Nach einer Explosion findet er sich in seine alte Studierstube zurückversetzt: Sein Famulus Wagner ist inzwischen Doktor geworden und erzeugt einen Homunkulus, einen künstlichen Menschen, der mit Hilfe des Teufels dann auch wirklich in seiner Retorte zum Leben erwacht. Auf dessen Ratschlag wird Faust durch Mephisto zur klassischen Walpurgisnacht nach Griechenland gebracht. Faust trifft Helena im Palast des Königs Menelaos zu Sparta leibhaftig an. In arkadischen Gefilden vollzieht sich beider Vermählung. Der Ehe entspringt ein Sohn, der strahlende Euphorion. Gleich Ikarus will er immer höher und höher steigen, bis er stürzt und tot vor den Füßen der Eltern liegt. Die Mutter folgt ihm ins Reich der Schatten, Faust hält am Ende nur noch Kleid und Schleier in seinen Armen.

Im »Hochgebirge« treffen wir ihn wieder. Er fühlt neue Kraft – »Die Tat ist alles, nichts der Ruhm«. Er möchte dem Meere Land abgewinnen. Mit Hilfe von Raufebold, Habebald und Haltefest (aus »Urgebirgs Urmenschenkraft«) hilft er dem Kaiser im Krieg, verlangt dafür Land zur Kolonisation. Da dem neuen Projekt das in einer ärmlichen Hütte hausende Ehepaar Philemon und Baucis hinderlich im Wege steht, zerstört Mephisto deren Heimstätte durch Brandstiftung, wobei die beiden Alten umkommen.

Durch den Anhauch der Sorge erblindet Faust. Millionen von Menschen möchte er neuen Lebensraum schaffen: »Solch ein Gewimmel möcht ich sehn,/Auf freiem Grund mit freiem Volke stehn.« Da ist der Augenblick, da er sagen möchte: »Verweile doch, du bist so schön!« Doch damit hat sich sein Leben erfüllt, er stirbt. Lemuren bereiten das Grab, der Höllenrachen tut sich auf; doch entreißen herabschwebende Engel Fausts Seele dem Abgrund: »Wer immer strebend sich bemüht,/Den können wir erlösen.« Die Mater gloriosa erscheint: »Komm, hebe dich zu höhern Sphären!« Ein Chor beschließt das Ganze; er weist auf das Vergängliche alles Irdischen hin, das nur Gleichnis sei für das Ewige:

> »Alles Vergängliche
> Ist nur ein Gleichnis;
> Das Unzulängliche,
> Hier wird's Ereignis;
> Das Unbeschreibliche,
> Hier ist's getan;
> Das Ewig-Weibliche
> Zieht uns hinan.«

Eine Fülle sich ergänzender, aber auch widersprüchlicher Motive, eine Vielfalt realer, allegorischer, symbolischer und mythologischer Handlungsstränge, Ereignisse und handelnder Personen, eine Zusammenballung philosophischer, religiöser und allgemein menschlicher Probleme und Fragen lassen die Komposition des »Faust« als unüberschaubar, schwierig und vielleicht auch künstlerisch unzulänglich erscheinen. Gerade diese Unzulänglichkeit aber wird »Ereignis«; das Unbeschreibliche »ist getan«, das Vergängliche wird als Gleichnis gestaltet. »Welt wird Symbol der Seele. Das Ganze ist Zeichen, und die Bilder sind Zeichen des Ganzen.« (Albrecht Weber)

»Urworte Orphisch« – »Faust«: Mit unsterblichen Worten wird das Geheimnis des Menschen, seines Schaffens, seiner Seele in Worte gebannt. Urkräfte, Urbilder, Urworte.

»Dämon«: Der Mensch steht unter dem Drang einer sich unabänderlich verwirklichenden Persönlichkeit; er ist »faustisch«, immer strebend nach Wissen, Tat, Erfüllung seiner Wünsche; nie dem Augenblick, immer der Zukunft zugewandt, vollzieht sich sein Leben im hektischen Treiben des Fortschritts, des Nimmergenügens. »Dämonisch« ist auch sein Leben, weil es im Handeln die Schuld auf sich nehmen muß, im Persönlichen (Vergehen an Gretchen) wie im allgemeinen Bereich (»Menschenopfer mußten bluten / Nachts erscholl des Jammers Qual«).

»Tyche«: Der Mensch ist ins Zufällige gestellt, sein Leben »ist ein Tand und wird so durchgetandelt«. Personen, Ereignisse treiben an ihm vorüber, die Welt muß erfahren werden, Weltweite tut not. Faust trifft Gelehrte, Studenten, Bauern; er lebt in der Kleinstadt, am Hof, in nordischer wie antiker Landschaft, er kennt den Krieg, das Idyll; er wirkt in der Enge der gotischen Studierstube, besucht die Straßen, Plätze, Dome und Trinkstuben; er findet sich im Kerker, im Palast, in »Wald und Höhle«, in »anmutiger Gegend«, im »Hochgebirge«, am Meer. Faust erfährt die Welt des Geistes, der Sinne, der Tat, der Forschung, der Geselligkeit wie Einsamkeit – »bald hin-, bald widerfällig«.

»Eros«: Menschsein heißt lieben. Faust erlebt die Liebe als Sexus in der nordischen Walpurgisnacht; er sieht Helena in jedem Weibe; zynisch, nur auf Genuß bedacht, muß er an der Reinheit und Keuschheit Gretchens scheitern. Zugleich aber wandelt sich seine Liebe: Er spürt nun das Glücksgefühl inniger Übereinstimmung, die Zuneigung über die leibliche Hingabe hinaus, den Eros. Die Begegnung mit Helena wird zur Vermählung mit der sublimierten geistigen Schönheit, ein Aufwärtsstreben zum Licht (das freilich im Sturz des Euphorion endet).

Liebe ist am Ende schließlich Gnade, aus dem Mitleiden geborenes Mitleid: Agape. Die Mater dolorosa erlöst Faust auf Fürbitte Gretchens, die nun in der Apotheose erscheint: »Das Ewig-Weibliche zieht uns hinan.«

»Ananke«: Harte Nötigung beherrscht den Menschen. Alles »ist nur ein Wollen, weil wir eben sollten«. Im Himmel wird über Fausts Leben beschlossen, wird die Wette eingegangen; und nun muß er in seiner Scheinfreiheit die Jahre durchstehen, um am Ende wieder am Anfang zu sein. Schicksal ist die Verzweiflung, die ihn bestimmt (»Es möcht kein Hund so länger leben«); Schicksal ist der Ekel am Leben, der ihn ergreift (»O sähst du, voller Mondenschein, / Zum letzten Mal auf meine Pein«); Schicksal ist die Unerfüllbarkeit seiner Wünsche, die Tragik seiner Begegnung mit der Schönheit Helenas (»Ein altes Wort bewährt sich leider auch an mir: / Daß Glück und Schönheit dauerhaft sich nicht vereint«); Schicksal ist die Tragik seines schuldbeschwerten Kolonisationswerkes. Unter dem Anhauch der Sorge erblindet Faust.

Aber auch Mephistopheles steht unter dem »Gesetz«; er, der meint, die Wette gewonnen zu haben, irrt sich: »Da ist's denn wieder, wie die Sterne wollten.« »Ein großer Aufwand, schmählich! ist vertan.«

»Elpis«: Über allem steht die Hoffnung, »aus Wolkendecke, Nebel, Regenschauer / Erhebt sie uns, mit ihr, durch sie beflügelt«. Faust greift zur Giftphiole, da flößt ihm der draußen angestimmte Ostergesang neue Hoffnung ein. – Gretchen scheint gerichtet, da dringt von oben eine Stimme herunter: »Ist gerettet!« – Fausts Grab wird von den Lemuren bereitet, der Teufel steht bereit, da dringen die Engel heran: »Gerettet ist das edle Glied / Der Geisterwelt vom Bösen. / Wer immer strebend sich bemüht, / Den können wir erlösen.« – Hoffnung ist das erhaltende Element, das den Menschen in dieser Welt und diesem Leben bestehen läßt.

Es ist zumindest für Goethe das urkräftigste unter den »Urworten« gewesen und geblieben, dasjenige, das ihn die Sorgen und das Abgründige überwinden ließ, die ihn zeitlebens bedrängten. So singt der

Türmer Lynkeus (»Zum Sehen geboren, / Zum Schauen bestellt«) über die Welt, die sich unter ihm ausbreitet, sein hoffnungsvolles und hoffnungspendendes »Lied«:

> »Ihr glücklichen Augen,
> Was je ihr gesehn,
> Es sei wie es wolle,
> Es war doch so schön!«

Das Leben Goethes spiegelt sich für Richard Friedenthal in der Faust-Dichtung wider: »Seinen Faust hat er hundert Jahre alt werden lassen und durch viele Lebensbereiche geführt. Es ist höchst sinnreich, daß erst an den Sterbenden die großen dunklen Gestalten herantreten, die sonst das Leben der Menschen begleiten, die vier grauen Weiber: Mangel, Schuld, Not, Sorge. Faust hat sich wie Goethe nie mit ihnen plagen müssen. Goethe hat seine eignen Nöte gehabt aus den dunklen Strähnen seines Wesens, er hat es sich sauer werden lassen, und im Rückblick auf sein Leben hat er darin nur Mühe und Arbeit sehen wollen, das ewige Wälzen eines Steines, eine Sisyphusmarter, aus zornigem Widerspruch gegen alle, die ihn als vom Glück Begünstigten priesen. Er hat die Menschen verbraucht, die Frauen, die dienenden Geister, die ›armen Teufel‹, und Schuldgefühle können ihm nur angedichtet werden, er hat sie ebensowenig wie sein Faust. Er hat sich keinen Wunsch versagt, er hat nur zuweilen verzichten müssen beim Eingreifen in die Welt und ins tätige Leben oder bei dem Versuch, die Jüngeren zu belehren. Er war ein Gast in Weimar, in Deutschland, der Welt. Gewohnt hat er in seinen Schöpfungen. Da hat er großen Reichtum gesammelt und ausgestreut nach allen Seiten. Als reicher Mann stirbt er wie sein Faust.«

FRIEDRICH SCHILLER

*Die Jahre des geschichtlichen und philosophischen Studiums, 1787–
94:* 1787 erschien Schillers *Don Carlos,* 1789 war er auf Betreiben
Goethes als Professor für Geschichte nach Jena berufen worden,
1790 hatte er sich mit Charlotte von Lengefeld vermählt. »Was für
ein schönes Leben führe ich jetzt«, heißt es in einem
DAS RIN-   Brief an Körner. »Ich sehe mit fröhlichem Geiste um
GEN MIT   mich her, und mein Herz findet eine immerwährende
DEM   sanfte Befriedigung außer sich, mein Geist eine so
SCHICKSAL   schöne Nahrung und Erholung. Mein Dasein ist in eine
harmonische Gleichheit gerückt.« – 1791 erkrankt Schiller schwer an
einem Lungenleiden, von dem er sich nie wieder ganz erholen sollte.
Dazu stellte sich sehr bald wieder die wirtschaftliche Not ein: Seine
Professur lief ohne Gehalt, die Einnahmen aus den Kollegiengeldern
und schriftstellerischen Arbeiten erwiesen sich als zu gering. Da erhielt er, nachdem sich bereits das Gerücht von seinem Ableben verbreitet hatte, durch Vermittlung des dänischen Dichters Jens Bagge-
sen vom Prinzen von Augustenburg und dänischen Finanzminister
Graf Schimmelmann auf drei Jahre einen Ehrensold von je tausend
Talern. »Der Menschheit«, schrieben die Spender, »wünschen wir
einen ihrer Lehrer zu erhalten, und diesem Wunsche muß jede andere Betrachtung nachstehen.« Schillers Antwortschreiben ist ein ergreifendes Dokument der Dankbarkeit für diese entscheidende Hilfe
im Stadium höchster Not und zugleich Ausdruck der hohen Überzeugung, mit der er – unermüdlich gegen die Krankheit ankämpfend – zu
seiner dichterisch-humanitären Aufgabe stand: »Von der Wiege meines Geistes an bis jetzt, da ich dieses schreibe, habe ich mit dem
Schicksal gekämpft, und seitdem ich die Freiheit des Geistes zu schätzen weiß, war ich dazu verurteilt, sie zu entbehren... Erröten müßte
ich, wenn ich bei einem solchen Anerbieten an etwas anderes denken
könnte als an die schöne Humanität, aus der es entspringt, und an die

moralische Absicht, zu der es dienen soll. Rein und edel, wie Sie geben, glaube ich empfangen zu können. Nicht an Sie, sondern an die Menschheit habe ich meine Schuld abzutragen.«

Schiller erhält damit Muße und Möglichkeit zu philosophischen Studien; schon drei Tage nach Empfang des Geschenks bestellt er Kants »Kritik der reinen Vernunft«, ein Werk, das seine eigenen Gedankengänge entscheidend beeinflussen sollte.

Die Jahre der Freundschaft mit Goethe, 1794–1805: »Öfters um Goethe zu sein, würde mich unglücklich machen: er hat auch gegen seine nächsten Freunde kein Moment der Ergießung, er ist an nichts zu fassen; ich glaube in der Tat, er ist ein Egoist in ungewöhnlichem Grade... Eine ganz sonderbare Mischung von Haß und Liebe ist es, die er in mir erweckt hat, eine Empfindung, die derjenigen nicht ganz unähnlich ist, die Brutus und Cassius gegen Caesar gehabt haben müssen; ich könnte seinen Geist umbringen und ihn wieder von Herzen lieben« – so schrieb Schiller noch 1789 über Goethe an Gottfried Körner. Und wenige Monate später lesen wir: »Goethe ist mir einmal im Wege, und er erinnert mich so oft, daß das Schicksal mich hart behandelt hat. Wie leicht ward sein Genie von seinem Schicksal getragen, und wie muß ich bis auf diese Minute noch kämpfen! Einholen läßt sich alles Verlorene für mich nun nicht mehr...« Doch leitete eine Unterredung Schillers mit Goethe im Anschluß an eine Sitzung der Naturforschenden Gesellschaft die Freundschaft der beiden großen Dichter ein. Sie sollte Goethe wie Schiller dem klassischen Höhepunkt ihres Schaffens zuführen. »Es scheint«, so schreibt Goethe in diesen Tagen, »als wenn wir nach einem so unvermuteten Begegnen miteinander fort wandern müßten.« Wilhelm von Humboldt, Mitarbeiter der von Schiller seit 1794 herausgegebenen Zeitschrift *Die Horen*, faßte die Bedeutung dieser »Sternstunde« in die Worte zusammen: »Wie durch ihre unsterblichen Werke haben sie durch ihre Freundschaft, in der sich das geistige Zusammenstreben unlösbar mit den Gesinnungen des Charakters und den Gefühlen des Herzens verwebte, ein bis dahin nie gesehenes Vorbild aufgestellt und dadurch den deutschen Namen verherrlicht.« Am 31. August 1794 schreibt Schiller einen ausführlichen Brief an Goethe, in dem er dessen Wesen und Werk nachzeichnet und von seinem eigenen abgrenzt: »Unsre

späte, aber mir manche schöne Hoffnung erweckende Bekanntschaft
ist mir abermals ein Beweis, wieviel besser man oft tut, den Zufall
machen zu lassen, als ihm durch zu viele Geschäftigkeit vorzugreifen.
Wie lebhaft auch immer mein Verlangen war, in ein näheres Verhältnis zu Ihnen zu treten, als zwischen dem Geist des Schriftstellers und
seinem aufmerksamsten Leser möglich ist, so begreife ich doch nunmehr vollkommen, daß die so sehr verschiedenen Bahnen, auf denen
Sie und ich wandelten, uns nicht wohl früher, als gerade jetzt, mit
Nutzen zusammenführen konnten. Nun kann ich aber hoffen, daß
wir, soviel von dem Wege noch übrig sein mag, in Gemeinschaft
durchwandeln werden, und mit um so größerem Gewinn, da die letzten Gefährten auf einer langen Reise sich immer am meisten zu sagen
haben.« Goethe antwortete mit gleicher Herzlichkeit, und von da an
tauschten beide Ideen, Pläne und fertiggestellte Teile ihrer Dichtungen aus und erlebten das fruchtbarste Jahrzehnt ihres Schaffens, Höhepunkt der deutschen Klassik überhaupt.

In rascher Folge erschienen nun Schillers philosophisch-ästhetische Schriften, seine Gedankenlyrik *(Das Ideal und das Leben; Der Spaziergang; Die
Teilung der Erde; Die Ideale)*, die großen Balladen *(Der Taucher; Der Hand-
schuh; Der Ring des Polykrates; Die Kraniche des Ibykus; Die Bürgschaft)*
und die Dramen *(Wallenstein*, 1798/99; *Maria Stuart*, 1800; *Die Jungfrau
von Orleans*, 1801; *Die Braut von Messina*, 1803; *Wilhelm Tell*, 1804; unvollendet blieb der *Demetrius)*.

1799 siedelt Schiller nach Weimar über. Aber bald häufen sich die
Krankheitsanfälle, und nur unter Aufbietung äußerster Willenskräf-
te ist der Dichter noch in der Lage zu arbeiten. So überwindet er auch
das fürchterliche Fieber des Sommers 1804, bei dem abwechselnd
Lotte und Johann Heinrich Voß an seinem Lager wachten. Während
er zwischen den Weimarer Theaterproben zum »Tell« sich bereits mit
neuen Plänen zu weiteren Dramen trägt, aus denen er dann den De-
metrius-Stoff auswählt, steht der Tod schon vor der Tür. Am 9. Mai
1805 erliegt Friedrich Schiller seinem schweren Leiden. In der Nacht
vom 11. auf den 12. Mai tragen ihn, der Sitte entsprechend, zwanzig
junge Künstler, Lehrer und Beamte zur Gruft auf den Jakobs-
friedhof.

> »Denn hinter ihm in wesenlosem Scheine
> Lag, was uns alle bändigt, das Gemeine« –

schrieb Goethe in seinem *Epilog zur Glocke,* und zehn Jahre nach dem Tod des Freundes fügte er eine weitere Strophe hinzu, die mit den Versen schließt:

> »Er glänzt uns vor, wie ein Komet entschwindend,
> Unendlich Licht mit seinem Licht verbindend.«

Schiller fühlte sich zeitlebens der Erziehung des Menschengeschlechts verpflichtet. Er war von dieser hohen Aufgabe mit der ganzen Leidenschaftlichkeit seines Wesens und dem großartigen Pathos erfüllt, dessen er in seiner stets gleichbleibenden Jugendlichkeit mit Überzeugung fähig war. Seine pädagogische Sendung ging Hand in Hand mit der Forderung, daß die Kunst ihre vornehmste und wichtigste Aufgabe in der Förderung der Humanität, in dem Bekenntnis zur Freiheit des Menschen und in dem Bemühen um Verwirklichung der Ideale zu sehen habe. »Wohlanständigkeit und Ordnung, Gerechtigkeit und Friede werden also den Geist und die Regel dieser Zeitschrift sein«, schrieb er in der Vorrede zu den *Horen* (1795–97). In seiner akademischen Antrittsrede *Was heißt und zu welchem Ende studiert man Universalgeschichte?* (1789) hatte er als das Wichtigste, was uns die Geschichte zu sagen habe, die Tatsache herausgestellt, »sich als Menschen auszubilden«, und optimistisch ausgerufen: »Unser menschliches Jahrhundert herbeizuführen, haben sich – ohne es zu wissen oder zu erzielen – alle vorhergehenden Zeitalter angestrengt... Ein edles Verlangen muß in uns entglühen, zu dem reichen Vermächtnis von Wahrheit, Sittlichkeit und Freiheit, das wir von der Vorwelt überkamen und reich vermehrt an die Folgezeit wieder abgeben müssen, auch aus unseren Mitteln einen Beitrag zu legen und an dieser unvergänglichen Kette, die durch alle Menschengeschlechter sich windet, unser fliehendes Dasein zu befestigen.«

DIE PÄD-
AGOGISCHE
SENDUNG

Was dieser pädagogischen Sendung jedoch von dem Geiste der Aufklärung schied, war das Wissen Schillers, daß die gestellte Aufgabe schwer, schier nicht zu bewältigen sei; er stand so den »Vernünftlern« fern und war am ehesten Lessing verwandt. Der ihm eigene Pessimismus, der sich auch aus seinem Ringen mit der schweren Krankheit ergab, verlieh seinem Bemühen um Menschlichkeit die kämpferische Tiefe. In der Humanität sah er weniger noch als Goethe einen Besitz, sondern das Ziel eines immerwährenden Bemühens.

Schillers Weltbild ist durch einen strengen Dualismus gekennzeichnet: Idee und Leben, Hoffnung und Angst, Leben und Tod, Freiheit und Zwang, Glück und Leid, Frieden und Krieg, Form und Stoff, Kunst und Wirklichkeit sind Gegensätze, die sich ständig dem Dichter aufdrängen; immer wieder beschäftigt er sich mit dem Zwiespalt von Geist und Materie, von moralischer Selbstbestimmung und Versklavung der Sinnenwelt. Immer wieder fragt er, wie es möglich ist, daß der selbstherrliche, freie, »enthusiastische Geist« an das »starre, unwandelbare Uhrwerk eines sterblichen Körpers geflochten ist«. Ein dialektisches Fortschreiten bestimmt Schillers Werk in seiner Gesamtheit: Dem sphärischen Leuchten der Ideen und Ideale steht die herabziehende Schwerkraft des Irdischen gegenüber; bald optimistisch der These, bald pessimistisch der Antithese zuneigend, bemüht er sich um eine Synthese, um die Überwindung kreatürlicher Mangelhaftigkeit im Sinne einer Annäherung an die Welt der Ideen bzw. um Verwirklichung der Ideen im Bereich des Menschlichen und Irdischen.

DUALISTISCHES WELTBILD

Eine Feststellung dieses Dualismus im menschlichen Dasein lieferte schon eine der ersten Schriften des Philosophen: *Über den Zusammenhang der tierischen Natur des Menschen mit seiner geistigen* (1780). Er untersucht hier den »merkwürdigen Beitrag des Körpers zu den Aktionen der Seele, den großen und reellen Einfluß des tierischen Empfindungssystems auf das Geistige«.

In dem Gedicht *Das Ideal und das Leben* (1796) stellt er dem »Seelenfrieden« der Olympier und ihrem »ewigklaren, spiegelreinen, zephirleichten Leben« die dunkle Schicksalhaftigkeit alles Irdischen und den von den »Erdenmalen« gezeichneten Bereich der Körperlichkeit entgegen.

Die Schrift *Über naive und sentimentalische Dichtung* (1797) überträgt den Dualismus auf die Kunsttheorie. Der naive Dichter, den Schiller vor allem in der Antike am Werk sieht, schaffe genial aus der Unbewußtheit seiner Natur, intuitiv, elementar; der sentimentalische Dichter (sentiment = Geist) schaffe aus der Sehnsucht nach der Natur, die er als Ideal anstrebe und wieder zu erreichen hoffe.

Die Überwindung des Dualismus ist in diesen Schriften schon mit eingeschlossen; dort, wo Schiller vom Gegensatz spricht, sucht er auch schon nach Möglichkeiten der Bewältigung. Schlüsselwort ist ihm dabei der Begriff der Freiheit: Freiheit vom Zwang der Sinnlichkeit und Stofflichkeit. Die Freiheit wiederum erscheint ihm in der Gestalt der Schönheit; Anmut, Grazie, Spiel sind ihre Attribute; die Schwerkraft ist dann aufgehoben, der Mensch empfindet das Joch der Materie nicht mehr. In »Das Ideal und das Leben« zeigt der Dichter, wie das Schöne (als Geistiges gesehen) frei wird von den Banden der Körperlichkeit, wie es sich zu idealer Höhe aufzuschwingen weiß:

> »Nur der Körper eignet jenen Mächten,
> Die das dunkle Schicksal flechten,
> Aber frei von jeder Zeitgewalt,
> Die Gespielin seliger Naturen,
> Wandelt oben in des Lichtes Fluren,
> Göttlich unter Göttern, die Gestalt.«

In der Abhandlung *Über die ästhetische Erziehung des Menschen* (1795) stehen die Worte: »Wir treten mit der Schönheit in die Welt der Ideen, aber, was wohl zu bemerken ist, ohne darum die sinnliche Welt zu verlassen.«

Der Mensch, meint Schiller in der Schrift *Über Anmut und Würde* (1793), in dem Geist und Seele wirksam sind, der sich so von der Körperlichkeit und Sinnenwelt abzulösen vermag, ist »anmutig«, voller Grazie in seinen Bewegungen; er steht unter der »Gunst des Sittlichen ans Sinnliche«. Höchste Vollendung zeigt derjenige, bei dem weder die Sinnlichkeit von der Vernunft noch die Vernunft von der Sinnlichkeit unterdrückt wird, sondern beide in ausgeglichener Harmonie zusammenfinden. Diese Übereinstimmung von »Pflicht und Neigung«, mit der Schiller den Kantschen Rigorismus zu überwinden hoffte (Pflicht war für Kant ein Handeln gegen die Neigung), ist Eigenschaft der »schönen Seele«. Ihre Handlungen sind »Spiel«, d. h. Übereinstimmung von Sittlichkeit, Vernunft und Sinnlichkeit im Zeichen der Freiheit: »Der Mensch spielt nur, wo er in voller Bedeutung des Wortes Mensch ist, und er ist nur da ganz Mensch, wo er spielt« (»Über die ästhetische Erziehung des Menschen«).

Die schöne Seele sah Schiller wie Goethe vornehmlich im antiken Menschen verkörpert. Immer wieder kehrte er in seinen Gedichten in die Zeit zurück, da die Götter »noch die schöne Welt regieret, / an der Freude leichtem Gängelband / selige Geschlechter noch geführet, / schöne Wesen aus dem Fabelland« (*Die Götter Griechenlands*, 1788).

Hat die Erziehung also die Aufgabe, den »moralischen Zustand«
des Menschen herzustellen, so muß sie sich nach der Grundkonzep-
tion dieser Philosophie der Vermittlung des Ästheti-
DIE ÄSTHE-   schen bedienen. Das Schöne soll den Menschen aus
TISCHE ER-   seinem physischen Zustand herauslocken und dem
ZIEHUNG   sittlichen zuführen. Die Schönheit müsse den sinnli-
DES MEN-   chen Menschen zur Form und zum Denken geleiten.
SCHEN   Der Mensch »in seinem physischen Zustand erleidet
bloß die Macht der Natur; er entledigt sich dieser
Macht in dem ästhetischen Zustand, und er beherrscht sie in dem
moralischen«.

Solche Vision – Erziehung zur Humanität – bewirkte bei Schiller
einen der Schwerkraft des Lebens abgerungenen Optimismus. »Im
Herzen kündet es laut sich an: / Zu was Besserm sind wir geboren!«
heißt es in dem Gedicht *Hoffnung.* – Der Hymnus *An die Freude*
gipfelt in dem Glücksausbruch: »Seid umschlungen, Millionen / Diesen Kuß der ganzen Welt!« – *Die Worte des Glaubens* lauten für Schiller: »Der Mensch ist frei geschaffen, ist frei, / Und würd' er in Ketten
geboren... Und die Tugend, sie ist kein leerer Schall... Und ein Gott
ist, ein heiliger Wille lebt...«

Auch in seinen Balladen, in denen er moralische Gedanken an anekdotischen Stoffen in prächtig dahinrollenden Versen darstellt, hat Schiller seinem
Optimismus unverhohlen Ausdruck verliehen. Sie enden mit dem Sieg des
Guten, der Tugend, der Wahrheit, des Rechtes. Das Gemeine aber sinkt in
den Orkus hinab.

In dem *Lied von der Glocke* (1800) singt er ein Preislied auf das bürgerlich-
familiäre Leben, dessen Wesensgehalt sich zum Gleichnis der allgemein-
menschlichen Situation weitet: »Vivos voco. Mortuos plango. Fulgura fran-
go... Friede sei ihr erst Geläute...«

Auf der anderen Seite beschattet Schiller immer wieder ein tiefer
Pessimismus. Den *Worten des Glaubens* entsprechen die *Worte des
Wahns:* Wahn ist die Hoffnung auf »die goldene Zeit, wo das Rechte,
das Gute wird siegen«. Wahn ist der Glaube, daß das »buhlende
Glück sich dem Edeln vereinigen werde«. Wahn ist die Hoffnung,
daß dem irdischen Verstand »die Wahrheit je wird erscheinen«.

Die Ideale (1796) zeigen einen Schiller, dem die »heitern Sonnen«
erloschen sind, die seiner Jugend Pfad erhellt haben: »Die Ideale sind
zerronnen.«

Vergeblich sucht der Jüngling in der Ballade *Das verschleierte Bild zu Sais* (1795) die Wahrheit zu ergründen: »Weh dem, der zu der Wahrheit kommt durch Schuld, / Sie wird ihm nimmermehr erfreulich sein.«

Nänie, eines der ergreifendsten Schiller-Gedichte, ist ein Klagelied über den Untergang des Schönen in dieser Welt: »Auch das Schöne muß sterben...« (1798).

Derselbe Dichter, der den Hymnus an die Freude anstimmte, konnte in dem Distichon *Würde des Menschen* auch sagen:

> »Nichts mehr davon, ich bitt' euch, zu essen gebt ihm, zu wohnen;
> Habt ihr die Blöße bedeckt, gibt sich die Würde von selbst.«

Schillers dialektisches Weltbild, sein Schwanken zwischen Optimismus und Pessimismus, bestimmte ihn zum Dramatiker. Der Kampf zwischen Ideal und Wirklichkeit ist auch hier das Grundthema seines Schaffens. Tragisch wird dieser Gegensatz, wo das eine das andere auszuschließen scheint. Doch sind letztlich Schillers Dramen Theodizee, Rechtfertigung und Bestätigung der Idee, des Ideals und der Menschen, die beides in sich tragen. Es sind Spiele vom »gigantischen Schicksal, das den Menschen erhebt, indem es den Menschen zermalmt«. Das entsprach auch der Auffassung Schillers vom Theater als moralischer Anstalt (*Die Schaubühne als eine moralische Anstalt betrachtet,* 1784): Während im wirklichen Leben Gold die Gerechtigkeit verblende, die Mächtigen ungehindert und zügellos freveln könnten, solle im Theater wahre Gerechtigkeit geübt werden; die Schaubühne müsse »Schwert und Waage« ergreifen und die Laster vor »einen schrecklichen Richterstuhl zitieren«. Auf der anderen Seite solle sie die wahren Tugenden, die oft in der Welt nicht viel gelten, herausstellen und verkünden. Die »Helden« versinnbildlichen den Kampf, den der Mensch gegen die Laster und für die Reinheit der Tugend zu führen habe. Dieser Kampf ist im Drama ein Ringen mit der Intrige der Gegner, die Ausdruck der bösen Macht des Irdischen ist, und mit dem Schicksal, in das der Mensch hineingestellt ist. Der geistig freie Mensch jedoch weiß sich darüber zu erheben, »Würde« ist der Ausdruck seiner »erhabenen Gesinnung« (*Über das Erhabene,* 1793).

TRAGÖDIE ALS THEODIZEE

Im *Don Carlos* (1787) wird dem Kronprinzen von Spanien und
Sohn Philipps II. die Braut (Elisabeth von Valois) genommen und
IDEE UND   aus politischen Gründen dem Vater angetraut. Der
WIRKLICH-   persönliche Gegensatz zwischen Vater und Sohn ver-
KEIT   stärkt sich, da Carlos die Hoffnung auf den Anbruch
                  einer Zeit der Menschlichkeit und Freiheit in sich
trägt, der König jedoch in schauerlicher Größe zur Unterdrückung
des Aufruhrs und der Ketzerei ein Autodafé befiehlt: »Dies Blutge-
richt soll ohne Beispiel sein!«

Der edle Marquis Posa, der aus den Niederlanden zurückgekehrt ist, schließt
mit Don Carlos einen Freundschaftsbund auf ewig, »in des Worts verwegen-
ster Bedeutung«. Das Gespräch, das sowohl Don Carlos wie auch der Marquis Posa mit dem König führen, lassen diesen als einen Mann erscheinen,
der den Gründen der Humanität nicht verschlossen gegenübersteht. Da
zerbricht diese Hoffnung an einer Intrige: Carlos ist mit Elisabeth zusammengekommen, eine eifersüchtige Hofdame hat die Begegnung dem König
bekanntgemacht. Posa sucht Carlos dadurch zu retten, daß er die Schuld auf
sich nimmt und ihn an seiner Stelle in die Niederlande fliehen lassen will, um
das »bedrängte Volk zu retten von Tyrannenhand«. Carlos' Fluchtplan wird
jedoch entdeckt, er selbst der Inquisition übergeben.

Schiller wollte nach seinen eigenen Worten mit der Darstellung der
Inquisition die geschändete Menschheit rächen und »ihre Schand-
flecken fürchterlich an den Pranger« stellen. Eigentlicher Held wird
so der Marquis Posa als Verkünder der hohen Menschheitsideale, die
Schiller von der Aufklärung übernahm: Gedankenfreiheit und Beglückung des Volkes. In dem großen Zwiegespräch mit Philipp, bei
dem der Dichter der tragischen Vereinsamung des Königs größtes
Verständnis entgegenbringt, stellt Posa sein Wunschbild eines »humanen Staates« (zu dessen Verwirklichung er freilich auch des Fanatismus und Radikalismus fähig wäre) der Kirchhofsruhe eines im
Despotismus erstarrenden Staatsgebildes gegenüber:

> »Wenn nun der Mensch, sich selbst zurückgegeben,
> Zu seines Werts Gefühl erwacht – der Freiheit
> Erhabne, stolze Tugenden gedeihen –
> Dann, Sire, wenn Sie zum glücklichsten der Welt
> Ihr eignes Königreich gemacht – dann ist
> Es Ihre Pflicht, die Welt zu unterwerfen.«

Es ist die Tragik Posas wie des von ihm mitgerissenen Carlos, daß die Ideale in der Welt der Realität zum Scheitern verurteilt sind; beide verstricken sich in die Intrige und gehen unter. Es ist die Tragik Philipps, daß er den Augenblick, da er durch Carlos und Posa menschlich gerührt wird, verstreichen läßt, der Idee in sich selber nicht Raum gibt, sondern sich wieder den sogenannten »Notwendigkeiten des Lebens« überantwortet. Am Ende triumphiert die grausige Gestalt des Großinquisitors (»Wozu Menschen?«). Aber auch das ist nur ein scheinbarer Sieg: die Idee der Freiheit, die durch das Opfer ihre Heiligung erfahren hat, wird weiterwirken. Die Tragödie wird zum »Triumph des Geistes, der den göttlichen Funken weiterträgt, mögen die Träger immer wieder vom tragischen Verhängnis verschlungen werden«.

Die dramatische Gestaltung des *Wallenstein*-Stoffes (1798/99) legte der Dichter als Trilogie an.

Im Vorspiel, *Das Lager*, wird zunächst in genialer Konzeption die Atmosphäre der Zeit des Dreißigjährigen Krieges eingefangen und in psychologisch meisterhaft durchgeführter Steigerung die Gestalt des legendären Feldherrn immer mehr in den Mittelpunkt gezogen, ohne daß er selbst auf der Bühne erscheint.

Der zweite Teil des Schauspiels trägt den Titel *Die Piccolomini,* nach dem Namen von Wallensteins Vertrautem, Octavio Piccolomini, und dessen Sohn Max, der dem Feldherrn in überschwenglicher Verehrung zugetan ist und dessen Tochter Thekla liebt. Wallenstein will vom Kaiser abfallen, er hat seine Truppen zusammengezogen, Frau und Tochter ins Lager kommen lassen. Aber er zögert, da die »rechte Sternenstunde« noch nicht angebrochen sei. Zum Okkultismus und zur Astrologie neigend, will er nichts dem Zufall, sondern alles der Konstellation der Gestirne, d. h. dem Walten des Überirdischen überlassen. Der kaisertreue Octavio antwortet auf die Intrige des Herzogs mit einer Gegenintrige; er ist vom Kaiser ausersehen, nach Niederwerfung des Verrats der neue Feldherr zu werden. Er vertraut sich seinem Sohn an; Max gerät in einen schmerzhaften Gewissenskonflikt, aus dem er nur durch den »geraden Weg« herauszukommen hofft: »Ich geh' zum Herzog.« Er wendet sich sowohl gegen den Verrat Wallensteins wie gegen die feingesponnene Staatskunst des Vaters.

Der dritte Teil, *Wallensteins Tod,* bringt nach weiterem Zögern und erneuter Befragung der Sterne für Wallenstein die Entscheidung; er wird nun den Abfall vollziehen. In einem großen Zwiegespräch sucht er Max auf seine Seite zu ziehen, während dieser Wallenstein vom Verrat abhalten will. Bekümmert stürzt Max davon. Vertrauen, Glaube, Hoffnung, alles ist in ihm

zerstört. Nur die Liebe zu Thekla bleibt ihm: »Der einzig reine Ort ist unsre
Liebe, / der unentweihte in der Menschlichkeit.« Thekla, die er in seinem
seelischen Konflikt um Rat angeht, weist ihn auf den Weg der Pflicht: »Uns
trennt das Schicksal, unsre Herzen bleiben einig.« Max fällt im Kampf gegen
die Schweden. Der Oberst Butler ermordet den Herzog mit Zustimmung
Octavios; dieser empfängt am Schluß des Dramas ein kaiserliches Dekret,
das ihn in den Fürstenstand erhebt.

Wallenstein erscheint als der große scheiternde Machtrealist in einer
Welt der Ursachen und Zwecke. Er ist von einem dämonischen Impuls getrieben und einem maßlosen Ehrgeiz erfüllt, den Gang der
Weltgeschichte zu bestimmen; letztlich aber ist all sein Tun nicht Aus-
wirkung eines freien Willens, sondern des Schicksals: »Wir handeln,
wie wir müssen.« So muß auch sein Sternenglaube verstanden werden: Er ist Ausdruck des Glaubens an die Naturnotwendigkeit aller
Dinge und soll der Wirklichkeitsgebundenheit des Feldherrn – der
Größe seines Ruhms entsprechend – eine überdimensionale Form
verleihen. Wallensteins eigentlicher Gegenspieler ist nicht Octavio
Piccolomini, der als ehrloser, heuchlerischer Intrigant nur eine andere Seite der Wirklichkeit verkörpert, sondern Max Piccolomini. Er ist
der reine Idealist, der auf Frieden, Liebe, Freiheit und Menschlichkeit hofft: »O schöner Tag! wenn endlich der Soldat ins Leben heimkehrt, in die Menschlichkeit.« Seine Träume bewahren ihn davor, der
»bösen Welt« den schuldigen Tribut zu leisten. Er allein hält sich inmitten der Intrige (»O – die Menschen sind grausam!«) rein, freilich
schließlich unter Aufopferung seines Lebens. Dieses äußere Scheitern ist jedoch wiederum ein Sieg des Geistes über die Niederungen
des Irdischen. So ist auch das Wallenstein-Drama eine Variation des
Schillerschen Grundthemas vom »gigantischen Schicksal«, das den
Menschen erhebt, indem es ihn zerschmettert.

ÜBERWIN- DUNG DER SCHULD	In *Maria Stuart* (1800) hat sich die schottische Königin vor einem Aufstand nach England geflüchtet, da sie hofft, bei ihrer »königlichen Schwester« Schutz zu fin- den. Diese aber läßt sie als Nebenbuhlerin zum Tode verurteilen.

Graf Leicester, Marias ehemaliger Geliebter, jetzt Günstling der englischen
Königin, vermittelt ein Gespräch zwischen beiden, in dessen Verlauf Maria
ihren durch jahrelange Haft genährten Haß- und Rachegefühlen Ausdruck

gibt. Sie beleidigt, von Elisabeth gereizt, diese als Frau, indem sie über deren niedere Abstammung und »Schönheit« spottet und deren »Tugend« als Mantel für »die wilde Glut verstohlener Lüste« entlarvt. Nun ist Marias Schicksal besiegelt; sie wird hingerichtet. Die Todesnähe vollzieht die Wandlung in ihr; sie bejaht nun ihren Tod, da sie in ihm die Buße für frühere Verbrechen und Sünden sieht: »Gott würdigt mich, durch diesen unverdienten Tod / die frühe schwere Blutschuld abzubüßen.«

Auch in diesem Drama ist der Sieg des Unrechts in der geschichtlichen Wirklichkeit nur ein scheinbarer. Elisabeth läßt Maria aus persönlichen und staatspolitischen Gründen auf dem Schafott sterben. Im metaphysischen Sinn erweist sich jedoch der Tod der schottischen Königin als ein Sieg über sich selbst. Indem sie ihn als Strafe für begangene Sünden annimmt, überwindet sie die sinnliche Todesangst und gewinnt ihre sittliche und geistige Freiheit zurück. In der Abhandlung *Über das Erhabene* hatte Schiller geschrieben: »Gegen alles, sagt das Sprichwort, gibt es Mittel, nur nicht gegen den Tod. Aber diese einzige Ausnahme ... würde den ganzen Begriff des Menschen aufheben. Nimmermehr kann er das Wesen sein, welches will, wenn es auch nur einen Fall gibt, wo er schlechterdings muß, was er nicht will ... Kann [der Mensch] den physischen Kräften keine verhältnismäßige physikalische Kraft mehr entgegensetzen, so bleibt ihm, um keine Gewalt zu erleiden, nichts anderes übrig als: ein Verhältnis, welches ihm so nachteilig ist, ganz und gar aufzuheben, und eine Gewalt, die er der Tat nach erleiden muß, dem Begriffe nach zu vernichten. Eine Gewalt dem Begriffe nach zu vernichten, heißt aber nichts anderes, als sich derselben freiwillig unterwerfen.«

Im Jahre 1801 erscheint Schillers Drama *Die Jungfrau von Orleans*.

Das Vorspiel zeigt den Aufbruch Jeanne d'Arcs aus ihrer idyllischen ländlichen Umgebung auf Grund eines »göttlichen Auftrags«. Bald steht sie auf ihrem Siegeszug an der Spitze der französischen Truppen, welche die Engländer von Niederlage zu Niederlage treiben. Die »Jungfrau mit behelmtem Haupt... wie eine Kriegsgöttin, schön zugleich und schrecklich anzuschaun«, wird zum Schreckgespenst der Feinde und den Franzosen zum Symbol ihres Kampfwillens. Erbarmungslos geht sie ihren Weg, der ihr durch Gottes Gebot vorgeschrieben erscheint (Karl VII. zur Krönung nach Reims zu führen). Schwankend, ja abtrünnig wird sie, als sie auf dem Schlachtfeld den englischen Feldherrn Lionel, den sie besiegt hat, aus aufkeimender Liebe schont: »Gebrochen hab' ich mein Gelübde.« Diese »Schuld« findet bald ihre Buße: Johanna wird als Hexe angeklagt und gerät in die Hände der mit den Engländern verbündeten Truppen. Bei einer Begegnung mit Lionel bleibt sie standhaft; sie widersteht seinem Liebeswerben. Johanna hat sich wieder gefunden, die Fesseln fallen von ihr ab, sie eilt zum Kampf und rettet noch einmal eine Schlacht für Frankreich. Die Jungfrau fällt, aber ihr Tod wird zur Apotheose: »Der schwere Panzer wird zum Flügelkleide, / kurz ist der Schmerz, und ewig ist die Freude!«

Schiller nannte das Werk eine »romantische Tragödie«. Romantisch sind der »unglaubliche Vorgang« und der Stil, der das dem Dichter sonst eigene echte Pathos übersteigert, in blumenreiche Metaphern abgleitet und die Grenze des Künstlerischen streift. Auch die Künstlichkeit der Motivation bedeutet eine Abkehr von dem klassischen Ideal der Humanität. Zwar bleibt das Gedankenschema Ideal – Wirklichkeit auch in diesem Drama gewahrt: das Aufleuchten der Idee, die Verletzung des Ideals in der Auseinandersetzung mit der Wirklichkeit, die »Rücknahme« der Schuld, der Sieg der Idee im Opfer. Aber das Ideal, das den Einsatz der Jungfrau bestimmt, ist die Erbarmungslosigkeit, mit der sie jeden Feind auf dem Schlachtfeld töten will. Der Abfall vom Ideal ist die Schwäche der Liebe und des Mitleids. Der Sieg der Idee fällt zusammen mit dem Wiederaufleben des Krieges, mit dem Wiederaufnehmen des Schwertes durch Johanna: ». . . und ewig ist die Freude.«

In der *Braut von Messina* (1803) versuchte Schiller, anhand eines Familienschicksals Form und Wesenselemente der griechischen Tragödie zu erneuern. Er wollte sehen, ob er als »Zeitgenosse des Sophokles auch einmal einen Preis davongetragen hätte«. Der Chor kommentiert ein durch Familienfluch und Orakelspruch verdunkeltes Geschehen: dem allgewaltigen Schicksal fallen menschliche Wünsche und Hoffnungen erbarmungslos zum Opfer (»Völker verrauschen, Namen verklingen . . .«). – Die Brüder Don Manuel und Don Cesar lieben dasselbe Mädchen. In seinem eifersüchtigen Haß ersticht Don Cesar den Bruder; das Mädchen aber ist in Wirklichkeit die Schwester der beiden. Da gibt sich auch Don Cesar den Tod. »Der freie Tod nur bricht die Kette des Geschicks.«

Im *Wilhelm Tell* (1804) kehrt Schiller wieder aus dem Bereich der antiken Schicksalstragödie in den Raum der Geschichte zurück. Obwohl gezeichnet vom nahen Tod, wird ihm die Tragödie zum Schauspiel vom Sieg der Idee in dieser Welt.
FREIHEIT   Nicht mehr im Scheitern des Menschen erfüllt sich nun
UND WAHN   seine Freiheit; sie ist zum Attribut glückhaften Lebens
geworden. Kein Wunder, wenn dieses Stück – »ein herrliches Werk, schlicht, edel und groß, effektvoll und bewegend prachtvolles Theater und vornehmstes dramatisches Gedicht« (Thomas Mann) – zum

volkstümlichsten der Schillerschen Dramen wurde. Die Verknüpfung des historischen Rütli-Schwurs mit dem alten Sagenstoff vom Tyrannenmord ließ die Idee der Freiheit und Würde eines geknechteten Volkes aus der Kraft des Volkstums (mit seinen alten Formen der Gemeinschaft in Familie und Stamm, in Land und Heimat) erblühen und gewann im Jahre der Kaiserkrönung Napoleons auch eine aktuelle politische Bedeutung.

Durch die Willkür und den Übermut der kaiserlichen Landvögte, besonders durch den tyrannischen Geßler gereizt, beschließen die Schweizer Urkantone bei einer Zusammenkunft auf einer einsamen Waldwiese, dem Rütli, sich mit Waffengewalt die Freiheit, die ihnen die österreichische Hausmachtpolitik versagt, zurückzuholen. Wilhelm Tell, der allseits angesehene Bürger, der in mutigem Einsatz den verfolgten Konrad Baumgarten gerettet hat, ist zunächst nicht aktives Mitglied der Verschwörung. Als er jedoch der Rache des Geßler anheimfällt, der ihn erst in sadistischer Freude einen Apfel vom Kopf seines Sohnes schießen läßt und ihn dann in den Kerker werfen will, wird er zum eigentlichen Anführer der Revolution. Bei der Überfahrt über den Vierwaldstätter See gerät das Boot des Landvogts mit dem gefesselten Tell an Bord in einen furchtbaren Sturm. Man vertraut Tell das Steuer an; dieser jedoch springt auf eine Felsenplatte und stößt das Schiff in die Wogen zurück. In der »hohlen Gasse« bei Küßnacht vollzieht Tell den letzten Akt seines Rachewerks: mit einem Pfeil mitten ins Herz streckt er Geßler nieder. Überall fallen nun die Zwingburgen der Tyrannei, die Zeit der Freiheit ist gekommen. Es erfüllt sich, was der sterbende Attinghausen visionär vorausgesehen hatte:

> »Es hebt die Freiheit siegend ihre Fahne.
> Drum haltet fest zusammen – fest und ewig –
> Kein Ort der Freiheit sei dem andern fremd –
> Hochwachen stellet aus auf euren Bergen,
> Daß sich der Bund zum Bunde rasch versammle,
> Seid einig – einig – einig . . .«

Mit solchem Optimismus sollte freilich Schillers Werk nicht enden; die zunehmende Schwere der Krankheit, gegen die er sich mit allen Kräften stemmte, ohne jedoch seine geliebte Arbeit aufzugeben, verstärkte den Pessimismus, der ihn immer wieder anfiel und tief niederstimmte. Im *Demetrius*-Fragment (postum 1815) haben Schillers Weltschmerz und Menschenekel ihre letzte Verdichtung erfahren.

Demetrius, durch die List der anderen in Lug und Trug verstrickt, hält sich für den berechtigten, legitimen Nachfahren des Zaren. Nachdem er auf dem

Reichstag zu Krakau auch das polnische Volk für sich gewonnen hat, will sich die im Kloster lebende Mutter des ermordeten Zaren, Marfa, zu ihm bekennen. – Die weitere Handlung ist nur skizziert: Demetrius versagt, als er von dem Betrugsmanöver erfährt und die Rolle des Herrschers lediglich weiterzuspielen versucht. Als auch noch Marfa von ihm abfällt, wird er erdolcht.

»Echte Freiheit« und »reines Wollen« erweisen sich als Wahn und Werkzeug des Bösen zum bösen Zwecke. »Fahr hin, Mut und Hoffnung! Fahr hin, du frohe Zuversicht zu mir selbst! Freude! Vertrauen! und Glaube! – In einer Lüge bin ich befangen . . . Zerfallen bin ich mit mir selbst! Ich bin ein Feind der Menschen . . . Ich und die Wahrheit sind geschieden auf ewig!« heißt es im großen Monolog des Demetrius. Damit wird nicht nur die menschliche, sondern auch die göttliche Ordnung in Frage gestellt. Die dunklen Schicksalsmächte der Geschichte triumphieren; der Mensch – als ihr Werkzeug und Objekt – ist der erhebenden und erhabenen geistigen wie sittlichen Freiheit nicht mehr fähig. Die »tragische Theodizee«, die bislang Schillers Schauspiele kennzeichnete, wandelt sich zur Tragödie, die auch das Metaphysische in Frage stellt. Damit ist eine Entwicklung eingeleitet, die zu Kleist, Grabbe, Büchner und zum modernen Drama hinführt.

DIE ROMANTIK

Die deutsche Klassik und Romantik entfalteten sich in einer Zeit nationaler Ohnmacht und Zerrissenheit. Aufgrund der außenpolitischen bzw. militärischen Erfolge Napoleons brach der ohnehin nur noch ideelle Restbestand des Deutschen Reiches, das Kaisertum, zusammen. 1806 legte Franz II. (nachdem er sich zum Kaiser von Österreich ernannt hatte) die deutsche Krone ab. Zwar konnten sich die Einzelstaaten von der Herrschaft Napoleons befreien (1813/14), aber sie schlossen sich lediglich zu einem lockeren »Deutschen Bund« zusammen. Enttäuscht wurden vor allem jene Romantiker, denen eine Erneuerung mittelalterlicher »Reichsherrlichkeit« vorschwebte.

Der Ausdruck »Romantik« (den Friedrich Schlegel und Novalis für eine bisher ungewöhnliche, »moderne« Poesie verwendeten) entstand vermutlich aus den Synonymen »romanisch« und »Roman«. Als Romane wurden schon im 18. Jahrhundert epische Dichtungen in romanischen Sprachen bezeichnet, besonders Erzählungen sagenhaften, phantastischen und traumhaften Inhalts.

Die frühen Romantiker schätzten das griechische Menschenbild der Klassik, vermißten allerdings eine vollkommene Ausschöpfung des menschlichen Wesens. Das, was zu »ergänzen« war, ließ sich freilich nicht auf einen einfachen programmatischen Nenner bringen; aber im wesentlichen umriß es Friedrich Schlegel mit dem Wort »Paradoxie«. Das Paradoxe, das vom normalen Denkprozeß Abweichende, die volle Eigenwilligkeit der Stimmungen, das jenseits von allem Begrifflichen und Begreifbaren Liegende, das Seltsame und Widersinnige, sollten berücksichtigt und betont werden. Man schaute zurück in den »Sturm und Drang«, ins Barock und ins Mittelalter. Aus dem Streben heraus, zu »ergänzen«, das menschliche Sein gerade durch das Hervorheben seiner »Nachtseiten« insgesamt zu erfassen, alle Lebensbereiche – unter Einschluß der historischen Vergangenheit – zu betrachten, entstand das Ideal der »Universalpoesie«.

»Universalität«, schrieb Wolfgang Menzel, »ist der Charakter unserer Zeit«.

Der Dichter strebte nach einer umfassenden Erkenntnis; er suchte die dem Sein zugrundeliegenden Geheimnisse zu entdecken und selbst das Triviale ins Geheimnishafte einzubeziehen. »Die Welt muß romantisiert werden«, sagte Novalis. »So findet man den ursprünglichen Sinn wieder. Diese Operation ist noch ganz unbekannt. Indem ich dem Gemeinen einen hohen Sinn, dem Gewöhnlichen ein geheimnisvolles Ansehen, dem Bekannten die Würde des Unbekannten, dem Endlichen einen unendlichen Schein gebe, so romantisiere ich es.«

Genialität und Phantasie wurden aufgerufen, das zwielichtig Elementare, etwa die Nacht und Dämmerung, zu ergründen. Der Dichter befaßte sich mit den Phänomenen des Traumes und der Vision (dem »Säuseln des Geistes, welches in der Mitte der innigsten und höchsten Gedanken wohnt«). Er verehrte die »Blaue Blume«, das Symbol alles wunderbar Rätselhaften. Er liebte das Zerfließen des deutlich Wahrnehmbaren und vermengte daher auch die Sinneseindrücke (»Synästhesie«): »Die Farbe klingt, die Form ertönt.«

Die Natur empfand man als magisch beseelt, von »unsterblicher Melodie umjauchzt«. Den »Nachtseiten der Naturwissenschaften« wandte man sich zu, dem Magnetismus, der mittelalterlichen Magie und Alchimie und den Wundern der Stigmatisierung.

Um Traumhaft-Unbewußtes aufzuspüren, studierte man Werke barocker und mittelalterlicher Mystiker, der »Taucher in die Tiefe des Gefühls«. Zugleich wollte man ihre intuitive Frömmigkeit, »welche die Lehren des Christentums in die Welt eingeprägt«, als das einzig wahre Verhältnis zu Gott aufzeigen. Religion wurde – ganz im Gegensatz zur Aufklärung – als Gefühlserlebnis angesehen. »Religion«, erklärte Schleiermacher, »ist weder Metaphysik noch Moral, sondern Anschauung des Universums aus dem Innersten des Gemütes«. Zahlreiche Romantiker bekannten sich zum Katholizismus, weil sie ihn als »mystische Offenbarungsreligion« empfanden.

Derartig extrem emotionalen (»somnambulistischen« und »paradoxen«) Intentionen stellte sich jedoch ein »gesunder« Wille entgegen, schlicht, maßvoll und kritisch zu verfahren. Die Gefahr der seelischen Zerrüttung und Umnachtung hat viele Romantiker bedroht. Eine Sicherheit fand sich in der kirchlichen, dogmatischen Religiosi-

tät (das deutlichste Beispiel dafür ist die Dichtung Eichendorffs). –
Ein anderer, geradezu kurios-poetischer Ausweg war die Selbstironie (etwa Ludwig Tiecks und Heinrich Heines), mit der sich der Dichter aus seinem Zustand emotionaler Rätselhaftigkeit hinausretten
wollte (»Romantische Ironie«).

Vor allem aber bestand die Möglichkeit, sich auf einen unproble-
matisch einfachen und unbeschwerten Bezirk einzustellen: auf die
sagenumwobene Geschichte von Städten, Klöstern und Burgen und
auf die Welt der Volkspoesie, namentlich des Märchens. »Die Märchen«, schrieb Wilhelm Grimm, »bezeichnen einmal ohne fremden
Zusatz die eigentümliche poetische Ansicht und Gesinnung des Volkes, das nur ein gefühltes Bedürfnis jedesmal zur Dichtung antrieb,
sodann aber auch den Zusammenhang mit dem Früheren, aus welchem deutlich wird, wie eine Zeit der anderen die Hand reicht«.

Gerade diese »populäre« Romantik trat immer mehr hervor und
erhielt sich am längsten. Besonders Heimatdichter imitierten den gefühlsseligen, ins Märchenhafte ausufernden »Idyllismus«.

Beiden Seiten des Romantischen lag eine emotionale Motivik zugrunde. Die Maßgeblichkeit des Gefühls schloß alles real Gültige aus
und führte zu absolutem Subjektivismus, zur – wie Friedrich Schlegel
sagte – »selbstbewußten Vereitlung des Objektiven«. Die Phantasie
des »Genies« sollte aus eigenem Ermessen gestalten, im Magisch-
Mystischen wie auch im Volkstümlich-Märchenhaften.

Der Dichter wollte sich nicht als »Typus« festlegen lassen; er bean-
spruchte grenzenlose Freiheit, das Recht auf »Willkür«. Im Grunde
wollte er sich vielen Erfahrungen und Stimmungen hingeben, »uni-
versalisch« sein. »Ein recht freier und gebildeter Mensch«, meinte
Friedrich Schlegel, »müßte sich selbst nach Belieben philosophisch
und philologisch, kritisch und poetisch, historisch und rhetorisch, antik und modern stimmen können, zu jeder Zeit und in jedem Grade«.

Aus dem ursprünglichen Vorhaben, die klassische Dichtung zu ergänzen, entstand ein schroffer Gegensatz zu ihr. Die romantische Bewegung, die schon in der Zeit der Freundschaft Goethes und Schillers
einsetzte, betrachtete sich allmählich als eigene »Schule«.

DIE JENAER ROMANTIK

Die ersten Anregungen gingen von einem Philosophen- und Dichterkreis in Jena aus (dem sich auch auswärtige, vor allem Berliner Autoren anschlossen). Grundlegend waren zunächst philosophische Spekulationen. **Johann Gottlieb Fichte** (1762–1814), ab 1793 Professor an der Jenaer Universität, vertrat die Lehre vom »Ich als absolutem Subjekt«, einem Ich, das als tätiger Geist alles Geschehen bewirkt und dem die Außenwelt, das »Nicht-Ich«, untergeordnet ist. In diesem Ich sollte ein »Trieb nach etwas völlig Unbekanntem« veranlagt sein. **Friedrich Wilhelm Schelling** (1775–1854), Philosophiedozent, 1799 Nachfolger Fichtes in Jena, sah das Ich und Nicht-Ich als einheitlichen Organismus an. Der Mensch, alle Lebewesen und sogar die Natur seien vom Geist des Alls durchströmt und bewegt. »Die Natur ist der sichtbare Geist, der Geist die unsichtbare Natur.« Dieser Gedanke führte zum romantischen »Panpsychismus« hin, zum Glauben, daß in jedem Teil der Natur (auch im Stein und in der Pflanze) seelische Elemente vorhanden sind (etwa Feen, Geister, Gnome, gutwillige wie auch bösartige »Zauberkräfte«).

Friedrich Schleiermacher (1768–1834), protestantischer Theologe und Religionsphilosoph, der sich zumeist in Berlin aufhielt und sich an der Jenaer Romantik beteiligte, definierte die Religion und Frömmigkeit – entgegen allem Dogmatismus und Rationalismus – als »Sinn und Geschmack für das Unendliche«, als »Gefühl schlechthinniger Abhängigkeit«, als rein emotionale »Anschauung«. Ludwig Tieck (S. 239) verlangte nach einem vollends esoterischen, »musikalischen« Gotteserlebnis: »Die Tonkunst ist gewiß das letzte Geheimnis des Glaubens, die Mystik, die durchaus geoffenbarte Religion.«

Es ist bezeichnend, daß sich schon der frühen Romantik zahlreiche Frauen anschlossen. Mitunter spielten sie eine gesellschaftliche Rolle und wurden zum Mittelpunkt der philosophischen und poetischen Symposien. Die Romantik bedeutete für die literarisch gebildeten

Frauen eine Befreiung von der strengen logischen Sachlichkeit und
betont männlichen Korrektheit der »Aufklärung« und »Klassik«, eine Erweckung eigener Anlagen und Fähigkeiten. Die Verabsolutie-
rung des »Ich« erlaubte auch ihnen eine Emanzipation von den bürgerlichen Normen, ein Gefühl der Libertät und sogar ein sehr exal-
tiertes Verhalten.

Im Haus der **Henriette Herz** (1764–1847), in Berlin, verkehrten
Schleiermacher, Friedrich Schlegel und **Dorothea Mendelssohn**
(1763–1839), eine Tochter des Aufklärungsphilosophen Moses Mendelssohn (in zweiter Ehe verheiratet mit Friedrich Schlegel), die u. a.
als Romanschriftstellerin bekannt wurde. An Jenaer Publikationen
beteiligten sich **Karoline von Humboldt** (K. v. Dachröden, verh. mit
Wilhelm von Humboldt; 1766–1829) und Ludwig Tiecks Schwester
Sophie Bernhardi (1775–1833). Oft äußerte sich in den Auseinandersetzungen mit romantischen Ideen ein schwermütiges Sinnieren über
das eigene Geschick. **Karoline von Günderode** (1780–1806), eine seinerzeit vielbeachtete Lyrikerin, endete im Selbstmord.

Bettina Brentano (1785–1859; verh. mit Achim von Arnim, S. 243)
gab sich zuweilen einer exzentrischen Gefühlsschwärmerei hin und
wurde gerade deshalb von vielen Romantikern verehrt. Andererseits
wies sie unentwegt auf die Not von Bauern, Webern und Arbeitern
hin (*Dies Buch gehört dem König*, 2 Bde. 1843), wodurch sie sich mit
der Sozialkritik der »jungdeutschen« Bewegung (Heines, Freiligraths
und Herweghs) identifizierte.

Sophie Mereau (1770–1806), eine Freundin von Clemens Brentano
(Bettinas Bruder, S. 245), machte durch Gedichte und zwei empfind-
same Romane, aber auch durch Exaltiertheiten von sich reden.
(Friedrich Schlegel war von ihr nur kurze Zeit begeistert.)

Friedrich Schlegel (1772–1829; geb. in Hannover, ab 1796 in Jena
ansässig, 1800/01 Privatdozent an der Universität) gab 1798–1800
die Zeitschrift *Athenäum* heraus, das erste Organ für
PROGRESSI- eine »moderne«, »romantische« Dichtung. In mehre-
VE POESIE ren Beiträgen entwickelte er eine neue Art von Poetik.
»Poesie ist Musik für das innere Ohr und Malerei für
das innere Auge, aber gedämpfte Musik und verschwebende Malerei.« Seine Forderung, sich von allem Gesetzhaften zu befreien,
knüpfte an den Geniekult des »Sturm und Drang« an. Shakespeare
wurde wieder proklamiert.

Die Schrift *Gespräch über die Poesie* (1800), abgefaßt als Erörterung in einem Freundeskreis, manifestiert die (antirationalistische) Ansicht, Poesie lasse sich nicht lehren und erlernen. Sie sollte aus einer »lebendigen Naturoffenbarung« hervorgehen und eine »universale Tendenz« aufweisen. Das »Romantische« wird nicht als besondere »Gattung«, sondern als wesentliches und unverzichtbares »Element der Poesie« angesehen. Romantisches finde sich z. B. bei Shakespeare, Cervantes und Jean Paul (dessen ausufernde Ornamentik und Ironie gelobt werden). Am besten äußere sich Romantisches im Roman, denn er sei ein vielfältiger Faszikel von »Erzählung, Gesang und anderen Formen«. Außerdem eigne sich gerade der Roman dafür, ein »verhülltes Selbstbekenntnis« abzulegen.

Im Romanfragment *Lucinde* (1799) interpretierte Schlegel sein Verhältnis zu Dorothea Mendelssohn als eine sinnlich-körperliche und geistig-seelische Beziehung. Der Maler Julius findet – nach manchen Enttäuschungen – bei der Malerin Lucinde die langersehnte Libertinage, die Befreiung von der Moral des Bürgertums. – Erste Ansätze einer »Boheme«-Literatur deuteten sich an. »O beneidenswerte Freiheit von Vorurteilen!« sagt Wilhelmine, Lucindes Freundin. »Wirf auch du sie von dir, ... alle die Reste von falscher Scham, wie ich oft die fatalen Kleider von mir riß und in schöner Anarchie umherstreute.«

»Anarchisch«, systemlos, ist auch die Anlage des Romans. Schlegel meinte, eine »reizende Verwirrung« müsse entstehen. Konzepte von Briefen und Aufsätzen sind eingestreut, z. B. Reflexionen über »Freiheit und Frechheit«, die »gottähnliche Kunst der Faulheit«, die »heilige Stille der echten Passivität« und die »Tändeleien der Phantasie«. – »Vernichten und schaffen, eins und alles!«

   Nach unruhigen Wanderjahren konvertierte Schlegel zum Katholizismus und trat 1808 in den österreichischen Staatsdienst ein. In seinen Wiener Vorträgen über die *Geschichte der alten und neuen Literatur* (2 Bde. 1815) äußerte er sich über die Klassik, vor allem über Goethe, durchaus kritisch.

August Wilhelm Schlegel (1767–1845) verbreitete die poetologischen Ansichten des Jenaer Kreises (vor allem seines Bruders) in mehreren Abhandlungen und gedruckten Vorlesungen. Fragmentarisch, jedoch überaus geistvoll befaßte er sich mit den attischen Dramatikern und mit Shakespeare und Calderón (z. B. in den Vorlesungen *Über dramatische Kunst und Literatur,* 3 Bde. 1809–11). Schlegel besaß ein geniales Einfühlungsvermögen in die Mentalität aus-

ländischer Literaturen. Daraus erklären sich seine zahlreichen, z. T. bis heute gültigen Übersetzungen. Er übertrug 17 Dramen Shakespeares (Gesamtausg. mit L.
Tieck u. a. Übersetzern 1825–33), 5 Dramen Calceróns
(1803–09) und Werke von Dante, Petrarca, Tasso und dem portugiesischen Renaissancedichter Camões. Zudem gab er eine Zeitschrift
Indische Bibliothek (1820–30) heraus, die der romantischen Begeisterung fürs Orientalische entsprach. (Friedrich Schlegel hatte bereits
auf die Kultur der Hebräer, Perser und Inder hingewiesen.) Auch im
räumlichen Ausgriff wurde Universalität angestrebt.

An Friedrich Schlegel hatte sich sehr früh (1793) **Friedrich von
Hardenberg** (1772–1801) angeschlossen, der sich den »mystisch«
klingenden Namen **Novalis** gab. Auch er betrachtete sich als Dichter
grenzenloser Vielartigkeit und widersprüchlicher Emotionen, als ein
»verzweifelter Spieler« mit den »raffiniertesten Gefühlen«. Zugleich
aber suchte er eine »absolute, wunderbare Synthesis« von »kühner
übersinnlicher Einbildungskraft« und »Besonnenheit«.

Novalis stammte aus einer herrnhutisch-pietistischen Familie (geb. in Wie-
derstedt b. Merseburg); er studierte in Jena Rechtswissenschaft und 1797–99
an der Bergakademie Freiberg Physik und Geologie. Danach wurde er Berg-
werksassessor in Weißenfels (sein Vater war Direktor der dortigen Salinen).
Durch Vermittlung von August Wilhelm Schlegel wurde er mit Ludwig Tieck
bekannt, der dann einen Teil des Nachlasses herausgab.

Für Novalis war die Poesie »Eins und Alles«. Es ist eine zartfühlende,
ätherische, übersinnliche Poesie, die mit höchster Sensibilität die
Empfindungen des Lebensschmerzes läutert und bis zur religiösen
Offenbarung hin verklärt. Novalis war in seiner überwachen Empfindsamkeit, die alle Eindrücke ins umfassend Metaphysische wendete, der universalste Dichter der Romantik. Philosophie und Natur-
wissenschaft, Mystik des Barock und Mittelalters, Griechenland und
der Orient, Katholizismus und Marienliebe, die Welt des Rittertums
und der Minnedichtung, Märchen und Sage und Betrachtungen über
das Wesen der Kunst und Dichtung fließen zusammen in der Reflexion über die eigene Seele. Sie ist der Diamant, in dem sich das Uni-
versum vergeistigt spiegelt und von dem die magischen Farbreflexe
der Poesie ausgehen.

Das Bild des Diamanten, eines Karfunkelsteins, findet sich im Roman-Entwurf *Die Lehrlinge zu Sais*. Ein Philosoph und seine Schüler wollen die Geheimnisse der Natur ergründen. Das mystische Licht des Steins symbolisiert ihren Willen, sich nicht dem »Denken«, sondern dem »ahndungsreichen Gemüt« hinzugeben.

Im Romanfragment *Heinrich von Ofterdingen* (ebenfalls erst postum 1802 ersch.) entwarf Novalis zauberhafte Szenen mittelalterlichen Lebens und zudem ein Idealbild romantischer Poesie. Ofterdingen (ein lediglich in Sagen erwähnter, vermutlich am Ende des 12. Jahrhunderts lebender Minnesänger) wird als romantische Dichtergestalt verklärt. In seinem Elternhaus (in Eisenach) sieht er im Traum eine blaue Blume, die sich zu ihm neigt und in ihrem Innern ein zartes Mädchenantlitz enthüllt.

DIE BLAUE
BLUME

»Eine Art von süßem Schlummer befiel ihn, in welchem er unbeschreibliche Begebenheiten träumte und woraus ihn eine andere Erleuchtung weckte. Er fand sich auf einem weichen Rasen am Rande einer Quelle, die in die Luft hinausquoll und sich darin zu verzehren schien. Dunkelblaue Felsen mit bunten Adern erhoben sich in einiger Entfernung; das Tageslicht, das ihn umgab, war heller und milder als das gewöhnliche, der Himmel war schwarzblau und völlig rein. Was ihn aber mit voller Macht anzog, war eine hohe lichtblaue Blume, die zunächst an der Quelle stand und ihn mit ihren breiten, glänzenden Blättern berührte. Rund um sie her standen unzählige Blumen von allen Farben, und der köstliche Geruch erfüllte die Luft. Er sah nichts als die blaue Blume und betrachtete sie lange mit unnennbarer Zärtlichkeit. Endlich wollte er sich ihr nähern, als sie auf einmal sich zu bewegen und zu verändern anfing; die Blätter wurden glänzender und schmiegten sich an den wachsenden Stengel, die Blume neigte sich nach ihm zu, und die Blütenblätter zeigten einen blauen, ausgebreiteten Kragen, in welchem ein zartes Gesicht schwebte.«

Erfüllt von Sehnsucht nach der blauen Blume, begleitet er seine Mutter auf einer Reise in ihre Heimatstadt Augsburg. Er hört von Dichtungen der Minnesänger, lernt in einer Burg ein Mädchen aus dem Morgenland kennen, erfährt von einem Bergmann Geheimnisse des Erdinneren und begegnet einem Eremiten, der einst ein berühmter Kreuzfahrer war. In Augsburg befreundet er sich mit dem Sänger Klingsohr; dieser erzählt ihm eine Geschichte, in der die blaue Blume vorkommt. Klingsohrs Tochter, seine Liebe zu ihr, weckt in ihm das Gefühl, zur Dichtkunst berufen zu sein. – Der zweite Teil des Romans sollte Ofterdingen in den Orient, nach Griechenland, Italien und an den Hof des »mystischen Kaisers« Barbarossa führen und ihn zuletzt die – als blaue Blume verzauberte – Tochter Klingsohrs wiederfinden lassen.

Als »Apotheose der Poesie« hatte der Roman auf die Romantik eine
überaus starke Wirkung. Er wurde als romantische Parallele zu Goethes »Wilhelm Meisters Lehrjahren« angesehen. Zudem entsprach er
der Forderung Friedrich Schlegels, ein Roman müsse eine »Enzyklopädie des ganzen geistigen Lebens eines genialischen Individuums«
sein.

Allerdings bevorzugte Novalis »eine gewisse Altertümlichkeit des
Stils«. Seine Prosa hat (trotz aller Symbol- und Chiffrenhaftigkeit)
eine einfache Diktion, einen schlichten Satzbau und ein additives Gefüge von Gedanken und Bildern.

In seinen *Fragmenten* (1802) nannte Novalis die Krankheit einen
»höchst wichtigen Gegenstand der Menschheit«, den »interessante-
sten Reiz und Stoff unseres Nachdenkens«. Seit dem
MYSTERIUM Tod seiner Verlobten, Sophie von Kühn, verließ ihn
DER NACHT die Ahnung des eigenen Todes nicht mehr: »Es ist
Abend geworden, und es ist mir, als würde ich früh
weggehen.« Aus der Überzeugung ewigen Verbundenseins mit der
Frühverstorbenen ergab sich für ihn eine enge Vertrautheit mit dem
Tod, eine geradezu religiöse Erwartung des Jenseits.

In den lyrischen Rhythmen *Hymnen an die Nacht* (1800) geschieht
eine Flucht aus dem hellen Tag in ein visionär geschautes Wunder-
reich der Nacht, das ein lebensträchtiges Dunkel ist, Mutter des
Lichts und Urgrund aller Dinge. Diese orphische Region verheißt
Erlösung, Befreiung und Vereinigung mit der Geliebten, eine Empfindung überirdischer »Lieb und Seligkeit«. Nacht und Tod werden
zu einem heiligen Mysterium, indem sich Seele und Weltgeist vereinen.

»Abwärts wend ich mich zu der heiligen, unaussprechlichen, geheimnisvollen Nacht. Fernab liegt die Welt – in eine tiefe Gruft versenkt – wüst und
einsam ist ihre Stelle. In den Saiten der Brust weht tiefe Wehmut. In Tautrop-
fen will ich hinuntersinken und mit der Asche mich vermischen. – Fernen der
Erinnerung, Wünsche der Jugend, der Kindheit Träume, des ganzen langen
Lebens kurze Freuden und vergebliche Hoffnungen kommen in grauen Kleidern, wie Abendnebel nach der Sonne Untergang. In andern Räumen schlug
die lustigen Gezelte das Licht auf. Sollte es nie zu seinen Kindern wieder-
kommen, die mit der Unschuld Glauben seiner harren? ... Preis der Weltkö-
nigin, der hohen Verkündigerin heiliger Welten, der Pflegerin seliger Liebe –
sie sendet mir dich – zarte Geliebte – liebliche Sonne der Nacht, – nun wach
ich – denn ich bin Dein und Mein – du hast die Nacht mir zum Leben verkün-

det – mich zum Menschen gemacht – zehre mit Geisterglut meinen Leib, daß ich luftig mit dir inniger mich mische und dann ewig die Brautnacht währt.« – In der fünften Hymne wird das Griechentum als »Ewiges Fest der Götter und Menschen« gefeiert, allerdings noch der Welt des Tages zugehörig. Erst die Gestalt Christi symbolisiert die Erlösung im ewigen Leben. So offenbart die sechste Hymne die Nacht des Todes als das wirkliche Sein.

Novalis starb mit neunundzwanzig Jahren in Weißenfels, nachdem er über die Nachricht, daß sein vierzehnjähriger Bruder ertrunken war, einen Blutsturz erlitten hatte. Friedrich Schlegel war in den letzten Stunden bei ihm.

An den Jenaer Kreis, besonders an Friedrich Schlegel, schlossen sich auch die beiden Berliner Wackenroder und Tieck an. 1793 (im Jahr des ersten Gedankenaustausches zwischen Schlegel und Novalis) wanderten sie als Studenten durch das fränkische Land. Der Bamberger Dom, die Barockschlösser, die mittelalterlichen Kleinstädte und die lebendige Geschichtlichkeit der Reichsstadt Nürnberg bewirkten ein enthusiastisches Erlebnis deutscher Vergangenheit.

Wilhelm Heinrich Wackenroder (1773–98) begeisterte sich vor allem an der Architektur und Malerei. Dem klassizistischen Schönheitsideal setzte er die deutsche Kunst, namentlich die ZAUBER DER Gotik, entgegen. »Auch unter Spitzgewölben, krausKUNST verzierten Gebäuden und gotischen Türmen wächst wahre Kunst hervor.« In den Skizzen und Essays *Herzensergießungen eines kunstliebenden Klosterbruders* (1796), zu denen Tieck einige Aufsätze beisteuerte, werden der einstige Kunstgeist Nürnbergs und das Werk Albrecht Dürers verherrlicht.

»Nürnberg! du vormals weltberühmte Stadt! Wie gerne durchwanderte ich deine krummen Gassen; mit welcher kindlichen Liebe betrachtete ich deine altväterischen Häuser und Kirchen, denen die feste Spur von unsrer alten vaterländischen Kunst eingedrückt ist! Wie innig lieb' ich die Bildungen jener Zeit, die eine so derbe, kräftige und wahre Sprache führen! Wie ziehen sie mich zurück in jenes graue Jahrhundert, da du, Nürnberg, die lebendigwimmelnde Schule der vaterländischen Kunst warst und ein recht fruchtbarer, überfließender Kunstgeist in deinen Mauern lebte und webte: – da Meister Hans Sachs und Adam Kraft, der Bildhauer, und vor allen Albrecht Dürer mit seinem Freunde Willibaldus Pirkheimer und so viel andre hochgelobte Ehrenmänner noch lebten! Wie oft hab' ich mich in jene Zeit zurückgewünscht!«

»Ich kenne zwei wunderbare Sprachen, durch welche die Schöpfung den Menschen vergönnt hat, die himmlischen Dinge in ganzer Macht zu erfassen

und zu begreifen. Die eine dieser wundervollen Sprachen redet nur Gott, die
andere reden nur wenige Auserwählte unter den Menschen, die er zu seinen
Lieblingen gesalbt hat. Ich meine: die Natur und die Kunst.«

In Aufsätzen (zusammen mit Tieck) und in den »Herzensergießungen« hat Wackenroder auch das romantische Musikerlebnis geweckt.
Nicht nur ein »universalischer« Wille war vorhanden, möglichst viele
Kunstgattungen einzubeziehen, sondern auch das Verlangen nach einem totalen Gefühlserlebnis, einem ahnungsvollen Empfinden der
Töne und Klänge, der »Wunderzeichen«, die aus dem Herzen dringen und den Menschen mit einer »geheimnisvollen Offenbarung« erfüllen.

»In dem Spiegel der Töne lernt das menschliche Herz sich selber kennen; sie
sind es, wodurch wir das Gefühl fühlen lernen; sie geben vielen in verborgenen Winkeln des Gemüts träumenden Geistern lebendes Bewußtsein und
bereichern mit ganz neuen zauberischen Geistern des Gefühls unser Inneres.« Die Musik wird zu einer erlösenden Kraft, die den Menschen vom Irdischen freimacht und ihn (auch im Kranksein und im Tod) eine höchste Vollendung erleben läßt. Freilich entstand dadurch eine tragische Diskrepanz zur
Wirklichkeit.

   Die Erzählung *Das merkwürdige musikalische Leben des Tonkünstlers Joseph Berglinger* (im Band »Herzensergießungen«) gibt das Ringen eines Musikers wieder, eines Kapellmeisters, der in einer süddeutschen Residenzstadt
lebt, eine Passionsmusik komponiert, dem Werk mit ganzer Leidenschaft
verfallen ist und in einem mystischen Reich der Musik versinkt. »Seine Seele
war wie ein Kranker, der in einem wunderbaren Paroxysmus größere Stärke
als ein Gesunder zeigt – er kränkelte eine Zeitlang und starb nicht lange
darauf in der Blüte seiner Jahre.«

Ludwig Tieck (1773–1853), der anfangs der Aufklärung gedient hatte, aber durch das fränkische Erlebnis und die Freundschaft mit Wak-
kenroder umgestimmt worden war, übertrug die Kunstbegeisterung
in ein Romanfragment, *Franz Sternbalds Wanderungen* (1798), wobei
er der deutschen Kunst eines Albrecht Dürer den Vorrang gab.

In den Niederlanden, im Hause des Lucas von Leyden, trifft der junge Maler
Sternbald wieder mit seinem Lehrer Dürer zusammen. Seine Reise führt
ihn, von mancherlei Abenteuern unterbrochen, weiter nach Italien, nach
Florenz und Rom. Er will »ein Werk hinzuzaubern, das gleichsam ein Bild der
Unendlichkeit ist«. Obwohl von der italienischen Kunst fasziniert, ent-

schließt er sich, im Stil der Deutschen zu malen. Zudem findet er das Mädchen wieder, dem er einst in seinem Heimatdorf ein paar Wiesenblumen geschenkt hatte.

Die dennoch rationale Seite Tiecks tritt in seinen Schauspielen hervor. Vor allem seine Komödien enthalten eine Vermischung von romantischer Empfindung und rationaler artistischer ROMANTI- Gewandtheit. Ein ernsthaftes und gefühlsechtes Aus-SCHE IRONIE schöpfen und Darstellen romantischer Erlebniswelt erlaubte ihm sein kühler und kritischer Verstand nur sehr selten. Vielmehr wehrte sich der Verstand gegen die Überfülle des Gefühls und setzte gegen das Zuviel an Phantasie und Stimmung eine nüchterne Denkweise ein. Das Romantische wurde vom Intellekt gestört und sogar zerstört. Witz und Satire unterbrechen und sprengen die Atmosphäre des Wunderbaren, Zauber- und Märchenhaften.

Im »deutschen Lustspiel« *Prinz Zerbino* (1799) wird das Vernünftlertum der Aufklärung, aber auch eine übermäßige Empfindsamkeit verulkt. Zerbino, an antirationalistischem Irrsinn erkrankt, unternimmt eine Reise, um »guten Geschmack« kennenzulernen, gelangt aber nicht ins gelobte romantische Märchenland. In der Residenz wird er gezwungen, Theater zu spielen, bringt jedoch keine halbwegs ordentliche Aufführung zustande. Schließlich hält er die gesamte Poesie für eine »Narrheit«.

Die verkehrte Welt (1798), als »historisches Schauspiel« bezeichnet, mit einem Epilog beginnend und einem Prolog endend, spielt als Theater im Theater. Der Römer Scaevola sagt: »Seht, Leute, wir sitzen als Zuschauer und sehen ein Stück; in jenem Stücke sitzen wieder Zuschauer und sehen ein Stück, und in jenem dritten Stücke wird jenen dritten Akteurs wieder ein Stück vorgespielt.« Durch zahlreiche Nebeneinlagen ist die Handlung vollkommen verschachtelt, gleichsam auf der Bühne nach innen gestaffelt, womit die Personen, die eben noch spielten, nun als Zuschauer die Handlung der anderen glossieren können. Das Stimmungsbild der Waldeinsamkeit mit einem Bauern und einem Esel wird von den Zuschauern verwirrt, die von dem Theatermaschinisten fordern, er solle einen Gewitterregen auf die Bühne schütten; aber auch der romantische Eindruck des Gewitters wird beeinträchtigt, indem der Maschinist mitteilt, der Blitz sei durch Kolophonium und der Donner durch eine rollende Kugel erzeugt worden.

Noch deutlicher ist die ironisierende Rolle der »Zuschauer« im *Gestiefelten Kater* (1797). Auf der Bühne sitzen ein Müller, Schlosser, Fischer, Böttcher, die das Stück glossieren. Gerade an romantischen

Höhepunkten dieses Märchenspiels setzt ihre überaus einfältige Kritik ein: »Der Kater spricht? – Was ist denn das?« – »Ich hätt' es nicht vermutet, ich habe zeitlebens noch keine Katze sprechen hören.« – »Nun, seht ihr wohl, daß es ein rührendes Familiengemälde wird?« – »Es ist doch fast zu toll.« – »Unmöglich kann ich da in eine vernünftige Illusion hineinkommen.« – Die »Zuschauer« sind erbost, es gibt Krawall, das Stück wird ausgezischt. Freilich sind die Zuschauer nur »Spießer«, ihr Verstand ist platt und dumm, und sie werden damit ebenfalls ironisiert; aber durch ihre nüchternen Einwände bringen sie es doch fertig, das romantische Spiel zu durchkreuzen.

Weniger auffällig ist die Ironie in den anderen Stücken, in dem Sagen-Schauspiel von *Fortunat* (1816), der durch ein Zaubersäckchen und einen Zauberhut überall in der Welt große Abenteuer besteht, im Märchenstück vom *Kleinen Thomas, genannt Däumchen* (1812), in der Legende vom *Leben und Tod der heiligen Genoveva* (1800), die trotz aller Bedrängnis dem gegen die Heiden ziehenden Gemahl treu bleibt, und in dem – ebenfalls einem alten Volksbuch entnommenen – *Kaiser Octavianus* (1804) mit dem Chorlied:

> »Mondbeglänzte Zaubernacht,
> Die den Sinn gefangen hält,
> Wundervolle Märchenwelt,
> Steig auf in der alten Pracht!«

Tieck gab 1797 eine Sammlung *Volksmärchen* (vorwiegend mittelalterliche deutsche Märchen, Volksbuchbearbeitungen und scherzhafte Geschichten) heraus. Weitere Motive aus Märchen und Sagen enthält seine dreibändige Ausgabe von Prosawerken und Schauspielen, *Phantasus* (1812–16).

Später verlegte sich Tieck auf eine biedermeierliche Romantik, die bereits Züge des »Realismus« aufweist. Seine Novelle *Die Gemälde* (1822) verrät eine sehr ökonomische Einschätzung der Kunst. Eine kostbare Gemäldesammlung, die hinter einer Wandtäfelung entdeckt wird, dient lediglich dazu, als Geschenk den Vater des geliebten Mädchens umzustimmen, seine Einwilligung in die Ehe zu erreichen. – In der Novelle *Des Lebens Überfluß* (1839) wird ein mittelloses, verarmtes Liebespaar mit der Unbill der Wirklichkeit halbwegs fertig, indem es Kraft zum Humor aufbringt (zuletzt verschüren beide die Treppe zu ihrer Dachkammer). Ein Vergleich mit dem im selben Jahr von Carl Spitzweg (1808–85) gemalten Bild »Der arme Poet« liegt nahe. Idyll und Beschwernis des »Biedermeier« sind angedeutet.

DIE HEIDELBERGER ROMANTIK

Die Märchen- und Sagen-Ausgaben Ludwig Tiecks, aber auch das Geschichts- und Kunsterlebnis Tiecks und Wackenroders und die Verherrlichung des Mittelalters im »Ofterdingen« von Novalis waren die ersten Vorläufer der »Heidelberger Romantik«. Viele Ideen und Themen der Jenaer Schule wurden in Heidelberg übernommen. Jedoch lehnte man die subjektivistische Einstellung Fichtes und die »Paradoxie«-Intention Friedrich Schlegels ab.

An der Universität Heidelberg ging es nicht um Philosophie und Kunsttheorie, sondern um das Erlebnis der deutschen Vergangenheit, des Volkstums und der Landschaft. »Nichts Welkes, nichts Kränkelndes! Ebenmaß und Ruhe in die brausende Gärung!« verlangte Görres, als er den Studenten und jungen Dichtern das Mittelalter als Vorbild empfahl. Er proklamierte eine »gesunde«, der Vergangenheit sich hingebende Poesie.

Hinzu kam eine politische Forderung, die sich aus den Erfolgen Napoleons und dem Zusammenbruch des Deutschen Reiches ergab (1805 Niederlage Österreichs bei Austerlitz, 1806 Niederlage Preußens bei Jena und Auerstedt). Man wollte die nationalen Kräfte, den Willen zur inneren Erneuerung Deutschlands, stärken. Die Jenaer Romantik hatte sich aus der Politik fast gänzlich herausgehalten; jetzt aber war man gezwungen, zu den Geschehnissen, von denen man überrascht und überwältigt worden war, Stellung zu nehmen. Gerade in diesem politischen Bereich wurde das Mittelalter als lebendige Geschichte, als Leitbild und als innere Verpflichtung angesehen.

Isaak Iselin (1728–82; geb. in Basel) hatte in seiner *Geschichte der Menschheit* (2 Bde. 1764) – symptomatisch für die »Aufklärung« – das Mittelalter als eine Zeit der »Barbarei« und »dichtesten Finsternisse« angesehen. Ein »Hirngespinst von Ehre« sei entstanden, und ein von der »Klerisei« »verdorbenes Christentum« habe einen »ungereimten Hang zum Wunderbaren« gehabt. Im Grunde sei alles auf »Unterdrückung« angelegt gewesen.

Görres erklärte: »Ein schöner langer Mai war über Europa angebrochen, und die Auen grünten jung und saftig. Während die Ritter auf ihren Burgen hausten und Ritterwerk und Kriegsspiel übten, hatte in den Reichsstädten auch ein Rittertum der Bürgerlichkeit sich gebildet, und es war ein schönes, rasches Leben in diesen nordischen Republiken. Selbst der Bauernstand hatte später, etwa in der Schweiz, Ritterehre sich erkämpft. Während die Minnesänger die Liebe sangen und des Gemütes Sehnen, sangen der Aventiure Meister in größeren Gesängen die epische Kunst, die wie eine Gottheit verborgen in tiefer Menschenbrust wohnt und Tat mit Tat verkettet.

Nicht, daß wir das Alte umbilden nach uns selbst, wird an uns gefordert, sondern daß wir uns in etwas nach dem Alten bildeten; daß wir an ihm aus der Zerflossenheit uns sammelten, in der wir zerronnen sind, daß wir einen Kern in uns selbst gestalten und einen festen Widerhalt.«

Der Rheinländer **Joseph Görres** (1776–1848), einst Pamphletist des aufklärerischen *Roten Blattes* (in Koblenz 1798), infolge der franzö

LIEBE ZUM
MITTEL-
ALTER

sischen Expansion von ungestümem Deutschbewußtsein erfüllt, hielt als Professor im Jahre 1806 die ersten germanistischen Vorlesungen. Er wurde der eigentliche Mentor der Heidelberger Romantik und stand vor allem in freundschaftlichem Verkehr mit dem fast gleichaltrigen Brentano und dem jüngeren Achim von Arnim. In seinen Vorlesungen, »weckend und zündend für das ganze Leben«, bildete er die junge Generation der Romantiker aus, darunter vor allem Eichendorff. Er forschte in der Geschichte und Literatur des Mittelalters, sammelte für Arnim altdeutsche Volkslieder und gab selber eine Sammlung *Die teutschen Volksbücher* (1807), längst verschollene Sagen und Legenden aus dem Mittelalter und dem 16. Jahrhundert, heraus.

Besonders durch Anregungen von Görres entwickelten sich die Mediävistik, Sprachforschung und Volkskunde. **Jakob** (1785–1863) und **Wilhelm** (1786–1859) **Grimm** edierten die – bis heute verbreiteten – *Kinder- und Hausmärchen* (3 Bde. 1812–22) und eine Sammlung *Deutsche Sagen* (2 Bde. 1816–18). Zudem verwiesen sie durch Textausgaben und Artikel auf die mittelalterliche Literatur. Ihr Lebenswerk war ein *Deutsches Wörterbuch* (1. Bd. 1854), eine etymologische Erklärung deutschen Wortschatzes (nach Ergänzungen und Korrekturen wurde die Arbeit 1961 mit dem 32. Bd. zunächst abgeschlossen).

In Heidelberg gab **Achim von Arnim** (1781–1831), ein märkischer Adliger, der sich auf einer Bildungsreise durch Europa befand, zusammen mit seinem Freunde Brentano eine Sammlung von 600 alten deutschen Liedern, *Des Knaben Wunderhorn* (3 Bde. 1806–08), heraus, die von den literarischen Kreisen Deutschlands und auch von Goethe mit herzlichem Beifall aufgenommen wurde.

»Wir suchen alle etwas Höheres, das goldene Vlies, das allen gehört, was den Reichtum unseres Volkes, was seine eigene, innere, lebendige Kunst gebildet, das Gewebe langer Zeit und mächtiger Kräfte, den Glauben und das Wissen des Volkes, was sie begleitet in Lust und Tod, Lieder, Sagen, Kunden, Sprüche, Geschichten, Prophezeiungen und Melodien.« Unter diesen Schätzen finden sich noch heute lebendige Lieder: *Guten Abend, gute Nacht; Abends wenn ich schlafen geh; Schlaf, Kindlein, schlaf; Maikäfer flieg; Morgen muß ich fort von hier; Wenn ich ein Vöglein wär; O Tannenbaum; O Straßburg, o Straßburg; In Straßburg auf der Schanz.* 1808 versuchte Arnim, die Sammlung in einer dauernd erscheinenden *Zeitung für Einsiedler* fortzusetzen, deren 37 Nummern im selben Jahr als Buch unter dem Titel *Tröst Einsamkeit, alte und neue Sagen und Wahrsagungen, Geschichten und Gedichte* herauskamen.

In seinem Roman *Die Kronenwächter* (1817; 2. Bd. als Fragment postum 1854 ersch.) schuf Arnim ein von sagen- und märchenhaften

GESCHICH-
TE, SAGE
UND MÄR-
CHEN

Motiven durchflochtenes Kulturgemälde des beginnenden 16. Jahrhunderts und eine Allegorie der Sehnsucht nach dem staufischen Kaisertum. Der Roman ist kennzeichnend für die Geschichtsbetrachtung der meisten romantischen Dichter: Es kam nicht auf ein exaktes historisches Wissen an, sondern auf die Erfahrung des Seltsamen, Wunderbaren, einer geradezu exotischen Atmosphäre der Vergangenheit. Arnim meinte, Geschichte müsse aus »innerer Anschauung« begriffen und in »ahndungsreichen Bildern« dargelegt werden.

Die Kronenwächter sind ein Geheimbund, der unter dem Schutz überirdischer Mächte auf einem Zauberschloß am Bodensee die Krone Barbarossas hütet. Zur Zeit Kaiser Maximilians I. wird von ihnen ein Nachfahr der Staufer betreut, Berthold, der allerdings nach vielen Abenteuern (u. a. begegnet er dem Magier Faust) zur Einsicht gelangt, daß man das Reich nicht mit Gewalt erneuern könne; er hofft, »daß die Krone Deutschlands nur durch geistige Bildung wieder errungen werde«.

Arnim schrieb mehrere Schauspiele aus der Geschichte Brandenburgs und Pommerns, ein Ritter-Drama, das sich am thüringischen Landgrafenhof ab-

spielt (*Der Auerhahn*, 1813), und ein Stück über die seinerzeit weitverbreite-
te (in Goethes »Stella« modernisierte) Sage vom Grafen von Gleichen, der
als Kreuzfahrer mit einem orientalischen Mädchen heimkehrt und sich zwischen ihr und seiner Frau nicht entscheiden kann (*Die Gleichen*, 1819).

In der Ausgabe *Der Wintergarten* (1809) finden sich novellistische Nach-
dichtungen u. a. von Werken des Barock (etwa Moscheroschs und Christian
Reuters) und eine überaus märchenhafte Skizze über den Mystiker Jakob
Böhme.

Sagenhaftes und Phantastisches enthält vor allem die Erzählung *Isabella
von Ägypten* (1812). Isabella, Tochter eines Zigeunerfürsten, verführt mit
Hilfe von Zauberkräften den Erzherzog Karl (den späteren Kaiser Karl V.),
empfängt von ihm einen Sohn und will ins Land ihrer Väter, nach Ägypten,
zurückkehren.

Hingegen ist der geschichtliche und sagenartige Hintergrund der Erzählung *Der tolle Invalide auf dem Fort Ratonneau* (1809) unbedeutend. Arnim
verfaßte eine Anekdote im Stil Heinrich Kleists. Während des Siebenjährigen Krieges verschanzt sich der Sergeant Francoeur in einem Fort bei Mar-
seille; durch eine Kopfverletzung ist er wahnsinnig geworden; aber der Kno-
chensplitter eitert heraus, er gesundet, nicht zuletzt durch die Fürsorge seiner Frau.

Arnim (in Berlin geb.), Gutsherr im märkischen Wiepersdorf, proklamierte – durchaus im Sinne der Heidelberger Romantik – eine »Genesung« des
Menschen und der Gesellschaft. Im Roman *Armut, Reichtum, Schuld und
Buße der Gräfin Dolores* (2 Bde. 1810), in einem Gegenstück zu Schlegels
»Lucinde«, betonte er den religiösen Gehalt der Ehe und die Pflicht, sich um
die Güter, die Landwirtschaft und die Zustände unter den Bauern zu küm-
mern. Der soziale Gedanke stammte zweifellos von Bettina Brentano (S.
233), die er 1801 kennengelernt hatte und 1811 heiratete.

Der mit Arnim seit 1801 befreundete **Clemens Brentano** (1778–1842;
geb. in Ehrenbreitstein), Sohn von Goethes Freundin Maximiliane
von Laroche und eines aus Italien zugewanderten Kaufmanns, gehörte schon in den Jahren 1798 bis 1800 dem Kreise der Gebrüder Schlegel an. Von den Jenaern, besonders von der exaltierten Sophie Mereau wurden sein an sich schon labiler Charakter und sein Hang zum
Bizarren nicht eben günstig beeinflußt. Die Heidelberger Volkspoesie bedeutete für ihn – wenigstens zeitweise – eine Beschwichtigung
seiner unausgeglichenen Natur.

Die besten Prosawerke Brentanos leiten sich aus dem Geiste der
Heidelberger Romantik her: sein Novellenfragment *Aus der Chronika eines fahrenden Schülers* (1818), die *Geschichte vom braven Kasperl und dem schönen Annerl* (1817) und seine *Rheinmärchen* (1846).

Die mittelalterliche Chronika berichtet – zeitlich zurückschreitend – von einem fahrenden Schüler, der bei einem Straßburger Ritter Aufnahme gefunden hat, von der Zeit seiner Kindheit, als er mit seiner Mutter einen weiten
Gang zu einem Kloster unternahm, und von der Jugendzeit der Mutter. Sie
war als Tochter eines Vogelstellers einem jungen Rittersmann zugetan, der
aber auf ferner Heerfahrt verschollen blieb.

Das Leid des braven Kasperl, der als Soldat in seinen Heimatort zurückkehrt und ein Verbrechen seines Vaters und seines Stiefbruders entdeckt und
deshalb glaubt, er könne dem braven Annerl nicht mehr unter die Augen
treten, ist so groß, daß er sich am Grabe seiner Mutter tötet; er erfährt nicht,
daß Annerl von einem jungen Adligen verführt wurde und als Kindsmörderin hingerichtet wird. – In den Rheinmärchen, die erst aus dem Nachlaß erschienen, hat Brentano durch eine Rahmengeschichte von den Abenteuern
eines rheinischen Müllers die Sagen vom Binger Mäuseturm, vom Rattenfänger von Hameln und von der Lorelei vereinigt; ihnen ist das Märchen vom
Schneider Siebentot auf einen Schlag angefügt.

Stets suchte Brentano nach einem besseren, geradezu kindhaft-elementaren Ich. Im Roman *Godwi* (2 Bde. 1801) führt der Sohn eines

**DAS IDEAL
DES EINFA
CHEN UND
REINEN**
reichen Kaufmanns ein genialisch-chaotisches Leben
voller Abenteuer, Vergnügungen und Liebschaften,
spürt aber das Verlangen nach Geborgenheit, vor allem nach der Mutter, die er in jeder seiner Geliebten
wiederzufinden hofft.

Eine gleiche Sehnsucht nach dem »Einfachen« und »Reinen« findet sich in Gedichten und dem Versepos *Romanzen vom Rosenkranz*
(gedr. in den *Gesammelten Schriften,* postum 1852–55). Der Blick in
die Niederungen des Lebens, in gähnende Tiefen, wird durch den
Aufschwung zum Hohen und Edlen, das Bedürfnis nach Erlösung,
verdrängt. Volksliedhafte Schlichtheit, weiche, träumerische Stimmungen, wortmalerische Sprache und eine formale Harmonie setzten sich durch. Manche Gedichte entsprechen der Tonart Eichendorffs.

> »Hörst du, wie die Brunnen rauschen?
> Hörst du, wie die Grille zirpt?
> Stille, stille, laß uns lauschen!
> Selig, wer in Träumen stirbt;
> Selig, wen die Wolken wiegen,
> Wem der Mond ein Schlaflied singt!
> O! wie selig kann der fliegen,

Dem der Traum den Flügel schwingt,
Daß an blauer Himmelsdecke
Sterne er wie Blumen pflückt:
Schlafe, träume, flieg, ich wecke
Bald dich auf und bin beglückt.«

Joseph von Eichendorff (1788–1857), ein Landedelmann aus dem
südlichen Grenzstreifen Schlesiens, hatte sich während seines Studiums in Heidelberg (1807/08) den Romantikern um Joseph Görres angeschlossen. In diesem Kreis fand er eine Bestätigung seines innigen Verbundenseins mit Heimat, Natur und Religion. »Unaussprechbar klar« wurde ihm der Zauber seiner Kindheit, die Geborgenheit im wälderumrauschten Heimatschloß, ein Dasein in der Obhut Gottes. Die von den Heidelbergern proklamierte Frömmigkeit, Naturverbundenheit und schlichte Seelenstimmung des Volksliedes zogen ihn an, zumal er ein Heimweh nach dem »Paradiese« seiner Jugend und dennoch ein ruheloses Fernweh fühlte.

MOND-
SCHEIN-
NACHT UND
WANDER-
LUST

In Lubowitz (b. Ratibor) geboren, besuchte Eichendorff das katholische
Gymnasium in Breslau und studierte Jurisprudenz, um in den Staatsdienst
einzutreten. Die Familie verarmte, die Güter mußten veräußert werden. Die
Referendarprüfung legte er in Wien ab, wo er sich mit Friedrich und Dorothea Schlegel befreundete (1811/12). Als preußischer Beamter lebte er in
Danzig, Königsberg und Berlin.

Den Verlust der heimatlichen Welt versuchte Eichendorff durch traumhaft-idyllisierende Erinnerungen und durch sein Vertrauen auf das Reich
Gottes zu überwinden. In vielen Gedichten allegorisierte er einen Heilsarchetypus des Vaterhauses, der letztlich mit der »ewigen Heimat« übereinstimmt. Er verheimlichte nicht das Grauenhafte in der Wirklichkeit (etwa im
Naturgeschehen), aber er verbrämte es, indem er sich auf die Segensmacht
Gottes berief: »Ein Reh hebt den Kopf erschrocken / Und schlummert gleich
wieder ein... / Denn der Herr geht über die Gipfel / Und segnet das stille
Land.«

Nachtigallenschlagen, Waldesrauschen, Lautengesang, das Murmeln
der Quellen, zwischen Stein und Blumen der Springbrunnen, – die
fernen Lande, der weite Himmel, das Schloß mit dem Garten, der
weckende Hornruf, die Einsamkeit am Fenster, das Herüberklingen
eines Posthorns, das Nahen der Wanderburschen, die Verlockung der
nächtlichen heidnischen Marmorbilder und Mondscheinpaläste, das

Ineinander von Wipfelrauschen, Fliegen der Wolken und Wiegen der
Gedanken bis hin zum Ausruf: »Schön wie die Nacht!« – dieser Stim-
mungsreichtum mit seiner volksliedshaften Bildlichkeit, aber auch
hintergründigen Bedeutung enthält eine magisch beseelte Motivik
und Sprachkunst.

Mondnacht

»Es war, als hätt der Himmel
Die Erde still geküßt,
Daß sie im Blütenschimmer
Von ihm nun träumen müßt.

Die Luft ging durch die Felder,
Die Ähren wogten sacht,
Es rauschten leis die Wälder,
So sternklar war die Nacht.

Und meine Seele spannte
Weit ihre Flügel aus,
Flog durch die stillen Lande,
Als flöge sie nach Haus.«

Aus gleicher Empfindung heraus sind die Prosawerke geschaffen, immer wieder durchbrochen und gesteigert durch lyrische Einlagen.
Der Roman *Ahnung und Gegenwart* (1815) und die Novellen *Aus
dem Leben eines Taugenichts* (1826) und *Die Glücksritter* (1841) bieten in ihrem bezaubernden Farbenspiel und in ihrer heiteren, unbeschwerten Wanderstimmung das Schönste an romantischer Erzählkunst.

Romantische Bilder und Szenen in »Ahnung und Gegenwart« sind
u. a. eine Schiffahrt auf der Donau, eine einsame Herberge am
Strom, ein Bergwald in der Mondnacht, ein Schloß und Garten im
Mondlicht, eine Fahrt in den Wald mit musizierenden Jägern, ein sin-
gendes Mädchen an einer Waldmühle (*In einem kühlen Grunde . . .*)
und schließlich die Klostereinsamkeit auf steilem Gipfel mit dem
Ausblick aufs Meer.

Graf Friedrich begegnet (nach Abschluß des Studiums) auf seiner Wanderung dem ebenfalls phantasievollen, poetischen jungen Grafen Leontin, dessen Schwester Rosa (die sich einem oberflächlichen gesellschaftlichen Treiben hingibt), der schönen und gebildeten Julie von A. und der Gräfin Roma-
na, einer exzentrischen und zwiespältigen Frau. Friedrich und Leontin beteiligen sich an einem Aufstand gegen Napoleon; das Unternehmen mißlingt;
nach der Niederlage will Leontin (mit Julie vermählt) auswandern, während
Friedrich sich entschließt, Mönch zu werden. »Die Sonne ging eben prächtig
auf.«

In der »Taugenichts«-Novelle verläßt ein Müllersohn, die Geige unterm Arm, seine Heimat, darf auf einer Reisekutsche mitfahren, kann als Zöllner ein beschauliches Leben führen und scheint überdies die Zuneigung eines Schloßfräuleins zu gewinnen, geht aber erneut auf Wanderschaft und gelangt nach Italien.

»Als ich wieder erwachte, spielten schon die ersten Morgenstrahlen an den grünen Vorhängen über mir. Ich konnte mich gar nicht besinnen, wo ich eigentlich wäre. Es kam mir vor, als führe ich noch immer fort im Wagen und es hätte mir von einem Schlosse im Mondschein geträumt und von einer alten Hexe und ihrem blassen Töchterlein.« Schließlich kann er (nach manchen Verwechslungen und Abenteuern) die vermeintliche Gräfin heiraten, die zwar nur die Nichte des Schloßpförtners ist, mit dem er befreundet war, die ihm aber die Gewißheit gibt, daß letztlich »alles gut« ist. Eingeflochtene Lieder *(Schweigt des Menschen laute Lust; Wohin ich geh und schaue)* verdeutlichen das Vertrauen auf eine heile Welt.

In den »Glücksrittern« finden sich verwandte Bilder und Geschehnisse: eine überraschende, wundersame Fahrt Siglhupfers in einer vornehmen Kutsche, die ihn zu einem herrschaftlichen Schloß bringt, – der Schloßpark im Mondlicht, – ein nächtlicher Überfall marodierender Landsknechte, den er abwehrt, – und das unausbleibliche Wandern in die Ferne: »Siglhupfer aber blieb fortan in den Wäldern selig verschollen.«

In der Malerei begegnen wir dieser Stimmungskunst beim Wiener Moritz von Schwind (»Wandrer am Talrand«; »Letzter Blick ins Heimatland«; »Waldkapelle«; »Eremiten«) und beim Dresdener Ludwig Richter (»Überfahrt am Schreckenstein«; »Landschaft im Riesengebirge«; Illustrationen zu Volksmärchen).

Der lyrische Grundton Eichendorffs fand viele Nachahmer. Am nächsten kamen ihm die Gedichte **Wilhelm Müllers** (1794–1827; in Dessau geb.); sie erhielten – außer vielen anderen romantischen Gedichten – eine ebenbürtige Vertonung durch Franz Schubert: *Ich hört' ein Bächlein rauschen; Im Krug zum grünen Kranze; Am Brunnen vor dem Tore; Das Wandern ist des Müllers Lust.* Schubert vertonte auch Eichendorffs *In einem kühlen Grunde; O Täler weit, o Höhen; Wer hat dich, du schöner Wald; Wer in die Fremde will wandern; Wem Gott will rechte Gunst erweisen.*

Ebenso hat Robert Schumann die Musikalität und Stimmung romantischer Lyrik in seinen Liedkompositionen ausgeschöpft. Eines seiner besten Werke ist der »Eichendorff-Zyklus«.

Innerhalb der Natur- und Wanderstimmung zeigt sich gerade bei Eichendorff eine ausgesprochen christlich-konservative Haltung. Sie war ihm der Maßstab des Handelns und der Lebensgestaltung, etwa als er in Berlin aus dem preußischen Staatsdienst austrat (1844), und sie bestimmte entscheidend seine dichterische Vorstellung: »Du aber hüt' den Dämon, der in der Brust dir gleißt, daß er nicht plötzlich ausbricht und dich selbst zerreißt.« Dieser Lehrsatz, der über seiner Novelle *Das Marmorbild* (1819) und noch über seinem letzten poetischen Werk, den drei Epen (1853–57), steht, war politisch wie religiös gemeint, war eine Mahnung zum Bewahren der alten, das Recht und den Frieden sichernden heiligen Ordnungsgesetze.

CHRISTLICH-KONSERVATIVE HALTUNG

Der junge Edelmann Florio verirrt sich in einem Zaubergarten; er begegnet an einem schimmernden Palast einem verlockenden Marmorbild, das sich in eine Frauengestalt wandelt. Er rettet sich aus der Verstrickung durch ein Stoßgebet: »Gott, laß mich nicht verlorengehen in dieser Welt!« Florio widersteht; christliche Selbstüberwindung bezwingt die sinnliche Macht der Venus.

In dem Künstlerroman *Dichter und ihre Gesellen* (1834) verläßt der Dichter Lothario die umherziehenden Schauspieler, um fortan allein Gott und der Religion zu dienen. »Mitten auf den alten, schwülen, staubigen Markt von Europa will ich hinuntersteigen, die selbstgemachten Götzen, um die das Volk der Renegaten tanzt, gelüstet's mich umzustürzen und Luft zu hauen durch den dicken Qualm, daß sie schauernd das treue Auge Gottes wiedersehen im tiefsten Himmelsgrunde.«

Auch in der Novelle *Schloß Dürande* (1836) und dem Epos *Robert und Guiscard*, in denen die Entartung der Französischen Revolution geschildert wird, und insbesondere in den Märtyrer-Epen aus der spätrömischen Zeit, *Julian* und *Lucius*, äußert sich ein unbedingtes Vertrauen auf das Geborgensein in der Religion.

Außerdem schrieb Eichendorff eine Reihe literaturkritischer Essays (etwa *Über die ethische und religiöse Bedeutung der neueren romantischen Poesie in Deutschland*, 1847; *Zur Geschichte des Dramas*, 1854), die dem Konservativismus der Heidelberger Romantik entsprechen.

>   »Ein Wunderland ist oben aufgeschlagen,
>   Wo goldne Ströme gehn und dunkel schallen,
>   Gesänge durch das Rauschen tief verhallen,
>   Die möchten gern ein hohes Wort dir sagen.

Viel goldne Brücken sind dort kühn geschlagen,
Darüber alte Brüder sinnend wallen –
Wenn Töne wie im Frühlingsregen fallen.
Befreite Sehnsucht will dorthin dich tragen.

Wie bald läg unten alles Bange, Trübe,
Du strebtest lauschend, blicktest nicht mehr nieder,
Und höher winkte stets der Brüder Liebe:

Wen einmal so berührt die heilgen Lieder,
Sein Leben taucht in die Musik der Sterne,
Ein ewig Ziehn in wunderbare Ferne!«

Vor allem durch Dichtungen und Abhandlungen Eichendorffs erhielt
sich der Geist der Heidelberger Romantik viele Jahrzehnte hindurch.
Namentlich in Süddeutschland wurde »heidelbergisch«, »eichendorf-
fisch«, gedichtet. Aber auch wesentliche Gedanken der Jenaer Romantik setzten sich fort.

Die Ausbreitung der Romantik

Nahezu im gesamten deutschen Sprachgebiet entstanden romantische Dichterkreise und Vereine, die sich mit Volksüberlieferungen, Kunstdenkmälern, alter Literatur, Regionalhistorie und Reichsgeschichte befaßten. Zentren waren vor allem Universitätsstädte. In Wien war das Haus Friedrich und Dorothea Schlegels ein Treffpunkt zahlreicher Autoren. In München (wo sich auch der unstete Brentano eine Zeitlang aufhielt) lehrten Schelling und Görres. Von Tübingen aus gründete Ludwig Uhland eine »Schwäbische Schule«. An der Universität Göttingen kam – außer der Germanistik (mit den Gebrüdern Grimm) – eine hervorragende Historiographie auf (mit Friedrich Christoph Dahlmann [1785–1860] und Georg Gottfried Gervinus [1805–71]). In Bonn lehrte August Wilhelm Schlegel, in Breslau Hoffmann von Fallersleben. 1810 wurde die Berliner Universität gegründet.

DEUTSCHE ALTERTUMSFORSCHUNG

Nicht zuletzt durch die Universität gewann die Berliner Romantik im mittel- und norddeutschen Raum die größte Bedeutung. Wilhelm von Humboldt hatte als preußischer Unterrichtsminister die Planung durchgesetzt. Fichte und Schleiermacher wurden berufen. Ein hohes Ansehen erlangten zudem die Geschichtswissenschaft (mit Friedrich Raumer, 1781–1873) und die Germanistik (mit Karl Lachmann, 1793–1851). Raumer schrieb eine sechsbändige *Geschichte der Hohenstaufen und ihrer Zeit* (1823–25), Lachmann edierte das Nibelungenlied (einschließlich einer Schrift über dessen Ursprünge und Entstehung) sowie höfische Epik und Lyrik.

Außerdem befanden sich in Berlin die angesehensten literarischen Zirkel und Salons. Im »Salon« von Karl August und Rahel Varnhagen verkehrten nahezu alle namhaften Romantiker, die in Berlin lebten oder Berlin besuchten. Im Gespräch und Briefaustausch gab man sich gegenseitig Anregungen und trug romantisches Ideengut Jahr-

zehnte weiter. K. A. Varnhagen starb 1858, ein Jahr nach dem Tode
Eichendorffs.

Einer der populärsten Autoren war der in der Stadt Brandenburg
geborene, aus einer Refugié-Familie stammende **Friedrich de la
Motte Fouqué** (1777–1843). Man verglich ihn mit dem vielgelesenen
englischen Geschichts-Romancier Walter Scott (1771–1832), be-
spöttelte ihn allerdings wegen seines übertriebenen
Die ver- Faibles fürs Rittertum als »Don Quixote der Roman-
zauberte tik«. Seine Ritter- und Troubadour-Romane (etwa *Der
Welt Zauberring,* 3 Bde. 1813; *Sintram und seine Gefährten,*
1815; *Sängerliebe,* 1816) enthalten eine Fülle von phantastischen
Abenteuern, märchenartigen Ereignissen und Spuk- und Geisterssze-
nen. Weit Besseres gelang Fouqué, wenn er die Handlung aus dem
Zauberhaften selbst hervorgehen ließ. Seine *Undine* (1811) zählt zu
den schönsten Kunstmärchen der Romantik; und auch der psychologisch einfühlsamen Zaubernovelle *Das Galgenmännlein* (1810) hat
E. T. A. Hoffmann zu Recht volles Lob gespendet.

Die Wassernixe Undine, die sich ins Reich der Menschen verirrte und von
Fischersleuten aufgezogen wurde, erhält in dem Augenblick eine menschliche Seele, als sie zum erstenmal Liebe empfindet. Der Geliebte ist ein Ritter,
der sie auf sein Schloß führt. Mit der Liebesfreude erfährt sie auch Liebesleid. Als der Ritter während einer Fahrt auf der Donau ihre Warnung vergißt,
sie nicht auf dem Wasser zu schelten, muß sie ins Geisterreich zurückkehren.
– E. T. A. Hoffmann und Albert Lortzing komponierten zur »Undine« eine
Opernmusik.

Gleiche zauberhafte Symbolik liegt in der Geschichte vom Galgenmännlein, von einem schwarzen Teufelchen, das in einer Flasche eingeschlossen ist
und seinem Besitzer alles im Leben Ergötzliche, aber auch Gewissensangst
und Alpträume verschafft, bis er es endlich einem schwarzen Ritter, der ohnehin dem Teufel verfallen ist, abtreten kann. Die Nähe zur Gespensterro-
mantik E. T. A. Hoffmanns ist deutlich.

Mit Fouqué und E. T. A. Hoffmann bekannt, hatte auch **Adelbert
von Chamisso** (1781–1838) einen Hang zur Zauberromantik. Er war
als französischer Adliger während der Revolution nach Berlin geflo-
hen, preußischer Offizier geworden und lernte in kurzer Zeit die
deutsche Sprache in dichterischer Vollendung beherrschen. Mancher
Versuch, wie etwa der eines *Faust*-Dramas (1804), mißlang; dagegen
fand sich Chamisso sehr bald in der Lyrik und Ballade zurecht. In der

Ballade *Das Riesenspielzeug* erzählte er die elsässische Sage vom
Riesenfräulein nach, das mit den Bauern spielt, und in *Abdallah* eine
orientalische Geschichte aus »Tausendundeiner Nacht«. Im *Geist der
Mutter* taucht in der Angstvision des Sohnes, sein Vater werde ihn
ermorden, die Gespensterwelt Hoffmanns auf, an die auch *Peter
Schlemihls wundersame Geschichte* (1814) erinnert, deren Symbol
des Teufelspaktes sich außerdem mit dem Faust-Motiv und dem
»Galgenmännlein« Fouqués berührt (eine Ausg. mit hinzugefügten
Liedern und Balladen 1827).

In der Gesellschaft eines reichen Kaufmanns lernt Schlehmihl (d. h. Pechvo-
gel) einen geheimnisvollen grauen Mann kennen, der ihn zu überreden weiß,
für das berühmte Glückssäckel des Fortunat seinen Schatten einzutauschen.
Von dem unerschöpflichen Reichtum geblendet, übersieht Schlemihl vorerst
den Verlust seines Schattens, seiner Beziehung zur menschlichen Gemeinschaft (denn ohne Schatten kann er nicht frei und selbstsicher unter die Menschen treten), wirft aber dann, als der Graue sich als »hohnlächelnder Ko-
bold« enthüllt, das teuflische Säckchen von sich, um seine Seele zu retten.
Durch die Siebenmeilenstiefel, die er zufällig bei einem Trödler erwirbt, gelangt er in die Einsamkeit der Natur: »Klar stand plötzlich die Zukunft vor
meiner Seele. Durch frühe Schuld von der menschlichen Gesellschaft ausgeschlossen, ward ich zum Ersatz an die Natur, die ich stets geliebt, gewiesen.«
Fortan lebt er dem Studium der Natur (wie Chamisso selbst als Botaniker
weite Forschungsreisen unternahm).
   Der Verlust des Schattens symbolisiert die vom Dichter immer wieder
schmerzlich empfundene romantisch-bindungslose Künstlerexistenz, die
sich in räumliche und zeitliche Fernen verlor und die drängende Wirklichkeit
der Gegenwart verleugnete. Somit wird die Distanz zum romantischen Märchen sichtbar. Chamisso suchte gelegentlich ein geradezu »realistisches« Engagement zu verwirklichen. Deutlichstes Beispiel dafür sind die Balladen
Das Riesenspielzeug, Die alte Waschfrau, Der Invalide, die sozialkritische
Tendenzen enthalten.

Einer der bedeutsamsten romantischen Dichterkreise Berlins war
die »Mittwochgesellschaft« des Kriminalrats Julius Eduard Hitzig
(1780–1849). Fouqué und Chamisso gehörten ihr an.
Der führende Literat war der Kammergerichtsrat
Ernst Theodor Amadeus Hoffmann (1776–1822).

DIE DOPPEL-
TE EXISTENZ

Hoffmann hatte in seiner Geburtsstadt Königsberg Jura und Musik studiert.
Eine Beamtenstelle als Jurist in Warschau (die Stadt war von Preußen annek-
tiert worden) mußte er infolge der preußischen Niederlage 1807 aufgeben. In

Bamberg fand er ein Domizil als Theaterregisseur und Bühnenmaler. 1814
übersiedelte er nach Berlin und trat 1816 wieder in den Staatsdienst ein. Von
da an verlegte er sich auf die zwiefache Existenz eines gewissenhaften Beamten und exzentrischen Künstlers. »Morgens zur Kanzlei mit den Akten, /
abends auf den Helikon«, ulkte Platen, traf aber damit die nahezu symptomatische Doppelbödigkeit der späten Romantik, in der Leben und Kunst,
bürgerlicher Alltag und poetische Traumwelt, auseinanderklafften.

Hoffmann war ebenso Biedermann wie antibürgerlicher Bohemien.
Dinge, Verhältnisse und Charaktere werden mit einer Schärfe erfaßt
wie nie zuvor und zeigen den Philister in seiner nüchternen, trockenen, berechnenden, platten Wirklichkeitswelt. Auf der anderen Seite tut sich das Reich der Phantasie auf, wo das Wahre und zugleich
Seltsame, der Geist – und die Geister beheimatet sind. Der reale All-
tagsbereich hat keine Macht über die Traumgespinste, vielmehr entlarvt die Phantasie die hinter einer biederen Maske versteckte Phili-
sterwelt, – wobei Wachheit und Träumen ineinander übergehen.

Im *Goldenen Topf* ist Lindthorst königlich geheimer Archivarius und zugleich »ein mächtiger Fürst der Salamander«. In der *Brautwahl* debattiert der
Geheime Kanzleisekretär Tusmann mit Leuten, die seit Jahrhunderten tot
sind. In *Klein Zaches* gibt es einen Rock, dem die Ärmel einschrumpfen,
während die Schöße immer größer werden. Die Grenzen zwischen Realem
und Phantastischem sind aufgehoben. Dies betrifft auch die Zwienatur des
eigenen Ich, die sich wiederholt in Motiven des Doppelgängertums, der
Selbstbespiegelung, der Vertauschung, Verwandlung und Maskierung ausdrückt.

Hoffmann war vom »Panpsychismus« Schellings beeinflußt. Er sah
das All von geheimnisvollen Kräften beseelt, von gutwilligen Geistern (wie dem »Meister Floh«), vor allem aber von ir-
DÄMONI-   rationalen, dämonischen Mächten. Die Gespenster
SIERTE WELT verursachen panische Träume und Ahnungen und zerstören die Einheit der Seele. »Ich denke mir mein Ich
durch ein Vervielfältigungsglas.« Als Beispiele treten Kobolde, Gnome, Fratzen und Doppelgänger auf.
  Abgesehen von einigen mittelalterlichen Sagendichtungen und der
im 16. Jahrhundert spielenden Novelle *Meister Martin der Küfer und
seine Gesellen* (1819), sind die Werke auf eine tiefenpsychologische
(nicht unbedingt analytische, vielmehr intuitive) Aussage angelegt

und dem Verständnis des Seelenkundigen anheimgestellt. (In dieser
Zeit erhielt die – im 18. Jahrhundert einsetzende – Psychologie einen
immensen Auftrieb, indem sie sich auf die Bezirke des Somnambulen
und Mysteriösen konzentrierte.) Die Spukgestalten sind Chiffren
seelischer Substanzen und vergegenwärtigen deren Rätselhaftigkeit
und Spielweise im Unterbewußten.

Im *Goldenen Topf* (in den vierbändigen *Phantasiestücken in Callots Manier*,
1813–15) begegnet der Student Anselmus dem Archivarius und Salamander
Lindthorst und verfällt dessen Tochter Serpentina, dem »grüngoldnen
Schlänglein«. Der erzürnte Salamander sperrt ihn in eine Flasche ein, wo ihn
nur die Liebe der kleinen Schlange am Leben erhält. Sie macht ihn der bie-
der-hausbackenen Veronika und deren kleinbürgerlichen Enge abspenstig
und versetzt ihn in die Utopiawelt von Atlantis. So vertauscht er die »Bürde
des alltäglichen Lebens« mit einem »Leben in der Poesie«.

Im Märchen vom *Meister Floh* (1822) berichtet der König der Zirkusflöhe
einem einsamen Sonderling, zu dem er flüchtete, von seinen phantastischen
Erlebnissen und vermacht ihm ein kleines Mikroskop, das die Fähigkeit des
Gedankenlesens verleiht. Trotz aller Intrigen dunkler Geister und Gestalten
bleiben die beiden beieinander; Meister Floh waltet als guter Hausgeist.

Im *Majorat* versucht ein Jurist, einen geheimnisvollen Schlafwandler aus-
zufragen, einen Mörder, der nach seinem Tode durch das Schloß spukt. – Im
Sandmann (ebenfalls enthalten in der zweibändigen Sammlung *Nachtstücke*,
1817) verstrickt sich ein Student in einen Alptraum; er erkennt, daß das Mädchen, das er liebt, ein künstlicher Mechanismus, ein Automat, ist. – Im Märchen *Klein Zaches, genannt Zinnober* (1819) gelangt ein abscheulicher Zwerg
durch die Hilfe des Fräuleins Rosengrünschön zu höchsten Ehren, verwandelt sich aber in einen Brüllaffen und verliert sein Leben, als sein Schutzgeist
überwunden wird.

Im *Fräulein von Scuderi* (ersch. in den vier Bänden *Die Serapionsbrüder*,
1819–21) ermordet ein Goldschmied aus paranoider Besitzgier die Käufer
seiner Werke. – Kürzere Skizzen in den Sammlungen befassen sich mit Beet-
hoven, Tieck, Novalis und Fouqué, mit der tragischen Unbedingtheit der
Kunst, der Hingabe des Dichters an Ahnungen und Intuitionen.

Im Roman *Die Elixiere des Teufels* (2 Bde. 1815/16) ist der Kapuziner,
der aus einer verbotenen Phiole die Elixiere zu sich nahm, von der
Begierde nach einer schönen Unbekannten getrieben. Aus seinen
Verstrickungen, in denen er immer wieder sich selbst als Doppelgänger (als anderem Ich) begegnet, erlösen ihn Beichte und Buße.

Medardus übernimmt die Rolle des vermeintlich umgekommenen Grafen
Viktorin, dem er zum Verwechseln ähnlich ist, und setzt dessen ehebrecheri-

sches Verhältnis mit der Baronesse Euphenie fort, glaubt aber, in Aurelie (deren Stieftochter) seine unbekannte und ersehnte Geliebte wiederzuerkennen. Er tötet Euphenie (die ihn vergiften wollte) und deren Stiefsohn Hermogen. In einer Residenz gerät er in Gefahr, entlarvt zu werden; aber ein Doppelgänger nimmt alle Schuld auf sich. Medardus gesteht Aurelie (die er in der Residenz wiedergefunden hat und heiraten will) seine Herkunft und will sie in einem Anfall von Wahnsinn ermorden. Es stellt sich heraus, daß der Doppelgänger Viktorin, sein Halbbruder, ist. Viktorin vollendet das paradoxe Verlangen des Medardus, indem er Aurelie ersticht. Medardus kehrt ins Kloster zurück und befreit sich von dem Fluch der Elixiere, dem Zugriff gespenstischer Mächte. Eine totale Auflösung seiner Identität geschieht nicht; er kann zu sich selber – oder wenigstens zu einem Teil seines Wesens – zurückfinden.

Der Roman *Lebensansichten des Katers Murr nebst fragmentarischer Biographie des Kapellmeisters Johannes Kreisler in zufälligen Makulaturblättern* (2 Bde. 1819–22) enthält die Selbstbiographie eines philiströsen Katers und die Lebensbeschreibung eines exzentrischen Künstlers, die sich miteinander überschneiden, weil der Drucker angeblich die Seiten verwechselt hat. Mit souveräner Ironie, aber auch mit dem Eingeständnis der Dissonanz geschieht eine Parallelisierung der Erlebnisbereiche.

Murr hat es mit einem gelehrten Pudel, einem rohen Fleischershund, einem adligen Windspiel und einem zärtlichen Kätzchen (das ihm allerdings nicht treu bleibt) zu tun. Durch eine Oberhofmeisterin gelangt er in die Hände Kreislers, eines renommierten Musikers an einem fürstlichen Hof. Kreisler liebt die Sängerin Julia und begegnet einem Doppelgänger, der ein dem Wahnsinn verfallener Maler ist. Julia soll mit einem schwachsinnigen Prinzen vermählt werden. Kreisler scheint in ein Kloster zu gehen. Ob diese – einer Eichendorffschen Romantik entsprechende – Lösung die endgültige sein sollte, steht in Zweifel. Der dritte Band blieb ungeschrieben.

Im Ausland galt Hoffmann als der bedeutendste Romantiker. Der Romancier Honoré de Balzac und der Opernkomponist Jacques Offenbach schlossen sich an Themen von Hoffmann an; aber auch eine Reihe englischer, italienischer und russischer Schriftsteller folgte seiner »Gespenster-Romantik«.

Die chaotizistische Tendenz, die der Gespenster-Romantik zugrunde lag, äußerte sich sehr auffällig und vordergründig in Darstellungen eines fatalen, gleichsam prädestinierten Schicksals. Bereits 1809 verfaßte **Zacharias Werner** (1768–1823), einer von Hoffmanns Freunden

FATALISMUS
UND WELT-
ANGST

aus Königsberg, ein »Schicksalsdrama«, *Der 24. Februar*, in dem ein gleiches Datum (der 24. Februar) und die diabolische Macht eines Messers Allegorien eines unausweichlichen Geschehens sind. Mit dem Messer hatte der Baudenwirt Kunz seinen Vater bedroht, in den Tod getrieben und der Sohn Kurt seine Schwester getötet; nach Jahren, an einem 24. Februar, ermordet Kunz den heimkehrenden Sohn.

Das Stück (das Goethe in Weimar aufführen ließ) beeindruckte vor allem durch die komprimierte Spannung und den spürbaren Fatalismus des Autors (jeweils an einem 24. Februar waren seine Mutter und ein Freund gestorben). – Werner war ein seelisch äußerst anfälliger, bizarrer, von Ängsten gehetzter, ins Magische und Mystische verstrickter Mensch. Dies zeigt sich auch in seinen symbolisch-dunkelgründigen, disharmonischen, von paradoxen Gedanken überladenen Geschichts- und Legendendramen (*Die Söhne des Tals*, 1803; *Das Kreuz an der Ostsee*, 1806; *Die Mutter der Makkabäer*, 1816).

Die Frage nach dem Urgrund des Schicksals (u. a. von Tieck und Brentano aufgeworfen) beschäftigte viele Romantiker. Das Rätselhafte faszinierte. Manche Autoren, denen es lediglich auf die Wirkung des Mysteriösen ankam, schufen Gruselstücke, spannungsreiche Gespensterdramen. Willkürliche Schicksalsbeschlüsse, schaudervolle Zufälle und unerklärbare Abläufe sollten die Ohnmacht des Menschen, die Hinfälligkeit seines Willens, ausdrücken. Erfolgsautoren auf diesem Gebiet waren **Adolf Müllner** (1774–1829) und **Ernst Christoph von Houwald** (1778–1845).

Eine konsequent fatalistische, letztlich nihilistische Anschauung findet sich in den (schon 1804 erschienenen) *Nachtwachen. Von Bonaventura,* deren Verfasser wahrscheinlich der Braunschweiger Theaterdirektor **Ernst August Friedrich Klingemann** (1777–1831) war. In einer riesenhaften Farce enthüllt sich eine Vanitas, die keinen transzendenten Hintergrund besitzt, ein Dasein ohne Sinn und Ausweg. Desillusioniert werden das Idyll der »mondbeglänzten Zaubernacht« und der Glaube an eine gutwillige Macht des Schicksals. Das Ergebnis allen Fühlens und Nachdenkens ist eine panische Ungewißheit.

Dem Roman liegen z. T. Gedanken von Fichte, Schelling und Novalis zugrunde; die arabeske Erzählweise und der grotesk-satirische Inhalt erinnern zuweilen an Jean Paul. – Kreuzgang (anscheinend der Sohn einer Zigeunerin und eines Alchimisten), als Findling von einem Schuster aufgezogen, vertieft sich in die Mystik Jakob Böhmes. Er hat eine »Vorliebe für die Tollheit« und verfaßt absichtlich konfuse Poeme. Er wird in ein Irrenhaus eingeliefert, spielt dann an einem Hoftheater den Hamlet und übernimmt an einer Marionettenbühne die Rolle des Hanswurst. Schließlich wird er Nachtwächter. Auf seinen Rundgängen begreift er vollends die »Verworrenheit« allen Geschehens und das dahinterliegende unendliche »Nichts«.

Auf dem Friedhof, zwischen den Gräbern, versucht er, ein »Gedicht über die Unsterblichkeit« zustande zu bringen. Aber »der Widerhall im Gebeinhaus ruft zum letzten Male – Nichts!« »›Wie, ist denn kein Gott!‹ rief er wild aus, und das Echo gab ihm das Wort ›Gott‹ laut und vernehmlich zurück ... ›Der Teufel hat das Echo erschaffen!‹ sagte er zuletzt.«

Der immense Spannungsbogen romantischen Dichtens wird deutlich, vergleicht man die abgründige Angst des Nachtwächters (eines scharfsinnigen Narren und Taugenichts) mit dem Optimismus des märchenhaften Taugenichts (etwa in der Novelle von Eichendorff: »und es war alles, alles gut«).

Im Gegensatz zu der vielfältigen poetischen Literatur entstand – vor allem in Norddeutschland – ein konformes patriotisches Schrifttum, das den »Forderungen der Zeit« Rechnung tragen wollte, im Grunde gegen die Herrschaft Napoleons gerichtet war. Das von der Heidelberger Romantik erweckte Deutschbewußtsein verbreitete sich gerade im preußischen Staat, der (1806/07) die schwerste Niederlage hatte hinnehmen müssen. Im März 1813, als König Friedrich Wilhelm III. mit dem »Aufruf an mein Volk« das Zeichen zur Erhebung gab, sammelten sich in Königsberg, Breslau und Berlin die nationalgesinnten Publizisten und Sänger. **Ernst Moritz Arndt** (1769–1860) und **Theodor Körner** (1791–1813) ragten hervor.

LEIER UND SCHWERT

Arndt, auf der Insel Rügen geboren, hatte schon 1806 im ersten Band seines Werkes *Geist der Zeit* die Deutschen zur nationalen Besinnung aufgerufen. In Königsberg, im Gefolge des Freiherrn vom Stein, dichtete er seine ersten *Lieder für Teutsche* (1813). Kampfschriften und Kampflieder sollten das Volk und das Heer mit heiliger Leidenschaft beseelen: *Wir sind vereint zu guter Stunde; Der Gott, der Eisen wachsen ließ; Was ist des Deutschen Vaterland?; Was blasen die Trompeten?; Wer ist ein Mann?; Deutsches Herz, verzage nicht!*

Körner, Sohn des Dresdener Freundes von Schiller, trat aus feurigem Drang »für die Sache der Menschheit, des Vaterlandes und der Religion« in die Lützowsche Freischar ein und fand in einem Gefecht bei Gadebusch in

Mecklenburg den Tod. Er schrieb seine Lieder aus der patriotischen Begeisterung der Soldaten: Schlachtengesänge, Sturmlieder, Dankgebete für den
Sieg. Sein Vater gab sie unter dem Titel *Leier und Schwert* 1814 heraus.

> »Hör uns, Allmächtiger!
> Hör uns, Allgütiger!
> Himmlischer Führer der Schlachten!
> Vater, Dich preisen wir!
> Vater, Dir danken wir,
> Daß wir zur Freiheit erwachten.«

Allmählich verbreitete sich der nationale Enthusiasmus auch in dichterischen und wissenschaftlichen Kreisen Süddeutschlands und
Österreichs. Aus dem Bewußtsein gemeinsamer deutscher Geschichte entstanden zahlreiche historische Schriften und Dichtungen. Zwar
wurden Ideen der Freiheit und Einheit des Volkes von der Zensur
unterdrückt (in Süddeutschland und Österreich ebenso wie in
Preußen), aber Dokumentationen der Vergangenheit, des Volkstums, der Zusammengehörigkeit in einem Reich, konnten nicht verhindert werden.

In Schwaben setzte sich ein Dichterkreis durch, der, national und
geschichtlich orientiert, vor allem von der Heidelberger Romantik
beeinflußt war. Trotz aller bürgerlichen Enge und Aversion gegen die
romantische Boheme entwickelte sich eine bedeutsame Nachblüte
der Romantik.

Ludwig Uhland (1787–1862), Jurist in Stuttgart, Professor in seiner
Geburtsstadt Tübingen, der Gründer des schwäbischen Dichterkreises, war »reichsdeutsch« eingestellt, verlangte ein deutsches Parla-
ment und war 1848 Abgeordneter der Frankfurter Nationalversamm-
lung. Am engsten fühlte er sich mit Joseph Görres und den Gebrüdern Grimm verbunden. In seinen Vorlesungen befaßte er sich vor
allem mit Poesie und Sagen des Mittelalters. In Straßburg, München
und Wien sammelte er·Volkslieder.

Außer einigen dramatischen Versuchen (darunter ein Geschichts-
stück *Ernst, Herzog von Schwaben,* 1818) war Uhland im eigentlichen Lyriker und Balladendichter. Seine Balladen
durchweht ein Hauch ferner Zeiten und Länder, ein
Nachklang alter Ideale und Tugenden, eine wehmütige
Erinnerung an eine versunkene Welt. Nie verfiel Uh-

POESIE DER
HISTORIE

land dem Phantastischen und Paradoxen; seine Romantik ist innig und (sowohl inhaltlich als auch formal) beherrscht. Ausgaben u. a. *Gedichte* (1815), *Gedichte und Dramen* (3 Bde., postum 1863).

Die bekanntesten Balladen sind *Der blinde König, Das Schloß am Meer, Des Sängers Fluch, Siegfrieds Schwert, Bertran de Born, Graf Richard Ohnefurcht, Das Glück von Edenhall, Schwäbische Kunde, Graf Eberstein* und – aus dem Kreise Karls des Großen – *Klein-Roland, Roland Schildträger* und *König Karls Meerfahrt.*

Als Lyriker liebte Uhland (abgesehen von seinen Soldatenliedern, z. B. *Ich hatt' einen Kameraden*) den Ton Eichendorffs: die Stimmung unter den Abendwolken, in der Frühlingslaube, im nächtlichen Garten, zwischen Lilien und Rosen, beim Ruf der Nachtigall, beim Klang des Waldhorns, beim Ton der Morgenglocke und die traumschwere Ahnung des nahenden Todes; diese Diktion war gerade bei den schwäbischen Romantikern verbreitet. Das Absinken ins Dekorative, in die biedermeierliche Idyllik, macht allerdings den Abstand zu Eichendorff sichtbar.

Der Partner Uhlands in der Prosadichtung war der junge **Wilhelm Hauff** (1802–27) aus Stuttgart, der seines Erzählertalents wegen auch außerhalb Schwabens geschätzt wurde. Bekannt blieben mehrere Novellen (Ausg. 3 Bde. 1828), die zumeist in Künstlerkreisen spielen *(Othello; Die letzten Ritter von Marienburg; Die Sängerin; Die Bettlerin vom Pont des Arts; Jud Süß)*, der Roman *Lichtenstein* (1826), die *Phantasien im Bremer Ratskeller* (1827) und zahlreiche Märchen.

Der Roman (der z. T. auf der württembergischen Burg Lichtenstein spielt) gibt die Auseinandersetzung zwischen dem Schwäbischen Städtebund und Herzog Ulrich von Württemberg (im 16. Jh.) wieder und endet mit einem Traum vom Idealstaat, einem Ausblick wie in Arnims »Kronenwächtern«: Die Grundlagen staatlichen Gedeihens sollten geistige Kraft, Kunst, Religiosität und Humanität sein.

In den Bremer »Phantasien« gewahrt ein Zecher nach reichlichen Weinproben in den Gewölben des Ratskellers um Mitternacht einen Geisteraufzug von zwölf Herren in der Tracht des Rokoko. Es wird eine Geschichte aus dem Dreißigjährigen Krieg erzählt, aber vom hereinpolternden Steinernen Roland unterbrochen. Am Morgen weckt der Kellermeister den zwischen den Fässern Schlummernden auf.

Drei *Märchenalmanache* (1825–28) enthalten die Räubergeschichte vom *Wirtshaus im Spessart* und die Zyklen *Die Karawane* (mit den Geschichten vom Kalifen Storch und dem kleinen Muck) und *Der Scheich von Allessandria und seine Sklaven* (mit der Fabel vom Zwerg Nase).

Bereits in der Anfangszeit des schwäbischen Dichterkreises war – der um eine Generation ältere – **Johann Peter Hebel** (1760 in Basel geb., 1826 in Schwetzingen gest.) mit einem Buch kleiner Volksgeschichten, *Schatzkästlein des Rheinischen Hausfreunds* (1811), hervorgetreten. Schlicht und anekdotisch verstand er es, nach dem Herzen des Bauern und Bürgers zu reden, wie auch seine *Alemannischen Gedichte* (1803) mit der Lebenswelt des Volkes verknüpft sind.

SCHWÄBISCHE BÜRGERIDYLLE

In der Geschichte *Kannitverstan* wird von der rührenden Täuschung eines braven Wandergesellen erzählt, der in Holland den Dialekt nicht versteht und meint, das Wort sei der Name eines reichen Kaufherrn, den man schließlich zu Grabe trägt. Im *Seltsamen Spazierritt* findet sich die Fabel vom Immerbesserwissen der anderen, so daß Vater und Sohn am Schluß den Esel tragen. Die *Drei Wünsche* zeigen die Narretei eines Ehepaares, das sein günstiges Geschick, drei Wünsche erfüllt zu bekommen, nicht zu nützen weiß. Späße lustiger Taugenichtse, Schwabenstreiche, Soldatenerlebnisse, mysteriöse Geschehnisse und empfindsame Geschichten von ewig junger Liebe mischen sich zu einem bunten Kalendarium. Die Gedichte besingen die heimatliche Landschaft und die fromme, brave Lebensweise der einfachen Menschen: *Die Wiese; Das Spinnlein; Das Habermus.*

Gustav Schwab (1792–1850), ein Schüler Uhlands, war Herausgeber der *Deutschen Volksbücher* (3 Bde. 1836/37) und *Schönsten Sagen des klassischen Altertums* (3 Bde. 1838–40). Als Balladendichter erreichte er – trotz einiger gelungener Stücke *(Der Reiter am Bodensee; Das Gewitter)* – nicht sein Vorbild Uhland.

Uhland, Schwab und Hauff, aber auch Tieck, Arnim, Wilhelm Müller, Lenau und Mörike verkehrten in dem gastlichen Haus des Arztes und Psychologen **Justinus Kerner** (1786–1862) in Weinsberg. Um die Geheimnisse des Seelenlebens zu erforschen, befaßte er sich mit Somnambulismus und Okkultismus und mit Fragen der Stigmatisation (*Geschichte zweier Somnambulen*, 1824; *Die Seherin von Prevorst*, 2 Bde. 1829). Nebenher versuchte er sich als weltfroher und beschwingter Lyriker (*Wohlauf noch getrunken; Der reichste Fürst;* erste Ausgabe der *Gedichte* 1826).

Schließlich ist **Wolfgang Menzel** (1798–1873; geb. in Waldenburg/

Schles., in Stuttgart ansässig) zu nennen, Herausgeber des einfluß-
reichen *Literaturblatts* und der *Deutschen Vierteljahrsschrift* – und
Wortführer zahlreicher Autoren im Kampf gegen Heinrich Heine,
der in seinem *Schwabenspiegel* (1838) die Schwäbische Schule heftig
attackiert hatte. Die Ursache dieser und auch späterer Kritik war
nicht nur der provinziell-bürgerliche Charakter mancher schwäbischen Dichter, sondern auch ihr poetischer Konservativismus. In der
Mitte des 19. Jahrhunderts (als der »Realismus« aufkam) entstand
eine Abneigung gegen die Fortdauer der Romantik, die Wiederho-
lungen und Imitationen. Dennoch setzte sich die romantische Dichtung bis ins 20. Jahrhundert fort, und zwar nicht nur in regionalen und
trivialen Werken.

IM UMKREIS VON KLASSIK UND ROMANTIK

1775 übersiedelte Goethe nach Weimar. Etwa zwei Jahrzehnte danach entstanden – in Jena – die ersten Ansätze zur Romantik. Ein Jahr nach dem Tode Schillers begann die Heidelberger Romantik. Romantische Spätwerke (etwa Eichendorffs und Uhlands) erschienen gleichzeitig mit den Alterswerken Goethes und der verbesserten zwölfbändigen Ausgabe der Werke Schillers (1835).

Allein schon auf Grund der Gleichzeitigkeit drängte sich der Versuch auf, klassisches und romantisches Ideengut miteinander zu verbinden. Bereits in den Anfängen der Romantik ergaben sich Berührungen mit der Klassik; die Jenaer Autoren erhoben zunächst keine wesentlichen Einwände gegen Goethe, Schiller und das Griechen-Ideal Winckelmanns. Und Goethe zeigte an der Heidelberger Volkspoesie lebhaftes Interesse. Der Romantik näherte er sich vor allem in den orientalischen Gedichten des »West-östlichen Divan«.

Trotzdem waren Gegensätze vorhanden. Die Betonung der »Nachtseiten« und »Paradoxie« des Daseins und auch der Geschichtsromantizismus und die Taugenichts-Stimmung ließen sich nicht mit dem Menschenbild Winckelmanns, Goethes und Schillers vereinbaren.

Um eine Synthese zustande zu bringen, mußte ein Abstrich der gegensätzlichsten – und das hieß auch häufig: der grundsätzlichen – Gehalte erfolgen. Die einzelnen Komponenten mußten gegeneinander ausgewogen werden. Die ins ästhetisch Helle und Klare strebende Geistigkeit der Klassik mußte ins menschlich Elementare einbezogen werden, während der maßlose Subjektivismus der Romantik und die gesamte romantische Gefühlsdynamik einer Mäßigung und Läuterung bedurften.

Beide Kräfte, das Romantische wie das Klassische, wirkten ausgleichend aufeinander. Der Wille zur Formung und Durchformung des Kunstwerks (vor allem im klassischen Drama) verdrängte das aphoristisch Skizzenhafte des romantischen Fragment-Romans. Formung verlangte insbesondere das Menschenbild. Das romantische Stimmungsmosaik, das keine charakterliche Festlegung zuläßt, wurde zumeist auf wesentliche, von verstandesmäßigen Beweggründen durchwirkte Charaktermerkmale eingeengt. Der Mensch verliert seine Abnormität; er wird damit übersichtlich und gewinnt auch Übersicht über sich selbst. Wie in der Klassik geschieht (als Voraussetzung zur Ordnung der Existenz) ein Durchblick in die eigene Seele. Auch die romantischen Kräfte des Gefühls sollten durchschaut und beherrscht werden. Ganz im Gegensatz zur Schlegelschen Romantik bedeutete der Verlust der Übersicht über sich selbst eine Schwäche des Menschen, die in ihm Bitternis und Scham hervorruft (daher das häufig auftauchende Motiv der Scham bei Kleist, Hölderlin, Jean Paul und Grillparzer). Es galt nicht, die Geheimnisse des Menschen zu erkunden, sondern das Dasein irgendwie einzurichten, nach klassischen oder romantischen Idealen, geordnet jedenfalls, durchsichtig und (wenn man von Jean Paul absieht) formal beherrscht.

Eigentlich erst in der Art einer Durchformung des Romantischen konnte sich die romantische Musik voll entfalten, die – infolge der kompositorischen Anforderung – einer normativen Gestaltung noch dringender bedurfte als die womöglich nur emotional bedingte Poesie. Die romantische Musik mußte sich – wie in den Werken Franz Schuberts (1797–1828) und Ludwig Spohrs (1794–1859) – dem gleichsam »klassischen« Formprinzip verpflichten. Bemerkenswert ist, daß sowohl Robert Schumann (1810–56) als auch Felix Mendelssohn-Bartholdy (1809–47) durch das Studium Johann Sebastian Bachs auf eine größere formale Schulung Wert legten. Eine noch stärkere Betonung des Formalen als in der symphonischen und liedhaften Komposition verlangte die romantische Ballade (Karl Loewe, 1796–1869) und vor allem die Oper (Carl Maria von Weber, 1786–1826; Albert Lortzing, 1801–51). Eine Musik, nur »der Dissonanzen mächtig«, wie sie E. T. A. Hoffmann vorschwebte (»Musik! mit geheimnisvollem Schauer, ja mit Grausen nenne ich dich!«), ließ sich von der ästhetischen Anschauung wie auch von den kompositorischen Formelementen her seinerzeit noch nicht verwirklichen. Die romantische Epoche der Musikgeschichte mag man daher am besten mit der dichterischen Epoche der Synthese von Klassik und Romantik vergleichen.

Die Philosophie **Georg Wilhelm Friedrich Hegels** (1770–1831), die von Kant, Fichte und Schelling beeinflußt war, griff zwar über die klassischen und romantischen Anschauungen weit hinaus und wurde inhaltlich erst für den poetischen Realismus wirksam, aber in dem Vollzug seines Denkprozesses, in seiner »dialektischen Methode«, sprach Hegel für diese Epoche etwas Entscheidendes aus: Wie ein Satz (eine These) einen Gegensatz (eine Antithese) erfordert und sich daraus schließlich eine neue Verbindung ergibt, so löse zwangsläufig jede geistige Bewegung eine Gegenbewegung aus, und aus beiden Bewegungen gehe ein versöhnender Ausgleich, eine »Synthese«, hervor. Diese philosophische Methode war gleichsam die Rechtfertigung einer Zusammenfügung von Klassischem und Romantischem.

Allerdings ließ es sich nicht berechnen, auf welche Weise im einzelnen diese Synthese zustande kommen sollte; es konnte für sie kein Programm geben; folglich konnte sich auch keine literarische »Schule« entwickeln. Der Dichter war auf seine eigene Anlage und Anschauung angewiesen. Und der geistesgeschichtliche Vollzug einer Synthese war ihm häufig nicht bewußt. Somit ergab sich eine Vielfalt von Ergebnissen, die untereinander nur in einem losen Zusammenhang stehen.

Kleist, Hölderlin und Jean Paul verfaßten die meisten ihrer Werke bereits im Zeitraum um die Jahrhundertwende. Sie hatten einen unmittelbaren Kontakt zur Klassik und der sich entwickelnden Romantik. Im Gegensatz zu späteren Dichtern, die Klassisches und Romantisches übernahmen, empfanden sie die direkte Nähe der Fragen und Konflikte und die Notwendigkeit, sich zu entscheiden.

Vor allem war es **Heinrich von Kleist** (1777–1811), der sich mit den geistigen Bewegungen seiner Zeit – sogar noch mit der französischen Aufklärung – auseinandersetzte. Der Drang nach Orientierung und Klarheit kam aus einer inneren Unruhe, aus dem Bewußtsein der Unfertigkeit, das ihn zeitlebens bedrückte. Romantik, Klassik und Aufklärung betrachtete er als durchaus reale psychische Kräfte, als Substanzen eigener Charaktergestaltung; er erlebte sie in sich, er versuchte, sich nach ihnen zu formen, seine Person und sein Leben auf sie festzulegen, mit allen Konsequenzen und Widersprüchen, die sich daraus ergaben.

RINGEN UM
SYNTHESE

In Frankfurt a. d. Oder als Sohn eines Majors geboren, mußte er die Offizierslaufbahn einschlagen. 1799 quittierte er den Militärdienst. Sein Ziel, durch theologische und philosophische Studien »das Glück der höheren Vernunft« zu erreichen, wurde jedoch von Schriften Immanuel Kants erschüttert, die ihn davon überzeugten, daß menschliche Erkenntnis nicht bis zum wesentlichen Hintergrund des Daseins vordringen könne.

In Würzburg (1800) erfaßte ihn dennoch eine romantische Begeisterung für den Katholizismus. In Paris entdeckte er die französische Aufklärung. Die Lehre Rousseaus, zur Natur zurückzukehren, wollte er verwirklichen, indem er sich als Bauer in einer einsamen Gegend der Schweiz ansiedelte. Durch Vermittlung von Wielands Sohn hielt er sich zwei Monate in Weimar auf; eine Beziehung zur Klassik bahnte sich an. In Dresden wurde er mit romantischen Zirkeln bekannt. Sein Dresdener Journal *Phöbus* (1808), an dem sich u. a. der Kulturphilosoph Adam Müller (1779–1829) beteiligte, sollte eine Verbindung zwischen Klassik und Romantik herstellen, doch verweigerte Goethe die Mitarbeit. In Prag plante Kleist unter dem Eindruck der österreichischen Erhebung 1809 eine patriotische Wochenschrift, für die er mehrere Aufrufe und Kriegslieder schrieb.

Schließlich gab er die *Berliner Abendblätter* (1810/11) heraus, eine »vaterländische«, inhaltlich sehr unterschiedliche Tageszeitung, in der er eine Reihe eigener Artikel und Anekdoten veröffentlichte. Als auch dieses Unternehmen mißlang, schrieb er in einem Abschiedsbrief an seine Schwester: »Die Wahrheit ist, daß mir auf Erden nicht zu helfen war.« Im November 1811 erschoß er sich (gemeinsam mit einer befreundeten Frau) am Ufer des Wannsees.

Besonders Kleists Dramen entstanden aus leidenschaftlicher Suche nach innerer Sicherheit. Ebenso wie der Dichter bemühen sich die meisten Personen um eine verläßliche Charaktersubstanz, wobei Verstand und Gefühl gleichermaßen eine absolute Macht beanspruchen. Die Hingabe an das Gefühl kann eine beglückende Freiheit mit sich bringen (dargestellt vor allem im »Käthchen von Heilbronn«), aber sie erweist sich als unsinnig und nutzlos, wenn dadurch die gesellschaftliche und humanitäre Ordnung verletzt wird. (Vgl. dazu Kleists Abhandlung *Über das Marionettentheater*, 1810.)

ICH UND
GESETZ

Das Drama *Penthesilea* (1808) kommentierte Kleist: »Mein innerstes Wesen liegt in der Amazone, der ganze Schmerz zugleich und Glanz meiner Seele.« Penthesilea, Amazonenkönigin, eine »rätselhafte Sphinx«, liebt Achill, den Helden der Griechen vor Troja, und haßt ihn, weil sie ihn nicht besiegen kann. In einem wahnsinnigen Aufbegehren hetzt sie ihre Hunde auf ihn, die ihn töten, begreift den Irrsinn der Tat und tötet sich selber. Ein Ausgleich zwischen der klassischen, innerlich beherrschten und der romantisch verzückten Penthesilea gelingt nicht. Der Konflikt wird durch rationale Einsicht beendet.

Die gleiche Frage mit gleichem Ergebnis liegt dem Drama *Prinz Friedrich von Homburg* (erst 1821 ersch.) zugrunde. Der Prinz, brandenburgischer Offizier in der Schlacht bei Fehrbellin (1675), ist zunächst ein von maßlosem Subjektivismus erfüllter Romantiker. Die Zuneigung zur Nichte des Kurfürsten (Natalie) lenkt ihn von seiner soldatischen Pflicht ab; er überhört die Anordnungen im Kriegsrat, verhält sich in der Schlacht befehlswidrig und soll daher dem Kriegsrecht verfallen. In der Erwartung des Todes gerät er in Konflikt zwi-

schen seiner Icheinstellung, die ihm die Freizügigkeit des Handelns
zugesteht, und der Einsicht, sich dem Gesetz, dem allgemeingültigen
Maßstab, fügen zu müssen. Erst als er die ordnende Gerechtigkeit
ohne Einwände anerkennt, vom Ich- zum Wir-Bewußtsein gelangt,
hebt der Kurfürst das Todesurteil auf.

Eine gegenteilige Einschätzung des Romantischen äußerte Kleist
im *Käthchen von Heilbronn* (1810), das er als Gegenstück zur »Penthesilea« bezeichnete. Eine Freiheit des Gefühls ist vorhanden, freilich nur in einem märchenhaften Stück mit Burg und Rittertum, einer
Waffenschmiede im altstädtischen Heilbronn, mit Waldeinsamkeit
und dem Zusammensein der Liebenden unter einem Holunderbusch.
Käthchen ist ein romantisiertes Gretchen aus Goethes »Faust«, einfach, züchtig, von kindlichem Reiz, aber ganz ihrer Vision hingegeben, dem im Traum geschauten Bilde eines Ritters. Als sie ihm begegnet, folgt sie ihm verzückt, drängt sich ihm auf; und diese liebes-
trunkene Hingabe überträgt sich schließlich auf den Ritter. Es ist ein
Drama ohne tiefgreifende Konflikte, eine Verklärung des romantisch
Zauberhaften.

Aus romantischem Patriotismus heraus verfaßte Kleist das Schauspiel *Die
Hermannsschlacht* (ersch. postum 1821), über Hermann den Cherusker, der
für die Germanen die Freiheit erkämpft. Die gleiche Vorstellung beherrscht
das Dramenfragment *Robert Guiskard* (1808). Der Normannenherzog ver-
heimlicht seine tödliche Krankheit, um seinem Volk zu Einigkeit und Sieg zu
verhelfen. Er ist – vergleichbar mit dem geläuterten Friedrich von Homburg
– der einsichtige Mensch, der sich selbstlos in den Dienst der Gemeinschaft
stellt.

»Recht witzig« und »spöttisch« konnte Kleist (wie er sich einge-
stand) nicht sein. In seinen Komödien schlägt der Humor ins Groteske aus, das Anzeichen des Tragischen enthält. Ro-
Verhängnis mantischer Fatalismus spielte mit. Amphitryon, der
als Komik seine Gemahlin an den allmächtigen Jupiter verliert,
Alkmene, die unwissentlich ihren Mann betrügt, und
der klumpfüßige Dorfrichter Adam, der sich in den Schlingen seines
Amtes verstrickt, sind geradezu allegorische Figuren der Ohnmacht
gegenüber der Gewalt des Fatums; sie sträuben sich mit ihren
menschlich unzulänglichen Mitteln gegen das Verhängnis, während
zu ahnen ist, daß ihre Anstrengungen umsonst sind.

In *Amphitryon* (1807) schuf Kleist – im Gegensatz zu Molières Situationsko-
mödie, die er zunächst als Vorlage verwendete und stellenweise kopierte, –
ein Paradigma der Verwechslung von Ideal und Mensch. Alkmene ist nicht
imstande, ihren Gemahl von Jupiter, der dessen Gestalt angenommen hat,
zu unterscheiden. Vergebens beteuert Amphitryon (auch seinen Freunden
und dem Volk gegenüber), der echte Amphitryon zu sein. Als Jupiter sich zu
erkennen gibt, das Mißverständnis aufklärt, ist Alkmene nur zu einem zwiespältigen Seufzer (»Ach!«) fähig, der wohl mehr Enttäuschung als Beglük-
kung ausdrückt.

Viele Motive geben der Komödie eine tiefsinnige Bedeutung: die Vereinsamung des Menschen (des vordem gefeierten Helden), – das Ausgestoßen-
sein auch von der Gottheit, – das Gewahren eines Doppelgängers, eines Ge-
gen-Ichs, das die eigenen Absichten durchkreuzt, – die Hinfälligkeit des Versuchs, sich als selbständiger Mensch auszuweisen, – die Betonung menschlichen Anrechts gegenüber der Intrige des Schicksals, – schließlich das Infra-
gestellen dieses elementaren Anspruchs, die Selbstzweiflung, die Erschütterung des Vertrauens zu sich selbst und die Einsicht, überall (auch als Gemahl) ersetzbar zu sein. – Höchst fragwürdig ist die Lösung des Konflikts
durch die Fiktion einer göttlichen Gnade, die den Menschen zuteil werde:
Alkmene wird einen Sohn Jupiters gebären. – Um in das Stück doch noch
etwas Lustspielhaftes hineinzubringen, arrangierte Kleist burleske Szenen
im Bereich einfacher Leute, des Dienerpaars Sosias und Charis, eine bela-
chenswerte Parallelhandlung.

Im *Zerbrochenen Krug* (1808) unterliegt Adam seinem Schicksal, Dorfrichter und Angeklagter zugleich zu sein. Er hat bei der Flucht aus Evchens
Kammer einen altehrwürdigen Krug zerschlagen, muß die polizeiliche Untersuchung durchführen und demzufolge den Verdacht von sich ablenken.
Dabei verhaspelt er sich so sehr, daß seine Schuld zutage tritt. Die Blamage,
als Klumpfüßiger dem Mädchen nachgestiegen zu sein, als Amtsperson
buchstäblich einen Fehltritt begangen und als juristische Autorität versagt zu
haben, richtet ihn zugrunde. Zudem ist ihm der würdevolle, tarnende Kopf-
schmuck, die Perücke, abhanden gekommen. Die Demaskierung beweist
vorerst nichts anderes als eine schuldlose Häßlichkeit und einen sehr kreatürlichen Liebesdrang, muß aber – in Anbetracht der Maskenhaftigkeit des Amtes – Verdacht auslösen und eine schwierige Aktion der Rechtfertigung notwendig machen. Gerade durch den spannungsreichen Zweikampf zwischen
dem Schicksal (in der Person des plötzlich auftretenden Gerichtsvisitators)
und dem seine Hintersinnigkeit und Bauernschläue ausspielenden Adam,
d. h. durch die Aussichtslosigkeit seiner Verteidigung ergibt sich eine groteske Komik.

Mit den Schauspielen stimmen zahlreiche Novellen und kurze Geschichten überein (u. a. veröffentlicht in den zwei Bänden *Erzählun-*

LEIDEN-
SCHAFT UND
RECHT
gen, 1810/11). Ein wesentliches Thema ist die Auseinandersetzung zwischen dem Freiheitsbedürfnis (mitunter einem destruierenden Freiheitsdrang) des einzelnen und den sinnvollen, aber auch inhumanen Normen
der Gesamtheit.

Die Novelle *Michael Kohlhaas* (1810) vergegenwärtigt die Ambivalenz des Rechts. Kohlhaas glaubt im Recht zu sein, indem er sich
unbändig gegen das erlittene Unrecht wehrt. Weil ihm, dem Roß-
händler, zwei Rappen beschlagnahmt wurden und weil seine Frau
umkam, zieht er brennend und mordend durchs Land. Luther stellt
ihn zur Rede. Die Gerichte lassen sich auf einen Kompromiß ein,
verurteilen allerdings Kohlhaas zum Tode. Erst als er weiß, daß er die
Rappen zurückerhält und ihm der Schaden ersetzt wird, ist er damit
einverstanden, hingerichtet zu werden.

Im *Erdbeben in Chili* (u. d. T. *Jeronimo und Josephe* zuerst 1807 ersch.)
scheitert ein romantisches Liebesverhältnis an dem Urteil und sittlichen
Maßstab der Geistlichkeit und des Volkes. Während das Erdbeben das Mädchen vor der Hinrichtung bewahrt, die Liebenden wieder zusammenführt
und ihnen die Freiheit gibt, werden sie vom aufgehetzten Volk getötet.

Die Berechtigung sittlicher Normen apostrophierte Kleist in den Novellen
Der Findling (1810) und *Die Marquise von O.* (1808). Der Findling, von einem Genueser Kaufmann an Kindes Statt angenommen, liefert sich seinen
triebhaften Regungen und verworrensten Vorstellungen aus, so daß er den
Wohlstand und das Ansehen seiner Pflegeeltern zerstört. – Die Marquise von
O. begegnet dem Mann, der auf Grund mysteriöser Umstände der Vater
ihres Kindes ist, willigt – zunächst nur des Anstands wegen – in die Ehe ein,
vermag aber dann ihren Gemahl aufrichtig zu lieben.

Die Novelle *Der Zweikampf* (1810) spielt in der Ritterwelt; die Ermordung eines Herzogs führt zu Verdächtigungen, Intrigen und zu einem Zweikampf, der als Gottesurteil angesehen wird. – Die Legende *Die heilige Cäcilie* (1810) entstammt der katholischen Stimmung Kleists in Würzburg. Für die
im Sterben liegende Kapellmeisterin des Cäcilienklosters leitet die heilige
Cäcilie selbst die Aufführung eines Oratoriums, und von der Macht der Musik sind die Wittenbergischen Studenten, die das Hochamt stören wollten, so
ergriffen, daß sie vor dem Altar niederknien.

Die Kurzgeschichte *Das Bettelweib von Locarno* (1810) entspricht dem
Gespenstersujet E. T. A. Hoffmanns. Eine im Elend verkommene Bettlerin
rächt sich an einem Marchese für die erlittenen Mißhandlungen, indem sie
ihn als Spukerscheinung ängstigt, bis er in einem Anflug von Wahnsinn sein
Schloß anzündet.

In die meisten seiner Werke brachte Kleist ein durchaus »realistisches« Kalkül hinein, vor allem die Überzeugung, daß der Mensch ganz und gar der irdischen Wirklichkeit ausgesetzt sei, sich dem Hier und Jetzt stellen müsse und dabei nicht auf die Hilfe einer tröstenden Idee vertrauen könne.

Dieser durchaus nüchternen Interpretation des Daseins entspricht eine – den klassischen und besonders den romantischen Stilelementen entgegengesetzte – äußerst sachliche Sprach- und DISTANZIER- Stilform. Pathos, weitschweifige Bildhaftigkeit, Sym-
TER STIL bolreichtum und stimmungsvoller Wortschatz sind (namentlich in Anekdoten und Kurzgeschichten) einer strengen, von grammatikalischer Ordnung durchwirkten Gedrängtheit und Klarheit gewichen. Die Sprache fügt sich nicht den Vorstellungen, der Phantasie, sie unterliegt nicht dem Inhalt, sondern versucht, ihn zu beherrschen (Aufsatz *Über die allmähliche Verfertigung der Gedanken beim Reden*). Sie beschneidet den Inhalt und dezimiert ihn oft auf eine knappe, lakonische Aussage; sie rationalisiert das Geschehen, macht es durchschaubar und deutet die Hintergründe, die zweifellos vorhanden sind, nur an.

»Ein H...r Stadtsoldat hatte vor nicht gar langer Zeit, ohne Erlaubnis seines Offiziers, die Stadtwache verlassen. Nach einem uralten Gesetz steht auf ein Verbrechen dieser Art, das sonst, der Streifereien des Adels wegen, von großer Wichtigkeit war, eigentlich der Tod. Gleichwohl, ohne das Gesetz, mit bestimmten Worten, aufzuheben, ist davon seit vielen hundert Jahren kein Gebrauch mehr gemacht worden: dergestalt, daß statt auf die Todesstrafe zu erkennen, derjenige, der sich dessen schuldig macht, nach einem feststehenden Gebrauch, zu einer bloßen Geldstrafe, die er an die Stadtkasse zu erlegen hat, verurteilt wird. Der besagte Kerl aber, der keine Lust haben mochte, das Geld zu entrichten, erklärte, zur großen Bestürzung des Magistrats: daß er, weil es ihm einmal zukomme, dem Gesetz gemäß, sterben wolle. Der Magistrat, der ein Mißverständnis vermutete, schickte einen Deputierten an den Kerl ab, und ließ ihm bedeuten, um wieviel vorteilhafter es für ihn wäre, einige Gulden Geld zu erlegen, als arkebusiert zu werden. Doch der Kerl blieb dabei, daß er seines Lebens müde sei, und daß er sterben wolle: dergestalt, daß dem Magistrat, der kein Blut vergießen wollte, nichts übrig blieb, als dem Schelm die Geldstrafe zu erlassen, und noch froh war, als er erklärte, daß er, bei so bewandten Umständen, am Leben bleiben wolle.«

Das Spannungsverhältnis zwischen den Forderungen des Ich und der Pflicht, sich ins Allgemeingültige einzufügen, findet sich auch in

Dichtungen **Friedrich Hölderlins** (1770–1843). Vor allem aber liegt
die Problematik des Hölderlinschen Menschen in der Gegensätzlichkeit seines irrationalen, mitunter visionären Got-
teserlebnisses und seiner Erkenntnis der im Irdischen
vorhandenen »Begrenzungen«. Zwischen dem »Feuer
des Himmels«, dem Innewerden Gottes, und dem Bewußtsein der gedanklichen »Eingeschränktheit des
Menschen«, überdies aus dem Verlangen des klassisch gebildeten
Menschen, Maß und »Form« zu bewahren, vollzieht sich der seelische, im Grunde religiöse Konflikt. Hölderlin wandte sich der Romantik zu. »Eins zu sein mit allem, was lebt, in seliger Selbstvergessenheit wiederzukehren ins All der Natur, das ist der Gipfel der
Gedanken und Freuden, das ist die heilige Bergeshöh, der Ort der
ewigen Ruhe.« Die Vereinigung mit allem, was lebt, bedeutete für
Hölderlin aber auch, sich mit dem realen Dasein zu befassen. In diesem unromantischen Bereich suchte er die Ästhetik und Kunstsinnig-
keit der Klassik und des Griechentums aufzugreifen, das Ideal der
»Schönen Seele« dichterisch zu verwirklichen.

In Lauffen am Neckar geboren, in der Klosterschule zu Maulbronn erzogen,
für die theologische Laufbahn bestimmt, lernte Hölderlin während seines
Studiums am Tübinger Stift den jungen Schelling und Hegel kennen. Mit
ihnen zusammen schwärmte er, vor allem in Begeisterung für Rousseau, den
großen Menschheitsidealen nach. Im Schillerschen Jugendpathos verherr-
lichten seine ersten Hymnen Freiheit, Freundschaft, Wahrheit und Schönheit; aber das Pathos verdeckte nicht den Zwiespalt der inneren Kräfte, der
gerade von der Gegensätzlichkeit der Philosophien Platons, Spinozas, Rousseaus und Kants bestärkt würde. Hölderlin verzichtete auf das geistliche
Amt, über seine Lebensgestaltung ebenso unschlüssig wie Kleist. In Jena
konnte er sich weder an Fichte noch an die Klassik anschließen, die Freundschaft mit Schiller zerbrach. 1796 allerdings trat für ihn eine glückliche, wenn
auch kurzfristige Wende ein, als er eine Stelle als Hauslehrer in Frankfurt, in
der Familie des Bankiers Gontard, annahm; die Freundschaft mit dessen Gemahlin, Susette, stillte wenigstens für die zwei Jahre seines Aufenthalts sein
unstetes Suchen.

In der Gestalt der Susette Gontard, durch seine Liebe verklärt, fand
Hölderlin die Synthese, nach der er sich gesehnt: die Harmonie von
menschlicher Vollkommenheit (im klassischen Sinne) und romantischer Religiosität wie überhaupt romantischer Gefühlskraft. In der

DER RO-
MANTISCHE
GRIECHE
»Griechin« Susette sah er menschlich-seelische und göttliche Schönheit vereint. Sie war ihm »Diotima«, die Frauengestalt aus Platons »Gastmahl«, und »Madonna« zugleich. So formte sich in ihm ein neues Ideal des Griechen, des ausgeglichenen Menschen. Zu dem Griechenbild Winckelmanns, dem ästhetischen Bild »edler Einfalt und stiller Größe«, leidenschaftsloser Abgeklärtheit, kam eine Idealität der Empfindsamkeit und Intuition hinzu. Im Briefroman *Hyperion* (2 Bde. 1797–99) und in den Dramenfragmenten *Der Tod des Empedokles* (begonnen 1797; ersch. 1826) ist diese klassizistisch-romantische Einheit dargestellt. Hyperion und Empedokles sind frei von tragischer Spaltung; ihre Tragik beruht lediglich darauf, daß sie inmitten einer unverständigen Menschenmasse allein sind mit ihrem Verlangen, die göttliche Ordnung als persönliche, psychische Macht zu erfahren.

Der junge Grieche Hyperion legt in den Briefen an seinen deutschen Freund seine Entwicklung zur höchsten Bildung und Vollkommenheit dar. Von seinem Lehrer Adamas ist er in der Weisheit der Antike unterrichtet worden. Von seinem Freund Alabanda, dem Freiheitskämpfer gegen die Türken, kehrt er sich ab, als dieser sein schwärmerisches Gefühl verachtet. Hyperion kann nicht ohne die Unendlichkeit des Gefühls leben, sie gehört zu der Harmonie, die er erstrebt und die ihm gegeben wird von Diotima, der reinsten und vollkommensten Gestalt von Hellas. Sie führt ihn zur Synthese von Gottesgefühl und Menschsein. Als Hyperion sie durch den Tod verliert und von den Menschen immer wieder enttäuscht wird, geht er in die Einsamkeit, um dort im Einklang mit der Natur Diotima nachzuleben: ein klassisch-romantischer Eremit.

Empedokles, der griechische Philosoph aus dem 5. vorchristlichen Jahrhundert, der Verkünder der Allbeseeltheit der Natur, der großen Harmonie von Gottheit und Menschheit, wendet sich wie Hyperion vom Unverstand und von der Trägheit des Volkes ab, geht in die einsame Höhe des Ätna und opfert sich in seinem Tod dem All auf, sich hingebend an die Götterwelt. Besonders in dieser Dichtung schwingt ein elitäres Bewußtsein mit, gleichsam zum Erschauen der Geheimnisse, zum Erahnen der hinter den Rätseln liegenden Wahrheit, berufen zu sein.

Vor allem mit den lyrischen Passagen in beiden Werken stimmen viele Hymnen überein, die antike Schönheit und religiöse Offenbarung, das Göttlich-Menschliche als Einheit (*Diotima*-Gedichte) und die Einheit von Naturerlebnis und Frömmigkeit *(Des Morgens; Die Eichbäume)* widerspiegeln. Gegenüber der frühen, sehr persönlichen Ly-

rik überwiegt das Gefühl, ins Mythische und Überirdische einbezogen zu sein.

Dem Glauben an eine gütige, das Leben harmonisierende Gottheit widersprach jedoch die wirkliche Erfahrung. Im Gedicht *An die
Parzen* sprach Hölderlin von der »Seele, der im Leben
ihr göttlich Recht nicht ward«, und in *Hyperions
Schicksalslied* beklagte er die unüberbrückbare Kluft
zwischen dem Göttlichen und Menschlichen.

STURZ INS
UNGEWISSE

»Schicksallos, wie der schlafende
Säugling, atmen die Himmlischen;
Keusch bewahrt
In bescheidener Knospe,
Blühet ewig
Ihnen der Geist,
Und die seligen Augen
Blicken in stiller
Ewiger Klarheit.

Doch uns ist gegeben,
Auf keiner Stätte zu ruhn,
Es schwinden, es fallen
Die leidenden Menschen
Blindlings von einer
Stunde zur andern,
Wie Wasser von Klippe
Zu Klippe geworfen,
Jahr lang ins Ungewisse hinab.«

Der Abschied von Susette Gontard (1798), ihr Tod (1802), das Gefühl der Verlassenheit und ein (vermutlich krankhafter) Hang zur
Melancholie lösten eine totale Stimmung des Verzichts, eine Abkehr
vom wirklichen Leben, aus. Noch in den *Heidelberg*- und *Main*-Ge-
dichten und im *Archipelagus* (1800) feierte Hölderlin die Schönheit
der deutschen Landschaft und der Ionischen Inseln. Dagegen gab er
sich in den späteren Hymnen dunkelgründigen, z. T. theosophischen
Impressionen hin; die meisten Verse sind Chiffren, in denen antike
Götter, aber auch Christus und Maria hervortreten, zudem Chiffren
menschlicher Qual und Hoffnung (*Brod und Wein; Patmos; Die Ti-
tanen; Madonna*).

Als Hölderlin 1802 aus Frankreich zurückkehrte (wo er Hauslehrer gewesen
war), konstatierte man bei ihm eine »Verworrenheit des Verstandes«. 1807
mietete er sich in Tübingen bei einem Tischler ein; in dem Haus, von der
Außenwelt isoliert, lebte er 36 Jahre lang, zeitweise geistig umnachtet und
des Lebens überdrüssig. – 1826 erschienen seine gesammelten *Gedichte* und
postum 1846 *Sämtliche Werke*.

Der Zwiespalt zwischen klassischen und romantischen Intentionen
und dem Bewußtsein der Realität zeigt sich gleichermaßen (mitun-

DAS SPIEL
DER STIM-
MUNGEN
ter noch drastischer) bei **Jean Paul** (Johann Paul Friedrich Richter, 1763–1825). In visionären und traumati-
schen Skizzen sind unüberbrückbare Dissonanzen und
existentielle Ängste beschrieben. Jedoch versuchte
Jean Paul, sich aus den Konflikten herauszuziehen: durch burleske
Bagatellisierungen, vor allem aber durch einen enormen Aufwand an
Eloquenz, durch hektische Ausbrüche ins Rhetorische und damit Ne-
bensächliche. Im Grunde wollte er sich von den panischen Eindrük-
ken und seelischen Qualen freischreiben, sich wegwenden ins Artisti-
sche, Spielerische.

  Die Splitterhaftigkeit der Gedanken und Einfälle und die ge-
schnörkelte, schier maßlose Ornamentik bringen es fertig, das Tragische zu verkleiden, selbst dem Furchtbaren ein amüsantes oder zumindest skurriles Aussehen zu verleihen. Bewiesen wird geradezu
das Prinzip der Aufklärung und Klassik, daß der Künstler Herr der
Dinge sei und sie gestalten könne nach seinem Sinn. Ebenso verrät
sich das romantische Prinzip, daß der Künstler nichts anderem als
seinem Genius verantwortlich und demnach auch unabhängig sei von
gedanklicher Konsequenz. Der Dichter erweist sich als Beherrscher
seiner Stimmungen, indem er das ihm sichtbar Abgründige überspielt, durch die Allmacht seiner Kunst verbrämt.

  Der Dichter und seine Menschen geben sich aufklärerisch, rationa-
listisch, materialistisch, kleinbürgerlich, humanistisch gelehrt, aristo-
kratisch, pietistisch fromm, klassizistisch und romantisch. Aus diesen
Sentiments entsteht ein Übermaß an Handlungen, Phantasien und
Beobachtungen. Vor allem die Romane *Hesperus* (1795), *Titan* (4
Bde. 1800–03) und *Flegeljahre* (4 Bde. 1804/05) sind überfüllt mit
Schilderungen, Betrachtungen, Randszenen und Episoden. »Goethe
faßte alles bestimmt auf, bei mir ist alles romantisch zerflossen.«

In »Hesperus oder 45 Hundsposttage« entpuppen sich der Regierungsrat Fla-
min, drei Engländer und der Autor selber als die verschollenen Söhne des
Fürsten von Flachsenfingen. Ein Lord klärt manche Mißverständnisse auf.
Der Hofarzt Viktor (Flamins Jugendfreund) versucht, sich den turbulenten
Geschehnissen in der Residenz zu entziehen; er verehrt den in einer idyllischen Parklandschaft lebenden indischen Weisen Dahore und vermählt sich
mit einem überaus zarten Mädchen.
  Im »Titan« ergeben sich die mannigfachen Verwicklungen aus der Rivalität zweier benachbarter Kleinstaaten. Der Fürst von Hohenfließ verbirgt sei-

nen Sohn, Albano, weil er einen Anschlag auf ihn befürchtet, bei bürgerlichen Leuten und bei einem Grafen. Dadurch entsteht eine Fülle von Verwechslungen. Ein Bibliothekar, ein schrulliger Sonderling, der alles aufklären will, wird ins Tollhaus gesteckt und endet im Wahnsinn. Verlogenheit und Niedertracht höfischer Gesellschaft verursachen eine totale Verwirrung. Roquairol, ein von paradoxen Intuitionen zerrissener, letztlich skrupelloser Adliger, errichtet eine Bühne, auf der er ebenso realistische wie absurde Stücke spielen will; haltlos, morbid, innerlich zerfallen, tötet er sich. Damit kann Albano, der »Idealist«, den Thron in Hohenfließ übernehmen.

Im Roman »Flegeljahre«, der im bürgerlichen Milieu spielt, geht es vor allem um eine Erbschaft. Gottwalt, der als Haupterbe in Frage kommt, muß – laut Testament – ein gleiches Leben führen wie der Tote, der Erblasser, insbesondere handwerkliche Fähigkeiten nachweisen. Vult, Gottwalts Zwillingsbruder, der von zu Hause davongelaufen war (ein romantischer Taugenichts, aber auch sarkastischer Realist), stellt sich wieder ein und verspricht ihm, bei der Einbringung der Erbschaft zu helfen. Beide schreiben einen Roman »Hoppeldoppel oder das Herz«; beide leben in einer dürftigen Behausung und lieben dasselbe Mädchen. Am Schluß trennen sie sich; Vult zieht davon, auf seiner Flöte musizierend, frei, unbesorgt.

Der Jean Paulsche Humor unterscheidet sich sehr wesentlich von der Ironie. Die Situation des Komischen entsteht durch die Dissonanz zwischen Charakteranlage und Stimmung (etwa wenn der sittsame Schulmeister Wuz sich romantisch verliebt oder der besinnliche Siebenkäs sich heiter frivol gibt). Dabei wird derartige Widersprüchlichkeit zwischen Echtheit und Spiel mit sehr viel Mitverständnis und Mitleid dargelegt. Im Humor drückt sich tiefe Zuneigung aus. Die Ironie hingegen betrifft nicht so sehr die dargestellten Personen, sie steht vielmehr im Hintergrund des Ganzen und verweist auf einen schicksalhaften Nonsens, an dem der einzelne keine Schuld hat. Demgegenüber befaßt sich der Humor mit dem spezifischen Zustand des Menschen und spricht geradezu ein Bedauern aus über dessen Tragik und Ringen.

DIE KOMISCHE SITUATION

Der schon in der Jugend etwas verschrobene Wuz (*Leben des vergnügten Schulmeisterlein Maria Wuz in Auenthal. Eine Art Idylle*, 1793) schreibt in der Stimmung des Bücherenthusiasten nach einem Bücherkatalog sich eine eigene Bibliothek zusammen. Er ist romantischer Liebhaber, kleinbürgerlicher Biedermeier, und im Krankenbett suggeriert er sich den Glauben, ein Kind zu sein. Dies alles sind Versuche, in dem großen »Hatzhause« der Welt ein paar stille Winkel des Glücks zu finden und sich dort zu beheimaten. Indem der Humorist mit der kleinen »Welt die unendliche ausmesse und verknüpfe«, meinte Jean Paul, entstehe »jenes Lachen, worin noch ein Schmerz und eine Größe ist«. – Humorvoll in diesem Sinne verläuft auch das *Leben des Quintus Fixlein* (Erzählung, 1796), eines abgedankten Schulmeisters in Flachsenfingen, der in eine fromm pietistische Stimmung überwechselt, in seinem Heimatdorf Hukelum Pfarrer werden möchte und schließlich beinahe dem romantischen Schicksalsglauben verfällt, er werde mit 32 Jahren sterben. Aus seinen Fieberträumen rettet ihn seine Mutter, die ihm aufbewahrtes Kinderspielzeug ans Bett bringt.

Im Roman *Blumen-, Frucht- und Dornenstücke oder Ehestand, Tod und Hochzeit des Armenadvokaten F. St. Siebenkäs im Reichsmarktflecken Kuhschnappel* (3 Bde. 1796/97) trennt sich der schriftstellernde Firmian Stanislaus Siebenkäs von seiner biederen Frau, stirbt zum Schein, läßt den leeren Sarg bestatten und vermählt sich mit der klugen und gefühlvollen Nathalie. Da er zuweilen die Rolle seines Freundes Leibgeber (der ihm zum Verwechseln ähnlich ist) übernimmt, muß er auch dessen Heiterkeit nachahmen, sich einer unbeschwerten Stimmung hingeben.

Als Kontrast ist in den Roman die »Rede des toten Christus vom Weltgebäude herab, daß kein Gott sei« eingesetzt, eine Vision, die – zusammen mit den »Nachtwachen« von E. A. F. Klingemann (S. 258) – den Nihilismus des 19. Jahrhunderts ankündigt. »Wenn der Jammervolle sich mit wundem Rücken in die Erde legt, um einem schönern Morgen voll Wahrheit, voll Tugend und Freude entgegenzuschlummern: so erwacht er im stürmischen Chaos, in der ewigen Mitternacht – und es kommt kein Morgen und keine heilende Hand und kein unendlicher Vater!«

Jean Paul hatte ein Gespür für das kleine, begrenzte Leben, für Kleinstadtgeschehnisse, das Idyllische und Skurrile in Bürgerstuben. Gerade im Ausmalen des abseits liegenden, von der großen Welt zurückgezogenen, engen, verhangenen, versponnenen Lebens konnte er seine Fabulierlust entfalten.

FURCHEN-
DASEIN

»Ich konnte nie mehr als drei Wege, glücklicher (nicht glücklich) zu werden, auskundschaften. Der erste, der in die Höhe geht, ist: so weit über das Gewölke des Lebens hinauszudringen, daß man die ganze äußere Welt mit ihren Wolfsgruben, Beinhäusern und Gewitterableitern von weitem unter seinen Füßen nur wie ein eingeschrumpftes Kindergärtchen liegen sieht. – Der zweite ist: gerade herabzufallen ins Gärtchen und da sich so einheimisch in eine Furche einzunisten, daß, wenn man aus seinem warmen Lerchennest heraussieht, man ebenfalls keine Wolfsgruben, Beinhäuser und Stangen, sondern nur Ähren erblickt, deren jede für den Nestvogel ein Baum und ein Sonnen-

und Regenschirm ist. Der dritte endlich – den ich für den schwersten und klügsten halte – ist der: mit den beiden andern zu wechseln ... Die Absicht ist eben, der ganzen Welt zu entdecken, daß man kleine sinnliche Freuden höher achten müsse als große, den Schlafrock höher als den Bratenrock ...« (Vorrede zu »Quintus Fixlein«)

Die Kunst der Kleinmalerei war noch für Gotthelf, Stifter, Keller und Raabe vorbildhaft. Es ist, als male Jean Paul die Welt seines eigenen Lebens: der Beschränkung und Ärmlichkeit, der verborgenen Träume und Hoffnungen.

Jean Paul hat sich aus der engen Welt, die er haßte, aber doch auch liebte, weil er in sie hineingeboren war und weil er sie dichterisch gestalten konnte, nicht lösen können. Die Armut seines Elternhauses (in Wunsiedel im Fichtelgebirge) zwang ihn als Theologiestudent in Leipzig und später als Hauslehrer in der Gegend von Hof zu größter Dürftigkeit. Der Erfolg seiner Romane verschaffte ihm zwar manche freundschaftlichen Beziehungen, die ihn Reisen nach Berlin und Weimar unternehmen ließen, aber die bescheidenen Kanzleiämter, die er in Meiningen, Coburg und Bayreuth bekleidete, isolierten ihn doch in der Provinz. Er fand keinen Anschluß an Goethe und Schiller, und in Kreisen der Romantik konnte er sich nur kurze Zeit aufhalten.

Zwar lehnte sich Jean Paul an die antikisierende Erzählweise Wielands an, weit stärker aber war in ihm das Romantische ausgeprägt: in dem Reichtum seiner Empfindungen, dem Phantastischen und Irrealen, das seine Werke durchzieht, in der Unmäßigkeit des Inhaltlichen und nicht zuletzt auch in der ans Romantische anklingenden Sprachkunst, die zu den bedeutendsten schöpferischen Leistungen unserer Literatur gehört.

»Und ich ging ohne Ziel durch Wälder, durch Täler und über Bäche und durch schlafende Dörfer, um die große Nacht zu genießen wie einen Tag ... Weiße Nachtschmetterlinge zogen, weiße Blüten flatterten, weiße Sterne fielen, und das lichte Schneegestöber stäubte silbern in dem hohen Schatten der Erde, der über den Mond steigt und der unsere Nacht ist. Da fing die Äols-Harfe der Schöpfung an zu zittern und zu klingen, von oben herunter angeweht, und meine unsterbliche Seele war eine Saite auf dieser Laute. Das Herz des verwandten ewigen Menschen schwoll unter dem ewigen Himmel, wie die Meere schwellen unter der Sonne und unter dem Mond. Die fernen Dorfglocken schlugen um Mitternacht gleichsam in das fortsummende Geläute der alten Ewigkeit.« (aus »Quintus Fixlein«)

Gegenüber Kleist, Hölderlin und Jean Paul heben sich die späteren Dichter, die klassisches mit romantischem Dichtungsgut vereinigten, insofern ab, als bei ihnen die intensive Auseinandersetzung mit dem Geistesgehalt der Klassik und der Romantik weitgehend fehlt. Sie waren schon zeitlich dem Kampf beider Strömungen entrückt und beschieden sich zumeist mit einem Nachvollzug, häufig nur mit bloßer Nachahmung der vorgegebenen poetischen Gehalte und Sujets. Von der Seite der Spätromantik her, die – wie etwa in der Schwäbischen Schule – allmählich zu einer still träumerischen, idyllischen und sentimentalen Stimmung abgeklungen war (in der Malerei etwa Spitzweg), kam der Einfluß des sogenannten »Biedermeier«, des geruhsam dahinlebenden Bürgertums, dessen Gefühlswelt der behaglichen Stube und der köstlichen Gartenlaube ihrer Enge und Sterilität wegen von manchen Romantikern und von Heinrich Heine oft als »Philisterromantik« verspottet wurde. Aber gerade dadurch, daß sich das Biedermeier auf den häuslichen Bereich begrenzte, eignete es sich Züge des aufkommenden »Realismus« an, der sich zunehmend mit der bürgerlichen Alltagswelt (ihren familiären Zwistigkeiten und beruflichen Sorgen) beschäftigte und seine Aufmerksamkeit auf die Wirklichkeit des Lebens richtete.

Hinzu kam der politische Liberalismus des sogenannten »Vormärz«, der auf die Revolution hinarbeitete und Pläne für eine neue staatliche und soziale Ordnung vorlegte. Er und die politische Gegenseite, die Reaktion, die Metternichsche »Restauration«, forderten auch von der Dichtung eine Entscheidung.

Politische Fragen wurden allerdings oftmals verdrängt durch die Sorgen des Alltags und ein Gefühl des Verzichtenmüssens. Der dunkle Hintergrund der scheinbar so wohlbestellten Welt ist die Stimmung der Wehmut und des Weltschmerzes, wie sie in der Philosophie **Arthur Schopenhauers** (1788–1860) definiert ist als eine gesamte »Verneinung des Willens zum Leben«. Dieser biedermeierliche Pessimismus zeigt sich am deutlichsten in dem Kreis der österreichischen Dichter.

Die seelischen Konflikte werden nur sehr selten unverhüllt dargelegt. Man suchte das Zwiespältige und Chaotische des Ich zu verbergen; es äußert sich nur in einer die gesamte Dichtung durchziehenden Schwermut und Resignation. Ein explosives Bekenntnis wurde unterdrückt und vermieden, wie es noch Adalbert Stifter in seinem Bildsymbol vom Waldsee ausspricht, dessen Tiefe zwar erregt, dessen Oberfläche aber unbewegt ist. »Einer meiner Hauptfehler ist«, sagte Grillparzer, »daß ich nicht den Mut habe, meine Individualität durchzusetzen«.

Franz Grillparzer (1791–1872) läßt sich geradezu als symptomatische Dichtergestalt der Metternichschen Ära begreifen. Als österreichischer Beamter zu unbedingter Loyalität gezwungen, als Schauspieldichter überdies verpflichtet den Normen und dem Urteil der bürgerlichen und aristokratischen Mehrheit, eingegrenzt in einen geistig unfruchtbaren Konservativismus, war es ihm unsäglich schwer, seine dichterische Elementarität zu verwirklichen und durchzusetzen. Seine Dramen, die historische und politische Themen berührten, wurden von der Zensur korrigiert. Weit schmerzlicher als das Einschreiten war für ihn das Gespenst der Zensur, vor allem aber das Gespenst des Publikums. Jene innere Macht und Selbstsicherheit, die der in Paris lebende Heinrich Heine aufbrachte, sich der konformistischen Mehrheit zu stellen, brachte der in Wien lebende Grillparzer nicht auf: nicht nur weil die Mehrheit überwältigend und politisch sanktioniert war, sondern auch weil er selber sich mit ihr verknüpft und von ihr abhängig fühlte. Ein unterschwelliges Verhältnis bestand zwischen der Furcht vor der Vereinzelung, dem Verbanntsein in die Abgründigkeit des Ich, und der Hoffnung, einen von der Masse legalisierten Ausweg zu finden. Die Sehnsucht nach Einfachheit, nach bürgerlicher Gesundung, künstlerischer Beschränkung, Bewährung im wirklichen Leben (vgl. die Novelle vom »Armen Spielmann«) schwingt ebenso mit wie die Einsicht eines österreichischen, wienerischen Zuhause, einer unaufhebbaren Bindung an die vorgegebene Umwelt (daher entstand eine Reihe österreichischer Dramen trotz der Widrigkeiten der Zensur). Die tiefste Erschütterung verursachte

Das Ich unterliegt

nicht die Zensur, sondern das Wiener Publikum, als es 1838 das
Schauspiel »Weh dem, der lügt!« ablehnte. Von da ab hielt Grillpar-
zer jedes Stück verborgen und schrieb nur noch für sich selbst. Dies
war keine Geste des Stolzes, sondern das verzweiflungsvolle Einge-
ständnis, den Zusammenhang mit der Mehrheit, die innerst erhoffte
»Heimat«, verloren zu haben. Ergreifend ist das Resümee der späten
Lebensjahre: »Als Mensch unverstanden, als Beamter übersehen, als
Poet höchstens geduldet, schlepp ich mein einförmiges Dasein fort.«

»Sollte ich die Geschichte meines inneren Zustandes einmal nie-
derschreiben, so wird man glauben, die Geschichte eines Wahnsinnigen zu lesen.« Von seiten seiner Mutter, die im religiösen Irrsinn und
im Selbstmord geendet hatte, empfand er ein lastendes Erbe in sich,
eine chaotische, zerstörende Macht. »Ich denke oft an einen Selbstmord.«

Der Gegensatz von innerem Willen und äußerer Forderung ist die
grundlegende Thematik seiner Dramen. Ein Vergleich mit Kleists
»Penthesilea« und »Prinz Friedrich von Homburg« liegt nahe, nur
glaubte Grillparzer von vornherein nicht an eine Synthese von Klassischem und Romantischem. Das Ich, die romantische
DAS HUMA- Nachtseite, sein dunkler, triebhafter Drang, und das
NITÄRE Gesetz der Gemeinschaft (bei Grillparzer durchaus im
PRINZIP Sinne Goethes und Schillers auf humanitärer Grundlage gesehen) stehen sich als gänzlich getrennte Bereiche gegenüber.
Die Unterlegenheit des Ich hat für den einzelnen Menschen eine
durchaus tragische Bewandtnis; trotzdem wird die Forderung erhoben, die sittlichen Prinzipien der Gemeinschaft anzuerkennen und
sich dadurch die eigene Würde zu bewahren.

Nach unbedeutenden dramatischen Versuchen, einem Stück im
Stil Schillers (*Blanka von Kastilien,* 1809) und einem romantischen
Schicksals- und Gespensterdrama (*Die Ahnfrau,* 1817), klingt das eigentliche Thema zum erstenmal in der Tragödie *Sappho* (1818) auf.
Sappho, die griechische Dichterin, eine alternde Frau, liebt den jungen Phaon und verlangt seine Gegenliebe; ihre Leidenschaft ist zügellos; sie versucht, das Liebesverhältnis Phaons mit ihrer Sklavin
Melitta zu unterbinden, will die Sklavin entführen und töten. Sie
kommt zur Einsicht, daß sie die Gesetze des Anstands verletzt und
sich erniedrigt und entwürdigt hat. Aus Scham begeht sie Selbstmord.

Im Drama *Des Meeres und der Liebe Wellen* (1831) gibt sich die Priesterin Hero dem jungen Leander hin. Sie verzichtet auf ihr stilles Glück und ihren edlen Dienst zugunsten des großen romantischen Liebestraums. Sie überhört die Warnung des Oberpriesters. Dieser löscht eines Nachts die Leuchte, die sie angesteckt hatte, um Leander den Weg über die Meeresbucht zu weisen. Als sein Leichnam angeschwemmt wird, bricht sie auf den Tempelstufen tot zusammen.

Das Gesetzhafte als Normativ der Gemeinschaft äußert sich – noch deutlicher und zwiespältiger – in der Trilogie *Das goldene Vlieβ* (1818–20 in Italien geschrieben, 1821 aufgef.). Die ersten Teile, *Der Gastfreund* und *Die Argonauten*, deuten die Gegensätze zwischen klassischem und romantischem Menschentypus an. Die Griechen wollen das von den Kolchern geraubte, Apollon geweihte Goldene Vlieβ zurückgewinnen. Jason, ihr Anführer, begegnet Medea, der Tochter des Kolcherfürsten, einer Zauberin, die aus Steinen und Kräutern Tränke bereitet und den Mond bespricht. Er überwältigt und verwundet sie; sie reicht ihm einen Becher mit Gift, schreit aber warnend auf. Schließlich folgt sie ihm nach Griechenland. – Im dritten Teil, *Medea*, bricht der Konflikt zwischen ihr und Jason vollends auf. Der Grieche verstößt die Barbarin, die gespenstische Frau; er liebt die ihm innerlich verwandte Kreusa, Tochter des Königs von Korinth. Medea will wenigstens die beiden Kinder bei sich behalten; aber auch sie wenden sich von ihr ab. Aus der Triebhaftigkeit ihres Wesens entsteht ein besinnungsloser Haß. Sie tötet Kreusa, brennt das Schloß nieder und ermordet die Kinder. Das Goldene Vlieβ, das Zeichen tragischer Schuld, nimmt sie mit sich. In einer Waldgegend trifft sie Jason und trennt sich endgültig von ihm. Beide gelangen zur Einsicht, für ihre Verfehlungen büßen und ihr Schicksal erdulden zu müssen.

Eine gleiche Schlußfolgerung enthält das letzte Schauspiel Grillparzers, *Die Jüdin von Toledo* (gedr. 1872). Die Begegnung König Alfons' von Kastilien mit der naturhaft sinnlichen, schönen Jüdin Rahel weckt in ihm eine glühende, bisher verborgen gebliebene Leidenschaft, die ihn alle Rücksicht auf seine Gemahlin und seine königliche Würde und Pflicht vergessen läßt. Seine Erkenntnis der Verfehlung, noch bestärkt durch den Widerstand der Granden, die Rahel töten lassen, und seine Ernüchterung, als er das tote Mädchen sieht, führen ihn in den Bereich der Gemeinschaft, der staatlichen und familiären Ordnung, zurück. Seine Schuld will er auf einem Kreuzzug sühnen. Das Stück kreist nicht wie Hebbels »Agnes Bernauer« um eine dynastische Staatsräson, sondern um die endothyme Auseinandersetzung zwischen der Triebhaftigkeit des Ich und dem Gesetz, das die Gemeinschaft bildet und zusammenhält. Es zeigt freilich auch, mit welcher Grausamkeit das Elementare den Ordnungsmächten geopfert wird.

Die Bewältigung der Individualität wurde einerseits zum tragischen, tief pessimistischen Zug in Grillparzers Dramen, aber doch

MENSCH-
LICHKEIT
UND GE-
SCHICHTLI-
CHER AUF-
TRAG

zur positiven Aussage, indem das gemeinschaftserhaltende Prinzip einer selbstlosen Humanität gewahrt bleibt. Grillparzer hat diesen Gedanken (der ihm vor allem in psychologischer Hinsicht wichtig erschien) auch in den Bereich der Menschheitsgeschichte übertragen. Er meinte, der Urzustand des Individuellen müsse sich in einen Gemeinschaftszustand der gesetzlichen und geregelten Organisation wandeln.

Das Sagendrama *Libussa* (1840) ist eine Allegorie dieses Entwicklungsgedankens. Libussa, Tochter des mythischen Slawenfürsten Krokus, Zauberin, Seherin, unternimmt den Versuch, die Menschen zu einigen, nicht mit Gesetz und Anordnungen, sondern durch Aufruf ihrer Gefühle für das Gute und Schöne. Sie muß darin enttäuscht werden. Die Menschen verlangen selber eine eindeutige Richtlinie, sie wollen »wie Glieder wirken eines einzigen Leibes«. Damit muß Libussa das Zepter an ihren Gemahl Primislaus abgeben, der verspricht, ein geregeltes Gemeinwesen zu schaffen. Er gründet die Stadt Prag. Libussa unterwirft sich der Vernunft, aber es bleiben freilich die Zweifel, ob die neue Gesetzhaftigkeit auch in die Herzen der Menschen dringt und tatsächlich eine humanitäre Haltung garantiert.

Die Idee der Humanität proklamierte Grillparzer – durchaus mit Argumenten der Klassik – vor allem in drei historischen Schauspielen, die eine gewisse politische Relevanz besaßen, weil sie sich in Österreich, Böhmen und Ungarn zutragen. Im Drama *Ein Bruderzwist in Habsburg* (Erstaufführg. 1872) erweist sich der greise Rudolf II. (trotz seiner Schwäche und Schlaffheit) als edler, menschenfreundlicher und toleranter Herrscher. Er gründet einen Orden der Friedensritter, dem jeder beitreten soll, der sich gegen Gewalt und Unrecht wehrt. Sein Gegenspieler ist Matthias, sein unbesonnener und machtgieriger Bruder. Im letzten Akt treten Erzherzog Ferdinand (der Verfechter der Gegenreformation) und Wallenstein auf; ein erbarmungsloser Krieg steht bevor.

In *König Ottokars Glück und Ende* (1825) ergibt sich die Tragödie des Böhmenkönigs – im Kampf gegen den Habsburger Rudolf I. – aus seiner Abkehr

vòn der Humanität. Er trennt sich widerrechtlich von Margarethe (durch die
er das Anrecht auf österreichische Lande erhielt) und liefert sich dem Einfluß
seiner zweiten Gemahlin und ebenso ehrgeiziger Ratgeber aus. Auf dem
Schlachtfeld erleidet er eine verheerende Niederlage. Letztlich geht er an
seiner machtpolitischen Hybris zugrunde.

Das Gegenbeispiel eines konsequenten und sich bewährenden humanen
Handelns wird im Drama *Ein treuer Diener seines Herrn* (1828) demonstriert.
Bancban, ungarischer Reichsverweser, rächt nicht die Erniedrigung und den
daraus folgenden Selbstmord seiner Frau; er lehnt ein gewaltsames Vorgehen
gegen den Schuldigen ab und versucht, sich mit ihm zu versöhnen. Es gelingt
ihm, die im Staat aufkommende Unruhe zu beschwichtigen. Die Ordnung
wird wiederhergestellt, allerdings nur durch eine Verharmlosung der geschehenen Untaten.

Ebenso akzentuierte Grillparzer in seinen Komödien ein humanitär-
vernünftiges Verhalten, den Vorteil rechtschaffener Einsicht. Das
Barbarentum unterwirft sich der christlichen Kulti-
viertheit, und die Verneinung des Ich, romantischer
Egozentrik, führt zur Eintracht mit sich selbst, zu »des
Innern stillem Frieden«.

Des Innern stiller Friede

> »Eines nur ist Glück hienieden,
> Eins: des Innern stiller Frieden
> Und die schuldbefreite Brust!
> Und die Größe ist gefährlich,
> Und der Ruhm ein leeres Spiel;
> Was er gibt, sind nicht'ge Schatten,
> Was er nimmt, es ist so viel!«

Das sind die Leitverse in der Komödie *Der Traum ein Leben* (1834), dem
orientalisch-romantischen Märchenspiel vom Jäger Rustan, der das geruhsa-
me Leben bei Massud und dessen Tochter Mirza nicht mehr erträgt und in die
Welt hinausziehen will. Beim Harfenklang des Derwisch schlummert er ein,
und auf einer Traumbühne vollzieht sich sein Abenteuerleben: Er sieht sich
als Sieger in einer Schlacht, als ruhmreicher Held, aber er sieht auch die
Mordtaten und Verbrechen, die er dabei begeht. Als er erwacht, ist er durch
den Traum bekehrt; er heiratet Mirza und bescheidet sich mit der friedlichen
und ehrsamen Häuslichkeit.

Im Lustspiel *Weh dem, der lügt!* (1838) ist dem Barbarentum der heidnischen Germanen das christlich Fromme und Humanitäre des fränkischen Bischofs Gregor entgegengestellt, der den Diener Leon ausschickt, um seinen
Neffen aus der Gefangenschaft der Germanen loszukaufen, und ihm hierbei
ausdrücklich befiehlt, nicht eine Lüge auszusprechen. Leon, ein gewitzter

Kerl, hält sich an das Gebot, so gut er es vermag. Gerade weil er die Wahrheit offen ausspricht, glauben ihm die Barbaren nicht; ihm gelingt die Befreiung des Neffen mit Hilfe Editras, der Tochter des Germanenfürsten; sie folgt ihm in das Land der Christen, um sich deren Religion und edles Menschentum anzueignen.

Namentlich in »Der Traum ein Leben« äußern sich Maxime und Haltung des Biedermeier. Grundlegend ist der Glaube, durch Selbsteinengung, durch Verzicht auf das Abenteuer des Ich, zur Humanität zu gelangen. Das zugleich auch untergründig Tragische des Sichbescheidens hat Grillparzer in der Novelle *Der arme Spielmann* (1848) dargelegt. Die Geschichte eines Wiener Pfenniggeigers, der sein beschränktes und einfaches Leben erträgt, sein stilles Leid in seiner Musik ausdrückt und sich schließlich (während eines Hochwassers) als tatkräftiger Bürger bewährt, ist ein – freilich vereinfachtes – autobiographisches Spiegelbild des innerlichen Schlichtens und Bezwingens der Resignation.

Noch stärker im spezifisch österreichischen Biedermeier wurzeln die Märchen- und Zauberdramen **Ferdinand Raimunds** (geb. in Wien; 1790–1836). In ihnen vor allem spricht sich die ZAUBER- spätromantische Welt der Wiener Vorstadttheater, die BÜHNE Kunstwelt des Kleinbürgertums, aus. Der Anspruch auf Wiedergabe der Wirklichkeit wird von der poetischen Forderung nach einer zauberhaft irrealen Dimension weit übertroffen. Der Ausblick geht ins Reich der Feen und der Geisterwesen, weckt die Illusion gütiger Schicksalsmächte, die (geradezu als schützende Hausgeister) ins irdische Leben eingreifen und dem Dasein einen Sinn geben. Das Ziel ist nicht die Ableugnung, vielmehr die idyllische Verkleidung des realen Lebens, – eine Verbrämung der Wirklichkeiten, an denen Raimund immer wieder gescheitert war. Von unbändiger Theaterleidenschaft beseelt, fehlte es ihm doch an der Kraft, sich in seinem Beruf als Schauspieler durchzusetzen. Die unglücklichen Verhältnisse seiner Ehe und eine spätere, ebenso ausweglose Liebe vertieften noch seine Schwermut; er setzte seinem Leben selbst ein Ende. Die Zauberbühne, die er in seinen Schauspielen schuf, war die illusorische Ersatzwelt, auch insofern, als den Erwartungen des Publikums entsprochen und (ähnlich wie bei Grillparzer) eine kollektive Gemeinsamkeit erhofft wurde. So auch enthalten die Dramen nichts Unschickliches und Exzentrisches; sie setzten die Tra-

dition der Commedia dell'arte und der Stücke von Lope de Vega und
Goldoni fort.

Das tatsächliche, von bürgerlichen Charakteren getragene Geschehen ist mit
einer märchenhaften Handlung von Feen und Geistern umkleidet. Das be-
sinnliche Volksstück *Der Bauer als Millionär* (1826), ein Spiel vom einfachen
Mann, der zu Reichtum gelangt und schließlich, während er die Leiden des
Alters zu fühlen bekommt, den Wunsch hat, wieder arm zu sein, ist in ein
Rahmenstück von der Fee Lacrimosa hineingestellt, die von der Königin der
Geister den Auftrag erhält, ihr Kind auf die Erde auszusetzen, damit es sich
mit einem armen Mann vermähle und das Glück der echten Liebe erfahre. –
Der Alpenkönig und der Menschenfeind (1828), das meistgespielte Stück
Raimunds, schildert den innerlich verhärteten, mit der Welt zerfallenen
Menschenhasser Rappelkopf und seine Läuterung, als in einer märchenhaf-
ten Spiegelhandlung der Alpenkönig seine Gestalt annimmt und ihm sein
absonderliches Verhalten zum Bewußtsein bringt. – Im letzten Stück, *Der
Verschwender* (1834), spielt sich, umgeben von einer zauberischen Feenwelt,
eine gemütstiefe Handlung ab. Der Verschwender, der sein Vermögen ausgibt, weil er jeden Menschen zufrieden und heiter sehen möchte, und sein
alter Diener, der ihm, nachdem er von den Freunden verlassen wurde, in der
Armut beisteht, der treuherzige Tischlermeister Valentin, der sein Hobellied
singt »Da streiten sich die Leut' herum«: diese Charaktere gehören zu den
reizvollsten Figuren des Wiener Volkstheaters.

Im Gegensatz zu Raimund, der die biedermeierliche Lebenswelt mit
einem Hauch der Märchenpoesie umgab, hat der andere Wiener
Volksdichter, **Johann Nepomuk Nestroy** (1802–62),
das Biedermeiertum bereits mit realistischen Zügen
dargestellt. Seine Stücke sind ironische, oft derb pos-
senhafte Bürgerkomödien, die sich mit zum Teil zyni-
scher Kritik realen Lebensfragen (Berufstüchtigkeit, Geldgewinn,
sozialer Schichtung) zuwenden, allerdings auch das biedermeierlich
Idyllische (u. a. in den Gesangeinlagen) nicht verleugnen.

REALITÄ-
TENPOSSE

War Nestroy in *Der böse Geist Lumpazivagabundus* (1833), der Landstrei-
cherkomödie vom frohgemuten Schuster, Schneider und Tischler, die den
beträchtlichen Gewinn eines Lotterieloses durchbringen, noch mit der romantischen Taugenichtssehnsucht verknüpft, so hat er in der »Lokalposse«
Zu ebener Erde und erster Stock (1835) in die sozialen Verhältnisse des Bürgertums hineingeschaut: Im ersten Stock wohnen die Reichen, der Spekulant
und Millionär Goldfuchs und seine Tochter, die den Sohn der im Parterre
hausenden Armen liebt. Der Bankrott der Reichen und der Aufstieg der Armen führen dazu, daß schließlich diese oben und jene unten wohnen.

Blieb Raimund – zeitlebens ein Bewunderer Grillparzers – dem Glauben an das Gute und den Sieg der Humanität, trotz aller Bitternis in der Welt, treu, so trug Nestroy als unbarmherziger Parodist, der bald auch sein Vorbild Raimund verspottete, progressiv-aufklärerische Züge. Er wußte um die Realität des Bösen und Dummen und setzte dagegen die Klugheit des Lachens. Bezeichnende Titel sind *Einen Jux will er sich machen* (1842), *Der Zerrissene* (1844), *Freiheit in Krähwinkel* (1849), *Der Unbedeutende* (1849).

RESIGNA-
TION UND
WELT-
SCHMERZ

Während sich im Theater, das sich dem Geschmack des breiten Publikums anpassen mußte, allmählich ein bürgerlicher Realismus durchsetzte, offenbarte sich in der intimen Aussage der Lyrik auch weiterhin der dunkle Hintergrund des Biedermeier, wie er sich schon bei Grillparzer zeigte: eine düstere Schwermut, der Weltschmerz des eigenen, eingeengten, unbefriedigten und unerlösten Ich. **Nikolaus Lenau** (1802–50) war darin der bezeichnende Lyriker gerade der österreichischen Nachklassik und -romantik. Die Unfähigkeit, sich im Leben zurechtzufinden, das dauernde Gefühl, der Individualität entsagen zu müssen, die Unrast, die ihn in die Ferne hinaustrieb und doch wieder in die altgewohnten Verhältnisse zurückzwang: insgesamt das Eingeständnis, daß das Leben ein »verfehltes Rechenexempel« sei, mündete in die Groteske romantischer Ichverspottung. (Ausgabe u. a. *Gesammelte Gedichte*, 1844)

Wie Grillparzer und Raimund litt Lenau, in unglücklichen Familienverhältnissen aufgewachsen, schon von den Jugendjahren her an Schwermut und Lebensüberdruß. Geboren auf einem Landgut bei Temesvár (Ungarn), schickte ihn sein Großvater zum Studium nach Wien, wo er im Kreise von Kaffeehausliteraten zu dichten begann. Schon hier faßte er im Gefühl des Ungenügens den Entschluß, in die Einöde Amerikas auszuwandern. Nachdem ihn auch seine Beziehungen zu schwäbischen Romantikern aus seiner Düsternis nicht befreien konnten, mietete er sich 1832 bei einem Auswandererunternehmen ein, das die Waldgebiete am Missouri kolonisieren wollte. Die abenteuerliche Fahrt endete mit Enttäuschungen. 1833 nach Wien zurückgekehrt, versunken in »trostlos nächtliche Grübeleien« und erschüttert von zwiespältigen Liebesbeziehungen (u. a. zu einer Wiener Sängerin), verfiel er allmählich der geistigen Umnachtung. Er starb (nach der Entlassung aus einer Heilanstalt) in der Nähe von Wien.

Lebensmüdigkeit, Weltschmerz, Todesahnung sind der dumpfe Inhalt seiner Lyrik. Es äußert sich kein Aufbegehren gegen die Last des

Schicksals, sondern nur ein apathisches, ohnmächtiges Hinnehmen,
ein Sichausliefern an die Qual. Das Düsterste sind seine *Schilflieder*
(»Quill, o Träne, quill hervor...«). In den Zigeunerliedern liegt die
Monotonie seiner ungarischen Heimat, in den Herbstgedichten die
Stimmung des Vergehens und Sterbens; selbst die Frühlingslieder tragen den Hauch des Todes (»Warum, o Lüfte, flüstert ihr so bang?«).
Auch die in eine heitere romantische Szenerie gelegten balladenhaf-
ten Gedichte, wie etwa *Der Postillon* (»Lieblich war die Maien-
nacht«), sind vom Schatten herbstlicher Vergänglichkeit gestreift. Es
kehren wieder die Bilder der Ermüdung und Erschöpfung (»Schläfrig
hangen die sommermüden Blätter« – »Zu träge ist die Luft, ein Blatt
zu neigen« – »Ich liebe dieses milde Sterben«); und der Wille, ins
Ferne und Grenzenlose vorzudringen, erlahmt, weil es an der Kraft
fehlt, ein Ziel auszumachen.

> »Stille! Jedes Lüftchen schweiget,
> Jede Welle sank in Ruh,
> Und die matte Sonne neiget
> Sich dem Untergange zu.
>
> Ob die Wolke ihn belüde,
> Allzu trübe, allzu schwer,
> Leget sich der Himmel müde
> Nieder auf das weiche Meer.
>
> Und vergessend seiner Bahnen,
> Seines Zieles noch so weit!
> Ruht das Schiff mit schlaffen Fahnen
> In der tiefen Einsamkeit.«

Gegenüber den Österreichern beschränkte sich der Kreis der süddeutschen Dichter auf eine im Grundton unbeschwerte und unbe-
fangene Epigonenromantik. Einzig **August Graf von
Platen** (1796–1835) war in seinem Wesen dunkel, gequält, wie er sich auch in seiner Verachtung des Bürgertums und der deutschen Lebensverhältnisse von der
Mehrzahl der Süddeutschen unterschied. In Ansbach geboren, in
München zum Offizier ausgebildet, in jungen Jahren schon unbefrie-
digt, suchte er eine menschliche (auch homoerotische) und künstlerische Erfüllung in Italien. Es waren nicht nur die Schätze der Antike,

**ÄSTHETI-
SCHE
SEHNSUCHT**

die ihn nach Italien zogen, sondern ebenso die mediterrane Landschaft, das Kolorit südländischen Lebens und der Klang der italienischen Sprache, die seinen ästhetischen Sinn faszinierten.

Mit sensibelstem Gefühl ist das Schöne aufgenommen: das »Tor mit dem gotischen Bogen«, die »herrlichen Arkaden«, die »Grotte mit Kristallen«, der »Mond in ruhiger Pracht«, der »erste goldene Stern«, die »Purpurnelkenblüte«, der »Saum des Weltenblumenrandes«, der »topasne Kelch der Tulpe«. In kunstvoll ziselierten Vers- und Strophenformen (Ghaselen, Sonetten, Oden) und in einer kunstvoll durchgestalteten Sprache ist ein ebenso romantisches wie klassisches Schönheitserlebnis ausgesprochen. In der Intensität des Erlebens liegt das Bewußtsein des Unirdischen, das Gefühl schönheitstrunkenen Versinkens und Sterbens: »Wenn ich sterbe, sterb' ich für das Schöne« – »Wer die Schönheit angeschaut mit Augen / Ist dem Tode schon anheimgegeben.«

Antike, orientalische Stoffe, Natur- und Jahreszeitlieder, Oden an seine Freunde, namentlich an den Balladendichter August Kopisch (1799–1853), mit dem Platen in Neapel bekannt wurde, wechseln mit Schilderungen der italienischen Landschaft und der italienischen Städte. Zum Eindrucksvollsten gehören die *Sonette aus Venedig* (1825).

> »Mein Auge ließ das hohe Meer zurücke,
> Als aus der Flut Palladios Tempel stiegen,
> An deren Staffeln sich die Wellen schmiegen,
> Die uns getragen ohne Falsch und Tücke.
>
> Wir landen an, wir danken es dem Glücke,
> Und die Lagune scheint zurück zu fliegen,
> Der Dogen alte Säulengänge liegen
> Vor uns gigantisch mit der Seufzerbrücke.
>
> Venedigs Löwen, sonst Venedigs Wonne,
> Mit ehrnen Flügeln sehen wir ihn ragen
> Auf seiner kolossalischen Kolonne.
>
> Ich steig ans Land, nicht ohne Furcht und Zagen,
> Da glänzt der Markusplatz im Licht der Sonne:
> Soll ich ihn wirklich zu betreten wagen?«

Auch Platens Balladen wirken vornehmlich aus der bildhaften und sprachlichen Gestaltung heraus: *Das Grab im Busento,* die Totenklage über den jungen Westgotenkönig Alarich; *Wittekind,* die Versöhnungsfeier der Taufe des Sachsenherzogs; das *Klagelied Kaiser Otto des Dritten,* des »Lebensmüden«, »der hier im fernen Süden / beschließt den Pilgerlauf«; *Der Pilgrim vor St. Just,* der Sterbemonolog Kaiser Karls V., und eine Reihe Balladen aus der orientalischen, römischen und italienischen Geschichte. (Letzte Sammlg. *Gedichte* 1834)

In der Wertschätzung der lyrischen Form und Sprache stand **Friedrich Rückert** (aus Schweinfurt; 1788–1866) Platen am nächsten. Auf seiner Italienreise ging ihm das »Geheimnis der inneren Form« auf, und als Professor in Erlangen wandte er sich der orientalischen Dichtung zu, der er einen Großteil seiner Themen verdankte. Daneben aber war Rückert auch ein echter Hausdichter des Biedermeier. In den *Haus- und Jahresliedern* (2 Bde. 1838) schenkte er dem gefühlsseligen Bürgertum Kalendergedichte. Sein *Märlein zum Einschläfern; Aus der Jugendzeit, aus der Jugendzeit* und die Parabel *Es ging ein Mann im Syrerland* waren volkstümliche Stimmungskunst. Bezeichnend ist die Liebe zum Kleinen, Alltäglichen: die Grabschrift auf das tote Vögelchen, die Klage um die Schnecke am Wegrand, das Lob auf den Steinklopfer, der mühevoll die Straße ausbessert.

INNIG, SINNIG, MINNIG

»Innig, sinnig, minnig« solle die Poesie sein, meinte **Emanuel Geibel** (1815–84; geb. in Lübeck), der den Münchener Dichterkreis anführte. Auch bei ihm gibt es ein fleißiges Formstreben, südländische, antike und orientalische Studien, aber auch Biedermeierlyrik, das Stübchen- und Naturidyll *(Der Mai ist gekommen; Wer recht in Freuden wandern will; Und dräut der Winter noch so sehr)* und überdies das Vaterlandsgefühl im Krieg gegen Frankreich (*Heroldsrufe,* 1871).

»Wohlauf, die Luft geht frisch und rein!« sang **Victor von Scheffel** (1826–86; geb. in Karlsruhe) im weinlaunigen Liederbuch *Gaudeamus!* (1868). Der minniglichen *Frau Aventiure* widmete er 1863 eine Nachdichtung mittelalterlicher Poesie. Seine Versgeschichte *Der Trompeter von Säckingen* (1854), von einem armen Studenten, der schließlich doch das Schloßfräulein heiraten darf, war ebenso aufs rührsame Gemüt abgestimmt wie sein Roman über den St. Gallener Mönch *Ekkehard* (1855), den Verfasser des Walthariliedes, der heimlich und entsagend die schwäbische Herzogin Hadwig liebt.

Der Romantizismus gerade des süddeutschen Kreises, unterstützt von den kunst- und geschichtsbegeisterten Bayernkönigen, kam auch den Opernschöpfungen Richard Wagners (1813–83) zugute, die in München und Bayreuth ihre ersten Triumphe feierten. Der Beifall galt nicht nur dem Komponisten, sondern auch dem Dichter, der das musikalische Pathos vom Wort her zu stützen verstand. *Tannhäuser, Lohengrin, Tristan und Isolde, Der Ring des Nibelungen* und *Parsifal* waren ein später – kolossaler – Aufbruch der Geschichts- und Sagen-Romantik.

Am Schluß der nachklassischen und nachromantischen Dichtung steht der in München beheimatete Berliner **Paul Heyse** (1830–1914), der in seiner Jugend noch Eichendorff kennengelernt hatte, Gedichte im Stil Platens schrieb und zusammen mit Geibel spanische Volkslieder übersetzte, jedoch in den meisten seiner Romane und Novellen (beeinflußt vom »Jungen Deutschland« und vom »Realismus«) ein Freiwerden von den Traditionen, eine neue Libertät, verlangte.

GEGEN DIE
ZOLLSTÖCKE
DER MORAL

In dem Willen nach strenger formaler Gestaltung hing er mit der klassizistischen Formsuche der süddeutschen Dichtergruppe zusammen. Für die Novelle forderte er eine gesetzmäßige Struktur, z. B. die Wiederkehr des Grundmotivs (des sog. »Falkenmotivs«); auch bejahte er die Auffassung Kleists, die Novelle müsse etwas Außergewöhnliches wiedergeben, das auf einen Bruch mit dem üblichen Sittengesetz hinauslaufe. Jedoch betrachtete Heyse die Abkehr von der Gemeinschaft als eine notwendige, durchaus positive Reaktion auf die mißlichen Verhältnisse des bürgerlichen Lebens. Der Dichter müsse demnach gerade das schildern, was in »die üblichen Zollstöcke der Moral« nicht paßt. Die Idee von Schlegels »Lucinde« tauchte wieder auf.

Die Romane *Kinder der Welt* (3 Bde. 1873) und *Im Paradiese* (3 Bde. 1875), Schilderungen antibürgerlicher, ausgesprochen exzentrischer Gesellschaftskreise Berlins und Münchens, und viele der etwa 100 Novellen manifestieren die Liberalität einer jungen Generation (allerdings oftmals im Kolportagestil). Bereits die frühe Novelle *L'Arrabbiata* (1854), eine in Süditalien spielende Liebesgeschichte, enthält die Forderung, zwanglos und eigenwillig zu handeln. Das Mädchen macht sich frei von Skrupeln und Beklemmungen (vor allem von schlimmen Erfahrungen im Elternhaus) und gibt sich dem Geliebten hin. In der Novelle *Die Märtyrerin der Phantasie* (1887) berichtet eine emanzipierte Dame von ihrem bewegten Leben und äußert: »Was man so Tugend nennt, war mir ein unfaßbarer Begriff.«

DAS JUNGE DEUTSCHLAND

»Die Freiheit ist eine neue Religion unserer Zeit.« »Die Revolution tritt in die Literatur!« Mit diesen Worten Heinrich Heines sind die Bemühungen einer Reihe junger Schriftsteller formuliert, die – etwa im Zeitraum zwischen der französischen Julirevolution 1830 und der deutschen Märzrevolution 1848 – ihre Unzufriedenheit über die derzeitige Literatur, aber auch über die Gegenwartsverhältnisse insgesamt in z. T. geharnischten Protesten zum Ausdruck brachten und ein fortschrittliches politisches und gesellschaftliches Engagement forderten. Der Kieler Privatdozent Ludolf Wienbarg (1802–72) prägte für sie die Bezeichnung »Junges Deutschland«. Gegen diese Gruppe erreichte 1835 der österreichische Gesandte im Zusammenwirken mit dem preußischen einen Beschluß des Deutschen Bundestages, weil »deren Bemühungen unverhohlen dahin gehen, . . . alle Zucht und Sittlichkeit zu zerstören«.

Vergleichbar mit dem Niedergang des Sturm und Drang durch die Klassik, war der Geniegeist der Jenaer Romantik, vor allem Friedrich Schlegels Manifest der Emanzipation des Ich, von der Heidelberger Romantik überflügelt worden. Der nationale Freiheitsdrang in den Jahren 1812–15 war der folgenden Restauration Metternichs und dem Konformismus des Bürgertums zum Opfer gefallen. In den dreißiger Jahren aber brachen die freiheitlichen Forderungen wieder auf, und zwar jetzt das Individuelle und Politische vereinigend: als eine entschiedene Aktion gegen alles Prinzipienhafte, gegen das Festhalten an Überlieferungen insgesamt. Das Menschentum der Klassik wurde dabei ebenso als abgetan betrachtet wie der historische und christliche Idealismus der Heidelberger Romantik, die Gemütsamkeit des Biedermeier und vor allem das monarchistisch kleinstaatliche System. Es sollte ein Umbruch der gesamten Lebensverhältnisse vollzogen werden. Dies jedenfalls war die Bestrebung eines Heine, Börne, Herwegh und Gutzkow.

Gefordert wurde das Recht auf Freiheit, auf Beseitigung der autoritativen moralischen, religiösen und politischen Bindungen. Rationalismus, Sozialismus, Fortschrittsglaube und Kosmopolitismus waren die vorherrschenden Ideen.

Neben dem durchaus konstruktiven Vorhaben zeigte sich aber auch ein äußerst emotionaler Negativismus, der sich in einer pauschalen Verneinung der bestehenden Autoritäten und in der Propagierung eines möglichst radikalen Umsturzes erschöpfte. Nicht unwesentlich war daran das – sich jetzt ausbreitende – immense Libertätsgefühl der »Boheme« beteiligt. Vor allem in Broschüren, Essays und gedruckten Briefen äußerten sich anarchistische Tendenzen, wenngleich dies notwendig zu sein schien, um das in der Restauration erstarrte Bürgertum aufzurütteln.

Andererseits konnten sich die Jungdeutschen – als Dichter – von den Traditionen nicht trennen. Ein poetologisches Programm (wie es etwa ein halbes Jahrhundert später die Naturalisten hatten) besaßen sie nicht. Ihre Dichtungen waren weitgehend auf das Überkommene und Gegebene angewiesen. Eine Art von »Boheme«-Lyrik, die sich bei Heinrich Heine ansagte, war noch in die verschiedensten Diktionen der Romantik verstrickt. (Wie schwer das Sichlossagen war, beweist noch die Lyrik eines Liliencron, Bierbaum und Morgenstern an der Jahrhundertwende.) Man kam ohne eine Anleihe bei der früheren Literatur nicht aus. Romantische Motive, romantischer Wortschatz und auch Themen der klassischen Dichtung wurden aufgegriffen. So ergab sich ein genereller Zwiespalt zwischen überwiegend traditionsgebundener dichterischer und progressiver feuilletonistischer Aussage.

Diese Dissonanz zeigt sich gerade bei **Heinrich Heine** (1797–1856), der sich als Dichter oftmals an die Romantik und Klassik anlehnte, als Feuilletonist und feuilletonistischer Lyriker jedoch das romantische und klassische Erbe ablehnte. »Weil er oft noch etwas anderes sein will als ein Dichter, verliert er sich oft«, erklärte Börne. Bejahung und Verneinung, Gestaltung und Zerstörung widersprechen sich. (»Ein großer Weltriß geht durch meine Seele.«) Aus diesem Zwiespalt, aber noch mehr aus dem zwiespältigen Verhältnis zum Bürgertum, dessen Fassadenhaftigkeit Heine erkannte, dessen soliden Wohlstand er jedoch akzeptierte, erklären sich seine Unausgegli-

DER GROSSE
WELTRISS

chenheit, »Zerrissenheit«, und seine Selbstironie. Sein ganzes Leben
war angefüllt mit Bitternis, Ärger und Verzweiflung, die seine seelische Kraft verzehrten. »Ich bin matt, traurig, leidend«, schrieb er in
der Neujahrsnacht 1856.

Einer jüdischen Familie aus Düsseldorf entstammend, waren schon seine
Schuljahre für ihn eine Qual gewesen. In seiner Studentenzeit und auch in
späteren Jahren erfolgten harte Auseinandersetzungen mit seinen Verwandten, die für seinen Unterhalt sorgten. Im Berliner Romantikerkreis Varnha-
gens fand er nur kurze Zeit eine Heimstatt; in Weimar enttäuschte ihn die
abweisende Haltung Goethes; in Stuttgart kam es bald zum Bruch mit Wolfgang Menzel und der Schwäbischen Romantik; in München blieb ihm die
erhoffte Professur an der Universität versagt; verbittert wandte er sich von
Deutschland ab (1831), ging nach Paris, setzte aber von dort aus seinen
Kampf gegen die deutsche Reaktion fort, verstrickte sich in immer neue
Händel (sogar mit seinen Parteigängern Börne und Lassalle) und starb dort
nach jahrelangem Siechtum. »Ich werde den lieben Gott, der so grausam an
mir handelt, bei der Tierquälergesellschaft verklagen«, schrieb er kurz vor
seinem Tod.

Aus seiner tief leidenden Verbitterung kam die unerhört starke Vehemenz seiner Feuilletons. Sie sollten die alte Welt niederreißen. Die
immer wiederkehrenden Grundgedanken der Zeitungsartikel, gedruckten Briefe und Pamphlete hat er in den beiden Abhandlungen
Die romantische Schule (1836) und *Zur Geschichte der Religion und
Philosophie in Deutschland* (Ausg. *Der Salon,* 4 Bde. 1834–40) zusammenfassend ausgedrückt:

»Der Versuch, die Idee des Christentums zur Ausführung zu bringen, ist jedoch, wie wir endlich sehen, aufs kläglichste verunglückt, und dieser unglückliche Versuch hat der Menschheit Opfer gekostet, die unberechenbar
sind, und trübselige Folge derselben ist unser jetziges soziales Unwohlsein in
Europa... alle privilegierten Priester haben sich verbündet mit Cäsar und
Konsorten zur Unterdrückung der Völker.« – »Was war aber die romantische
Schule? Sie war nichts anders als die Wiedererweckung der Poesie des Mittelalters. Diese Poesie aber war aus dem Christentum hervorgegangen.« – Und
über die Klassik: Während Heine »jene hochgerühmten, hochidealischen
Gestalten, jene Altarbilder der Tugend und der Sittlichkeit, die Schiller auf-
stellt«, von vornherein abtat, äußerte er über Goethe: »Zu meinem Lobe
muß ich nochmals erwähnen, daß ich in Goethe nie den Dichter angegriffen,
sondern nur den Menschen.«

Heines Ablehnung gerade der Romantik war ein Widerspruch zu
seiner eigenen Poesie. Noch 1843 beklagte er als Rechtfertigung sei-
nes Versmärchens *Atta Troll* die »alte Romantik, die man jetzt mit
Knüppeln totschlägt«. In seinen ersten *Gedichten* (1822) hatte er die
ILLUSION   romantisch-mittelalterliche Minnedichtung nachge-
UND DESIL-   ahmt, in der Ballade *Die Wallfahrt nach Kevlaar* das
LUSION   romantisch Fromme und in *Belsazer* die religiöse Ehr-
                 furcht zum Thema gewählt; seine *Loreley* entspricht
der romantischen Volkslyrik; sein fünfaktiges Tanzpoem *Der Doktor
Faust* (1851) ist ebenso klassizistisch (Auftritt von Helena) wie ro-
mantisch (gotische Kathedrale, Glocken- und Orgeltöne, fromme
Gebete als Apotheose Faustens), und in seinem späten Liederzyklus
Romanzero (1851) finden sich immer noch mittelalterliche, orientali-
sche Stoffe und romantische Naturstimmungen.

Seinem *Buch der Lieder* (1827) folgten 1844 die *Neuen Gedichte*. Politische
Aufrufe, geschichtliche Bilder, mythische Beschwörung der großen Landschaften des Meeres (*Nordsee*-Zyklus) und des Gebirges *(Harzreise)* stehen
neben Einfachem, Schlichtem, im Ton des Volkslieds Gehaltenem, das in
Schubert, Schumann und Mendelssohn kongeniale Vertoner gefunden hat
und bis heute zum unvergänglichen deutschen Liedschatz zählt.

> »Leise zieht durch mein Gemüt
> Liebliches Geläute.
> Klinge, kleines Frühlingslied,
> Kling hinaus ins Weite.
>
> Kling hinaus, bis an das Haus,
> Wo die Blumen sprießen.
> Wenn du eine Rose schaust,
> Sag, ich laß' sie grüßen.«

Aber als Rationalist und Realist, der das romantisch Idyllische und
Spielerische durchschaute, glossierte Heine immer wieder sich selbst,
zerstörte die eigene Illusion, wenngleich der Verlust ihm schmerzlich
klar wurde. Innerhalb der romantischen und gegenromantischen Er-
wägungen offenbart sich eine unterschwellige Diskrepanz zwischen
Selbstbehauptung und Selbstverleugnung.

»Trotz meiner exterminatorischen Feldzüge gegen die Romantik
blieb ich doch selbst immer ein Romantiker, und ich war es in einem
höheren Grade, als ich selbst ahnte. Nachdem ich dem Sinn für ro-

mantische Poesie in Deutschland die tödlichsten Schläge beige-
bracht, beschlich mich selbst wieder eine unendliche Sehnsucht nach
der blauen Blume im Traumland der Romantik, und ich ergriff die
bezauberte Laute und sang ein Lied, worin ich mich allen holdseligen
Übertreibungen, aller Mondscheintrunkenheit, allem blühenden
Nachtigallenwahnsinn der einst so geliebten Weise hingab. Ich weiß,
es war ›das letzte freie Waldlied der Romantik‹, und ich bin ihr letzter
Dichter.«

Die Desillusion setzt zuweilen erst am Schluß eines Gedichtes ein: Ein Bie-
dermeieridyll entsteht während der Winternacht am warmen Kamin, neben
sich das Kätzchen: »Kochend summt der Wasserkessel / Längst verklungne
Melodien«; die Bilder der Vergangenheit entfalten sich: »Märchenblumen,
deren Blätter / In dem Mondenlichte wehn«, – »Ach, da kocht der Kessel
über, / Und das nasse Kätzchen heult.«

Oft wechseln Stimmung und Zerstörung der Stimmung: Schilderung des
Winters, die Klage über die Unbill der Kälte: »O bittere Winterhärte« – mit
der plötzlichen Wendung »Und die Klavierkonzerte zerreißen uns die Ohren«. Hoffnung auf den Sommer: »Da kann ich im Walde spazieren / Allein
mit meinem Kummer«, und erneute Wendung: »Und Liebeslieder skandie-
ren«. Schließlich kann das Ironische kompositorisch so auf das Stimmungs-
element ausgerichtet sein, daß sich eine dauernde Kontrastwirkung ergibt
und eigentlich erst der Schluß das gesamte Gedicht als Ironie enthüllt:

Die Fensterschau

»Der bleiche Heinrich ging vorbei,
Schön Hedwig lag am Fenster.
Sie sprach halblaut: ›Gott steh’ mir bei,
Der unten schaut bleich wie Gespenster!‹

Der unten erhob sein Aug’ in die Höh’,
Hinschmachtend nach Hedewigs Fenster.
Schön Hedwig ergriff es wie Liebesweh,
Auch sie ward bleich wie Gespenster.

Schön Hedwig stand nun mit Liebesharm
Tagtäglich lauernd am Fenster.
Bald aber lag sie in Heinrichs Arm,
Allnächtlich zur Zeit der Gespenster.«

Derartige Zwieschichtigkeit fügte sich letztlich zusammen in der
Einheit eines Avantgardismus, der das Sujet der Epoche benutzt,

um es zu überwinden. Das ferne Ziel war das Auffin-
IDEAL UND den einer neuen existentiellen Norm, in der sich Ideal
WELT und Wirklichkeitsbewußtsein vereinen.

Ein spezifisch jüdisches Element der Erwartung (angedeutet in dem novellistischen Fragment *Der Rabbi von Bacharach*,
1840) verbindet sich mit dem revolutionären Element der »Aufklärung« (gleichsam vorausgeschaut in Lessings »Nathan der Weise«).
Die Symbiose von Judentum und antiaristokratischem und antibür-
gerlichem Fortschrittsgeist war sehr elementar. Überall rückte Heine
der konservativen Bürgerlichkeit und Obrigkeit, den Instanzen der
Unterdrückung, der Heuchelei und Lüge, dem Philister (als Widersacher der Kultur) und dem »Teutschen« zu Leibe (Gedichtzyklus
Deutschland. Ein Wintermärchen, 1844). Im Kampf um geistigen und
moralischen Fortschritt lebte und litt er für das Gute und den Glauben an die Wahrheit: »Die Poesie, wie sehr ich sie auch liebte, war mir
immer nur heiliges Spielzeug oder geweihtes Mittel für himmlische
Zwecke. Aber ein Schwert sollt ihr mir auf den Sarg legen, denn ich
war ein braver Soldat im Befreiungskriege der Menschheit.«

> »Verlorner Posten in dem Freiheitskriege,
> Hielt ich seit dreißig Jahren treulich aus.
> Ich kämpfte ohne Hoffnung, daß ich siege,
> Ich wußte, nie komm' ich gesund nach Haus...
>
> Ein Posten ist vakant! – die Wunden klaffen –
> Der eine fällt, die andern rücken nach –
> Doch fall ich unbesiegt, und meine Waffen
> Sind nicht gebrochen – nur mein Herze brach.«
>
> *(Enfant Perdu)*

Ebenso wie Heine in seinen Zeitungsartikeln *Französische Zustände*
(Buchausg. 1833) und einer separat gedruckten *Vorrede* (1833) befaßte sich **Ludwig Börne** (1786–1837) in den *Briefen aus Paris* (3 Bde.
1832–34) mit den Verhältnissen (auch den Mißständen) in einer Kon-
stitutionellen Monarchie und mit dem Despotismus in Deutschland.
Auch er wandte sich gegen die Lethargie des Bürgertums. Eine freiheitliche Republik schwebte ihm vor. Den romantischen Historismus
lehnte er ab: »Wir sind keine Geschichtsschreiber, sondern Ge-
schichtstreiber.«

Börne (Löb Baruch) wuchs im Frankfurter Getto auf, wurde Journalist, gab die Zeitschrift *Die Waage,* die *Zeitung der freien Stadt Frankfurt* und die »fliegenden Blätter« *Zeitschwingen* heraus. 1822 emigrierte er nach Frankreich, 1830 ließ er sich endgültig in Paris nieder, befreundete sich mit Heinrich Heine, trennte sich allerdings von ihm, weil er sich in den »zerrissenen Charakter« Heines nicht einfinden konnte.

Im gleichen Zwiespalt wie Heinrich Heine befanden sich viele andere jungdeutsche Lyriker. Sie rebellierten in feuilletonistischen Poemen, verlegten sich aber auch auf eine äußerst roman-

REBELLEN
UND EPI-
GONEN

tische Lyrik.

August Heinrich Hoffmann (nach seinem Geburtsort bei Lüneburg **von Fallersleben** genannt; 1798–1874), Verfasser zeitkritischer Gedichte, war ein eifriger romantischer Altertumsforscher und Sammler alter Volkspoesie. Besonders seine Kinderlieder verraten seine Nähe zur Romantik *(Ein Männlein steht im Walde; Kuckuck, kuckuck ruft's aus dem Wald; Alle Vögel sind schon da; Im Walde möcht' ich leben).* 1841 schrieb er ein Lied auf die deutsche Einheit, das sich gegen die despotische Kleinstaaterei wandte, *Deutschland, Deutschland über alles* (gedr. in *Unpolitische Lieder,* 2 Bde. 1840/41).

Ferdinand Freiligrath (aus Detmold; 1810–76) proklamierte: »Wir sind die Kraft! Wir hämmern jung das alte morsche Ding, den Staat.« In seinen »Zeitgedichten« *Ein Glaubensbekenntnis* (1844) und *Ça ira!* (»Es wird gehen«, 1846) kritisierte er die Fürstenherrschaft und das Philistertum und trat für das Proletariat ein. Zugleich aber meinte er: »Der Dichter steht auf einer höheren Warte als auf den Zinnen der Partei.« In seinen orientalischen Gedichten und Naturidyllen stimmte er mit der Romantik überein.

Georg Herwegh (aus Stuttgart; 1817–75) schrieb für seinen Freund Ferdinand Lassalle und das Proletariat eine *Arbeitermarseillaise* (»Mann der Arbeit aufgewacht / Und erkenne deine Macht!«), wie er insgesamt eine radikale Veränderung verlangte (*Gedichte eines Lebendigen,* 2 Bde. 1841–43). Aber auch er imitierte romantische Lyrik (»Ich möchte hingehn wie das Abendrot / und wie der Tag in seinen letzten Gluten –«).

Dagegen tritt im jungdeutschen Roman und Drama der Gegensatz zwischen idyllisch-romantischer und revolutionärer Stimmung nur sehr selten hervor. Ausschlaggebend war die feuilletonistische

Absicht. Aber auch hier wirkte sich ein romantisches Erbe aus,
nämlich jener exzentrische Emotionalismus des Jenaer
Kreises, der mit dem Genie-Ideal des »Sturm und
Drang« verknüpft war. Das Heroische, Kämpferische,
Titanische ist von untergründigen, rein gefühlsmäßi-
gen und paradoxen Anwandlungen durchsetzt. Viele
Gestalten der Romane und Dramen sind unausgeglichen, zumal sie
erkennen, daß sich ein Umsturz nicht ausführen läßt.

JUNGDEUT-
SCHER
STURM UND
DRANG

In dem dreiteiligen Roman *Das junge Europa* (1833–37) hat **Heinrich Laube** (1806–84; geb. in Sprottau/Schles.) seine Betrachtungen
über Monarchie und Republik, über Christentum und Theologie,
über Individualismus und Sozialismus, über den Sinn der Geschichte,
über Liebe, Dichtkunst und Wissenschaft aus einem Kreis junger,
stürmischer und zwiespältig erregter Dichter hervorgehen lassen, deren Fragen ein selbstquälerisches Suchen nach eigener Lebensfor-
mung sind. Bezeichnend für die bei den Jungdeutschen häufig auftauchende Resignation ist der Schluß des Romans: die Abkehr von den
Träumen und Hoffnungen. Valerius zieht sich in ein einsames Tal zurück und wird sich hier eine eigene kleine Welt bauen.

Sturm-und-Drang-Menschen finden sich vor allem in den Dramen: etwa der
junge Friedrich Schiller in den *Karlsschülern* (1846), ebenso gegen seinen
Herzog aufbegehrend wie der junge *Prinz Friedrich* (1848) gegen seinen Vater, den unduldsamen preußischen Soldatenkönig. Gleichartige Stücke sind
Struensee (über den aufgeklärten und gescheiterten dänischen Staatsmann;
1847) und *Graf Essex* (über den rebellischen Favoriten Elisabeths I.; 1856).

Liberale Ideen und gleichzeitig psychische Paradoxien schilderte
Karl Gutzkow (1811–78; geb. in Berlin) in den Romanen *Wally, die
Zweiflerin* (1835) und *Der Zauberer von Rom* (9 Bde. 1858–61). Wal-
ly ist einerseits die moralisch emanzipierte Weltdame, andererseits
eine religiöse Grüblerin, die unter dem Einfluß Cäsars, ihres Vereh-
rers, eines Atheisten, den Glauben an Gott verliert. Da ihr aber ein
Leben ohne Religion unerträglich ist, begeht sie Selbstmord. Der
Genietaumel einer neuen Welt scheitert daran, daß er sich von der
Tradition nicht gänzlich zu lösen vermag.

Im »Zauberer von Rom« tragen die Hauptpersonen Namen aus romantischen Werken: Lucinde, emanzipiert und frivol, steigt in die aristokratische

Gesellschaft auf; Klingsohr, der treueste ihrer Verehrer, wird Franziskaner und will die Kirche erneuern; auch Bonaventura, den Lucinde liebt, Domherr in Köln, schließlich Kardinal und Papst, beabsichtigt, eine Kirchenreform durchzuführen, ein Zeitalter religiöser Freiheit einzuleiten.

Im Trauerspiel *Uriel Acosta* (1846) wird ein Jude, der in einem Buch häretische Anschauungen äußerte, von den Vertretern der Orthodoxie aus der Gemeinde ausgeschlossen und in die Enge getrieben, bis er sich das Leben nimmt. Gutzkow forderte: »Schonung, Duldung, Liebe!«

Die Komödie *Das Urbild des Tartüffe* (1844) ist eine Bespiegelung der Scheinmoral, vor allem eine Dekuvrierung der Scheinargumente, die dazu dienen sollen, ungefällige Literatur zu unterdrücken. Molière kämpft, um seinen »Tartuffe« aufführen zu können, gegen die Einwände und Ränke derjenigen, die sich von dem Stück betroffen fühlen. Er hat Erfolg, aber er ist außerstande, das Philistertum abzuschaffen.

Der Roman »Wally, die Zweiflerin« durfte – angeblich aus moralischen Gründen – in Preußen nicht verbreitet werden. Im Königreich Sachsen wurden weitere Aufführungen des »Uriel Acosta« untersagt. Überdies gab der Deutsche Bundestag einen Index heraus, in dem zahlreiche Werke der Jungdeutschen aufgeführt wurden. Zensurbehörden und Gerichte schritten ein. Gutzkow wurde zu vier Monaten Gefängnis verurteilt, Laube zu eineinhalb Jahren Festungshaft; Freiligrath wurde verhaftet, Herwegh aus Preußen ausgewiesen und Hoffmann von Fallersleben aus dem Universitätsdienst entlassen.

Der kleinstaatliche Monarchismus, die Maßregelungen, das Prinzip der »Legitimität« und der Konservativismus der Mehrheit der Bürger setzten sich fort. Die Aufstände 1848 waren gescheitert. Viele Autoren resignierten und versuchten, sich mit den Verhältnissen abzufinden. Die Bewegung fiel auseinander, die Jungdeutschen blieben eine Randerscheinung. Mitunter beeinflußten sie den beginnenden »Realismus«, aber im Grunde blieben sie unbeachtet, bis am Ende des 19. Jahrhunderts eine neue »Avantgarde« aufkam.

DER REALISMUS

»19. Jahrhundert« bedeutet keine literarische Epoche; es fehlt eine geschlossene Weltanschauung ebenso wie ein alle verpflichtendes künstlerisches Leitbild. Während zu seinem Beginn Weimar noch das geistige Zentrum der mit Goethe und Schiller auf dem Höhepunkt stehenden deutschen Klassik darstellte, bildeten sich bald in Jena und später in Heidelberg neue Kristallisationspunkte (für die frühe und späte Romantik). Unter den Schlägen der französischen Revolutionsheere und in den Kriegen Napoleons war das Heilige Römische Reich Deutscher Nation zusammengebrochen. Die Befreiungskriege hatten das romantische Ideal eines neuen Reiches und freien Volkes nicht verwirklichen können. Die Wiener Schlußakte, die Karlsbader Beschlüsse und die »Demagogenverfolgung« versuchten – gleichfalls erfolglos –, die Geschichte um ein halbes Jahrhundert zurückzuschrauben und reaktionär und restaurativ die Verhältnisse vor der Französischen Revolution wiederherzustellen; die Aufstände von 1848 waren eine folgerichtige, wenngleich unzulängliche Gegenaktion. – Zudem setzte der Tod Goethes eine kulturgeschichtlich durchaus bedeutsame Zäsur.

Die neuen Mächte der aufstrebenden Technik und Industrie, des Geldes, der Wirtschaft, des Nationalismus und Sozialismus bleiben nicht ohne Einfluß auf die Literatur. Ein auf die Wirklichkeit und Praxis ausgerichtetes wissenschaftliches Denken tritt neben neue Auffassungen über Staat und Gesellschaft, über Religion und den Menschen. In einem Brief an Karl August Varnhagen von Ense schreibt Heinrich Heine am 3. Januar 1846: »Dieses neue Geschlecht will genießen und sich geltend machen im Sichtbaren; wir, die Alten, beugten uns demütig vor dem Unsichtbaren, haschten nach Schattenküssen und blauen Blumengerüchen, entsagten und flennten und waren doch vielleicht glücklicher als jene harten Gladiatoren, die so stolz dem Kampftode entgegengehen. Das tausendjährige Reich der

Romantik hat ein Ende, und ich selbst war sein letzter und abgedank-
ter Fabelkönig.« An **Georg Wilhelm Friedrich Hegels** (1770–1831)
groß angelegtem Versuch, das Erbe klassisch-romantischen Denkens
in einem System der Vernunft zusammenzufassen, konnten gleichzeitig konservative, sozialistische und realistische Denker anknüpfen,
indem sie sein dialektisches Denkschema vom Fortschritt aus These-
Antithese-Synthese auf ihre Bedürfnisse übertrugen. Die Anerkennung des Irdischen als des einzig Realen und die Abkehr von jeder
Art Metaphysik führen zu einer Entgötterung der Welt, die auch vor
dem Christentum nicht haltmacht und damit jahrhundertealte
Grundlagen abendländischen Denkens zum Wanken bringt. Zum
Materialismus eines **Ludwig Feuerbach** (1804–72), **David Friedrich
Strauß** (1808–74), **Charles Darwin** (1809–82), **Ernst Haeckel** (1834–
1919) gesellt sich der Pessimismus **Arthur Schopenhauers** (1788–
1860), der die unter dem Zwang blinder Kräfte stehende Welt und
ihre Leiden nur in der Verneinung des Willens zum Leben und Wendung zum Nichts zu überwinden lehrt. Resignation und Entsagung
bestimmen von daher das Werk vieler Realisten, die sich zu einem
Aushalten im Kampf gegen die Lebensmächte in einer Welt ohne
Transzendenz bekennen. Man rettet sich zuweilen in den Humor, der
nach Fontane »das Darüberstehen, das heiter souveräne Spiel mit
den Erscheinungen des Lebens zur Voraussetzung hat«. Die alten
Ordnungen und Bindungen werden aber keineswegs preisgegeben:
Die Familie steht dem einzelnen näher als der Staat (wie im Biedermeier), der Stamm näher als das Volk, das – nach der Verklärung
durch die Romantik und der imposanten Demonstration der Napoleonischen Volksheere bei Büchner – zum »animalischen dumpfen
Gewimmel« herabsinkt; es wird erst bei Keller wieder als neue Wirklichkeit und bei Gotthelf in seinen übernatürlichen Kräften aufge-
spürt. Eine besondere Bedeutung gewinnen die Dinge der Natur, aus
der Gesetz und Ordnung nicht nur abgelesen, sondern auf den in sie
einbezogenen Menschen übertragen werden.

Aus solchem Mit- und Gegeneinander schält sich – neben dem Sen-
timentalismus eines Scheffel, dem Sensationalismus eines Gutzkow
und Formalismus eines Heyse – der literarische Realismus als eine
neue Erkenntnisweise und geistig-künstlerische Haltung heraus, der
es auf »das Denken im Fühlen und Schauen, das Sprechen im Handeln und Bilden, das Unterrichten im Zeigen und Hinweisen« an-

kommt. Die Welt wird als sinnvoll, als »unendliche Aufgabe oder als
letzte Sinneinheit« anerkannt. Otto Ludwig spricht von der »objektiven Wahrheit in den Dingen«; diesen aber kommt nicht nur ihre
Wahrheit, sondern darüber hinaus eine allgemeine Wahrheit zu. Sie
wird auch für die Erkenntnis des Menschen wichtig. Der Mensch wird
in einer sozialen und gesellschaftlichen Bindung gesehen – nicht zuletzt unter dem Einfluß der Gesellschaftslehre von **Karl Marx** (1818–
83) und **Friedrich Engels** (1820–1895), die in England das Elend des
modernen Proletariats kennengelernt hatten.

Eine Art »realistisches Manifest« gibt Büchner im Tischgespräch
seines Lenz mit dem Freund Kaufmann, der noch idealistischen Vorstellungen anhängt. Dort fordert er, daß der Dichter das Leben als
»Möglichkeit des Daseins« gestalte. Von den Idealisten sagt er, daß
sie »auch keinen Hundsstall« zeichnen könnten; diese lehnt er ebenso
ab wie die sogenannten Naturalisten: »Die Dichter, von denen man
sage, sie geben die Wirklichkeit, haben auch keine Ahnung davon«;
doch seien sie immer noch erträglicher als diejenigen, welche die
Wirklichkeit verklären wollten.

Auch Keller fordert in seiner Kritik an Gotthelf über das bloße
Abschildern und die gegenständliche Genauigkeit hinaus eine »höhere und allgemeinere Bedeutung« der Kunst: »Ewig sich gleich bleibt
nur das, was rein menschlich ist, und dies zur Geltung zu bringen, ist
bekanntlich die Aufgabe aller Poesie...«

Neben dem »Griff ins volle Menschenleben« verlangt Fontane Gegenwart statt Vergangenheit, Wirklichkeit – nicht Schein, Prosa –
nicht Vers. Diese Forderung erfüllt vor allem der Roman, der als bevorzugte Gattung dem Bedürfnis nach Wirklichkeitsnähe, psychologischer Analyse und soziologischer Betrachtung am weitesten entge-
genkommt. Der traditionelle deutsche Entwicklungsroman mit der
Einzelpersönlichkeit im Mittelpunkt wandelt sich langsam zum Zeitroman. Die großen Gesellschaftsromanciers der Franzosen, Sten-
dhal, Flaubert, Balzac, sind die Vorbilder. Freilich, eine eigentlich
soziale Analyse erreicht erst der deutsche Roman des Naturalismus.
Aber statt – wie die Franzosen – die Menschen in ihren politischen
und ökonomischen Verhältnissen zu beobachten, »gehen die deutschen Erzähler viel stärker vom eigenen Ich, von der persönlichen
Erfahrung und von ihrer Erinnerung aus«. Der Anschluß an die Weltliteratur geht mehr und mehr verloren.

Insgesamt versteht sich Realismus als eine Art »Gegenidealismus«, d. h. als »Versuch, die Motive und Formen weitestgehend im wirklichen Leben aufzusuchen«. Da das Idealische nicht der Wirklichkeit entspreche, dürfe es auch keine Regeln und Formeln idealischer Schönheit geben. Es geht um eine neue »Intensität des Lebens und Erlebens«, die das Einfache ebenso einbezieht wie das Häßliche; das Alltägliche (»Feld und Stall, Stube und Küche und Speicher«) tritt an die Stelle des Hohen und Erhabenen, das nunmehr als konstruiert und künstlich erscheint und die Wahrheit verfehle. Die häßliche Brigitte bei Stifter erweist sich als wirklich schöne Seele, den verkommenen Friedrich Mergel macht die Droste zur Mittelpunktsfigur der »Judenbuche«.

»Das Realistische in den Dichtungen des Realismus besteht nicht allein darin, daß die Realität der Zeit, vorwiegend die gesellschaftliche Realität, in ihnen zur Darstellung kommt, sondern das Realistische besteht noch mehr darin, daß die Kunstmittel und Kunstformen nun ihres formelhaften Charakters entkleidet werden und aus der natürlichen Sprechlage, aus der Anschauung der Natur, aus der Wirklichkeit der damaligen Gesellschaft neugeboren und wiedergeschäffen werden.« (Cl. Heselhaus)

Dem frühen Realismus ist neben einer ausgesprochenen Epigonen-
stimmung, in der Nachklänge des Weltschmerzes eines Byron, Lenau
und Heine hörbar werden, das Bedürfnis nach Entschleierung, Desillusionierung eigen. Die Welt wird voll Bestialität, als Wüste oder
ewig sich drehendes Karussell gesehen. Die Dichter behalten mehr
das Abgründige von Mensch und Welt, das Chaotische, im Auge. Die
Mächte der Wirklichkeit, deren der Mensch in seinen Erschütterungen gewahr wird, schreiten über ihn hinweg, ohne Sinn und Gefühl
für das Menschliche, »aorgisch«, ungerührt, gleichgültig. Neben dieser dämonischen Weltschau kommt es zu einer Art Besessensein der
Dichter von den Dingen, die schon bei Immermann stärker hervortreten und an Eigengewicht gewinnen. Eine neue Anschauungslyrik
verdrängt die bisherige Empfindungs- und Gedankenlyrik. Mörike
schließlich möchte den von chaotischen Schicksalsmächten bedrohten Menschen die Wirklichkeit in Gestalt des Schönen geben: »Das
Schöne der Natur, der Liebe, der Kunst gibt echtes Dasein in uran-
fänglicher Einheit des Lebens.«

»Wir sind, um mit einem Wort das ganze Elend auszusprechen,
Epigonen und tragen an der Last, die jeder Erb- und Nachgeboren-
schaft anzukleben pflegt.« Mit diesem Satz kennzeichnet **Karl Leberecht Immermann** (1796–1840) in seinem
Roman *Die Epigonen* das Gefühl seiner Zeitgenossen:
belastet und schier erdrückt von dem gewaltigen Erbe
der Klassik und Romantik, hilflos ausgeliefert der Auflösung und
Skepsis der eigenen Gegenwart und bei aller Nüchternheit und Illu-
sionslosigkeit ohnmächtig gegenüber dem Neuen einer mit tiefen
Krisenerscheinungen sich anmeldenden Zukunft.

LAST DES
ERBES

Zu Magdeburg geboren, studiert Immermann in Halle Jurisprudenz, Philosophie und Geschichte und wird schließlich 1829 Landgerichtsdirektor in
Düsseldorf, wo er 1835 bis 1838 als Leiter des Stadttheaters die von Goethes

Weimarer Schauspieltruppe bei ihren Aufführungen im Lauchstädter Theater empfangenen Anregungen in die Tat umzusetzen versucht und außer Goethe noch Shakespeare und Kleist auf die Bühne bringt.

Immermann steht zwischen den Zeiten. Seine »Epigonen« (1836) sind der erste große Zeitroman, der über die Versuche Laubes hinaus ein umfassendes Zeitbild gibt. Aber das realistische Abbilden wird immer wieder vermengt mit romanhaft Herkömmlichem und bleibt in der Anlage und lockeren Form (Einschiebsel von Erzählungen, Briefen, Tagebuchblättern) dem Vorbild Goethes und der Romantik verhaftet. (Die Gestalt des Flämmchen z. B. ist eine Kopie Mignons.)

In seinem Drama *Merlin – Eine Mythe* (1832) freilich nimmt er Stellung gegen Goethe, der als Klingsor den Vorwurf Merlins, des

WENDUNG
ZUR WIRK-
LICHKEIT

aus der keltischen Sage entliehenen Sohnes Satans und einer reinen Jungfrau, entgegennehmen muß: »Dir galt die Erde, See, das Firmament / Für eine Leiter einzig, dich zu steigern.« Merlin scheitert an dem Versuch, die sinnliche Welt Satans und die übersinnliche Gottes in Einklang miteinander zu bringen. Das Zukunftsweisende Immermanns, der sich zu Merlin bekennt, liegt in der Wendung zur Wirklichkeit und im Genügen an ihr unter Verzicht auf christliche und idealistische Transzendenz. Das hat sich schon in seinen *Chiliastischen Sonetten* (1832) angekündigt.

»Im Traum erschien mein Genius. Er zeigte
Ein großes Füllhorn mir, und sprach: ›Darin
Ruht deiner Zukunft Schaden und Gewinn,
Nun wähle schwere Tage oder leichte!‹

Und aus dem Horne warf er leichte, seichte,
Bescheidne Freuden, muntern Tagessinn,
Dann schleudert' er die strengsten Leiden hin,
Und Schmerzen sah ich, die kein Wort erreichte.

Und milde sprach mein Genius: ›So wähle!‹
Doch mich ergriff ein ungeheures Ängsten,
Und aus des Herzens Tiefen, aus den bängsten

Rief laut, daß ich erwachte, meine Seele:
›Gib andern, die sie mögen, solche Freuden,
Mir gib die heil'gen Schmerzen, gib die Leiden!‹«

Diese neue Weltfrömmigkeit zeigt sich als Andacht oder Schrecken vor den übergewaltigen Kräften der Wirklichkeit, die in den »Epigonen« im Bild des Ozeans beschworen werden. »Eine Feder auf dem Ozean« sind alle Menschen; aber während der Ozean für die einen nur eine gewalttätige, sinnlose Macht ist, erscheint er den anderen in unfaßlicher Erhabenheit und Größe. Und das scheidet sie in bloße Epigonen (für die das Wort gilt: »Wir armen Menschen! Wir Frühgeburten! Wir haben keine Knospen mehr, keine Blüten; mit dem Schnee auf dem Haupte werden wir schon geboren«) und in die Kommenden, die der neuen Wirklichkeit gegenüber Aufgeschlossenen.

Der Roman *Münchhausen – Eine Geschichte in Arabesken* (1838/39) nimmt die Zeitkritik erneut auf. In die Handlung, die auf Schloß Schnick-Schnack-Schnurr spielt, wo der Lügenbaron Münchhausen seine Geschichten erzählt, ist als Gegenstück die dörfliche Liebesgeschichte vom Oberhof eingeschoben.

Von der Gestalt Münchhausens, den man einen »pervertierten Kreisler« (vgl. S. 257), also eine Parodie des romantischen Sonderlings, genannt hat, sagt Immermann: »In diesen Erzwindbeutel hat Gott der Herr einmal alle Winde des Zeitalters, den Spott ohne Gesinnung, die kalte Ironie, die gemütlose Phantasterei, den schwärmenden Verstand einfangen wollen, um sie, wenn der Kerl krepiert, auf eine Zeitlang für seine Welt stille gemacht zu haben.«

Der Lügenbaron tritt als Verkörperung des Zeitgeistes, d. h. des Ungeistes der Zeit auf und soll die vielen Scheindichter (Fürst Pückler-Muskau, Raupach, Platen u. a.) brandmarken. Dieser Zeitgeist ist aber nach dem Willen des Dichters nicht der Geist der Zeit oder richtiger gesagt der Ewigkeit, der in stillen Klüften tief unten sein geheimes Wesen treibt, sondern der bunte Pickelhäring, den die schlaue Alte unter die unruhige Menge emporgeschickt hat, auf daß sie, abgezogen durch Fastnachtspossen und Sykophantendeklamation von ihm und seiner unergründlichen Arbeit, nicht die Geburt der Zukunft durch ihr dumm-dreistes Zugucken und Zupatschen stört«. Damit erweist sich Immermanns Kritik nicht als bloß negativ, sondern offenbart einen hintergründigen und oft gutmütigen Humor, der sich über das eigene Epigonentum ein schmerzliches Lächeln abringt.

Das Neue liegt aber vor allem in der Besinnung auf die gesunde, tüchtige, einfältige bäuerliche Welt. Diese wird sinnhaft erlebt, ohne romantische Poetisierung und idyllische Verniedlichung. Der alte Hofschulze, sicher und fest im Überkommenen wurzelnd, aber zuweilen auch recht starrköpfig, lebt in ihr mit Lisbeth und Oswald, die sich –

allem romantischen Überschwang abhold – lieben. Die Arbeit wird
unter einem neuen Aspekt gesehen und gewinnt Bezug zum Zeitalter
der Maschine. An die Stelle einer bürgerlich-aristokratischen Moral
tritt die Sinnlichkeit des Herzens: »In das Schiff der Zeit muß die
Bussole getan werden, das Herz.« So findet der Einzelgänger zur Gemeinschaft. Die Darstellung von Typen weicht sorgfältig beobachteten und nachgezeichneten Porträts und Lebensbildern, die unverkennbar Ansätze zum realistischen und psychologisierenden Roman
tragen. Inhalt und Gehalt dieser Dorfgeschichte mit ihrer Besinnung
auf die Kräfte des Bauerntums, der Heimat und des Volkes knüpfen
Fäden, die zu Auerbach und Gotthelf, der Droste und Keller laufen,
freilich auch in die Niederungen der sogenannten Heimatliteratur.

Bereits 1840 stirbt Immermann in Düsseldorf, ohne vollendet zu
haben, was er anbahnte. Nicht zu Unrecht hat man ihn den »vielar-
migsten Kreuzweg des Jahrhunderts« genannt.

»So will ich Ihnen denn sagen, daß dieser Inbegriff des Alls, den
Sie mit dem Namen Welt beehren, weiter nichts ist als mittelmäßiges
Lustspiel, welches ein unbärtiger, gelbschnabeliger
'S IST JA Engel, der in der ordentlichen, den Menschen unbe-
ALLES KO- greiflichen Welt lebt, und wenn ich mich nicht irre,
MÖDIE noch in Prima sitzt, während seiner Schulferien zusam-
mengeschmiert hat... Die Hölle ist die ironische Partie des Stücks
und ist dem Primaner, wie das so zu gehen pflegt, besser geraten als
der Himmel, welches der rein heitere Teil desselben sein soll.« So
kennzeichnet **Christian Dietrich Grabbe** (1801–36) das Anliegen seines Lustspiels *Scherz, Satire, Ironie und tiefere Bedeutung* (1827).

Ein Lustspiel, das ein Lachen der Verzweiflung herausfordert – das ist die
Welt für den 1801 zu Detmold geborenen Sohn eines Zuchthausverwalters,
der nach abgebrochenen juristischen Studien in Leipzig und Berlin Schauspieler werden will, dann aber doch Advokat wird, bis er der Trunksucht
verfällt, seinen Abschied nehmen muß und nach kurzer Aufnahme bei Immermann 1836 in seiner Geburtsstadt an Rückenmarkschwindsucht stirbt.

Wie Immermann geht es auch Grabbe um eine Entschleierung, Desillusionierung seiner Zeit. Die Welt läuft seiner Meinung nach im
Kreise, ihre Ordnung ist ein Karussell mit steter Wiederkehr und
Umkehr im Wechsel der Staatsformen, der Geschichte und der Stimmung im Volke: »Wahrhaftig, wie ich vermutete, der alte Brei in neu-

en Schüsseln.« Das schließt ein realistisches Lebensgefühl nicht aus: »Ja, aus der Welt werden wir nicht fallen. Wir sind einmal darin.«

Was Immermann für seine Zeitbilder im Roman anstrebt, sucht Grabbe als Geschichtsbild in seinen Dramen, von denen vor allem *Napoleon oder die hundert Tage* (1831), *Hannibal* (1835) und *Die Hermannsschlacht* (1838) Bedeutung erlangten, und zwar auf ungestüme Weise, zu verwirklichen.

Grabbe zerbricht die klassische Tradition: Nicht mehr ein oder zwei Helden tragen das Geschehen, sondern der Lauf der Welt rückt in den Mittelpunkt: kaleidoskopähnlich reihen sich Augenblicksbilder der Geschichte anekdotisch aneinander, lösen den Bau von Szenen und Akten auf und werden – ohne durchgehende sinnvolle Idee – allein zusammengehalten durch den geschichtlichen Raum; die Prosa ersetzt den Vers und benennt alltägliche Dinge und Vorgänge oft unter recht banalem Aspekt, vermischt mit grotesken Übertreibungen. Echte Dialoge gibt es immer seltener in diesen Dramen: der einzelne bleibt isoliert, er verstummt, er steht in der Masse, läßt sich von ihr treiben, sucht Zerstreuung, scheitert an ihr oder nasführt sie. Damit werden Wesensmerkmale der Dramen Hebbels und der Moderne vorweggenommen.

In der »Hermannsschlacht« ist die bloße Geringschätzung der Menge, die im »Napoleon« lediglich Pöbel war, überwunden. Das Wort »Welch ein Dummbart wär' ich, wollt' ich was sein ohne mein Volk!« oder der Ausruf eines Chatten: »Wer ist glücklicher als ich?« mit Hermanns Antwort: »Vielleicht ein Fürst, dem solche Bauern dienen«, lassen aufhorchen. Hier klingt inmitten der Welt als Wüste, wie sie der junge Grabbe beklagt, etwas von der Werthaftigkeit des »Oberhofes« an. Aber Grabbe gelingt noch nicht der Neubau, er bleibt im Programmatischen stecken. Typisch dafür ist eine Selbstrezension: »Dem Verfasser indes ist zu raten, nicht im Zerstören, sondern im Aufbauen des Edlen seinen Ruhm zu suchen.« Er kommt trotz intensiver künstlerischer Bemühungen nicht über das hinaus, was der Faust-Monolog aus *Don Juan und Faust* (1829) aussagt:

> »Aus nichts schafft Gott, wir schaffen aus
> Ruinen! Erst zu Stücken müssen wir
> Uns schlagen, eh' wir wissen, was wir sind
> Und was wir können! – Schrecklich Los! – Doch sei's!
> Es fiel auch mir und folg ich meinen Sternen.«

Immermanns und Grabbes Ringen um eine dichterische (»verdich-
tete«) Gestaltung der Geschichte der Gegenwart wie Vergangenheit müssen im Zusammenhang mit der Entwicklung der historischen Wissenschaft gesehen werden. Die Geschichtswissenschaft

**DIE DINGE
REDEN
LASSEN**

des 19. Jahrhunderts setzte gegen die idealistische Geschichtsbetrachtung Herders und Schellings eine betont realistische Forschung, die es in ihrer Wissen-
schaftlichkeit, gestützt auf Quellenbelege und Fakten,
den Fortschritten der Naturwissenschaften gleichtun wollte. **Leopold
von Ranke** (1795–1886), der u. a. die Werke *Die römischen Päpste,
Deutsche Geschichte im Zeitalter der Reformation* verfaßte, prägte
das Wort: »Jede Epoche ist unmittelbar zu Gott«, und gab damit die
Losung, von der romantischen subjektiven Schau der Geschichte weg
zu einer wissenschaftlichen Erforschung vorzustoßen, die allem Geschichtlichen objektiv zu begegnen hat: »Ich wünschte, mein Selbst
gleichsam auszulöschen und die Dinge reden, die mächtigen Kräfte
erscheinen zu lassen.« Das Ergebnis ist die »historische Methode«,
fußend auf eingehender Quellenkritik.

Gustav Droysen, Heinrich Sybel, Theodor Mommsen und **Jacob Burckhardt**
schreiben in diesen Jahren ihre Hauptwerke. Das bleibt nicht ohne Wirkung
auf die Literatur. Man besinnt sich auf den Altmeister Walter Scott (1771–
1832), der als Begründer des historischen Romans (mit viel kulturhistori-
schem Wissen, lebendigen Charakteren und Heimatliebe) Weltruhm erlangte, wenn er auch noch einer romantischen Verklärung der Vergangenheit
huldigte. Sein Einfluß auf die Franzosen Victor Hugo, Balzac, den Italiener
Manzoni, die Engländer Thackeray und Stevenson sowie die Deutschen
Hauff, Scheffel und Alexis (mit noch sehr romantischen Geschichtsbildern)
ist unverkennbar.

Wilhelm Meinhold (1797–1851) legt seiner im Chronikstil des 17.
Jahrhunderts verfaßten *Maria Schweidler, die Bernsteinhexe* (1843)
den vermeintlichen Fund einer alten Prozeßakte zugrunde und
schafft somit die für einen sachlichen Bericht notwendige Distanz des
Erzählers. Gleichzeitig gewinnen Zeitumstände, Lebensgewohnheiten, Sprache und Atmosphäre der betreffenden Epoche eine er-
schreckende Unmittelbarkeit, indem der Verfasser auf alle subjektiven Zutaten verzichtet. Das schafft für den kulturhistorischen Roman einen ganz neuen Stil.

»Preußens Scott« wollte **Willibald Alexis** (Wilhelm Häring, lat.

alex = Hering; aus Breslau, 1798-1871) werden. In acht großen Romanen, unter denen *Die Hosen des Herrn von Bredow* (1846) bis heute als humor- und lebensvolle Darstellung geschätzt sind, entwirft er Bilder der märkischen Landschaft und brandenburgisch-preußischen Geschichte, wobei neben allem Stimmungshaften psychologische und soziologische Aspekte an Bedeutung gewinnen. Ähnlich wie bei Grabbe verlagern sich die Schwerpunkte von den einzelnen Menschen und ihren Städten auf das Volk und die Landschaft (vgl. *Ruhe ist die erste Bürgerpflicht*, eine Wiedergabe der inneren Schwäche und verzweifelten Lage Preußens durch das Vordringen Napoleons und die Schlachten bei Jena und Auerstedt 1806; 1852). Fontane wird später auf diese Pionierarbeit sachlicher Detailwiedergabe zurückgreifen können.

Im Banne der revolutionären Ereignisse seiner Zeit steht das erste Drama **Georg Büchners** (geb. 1813 in Goddelau b. Darmstadt; gest. 1837): *Dantons Tod* (1835).

Aus seiner Zugehörigkeit zu einem Gießener Geheimbund war das Flugblatt *Der hessische Landbote* entsprungen, ein im Stil dieses verbreiteten revolutionären Publikationsmittels geharnischter Aufruf an die Bauern, nicht länger auf die ihnen zustehenden Rechte zu verzichten: »Friede den Hütten! Krieg den Palästen!« (»Dieses Blatt soll dem hessischen Lande die Wahrheit melden, aber wer die Wahrheit sagt, wird gehenkt; ja sogar der, welcher die Wahrheit liest, wird durch meineidige Richter vielleicht gestraft.«)

Unter Gefahr für Leib und Leben vertraut Büchner dem Drama über den »satt gewordenen Revolutionär« Danton die Gedanken und Gefühle seiner aufbegehrenden Zeit an. – Den zuviel wissenden Danton ergreift Ekel vor dem Treiben der Welt, nachdem er allen Glauben an eine sinnvolle Ordnung durch den Geist LEBENS- verloren hat; er verzichtet auf jedes Handeln. Seinem EKEL sinkenden Stern steht der aufgehende Robespierres gegenüber, des »Dogmatikers und Erlösungsgläubigen«. In ihrer gleichsam tierischen Wildheit wird die zerstörerische und schaffende Kraft der Französischen Revolution gezeigt, der Mensch erscheint ohne »Lorbeerblätter, Rosenkränze und Weinlaub«: »Puppen sind wir, von unbekannten Gewalten am Draht gezogen; nichts, nichts wir selbst; die Schwerter, mit denen Geister kämpfen – man sieht nur die Hände nicht, wie im Märchen.«

»Der einzelne nur Schaum auf der Welle, die Größe ein bloßer Zufall, die
Herrschaft des Genies ein Puppenspiel, ein lächerliches Ringen gegen ein
ehernes Gesetz, es zu erkennen das Höchste, es zu beherrschen unmöglich«
(Büchner an seine Braut). Das Herrentum des Grabbeschen Napoleon, Hannibal oder Hermann ist abgestreift, der Mensch zeigt sich in seiner Blöße, es
gibt keinen Trost und keine Illusion mehr: »Die Welt ist das Chaos. Das
Nichts ist der zu gebärende Weltgott.« Der tiefe Ernst, mit dem das in einem
neuen (nicht der Klassik entlehnten) Pathos gesagt wird, ist noch verstärkt
durch die besessene historische Treue, die wirklich gehaltene Reden wörtlich
übernimmt. In dem Ineinander von »verzweifeltem Ekel vor dem Leben«
und der »wilden Lust an ihm« erkennen wir die Weltschau des Dichters.

Aus der Krankheitsgeschichte, die der Pfarrer Oberlin über den unglücklichen Dichter Jakob Michael Reinhold Lenz geschrieben hat,
entsteht in Straßburg die Bruchstück gebliebene Novelle *Lenz*
(1839).

Das Interesse an dem wachsenden Wahnsinn Lenzens, die wie mit
scharfen Linsen aufgenommenen Einzelheiten und Naturbilder, die
Wiedergabe der Seelenzustände sind von einer illusionslosen Wahr-
heitsschau und machen Büchner zu einem der Väter
des Realismus. Dabei wird hinter den Dingen das Wesen gesucht, in dem alles aufgehoben und dem alles
»ausgesetzt« ist. In Gelassenheit geht dieses rätselhafte Weltwesen über das Einzelschicksal hinweg, ohne
Gefühl für Tragik: »aorgisch« nannte dies Hölderlin.

RÄTSEL-
HAFTES
WELT-
WESEN

Die Natur gehe in ihren Wirkungen auf den reflektierenden Menschen »in
das Extrem des Aorgischen, des Unbegreiflichen über«. Ähnlich wie Goethe
das Dämonische, erfährt Hölderlin das Aorgische in den Wirklichkeitsmäch-
ten: als ein unfaßlich Fremdes für den Menschen, weil allem Menschlichen
gegenüber völlig Gleichgültiges. Im Gefühl und damit auch in der Kunst (so
wie sie Hölderlin versteht) ist der Mensch »bei sich«, ist er dem Sein verbunden, fühlt er sich geborgen. Die Reflexion aber macht ihm deutlich, daß er
»verloren« ist, daß er »draußen« steht; er sieht sich nun mit dem Aorgischen
konfrontiert. »In der Mitte liegt der Kampf und der Tod des Einzelnen.«

Das aorgisch gewordene Organische sucht sich selber wiederzufinden und
zu sich selber zurückzukehren, indem es sich mit dem Aorgischen, dem
feindselig Gegenüberstehenden, versöhnt. Im »Tod des Empedokles« von
Hölderlin stellt solche Versöhnung der Sprung in den Ätna, das Eintauchen
in die Erde, die pantheistische Vereinigung, die Auflösung der Individualität, dar.

»Der Vollmond stand am Himmel; die Locken fielen ihm [Lenz] über die

Schläfe und das Gesicht, die Tränen hingen ihm an den Wimpern und trockneten auf den Wangen. So lag er nun da allein, und alles war ruhig und still und kalt, und der Mond schien die ganze Nacht und stand über den Bergen.«

In »Dantons Tod« wird diese Macht noch beschrieben im Bild der sich amüsierenden Götter:

Camille: »Ist denn der Äther mit seinen Goldaugen eine Schüssel mit goldenen Karpfen, die am Tisch der seligen Götter steht, und die seligen Götter lachen ewig, und die Fische sterben ewig, und die Götter erfreuen sich ewig am Farbenspiel des Todeskampfes?«

Das gleiche Grundgefühl findet sich in Büchners Lustspiel *Leonce und Lena*, das ein Jahr vor seinem Tod entstand und erst 1842 aus seinem Nachlaß erschien:

»Die Erde und das Wasser da unten sind wie ein Tisch, auf dem Wein verschüttet ist, und wir liegen darauf wie Spielkarten, mit denen Gott und der Teufel aus Langeweile eine Partie machen...«

Der Mensch ist den über- oder unmenschlichen Mächten preisgegeben; aber er kann auch nicht herausfallen aus dieser Ordnung (man denke an den entsprechenden Ausspruch Grabbes): sie ist Gefährdung und »Aufhebung« zugleich. Es gibt kein Einswerden mit ihr (wie es Mörike versucht).

Wenn wir in der »Lenz«-Novelle lesen: »Aber ich, wär' ich allmächtig, sehen Sie, wenn ich so wäre, ich könnte das Leid nicht ertragen, ich würde retten, retten...«, dann wird hiermit der Anstoß allen Dichtens bei Büchner deutlich: die Schmerzen der Kreatur. »Man kann das Böse leugnen, aber nicht den Schmerz... Warum leide ich? Das ist der Fels des Atheismus. Das leiseste Zucken des Schmerzes, und rege es sich nur in einem Atom, macht einen Riß in der Schöpfung von oben bis unten.« »Wir wissen wenig voneinander«, heißt es in der ersten Szene von »Dantons Tod«, »wir sind Dickhäuter, wir strecken die Hände nacheinander aus, aber es ist vergebliche Mühe, wir reiben nur das grobe Leder aneinander ab – wir sind sehr einsam.« Ob solcher Einsamkeit muß der Dichter die Menschheit lieben, »um ganz in sie einzudringen« (»Lenz«), weil ihm sonst nur das Weinen bleibt wie den Kindern im Märchen der Großmutter aus dem »Woyzeck«.

SCHMERZ
DER
KREATUR

Was in seinen anderen Werken angelegt war, wurde in Büchners Drama *Woyzeck* (1879 aus dem Nachlaß) konsequent zu Ende geführt. Der ganz in primitiver Kreatürlichkeit befangene, von Höhergestellten gedemütigte Bartscherer und Soldat Woyzeck tötet sei-

ne ihm untreue Braut und kommt selbst elend um. Aneinandergereih-
te Einzelbilder bringen zum erstenmal im deutschen Drama einen negativen Helden von der Grobschlächtigkeit und Debilität dieses Soldaten auf die Bühne. »Jeder Mensch ist ein Abgrund, es schwindelt
einem, wenn man hinabsieht.«

Obwohl Büchner seinen »Woyzeck«, von dem Friedrich Gundolf sagte, daß
kein zweiter deutscher Dichter »etwas ursprünglicher Geniales« geschaffen
hat, im selben Jahr schrieb, in dem der alte Goethe in seinen Gesprächen mit
Eckermann seine Auffassung vom Dämonischen zusammenfaßte und damit
die Grunderfahrung der Kunst Büchners (und des frühen Realismus) traf,
wurde das Drama erst 1913 aufgeführt; es bildet die Grundlage von Alban
Bergs Oper »Wozzeck«. Das ist nicht von ungefähr; denn abgesehen von der
zeitverwandten Problematik (die ihn gern zum sozialen Dichter abstempeln
ließ), greift Büchners Dichten weit über seine Zeit hinaus und macht ihn auch
zu einem der Ahnherrn des Surrealismus.

Bei aller Dingnähe seines seelen- und gesellschaftskundigen Berichtens,
bei geradezu naturalistischer Wortwahl begnügt er sich nicht mit einem bloßen Abschildern, sondern gibt Ausschnitte der Wirklichkeit in so starker
Verdichtung, daß hinter dem Gegebenen Verborgenes offenbar wird und
über die vordergründige Wirklichkeit hinausweist. Und das spricht er aus
»ohne Umweg über die Prothesen der äußeren Erscheinung«. Prägungen wie
»Die Erde hat sich ängstlich zusammengeschmiegt wie ein Kind, und über
ihre Wiegen schreiten die Gespenster«, »Nimm diese Glocke, diese Taucher-
glocke, und senke dich in das Meer des Weins, daß es Perlen über dir
schlägt«, »Danton, deine Lippen haben Augen«, »Hören Sie denn nicht die
entsetzliche Stille, die um den ganzen Horizont schreit?« zeigen, wie in unmittelbarer Nähe zu den Gegenständen expressive Dynamik und Kraft der
Vision ineinander über-, ja auseinander hervorgehen.

Das macht Büchner, der nach seiner Flucht in Straßburg sein medizi-
nisches Studium wieder aufnahm, in Zürich zum Dr. med. promovierte, aber noch vor seiner Habilitation einer tückischen Krankheit
erlag, zum »Schöpfer eines neuen tragischen Weltgefühls«. In endgültiger Abwendung vom Idealismus gelte es, sich damit abzufinden,
daß man in einer Welt ohne Gott leben und bestehen müsse, ja dieses
Leben sogar lieben könne, sei es, wie es wolle. Dieser »heroische
Pessimismus« wurde erst in der Moderne richtig verstanden.

Dem Geschichtlichen nicht ganz, wohl aber dem Zeitgeschehen
entrückt erweist sich die Dichtung der **Annette von Droste-Hülshoff**
(1797–1848).

Einer westfälischen aristokratischen Familie auf Schloß Hülshoff entstammend, die von den Auflösungserscheinungen adeliger Lebensordnung tief beunruhigt wird, zeigt die junge Annette schon früh ein leidenschaftliches Herz und nach einer unglücklichen Doppelliebe ausgesprochene Zuneigung zu exzentrischen Naturen, aus deren Kreis für sie vor allem der Schriftsteller Levin Schücking, dem sie in langer Freundschaft verbunden bleibt, bedeutsam wird. Trotz ihrer betont künstlerischen Existenz aber gibt sie sich als adeliges Fräulein, »das im einsamen Rüschhaus, bei den Verwandten im Paderbornschen und am Rhein, bei der Schwester in Eppichhausen und auf der alten Meersburg ihr vom Stand und von der Sitte vorgeschriebenes Leben führt«.

Selbst aus der Romantik kommend, will die Droste romantisches Weiterleben mit wirklichkeitsbezogenem Verantwortungsbewußtsein verbinden. Aber während zum Beispiel Grillparzer und Eichendorff die Versöhnung zwischen Natur und Geist, zwischen dem Anspruch des Herzens und der Gesellschaft in der seligen RINGEN UM Scheinwelt der Kunst suchen, bemüht sich die Droste, GOTT die »Spannung zwischen Anspruch und Hingabe« auszuleben und den Anforderungen von Natur und Geist standzuhalten. Sie ist verzweifelt über die Kluft zwischen Irdischem und Himmlischem in ihrer zerrissenen Zeit; sie will die Einheit von beiden: »Sei ein Ganzes – ob nur ein Traum, ein halbverstandenes Märchen – es ist immer mehr wert als die nüchterne Frucht vom Baum der Erkenntnis.« Die Kraft dazu schöpft sie aus ihrer Religiosität; die Bibel bereichert ihre Sprache; Klopstock und Goethe gehören zu ihren stärksten Jugendeindrücken, und im Umgang mit den Brüdern Grimm lernt sie aus der Quelle des Volkstums schöpfen.

Ihre ersten lyrischen Versuche gelten geistlichen Themen, denen der Plan zum *Geistlichen Jahr in Liedern auf alle Sonn- und Festtage* entwächst. »Ich habe ihm die Spuren eines vielfach gepreßten und geteilten Gemüts mitgeben müssen, und ein kindliches, in Einfalt frommes wird es nicht einmal verstehen«, sagt die Dichterin von dem erst 1838 wiederaufgenommenen und zum Abschluß gebrachten Gedichtzyklus. Das ganze 19. Jahrhundert hat nichts Tieferes an religiöser Lyrik hervorgebracht als gerade die letzten Gedichte dieser Sammlung. Bezeichnenderweise stehen auch am Ende ihres Schaffens bedeutsame geistliche Gedichte, wie z. B. *Gethsemane; Die ächzende Kreatur*.

Nach langem Bemühen um lyrische Verserzählungen wendet sich
ihr Dichten vor allem der westfälischen Heimat zu. Bruch und Wald,
Heide und Moor des Münsterlandes gewinnen in der Beschränkung
auf Selbstgesehenes und Selbsterlebtes eine unmittelbare sinnliche
Gegenständlichkeit. In dem Epos *Die Schlacht am
Loener Bruch* (1842) breitet sich über allen menschlichen Schicksalen eine erhabene Gleichgültigkeit des
Alls aus. Die Mächte der Wirklichkeit sind völlig teil-
nahmslos gegenüber Leid und Lust der Menschen. Ihr

UNBEGREIF-
LICHKEIT
DER
MÄCHTE

Darüberhinweggehen, von dem schon Büchner wußte, gewinnt dichterische Gestalt im Sinne von Immermanns Wort, daß sie »mit heiliger Grausamkeit« sein Ich verzehrten. Entsprechendes drückt die
Stelle des Krähen-Gedichts aus den *Heidebildern* der Droste aus, als
nach der Schlacht die Totenvögel kommen:

>»Noch lange haben sie getobt, geknallt,
>Ich hatte mich geflüchtet in den Wald;
>Doch als die Sonne färbt' der Föhren Spalten,
>Ha, welch ein köstlich Mahl war da gehalten!
>Kein Geier schmaust', kein Weihe je so reich!
>In achtzehn Schwärmen fuhren wir herunter,
>Das gab ein Hacken, Picken, Leich' auf Leich' –
>Allein der Halberstadt war nicht darunter:
>Nicht kam er heut', noch sonst mir zu Gesicht,
>Wer ihn gefressen hat, ich weiß es nicht.«

Einen Markstein in der realistischen Erzählkunst setzte die Dichterin mit ihrer Novelle *Die Judenbuche* (1842). Das Schuldigwerden
eines Menschen (Friedrich Mergel) und sein Weg von
den Erlebnissen im Elternhaus und Heimatdorf bis zur
Mordtat an einem Juden und dem späten Selbstgericht
an dem von dessen Glaubensgenossen gekennzeichneten Blutbaum werden unerbittlich nachgezeichnet.

MITLEIDLO-
SE GERECH-
TIGKEIT

Neben breiten Zustandsschilderungen, die die Milieuzeichnung des Naturalismus vorwegnehmen, baut sich »Symbolmächtigkeit« auf: Die Buche steht
für die Wiederherstellung der gestörten sittlichen Ordnung im unverrückbaren,
mitleidlosen Gang der Gerechtigkeit. In satanisch verführerischer Magie erhält das Böse im Tod des Vaters, im Treiben der Blaukittel und ihrem
Waldfrevel und in der dunklen Gestalt des Oheims eine unheimliche Anzie-

hungskraft. Dem Gang der Geschehnisse überläßt die Dichterin das Urteil: »Es würde in einer erdichteten Geschichte unrecht sein, die Neugier des Lesers so zu täuschen. Aber dies alles hat sich wirklich zugetragen; ich kann nichts davon oder dazu tun.«

Die Aussagekraft der Droste gipfelt in ihrer Lyrik; diese war inspiriert einmal durch ihre Auseinandersetzung mit Freiligrath, zum andern durch die Freundschaft mit Levin Schücking. Weltaufgeschlossenheit, Offenheit der Sinne und Besessenheit von der Wiedergabe der Dinge befähigten sie, das Wirkliche in seiner Einmaligkeit sichtbar, hörbar und spürbar zu machen. Das unterscheidet ihre Verse von denen Eichendorffs, der aus gefühlsstarken allgemeinen Bildern seine Welt der Sehnsucht aufbaut, und von denen Mörikes, der aus dem Ganzen Einzelheiten ausgliedert. Sie reiht Beobachtungen von erstmaliger Eindringlichkeit aneinander, bringt Unverbundenes in Beziehung zueinander und schafft so erst ein Ganzes. Herb, streng (für das damalige Zeitbewußtsein »männlich streng«), verhalten, oft düster in ihrer Sprache, opfert sie das Schöne dem Charakteristischen – spürt sie den Naturlauten nach, sinnliche Eindrücke geradezu suggerierend. Ständig der Natur auf der Spur, ohne ihr Erleben in sie hineinzutragen, erfährt sie die Bedrohung des Unheimlichen und wird zur ausgeprägten Balladendichterin (vgl. *Die Schwestern*). Leidenschaftlich beschwingt in ihrer Hingabe, von starkem Rhythmus getragen und doch verhalten ist ihre seelenvolle Liebespoesie. »Mich dünkt, könnte ich Dich alle Tage nur zwei Minuten seh'n – o Gott, nur einen Augenblick! –, dann würde ich jetzt singen, daß die Lachse aus dem Bodensee sprängen und die Möwen sich mir auf die Schulter setzten!«

OFFENHEIT
DER SINNE

In der Verserzählung *Der spiritus familiaris des Roßtäuschers* (1842) siegt nach düsterem Beginn die Liebe über die Kraft einer höllischen Phiole. Die Magie schwindet. In dieser Aussage verspüren wir die Dichterin, die eben die Zerstörung ihrer Liebe zu Levin Schücking hatte hinnehmen müssen.

In ihren reifsten Gedichten (aus dem zweiten Meersburger Aufenthalt) wird sie zur »Seherin ihres Geschlechts«, die schonungslos entlarvt, was ohne Seele ist. Sie weiß sich krank und einsam, und nur die Natur vermag ihr neue Lebenshoffnung zu geben. Ihr berühmtes Gedicht *Mondesaufgang* schließt mit den bezeichnenden Versen:

»O Mond, du bist mir wie ein später Freund,
Der seine Jugend dem Verarmten eint,
Und seine sterbenden Erinnerungen
Des Lebens zarten Widerschein geschlungen,
Bist keine Sonne, die entzückt und blendet,
In Feuerströmen lebt, im Blute endet –
Bist, was dem kranken Sänger sein Gedicht,
Ein fremdes, aber o! ein mildes Licht.«

Noch einmal taucht sie nach der Rückkehr ins Rüschhaus in beglük-
kende Erinnerung ein *(Im Grase)*. Erlebtes gewinnt Ausdruck mit
traumhaftem Klang und erregendem Laut; in den letzten geistlichen
Gedichten lebt sie, ihr Ende vor Augen, nur noch ihrem Leiden.

Eduard Mörike (1804–75), dessen Dichtungen – wie die der Droste – fern vom Zeit- und Weltgeschehen aufblühten, galt lange Zeit
geradezu als Verkörperung des Biedermeier. Man
wollte in ihm nur den musischen Pfarrer von Cleversulzbach sehen, der in idyllischer Abgeschiedenheit
seine Blumentöpfe begoß, schnupfte, Kaffee trank,
den alten Turmhahn betrachtete, im Grase lag und in den Himmel
und die Wolken hineindichtete. Aber auch Versuche, einen tragischen Dichter aus ihm zu machen, der Zerrissenheit, Gefährdung
und drohende Abgründe nicht nur besungen, sondern auch erlebt
hat, blieben nicht aus. Beides verfehlt sein wahres Bild.

ABSEITS VOM ZEITGE-SCHEHEN

Mörike wurde in Ludwigsburg geboren, zu einer Zeit, da die deutsche Klassik im Bunde Goethes mit Schiller auf ihrem Höhepunkt stand. Sein Leben
spannt sich von den Jugendbeziehungen zu den großen schwäbischen Realisten Friedrich Theodor Vischer und David Friedrich Strauß, den Studienjah-
ren im berühmten Tübinger Stift bis zur Pfarre in Cleversulzbach und zu
seinem von den Seelsorgerpflichten freien Schaffen in Mergentheim, Schwä-
bisch Hall und Stuttgart, wo er am Katharinenstift über Literatur las. Nach
Jahren des Ruhestandes in Lorch und Nürtingen starb er in Stuttgart.

Mörikes Dichten reichte also bis in die zweite Hälfte des 19. Jahrhunderts,
und seine Werke entstanden gleichzeitig mit den Gedichten eines Baudelaire
und Verlaine, die mit ihrem revolutionären Schaffen zu den großen Anregern
der modernen Lyrik wurden. In seinem Todesjahr wurden Rainer Maria Rilke
und Thomas Mann geboren. Mörike war nicht arm an Leidenschaften; doch
tendierte er mehr dazu, sich vor der Welt zu verschließen. »Laß, o Welt, o laß
mich sein! / Locket nicht mit Liebesgaben, / laßt dies Herz alleine haben /
seine Wonne, seine Pein!«

Bereits Mörikes Jugendwerk *Maler Nolten,* als Novelle gedacht, 1832 als Roman erschienen, trägt bei aller Verwandtschaft mit dem Vorbild Goethe (»Wilhelm Meister«) und der romantischen Romantradition unverkennbare Züge eines auf Wirklichkeit und Psychologie bedachten Erzählens.

Theobald Nolten, ein aufstrebender junger Maler, trennt sich von seiner Verlobten Agnes, die ihm angeblich untreu geworden war, und verliebt sich in die Gräfin Constanze. Der Schauspieler Larkens sucht seinen Freund vor unglücklichen Verstrickungen zu bewahren und schreibt weiter für Nolten Briefe an Agnes; die treibende Kraft ist die verführerische Zigeunerin Elsbeth, die Nolten liebt und Agnes verdächtigt. Zu spät will Nolten seinen Irrtum wiedergutmachen; Agnes hat die Untreue ihres Verlobten nicht überlebt, und auch der Freund Larkens stirbt aus Ekel am Leben. Nach seiner letzten Begegnung mit Elsbeth folgt ihnen der Maler nach.

Wie in Goethes »Werther« stehen hinter diesem schmerzlich-leidenschaftlichen Werk persönliche Erlebnisse Mörikes aus der Zeit seiner Jugendliebe zu der Landstreicherin Peregrina (Maria Meyer). Dichterisch bedeutsam ist dabei die »Stimmung«, ein besonderes Kennzeichen des deutschen Romans von Goethe und WELTFRÖM- der Romantik her, die sich vor allem in den eingestreu-MIGKEIT ten Gedichten findet. Eine neue Weltfrömmigkeit – wie wir sie schon von den anderen Frührealisten her kennen – wird auch hier spürbar, wenn z. B. in dem Gedicht *Er ist's* der Frühling als persönliches Wesen auftritt und ohne Deutung auf einen Sinn hin einfach im Da-sein geradezu mythische Mächtigkeit gewinnt. Dabei haben die lichten, hellen Seiten der Natur eine Kehrseite, vor der den Dichter ein Grauen überkommt. Peregrina als eine Art Mignon erweist sich als Verkörperung dieser dämonisch gesehenen Mächte des Seins, die uns unbegreiflich bleiben und, jenseits von Gut und Böse stehend, zugleich anziehen und abstoßen.

> »Oft in den Träumen zog sich ein Vorhang
> Finster und groß ins Unendliche
> Zwischen mich und die dunkle Welt...
> Gleich einer Ahnung strich es dahinten...
> Siehe! da kam's.
> Aus einer Spalte des Vorhangs guckte
> Plötzlich der Kopf des Zaubermädchens,
> Lieblich war er und doch so beängstigend.«

Leidenschaftliche Erschütterung und abgründiges Erschrecken prägen die *Peregrina-Lieder.* In seinen *Gedichten,* deren erste Ausgabe – wie die der Droste – 1838 erscheint, wechseln romantisches Träumen und sinnliche Kraft mit Gefühl für Harmonie und Ausgeglichenheit oder mit liebevollem Humor und der Schlichtheit des Volkslieds. Vor Mörikes Musikalität der Sprache tritt das inhaltlich Erlebnismäßige zurück; Bild, Rhythmus und Klang gewinnen unmittelbare Aussagekraft. Alles einzelne wird wesenhaft und mit Hilfe der neuen Wahrnehmungsschärfe und einer starken Phantasie gestaltet:

> »Es träumt der Tag, nun sei die Nacht entflohn;
> Die Purpurlippe, die geschlossen lag,
> Haucht, halb geöffnet, süße Atemzüge:
> Auf einmal blitzt das Aug', und wie ein Gott, der Tag
> Beginnt im Sprung die königlichen Flüge.«

Im Gegensatz zu Hölderlin freilich bleibt es bei einem mythischen Ansprechen der Naturerscheinungen: zu einer »Vergottung« kommt es nicht.

> »Gelassen stieg die Nacht an Land,
> Lehnt träumend an der Berge Wand,
> Ihr Auge sieht die goldne Waage nun
> Der Zeit in gleichen Schalen stille ruhn;
> Und kecker rauschen die Quellen hervor,
> Sie singen der Mutter, der Nacht, ins Ohr
> Vom Tage,
> Vom heute gewesenen Tage.«

In den späteren Gedichten verliert sich die bedrohliche Nähe zum Abgründigen; in beseelter Hingabe gewinnen die Dinge ihr Eigenleben. »Was aber schön ist, selig scheint es in ihm selbst«, so hatte schon der letzte Vers von Mörikes Gedicht *Auf eine Lampe* gelautet.

Um das Bedrohliche in die Gewalt zu bekommen, einen Schutz vor den Gefährdungen des Realen zu schaffen, bediente Mörike sich häufig des Märchengewands. Im Spiel und Fabu-

WISSENDES   lieren (vgl. *Die Idylle vom Bodensee,* die Märchen *Der*
LÄCHELN   *Bauer und sein Sohn* und *Die Hand der Jezerte*) löst
             sich die Härte des Wirklichen, wird die Idylle zur
Schutzschicht. Hierher gehört die Geschichte vom *Stuttgarter Hutzel-*

männlein (1853) mit der eingeschobenen *Historie von der schönen Lau*. Angesiedelt zwischen Sinn und Unsinn, zeigt sich hier im Spiel mit der Sprache der Humor des Dichters. Sprach-Spiel prägt auch Mörikes Nonsens-Verse; diese stimmen Töne an, die sich erst bei Christian Morgenstern wiederfinden:

> »Es schlägt eine Nachtigall
> Am Wasserfall,
> Und ein Vogel ebenfalls,
> Der schreibt sich Wendehals,
> Johann Jakob Wendehals;
> Der tut tanzen
> Bei den Pflanzen
> Obbemeldten Wasserfalls –«

Mörike desillusioniert – wie Grabbe und Büchner – das Pathos eines erhöhten Stils und entlarvt den künstlichen Zauber romantischer Mondscheinserenaden. Sein naives Lächeln hebt auch noch die biedermeierliche Idylle (zum Beispiel *Der alte Turmhahn*) auf. Höhepunkt von Mörikes Erzählkunst ist in diesem Sinne seine Novelle *Mozart auf der Reise nach Prag* (1856).

Der Komponist gelangt in einen alten Schloßpark. Er verweilt vor einem Pomeranzenbaum, »der außerhalb der Reihe, einzeln, ganz dicht an seiner Seite, auf dem Boden stand und voll der schönsten Früchte hing«. Diese »Anschauung des Südens« evoziert »liebliche Erinnerung« aus der Knabenzeit: Die Hand, welche die »herrliche Runde« und »saftige Kühle« der Frucht hält, erspürt ein Gefühl der Zeitlosigkeit. Im Blick auf die Orangenfülle erfährt Mozart das »Vollglück der Beschränkung«. Der Augenblick der Idylle ist ein Stillehalten vor der Wende: Die Zeit hält den Atem an, ehe sie verrinnt. Mit seinem kleinen Messer zerteilt Mozart die gelbe kugelige Masse von oben nach unten. »Es mochte ihn dabei entfernt ein dunkles Durstgefühl geleitet haben, jedoch begnügten sich die angeregten Sinne mit der Einatmung des köstlichen Geruchs. Er starrt minutenlang die beiden inneren Flächen an, fügt sie sachte wieder zusammen, ganz sachte trennt und vereinigt er sie wieder.« Das Erlebnis vollendeter Harmonie stören Tritte in der Nähe. Der Gärtner ertappt den »Einbrecher«; aber die Schloßherrschaft nimmt den Komponisten freundlich auf. Aus Gesprächen erwächst Sympathie. Die Stunden vergehen; Mozart reist ab; das Klavier, auf dem er spielte, wird verschlossen, die Liederhefte werden an ihren Ort zurückgestellt; ein älteres Blatt fällt heraus; der »natürlichste Zufall« erweist sich als Orakel: das böhmische Volkslied kündet vom Tod.

Sicherlich hat bei dieser Novelle die vom Dichter ein Leben lang empfundene Wesensverwandtschaft mit Mozart Pate gestanden:

>»Ich folgte dir zu schwarzen Gründen hin,
Wo der Gesang versteckter Quellen klang
Gleich Kinderstimmen, die der Wind verschlang.«

Die zwei Seiten des Mozart-Mörike-Wesens geben der nach musikalischem Kompositionsschema gebauten Novelle ihre Spannungskraft: das glückliche Geborgensein in der Liebe – das Ausgeliefertsein an die Welt und das Schicksal; die Seligkeit der Kunst in heiterem Spiel und aus der Fülle des Humors – das Gezeichnetsein durch den Tod, der die Seele berührt und verwandelt. Beide Seiten treffen sich in der Einmaligkeit des Augenblicks, der das Kunstwerk gebiert und das Schöne vollendet. Die Kunst bannt die Gefährdungen einer dämonisch begriffenen Welt (beim frühen Mörike, bei Büchner und der Droste). Die Schlußmelodie des angeblich böhmischen Volksliedes zeigt ein stilles, wissendes Ja zum Leben, in das der Tod als »zugehörig« mit hineingenommen wird. Damit aber ist der Bereich des frühen Realismus schon verlassen.

DIE WELT
IM GLEICH-
GEWICHT

>»Ein Tännlein grünet wo,
Wer weiß, im Walde,
Ein Rosenstrauß, wer sagt,
In welchem Garten?
Sie sind erlesen schon –
Denk es, o Seele! –
Auf deinem Grab zu wurzeln
Und zu wachsen.

Zwei schwarze Rößlein weiden
Auf der Wiese,
Sie kehren heim zur Stadt
In muntern Sprüngen.
Sie werden schrittweis gehn
Mit deiner Leiche,
Vielleicht, vielleicht noch eh'
An ihren Hufen
Das Eisen los wird,
das ich blitzen sehe.«

Im »hohen Realismus« wird die Kluft zwischen dem Göttlichen und Menschlichen, die sich in den Anfängen des Realismus auftat, überbrückt durch den neuen Glauben an die Wirklichkeit als einen Wert und Teil der göttlichen Ordnung. Mensch und Natur bilden eine Einheit; die abweisende Strenge des Aorgischen ist überwunden durch eine neue Weltgläubigkeit. Die Dichter bejahen das Diesseitige, ob es nun im ursprünglich-lebenskräftigen Bauerntum eines Gotthelf erscheint, in der Gediegenheit eines soliden Bürgertums bei Keller oder in der Rechtlichkeit und Güte der Menschen Stifters. Vor der Größe der erhabenen Natur ist der Mensch zwar immer noch unbedeutend klein; sie gibt ihm aber auch Geborgenheit und hat somit neben dem Niederdrückenden etwas Tröstliches. Der Tod gehört mit zum Leben, zur Wirklichkeit, die weiter grünt und wächst. Das ergibt ein Transzendieren auf ein in der Immanenz erfahrenes kosmisches Bewußtsein hin, das Gut und Böse einschließt. Die Immanenz des Göttlichen und die gläubige Unterordnung unter das »Weltgesetz« vertrat schon Goethe. Eine Autonomie des menschlichen Geistes kennt der Realismus aber nicht mehr; das klassische Weltbild erschüttert vor allem Hebbel: Die Sicherheit, auf der Wesen und Leistung einer Iphigenie und Jungfrau von Orleans gründeten, ist bei einer Judith nicht mehr vorhanden. Sie zweifelt, ob ihre innerliche Stimme göttlicher Auftrag oder bloßes Gefühl sei. Die Psychologie ist an die Stelle von Überzeugung und Glaube getreten, so sehr die Notwendigkeit religiöser Bindung bejaht wird.

Der im selben Jahr wie Heinrich Heine, 1797, zu Murten in der Schweiz geborene **Jeremias Gotthelf** (gest. 1854) hieß eigentlich Albert Bitzius; er wählte seinen Schriftstellernamen nach der Titelgestalt seines ersten Buches aus dem Jahre 1837: *Der Bauernspiegel oder Lebensgeschichte des Jeremias Gotthelf.* Diesem ersten europäischen Bauernroman folgte eine lange Reihe weiterer, meistens

EHRBAR-
KEIT DES
BÄUERLI-
CHEN

im Emmentaler Raum spielender Werke: *Leiden und Freuden eines Schulmeisters*(1838/39); *Uli der Knecht* (1841); *Uli der Pächter*(1848); *Geld und Geist*(1843); dazu die Erzählungen *Elsi, die seltsame Magd* (1843) und *Das Erdbeeri-Mareili* (1851). Sie erfassen, bald mahnend, liebend beratend oder anklagend, bald polternd, grollend, hassend, die Wirklichkeit bäuerlichen Lebens und stellen sie unter das Gebot Gottes. Wie Mörike war Bitzius Pfarrer (in Lützelflüh). Aber die Kanzel genügte ihm nicht für seine erzieherischen Absichten; so wurde er zum sprachgewaltigen, eifernden, phantasiebegabten, ja genialischen Erzähler, der sich nicht selten einer mundartlich einge-färbten, seinen Bauern abgelauschten Sprache bediente.

Im »Bauernspiegel« erzählt Gotthelf die Geschichte eines Bauernjungen, der arm und ohne Eltern seinen Weg macht aus dem Elend und Leid der Heimatlosigkeit bis zum Lehrer und Ratgeber der Unterdrückten.

Mittellose Waise ist auch Uli der Knecht, der sich unter der Anleitung des ehrenhaften Meisters Johannes von einem leichtfertigen, rauflustigen Trin-ker zum Meisterknecht beim Glunggenbauer Joggeli entwickelt, dessen her-untergekommenen Hof in Ordnung bringt und die Liebe der verzogenen Tochter des Großbauern gewinnt. Statt dieser herzlosen Person heiratet er aber das verständige und gemütstiefe Vreneli, eine arme Verwandte Joggelis, die ihn auch vor aufkommendem Geiz und geldgierigem Streben bewahrt, einen rechten Mann aus ihm macht und ihm schließlich als Pächter und Besit-zer des Glunggenhofes eine unentbehrliche treue Seele ist.

Gotthelfs erstes Werk steht in der Nähe von Büchners Desillusionie-rung der Welt, die beide mit Abscheu erfüllt. Doch wo jener den Sinn im Leben vermißt, sucht dieser nach sittlichen Werten. So zieht Gotthelf mit urwüchsigem Erzählertalent und großer Sprachgebärde ge-gen das Teuflische in der Welt zu Felde: »Mein Schreiben ist ein Bahn-brechen, ein wildes Umsichschlagen nach allen Seiten hin gewesen.« Er eifert gegen den Zeitgeist mit seiner Gottlosigkeit und Verstädte-rung und setzt dem Verfall des Menschlichen ein naturhaft einfaches, den Erdkräften verbundenes Leben, gerecht vor Gott und den Men-schen, entgegen. In diesem Kampf sind häufig die Gotthelfschen Frauengestalten engelgleiche Helfer, die – wie der Dichter – wissen, »was die Welt und das Unglück aus einem Herzen machen, wenn nicht wahres Christentum es gesund erhält«.

In der Darstellung des bäuerlichen Alltags fehlt es nicht an geradezu naturalistischer Derbheit, wie wir sie schon bei Büchner kennengelernt haben, an strotzendem Leben und eigenwüchsiger Kraft. Wir erleben Ulis menschlich-sittlichen Aufstieg aus einfachsten Verhältnissen zu »adeliger Ehrbarkeit«, welche auch die bäuerliche Welt von Gotthelfs Roman »Geld und Geist« regiert, bis das Geld die Ehegatten entzweit. Da erschüttert die sonntägliche Predigt die Frau, und am Nachmittag »sah sie, soweit das Auge reichte, den Himmel rundum sich senken den Spitzen der Berge zu, sah ihn umranden den Kreis, welchen ihr Auge ermaß, sah, wie da eins ward der Himmel und die Erde, und von dieser Einigung kam der reiche Segen, kam der Sonne Licht, kam der Regen, kam der geheimnisreiche Tau, kam die wunderbare Kraft, welche Leben schafft im Schoße der Erde«. Damit findet die Frau vom Geld zum Gebot des Geistes zurück, das Liebe und Eintracht fordert, und die Ehegatten versöhnen sich.

Gotthelfs Realismus ist ein ethischer, bei dem Gut und Böse nicht bloße Worte, sondern Säulen und Träger der Welt darstellen. Das wird besonders deutlich in seiner Meisternovelle *Die* **ETHISCHER** *schwarze Spinne* (1842). Teuflisches Ungetier bricht **REALISMUS** über die Menschen immer dann herein, wenn sie den Pakt mit dem Bösen eingehen, lieblos und hoffärtig werden; es wird durch Ehrbarkeit und Glaube gebannt (lauert aber im Haus in einer durch Pfropfen verschlossenen Höhle weiter). Die Novelle erscheint gleichzeitig mit Drostes »Judenbuche« und teilt mit ihr den Naturalismus und Symbolismus. Aber wo die Droste dämonisch-tragisch bleibt und somit den frühen Realisten verpflichtet ist, ist das Weltbild Gotthelfs ein sittliches: Gut und Böse, Göttliches und Teuflisches sind ihm Wirklichkeiten einer großen, christlich erlebten Ordnung. Das urtümlich Naturhafte umfaßt auch noch das Heidnische und verbindet es mit dem Christlich-Sittlichen.

Die Neuentdeckung der heilenden Kräfte im unversehrt erhaltenen Bauerntum, auf die neben Gotthelf schon Immermann verwiesen hatte, führte zur Mode der Dorfgeschichte, die einer Reihe zweit- und drittrangiger Dichter Ruhm und Ansehen einbrachte.

Berthold Auerbach (1812–82) traf mit seinen vier Bänden *Schwarzwälder Dorfgeschichten* (1843–53) den Geschmack der städtischen Leser, indem er die unverfälschten derben und eckigen Dorfgestalten, wie sie noch sein Vorbild Johann Peter Hebel dargestellt hatte, auf den Zeitgeschmack hin versüßlichte. Trotzdem verehrten ihn Männer wie Schelling, Uhland und Jacob Grimm, und Gervinus sagte von ihm, daß ein Erzähler von dieser Weltgel-

tung nicht mehr seit Walter Scott dagewesen sei. Tatsächlich ging sein Einfluß
bis nach Frankreich (George Sand), England, Skandinavien und Rußland
(Turgenjew, Tolstoi). Seine gelungenste Erzählung ist *Diethelm von Buchen-
berg*. In Auerbachs Nachfolge gibt es bald aus allen deutschen Gauen Hei-
materzählungen. Der Zug zum Regionalen gehört zum Realismus und findet
sich außer bei Gotthelf auch bei Stifter, Keller und der Ebner-Eschenbach.
Heimat und Stamm werden als nächstliegende Gegebenheiten erfaßt.

In tiefgreifender Auseinandersetzung mit seiner Zeit und ihrem Ungeist, ihren Leidenschaften und mit den einem radikalen Nihilismus
zutreibenden Mächten steht **Adalbert Stifter** (1805–68), neben Grillparzer, dem größten österreichischen Dramatiker, der bedeutendste
österreichische Epiker. Wie bei Gotthelf bedurfte es freilich noch
vieler Jahrzehnte, bis – nach einem ersten Hinweis Nietzsches – das
»Klassische« in Stifters Prosa und die Zeitlosigkeit seiner Werkgehal-
te richtig gewürdigt wurden.

In der Weltabgeschiedenheit des Böhmerwaldes als Sohn eines Leinwebers
in Oberplan geboren, kam Stifter vom Stift Kremsmünster, wo er die Schule
besuchte, nach Wien, um dort zunächst Jurisprudenz, dann aber Philosophie, Geschichte, Mathematik und Naturwissenschaften zu studieren. Als
Lehrer und Erzieher völlig zurückgezogen lebend, widmete er sich der Malerei und Schriftstellerei. 1848 siedelte er nach Linz über. Inmitten einer revolutionären Zeit, die alle Ordnung zu zerstören drohte, übernahm er die Stelle
eines Schulrats (Landesschulinspektors), ging aber nach vielfachen Enttäuschungen und harten Schicksalsschlägen 1865 frühzeitig in Pension und
schied drei Jahre später freiwillig aus dem Leben.

Wie bei Gottfried Keller, dem größten Schweizer Erzähler dieser
Jahre, führt die künstlerische Entwicklung Stifters vom Pinsel zur
Feder; wie jener beginnt er, in der Nachfolge Jean Pauls zu schreiben
und findet seinen Meister in Goethe.

VERLOREN-   Kannte seine erste Erzählung, *Der Condor,* noch das
UND GEBOR-   schmerzliche Gefühl, daß der Mensch in der Unend-
GENSEIN   lichkeit des Alls verloren sei, so gestalteten schon die
               Feldblumen das für Stifter bleibende Erlebnis der Grö-
ße und Güte Gottes im Frieden und in der Reinheit des Gemüts. Die
liebevolle Versenkung in die Natur und die Seele des Menschen war
dabei dem Gefühl der Ungeborgenheit und Gefährdung abgerungen.

Der Heideknabe Felix meint, wenn es ihm »tief im Innersten so fromm wurde, er sähe weit in der Öde draußen Gott selbst stehen, eine ruhige silberne Gestalt: dann wurde es ihm unendlich groß im Herzen, er wurde selig... und es war ihm, daß es nun gut sei, wie es sei«.

»Das ist der Inhalt meines Gebetes: ›Herr, was von dir kömmt, ist gut, ich bete es an, wenn es mich auch schmerzet!‹«, lesen wir in einem Brief des Dichters an seinen Verleger Heckenast aus dem Jahre 1856. Radikaler kann der Gegensatz zu Büchners »Die Welt ist das Chaos« nicht ausgedrückt werden. Diese Wendung nach innen unter dem Zauber der eingefangenen Landschaftsstimmung und in stetem Kampf gegen leidenschaftliche Ausbrüche und Bedrohungen aus dem eigenen Innern bleibt bestimmend für das epische Werk Stifters; ihr entwächst eine das Wesen des »hohen Realismus« mitbestimmende Seinsfrömmigkeit.

Es ist eine neue edle Einfalt und stille Größe, der Stifter Sittlichkeit und Güte beifügt. Sie geben den Grundtenor ab für die beiden Erzählbände *Studien* (1844–50) mit *Condor; Feldblumen; Das Heidedorf; Der Hochwald; Die Mappe meines Urgroßvaters; Die Narrenburg; Abdias; Brigitta* u. a. sowie *Bunte Steine* (1853) mit *Granit; Kalkstein; Turmalin; Bergkristall* u. a., in denen die Gesteinsarten in Beziehung zu den Charakteren der handelnden Personen gesetzt werden.

Einfalt und Güte

Im »Heidedorf« ist Felix, der Hirtenknabe, Tag für Tag mit seinen Ziegen allein und spielt in seiner Phantasie die großen Gestalten der biblischen Geschichten nach. Schließlich nimmt er vom Dorf, dessen Bewohner schon immer ahnten, daß er für Großes bestimmt sei, Abschied und zieht in die weite Welt. Nach vielen Jahren und Erlebnissen kehrt er ernst und gereift aus dem Orient zurück, um trotz Reichtum und Gelehrsamkeit wieder einer der Heidebewohner zu werden. Zwar folgt ihm die Geliebte nicht in die Einsamkeit nach, wie sie versprochen hatte, doch für ihn ist die Natur der reine Quell seiner Jugend, und so überwindet er den Schmerz. Seine gealterte Mutter ist dankbar und glücklich darüber.

Der »Hochwald« führt uns in den unberührten Zauber des Böhmerwaldes, in dem zwei Schwestern mit Hilfe eines alten Waldgängers Schutz vor den Wirren des Dreißigjährigen Krieges suchen. Als sie endlich zurückkehren, finden sie die heimatliche Burg zerstört, den Vater und die Ihren tot. »Die Schwestern lebten fortan dort, beide unvermählt... Die Burg hatte nach ihnen keine Bewohner mehr.«

In »Abdias« erzählt Stifter von einem Juden aus dem Orient, der seine

Schätze, sein gutes Aussehen und damit die Liebe seiner Frau verliert und mit seinem blinden Töchterchen nach Europa auswandert. Hier wird das Kind durch einen Blitzschlag sehend und die einzige Freude des Vaters. Als es ein erneuter Blitzschlag tötet, versinkt der alte Vater in Wahnsinn.

In »Bergkristall« verirren sich zwei Kinder im Schneetreiben der Christnacht, werden aber in ihrem kindlich-gläubigen Ausharren vor dem sicheren Tod gerettet.

Kreisen die »Studien« um die Bändigung der zerstörerischen Leidenschaften des Menschen und seine Einbettung in die bewahrende, harmonische Ordnung der Schöpfung, so veranschaulichen die »Bunten Steine« das Wirken des »sanften Gesetzes« inmitten der tödlichen Bedrohung des Menschen durch eine scheinbar fremde und feindliche Natur.

> »Wißt ihr, warum euch die Käfer, die Butterblumen so glücken?
> Weil ihr die Menschen nicht kennt, weil ihr die Sterne nicht seht! ...
> Aber das mußte so sein; damit ihr das Kleine vortrefflich
> Liefertet, hat die Natur klug euch das Große entrückt.«

SANFTES
GESETZ

Mit diesen Worten griff der ganz anders geartete Friedrich Hebbel Stifter an. Stifter antwortet mit einem programmatischen Bekenntnis in der Vorrede zu den »Bunten Steinen«:

»Das Wehen der Luft, das Rieseln des Wassers, das Wachsen der Getreide, das Wogen des Meeres, das Grünen der Erde, das Glänzen des Himmels, das Schimmern der Gestirne halte ich für groß; das prächtig einherziehende Gewitter, den Blitz, welcher Häuser spaltet, den Sturm, der die Brandung treibt, den feuerspeienden Berg, das Erdbeben, welches Länder verschüttet, halte ich nicht für größer als obige Erscheinungen, ja ich halte sie für kleiner, weil sie nur Wirkungen viel höherer Gesetze sind. Sie kommen auf einzelnen Stellen vor und sind die Ergebnisse einseitiger Ursachen. Die Kraft, welche die Milch im Töpfchen der armen Frau emporschwellen und übergehen macht, ist es auch, die aus, die die Lava in dem feuerspeienden Berge emportreibt und auf den Flächen der Berge hinabgleiten läßt. Nur augenfälliger sind diese Erscheinungen und reißen den Blick des Unkundigen und Unaufmerksamen mehr an sich, während der Geisteszug des Forschers vorzüglich auf das Ganze und Allgemeine geht und nur in ihm allein Großartigkeit zu erkennen vermag, weil es allein das Welterhaltende ist. ... Ein ganzes Leben voll Gerechtigkeit, Einfachheit, Bezwingung seiner selbst, Verstandesgemäßheit, Wirksamkeit in seinem Kreise, Bewunderung des Schönen, verbunden mit einem heiteren, gelassenen Streben, halte ich für groß: mächtige Bewegungen des Gemütes, furchtbar einherrollenden Zorn, die Begier nach Rache, den entzündeten Geist, der nach Tätigkeit strebt, umreißt, ändert, zerstört und in der Erregung oft das eigene Leben hinwirft, halte ich nicht für größer, sondern für kleiner, da diese Dinge so gut nur Hervorbringungen einzelner und einseitiger Kräfte sind, wie Stürme, feuerspeiende Berge, Erdbeben. Wir wollen das sanfte Gesetz zu erblicken suchen, wodurch das menschliche Geschlecht geleitet wird.«

Dieses Gesetz, das in den Dingen der Erde schlummert, befähigt den Dichter einmal zum Glauben an eine Ordnung, die auf diese Dinge gegründet ist und der auch der Mensch unterliegt, zum andern zu einem Sprachstil, der sich immer mehr der Ausdrucksweise des alten Goethe annähert. Da gibt es keine biedermeierlich kleinliche Enge, sondern eher Vergilsche Töne:

»Wie schön und ursprünglich, dachte ich, ist die Bestimmung des Landmanns, wenn er sie versteht und veredelt. In ihrer Einfalt und Mannigfaltigkeit, in dem ersten Zusammenleben mit der Natur, die leidenschaftslos ist, grenzt sie zunächst an die Sage von dem Paradiese.«

In Stifters Naturbildern erhält aber gerade auch die heroische Landschaft in ihrer Abgründigkeit und Bedrohlichkeit einen Platz: der Urwald, das Hochgebirge, die Wüste, die Pußta, die Steppe. Neben dem Idyll steht das Chaos; menschliche Größe wird nicht verliehen – sie wächst aus der Entscheidung zwischen Gut und Böse. Was Stifter in seiner Vorrede zu den »Bunten Steinen« aussprach, war der mutige Kampf gegen die Versuchungen, denen er in seinem Innern ständig selbst ausgesetzt war. Sie finden in seinem Werk in der Wiedergabe elementarer Katastrophen ihren Niederschlag, so im Hagelschlag und der Feuersbrunst in der Geschichte vom braunen Mädchen (»Katzensilber«), im ungeheuren Schneefall und Eisbruch (»Mappe meines Urgroßvaters«), in der Dürre (»Heidedorf«), in den Gewittern (»Abdias«), in der Steppe und dem Kampf mit den Wölfen (»Brigitta«). Immer ist es das unberechenbare, zerstörerische Wirken entfesselter Naturgewalten, das dem Menschen fremd und feindlich erscheint, aber als Teil der »unergründlichen Natur« mit gesetzmäßigem Walten letztlich auch zum Segen gereicht.

Vor der lächelnden Ruhe des Firmaments schrumpft das irdische und menschliche Geschehen zusammen. Die kosmischen Natur-

mächte gehen in unberührt erhabener Gleichgültigkeit darüber hin-
weg, wie es im »Hochwald« an der Stelle geschildert
GLEICHGÜL-   ist, wo die zwei Mädchen, die vor den Wirren des Krie-
TIGKEIT DER ges von der väterlichen Burg in eine Hütte am Waldsee
NATUR   geflüchtet waren, auf das niedergebrannte Vaterhaus
mit einem Fernrohr schauen:

»Es war ein unheimlicher Gedanke, daß in diesem Augenblicke dort vielleicht ein gewaltiges Kriegsgetümmel sei und Taten geschähen, die ein Men-
schenherz zerreißen können; aber in der Größe der Welt und des Waldes war
der Turm nur ein Punkt. Von Kriegsgetümmel ward man gar nichts inne, und
nur die lächelnd schöne Ruhe stand am Himmel und über der ganzen
Einöde.«
    Wir werden an das teilnahmslose Lächeln der Götter bei Büchner erinnert.
Aber war dort zwischen den Menschen und den überirdischen Mächten eine
tiefe Kluft aufgerissen, so wird sie hier überbrückt durch das tröstlich Beruhi-
gende: Der Wald, eigentlicher Held der Novelle, wird zum Bleibenden, einzig Wirklichen, das alle irdische Vergänglichkeit überdauert. Deswegen zündet der Jäger Gregor nach der Rückkehr der Mädchen das Waldhaus an und
streut Baumsamen auf die Stelle, »so daß wieder die tiefe, jungfräuliche
Wildnis entstand wie sonst, und wie sie noch heute ist«.

Gerade aus dem Wissen vom Abgründigen im Menschen, von seiner
»tigerartigen Anlage«, bemühte sich Stifter, ein zuversichtliches Bild
vom Menschen, der an die Möglichkeit einer Ordnung
UM ECHTE   glaubt, zu entwerfen. In seiner Novelle »Brigitta« (mit
SCHÖNHEIT   dem Thema der Liebe zur häßlichen Frau) überwinden
die aneinander schuldig Gewordenen die eigene Maßlosigkeit durch ihre Arbeit an der Kultivierung der Steppe, einer
öden und gefährlichen Landschaft, die ihrem eigenen Versagen entsprach. Maß und Ziel sind Voraussetzung für ihr gemeinsames Glück,
das nach tödlicher Bedrohung auf dem Erkennen wahrer, innerer
Schönheit beruht.

Die schöne Gabriele ist der Grund, daß Stephan Murai seiner Gattin Brigitta
untreu geworden ist. Diese zieht von ihm fort und baut sich mit ihrem Kind
ein neues Leben auf einem Gutshof auf. Nach anderthalb Jahrzehnten sehen
sich die Ehegatten wieder, und Stephan entdeckt die Schönheit von Brigittas
Seele. Am Krankenbett ihres Sohnes finden sie erneut zueinander. Den Leidenschaften enthoben, innerlich gereift und ausgeglichen, empfangen sie
Sinn und Richtung ihres Daseins aus der Natur.

Im Versuch, Gesetz, Ding und Mensch, göttliches Natur- und Menschenleben in eins zu fassen, geht Stifter weit über die realistischen Dichter seiner Zeit hinaus. Das wird besonders in seinen Romanen deutlich.

Im *Nachsommer* (1857) kommt der junge Heinrich Drendorf auf einer Studienfahrt zum rosenbewachsenen Asperhof im Alpenvorland und wird von dessen Besitzer, dem Freiherrn von Risach, zum Verbleiben eingeladen. Er begegnet im Haus einer erlesenen Reihe von Kunstgegenständen, Möbeln, Büchern, Sammlungen und architektonischen Feinheiten, aber auch Menschen, die, wie die Gräfin Mathilde (dazu ihre Tochter Natalie und der Pflegesohn des Freiherrn), in völliger Übereinstimmung mit ihrer Umwelt Bildung, Kultur und Menschlichkeit verkörpern. Nach langen Jahren der Weiterbildung finden Heinrich und Natalie in Liebe zueinander, wie sie die beiden Alten, der Freiherr und die Gräfin, in der eigenen Jugend nicht hatten erfahren dürfen.

Hebbel hatte die auf jeden Effekt verzichtenden, breiten Detailschilderungen des »Nachsommers«, in dem auch die Handlung auf ein Mindestmaß beschränkt bleibt, so langweilig gefunden, daß er die Krone Polens demjenigen versprach, der das Werk zu Ende lese. Stifter aber ging es darum, im Alltäglichen und Unscheinbaren das Bedeutende zu zeigen. Einfachheit, Güte und Größe gehen auseinander hervor und bewirken jene Humanitas, die über die »Menschwerdung des Menschen« hinaus eine sittliche Welt schafft. Die Nachfolge Goethes ist unverkennbar; aber dem antikischen Humanitätsideal der deutschen Klassik ist das christliche Element der Güte, der Agape, beigefügt. Hierin liege die Möglichkeit des Menschen, sich zum Göttlichen emporzuläutern.

CHRISTLICHE HUMANITAS

Stifter verfaßte in einer Sprache, die Nietzsche zu dem Urteil »vollkommenste deutsche Prosadichtung« veranlaßte, einen utopischen Bildungsroman über die Entfaltung eines jungen Menschen zum Weltbürger, geleitet von »reiner Menschlichkeit... tiefer und reicher, als es gewöhnlich vorkömmt« (Brief an seinen Verleger Heckenast). In der Befähigung des Menschen zu sittlicher Selbstbestimmung dank seiner Vernunft und seinem freien Willen, die ihm der Schöpfer verliehen hat, wird Stifters Antwort auf die Erschütterungen seiner Zeit als Bildungsideal formuliert: klassische Humanität, verklärt durch Güte und Sanftmut.

»Dies ist unser Rang, dies ist unsere Größe. Daher müssen wir Vernunft und freien Willen, die uns nur als Keime gegeben werden, ausbilden; es gibt keinen andern Weg zum Glück der Menschheit, weil Vernunft und freier Wille dem Menschen allein als seine höchsten Eigenschaften gegeben sind, und weil sie immerfort bis zu einer Grenze, die wir jetzt noch gar nicht zu ahnen vermögen, ausgebildet werden können.«

Nachdem Natur und Wissenschaft, Kunst und Liebe das Erziehungswerk Risachs an Heinrich vollendet haben, bleiben dem jungen Paar Leidenschaft, Maßlosigkeit und Schmerz auch durch das Zusammensein mit den Alten erspart, »folgen sie dem ›sanften Gesetz‹, dessen Inhalt die nachsommerliche Liebe Risachs und Mathildens ist« (Gustav Konrad).

Ob die in so bewahrter Lebensfülle und distanzhaltender Liebe erreichte Konfliktlosigkeit der Wirklichkeit des Lebens, wie sie frühere Werke thematisierten, gerecht wird, war immer von der Kritik gefragt worden und erklärt wohl mit die wechselhafte Rezeption des Stifterschen Werkes.

Mit dem großen Geschichtsroman *Witiko* (1865–67) weitet Stifter den Bildungsgedanken vom einzelnen auf das Volk aus und gelangt zu einer »Darstellung der objektiven Menschheit als Widerschein des göttlichen Waltens«.

In den Anfängen der Stauferzeit kommt der junge Titelheld 1138 aus Passau in die böhmischen Wälder und beteiligt sich dort an den Kämpfen um die Nachfolge des Herzogs Sobeslaw. Tapfer, treu, redlich und selbstlos wird er zum Führer der Ordnungspartei, verhilft dem jungen Wladislaw zum Siege und damit Böhmen zu Macht und Ansehen.

Auch Witiko ist ein leidenschaftsloser Mensch. Die Rolle der Güte im Bildungsroman »Nachsommer« übernimmt in dem Geschichtsroman die Rechtlichkeit. Das Recht muß die staatliche Ordnung tragen; es durchzusetzen für ein im Einklang mit Natur und Gesetz lebendes Volk, wächst Witiko zum vorbildlichen, idealisierten Führer der »Ordnungspartei« heran. Seine Leidenschaftslosigkeit und sein rechtlicher Sinn gründen in einer ehrfürchtigen Wesensschau der Dinge. Mensch und Landschaft finden in ihrem Gegen- und Miteinander eine eindrucksvolle Gestaltung. Die sprachliche Stilisierung unterstreicht Stifters Absicht, auch ein Volk unter das Wirken des »sanften Gesetzes« zu stellen.

Zur pädagogischen Utopie (des »Nachsommers«) gesellt sich so die historisch-politische – ins Mystische stilisiert. Die Stifter oft vorgeworfene Langeweile hat Thomas Mann als ein besonderes Stilmittel des Dichters (im Sinne des »langen Verweilens«) gedeutet, und Rudolf Wildbolz hat diesem »Phänomen eigener Art«, das auch den Rhythmus der Sprache bestimmt, die »Faszination« entgegengesetzt, die der Autor bis heute auszulösen vermag. Seiner Zeit aber entfremdete sich der alte Stifter immer mehr, je absoluter er seine Vorstellungen von der menschlichen Grundordnung formulierte. Die Verzweiflung über die Aussichtslosigkeit seines Kampfes war wohl auch mit schuld an seinem gewaltsamen Tod.

Neben Stifters »Hochwald« wäre das *Kajütenbuch* (1841) von **Charles Sealsfield** (1793–1864) zu stellen, in dem die erhabene Weite der Prärie (das gelungenste Kapitel: *Die Prärie am Jacinto*) und die elementare Kraft des Urwaldes den Menschen unbedeutend und klein erscheinen lassen.

URLAND-
SCHAFT

Hinter dem Schriftstellernamen Charles Sealsfield verbirgt sich der in Mähren geborene Karl Anton Postl, der in Prag als Ordenspriester wirkte und von einer Kur in Karlsbad nach Amerika flüchtete. In seinen Büchern fanden seine Erlebnisse im amerikanischen Urwald und in der Steppe, bei den Pionieren, Farmern, Sklavenhändlern und Indianern ihren Niederschlag. Dabei hielt er in seinen fesselnden farbigen Schilderungen dem alten kranken Europa das Vorbild des jungen demokratischen Amerika vor Augen. Seit 1831 lebte er in der Schweiz. Erst 1864 erfuhr man aus dem Testament dieses dort verstorbenen vermeintlichen Amerikaners, wer er wirklich war.

Weniger bedeutsam, dafür aber weit mehr gelesen waren die Abenteuerromane seiner Nachahmer. Lediglich **Friedrich Gerstäcker** (1816–72), der sich in vielerlei Stellungen, zuletzt als Begleiter des Herzogs von Coburg, durch die halbe Welt geschlagen hatte, kommt mit seinem Roman *Die Flußpiraten des Mississippi* (1848) literarische Bedeutung zu. Seither hat sich – bis zu **Karl May** (1842–1912) und darüber hinaus – die Indianerliteratur als Bestandteil unserer Jugendlektüre gehalten.

Erreichte die Erzählkunst des Realismus in Stifter einen ersten Höhepunkt, dem eine Reihe weiterer folgte, so gipfelte die dramatische Dichtung in dem Werk **Friedrich Hebbels** (1813–63).

Hebbel, wie Büchner und Wagner 1813 geboren, entstammte ärmlichsten Verhältnissen. Sein Vater war Maurer in dem dithmarsischen Marktflecken

Wesselburen. Mühevoll ist sein Bildungsweg: Auf die mühsame Schreibertä-
tigkeit im Hause des Kirchspielvogts folgt nach einem kurzen Aufenthalt in
Hamburg (1835–36) das Studium in Heidelberg und München, das die Nähe-
rin Elise Lensing aus Hamburg mitfinanziert. Aber bald gibt er sein Jurastu-
dium auf und verliert dadurch sein Stipendium, so daß er, als auch noch die
Mutter gestorben ist, zu Fuß nach Hamburg zurückkehren muß. Dank eines
Stipendiums des Dänenkönigs kann er nach Paris und Italien reisen.

   Schließlich kommt er erneut mittellos nach Wien, wo er in der Schauspielerin des Burgtheaters Christine Enghaus 1846 die verständnisvolle Freundin
seines Schaffens und die Lebensgefährtin findet. 1863 geht sein erst in den
letzten 15 Jahren zu gesicherter Häuslichkeit und künstlerischem Ruhm ge-
kommenes Leben zu Ende.

Hebbel beginnt sein dichterisches Schaffen mit Gedichten, die zu
Recht neben die gleichzeitig erscheinende Lyrik Mörikes und der
Droste gestellt werden können; sie entspringen einem echten, in die
Tiefe metaphysischer Deutung reichenden, dunkel umschatteten
Daseinsgefühl. Sein *Nachtlied* (»Steigendes, neigendes
Leben, / Riesenhaft fühle ichs weben, / Welches das
meine verdrängt...«) zeigt eine zu Goethes »Wanderers Nachtlied« ganz verschiedene Sicht: So gegensätzlich individuelles Sein und Welt – vor allem angesichts der Übermacht
des Alls – erscheinen, der Dichter sucht noch nach einer Einheit der
beiden. Hebbel weitet ins Kosmische, was Mörike mythisch zu deuten, die Droste balladesk auszusprechen versucht hatte. Während Eichendorff Sehnsucht nach einem jenseitigen Zuhause spüren ließ,
sucht Hebbel eine »immanente Transzendenz«, die Kennzeichen des
hohen Realismus ist. Das Dämonische der Sicht Büchners ist überwunden in der All-Einheit von Individuellem und Universellem, indem der Dichter in seine Finsternisse ein »leuchtend Bild der Welt«
zurücknimmt. Neben vielen epigonalen Gedichten gewinnen seine
Verse über das Leiden an Profil: »Nur in der Thräne des Schmerzes
spiegelt sich der Regenbogen einer besseren Welt.« Dieser Tagebuch-
Eintrag verdeutlicht Hebbels kämpfende oder duldende Allvermäh-
lung.

   Anfang der vierziger Jahre legt Hebbel in den theoretischen Schriften *Ein Wort über das Drama,* später erweitert zu *Mein Wort
über das Drama* (1843), und vor allem in dem *Vorwort zu Maria Magdalene* seine Ansichten über das Drama dar, die sich zu einem gedanklichen System tragischer Weltanschauung zusammenfügen. Das

IMMANENTE
TRANSZEN-
DENZ

SCHULDIG
WERDEN DES
EINZELNEN –
FORTGANG
DES WELT-
GANZEN

Leben der Welt verläuft in tragisch-dialektischer Spannung zwischen dem Ich und dem All. In der Vereinzelung wird das Individuum gleichsam metaphysisch – also nicht moralisch – schuldig und ermöglicht durch sein Aufbegehren und sein sühnendes Opfer den Fortgang des Weltganzen. Immer wieder treten besondere Einzelne aus der Vielheit heraus, wecken die Welt aus ihrem herkömmlichen Trott und Schlaf und ermöglichen somit eine Fortentwicklung, den Beginn einer neuen Zeit. Sie selber aber sühnen ihren Frevel (»Heraustretende«, »Herausgehobene« zu sein) mit tragischem Untergang. Die dialektische Denkart Hegels und Schopenhauers Pessimismus werden spürbar, jedoch fehlt bei Hebbel der Glaube an den Primat des Geistes. Die Welt wird rigoros entgöttert und entzaubert; der tragische Opfertod bleibt dennoch irgendwie sinnvoll. Hebbels Drama steht der jungdeutschen Auseinandersetzung mit dem Tagesgeschäft ebenso fern wie einem bloß »ästhetisch-illusionären Selbstzweck«.

In *Gyges und sein Ring* (1856) verstößt der freiheitlich gesonnene, aufklärerische Lyderkönig Kandaules gegen das Recht der Persönlichkeit und die herrschende Sitte. Trotz Schleierzwang für die Frau soll sich der griechische Gastfreund Gyges, durch einen Zauberring unsichtbar bleibend, von der Schönheit der Rhodope überzeugen. Rhodope entdeckt das Vergehen (den Einbruch in die personale Intimität) und zwingt Gyges, der in Liebe zu ihr Sühne auf sich nehmen will, Kandaules zu töten. Darauf vermählt sie sich mit ihm, tötet sich aber noch am Traualtar. »Als Frevler gegen das Herkommen und als Opfer für den Fortschritt« muß Kandaules fallen. Gyges, der den Thron besteigt, wird ein neues Zeitalter heraufführen.

Mit der *Nibelungen*-Trilogie (1855–60): *Der gehörnte Siegfried; Siegfrieds Tod* und *Kriemhilds Rache*, bemühte sich Hebbel in sieben Jahre langer Arbeit um eine Dramatisierung des durch die Romantik wieder zur Geltung gekommenen Nibelungen-Stoffes, den sich u. a. Ernst B. S. Raupach (1784–1852) vorgenommen hatte. Die Tragik entwickelt sich aus dem unversöhnlichen Widerstreit zwischen der Treue Hagens zu den Königen und der Treue Kriemhilds zu ihrem toten Gatten. So kommt es zu dem fürchterlichen gegenseitigen Morden, bis mit Dietrich von Bern, der »im Namen dessen, der am Kreuz erblich«, das Reich Etzels übernimmt, ein neues Zeitalter anbricht.

Dieses letzte vollendete Werk Hebbels konnte sich trotz der Weimarer Aufführung durch Franz Dingelstedt die Bühne nicht erobern. Es blieb zu sehr »eine epische Folge szenischer Fresken« mit viel Aufwand an Pathos; dahinter verblaßte das Archaisch-Ursprüngliche germanischen Reckentums.

»Die Gottheit selbst, wenn sie zur Erreichung großer Zwecke auf ein
Individuum unmittelbar einwirkt und sich dadurch einen willkürli-
chen Eingriff ins Weltgetriebe erlaubt, kann ihr Werkzeug vor Zer-
malmung durch dasselbe Rad, das es einen Augenblick aufhielt und
anders lenkte, nicht schützen.«

Diese Worte hatte Hebbels bereits 1838 gegen den Idealismus in
Friedrich Schillers »Jungfrau von Orleans« geschrieben und damit
den Grundgedanken seines ersten Dramas, *Judith* (1841), ausgesprochen. Judith ermordet, um ihr Volk zu retten, Holofernes; aber sie tut
es auch, um an ihm Rache zu nehmen dafür, daß sie ihm als Frau
erlag. Wie in Büchners Weltauffassung sind Gut und Böse ineinander
verflochten, aber wie bei der Droste wird auch die Unbedingtheit des
sittlichen Gesetzes anerkannt. Die als Weib unterlegene Heldin muß
fallen. Mit schneidender Psychologie und straffem Aufbau bühnenwirksamer Szenen sowie dramatischer Übersteigerung wird das Problem auf die Spitze getrieben.

Mit der gleichen realistischen Psychologie gestaltet Hebbel in seiner *Genoveva* (1843) Golos Entwicklung zum teuflischen Bösewicht
und gibt damit ein Spiegelbild seiner selbst, seines Verhaltens zu Elise
Lensing, die er verlassen hatte.

Golo, dem der ins Heilige Land ziehende Siegfried seine Gattin Genoveva
anvertraut hat, entbrennt in Liebe zu ihr, wird aber zurückgewiesen. Um sich
an ihr zu rächen, klagt er sie des Ehebruchs an. Die zum Tod Verurteilte wird
gerettet und lebt mit ihrem Kind in der Waldeinsamkeit, während sich Golo
tötet. Wiederum sind Gut und Böse miteinander da, wird das ethische Verhalten (hier die unbedingte Treue) absolut gesetzt und damit zur »weltbe-
wegenden« Kraft. (Neben Wagners »Fliegendem Holländer«, »Tannhäuser«
und »Lohengrin« zollt Hebbel mit diesem Drama einer neuen Romantik seinen Tribut.)

Mit *Maria Magdalene* (1844) schuf der Dichter das erste moderne
bürgerliche Trauerspiel. Ging es bei Schiller noch um die unüberbrückbare Kluft zwischen der Adels- und Bürgerwelt,
so wendet sich Hebbel ausschließlich der dumpfen,
prüden Welt des Kleinbürgertums zu, die er aus eigener schmerzlicher Erfahrung kannte und deren Vorur-
teile, Ehrbegriffe und unmenschliche Moral er brandmarkt. In solch
sozialer Anklage nimmt Hebbel das Anliegen Ibsens und Hauptmanns vorweg. Allem Niederdrückenden in diesem Drama zum

TRAGISCHE
BÜRGERLI-
CHE WELT

Trotz geht es ihm aber auch um eine neue menschliche Sittlichkeit, die eine untergehende bürgerliche Welt abzulösen vermag.

Klara, die Tochter des Tischlermeisters Anton, hat sich Leonhard, dem ungeliebten Verlobten, hingegeben – aus Verzweiflung, daß der Jugendfreund, der zur Akademie in eine ferne Stadt zog, sie vergessen zu haben scheint. Leonhard verläßt sie, die ein Kind erwartet, als ihr Bruder des Diebstahls angeklagt wird. Der zurückgekehrte Jugendfreund ersticht Leonhard im Duell, kann sich aber auch nicht für Klara entscheiden: »Darüber kann kein Mann weg!« Klara ertränkt sich im Brunnen; sie will dem Vater die Schande ersparen, will nicht »Vatermörderin« werden (die Mutter ist inzwischen verstorben). In erschütternder Einsamkeit bleibt Meister Anton zurück und klagt, nachdem er seiner bedingungslosen Moral alle Opfer gebracht hat: »Ich verstehe die Welt nicht mehr.«

Was Johanna, Penthesilea und Sappho als Seelenspiegel für Schiller, Kleist und Grillparzer bedeuten, ist Mariamne in ihrem verletzten Ehrgefühl und Persönlichkeitsbewußtsein für Hebbel. In dem Drama *Herodes und Mariamne* (1849) vergeht sich der König Herodes am Recht der Persönlichkeit seiner Gattin: »Ich war

RECHT DER PERSÖN-LICHKEIT

ihm nur ein Ding und weiter nichts.« Von dem zweimaligen Gebot ihres ausziehenden Gatten, sich im Falle seines Todes ebenfalls zu töten, ist Mariamne tiefinnerlich verletzt. Sie läßt sich mit Soemus ein und nimmt Herodes' Todesurteil entgegen, ohne sich zu wehren. Erst nach der Hinrichtung erfährt er, wie unrecht er getan hat: Freiwillig wäre sie jederzeit bereit gewesen, mit ihm zu sterben, nicht aber auf entehrende Befehle hin.

Wert und Würde des Menschlichen entwachsen dem ureigenen Bezirk des Persönlichen; dieser ist aber auch der Bereich tragischer Verstrickungen. Der Problemgeladenheit des Stückes entspricht seine mathematische Architektur, der jede sinnenhafte Anschaulichkeit fehlt.

Staatsidee und Recht des Individuums läßt Hebbel in seiner *Agnes Bernauer* (1852) aufeinanderprallen – einem Werk, das in der Nachbarschaft von Kleists »Prinz Friedrich von Homburg« zu sehen ist.

Der »Engel von Augsburg« bringt durch seine Liebe zum Thronfolger das Erbe des bayerischen Staates in Gefahr. Aber so sehr sich der Herzog Ernst bemüht, die Vollstreckung des Todesurteils an der Baderstochter zu verhindern – Agnes weigert sich entschieden, ihre Ehe mit Albrecht als Unrecht anzuerkennen. Damit bleibt nur noch der Weg der Gewalt. Im Bürgerkrieg zwischen Vater und Sohn beugt sich Albrecht der Staatsräson, während der Vater auf den Thron verzichtet, »um im Kloster als Mensch zu büßen, was er als Herrscher um der Staatsnotwendigkeit willen tat«.

Wieder einmal macht erst die Selbstbestimmung den Menschen zum Menschen. Aber auch dem Vertreter staatspolitischer Notwendigkeit werden Verständnis und Gerechtigkeit zuteil, wie sie Goethe und Schiller Alba und König Philipp gegenüber walten lassen: »Nie habe ich das Verhältnis, worin das Individuum zum Staat steht, so deutlich erkannt.« Auf Grund des Erlebnisses von 1848 war Hebbel ein entschiedener Gegner revolutionärer Gewaltanwendung geworden.

Über der Arbeit an einem *Demetrius*-Drama ereilte Hebbel (wie Schiller) der Tod. In seinen *Tagebüchern* hat er uns ein wichtiges Vermächtnis hinterlassen, das von seiner unablässigen Auseinandersetzung mit der Welt, der Kunst und der eigenen Existenz kündet.

Zeitlebens im Schatten Hebbels blieb das Schaffen des Thüringers **Otto Ludwig** (1813–1865).

Nach wenig lichtvoller Jugend und immer kränkelnd, wollte Ludwig zunächst Musiker werden. Als Dramatiker stand er unter dem Einfluß Shakespeares, dem er ausführliche Studien widmete, um in ihnen immer wieder gegen Schiller und auch Hebbel anzukämpfen. In diesen kritischen Untersuchungen bemühte er sich um die Gesetze, Prinzipien und Technik einer neuen Dramatik; seine dichterische Praxis entsprach jedoch den theoretischen Anforderungen wenig; er hinterließ eine Fülle von Fragmenten.

Sein 1850 in Dresden uraufgeführter *Erbförster* stand in der Nachfolge des bürgerlichen Trauerspiels Hebbels: Er entwickelte die Handlung aus der Rechtsbesessenheit des seinen Wald WIRKLICH-KEIT DES ZUFALLS verteidigenden Försters. Aus Zufall trifft die Kugel des Försters schließlich die eigene Tochter, die für ihren Bräutigam, den Sohn seines Feindes, bestimmt war. Zufall und Mißverständnisse treten an die Stelle des Schicksals; ein tragfähiges Welt- und Menschenbild wird nicht erstellt.

Die Forderung des Realismus, daß die Kunst der Wirklichkeit entsprechen müsse, hat vor allem **Friedrich Theodor Vischer** (1807–87) in seinen kunsttheoretischen Schriften zu Ende gedacht. Ausgehend von Hegel, der das

Schöne als die »Idee in der begrenzten Wirklichkeit« sieht, kommt er zu einer immer tiefer werdenden Kluft zwischen der Wirklichkeit und Wahrheit und bezeichnet als reinste Wirklichkeit den Zufall: »Wenn ein edler Krieger nicht von der Hand eines Tapferen fällt, sondern weil der Regen seine Waffe unbrauchbar gemacht hat, so ist das Zufall des Zufalls.« Von hier war es nur noch ein Schritt zur Formulierung von der »Tücke des Objekts«: Sie allein bleibt, wo ein Sinn nicht mehr aufleuchtet. Das Erhabene und das Komische entspringen der gleichen Wurzel. Das Komische ist der »ertappte Mensch« – könnte als Motto über Vischers Roman *Auch Einer* (1879) stehen, in dem der »Held« hin- und hergerissen ist zwischen geistiger Freiheit und den ständigen Fußangeln der Tücke des Objekts.

Zeugnis von Vischers kritischem Humor mit stark satirischem Einschlag ist seine Parodie *Faust, der Tragödie dritter Teil* (1862).

SCHICKSAL AUS ANLA- GE UND CHARAKTER
Was im »Erbförster« aus dem Charakter des Titelhelden abgeleitet wurde, entwickelt sich in Ludwigs Geschichtsdrama *Die Makkabäer* (1853) aus dem Wesen des jüdischen Volkes.

Am Sabbat verweigern die bis dahin siegreichen Juden den Kampf und lassen sich wehrlos abschlachten. Aber gerade darin erblicken die Syrer deren Unbesiegbarkeit und geben den Kampf auf mit einem Feind, »den solch furchtbar gewaltiger Gott erfüllt, daß er, was menschlich im Menschen ist, den Sinn für Schmerz verzehrt«.

Um den einmaligen Charakter des Dachdeckers Apollonius geht es in dem Handwerkerroman *Zwischen Himmel und Erde* (1856).

Sein leichtfertiger Bruder Fritz hatte ihn um die Braut betrogen und nach Aufdecken dieses Betruges vom Kirchturm zu werfen versucht. Während aber Fritz selber zu Tode stürzt, verfällt Apollonius in »sittlicher Hypochondrie« völliger Resignation gegenüber allem Lebensglück.

Der Dichter leuchtet in tragische Abgründe der Seele hinab. Menschen und Geschehen sind in diesem »poetischen Realismus« (Ludwigs Bezeichnung für die beabsichtigte Synthese von Naturalismus und Idealismus in der Dichtung) so haarscharf beobachtet und psychologisch analysiert, wie es erst viel später in der deutschen Literatur wieder geschieht. Nicht zu Unrecht bezeichnet man einen solchen Realismus als »unerlöste Wirklichkeitsnachahmung«.

Daß Otto Ludwig im Grunde über eine epische (und weniger dramatische) Begabung verfügte, zeigen auch seine beiden Erzählungen, die humorvolle Dorfgeschichte *Heiterethei* und ihr Widerspiel *Aus dem Regen in die Traufe* (beide 1855). In diesen Geschichten, u. a. von der Zähmung einer ländlichen Schönen zu Liebe und Ehe, wird das heimatliche Thüringer Leben in Episoden und durch Charaktere liebevoll und in treffender realistischer Beobachtung veranschaulicht.

MATERIA-
LISMUS

Immer strengere Nachahmung der Wirklichkeit und eine Steigerung der anfänglichen Dingnähe, bis sich Schicksalhaftigkeit in das Spiel des Zufalls und die Tücken des Objekts verkehrte, waren die bisherigen Ergebnisse realistischer Kunsttheorie. Dazu gesellt sich in der Reihe Feuerbach – Moleschott – Vogt – Ludwig Büchner eine mechanistisch-materialistische Weltanschauung.

Bereits 1841 hatte **Ludwig Feuerbach** (1804–72) in seinem Hauptwerk, *Das Wesen des Christentums,* Gott als Schöpfer des Menschen zu entthronen versucht, da in Wirklichkeit der Mensch es sei, der Gott nach seinem eigenen Bilde schaffe. 1852 behauptete **Jacob Moleschott** (1822–93) in seinem *Kreislauf des Lebens:* »So ist der Mensch die Summe von Eltern und Amme, von Ort und Zeit, von Luft und Wetter, von Schall und Licht, von Kost und Kleidung. Sein Wille ist die notwendige Folge aller jener Ursachen.« **Carl Vogt** (1817–95) geht noch einen Schritt weiter mit dem berüchtigten Satz seines 1854 erschienenen Buches *Köhlerglaube und Wissenschaft,* daß »die Gedanken etwa in demselben Verhältnis zum Gehirn stehen, wie die Galle zu der Leber oder der Urin zu den Nieren«. Ein Jahr später verkündet **Ludwig Büchner** (1824–99) in *Kraft und Stoff,* der »Bibel des deutschen Materialismus«, die These, daß es ohne Stoff keine Kraft, ohne Materie keinen Geist gebe. Schöpfer und unsterbliche Seele werden der Unsterblichkeit der Materie geopfert. Der Abbau der Transzendenz, der schon bei Georg Büchner angeklungen war, ist also vollkommen. Aber während Danton noch Ekel empfand vor solcher Wirklichkeit, »begnügt« man sich jetzt mit diesem Dasein, in dem es »Freiheit, Bildung und Wohlstand für alle« zu erkämpfen gelte.

Neben der antichristlichen bzw. atheistischen Tendenz, die sich aus der empiristischen (J. St. Mill), positivistischen (A. Comte) und biologistischen (Ch. Darwin) Betrachtungsweise herleitet, wird bereits eine starke soziale Kritik an den erschreckenden Folgen der industriellen Entwicklung für das Fabrikproletariat deutlich, die in eine harte Auseinandersetzung mit dem Kapitalismus mündet.

Bei solcher »materialistischen« Weltschau gewinnt auch der Tod ei-

nen neuen Aspekt, der den »Hochrealismus« von den Frührealisten
Immermann und Büchner abhebt.

»Wenn den Menschen alles verlassen hat, so umschlingt noch die
Erde liebevoll mit ihren Gewächsen das steinerne Haus«, heißt es in
der Selbstbiographie **Johann Jacob Bachofens** (1815–
DAS CHTHO-   87), der mit seinen Untersuchungen über das Mutter-
NISCHE   recht *(Gynaikokratie der alten Welt)* und die *Gräber-
symbolik der Alten* das Chaotische bei Büchner ins
Chthonische wandelt. Was er als chthonisch (»der Erde angehörend«) anspricht, ist nicht mehr die heilige Grausamkeit, die (bei Immermann und Büchner) unser Ich verzehrt, sondern (wie es bei Stifters Bewußtsein, daß die Naturmächte von menschlichem Leid »unberührt« bleiben, anklang) eine den Menschen mit umschließende,
bergende Macht. Die Zeit kennt nicht mehr das romantische Erlebnis, das in Ekstase nach einer höheren, schöneren Wirklichkeit greift,
sondern nur noch diese wirkliche Welt und dieses irdische Leben, und
beide schließen den Tod als wesenhaft dazugehörig mit ein. Bringt er
auch das Ende des Individuums, das Leben der Natur geht dennoch
weiter. Und solches Wissen vermag Trost und Erhebung zu schenken. **Gottfried Keller** (1819–90) ging diesen Weg konsequent weiter.

Der zu Zürich geborene Keller verliert bereits mit fünf Jahren seinen Vater,
der Drechslermeister war, und wächst zusammen mit seiner Schwester Regu-
la in bescheidenen Verhältnissen auf. Nach Verweisung von der kantonalen
Industrieschule gehen seine Jugendjahre mit Selbststudien dahin, bis er 1840
nach München kommt, um Landschaftsmaler zu werden. Aber auch dabei
erleidet er Schiffbruch; um sich notdürftig am Leben zu erhalten, malt er für
die Hochzeit des Kronprinzen Max weißblaue Fahnenstangen. Nach weiteren sechs in der Heimat verbummelten Jahren führt ihn ein Reisestipendium
der Züricher Regierung nach Heidelberg, wo er Vorlesungen des Literarhi-
storikers Hermann Hettner und des Philosophen Ludwig Feuerbach hört.

Feuerbachs Atheismus wird sein entscheidendes Bildungserlebnis:
Da Gott sich als Wunschbild des Menschen erweist, gilt es, statt an die
Unsterblichkeit zu glauben, die Wirklichkeit hinzunehmen und in ihr
eine soziale Ethik zu begründen. Das bedeutet Kellers Wendung von
einer subjektiven Romantik zur sinnhaft erhellten Wirklichkeit: »Die
Welt ist mir unendlich schöner und tiefer geworden, das Leben ist
wertvoller und intensiver, der Tod ernster, bedenklicher und fordert
mich nun erst mit aller Macht auf, meine Aufgabe zu erfüllen und

mein Bewußtsein zu reinigen und zu befriedigen, da ich keine Aussicht habe, das Versäumte in irgendeinem Winkel der Welt nachzuholen.«

Aus der begrenzten Zeit heraus zu leben bedeutet: diese begrenzte Zeit zu genießen. Lebensmut heißt: Farbe bekennen; sich bewußt werden, daß man aus dem Ungewissen kommt, ins Ungewisse geht; im Dennoch seinen Mann stehen, sein Leben gestalten. In Gottes Namen, aber nicht im Namen Gottes. Die Farbe, die solches Bekenntnis »trägt«, ist die grüne – es ist die Farbe chthonischer Einbettung: über alles, über allem wächst Gras. Das Grün Gottfried Kellers, so Adolf Muschg (in einer Biographie des Dichters, »Vom Grauen und Grünen«), ist ein Symbol für Entwicklung überhaupt; für Fortpflanzung des Lebens und der Schöpfung; es ist eine begrenzte und in ihrer Begrenzung sinnreiche Aufforderung, Lebensart auf diesem Planeten nicht aussterben zu lassen und »das Grüne« zu pflegen, als hinge das Heil unserer Seele, unser Überleben davon ab. »Kellers Grün ist die vegetative Farbe, die alle Farben des Lebens enthält und das Leben gegenüber den Todesfarben Schwarz und Weiß vertreten kann, den Tag gegen die Nacht, den Sommer gegen den Winter. Und doch bedarf sie selber der dunklen Erde im doppelten Sinne des Wachstums und des Kontrastes, des Ursprungs und des Hintergrundes; jener Erde, zu der das Grüne auch wieder werden soll, nicht um zu verschwinden, sondern um sich zu erneuern.«

Von 1850 bis 1855 ist Keller in Berlin und schreibt intensiv an seinem Roman »Der grüne Heinrich«. Wieder gerät er in äußerste Not, trotzdem lehnt er eine Berufung als Professor für Literaturgeschichte nach Zürich ab. 1861 wird er Staatsschreiber des Kantons Zürich und versieht mit Verantwortungsbewußtsein sein Amt. Nach seiner Pensionierung 1876 nimmt er seine Schriftstellerei bis zum Tode im Jahre 1890 wieder auf. Neben die zweite Fassung des »Grünen Heinrich« treten die Novellen-Bände »Leute von Seldwyla«, »Züricher Novellen«, »Das Sinngedicht«, der Roman »Martin Salander« sowie Gedichte.

Kellers *Grüner Heinrich* (1854/55) gehört in die lange Reihe des
deutschen Bildungsromans, der in Goethes »Wilhelm
Meister« kulminierte. Er steht aber auch als Künstlerroman in der Nachfolge Jean Pauls (»Titan«), Hölderlins (»Hyperion«), Novalis' (»Heinrich von Ofterdingen«). Im letzten bleibt er die große Abrechnung Kellers mit sich

WEG ZUM
TÄTIGEN
LEBEN

selbst als künstlerisch gestaltete Autobiographie. Aus subjektivistisch-romantischen Fernträumen findet der Held zum tätigen Leben, vor allem in der zweiten, in Ich-Form geschriebenen Fassung.

Dem früh halbverwaisten Heinrich Lee, der wegen der Farbe seiner Joppe und seiner Unreife der »grüne Heinrich« genannt wird, gelingt es nicht, sich als Landschaftsmaler durchzusetzen. Zwischen der frommen Anna und der sinnlich reizenden Judith schwankend, geht er nach München, um an der Kunstschule zu studieren. Da muß er zurück, um der in Not geratenen Mutter zu helfen. Mit dem unterwegs erstandenen Geld für seine Bilder ist sein Leben auf Jahre hinaus gesichert. Nach dem Tod der Mutter findet er an der gleichfalls zurückgekehrten Judith eine treue Lebensgefährtin und damit die Kraft zu tätigem Leben. In der ersten Fassung war der völlig haltlos Gewordene gerade zum Begräbnis der Mutter zurückgekommen und kurz darauf selbst gestorben: »Es war ein schöner, freundlicher Sommerabend, als man ihn mit Verwunderung und Teilnahme begrub, und es ist auf seinem Grab ein recht frisches und grünes Gras gewachsen.«

Das Ende dieser ersten Fassung erinnert an den Schluß von Stifters »Hochwald« und an Bachofens Interpretation des Chthonischen. Die Auffassung des »Hochrealismus« wird darin deutlich: Der Mensch mag zugrunde gehen, da er die Wirklichkeit verfehlt; aber die Wirklichkeit der Welt selbst besteht und grünt weiter, in unberührter Erhabenheit. Endstimmung und Zuversicht liegen darin beschlossen. Der gleiche Gedanke findet sich in Walt Whitmans (1819–92) *Leaves of Grass,* die im Jahr des »Grünen Heinrich« erscheinen: »Was ist Gras? – Ich glaube, es ist eine einzige große Hieroglyphe und bedeutet: Trieb und Wachstum sind die gleichen überall ..., das schöne unverschnittene Haar von Gräbern ... beweist, daß es in Wahrheit keinen Tod gibt.« Diese chthonische Sicht macht vor allem Kellers Realismus aus, der sich auch in seinem Gedicht *Am fließenden Wasser* ausdrückt:

> »Da kommt es gefahren
> Mit lächelndem Munde,
> Vorüber im klaren
> Kristallenen Grunde,
> Das alte vertraute,
> Das Weltangesicht!«

Keller resigniert nicht über dieser Einsicht; das Leben recht zu gestalten, jeden das sein zu lassen, was er ist, und die Welt zu nehmen, wie sie ist, bleibt sein dichterisches Anliegen.

In den *Leuten von Seldwyla* (2 Bde. 1856, erw. 1874) erweisen sich Träumereien und allzu kluge Berechnungen als komisch; sie werden wie alle vagen Stimmungen dem Lächeln preisgegeben.

Die Novellen der Sammlung spielen in einer vom Dichter erfundenen halb wunderlichen, halb verkommenen Schweizer Stadt. In der Jugend sind die Seldwyler unternehmend und verwegen; im Alter werden sie schrullige Philister, die sich ihr Haus hinter den Ofen bauen. Der Dichter weiß um die Zwiespältigkeit der bürgerlichen Existenz; inmitten des Spießerdaseins bekundet sich auch Widerstand gegenüber der Vereinnahmung durch den Zeitgeist. »Das große Denkmal, die literarische Abschiedssymphonie für den vorindustriellen und vorliberalen Begriff von Arbeit und Lebensführung sind Gottfried Kellers Leute von Seldwyla, insofern sie einen ökonomischen Typus darstellen und als ein Kollektiv präsentiert werden. Die einzelnen Helden der Novelle sind ja alle atypisch für die Gesamtheit... Die Seldwyler weigern sich, die Lebensarbeit als Aufstiegsprozeß zu verstehen. Sie weigern sich, den einzelnen Arbeitsgang dem Gesetz: ›Wert gleich abhängig von Geschwindigkeit‹ zu unterwerfen. Da liegt der Grund für jene merkwürdige und scheinbar dunkle Äußerung Kellers, wonach die Seldwyler sich alle dadurch auszeichnen, ›daß sie sehr geschickt Fische zu essen verstehen‹. Es gibt nämlich keine Tätigkeit, in der ein größeres Mißverhältnis zwischen Produkt und Zeitaufwand besteht, als beim Fischessen. Die Seldwyler nehmen den eigenen Konkurs, das wirtschaftliche Fallieren bei Gelegenheit mit größter Gelassenheit zur Kenntnis, sind sie doch getragen von der begründeten Überzeugung, es könne ihnen im letzten nichts geschehen und der ökonomische Kollaps sei keineswegs und niemals auch ein existentieller (der reale Grund dafür liegt in ihrem genossenschaftlichen Waldbesitz). Und über allem haben sie noch die Fähigkeit, aus jeder Bagatelle ein kräftiges Vergnügen zu schlagen. Sie verfügen noch voll über jenes altertümliche Genußsystem, das der totale Geschwindigkeitszwang außer Kraft gesetzt und durch die sinnvolle Freizeitbeschäftigung ersetzt hat« (Peter von Matt).

Pankraz der Schmoller, Frau Regel Amrain und ihr Jüngster, Die drei gerechten Kammacher, Spiegel, das Kätzchen und *Kleider machen Leute* sind mit ihren Gestalten Satiren auf den Fortschrittsgeist dieser auf die »Gründerjahre« sich hinbewegenden Jahrzehnte. Das Kleinbürgerliche mit seinen sozialen Mißständen und SOLIDITÄT Alltagsverschrobenheiten wird belächelt; hinter dem Humor des Dichters wird das Unterschwellig-Groteske des Lebens sichtbar. Ironie und liebevolle Zuwendung bedienen sich einer gleichermaßen geistig erhellenden wie sinnlich veranschaulichenden, knappen, bilder- und symbolreichen Sprache. Sie erweist sich der ganzen Spannweite des Menschlichen vom Närrischen bis zum Todernsten, vom Heiteren bis zum Tragischen als adäquat.

Pankraz der Schmoller wandelt sich nach einem fürchterlichen Kriegserlebnis in der Wüste vom Tunichtgut zum einsichtigen und hilfsbereiten Menschen. – Die drei gerechten Kammacher laufen um ein recht verschrobenes Mädchen um die Wette. Schließlich geht es Dietrich, der Meister wird und das herrschsüchtige, egoistische Mädchen zur Frau erhält, nicht viel besser als seinen beiden Kameraden, deren einer sich erhängt, während der andere zum Lumpen wird. – In »Kleider machen Leute« kommt ein armes, gut gekleidetes Schneiderlein, das für einen polnischen Grafen gehalten wird und sich anfangs diese Verwechslung gefallen läßt, nach mancherlei Mißhelligkeiten zu Glück und Ansehen.

Das Ideal ist der solide Mensch, gediegen, verläßlich, die Solidität des Charakters, die – nach Meinung vieler zeitgenössischer Autoren – im Leben weiterhelfe.

»Auf einem kleinen Platz, wo die Witwe wohnte, war nichts als die stille Sommersonne auf dem begrasten Pflaster zu sehen; an den offenen Fenstern aber arbeiteten ringsum die alten Leute und spielten die Kinder. Hinter einem blühenden Rosmaringärtchen auf einem Brette saß die Witwe und spann und ihr gegenüber Estherchen und nähete. Es waren schon einige Stunden seit dem Essen verflossen und noch hatte niemand eine Zwiesprache gehalten von der ganzen Nachbarschaft. Da fand der Schuhmacher wahrscheinlich, daß es Zeit sei, eine kleine Erholungspause zu eröffnen, und nieste so laut und mutwillig: Hupschi! daß alle Fenster zitterten und der Buchbinder gegenüber, der eigentlich kein Buchbinder war, sondern nur so aus dem Stegreif allerhand Pappkästchen zusammenleimte und an der Tür ein verwittertes Glaskästchen hängen hatte, in welchem eine Stange Siegellack an der Sonne krumm wurde, dieser Buchbinder rief: Zur Gesundheit! und alle Nachbarsleute lachten. Einer nach dem andern steckte den Kopf durch das Fenster, einige traten sogar vor die Türe und gaben sich Prisen, und so war das Zeichen gegeben zu einer kleinen Nachmittagsunterhaltung und zu einem fröhlichen Gelächter während des Vesperkaffees, der schon aus den Häusern duftete und zichoriierte.«

Das »Hupschi«-Niesen zu Beginn der Novelle »Pankraz der Schmoller« zerreißt die zauberhafte Stimmung und setzt die Wirklichkeit des bürgerlichen Alltags in ihr Recht. Selbst der Tod bleibt irdisch-wirklich, ohne dämonische Erhöhung, wenn Vrenchen und Sali (in *Romeo und Julia auf dem Dorfe*, 1876) nach den schlimmen Enttäuschungen ihres jugendlichen Lebens angesichts des unseligen Streites ihrer feindlichen Väter sich noch einen glücklichen Tag gönnen und dann gemeinsam in den Tod gehen:

»Der untergehende Mond, rot wie Gold, legte eine glänzende Bahn den Strom hinauf, und auf dieser kam das Schiff langsam überquer gefahren. Als es sich der Stadt näherte, glitten im Froste des Herbstmorgens zwei bleiche Gestalten, die sich fest umwanden, von der dunklen Masse herunter in die kalten Fluten.«

Die Ganzheit des Lebens umschließt beides: Tag und Nacht, Liebe und Haß, Leben und Tod. Sie sind nicht Gegensätze, sondern Teile des Ganzen. Deswegen empfinden wir »das Leben nie so **GANZHEIT** stark wie beim Untergang eines Helden« (Paul Ernst). **DES LEBENS** Nachdem sich die Wellen geglättet haben, ist wieder Ruhe und Stille in der Welt; das Leben geht weiter.

Auch unter seinen Gedichten, deren Anfänge in die Nach-Münchener Zeit zurückreichen, als sich Keller »dem Kampfe für völlige Unabhängigkeit und Freiheit des Geistes und der religiösen Ansichten« in die Arme geworfen hatte, finden sich – neben vielen Anleihen bei Eichendorff, Mörike, Hebbel und Goethe – immer wieder eigene Töne der Weltfrömmigkeit, die Tiefe und Gesamtheit alles Seienden anzusprechen suchen, so z. B. in dem Gedicht *Gott ist ein großes stilles Haus* oder in seinem *Abendlied,* das dem Wissen um Nacht und Tod ein frohes Ja zum Leben abringt.

»Augen, meine lieben Fensterlein,
Gebt mir schon so lange holden Schein,
Lasset freundlich Bild um Bild herein:
Einmal werdet ihr verdunkelt sein!

Fallen einst die müden Lider zu,
Löscht ihr aus, dann hat die Seele Ruh;
Tastend streift sie ab die Wanderschuh,
Legt sich auch in ihre finstre Truh.

Noch zwei Fünklein sieht sie glimmend stehn
Wie zwei Sternlein, innerlich zu sehn,

> Bis sie schwanken und dann auch vergehn,
> Wie von eines Falters Flügelwehn.
>
> Doch noch wandl' ich auf dem Abendfeld,
> Nur dem sinkenden Gestirn gesellt;
> Trinkt, o Augen, was die Wimper hält,
> Von dem goldnen Überfluß der Welt!«

Daneben gelingen Keller nur wenige Gedichte so eindrucksvoll wie seine *Winternacht* mit der geheimnisvollen Nixe unter dem Eis, die vielleicht Symbol ist seiner Flucht vor der Verzauberung durch romantische Stimmung und Schönheit:

> »Mit ersticktem Jammer tastet' sie
> An der harten Decke her und hin,
> Ich vergess' das dunkle Antlitz nie,
> Immer, immer liegt es mir im Sinn!«

In Kellers *Züricher Novellen* (1876) ist die aus den Seldwyla-Geschichten bekannte Bindung an das Gewordene und Bestehende noch gewachsen, mit ihr aber auch die Skepsis des **UMS RECHTE** Dichters. Bürger- und Heimatsinn werden besungen, **MASS** aber auch in ihrer Begrenztheit gezeigt (»Fähnlein der sieben Aufrechten«); auf dem Grund spürbarer Bitterkeit wird so etwas wie die Einheit von humanitärem und demokratischem Geist, von Sittlichkeit und Sitte, Personalität und Gemeinschaft angestrebt.

Der gelehrte Bauernsohn *Hadlaub* schreibt die Manessesche Liederhandschrift (vgl. S. 47) ab, wird Dichter und vermählt sich mit der schönen Fides. – *Der Narr auf Manegg* hat die manessesche Burg erworben und führt ein Sonderleben, bis er nach einem Überfall für seine Vergehen bestraft wird. – *Der Landvogt von Greifensee* bleibt trotz fünfmaligen Brautstandes unvermählt. – Im *Fähnlein der sieben Aufrechten* steht die Tüchtigkeit der Jugend gegen die Verhärtung der Alten: Der begüterte Frymann und der einfache Hediger müssen vor der Liebe ihrer Kinder Hermine und Karl kapitulieren, freilich ohne ihre Würde zu verlieren.

Das satirische Element steigert sich zuweilen bis zum Grotesken und Grausamen, Ziel jedoch bleibt das rechte Maß im Leben. Das bestimmt auch Form und Ausdruck. »Wenn wir so ein ›Fähnlein der sieben Aufrechten‹ oder so eine ›Frau Regel Amrain‹ zuschlagen«, schreibt Hugo von Hofmannsthal, »so wissen wir, daß wir das Ganze eines Lebens hier in der Hand haben, und sind zufrieden wie die Hausfrau, wenn sie ein Paar Rebhühner in der Hand wiegt und weiß, daß sie nicht betrogen worden ist«.

In seinen *Sieben Legenden* (1872) gelingen Keller liebenswürdige poetische Stücke, die das von der Gattung »Legende« erwartete Heilsgeschehen um Heilige in einem sinnenfrohen, heiter-ausgelassenen irdischen Leben ansiedeln. Das *Tanzlegendchen* zeigt besonders anmutsvoll Kellers parodistisches Vorgehen, getragen von einer »liebevoll-zarten und ironischen Erzähllaune« (Fritz Martini) und im Kleide christlicher Mythologie: Die in die Hölle verbannten neun Musen treffen sich einmal mit den Englein aus dem Himmel.
    Logaus (S. 115) rokokohaft scherzenden Vers

> »Wie willst du weiße Lilien zu roten Rosen machen?
> Küß eine weiße Galatee: Sie wird errötend lachen.«

nimmt Keller zum Motto seines *Sinngedichts* (1881). Ein dem Laboratorium entflohener junger Naturforscher will die Gültigkeit der Versaussage erproben. In kunstvoller Rahmenhandlung gehen sieben Novellen auf das Thema der Begegnung zwischen Mann und Frau ein. Bei aller Verklärung durch die Liebe bleibt das irdisch Wirkliche ausschlaggebend, und seine Fährnisse werden in Reife überwunden. So entstanden nach den Vorbildern Boccaccio (»Il Decamerone«) und Goethe (»Unterhaltungen deutscher Ausgewanderten«) formal vollendete Novellen.

Den Abschluß von Kellers dichterischem Schaffen bildet der Roman *Martin Salander* (1886), den er aus der Sorge um den Fortbestand bürgerlichen Geistes schrieb und mit viel Lehrhaftem belud. Ähnlich wie Gotthelfs »Berner Geist« stößt er, als reaktionär verrufen, auf den Widerstand seiner Zeitgenossen, obwohl er zu den bedeutenden politischen Romanen des Jahrhunderts zählt und Stifters großem historischem Roman »Witiko« vergleichbar ist.

Keller entwirft in diesem Alterswerk ein kritisches Bild der korrupten achtziger Jahre, in dessen Mittelpunkt der unverbesserliche Idealist Salander an der Seite seines Freundes Weidelich steht. Die Geschichte beider Familien zeigt den vorübergehenden Aufstieg der charakterlosen Streber (Weidelich), während die charakterfesten Salander immer wieder abgehängt und um ihren Lohn betrogen werden.

In seiner wirklichkeitsnahen, illusionslosen und dem Leben trotz Sorge um die überkommene bürgerliche Ehrenhaftigkeit und Sittlichkeit zugewandten Gesamthaltung übertrifft dieser Zeitroman ähnliche Versuche des Alexis und der Jungdeutschen.

Enger und flacher als Keller in der Erfahrungsbreite und Seelentiefe des Humors, aber echter und kraftvoller als Auerbach, stellt sich uns **Fritz Reuter** (1810–74) mit seinem plattdeutsch geschriebenen literarischen Werk dar.

Im Zuge der Demagogen-Verfolgungen als Burschenschafter 1833 verhaftet, wurde der völlig Schuldlose 1836 zum Tode verurteilt und nach sieben Festungsjahren, zu denen man ihn begnadigte, gesundheitlich schwer geschädigt, wieder entlassen. Die Suche nach einem Beruf blieb 10 Jahre erfolglos.

Mit seinen Gedichten *Läuschen un Rimels* (1853) und der autobiographischen Trilogie *Ut de Franzosentid; Ut mine Festungstid; Ut mine Stromtid* (1860–64) gewann er Auskommen und **KRAFTVOL-** Ansehen. In geglückter Mischung von Ernst und Hei-**LES** terkeit zeigen diese behäbig breiten Zeitgemälde eine **VOLKSTUM** Reihe plastisch gerundeter niederdeutscher Gestalten (Entspekter Zacharias Bräsig, Rittergutsbesitzer Pomuchelskopp), kraftvolles Volkstum und – trotz aller bitterer Erfahrung – ein versöhnliches Weltbild, nach dem »die Leichtsinnigen gebessert, die Guten belohnt, die Herzlosen ausgelacht werden«.

Angeregt zu seinen plattdeutschen Dichtungen wurde Reuter von der Gedichtsammlung *Quickborn* (1852) des Holsteiners **Klaus Groth** (1819–99). Unweit von Hebbels Heimatdorf geboren, wurde aus dem armen Müllersohn ein Lehrer, schließlich ein Professor in Kiel. Das innige Verhältnis zum Leben des Volkes und zur Dithmarschen Heimat, die in gemütvollen Bildern eingefangen wird, fand im Platt die adäquate Sprache und machte es literaturfähig. (Man vergleiche dazu die verwandten Versuche mit der Mundart bei J. H. Voß und J. P. Hebel.) War Reuter mehr der humorvolle Plauderer, so ist Groths eigentliches Gebiet die liedhafte Lyrik:

> »Dar wahn en Mann int gröne Gras,
> De harr keen Schüttel, harr keen Taß,
> De drunk dat Water, wo he't funn.
> De plück de Kirschen, wo se stunn'...

De Sünn, dat weer sin Taschenuhr,
Dat Holt, dat weer sin Vagelbur,
De sungn em abends äwern Kopp,
De wecken em des Morgens op.

De Mann, dat weer en narrschen Mann,
De Mann, de fung dat Gruweln an:
Nu möt wie all in Hüser wahn'. –
Kumm mit, wie wüllt int Gröne gan!«

John Brinckman (1814–70) aus Rostock gesellt mit seiner abenteuerlichen Seefahrergeschichte *Kaspar Ohm un ick* (1868) zur bäuerlichen Welt von Groth und Reuter die Weite des Seefahrer- und Kaufmannslebens. – Innerhalb der Grenzen seiner niederdeutschen Heimat bleibt auch das Werk **Timm Krögers** (1844–1918); aber überall »klopft« er »mit den unlösbaren Fragen des Warum und Wie und Wohin an die Tore des Ewigen«.

Neben Gotthelf, dem Dichter des Bauerntums, dessen naturgemäßes, gottverbundenes Leben er als Vorbild hinstellt, und neben Keller, dessen Denken und Dichten einem weltoffenen, soliden Bürgertum gilt, steht **Conrad Ferdinand Meyer** (1825–98), der dritte große Schweizer Dichter dieser Jahre, ganz im Banne der Geschichte und der bildenden Kunst.

Meyer, geboren in Zürich, entstammt einem alten patrizischen Geschlecht. Sein Vater war Staatsmann und Historiker. Schon der Schulbesuch in Lausanne bringt den Jungen in engen Kontakt mit der romanischen Kultur und Literatur, der ihm zeit seines Lebens bleibt – ebenso wie seine Anfälligkeit für Schwermut und seelische Krankheiten, denen er 1891 ganz verfällt. Der deutsch-französische Krieg veranlaßt bei ihm nach ausgiebiger Übersetzer-Tätigkeit auch eine Hinwendung zur deutschen Literatur. Daneben vertiefen große Bildungsreisen seine Verbundenheit mit der französischen und italienischen Kunst, vor allem der Michelangelos. Seine letzte Ruhestätte fand Meyer auf dem Bergfriedhof in Kilchberg bei Zürich, auf dem – ein halbes Jahrhundert später – auch die sterblichen Überreste von Thomas Mann beigesetzt wurden.

Meyers Dichtungen zeigen eine starke Neigung zur sprachlichen Komprimierung und stofflichen Straffung. So drängt sein episches Schaffen vor allem zur Novelle, die oft mit Hilfe der Rahmentechnik Schreiber und Leser noch weiter von den seelischen Vorgängen distanziert,

FLUCHT IN
DIE GE-
SCHICHTE

als es schon durch das Medium der Geschichte geschieht. Den gesundheitlich gefährdeten Dichter zieht die Macht- und Sinnenwelt
der Renaissance besonders an, aber auch das Mittelalter und die Zeit
des Barocks liefern Stoffe und Gestalten für seine zwischen 1872 und
1891 entstandenen bedeutsamen Novellen:

Das Amulett (Wundersame Errettung aus den blutigen Wirren der Bartholo-
mäus-Nacht); *Der Schuß von der Kanzel* (Die Jagdlust eines Pfarrers muß
herhalten, ihm das Jawort zur Heirat seiner Tochter abzulisten); *Der Heilige*
(Das tragische Geschick des Kanzlers Thomas Becket); *Plautus im Nonnen-
kloster* (Poggio, ein Florentiner Humanist, erzählt aus dem Klosterleben);
Gustav Adolfs Page (Als Page Leubelfing verkleidet, stirbt ein Mädchen für
den geliebten König); *Die Leiden eines Knaben* (Die Jesuiten quälen einen
Zögling zu Tode, weil sie seinem Vater nichts anhaben können); *Die Hochzeit des Mönchs* (Dante erzählt die Geschichte eines Mönches, der am Sterbebett des Vaters verspricht, die Kutte abzulegen, und dann allen sittlichen
Halt verliert); *Die Versuchung des Pescara* (Der Feldherr Pescara hat eben
für seinen Kaiser die Schlacht von Pavia gewonnen, als ihm die Krone von
Neapel in Aussicht gestellt wird, wenn auch er – wie der Papst und die italienischen Fürsten – vom Kaiser abfalle. Pescara, an geheimnisvoller Wunde
dahinsiechend, widersteht der Versuchung und stirbt nach der Eroberung
Mailands.).

»Am liebsten vertiefe ich mich in vergangene Zeiten«, schreibt
Meyer, »deren Irrtümer ich leicht ironisiere und die mir erlauben, das
Ewig-Menschliche künstlerischer zu behandeln, als die brutale Aktivität zeitgenössischer Stoffe mir gestatten würde«. Oft stilisiert der
Dichter die Wirklichkeit, oder er monumentalisiert sie, so daß sie als
kühle Schönheit erscheint, nach außen hin statuarisch und plastisch,
geschickt komponiert mittels psychologisch sorgfältig gebauter
Handlung, die in geradezu dramatischer Geradlinigkeit verläuft.
Freilich läßt eine solche Kunstprosa die Gestalten nicht besonders
»lebendig« erscheinen. Aber hinter der geschliffenen, klaren Sprache mit ihrem Reichtum an Symbolen und Gebärden, die gerade an
inneren Höhepunkten die Rede ersetzen, wie auch hinter der glei-
ßenden Fassade der von Meyer dargestellten Schauplätze und Zeiten
bleibt ein Gefühl des Getroffenseins und der Weltangst, der Ver-
wundbarkeit und Gefährdung unverkennbar. Auch die Umsetzung
seiner Gedanken in Anschauung und die menschliche Charakterisierung durch Mimik und Gebärde, die seine Novellen zu epischen Dramen machen, sowie die meisterhafte Spiegeltechnik sind Versuche,

die eigene »bebende« Ergriffenheit zu verstecken. Die Sehnsucht nach Schönheit, menschlicher Größe und Vollkommenheit inmitten einer ringsum als materialistisch und mechanistisch erfahrenen Wirklichkeit ist letztlich nicht nur ein ästhetisches, sondern auch ein ethisches Anliegen. Wie bei Baudelaire und Flaubert setzt bei Meyer die Kunst Entsagung und Verzicht auf das volle Leben voraus.

Im Widerstreit von Sicherheit und Gefährdung, Aufstieg und Sturz, Leidenschaft und Tugend, im Blick auf den Tod, der Meyers **WIDER-SPRÜCH-LICHKEIT DES LEBENS** Verhältnis zum Leben klärt und läutert, verharren seine Gestalten in tragischer Einsamkeit, ist er selbst – trotz aller Unterschiede – ein Verwandter Kellers, Storms und Raabes. Gerade darin aber trägt seine Dichtung viele moderne Züge: er weiß um den Unterschied zwischen der »konventionellen Auffassung eines Menschenlebens und seiner grausamen Wirklichkeit«.

Im selben Jahr von Meyers »Heiligen« schreibt Nietzsche in »Menschliches Allzumenschliches«: »Nicht das, was der Heilige ist, sondern das, was er in den Augen des Nicht-Heiligen bedeutet, gibt ihm seinen welthistorischen Wert.« In diesem Sinne desillusioniert Meyer die Gestalt des Heiligen mit psychologischem Sezieren. Die schöne Welt des Äußeren bleibt nur verbergende Hülle für die »Innenwelt des Gewissens und Leidens«. Häufig (in den Novellen *Die Richterin; Angela Borgia; Gustav Adolfs Page*) wird der Blitz zum Symbol für Spannung und Entladung. In *Jürg Jenatsch* (1876), dem Roman über den streitbaren protestantischen Pfarrer, der im Dienste der Freiheit Graubündens vor Verrat und Mord nicht zurückschreckt, den Vater der Geliebten erschlägt und seine Religion wechselt, wird dieser schließlich mit dem Mordbeil von der Geliebten getötet. Im Requisit des Beils verdichten sich (wie im Amulett oder in den Entsprechungen von Handlung und Wandbild) die Zusammenhänge und werden sichtbar; eine dunkle Schicksalsmacht wird vernehmbar, unter deren Walten Meyer um das richtige Verhältnis zu den skrupellos Handelnden der Geschichte und der Machtfülle ihres Renaissance-Lebens ringt. Dabei stand die Gestalt eines Bismarck ebenso vor ihm wie die kulturphilosophische Weisheit seines Zeitgenossen Jacob Burckhardt. Aus dem Konflikt von Recht und Macht gibt es für Meyer keinen Rückzug mehr auf den ordo-Gedanken eines Stifter-Witiko; er leidet spürbar unter dem, was Nietzsche die »Bestie« nennt. Von diesem Leiden ist auch Jürg Jenatsch nicht frei.

Um das Innere, das sich nach außen hin zu statuarischer Gestalt und strenger Gesetzmäßigkeit der Bewegung verfestigt, geht es auch in

Meyers Lyrik. Sie deutet damit – wie die des späten Mörike – auf
                George und Rilke hin und beendet sowohl die Epoche
ZUCHT DER   des lyrischen Gefühlsmonologs Goethes wie die des
FORM   romantischen Liedes. Meyer kennt kein unmittelbares
                Verströmen des erlebenden dichterischen Ich, sondern
nur die mittelbare bildhafte Gestaltung, für die ihn die plastische
Kunst Michelangelos hohes Vorbild war: »In der Poesie muß jeder
Gedanke sich als sichtbare Gestalt bewegen.«

> »Aufsteigt der Strahl und fallend gießt
> Er voll der Marmorschale Rund,
> Die, sich verschleiernd, überfließt
> In einer zweiten Schale Grund;
> Die zweite gibt, sie wird zu reich,
> Der dritten wallend ihre Flut,
> Und jede nimmt und gibt zugleich
> Und strömt und ruht.«   *(Der römische Brunnen)*

Schon die Verserzählung *Huttens letzte Tage* (1872) hebt ihn von den beliebten poetischen Schönfärbereien seiner Zeitgenossen (etwa des Münchener
Dichterkreises) ab durch die Knappheit und ungezwungene Erlesenheit seiner Sprache. Mit der Darstellung des Zwiespaltes »zwischen der in den Welt-
lauf eingreifenden Tatenfülle der Kampfjahre Huttens und der traumartigen
Stille seiner letzten Zufluchtsstätte«, also zwischen dem Kämpfer und Künstler, wendet sich Meyer der deutschen Geistesgeschichte zu: »Der große
Krieg, der bei uns in der Schweiz die Gemüter zwiespältig aufgeregt, ent-
schied auch einen Krieg in meiner Seele. Von einem unmerklich gereiften
Stammesgefühl jetzt mächtig ergriffen, tat ich bei diesem weltgeschichtlichen
Anlasse das französische Wesen ab, und, innerlich genötigt, dieser Sinnesän-
derung Ausdruck zu geben, dichtete ich ›Huttens letzte Tage‹.«

In seinen Gedichten treten an die Stelle von Sangbarkeit und Musikalität das Bildhafte und Tektonische. Neben Landschaftsszenen sind es
vor allem Werke der bildenden Kunst, die ihn immer wieder inspirieren. Sein »Römischer Brunnen« zeigt ihn auf der Höhe der Meisterschaft. Bild und Gefühl tragen sich gegenseitig und empfangen Leben
und Kontur voneinander (vgl. sein Gedicht *Lethe*). Meyers Balladen
sind von dramatischer Wucht und Spannung. In immer neuen Ansätzen versucht er, seinen Gedichten ein Höchstmaß von Verdichtung,
Bildstärke und Profilierung abzuringen. Dieser Stilwille mit strenger
Maßgebung und Gesetzlichkeit läßt das bürgerliche Epigonentum

ebenso weit hinter sich, wie er auf die moderne Lyrik vorausweist.
Als »erster Symbolist« bleibt er mit seinen Gedichten als Wortkunst-
werken ohne Nachfolge im Umkreis des Realismus, wie er auch keine
Vorläufer hat.

Während es den großen Erzählern des Realismus nur schwer –
manchen überhaupt nicht – gelang, in ihrer dichterischen Bedeu-

BÜRGERLI-
CHE TÜCH-
TIGKEIT

tung von den Zeitgenossen anerkannt zu werden,
brauchte sich der Schlesier **Gustav Freytag** (1816–95)
nicht über mangelnde Gunst der Leserschaft zu beklagen. Seiner journalistisch gewandten Feder lagen kulturgeschichtliche Themen mit sozialem und nationalem Einschlag besonders. In seinem Kaufmannsroman *Soll und Haben* (1855) verfolg-
te er den Lebensweg des tugendhaften Anton Wohlfart durch die einzelnen Schichten der Gesellschaft hin zu Ansehen und Reichtum und
traf damit die unverhüllte Sehnsucht der Menschen seiner Zeit.

Der Kaufmann Schröter und sein fleißiger, intelligenter und redlicher Lehrling Anton Wohlfart sind allem Träumerisch-Romantischen abgeneigt. Be-
rufliches Können, Vorankommen und gesellschaftliche Vervollkommnung
sind die Bildungsideale des jungen Menschen. Erfüllung gibt es nur im Alltag
der Arbeit, eine Haltung, hinter der preußisches Pflichtgefühl und protestantische Werkheiligung stehen. So ist es verständlich, daß Anton nicht Leonore, die entzückende Tochter des Freiherrn von Rothsattel, sondern Sabine,
die tüchtige Schwester des Kaufmanns, heiratet.

Daneben fanden seine *Bilder aus der deutschen Vergangenheit* (1859–62)
mit ihren bestechenden kulturhistorischen Szenen und die historischen Erzählungen *Die Ahnen* (1873–81), aufgereiht am Werdegang einer langen Ge-
nerationsreihe durch alle Epochen der deutschen Geschichte, den freudigen
Zuspruch des literaturbeflissenen Bürgertums.

»Immer hatte mich das Leben des Volkes, welches unter seiner politischen
Geschichte in dunkler, unablässlicher Strömung dahinflutet, besonders angezogen, die Zustände, Leiden und Freuden der Millionen kleiner Leute«,
schrieb Freytag, und das Motto zu seinem zweiten Roman, »Soll und Haben«,
lautet: »Der Roman soll das deutsche Volk da suchen, wo es in seiner Tüchtigkeit zu finden ist, nämlich bei seiner Arbeit.«

Damit kam Freytags Realismus einer »gemütvollen Verklärung des
bürgerlichen Alltags« gleich – abgehoben freilich von Scheffels Rührseligkeit und Heyses Formalismus, in vielem gut beobachtend, humo-
ristisch und auch satirisch; aber doch zu poetisierend und künstlich.

Freytags Lustspiel *Die Journalisten* (1852) zählte lange zu den wenigen gelungenen deutschen Komödien; aber seine Bühnenwirksamkeit gründet mehr in der Befolgung handwerklicher Regeln als im sicheren poetischen Zugriff auf überzeugend komische Charaktere und Situationen. Der politische Wahlkampf, vor allem geführt durch die beiden Zeitungen »Union« und »Coriolan«, entzweit die ehemaligen Freunde Oberst Berg und Professor Oldendorf, die gegeneinander kandidieren. Der Professor siegt, nicht zuletzt, weil der Philister Piepenbrink auf seine Seite gebracht wird. Der Oberst ist durch solche »Schande« völlig geknickt, bis er erfährt, daß er hintergangen wurde. Nun kehrt der Friede zwischen den beiden wieder ein: Oldendorf bekommt Ida, des Obersten Tochter.

Anders als Freytag hat der Marx- und Engels-Freund **Georg Weerth** (1822–56) die Verelendung des Angestellten sowie seine Ausbeutung durch das Kapital aufgezeigt. Da ist (in den *Humoristischen Skizzen aus dem deutschen Handelsleben*, 1845–48) der untertänige Buchhalter Lenz, der sklavischtreue Kontorist Sassafraß, der opportunistische Handelsvertreter Sommer: Sie sind durch das System korrumpiert; die Regeln heißen: Arbeit für das Handelshaus, Gehorsam gegenüber dem Prinzipal, Glaube an das Geld. Die eigene Persönlichkeit wird unterdrückt. »Den raffinierten und skrupellosen Unternehmergestalten steht hilflos und ängstlich der abhängige Angestellte, der kleinbürgerliche Untertan, gegenüber. Er ist nicht nur der absoluten Macht des Kapitalisten ausgeliefert, er hat mit seinem verdinglichten Bewußtsein auch jene Ideologie verinnerlicht, die die Herrschenden zu ihrem Nutzen und Vorteil geschaffen haben: Obwohl der Lohnabhängige selbst den geringeren Nutzen von seiner Arbeit hat, ist er ein ›trefflicher Arbeiter‹, er liebt seine Arbeit, ja, ihm ist ›feierlich ernst‹ dabei zumute. Seinem Herrn, den er göttergleich verehrt, opfert er gern sein ganzes Leben. ›Ach, indem ich begeistert für ihn arbeitete, habe ich mich selbst vergessen.‹« (Jürgen-Wolfgang Goette)

ENTSEE-LUNG DER WELT

Von Gustav Freytag entdeckt und gefördert wurde **Luise von François** (1817–93). Neben einigen Novellen erhebt sich ihr historischer Roman *Die letzte Reckenburgerin* (1871) zur dichterischen Höhe der Droste. In ihm findet sich die Stelle:

»Gen Morgen stieg die Sonne in die Höhe; heute nicht wie damals in der Reckenburg nur ein Gottesauge: ein leuchtender Ball, der über Verzweiflung und Wonne, Verrat und Liebe mechanisch dahingleitet, klar und seelenlos.«

Die Erinnerung an ähnliche Bilder bei Büchner und Stifter kommt auf; aber was dort als Gefühllosigkeit bzw. Gleichgültigkeit der Natur (als »aorgisch«) das Lebensgefühl des frühen und hohen Realismus bestimmte, ist hier dem Begriff des Mechanischen gewichen. Damit nimmt die Dichterin, eine Briefpartnerin Meyers, Bestrebungen des späten Realismus vorweg. – In *Frau Erdmuthens Zwillingssöhne* (1873) erzählte sie Ereignisse der Befreiungskriege.

Wesentliche Förderung verdankte – ebenso wie Luise von François – **Marie von Ebner-Eschenbach** (1830–1916), eine mährische Grafentochter, der von Julius Rodenberg herausgegebenen Zeitschrift *Deutsche Rundschau*. Zu deren Mitarbeitern zählten u. a. auch Keller, Meyer und Storm.

Die Geschehnisse in den Erzählungen dieser Dichterin spielen in der Welt des Wiener Hochadels, der Landadligen, aber auch des

MENSCHEN-
FREUND-
LICHKEIT

kleinen Bauern und Bürgers. In gütigem Verstehen läßt sie die sozial Armen und Geknechteten zu ihrem Recht kommen, das Gute über das Böse siegen, getreu ihrem Ausspruch: »Die Güte, die nicht grenzenlos ist, verdient den Namen nicht.« Getragen von einer versöhnlich-heiteren, oft auch ironischen Lebensschau, bringen ihre Novellen, in den *Erzählungen* (1875); *Dorf- und Schloßgeschichten* (1883); *Neue Dorf- und Schloßgeschichten* (1886) gebündelt, neben fesselnder Handlung prächtig getroffene Charakter- und Tierbilder *(Krambambuli; Die Spitzin)*.

Der Hund Krambambuli steht zwischen dem Förster, seinem neuen Herrn, und dem Wilddieb, seinem alten Besitzer, der ihn verschachert hat. Er büßt seine Treue zum alten Herrn mit dem Leben, als die Kontrahenten im Wald aufeinanderstoßen.

Die Spitzin, der man schon drei Junge weggenommen hat und die von einem rohen Zigeunerfindling halb erschlagen wird, schleppt sterbend ihr letztes Junges herbei und erweicht damit den Bösewicht. Er lernt des Tierleins wegen, was er in seinem Trotz nie gelernt hätte, das Bitten.

Ebner-Eschenbachs Erzählungen wenden sich gegen »blöde, grausame, freche Gleichgültigkeit« und in Liebe dem lächelnden Menschenfreund zu. Davon werden auch ihre empfindsamen und geschliffenen *Aphorismen* (1880) bestimmt. Noch im Einfältigen und Verworfenen (Roman *Das Gemeindekind,* 1887) wird der menschliche Bruder gesucht und seine Humanität der Tat gezeigt, die fern von seelenfremder Theorie und salbadernder Sentimentalität ist.

Der Realismus erstrebt in der Dichtung Wirklichkeit. Die Wirklichkeit, wie sie ist, wie sie war, soll ohne romantische Erhöhung dem Leser durch getreue Wiedergabe des Zeit- und Lokalkolorits und eine genau beobachtende Psychologie nähegebracht werden. Dabei beabsichtigt auch der Realismus auf seinem Höhepunkt noch immer die Errichtung eines verbindlichen Menschen- und Weltbildes; das zeigt der Blick auf Büchner und die Droste einerseits und auf Stifter und Keller andererseits. Was im frühen Realismus als Weltwesen dämonisch oder aorgisch-fremd gesehen wurde, wird auf der Höhe des Realismus zu einer Weltfrömmigkeit, die alles Seiende in seiner Tiefe und Ganzheit, aber nur dieses – ohne Transzendenz –, zu erfassen sucht. Gilt auch für Keller noch der Satz: »Unser Gott ist ein immanenter Gott«, im späten Realismus geht diese »immanente Transzendenz« verloren. Der späte Realismus gelangt zu ernsten Zweifeln an der menschlichen Freiheit und zum Bewußtsein einer heillosen Schicksalhaftigkeit des Seins. Storm flüchtet in ein begnügsames Abseits oder männliches Trotzdem, Raabe lehrt ein geduldiges, entsagungsvolles Sich-Bescheiden, und Fontane empfiehlt ein tapferes Aushalten und Haltung-Bewahren ohne jede Hoffnung. Religion bedeutet diesen Dichtern nur noch ein allgemeines sittliches Empfinden und wird besser mit »moralischer Sozialismus« umschrieben. Damit freilich ist die Schwelle zum Naturalismus schon überschritten. Der Abbau aller Transzendenz, auch der immanenten, deutete sich schon bei Otto Ludwig an, zeigt sich nun aber vor allem im Werk **Theodor Storms** (1817–88).

Storm, geboren in Husum, mußte nach der Einverleibung Holsteins an Dänemark die Advokatenstelle in seiner Geburtsstadt aufgeben, kam an das Kreisgericht Potsdam und erlebte schließlich als Kreisrichter in Heiligenstadt auf dem Eichsfeld (1856–64) die seelische Härte eines »Exil«-Daseins, verschärft durch eine ungestillte Sehnsucht nach der friesischen Heimat. 1864 konnte er endlich nach Husum zurückkehren.

Storms Ruhm als Dichter begann mit seiner Novelle *Immensee* (1851), die freilich noch sehr aus dem Duft der Vergangenheit, bürgerlicher Gefühlswelt und bloßem Stimmungszauber lebte und dabei in bedrohliche Nähe zur sentimentalen Poesie rückte, die mit ihrem Sprachrohr *Die Gartenlaube* (1853–1918) ein beträchtliches Zeitschriftenpublikum fand. – Aber schon die Novelle *Auf dem Staatshof* (1858) zeigte das Eigene Storms; die eindrucksvollen, anschaulichen Naturbilder sind bei aller Sachlichkeit voller Stimmung; sie kommen ohne Symbolik aus, erweisen sich als reine »impressionistische« Wiedergabe:

STIMMUNGSZAUBER AUS ERINNERUNG UND ENTSAGUNG

»Der Mond schien auf Anne Lenes kleine Hand... Ich hatte nie das Mondlicht auf einer Mädchenhand gesehen, und mich überschlich jener Schauer, der aus dem Verlangen nach Erdenlust und dem schmerzlichen Gefühl ihrer Vergänglichkeit so wunderbar gemischt ist.« Von Stifter, bei dem sich eine ähnliche Szene findet, unterscheidet sich Storm durch diese neue Mischung von Sinnlichkeit und Todesahnung, die bar jeder metaphysischen Dimension ist, wobei auch das Tröstliche im Weiterleben der Natur nicht mehr gesehen wird.

In der Novelle, die nach Storms Worten »die strengste und geschlossenste Form der Prosadichtung, die Schwester des Dramas«, darstellt und bei der ein Autor das »Höchste der Poesie« zu leisten habe, findet der träumerisch veranlagte herbe Friese die ihm gemäße Gattung. Fast alle seine Novellen behandeln den Kampf des einsamen, verschlossenen Menschen mit Verhängnis und Schicksal, die oft aus dem eigenen Innern aufsteigen. Meistens spielen sie unter dem düster verhangenen Himmel dieser nördlichen Landschaft mit Geest, Marsch und Meer. Ein Hauch von Vergänglichkeit weht uns an, wenn unter der Feder des Dichters Spuk und Sage, Haus und Hof, Möbelstücke und Bilder, alte Chroniken und Inschriften oder menschliche Zeugen wieder lebendig werden und die Fixierungspunkte für das Novellengeschehen abgeben.

Der Dämmerung und dem lastenden Himmel entsprechen die abwartende und entsagende Haltung seiner Gestalten, bei denen nur

selten die Lebensglut aufleuchtet, die in der Lage ist, die lähmende
Schwermut zu durchbrechen.

Seine Prosa will Storm »wie Verse arbeiten«, unter Verzicht auf
Reflexion und Deutung. Keller nannte ihn den »stillen Goldschmied
und Silber-Filigranarbeiter«.

In *Pole Poppenspäler* (1875) erzählt Storm die Geschichte des alten Puppen-
spielers Josef Tendler aus München, dessen Tochter Lisei den Kunstdrechsler
Paul Paulsen schließlich heiratet. Die beiden jungen Leute hatten sich kennengelernt, als die Wandertruppe des Schauspielers in Schleswig gastierte,
und waren einander in einer mitteldeutschen Stadt erneut begegnet, wo man
Vater Tendler eines Diebstahls verdächtigte. – Obwohl die (Spieß-)Bürger
Paul verspotten, weil er mit fahrenden Komödianten zusammenlebt, erfüllt
er den Wunsch des Alten, noch einmal spielen zu dürfen. Das Fiasko der
Vorstellung überwindet der alte Tendler nicht mehr; nach seinem Begräbnis
wirft man die Figur des verlorengegangenen Kasperl über die Kirchhofsmau-
er. Aber all dieser grausame Haß kann das Glück von Lisei und Paul nicht
trüben.

Aquis submersus (1877) ist Storms erste historische Novelle im Chronikstil. Das Zerfließend-Stimmungshafte weicht einer herben
Straffung; die Themen der weiteren Werke sind realistischer, die
Probleme mehr psychologischer Art. Storm dichtet »aus dem Gefühl der schwindenden Zeit«. Sein starkes Gefühl für Vergänglichkeit mündet in einen resignierenden Pessimismus, für den es keine
Hoffnung und Tröstung des Glaubens mehr gibt. Es bleibt nur »die
leise Furcht, daß im letzten Grund doch nichts Bestand hat, worauf
unser Herz baut: die Ahnung, daß man am Ende einsam verweht
und verlorengeht; die Angst vor der Nacht des Vergessen-Werdens,
dem nicht zu entrinnen ist«. Hier ist auch nicht mehr Platz für den
Optimismus des Materialismus, von dem im »hohen Realismus« die
Rede war.

Ein starkes sinnliches Verlangen, das Verrinnende zu genießen,
und die herbe Trauer, es nicht genügend ausgeschöpft zu haben,
schaffen eine trostlose Stimmung als in Mörikes Mozart-Novelle.
Auch darin zeigt sich der Unterschied der Zeiten. In den späten Novellen *Die Söhne des Senators* (1881); *Zur Chronik von Grieshuus*
(1883); *Ein Fest auf Haderslevhuus* (1885) erscheint die Wirklichkeit
immer unverbrämter, das Zergliedern seelischer Vorgänge noch
intensiver. Am deutlichsten wird die Entwicklung Storms, stellt

man neben »Immensee« seine letzte Novelle, *Der Schimmelreiter*
(1888).

Der Deichgraf Hauke Haien steht im Kampf mit Mensch und Meer. Einer
Hochflut fallen Weib und Kind wie er selbst zum Opfer. Er ist dem Unverstand und der Bosheit seiner Mitmenschen ebenso unterlegen wie den Elementen und Gewalten der Natur. Der von ihm konstruierte Deich aber bleibt
bestehen.

Titanischer Kampf ist an die Stelle wehmütiger Entsagung getreten,
männlich harter Trotz steht gegen das Wüten des Unwetters und der
Menschen; der Kämpfer bleibt allein auf sich gestellt; von einem Jenseits ist nicht die Rede.

Auch als Lyriker ist Storm ein bedeutender Dichter. Knapp,
schlicht, innig, zart, ganz Bild und Anschauung, leben
FRIEDLICHES   seine Gedichte aus Stimmung und sinnlicher Vergegen-
ABSEITS   wärtigung. Die Töne seiner Erzählkunst finden sich
wieder, nur noch verdichteter, beseelter:

> »Über die Heide hallet mein Schritt;
> Dumpf aus der Erde wandert es mit.
> Herbst ist gekommen, Frühling ist weit –
> Gab es denn einmal selige Zeit?
> Brauende Nebel geistern umher;
> Schwarz ist das Kraut und der Himmel so leer.
> Wär' ich hier nur nicht gegangen im Mai!
> Leben und Liebe –, wie flog es vorbei!«
>
> *(Über die Heide)*

Vergleicht man Goethes »Über allen Gipfeln ist Ruh« mit Storms *Abseits*
(»Es ist so still; die Heide liegt / Im warmen Mittagssonnenstrahle . . .«), wird
der Unterschied der Zeiten deutlich. Beide Male greift die Stimmung von der
Natur auf das menschliche Herz über. »Dabei gestaltet Storm die Szene reicher und farbiger, realistischer als Goethe. Im Augenschließen aber erschließt sich ihm ein Traum von Honigernten; den Gegensatz zur aufgeregten
Zeit bildet nicht die Ewigkeit, sondern ein friedliches Abseits. Das Ganze ist
letztlich Ausdruck der Sentimentalität des Städters auf dem Lande. Goethe
dagegen spricht ein letztes Grundgefühl menschlichen Daseins aus. Ihm erschließt die Stimmung ein Wissen um den Einklang des Menschen mit dem
All. Das nachmärzliche Gefühl eines großen Verlustes geht deshalb als irgendein wehmütiges ›Es war einmal‹ besonders durch die Dichtungen
Storms.« (H. O. Burger)

SIEH NACH
DEN STER-
NEN – GIB
ACHT AUF
DIE GASSEN!
Betont abseits von den Problemen der wachsenden Großstädte, ihrer Wirtschaft und der geistigen und seelischen Enge des Klein-, Mittel- und Großbürgertums stand auch der Niedersachse **Wilhelm Raabe** (1831–1910).

Als Sohn eines einfachen Justizbeamten geboren, wird er zunächst Buchhändlerlehrling in Magdeburg und studiert dann in Berlin, wo er zu schreiben beginnt. Nach dem Erfolg seiner liebenswerten *Chronik der Sperlingsgasse* (1857), in der sich in realistischer Darstellung das wechselvolle Geschehen in einer Altberliner Gasse aus der Sicht eines einsamen Alten um das Schicksal seiner Jugendgeliebten rankt, lebt er als freier Schriftsteller in Wolfenbüttel, Stuttgart und Braunschweig.

Die Suche nach dem »anderen Deutschland«, dessen Seele »voll Glaube, Güte, Bescheidenheit und Geduld« ist, und der Blick von der Macht des Bösen in der Welt aufs Gute und Schöne im Leben bestimmen auch seinen Roman *Der Hungerpastor* (1864).

Den Schusterssohn Hans Unwirrsch führt der »Hunger nach dem Maß der Dinge, den so wenige Menschen begreifen und welcher so schwer zu befriedigen ist«, nach vielen Hindernissen schließlich auf die Hungerpfarre von Grunzenow, wo er unendlich frei und froh wird, ganz im Gegensatz zu Moses Freudenstein, den die Gier nach Geld und Ansehen drängt, bis er als Spitzel der preußischen Regierung endet.

Die Nachfolge der deutschen Entwicklungs- und Bildungsromane wird spürbar. In Abständen von drei Jahren folgen die Romane *Abu Telfan oder die Heimkehr vom Mondgebirge* (1868) und *Der Schüdderump* (1870). Die Werke zeigen eine wachsende Verdüsterung im Weltbild des Dichters.

Der aus Afrika (Abu Telfan am Mondgebirge) heimkehrende Leonhard Hagebucher findet nicht mehr in die verspießerte Enge der Heimat zurück: »Das germanische Spießbürgertum fühlte sich dieser fabelhaften, zerfahrenen, aus Rand und Band gekommenen, dieser entgleisten, entwurzelten, quer über den Weg geworfenen Existenz gegenüber in seiner ganzen Staats- und Kommunalsteuer zahlenden, Kirchenstuhl gemietet habenden, von der Polizei bewachten und von sämtlichen fürstlichen Behörden überwachten, gloriosen Sicherheit und sprach sich demgemäß aus.« Vor dem zerstörten Leben sucht er Zuflucht bei Unserer lieben Frau von der Geduld, um im eigenen gläubigen Herzen Schutz vor der Zivilisation zu finden.

Bei aller Angst, die von dem Pestkarren im »Schüdderump« ausgeht,
der wahllos jung und alt, hoch und niedrig, edel und gemein der Ver-
wesungsstätte zuführt, bleibt letztlich ein Lachen als der »einzige Gewinn« für Tonie, die Heldin des Romans, als Lebenserfahrung zurück, ein Lachen, das dem Lachen Nietzsches entspricht.

   »Das ist das Schrecknis in der Welt, daß die Canaille Herr ist und
der Herr bleibt. Ein Hundeleben und ein Hundetod.« – Diese Worte

LÄCHELN   Raabes gelten nicht nur für die von ihm dargestellte
UNTER   Pestzeit, in der der Pestkarren reiche Beute hält. Die
TRÄNEN   Leidenschaften und der Tod haben auch sonst Macht
          über die Menschen; aber beider »Grausamkeit« hält
sich im Gleichgewicht, so daß der Mensch das Grauen verliert und die
Freiheit des Lachens gewinnt. Das ist zwar ein herber, bitterer Hu-
mor, aus der Defensive dem schrecklichen Leben gegenüber entstan-
den; er läßt aber das Gefühl eines Doch-nicht-Verlorenseins zu, wenn
wir uns den wahren sittlichen Werten verschreiben, gegen die die
Welt frech und unverschämt anrennt. Humor ist für Raabe die unter
Schmerzen und Tränen errungene Freiheit von den Widrigkeiten der
Welt; er hilft und erzieht und versöhnt, und darin besteht sein Realismus. Pessimistische Züge sind auch in seinen weiteren Werken *Alte
Nester* (1880); *Stopfkuchen* (1891); *Die Akten des Vogelsangs* (1895)
unverkennbar; sie sind – im Widerspruch zum Optimismus der Mate-
rialisten, aber auch Stifters – der pessimistischen Haltung des frühen
Realismus angenähert, wie sie sich bei Immermann, Büchner und der
Droste fand. Es bleibt die »lastende Erkenntnis der Unerbittlichkeit
des dunklen Daseins«. Nur im gelassenen Durchhalten kann der ver-
einzelte Mensch – geduldig und entsagungsvoll, mit Liebe und humorvoller Güte – bestehen.

   Das Grauen und der Zweifel stammen aus der rätselhaften Dop-
peldeutigkeit des Seins. Sie bestimmen auch die ambivalente Bau-
form seiner Romane, ihre altmodisch wirkende Verspieltheit und ihre Symbolkraft, die ihn als realistischen Poeten vom nahenden Naturalismus abhebt. Alles bloß Vordergründige deutet auf ein Inneres,
Bleibendes. Aus dem gleichen Grunde haften seinen Novellen stark
balladeske Züge an. Von ihnen bleiben die frühen, wie *Die Schwarze
Galeere* (1865) oder *Else von der Tanne* (1869), dem Romantisch-
Abenteuerlichen, in das sich das Geschichtliche verliert, oder dem
Märchenhaften verbunden.

Die Novelle »Die Schwarze Galeere« führt uns mitten in den Freiheitskampf
der Niederländer gegen Spanien am Ende des 16. Jahrhunderts. Die Antwer-
penerin Myga van Bergen ist mit dem Steuermann Jan Norris von der
»Schwarzen Galeere« verlobt. Aber auch der Spanier Antonio Valani, Kapitän der »Andrea Doria«, liebt sie und will sie entführen. Jan erfährt in einer
Antwerpener Taverne von dem Anschlag, wird jedoch als Geuse erkannt und
verfolgt. Er entkommt in die Wohnung seiner Verlobten, wo er von Antonio
ertappt und mit Myga auf das spanische Schiff gebracht wird. Nachdem er
sich mühselig befreit hat, stellt er mit der »Schwarzen Galeere« die »Andrea
Doria«, holt sich seine Myga und entkommt mit dem Schiff durch das feindliche Feuer aufs freie Meer.

»Else von der Tanne« ist die Geschichte eines mit seinem Vater den Wirren
des Dreißigjährigen Krieges in eine Waldhütte entflohenen Mädchens. Nach
dem Empfang des Abendmahles, das ihm zusammen mit dem Vater der aufgeschlossene Pfarrer gewährt, fällt es dem Hexenwahn des Kirchdorfes zum
Opfer. Mit seinem sinnlosen Hinsterben ist aber auch für den Pfarrer der
Schein Gottes aus der Welt gewichen. Von der Hütte irrt er in den Wald und
findet, auf einem Felsblock ermattet niedersinkend, den Tod. Der Vater verläßt ebenfalls die Waldhütte und kehrt nie wieder.

Die späten Novellen, z. B. *Des Reiches Krone* (1873) oder *Höxter und
Corvey* (1879), kreisen um das Bleibende im deutschen Wesen, um
das »innere Reich«, von dem sich die Zeit nach der Reichsgründung,
durch hemmungsloses »Gründerfieber« bestimmt – das Credo war
der Kredit –, immer mehr entfernte. »Des deutschen Reiches Krone
liegt noch in Nürnberg – wer wird sie wieder zu Ehren bringen in der
Welt?« Raabes Geschichtsbewußtsein mündet ins Moralische und
Politische, weil ihm Geschichte nicht nur Heimat bedeutet, in die
man sich von der bedrängenden Gegenwart weg zurückziehen kann,
sondern immer zugleich »Gefangenschaft im Zeitlichen«, deren Aktualität man hoffend und fürchtend verbunden bleibt. Von da stammt
sein zwar nicht strahlend-gläubiges, aber immerhin trotzig-tapferes
Ja zum Leben.

»Was das Wort oder die Phrase vom Pessimismus in meinen Schriften anbe-
trifft, so meine ich gerade, überall und immer die Unverwüstlichkeit der Welt
und des Menschendaseins auf Erden zur Darstellung gebracht zu haben. Daß
es manchmal auf eine ›gut' Miene zum bösen Spiel machen‹ hinausläuft, dafür kann ich nicht. Ich halte das ›Never say die‹ der Engländer für ein wacke-
res Wort, und ich denke, wir bleiben dabei bis zum Ende.«

Bitterer noch und damit den liebevoll verstehenden, versöhnlichen
Humor um die schärfer zielende Satire und Parodie aus ironischer
Überlegenheit heraus erweiternd, klingt uns das La-
HUMOR UND chen aus dem Werk von **Wilhelm Busch** (1832–1908)
KARIKATUR entgegen. Auch er ist Niedersachse, auch er steht un-
ALS WAFFE ter dem Bann der pessimistischen Philosophie, auch
ihn ekelt das geschäftige und habgierige Treiben seiner Zeit an; es
erfüllt ihn mit tiefer Skepsis und hintergründigem Spott. Das spricht
aus seinen Bilderbüchern mit Texten – er war in München lange Zeit
Maler – wie *Max und Moritz* (1858) oder *Die fromme Helene* (1872).
Vergleichbar mit Nestroy spießt er die Schwächen und Fehler, das
Absurde und Böse der bürgerlichen Welt auf und gibt es in pointier-
ter, lakonischer, kurzer Reimform dem Gespött seiner Leser preis.

Busch macht sich über die Schrullen des deutschen Spießers lustig und schafft
unvergängliche Gestalten, wie einen Tobias Knopp, Balduin Bählamm, Vetter Franz, Pater Filucius. Der Dichter karikiert, ohne zu verzerren, und er
öffnet sich dem Humor des wirklichen Lebens, ohne selbst »direkt« zu kom-
mentieren; die Dinge sprechen oft selbst – und werden zugleich im jeweiligen
Bezugssystem reflektiert:

> »Heut bleibt der Herr mal wieder lang.
> Still wartet sein Amöblemang.
> Da kommt er endlich angestoppelt,
> Die Möbel haben sich verdoppelt.«

Das Schlagkräftige, Phantastisch-Groteske seiner mitunter skurrilen
Welt gehört in die Lebensauffassung des späten Realismus und berührt sich mit Ähnlichem des frühen Naturalismus, so etwa, wenn
schließlich die fromme Helene an der Petroleumfunzel verbrennt:

> »Hier sieht man ihre Trümmer rauchen.
> Der Rest ist nicht mehr zu gebrauchen.«

ZEIT- UND Einen Übergang vom Realismus der Dramen Hebbels
GESELL- und Ludwigs zum Naturalismus stellen die dramati-
SCHAFTS- schen Werke des in Wien geborenen **Ludwig Anzengru-**
KRITIK **ber** (1839–89) dar. In der Vorrede zum zweiten Bänd-
chen der *Dorfgänge* (1879) bekannte er sich zu einer
wirklichkeitsnahen Kunstbetrachtung.

Im *Pfarrer von Kirchfeld* (1870) spielen die Probleme des Kulturkampfes eine Rolle, wobei liberale Tendenzen der Enge der Kleinbürgerlichkeit und der Unduldsamkeit der Kirche gegenübergestellt werden.

Im *Meineidbauer* (1871), den man ein bäuerliches Seitenstück zu Shakespeares »Richard III.« genannt hat, entwickelt sich die Handlung – wie bei Otto Ludwig – ganz aus der Anlage und Wesensart des Bauern Ferner, der ein Testament unterschlägt, reich wird und schließlich zusammenbricht.

Der G'wissenswurm (1874) hat sich wegen seiner bäuerlichen Derbheit und seines echten Humors bei lebhaftem Handlungsgang bis heute als zugkräftiges Lustspiel auf Bühnen gehalten und Schule gemacht. Der Bauer Grillhofer, vom frömmelnden Betrüger Dusterer bedrängt, daß er seine einstige Geliebte verkommen ließe, findet diese als quicklebendige Mutter von elf Kindern. Daran und an dem »Sündenkind«, das als gewecktes Dirndl zu ihm ins Haus zieht, erwacht sehr schnell seine alte Lebensfreude.

Anzengruber kann seine Herkunft vom Altwiener Volkstheater nicht verleugnen. Seine Stücke sind mit eingefügtem Dialekt und Liedgut sowie außerordentlich malerischen Szenen bühnenwirksam und publikumssicher. Er bereicherte das Volksstück um sorgfältige psychologische Beobachtungen und gab ihm eine betont pädagogische Tendenz, mit der er – weit stärker als Raimund und Nestroy – die Zuschauer aufrütteln und zum Nachdenken über die Mängel der Zeit bringen wollte. Damit näherte er sich dem Programm des naturalistischen Dramas, dem sein Stück *Das Vierte Gebot* (1877) in der »Schärfe seiner Gesellschaftskritik« und der Beschwörung dumpfer Atmosphäre bereits weitgehend zugehört.

Diesen Weg zum Naturalismus geht Anzengruber auch als Erzähler. *Der Schandfleck* (1876) und *Der Sternsteinhof* (1884) sind Dorfgeschichten, die den ursprünglichen Menschen gegenüber der Verderbtheit der Zeit herausstellen. Anzengruber will es nicht nötig haben, »die Kulturschminke des modernen Menschen erst abzutragen«, um den eigentlichen Menschen zu zeigen.

Im »Sternsteinhof« setzt ein armes Mädchen mit eisernem Willen es rücksichtslos durch, auf dem reichen Sternsteinhof Bäuerin zu werden. Als vorbildliche Bäuerin bemüht sie sich dann, ihr Vorgehen zu sühnen und Buße zu tun.

Die Dorfgeschichte hat in diesem anschaulichen und packenden Realismus alles Sentimentale eines Auerbach abgestoßen. Zusammen mit Fontane gilt Anzengruber den jungen Dichtern des Naturalismus als nachahmenswertes Vorbild.

Anzengruber, der nach einem Wort Hermann Bahrs »kein Artist, sondern ein Lehrer, Prediger und Erzieher« war, verhalf auch dem steierischen Waldbauernbuben, Hütejungen und Schneiderlehrling **Peter Rosegger** (1843–1918) zu einem Start in der erzählenden Literatur. Mit seinem Protektor teilt er die Volksnähe, Güte und Heiterkeit sowie die erzieherischen Absichten:

VOLKSNÄHE UND ERZIE-HUNG

>»Die Welt ist reich an Niedertracht, und sie ist reich an Größe und Schönheit. Nur darauf kommt es an, was wir Poeten liegenlassen oder aufheben.«

Aus solchem Bekenntnis, verbunden mit überzeugter Treue zum Glauben und Mißtrauen gegen den aufklärerischen Liberalismus seiner Zeit, speisen sich seine Werke: *Die Schriften des Waldschulmeisters* (1875), ein Roman aus der Abgeschiedenheit der steierischen Berge mit vielen Briefen, Tagebucheinträgen und Gesprächen, *Der Gottsucher* (1883), *Das ewige Licht* (1897) und die Selbstbiographie *Waldheimat* (1877).

Kann man Raabes Thematik und ihre dichterische Gestaltung – die Nöte und Leiden des einfachen Menschen betreffend – als moralisch-sozialen Realismus bezeichnen, der dem Gehalt, keineswegs aber der Form nach, in die Nähe des Naturalismus gehört, dann wird der alte **Theodor Fontane** (geb. 1819, nur einige Monate nach seinem Rivalen Gottfried Keller; gest. 1898) von den jungen Naturalisten, deren dramatische Erstlinge er als Theaterkritiker wohlwollend bespricht, schon ganz zu den Ihren gerechnet und neben die außerdeutschen (die französischen, russischen und skandinavischen) Vorbilder gestellt.

Fontanes Eltern kamen aus Südfrankreich. Nach seiner Kindheit in Neuruppin und Swinemünde und dem Studium der Pharmazie wird er wie sein Vater Apotheker und verlebt dürftige Jahre. Dann lockt ihn die Journalistik als Berichterstatter nach London und als Reporter auf die Kriegsschauplätze der Bismarckzeit. Nachdem er schon als Apotheker mit den literarischen Kreisen Berlins Fühlung genommen hat und Mitglied des berühmten »Tunnels über der Spree« geworden ist, wird er Theaterkritiker der »Vossischen Zeitung« und schließlich 1876 Sekretär der Akademie der Künste in Berlin. Erst im Alter (»Die ersten sechs Jahrzehnte seines Lebens waren, beinah bewußt,

nur eine Vorbereitung auf die zwei späteren«, meinte Thomas Mann) beginnt
er als freier Schriftsteller zu schreiben, um von Werk zu Werk höher zu steigen in seiner ganz der Wirklichkeit und der Gesellschaft zugekehrten, geist-
und stilvollen, aber jeder Poetisierung abholden Erzählkunst.

Fontane begann mit balladischen Dichtungen. Sein Englandaufent-
halt brachte ihn auf Percy und Scott und damit auf die Ballade, in der er
einen neuen Ton erklingen ließ. Stellvertretend dafür
REIZ DES kann *Archibald Douglas* stehen (thematisch angelehnt
ANEKDOTI- an eine Ballade von Moritz Graf von Strachwitz; 1822–
SCHEN 47). In impressionistischem Stil, mit wenig Aufwand
und kurzen, schlaglichtartigen Szenen, in denen alles Handlung ist,
entsteht eine äußerst dichte, »stimmungsgeladene« Atmosphäre.
Das nur skizzenhaft angedeutete äußere Geschehen wird auf ein inneres bezogen und dieses mit psychologischem Zugriff enthüllt.
Allen Balladen, wie auch *John Maynard, Die Brücke am Tay, Schloß
Eger, Gorm Grymme,* ist das Interesse am Anekdotischen der Vergangenheit und Gegenwart gemeinsam. Als künstlerische Grund-
form gibt die Anekdote nur einen bestimmten Zug, der, »wenn er
genial erfaßt wird, den dargestellten Charakter oder Vorgang fast erschöpft, zumindest leuchtend reliefiert«. Dazu kommen – ebenfalls
als Grundtöne der Anekdote – Humor, Ironie, lächelnde Überlegenheit und Zuspitzung auf die »oft unterirdische« Pointe. Darin unterscheiden sich Fontanes Balladen von den »dämonisch-numinosen«
Goethes und der Droste und den »moralisch-symbolischen« Schillers
ebenso wie von der »Gespenster- oder Schicksalsballade« eines Bürger oder C. F. Meyer.

Mit *Vor dem Sturm* eröffnete 1878 der damals 59jährige sein episches Schaffen. Es handelt sich um einen in der Nachfolge Scotts und Alexis stehenden
Geschichtsroman aus der Mark der Jahre 1812–13. (Ihrer Schönheit hat
der Dichter in den vier Bänden seiner *Wanderung durch die Mark Brandenburg* [1862–82] ein literarisches Denkmal gesetzt.)

In lockerer Reihung vieler Einzelbilder, in denen die Natur lediglich als
Kulisse dient, führen sich die handelnden Personen durch ihr Reden und
Sprechen ein und charakterisieren sich damit. Das Sprechen – häufig »ohne
inhaltliches Gewicht« – schafft Atmosphäre und gibt dem jeweiligen Alter,
Beruf, Stand eine typische Note. Das ist eine neue Romantechnik, die nach-
wirkt (vor allem auf Thomas Mann).

Die Reihe von Fontanes Romanen spiegelt in meisterhafter Stilkunst – einer »lichten« Prosa mit einer »heimlichen Neigung zum Balladesken« (Thomas Mann) – die zeitgenössische, z. B. Berliner Gesellschaft wider. Ihre Spitzen und Stützen präsentieren sich als Offiziere, Beamte, märkische Adlige oder Bürger; in den Gesprächen und in ihren Konflikten um Liebe, Ehe, Besitz, Ehre wird die Sinnlosigkeit der alten Gesellschaft (Spießertum und erstarrte Konvention), zugleich aber auch die Vereinsamung ihrer Menschen deutlich.

Der Realismus der Romane (*Irrungen Wirrungen,* 1888; *Frau Jenny Treibel,* 1892; *Effi Briest,* 1894/95), die Wirklichkeitsnähe der auf Nuancierung streng bedachten Gesprächstechnik, die »Entromantisierung des alten Romans« verpflichteten dem alten Fontane die junge Generation und verschafften dem deutschen Roman europäische Bedeutung.

»Irrungen Wirrungen« erzählt ohne Sentimentalität vom Verzicht eines bürgerlichen Mädchens (Lene Nimptsch) auf den Geliebten (Botho von Rienäkker), mit dem es einen glücklichen Sommer verbrachte. Da er über die Standesgrenzen nicht hinwegkommt, geht die »Liaison« auseinander: »Sie lehnte sich an ihn und sagte ruhig und herzlich: ... und das ist nun das letztemal, daß ich deine Hand in meiner halte.« Botho heiratet eine Dame seines Standes, Lene einen ordentlichen Mann aus dem Volke. Jeder ist mit sich ganz allein – »viel Freud, viel Leid, Irrungen, Wirrungen. Das alte Lied.«

Effi Briest, eine Art deutscher Madame Bovary, lebt in einer sehr früh geschlossenen alltäglichen Ehe mit dem korrekten Beamten Innstetten, der in ihr lediglich die dekorative Frau sieht. Nach Jahren erfährt Innstetten von einer kurzen leidenschaftlichen Zuneigung Effis zu einem Offizier, den sie längst wieder vergessen hat. Da glaubt Innstetten, sich den Forderungen der Gesellschaft nicht entziehen zu dürfen: Er erschießt den Offizier in einem Duell. Effi wird geschieden und verliert ihr Kind. Ihr Leben zerrinnt, auch als sie später bei den Eltern wieder Aufnahme findet. Fontanes Wirklichkeitsdarstellung bleibt freilich trotz virtuoser Detailzeichnung weit hinter der eines Gustave Flaubert zurück; das gilt auch für die Darstellung der Effi Briest, die zu ihrer Zeit lediglich »eine feinfühlende deutsche Leserschaft rührte«, während Emma Bovary »eine erschütternde Erscheinung des Jahrhunderts« (Sibylle Wirsing) wurde.

Theodor Fontane stand der »nervösen Zeit«, ihren Irrungen, Wirrungen und Katastrophen mit Gelassenheit gegenüber. Er beschrieb – relativ schlicht – in sehr nüchterner, klarsehender realistischer Weise, mit impressionistischen und naturalistischen Anklängen, die

Spannung zwischen Altem und Neuem, die unmenschliche Korrektheit und den fassadenhaften Ehrbegriff der oberen Stände. Er blickt auf die Gesellschaft »von gleicher Ebene aus«: sie nehmend und hinnehmend, wie sie ist. Ohne Pathos. »Was heißt großer Stil? Großer Stil heißt soviel wie Vorbeigehen an allem, was die Menschen eigentlich interessiert.« Den Trug und Schein einer abgestorbenen Welt, einer Welt, die auf Stelzen ging, hat er feinkörnig in Momentaufnahmen wie im epischen Duktus als Gesamtpanorama eingefangen. Fontane schaut die Welt an ohne Weltanschauung. Er »registriert« sensibel das Dasein in der Zeit, und er zeigt die Herzen der Menschen, die in dieser Zeit leben. »Meine ganze Produktion ist Psychologie und Kritik«, erklärte er zu seinem Schaffen. Er hält Distanz SKEPSIS zur Transzendenz, zu Sonderfällen und Grenzsituatio-UND SITTE nen. Es komme im Leben nur darauf an, daß man die zugewiesene Spanne Zeit und die vorgesehene Örtlichkeit ausfüllt und darin seine Rolle spielt. Da ist kein Platz für metaphysische Spekulation, nicht einmal fürs Erziehen- oder Bessern-Wollen. »Die Sitte gilt und muß gelten. Und weil es so ist, ist es am besten, man bleibt davon und rührt nicht daran.« An die Stelle des Absoluten und Idealen treten Relativismus, Resignation und das Gefühl, irgendwie am Ende zu stehen. Weise Menschlichkeit gebietet dem Dichter, Abstand zu halten und die Dinge aus der Distanz zu betrachten, Milde und Güte walten zu lassen, wo die Fragwürdigkeit der Gesellschaft eigentlich ein hartes Verdammungsurteil verdiente. Da gibt es keinen programmatischen Aufbruch zum neuen Menschen, sondern nur ein Sich-Fügen ins Unabänderliche. »Halte dich still, halte dich stumm –/ nur nicht fragen: warum?, warum?« Das Leben bietet keine Illusionen; jeder ist mit sich ganz allein.

Eine »Abrechnung« und soziale Anklage fehlen bei Fontane: Es bleibt bei resignierendem Humor, der allen Beteiligten gerecht zu werden versucht, und beim traurigen Schluß, der als Fatum oder Walten der Vorsehung erscheint. Fontane zeigt eine unverkennbare Neigung zum Adel, den die Bourgeoisie überrundet hat, und ein Sich-treu-bleiben in Herz und Gesinnung. Solche Altersweisheit verbreitet vor allem sein letzter Roman, *Der Stechlin* (1897); sie gibt dem alten Dubslav (einem Adligen), »wie er bei uns sein sollte«) seine innere Souveränität und Freiheit.

Der Stechlin gehört zu einer Reihe von Seen in der Mark, an dem das Guts-
haus des Majors Dubslav von Stechlin liegt. Von ihm heißt es, daß sein schön-
ster Zug eine »tiefe, so recht aus dem Herzen kommende Humanität« gewesen sei, »weil er seinem ganzen Wesen nach überhaupt hinter alles ein Fragezeichen machte«. Sein Leben umfaßt den spürbaren Umbruch der Zeiten,
und mit ihm endet auch die alte Zeit.

Seiner eigenen Zeit entsprechend läßt Fontane auf dem Gutshof des Majors die junge Generation gegen die alte, die als überlebt erscheint, rumoren.
Aber der als Junker angesehene alte Stechlin verkennt nicht die Zeichen der
Zeit, die sich als »große Weltbewegung« im Wellengang des abgeschiedenen
Stechlinsees niederschlägt. Bei aller Zuneigung zum Gewordenen und Betonung des Rechts von »Ordnung und Herkommen« enthält sich der alte Ari-
stokrat der »revolutionären Anklage« und wahrt Gelassenheit. Sie macht ihn
innerlich frei und unabhängig und befähigt ihn zu einem Handeln nach der
Devise: »Alles Alte, soweit es Anspruch darauf hat, sollen wir lieben, aber
für das Neue sollen wir eigentlich leben.«

DIE MODERNE

Am Ende des 19. Jahrhunderts bahnte sich die Entwicklung einer neuen Epoche der Literatur- und Kulturgeschichte an. Seit der Mitte des Jahrhunderts entfalteten sich der technische Fortschritt und die Industrialisierung mit steigender Geschwindigkeit. Schon Goethe hatte davon gesprochen, daß das »überhandnehmende Maschinenwesen« ihn quäle und ängstige: »Es wälzt sich heran wie ein Gewitter; es wird kommen und treffen.« Und Heinrich Heine war, als er während seines Aufenthaltes in England die ersten Industriewerke besichtigte, von tiefer Angst vor dem heraufziehenden Zeitalter der Mechanisierung erfüllt.

Der Kulturphilosoph **Oswald Spengler** (1880–1936) hat in seiner Prognose *Der Untergang des Abendlandes* (2 Bde. 1918–22) im 20. Jahrhundert den Höhepunkt des »faustischen Strebens« des abendländischen Menschen gesehen; der homo faber – von den Banden kirchlicher und fürstlicher Bevormundung und von dem wirtschaftlichen Zwang des Merkantilismus befreit – treibe sich selbst zum Gipfel seiner Leistungsfähigkeit, damit aber auch zu Peripetie und Untergang. – Die »Industrielle Revolution« des 19. Jahrhunderts ging über in ein Zeitalter der Automation und Kybernetik. Der Mensch steht, vor allem angesichts der Nutzbarmachung der Atomenergie, mehr denn je vor der Entscheidung, den naturwissenschaftlichen Fortschritt zum Wohl der Menschheit einzusetzen oder in den Dienst neoimperialistischer Machtpolitik zu stellen. Die Lösung dieses Problems und der durch die Verseuchung der Naturwelt aufgeworfenen Fragen stellt eine gewaltige moralische, erzieherische und politische Aufgabe dar.

Der einzelne Mensch wurde zunehmend in den Apparat der Technik eingezwängt und in seinem individuellen Wirkungskreis beschnitten; die für die Entwicklung der Zivilisation vorteilhafte Vernetzung droht im »Netzkollaps« (Günther Anders) zu enden. Die in der zweiten Hälfte des 19. Jahrhunderts rasch zunehmende Bevölkerungszahl

führte zu einem Zeitalter der Massenbewegungen. Der kollektivierte
Mensch mit der ihm eigenen Psyche der Unterordnung und Ver-
dumpfung unterliegt als genormtes Wesen (Menschenmaterial) leicht
der Beeinflussung durch Massenführer, die sich mit Hilfe technischer
Propagandamittel und psychologisch ausgeklügelter Demagogien
der Völker zu bemächtigen suchen. Durch totalitäre Ideologien und
Staatssysteme geraten Demokratie, Liberalismus und Individualismus in gefährliche Krisen. Der Marxismus war zum starken Widersacher der westlichen Welt geworden, die ihrerseits durch Weiterentwicklung demokratischer und liberal-ökonomischer Prinzipien eine
innere Festigung anstrebt. Der derzeitige Zerfall des Marxismus ver-
ringert allerdings die ideologischen Spannungen.

Die Physik ist in die Dimensionen des Makrokosmos und Mikro-
kosmos vorgestoßen. Atom- und Quantenphysik haben revolutionäre Umwälzungen hervorgerufen, wie überhaupt die Naturwissenschaften, so z. B. die Chemie, Biologie und Medizin, in rapide Bewegung geraten sind. Die Tiefenpsychologie hat die Bereiche des Unbewußten erschlossen und die Seelenkunde auf wissenschaftliche Basis
gestellt.

Vergleichbar mit den vielfältigen Veränderungen innerhalb der
Wissenschaft sind die experimentellen Bewegungen der Künste (die
zahlreichen Stiltendenzen der Musik, Malerei, Plastik und Architektur seit dem »Impressionismus« zu Beginn unseres Jahrhunderts) und
der ständige unruhige Wandel der Literatur.

Der Naturalismus vollzieht den Bruch mit der Vergangenheit, indem er sich dem verbreiteten Materialismus angleicht und damit dem
»deutschen Idealismus« ein Ende setzt. Die Wahrheit des Menschen
sucht er nicht mehr in ideellen Werten oder im Transzendenten, sondern in der Nüchternheit, der nackten Realität des Lebens. Er verzichtet oftmals auf die alten moralischen und ästhetischen Normen.
Er will »modern« sein, indem er sich den dringlichen Fragen der Industrialisierung, Mechanisierung und den sozialen Problemen
widmet.

Gegnerschaft zum »Modernismus« prägt die um Tradition und
konservative Erneuerung sich mühenden Kräfte; man greift auf die
Zeit vor Naturalismus und Realismus zurück (Neuklassik, Neuromantik), wendet sich vor allem den geistigen Werten der Vergangenheit zu. Individualismus, aristokratische Haltung, abendländisches

Bewußtsein, eine Orient und Okzident umfassende Menschheitsidee, Christentum und Verwurzelung in Volks- und Heimattum sind
die Wege, auf denen man dem drohenden Chaos entgegenzutreten
hofft.

Anders der Expressionismus. Er schließt sich dem Kampf der Naturalisten gegen die Tradition an und steht in Gegnerschaft zu ober-
flächlichem Fortschrittsoptimismus und satter Bürgerlichkeit. Man
antizipiert die Katastrophe eines erbarmungslosen Krieges, die Zerstörung der Menschheit. Zugleich bemüht sich der Expressionismus
um ein neues Menschenbild, das von sozialem Mitgefühl bestimmt
ist. Angesichts der düsteren Realität, welche die Expressionisten mit
Pessimismus erfüllt, erträumt man sich eine grundlegend neue Weltordnung, ein Weltbild nach humanitären und ideellen Maßstäben –
wodurch man sich bewußt vom Naturalismus, der alles Spirituelle
und Utopische ablehnt, abgrenzt; die Überwindung des Naturalismus wird freilich auch von den ehemaligen Naturalisten selbst (von
Hauptmann etwa) vollzogen.

Die Dichter, deren Kompositionstechnik und Sprachstil mit dem
Begriff Surrealismus umschrieben werden kann, empfinden und deuten die moderne Weltkrise als metaphysische Entfremdung des Menschen; die Frage nach der Transzendenz wird von ihnen mit bohren-
der, existentieller Aufrichtigkeit gestellt. Das Sein scheint unenträt-
selbar; die Dichtung ist chiffrenhaft – voll »tönender Dunkelheit«.
Pessimismus und Nihilismus herrschen vor, wenngleich man verzweifelt versucht, aus deren Dickicht herauszukommen.

Im letzten Drittel unseres Jahrhunderts ist – soweit es sich bei dem
geringen Abstand überhaupt geschichtlich feststellen läßt – ein ge-
schlossenes Weltbild nicht erreicht. Die einzelnen Richtungen stehen
nebeneinander oder sich gegenüber. Gemeinsam ist ihnen – und das
ist es, was der Begriff Moderne besagen will – die bewußte Auseinandersetzung mit dem Neuen, mit dem Unmittelbar-Gegenwärtigen,
und zwar auf allen Gebieten unseres Lebens. Das konsequente Eingeständnis und der Wille zur Bewältigung der krisenhaften Situation
unserer Zeit kennzeichnen das künstlerische Bemühen, das dem Erlebten und seiner seelischen Resonanz einen gemäßen gestalteri-
schen Ausdruck im schriftstellerischen Werk zu verschaffen sucht.

Gegenläufig dazu gibt es Bestrebungen, dem Zeitengagement zu
entfliehen und sich in eine innere, dem »Eigentlichen« und »Wesent-

lichen« verpflichteten Welt zurückzuziehen. »Postmoderne« und
»Posthistoire« erweisen sich als Schlüsselworte einer nachmodernen
Gesellschaft, die in ihren bedeutendsten künstlerischen Artikulatio-
nen der »Dialektik der Aufklärung« (ihrer Selbstaufhebung durch
Vereinseitigung der Rationalität) zu entkommen sucht, indem sie
einen »neuen Glanz von innen« zum Vorschein bringt. Dieser erweist
sich freilich oft genug nur als Attitüde, der die Substanz abgeht. Vor
allem seien – so Jürgen Habermas – die utopischen Energien aufge-
zehrt. »Die Antworten der Intellektuellen spiegeln nicht weniger als
die der Politiker' Ratlosigkeit. Es ist keineswegs nur Realismus, wenn
eine forsch akzeptierte Ratlosigkeit mehr und mehr an die Stelle von
zukunftsgerichteten Orientierungsversuchen tritt. Die Lage mag objektiv unübersichtlich sein. Unübersichtlichkeit ist indessen auch eine
Funktion der Handlungsbereitschaft, die sich eine Gesellschaft zutraut. Es geht um das Vertrauen der westlichen Kultur in sich selbst.«

NATURALISMUS UND AVANTGARDE
DER JAHRHUNDERTWENDE

Der in den achtziger Jahren beginnende deutsche Naturalismus schloß sich – nicht nur zeitlich, sondern auch in seiner entscheidenden Blickrichtung auf die konkrete Tatsächlichkeit des menschlichen Seins – an den späten Realismus an. Noch konsequenter als dort betrachtete und schilderte er die Realien des Lebens, das Dingliche und sinnlich Wirkliche, die sichtbaren Erfahrungstatsachen. Was sich bei Otto Ludwig und Theodor Storm anbahnte und bei Raabe und Fontane fortsetzte, der Verzicht auf jegliche Transzendenz, endet beim materialistischen Menschen- und Weltbild. Längst hatten Ludwig Feuerbach und David Friedrich Strauß gegen das Christentum – gegen Religion und Idealismus insgesamt – einen philosophischen Materialismus gesetzt, der allein das Wahrnehmbare als Wahrheit und das Leben als eine Funktion der Materie ansah. Natur bedeutete Materie, ohne göttlichen Schöpfungsakt, und der Mensch galt nur als ein Glied dieser Natur. Die Erforschung des Menschen lief demnach allein auf eine Untersuchung seines materiellen Bestandes, seiner soziologischen Stellung, vornehmlich seiner Umwelt, hinaus. Die romantizistische Psychologie, die das Metaphysische der Seele ergründen wollte, wurde durch eine Physiologie der tatsächlichen Lebensumstände ersetzt, die dichterische Erkundung wurde zu einer Statistik des menschlichen realen Verhaltens, das vorwiegend erklärt wurde aus den sichtbaren Gegebenheiten der Umwelt, des »Milieus«.

Zu dieser aus dem Realismus entsprungenen Forderung nach der Erfassung des tatsächlich Erkennbaren und Wirkenden trat der soziale und technische Materialismus, der sich aus der seit den vierziger Jahren gewaltig ansteigenden Industrialisierung herleitete. Der Glaube an die Allmacht der Maschine, der technischen Arbeitsleistung und des Industriepotentials führte die gesamte Lebenseinstellung in eine »positivistische«, materialistische Anschauung hinein, durch die die Gefühlswelt des Biedermeier, die sich trotz des »Jungen

Deutschland« und des Realismus in die Bismarcksche Ära fortgesetzt
hatte, allmählich ein Ende fand. Gleichzeitig aber entstand die Frage
nach der Stellung des Menschen innerhalb der Technik. Es war eine
ernste und bittere Frage, die im Bewußtsein der Unterlegenheit des
freien Geistes gegenüber dem Mechanismus schon Heinrich Heine
gestellt hatte. Es war aber auch eine ebenso verzweifelte soziale Frage, vor allem hinsichtlich der Notlage des Proletariats. Die Sozialge-
setzgebung Bismarcks (in den Jahren 1881–89) regelte nur das Aller-
dringlichste und konnte die Zunahme der Arbeiterbewegung nicht
verhindern. **Karl Marx** (1818–83) und **Friedrich Engels** (1820–95)
forderten einen revolutionären Umsturz der politischen und gesellschaftlichen Verhältnisse (u. a. *Manifest der kommunistischen Partei,*
1848; *Das Kapital,* 3 Bde. 1867–94), während **Ferdinand Lassalle**
(1825–64) sein Sozialprogramm lediglich durch eine Demokratisierung des bestehenden Staatswesens zu verwirklichen suchte (*Offenes
Antwortschreiben,* 1863). Es bildeten sich radikale und gemäßigte
Gruppen. Als halbwegs einheitliche »Front« setzte sich die »Sozial-
demokratische Arbeiterpartei« (gegr. 1869) durch. Auf ihrer Seite
standen die meisten Schriftsteller des Naturalismus.

   Entscheidend waren schließlich die Einwirkungen gesellschaftskri-
tischer Literatur aus Frankreich, Skandinavien und Rußland. Emile
Zola (1840–1902) hatte u. a. in den Schriften *Le roman expérimental*
und *Les romanciers naturalistes* (1880/81) theoretische Grundlagen
skizziert und in seinem Romanzyklus *Les Rougon Macquart* (20 Bde.
1871–93) das Leben in einzelnen Gesellschaftsschichten und Milieu-
bereichen photographisch schonungslos abgebildet (bekannt wurden
vor allem *Nana,* das biographische Porträt einer Dirne, und *Germi-
nal,* ein Report über das Elend im nordfranzösischen Grubenrevier).
Das Dasein wurde demaskiert, und als Wirklichkeit, als »Natur«, traten Wirrwarr, Not und Existenzangst zutage. – Besonders der Nor-
weger Henrik Ibsen (1828–1906) suchte nach den Schuldigen der offensichtlich überall vorhandenen Krise. In den Dramen *Stützen der
Gesellschaft* (1877), *Nora* (1879) und *Gespenster* (1881) prangerte er
das moralisch heruntergekommene, nur noch auf leere Konventionen bedachte höhere Bürgertum an. Dichten sei, wie er sagte, »Gerichtstag halten«, auch über sich selber, sei die rücksichtslose Zerstörung aller idyllischen und idealistischen Verbrämungen. – Der russische Graf und Magnat Leo Tolstoi (1828–1910) legte in seiner *Beichte*

(1882) ein Bekenntnis eigener zwielichtiger Moral ab und entlarvte in den Romanen *Krieg und Frieden* (1869), *Anna Karenina* (1876) und *Auferstehung* (1898) die herkömmlichen Sittlichkeits- und Bildungsideale, die ihm nichts anderes als eine Tünche der Ichsucht und Verlogenheit waren. – Aus der gleichen Absicht heraus, die gesellschaftliche Misere zu dekuvrieren, versuchte Fedor Dostojewskij (1821–81), der bedeutendste Romancier dieser Zeit, das hinter der Fassade verborgene Chaotische, Dämonische und Morbide aufzuspüren. Seine Romane *Raskolnikow* (1866; dt. Titel *Schuld und Sühne*), *Der Idiot* (1868) und *Die Gebrüder Karamasow* (1880) enthüllen ein krankhaftes, paranoides Dasein, eine Unfähigkeit, sich im Leben zurechtzufinden. Jedoch glaubten Tolstoi und Dostojewskij an die Möglichkeit einer »Erlösung«, vor allem an die Kraft ursprünglichen, sozial engagierten, dem Mitleid verpflichteten Christentums. Damit gingen sie allerdings über den Naturalismus Zolas und Ibsens weit hinaus.

Bei den jungen deutschen Schriftstellern, die unter dem Einfluß der Franzosen, Skandinavier und Russen auf eine naturalistische Dichtung hinarbeiteten, bildeten sich zu Beginn der achtziger Jahre zwei maßgebliche Kreise heraus: der Berliner Kreis um die Gebrüder Hart und die Münchener »Gesellschaft« um Michael Georg Conrad.

Die beiden Westfalen **Heinrich** (1855–1906) und **Julius Hart** (1859–1930), Studenten und Zeitungsliteraten in Berlin, proklamierten 1882–84 in ihren Kampfschriften *Kritische Waffengänge* zum erstenmal den Naturalismus Zolas. GESAMTAB-RECHNUNG Es ging ihnen um eine »Gesamtabrechnung« mit den alten staatlichen und sozialen Verhältnissen, mit den alten Moralbegriffen, vor allem aber auch mit der herkömmlichen Dichtung. Es war eine durchaus revolutionäre Tendenz, die »ganze Schwärme von Stürmern und Drängern« erfaßte, um die autoritären Positionen des Konservativismus zu beseitigen und den Weg für ein neues Zeitalter freizulegen. Anstelle von »klassisch« setzte man »modern«.

Es sollte der Mensch zu den »tausend Brunnen des realen Lebens« hingeführt und dadurch eine Dichtung geschaffen werden, »welche die gesamte Entwicklung der Menschheit bis zur tausendfarbigen Gegenwart herauf und damit die gesamte Natur, alle Typen und Charaktere des Menschentums« umspannte. Fehlte es diesem Gedanken noch an einer klaren dichterischen Verwirklichung, so war das Entscheidende doch, daß der Bruch mit der Vergangenheit, den schon das »Junge Deutschland« gewünscht hatte, nachhaltig ausgesprochen wurde.

In München propagierte der aus Unterfranken stammende **Michael Georg Conrad** (1846–1927) in zahlreichen Artikeln die Romane Zolas, die er während eines fünfjährigen Aufenthalts in Paris kennengelernt hatte, und gründete 1885, von zahlreichen jungen Autoren unterstützt, eine eigene Zeitschrift, *Die Gesellschaft* (in der er auch, kulturpessimistisch, die Großstadt als »Riesenameisenhaufen in wahnsinnigem Aufruhr, ein wüstes Hin und Her ... Bilder wie aus Dantes Hölle«, attackierte). »Die Gesellschaft als Organisation aller freien, bislang gebundenen Kräfte! Die Gesellschaft als Antipode des kulturhemmenden Staates und aller reaktionär verankerten Vergangenheitsgewalten!« Opposition gegen die Tradition im Sinne Zolas war das Anliegen der neuen Romane. In loser und nur selten miteinander inhaltlich verbundener Anreihung von Einzelszenen und Situationen versuchte Conrad – als Gegenstück zu Zolas Pariser Romanen –, in einem dreiteiligen Zyklus *Was die Isar rauscht* (1888–93) ein wirklichkeitsgerechtes Bild Münchens zu entwerfen.

Die neuen Zielpunkte der Dichtung, die den wahrhaften, wenn auch chaotischen Hintergrund des Lebens aufzeigen sollten, und die neue ungebundene Formlosigkeit von Prosa und Drama, die der zwanglosen und breit ausladenden Schilderung und feuilletonistischen Erörterung politischer, sozialer und psychologischer Fragen entsprach, führten zu sehr eingehenden und detaillierten Beschreibungen amoralischen Verhaltens. Dies war ein wesentlicher Auftakt zur gesamten neueren Literatur.

Mit dem Mut einer jungen, von der Vergangenheit befreiten Generation bekannten sich die Naturalisten zu einer entidealisierten, allein von dem »Glauben« an die Materie beherrschten Weltanschauung, die zwangsläufig zu einer Betrachtung des nackten, häßlichen, kranken und in jeder Weise dem Sinnlichen und Materiellen ohnmächtig ausgelieferten Daseins hinführen mußte. Die wahrhafte, naturhafte Existenz des Menschen erkannte man gerade dort, wo die »Tünche« der Kultur und Zivilisation fehlte. Die Elendsquartiere der Großstadt und der in ihnen dahinsiechende Mensch enthüllten den Naturalisten die entscheidende Wahrheit über die menschliche Seele und ihre Bedürfnisse.

DAS ELENDS-MILIEU

Karl Bleibtreu (1859–1928) aus Berlin, in München der engste Freund Conrads, hat in seinen novellistischen Skizzen *Schlechte Gesellschaft* (1885) und im Roman *Größenwahn* (1888) mit aller Freizügigkeit und Drastik dunkelstes Großstadt-Milieu wiedergegeben. An Stelle ideeller lebensgestaltender Kräfte tritt die Macht einer gänzlich animalischen Sphäre von Spelunken und Bordellen, gegen die jeder moralische Widerstand vergeblich ist. In Berlin schrieb der aus Posen stammende **Max Kretzer** (1854–1941) die von düsterem Pessimismus zerquälten Sittenromane *Die Betrogenen* (1882) und *Die Verkommenen* (1883). Das Berliner Proletariat, das verarmte Kleinbürgertum, Lärm, Trubel und Verbrechen in den Mietskasernen, die Kellerwelt alkoholischen und sexuellen Lasters: Derartige Wirklichkeit menschlichen Seins sollte erbarmungslos und ungeschminkt zum Vorschein kommen. Gegen die Anarchie vermag sich weder der brave, arbeitstüchtige Bürgergeist (*Meister Timpe,* 1888) noch das Christentum (*Das Gesicht Christi,* 1896) durchzusetzen; es bleibt die Ausweglosigkeit des Elends. Der Glaube an die Allmacht des Milieus, ausgehend von Zola, führte zu einer totalen Resignation.

Als Angehöriger des Handwerkerstandes versteht Meister Timpe sich als Glied eines Gesellschaftsgefüges, das den Bürger als vornehmste Stütze des Staates direkt hinter den Thron stellte und die Privilegien des Handwerks gewahrt wissen wollte. Damit aber begreift der königstreue Timpe die wirkliche Welt nicht mehr; denn in dieser sind die Privilegien des Handwerkerstandes anachronistisch geworden; die Maschinen dominieren; Timpe kämpft vergeblich: »Die Schornsteine müssen gestürzt werden, denn sie verpesten die Luft... Schleift die Fabriken... Zerbrecht Maschinen!« Nach dem Zerwürfnis mit dem Sohn, der in der Fabrik des Konkurrenten Karriere macht und dessen Tochter heiratet, geht es mit Timpe immer weiter bergab; er soll sein versteigertes Haus verlassen; da verbarrikadiert er sich im Keller und stirbt.

»Die Vererbung hat ihre Gesetze wie die Schwere«, sagte Zola. Das unabänderliche Milieu und das Stigma der Vererbung waren den Naturalisten die beiden wesentlichen Bestandteile der Charakterbildung. Aus diesen »materiell« gesehenen Gegebenheiten heraus suchten sie die seelischen Antriebe und Verhaltensweisen zu erklären. Unter Verzicht auf die »Maske« der Bildung und der Konvention sahen sie in ihnen die realen Wirklichkeiten. Unheimliche Szenenreihen amoralischen

MATERIALISTISCHE PSYCHOLOGIE

Verhaltens, schrankenloser Dämonie und abseitiger Empfindungen sollten die Wahrheit über den Menschen aufdecken.

Der in Anhalt geborene **Hermann Conradi** (1862–90) verfaßte während seiner Münchener Studienzeit – beeinflußt von Nietzsche und Dostojewskij – die psychologischen Studien *Brutalitäten* (1886) und den Roman *Adam Mensch* (1889). Der Prototyp des Menschen, wie er sich vor allem in den erotischen Situationen zeigt, ist ein flackerndes Inferno von Trieben und Leidenschaften; er ist eitel, faul und genießerisch, und seine einzigen geistigen Regungen liegen im Skeptizismus.

Der Westpreuße **Max Halbe** (1865–1944) stellte in den beiden Dramen *Jugend* (1893) und *Mutter Erde* (1897) das tragische Ausgeliefertsein an das mit der Geburt gegebene Schicksal dar. Das uneheliche Ännchen vermag sich nicht von seiner unehrenhaften Abkunft zu lösen, die reine Liebe zu einem Studenten bezahlt es mit dem Tode. Und der Bauer Paul Warketins, der seinen väterlichen Hof verließ und in der Großstadt heiratete, wird von der Bindung an seine Heimat und von der Liebe zu seiner Jugendgespielin jäh und leidenschaftlich erfaßt; als Ausweg bleibt nur der Tod, die Rückkehr in die Mutter Erde. Zolas These von der Verkettung an das Erbe war als Gleichnis dargestellt.

Johannes Schlaf (1862–1941), aus der Gegend von Merseburg, hatte sich die psychologische Analyse Dostojewskijs zu eigen gemacht und in seinem Drama *Meister Oelze* (1892), einem der technisch ausgefeiltesten Stücke des Naturalismus, die Folgen eines Mordes dargelegt. Der Tischler Oelze hat zusammen mit seiner Mutter seinen Stiefvater umgebracht, um seine Stiefschwester zu enterben. Da er seinem jungen und anständigen Sohn die erhaltene Erbschaft bewahren will, verschweigt er den Mord, ständig von der mißtrauischen Stiefschwester umlauert; er verschweigt ihn auch in den Fieberträumen auf dem Krankenbett und stirbt in Hast und Angst, das Geheimnis etwa im Todeskampf zu verraten.

Die Darstellung des Milieus und vor allem die Erkenntnisse der Psychologie verlangten von der Dichtung, namentlich der Prosa, eine neue Technik und Sprachform. Dem Willen, die Umwelt, die Gegenstände und Menschen, wirklichkeitsgerecht und präzise wiederzugeben und das menschliche Verhalten, den Denkprozeß, die Empfindungen und Reaktionen festzuhalten, mußten sich die dichterische Form und Sprache angleichen. Zusammen mit Johannes Schlaf arbeitete der aus Ostpreußen stammende **Arno Holz** (1863–1929) eine Reihe von Studien und Skizzen aus, die den technischen und stilistischen Erfordernissen genauester photographischer Beobachtung

DAS EIN-
DRINGEN IN
DEN AU-
GENBLICK

Rechnung trugen. Es galt, jedes Detail eines Vorgangs, auch das scheinbar Unwichtige und Banalste, objektiv festzuhalten, jeden Moment eines Geschehnisses, die kleinste Bewegung und den nebensächlichsten Gedanken einzufangen und das Ästhetisch-Sprachliche diesem Wollen gänzlich unterzuordnen. Das Ticken der Uhr, das Knistern des Dochts, das leise Knacken des Holzes, Gähnen, bewußte Schludrigkeit der Aussprache (häufig in Mundart), Ausbreitung primitivster Gedanken: Das alles diente als »Sekundenstil« einer protokollarischen Feststellung, der Fixierung der Realität. »Die alte Kunst hat von dem fallenden Blatt weiter nichts zu melden gewußt, als daß es im Wirbel sich drehend zu Boden senkt. Die neue Kunst schildert diesen Vorgang von Sekunde zu Sekunde; sie schildert, wie das Blatt, jetzt auf dieser Seite vom Licht beglänzt, rötlich aufleuchtet, auf der andern schattengrau erscheint; in der nächsten Sekunde ist die Sache umgekehrt, sie schildert, wie das Blatt erst senkrecht fällt, dann zur Seite getrieben wird, dann wieder lotrecht sinkt...«

Im Skizzenbuch *Papa Hamlet* (zus. mit Joh. Schlaf; 1889) werden das närrische Elend eines heruntergekommenen Schauspielers, der dem Alkohol verfallen ist und in seiner Stube den Hamlet spielt, die gähnende Langeweile eines Rektors am ersten Schultag (er reinigt sich die Fingernägel und spielt mit dem Siegelring) und die quälende Nachtwache zweier Freunde am Sterbebett eines im Duell Verwundeten mit sekundengenauer Exaktheit wiedergegeben. In der *Familie Selicke* (zus. mit Joh. Schlaf; 1890) ist schließlich das Beispiel eines »konsequenten« naturalistischen Dramas gegeben: Ohne jede Handlungsführung wird lediglich der armselige Tod eines Kindes dargestellt, an dessen Sterbelager der betrunkene Vater tritt. Aber eben dieses Geschehnis wird bis ins kleinste nachgezeichnet, ohne Rücksicht auf dramatische Gesetze und dialogische Sprachkunst. »Hier scheiden sich die Wege, hier trennt sich alt und neu«, schrieb Fontane.

Wesentlich schwieriger war es, den Sekundenstil in der Lyrik zu verwenden (die eine durchaus gegensätzliche, kurze und komprimierte Diktion erforderte). In seinem Versbuch *Phantasus* (begonnen 1885; Gesamtausgabe 1916) versuchte Holz, dem einzelnen Wort eine möglichst komplexe Aussagekraft zu verleihen, indem er es als bruchstückhaftes Bild, als Beispiel für Ähnliches und Chiffre für vieles andere, als »Andeutung« einsetzte. Die Ausmalung der Situationen und des Milieus blieb dem Leser überlassen.

»Draußen die Düne.
Einsam das Haus
eintönig,
ans Fenster,
der Regen.
Hinter mir,
tictac,
eine Uhr,
meine Stirn
gegen die Scheibe.
Nichts.
Alles vorbei.
Grau der Himmel,
grau die See
und grau
das Herz.«

Hiermit bahnte sich eine neue Lyrik an. Holz erkannte selber, daß der Sekundenstil unzureichend, allzu »prosaisch« war. Zudem erwies sich das ausschließlich reportagehafte Verfahren insgesamt als dichterisch unergiebig. Viele Werke waren nichts anderes als Beschreibungen des Milieus und der sichtbaren psychischen Reaktionen.

Ebenso wie Arno Holz (in der Lyrik) trennten sich Hermann Sudermann und Gerhart Hauptmann vom »naturalistischen Schema«; sie brachten in den Naturalismus, zu dem sie sich bekannten, äußerst eigenwillige Motive und Intentionen hinein.

Hermann Sudermann (1857–1928) richtete seine Schauspiele auf den gängigen Publikumsgeschmack ein, hielt die naturalistischen Szenen in Grenzen und staffierte sie mit sozialkriti-
SPIEL MIT   schen Floskeln aus. Das Tragische wurde ins Effekt-
DEM EFFEKT   volle übertragen und damit erheblich abgeschwächt.
Die Stücke sollten keine totale Erschütterung hervorrufen, sondern von der höheren Gesellschaft noch akzeptiert werden.

Sudermann (in Matziken/Ostpreußen geb.) konnte sich zunächst (in Berlin) nur mühsam durchsetzen, zumal seine Novellen und sein Roman *Frau Sorge* (die Geschichte eines mißhandelten Bauernsohnes, der schließlich den Hof anzündet; 1887) kaum beachtet wurden. Erst sein Drama *Die Ehre* (1889) wurde ein außergewöhnlicher Erfolg.
Der Kommerzienrat Mühlingk wohnt im Vorderhaus, der Invalide Hei-

necke im Hinterhaus. Der Sohn des Kommerzienrats verführt die eitle Tochter aus dem Hinterhaus; die verlorene Ehre der Familie Heinecke wird mit 40 000 Mark beglichen, während andererseits ein reicher Graf dem Sohn des Invaliden ein Millionenvermögen schenkt, damit dieser endlich die Tochter des Kommerzienrats heiraten darf. Durch ein vordergründiges Spiel mit der Relativität des Ehrbegriffes sind die Gegensätze ausgeglichen. Zu leicht ist auch die Lösung des Problems im Drama *Heimat* (1893), in dem sich die junge Magda von der Moralität ihres Vaterhauses lossagt, sich emanzipiert, Sängerin wird, auf einer Tournee in der Heimatstadt den Vater trifft, der vor Erregung tot zusammenbricht. Damit ist sie wieder und endgültig frei. – Eine gute Leistung ist Sudermann mit seinen *Litauischen Geschichten* (1917) gelungen, unter denen vor allem *Die Reise nach Tilsit* bekannt wurde: Der junge Bauer, der auf einer Bootsfahrt seine Frau umbringen wollte, findet zu ihr zurück, rettet sie aus dem Wasser und ertrinkt selbst.

Aus einem ganz anderen Vermögen schöpften die Dramen **Gerhart Hauptmanns** (1862–1946). Sie reiften aus den Spannungen seiner Persönlichkeit, aus einer selbstdurchlebten Problematik, der es um Lebensgestaltung, um den Kampf der inneren Mächte, um das Leiden, Mitleiden und Sicherlösen ging. Aus dem Innenraum erfahrener, durchstandener und durchlittener Schicksale geht eine dichterische Schöpfung hervor, die nicht unbedingt getreu naturalistisch sein, wohl aber das Elend und Leiden erniedrigten Menschseins aussprechen wollte. Hauptmann gestaltete nicht der objektiven Feststellung und nicht allein des sozialen Mahnrufs wegen, sondern in ihm wirkte die Erfahrung menschlicher Abgründigkeit und chthonischer Schicksalhaftigkeit, das Erlebnis einer tragischen Allmacht: »Dichten ist ein großes Erleiden.«

LEIDEN AM
LEBEN

Seine Wurzeln – gerade als Schlesier – reichen zurück bis ins Barock. Die Unbegreiflichkeit des menschlichen Mysteriums, überhaupt die Suche nach dem Mysterium, die quälerische Innerlichkeit und schöpferische Dämonie sind seine stärksten Wesenszüge. Er ist (obgleich man dies immer wieder versuchte) nicht mit Goethe zu vergleichen; sondern er war der stets Ungeformte, Unvollendete, der Magier seiner eigenen Seele, der eruptiv, zerquält und verzückt hervorbrechende Elementargestalter, ebenso realistisch wie visionär, ebenso sinnlich wie phantastisch, immer hingegeben der Radikalität des Betrachtens und Erfassens und der Bereitschaft des Erlebens und Miterlebens. Sein Werk läßt sich nicht allein unter dem Begriff des

Naturalismus und auch nicht unter späteren literarischen Kategorien
zusammenfassen. Hauptmann war in einen verzweiflungsvollen My-
stizismus verstrickt (der sich etwa mit dem theosophischen Erschrek-
ken der frühen Expressionisten, namentlich Georg Heyms, vergleichen läßt). Erkennbar sind Übereinstimmungen mit der Mystik Jakob Böhmes und dem realistischen Skeptizismus Georg Büchners.
Das zentrale Motiv ist das Gewahren der »schwarzen« Gottheit, das
Erahnen furchtbarer Naturgesetze, – ein religiöser Pessimismus, der
mit wesentlichen Tendenzen der modernen Literatur übereinstimmt.
Der Ausgangspunkt war der literarische Umbruch, den der Naturalismus vollzog.

Der Mensch – als Einzelwesen und in der Masse – steht in einem
Ringen um Existenz, um einen festen Standort der Werte, um das
Bewußtsein eines erfüllten Lebens und dessen mate-
RINGEN UM   rielle Sicherheit, in einem Ringen nicht nur um soziale,
EXISTENZ   sondern mehr noch um geistige, ethische, religiöse, ge-
schichtliche Daseinsgehalte. Die Betrachtung des Mi-
lieus und der Vererbung allein genügen nicht, um ihn und sein Ver-
halten zu verstehen.

1889 erschien auf der zensurfreien Bühne des Berliner Lessingtheaters
Hauptmanns erstes Schauspiel: *Vor Sonnenaufgang.* Inmitten einer durch
Schnaps und Sexualität gänzlich verlotterten Bauernfamilie bewahrt sich allein die Tochter Helene, die bei den Herrnhutern aufgewachsen ist, die innere Reinheit. Sie kämpft vergebens gegen die Niedertracht und Entartung
ihres »Milieus«. Loth (Parabelgestalt des vom Unheil sich abkehrenden biblischen Loth), ein sozialistischer Schwärmer, der den Ausblick zu einem
neuen Leben öffnet, wird zum Ideal des Mädchens. Doch als er sie, über die
wahren Verhältnisse der Familie unterrichtet, verläßt, bleibt ihr nur der Tod
als einzige Ausflucht aus der Verkommenheit. Sie stirbt vor Sonnenaufgang,
als der Vater betrunken nach Hause kommt und mit »roher, näselnder Trin-
kerstimme« krächzt: »Hoa' iich nee a poar hibsche Tächter?«

Aus der Familienüberlieferung (sein Vater war Gasthofbesitzer in
Bad Salzbrunn im Waldenburger Bergland) erfuhr der junge Hauptmann vom Hungeraufstand der schlesischen Leinwandweber im Jahre 1844. *Die Weber* (1892) sind – in einem naturalistischen Reportage-
stil, der das Geschehen ohne Helden, ohne Pathos und ohne eine
abstrakt konzipierte Menschheitsidee auf die Bühne stellt, – eine Tragödie der zerstörten Humanität.

Der gewinngierige Fabrikant Dreißiger liefert die von ihm abhängigen Weber skrupellos der Verelendung aus. Sieche, abgemagerte Menschen stehen in seinem Kontor, um die Leinwandballen gegen einen Hungerlohn abzuliefern. Die Not ist der »Held« des Dramas, und die Betroffenen sind die Masse, eine ganze Volksschicht. Ihre Rebellion gegen die Ausbeuter ist sinnlos und führt in die Versklavung zurück. Eine Kreisbewegung vollzieht sich zur ersten Szene hin. Zaghaft gehen die Weber in den Aufstand, aber auch sie brechen mit der Menschlichkeit, die sie von Dreißiger forderten: »Nimmst du m'r mei Häusl, nehm' ich d'r dei Häusl. Immer druf!« Jedoch nicht alle! Der alte Hilse klagt sie an: »Ich nich! Und wenn ihr alle vollens drehnig werd! Hie hat mich mei himmlischer Vater hergesetzt. Gell Mutter? Hie bleiben mer sitzen und tun, was mer schuldig sein, und wenn d'r ganze Schnee verbrennt.« Aber gerade ihn trifft eine tödliche Kugel der heranrückenden Soldaten. Die Heilsgewißheit endet in einer fatalistischen Groteske.

Ähnliches geschieht im Schauspiel *Florian Geyer* (1896): Der Schwarze Ritter des deutschen Bauernkrieges beschwört vergebens seine Rebellenhaufen, Einheit und Mäßigung zu bewahren. Er ist der Idealist für die Sache des Rechts, aber ihn tötet ein Schuß aus dem Hinterhalt. – Der *Fuhrmann Henschel* (1898) zerbricht an seiner eigenen Gutmütigkeit, die der Niedertracht seiner Frau, seiner ehemaligen Magd, nicht gewachsen ist; die tiefste Erschütterung kommt aus der Einsicht, daß er das Unheil, das ihn (schon zuvor) überfallen hat, nicht entwirren kann. Obwohl er seiner Frau verzeiht und sich alles einrenken könnte, begeht er Selbstmord. »Aber nee: ane Schlinge ward mir gelegt, und in die Schlinge da trät ich halt nein... Kann sein, der Teifel, kann sein, a andrer. Erwirgen muß ich, das is gewiß... Ich bin halt bloß immer gradaus gegangen.« – *Michael Kramer* (1900), ein mittelmäßig begabter Maler, überwirft sich mit seinem hochtalentierten, aber charakterlich verkommenen Sohn und ist außerstande, ihn vom Selbstmord abzuhalten. – *Rose Bernd* (1903), die Kindsmörderin, ist vergewaltigt, erpreßt, gedemütigt worden. »Se han sich an mich wie de Klett'n gehang'n... ich konnte nich über de Straße laufen! Alle Männer war'n hinter mer her! Ich hab mich versteckt... Ich hab mich gefircht... Ich hab solche Angst vor a Männern gehabt.« – In dem Mietskasernen-Drama *Die Ratten* (1911) kämpft das Dienstmädchen Piperkarcka vergebens um die Liebe ihres Verführers und um den Besitz ihres heimlich geborenen Kindes, das sie der Mutter John, der Frau eines Maurers, anvertraut hat. Der alte John: »Bin ick denn hier von Jespenster umjeben? ... De Sonn scheint! et is hellichter Tag! ick weeß nich: sehen kann ick nich! det kichert, det wispert, det kommt jeschlichen! und wenn ick nach jreife, denn is et nischt...« In der Novelle *Bahnwärter Thiel* (1888) wird der gutherzige, besinnliche Mann zum Mörder an seiner Frau, als durch ihre bewußte Unachtsamkeit sein Sohn aus erster Ehe vom Schnellzug überfahren wird. Auch hier ist der Widerstand gegen das – unbegreifliche, wesenlose – Schicksal sinnlos. »Er strengte seine Augen an und beschattete sie mit der Hand, wie um noch einmal in weiter Ferne das Wesenlose zu

entdecken. Schließlich sank die Hand, und der gespannte Ausdruck seines
Gesichts verkehrte sich in dumpfe Ausdruckslosigkeit.«

Barocke Vanitas-Stimmung und die Hoffnung mittelalterlicher Christus-Mystik schwingen mit in der Suche nach Erlösung. Es ist die
reine Legendenwelt bewahrter Frömmigkeit, die im
ERLÖSUNG   Bilde Christi und in der Musik der Engel sich über die
DURCH   Nichtigkeit des Irdischen legt. Am Schluß steht allerdings das Eingeständnis von der Undurchsichtigkeit
CHRISTUS   des Todes.

In *Hanneles Himmelfahrt* (1893) erleben wir den Fiebertraum eines kleinen
mißhandelten Mädchens, das Selbstmord begehen wollte und nun todkrank
auf einer Pritsche im Armenhaus liegt. In der Agonie entfaltet sich ein visionäres Himmelsreich; die Gestalt des geliebten Lehrers Gottwald vereinigt
sich mit Christus; Hannele erschaut mit kindlicher Vorstellung das Paradies,
sieht sich als Heilige und Auserwählte. Christus: »So beschenke ich deine
Augen mit ewigem Licht... (Er berührt ihr Ohr.) So beschenke ich dein Ohr,
zu hören allen Jubel aller Millionen Engel... (Er berührt ihren Mund.) So
löse ich deine stammelnde Zunge und lege deine Seele darauf und meine
Seele und die Seele Gottes...« Am Schluß jedoch wird ins Armenhaus zurückgeblendet. Die letzte Feststellung trifft der Arzt: »Dr. Wachler (sich aufrichtend, sagt): Sie haben recht. Schwester Martha (fragt): Tot? Der Doktor
(nickt trübe): Tot.«

Aus der Verinnerlichung des naturalistischen Menschenbildes sind
auch Hauptmanns Komödien zu verstehen, deren Personen – wie in
den tragischen Dramen – die Umstände von Erb-
DIE ÜBER-   schicksal und Milieu nicht nur hinnehmen, sondern
WUNDENE   sich mit ihnen auseinandersetzen, sie zu überwinden
TRAGÖDIE   trachten. Das Element der Überwindung ist hier der
Humor, der groteske Humor des menschlichen Widerstandes gegen
das Schicksal. Aus Ernstem und Tragischem geht das Heitere hervor;
die Komödie ist gleichsam eine »überwundene Tragödie«. Die Art,
wie sich der Mensch gegen seine Armseligkeit auflehnt, sein Einsatz
an List und Verschlagenheit, sein gegen das Schicksal sich anstemmendes verwegenes Dennoch schaffen eine komische Situation, die
hart an der Grenze der Tragik steht. Eine gleiche Auffassung des Tragikomischen zeigte sich bereits in Kleists »Amphitryon« und »Der
zerbrochene Krug«.

Aus den Erlebnissen seiner Studienzeit an der Breslauer Kunstschule (Hauptmann wollte zunächst Bildhauer werden) schuf er die Figur des *Kollegen Crampton* (1892), eines durch den Alkohol heruntergekommenen Künstlers, der, als ihm der Verlobte seiner Tochter wieder ein Atelier einrichtet, zumindest das Versprechen abgibt, ernsthaft ans Werk zu gehen. Wirkungsvoller ist die Gestalt der Mutter Wolffen im *Biberpelz* (1893), denn ihr Kampf gegen die Macht der Verwahrlosung ist ebenso heroisch wie komisch, ebenso ehrlich wie listig, in jeder Hinsicht aber von zäher, unbändiger Vitalität. Während ihr Mann, der Schiffer Julius, das Geschick der Armut apathisch über sich ergehen läßt, strebt sie mit Energie und Fleiß nach Geld und Wohlstand; sie verdingt sich als Waschfrau, hält den Haushalt zusammen, betreibt heimliche Handelsgeschäfte, stiehlt dem Rentier Krüger des Nachts eine Fuhre Holz und eignet sich auch dessen wertvollen Biberpelz an, den sie für 70 Taler dem Schiffer Wulkow verkauft. Die Untersuchungen scheitern daran, daß der Amtsvorsteher Wehrhahn, Prototyp des wilhelminischen Beamten, prinzipiell dem freimütig auftretenden Krüger und dem liberal gesinnten Dr. Fleischer widerspricht. Der Dieb wird nicht ermittelt, Krüger kommt nicht zu seinem Recht, Fleischer ist nach wie vor den Anfeindungen ausgesetzt. Wehrhahn herrscht weiterhin absolut. Lediglich daß die Wolffen die Hypothek ihres Hauses abzahlen kann. – Dieses (gleichsam archetypische) Motiv des Hausbesitzes wird in der Tragikomödie *Der rote Hahn* (1901) zu einem zwielichtigen Ende gebracht. Mit Hilfe von Brandstiftung und Versicherungspolice gelingt es der Wolffen (die durch ihren zweiten Mann, den Schuster Filitz, in die kleinbürgerliche Schicht aufgerückt ist), ein neues, fünfstöckiges Haus zu bauen. Sie verliert jedoch ihre letzten Ersparnisse an ihren Schwiegersohn Schmarowski; beim Richtfest, kurz vor der Vollendung ihres Zieles, sinkt sie tot zusammen: »Ma langt ... ma langt nach was ...« (In den »Webern« sagte der alte Hornig: »A jeder Mensch hat halt 'ne Sehnsucht.«)

Trotz der Einsicht in menschliche Ohnmacht stellte Hauptmann an seine Menschen die Forderung, Armut, Elend und Verkommenheit

**ÜBERWIN-
DUNG DES
NATURA-
LISMUS** aus sich selbst heraus zu bewältigen: durch reales Handeln oder durch »Flucht« in eine illusionäre Traumwelt. In der Komödie *Schluck und Jau* (1900) werden zwei betrunkene Landstreicher in die fürstliche Sphäre eines Schlosses versetzt und nehmen, am Straßenrand aufwachend, einen Rest Illusion mit auf den Weg (Jau: »Ich bin a Ferscht – und ich bin halt o Jau«). Derartige Parallelität von Wirklichkeit und Traum (vergleichbar mit dem Doppelspiel in »Hanneles Himmelfahrt«) war das Anzeichen einer allmählichen Trennnung vom Naturalismus. – Die entscheidende Kraft war für Hauptmann

die Mächtigkeit des Gefühls. Es ging ihm weit weniger um die Darstellung des nichtswürdigen Menschendaseins als um die Aufspürung untergründiger, schicksalhafter, letztlich theonomer Gewalten, der Ursprungsgewalten des Tragischen überhaupt. Daraus erklärt sich sein inniges Verhältnis zum Sektierertum, zur Orphik und barocken Mystik. Die Gesamtheit eines elementaren Emotionalismus überwand jedwede programmatische Vordergründigkeit.

In dem Märchenspiel *Und Pippa tanzt!* (1906) versucht der in unterirdische Finsternis verbannte Huhn (ein »ungeschlachter Riese«, ein »schwarzes Bündel Mordlust«), von der Lichtgestalt der Pippa, einem von ihm geschaffenen Traumbild, erlöst zu werden; er führt einen Tanz mit ihr auf, aber er vermag sie nicht einzufangen. – Im Roman *Der Narr in Christo Emanuel Quint* (1910) will ein redlicher, die Verworfenheit der Menschen anprangernder Prediger Gott herbeirufen; in seinem »Christuswahn« verkündet er eine Einheit von Gott und idyllischer Natur; aber er wird von einer Schneelawine verschüttet.

In der Erzählung *Der Ketzer von Soana* (1918) widersetzt sich ein katholischer Priester der christlichen Heilslehre, flüchtet in eine entlegene Bergregion und gibt sich dem erotisch-erdhaften Zauber eines Hirtenmädchens hin. – Im Legendenspiel *Kaiser Karls Geisel* (1908) läßt sich der fränkische, dem Christentum verpflichtete Kaiser mit einem heidnischen Mädchen ein. Zwar erträgt er es, daß der Priester Ercambald sie töten läßt, aber er kommt von dem »Drudenzauber« des Mädchens nicht los.

Das Drama *Indipohdi* (1920) geht z. T. auf buddhistische Anschauungen zurück. Der auf einer pazifischen Insel gelandete Fürst Prospero wird von der Priesterin Tehura in ein Mysterium des Nichtwissens eingeweiht, in eine »bewußtlose« Vorstellung, daß das »Nichts« zugleich »alles« sei. Um sich mit der undurchschaubaren Gottheit zu verbinden, tötet er sich. »O reine Priesterin, nimm weg die Welt / und schenke mir das Nichts, das mir gebührt.«

Die mystische Unio ist auch das Endmotiv im Epos *Till Eulenspiegel* (1928). Der Magier und Gaukler Till, der das zerrüttete Nachkriegsdeutschland durchstreift, zweifelt an der Erlösungskraft des Christentums. Als orphischer Wanderer dringt er in ein »vorchristliches« Jenseits ein. In arkadischen Gefilden begegnet er Helena; in der abgründigsten Region des Orkus erlebt er die Chaosmacht des Saturn. Blindlings (»geschlossenen Lides«) vertraut er sich dem Gott der »Flamme« an, Dionysos, einer komplementären Gottheit, die Segen spendet und Zerstörung verursacht.

Hauptmann befaßte sich sehr intensiv (bereits während seiner Griechenland-Reise 1907) mit der attischen Tragödie; sie erschien ihm als »Opferhandlung«, als »schaudernde Anerkennung unbeirrbarer

Blutbeschlüsse der Schicksalsmächte«. Ebenso wie Nietzsche und Jacob Burckhardt lehnte er die »klassische« Auffassung vom »apollinischen« Wesen des Griechentums ab.

In seiner Atriden-Tetralogie (*Iphigenie in Delphi; Iphigenie in Aulis; Agamemnons Tod; Elektra;* 1941–47) sind es vor allem Götter und dämonische Gewalten, die das Unheil auslösen und vollenden. Klytämnestra und Orest töten geradezu willenlos; und Iphigenie ist ein schuldloses Opfer der Hekate (Artemis, Diana), »die mehr als alle lechzt nach Menschenblut«. Hauptmann widersprach der Goetheschen Version, indem er sich auf Aischylos berief. Zudem scheint es seine Absicht gewesen zu sein, das Chaos im NS-Reich als schicksalhaftes Verhängnis zu deuten.

Hauptmanns Einstellung zum Nationalsozialismus war zwiespältig. Obgleich er sich eindeutig zur Weimarer Republik bekannt hatte, emigrierte er nicht. »Ich gehe nicht ins Ausland, da ich ein alter Mann bin und, an meine Heimat gebunden, nur hier schaffen kann.« Unter bitteren Schmerzen erlebte er den Zusammenbruch Deutschlands. »Ich stehe mit einem Vermächtnis vor Gott, das leider machtlos ist und nur aus dem Herzen kommt: es ist die Bitte, Gott möge die Menschen mehr lieben, läutern und klären zu ihrem Heil als bisher.« Er starb – ein Jahr nach der russischen und polnischen Besetzung Schlesiens – in seinem Haus Wiesenstein im Riesengebirge. Bestattet wurde er auf der Ostseeinsel Hiddensee, wo er viele Sommermonate verbracht hatte.

Die meisten naturalistischen Autoren wandten sich sehr bald einer unprogrammatischen, vor allem emotionalen, »seelisch verinnerlichten« Dichtung zu. Der ältere Bruder Gerhart Hauptmanns, **Carl Hauptmann** (1858–1921), versuchte (etwa in seinem Künstlerroman *Einhart der Lächler,* 1907), ins Romantische und Mystische vorzudringen. Der Österreicher **Hermann Bahr** (1863–1934), der schon 1891 eine »Überwindung des Naturalismus« proklamiert hatte, bekannte sich im autobiographischen Roman *Himmelfahrt* (1916) zum Katholizismus.

Jakob Wassermann (1873–1934; geb. in Fürth), ein Schilderer jüdischen Lebens, schloß sich an den religiösen Idealismus Dostojewskijs und Tolstois an.

Schon sein erster Roman, *Die Juden von Zirndorf* (1897), eine Reihe vorwiegend naturalistischer Skizzen, weist in die Welt des Religiösen, der Prophetie und Erlösung. In der *Geschichte der jungen Renate Fuchs* (1900) erfährt ein Mädchen eine Befreiung aus ihrem zerrissenen, scheinbar ausweglosen Leben durch die Hilfe eines edlen, tief religiösen Juden. Der Künstlerroman *Das Gänsemännchen* (1915) enthält die Forderung, den eigenen Ansprüchen zu entsagen und sich der Entfaltung und Vollendung des Mitmenschen zu widmen. Der gescheiterte und enttäuschte Musiker Daniel gibt seine persönlichen Ziele auf und will fortan seinen ihm treu gebliebenen Schülern Vermittler der ewig menschlichen Werte sein. »Es geht nicht ums Können, es geht ums Sein.« – Im Roman *Christian Wahnschaffe* (1919) verkündete Wassermann eine christlich-soziale Haltung von der Art Tolstois. Christian, Sohn eines Industriemagnaten, bisher Genießer und Nichtstuer, entschließt sich – beeinflußt von einem russischen Revolutionär –, das Elternhaus zu verlassen, um den Notleidenden, auch den »Niedrigsten und Verworfensten« zu helfen.

Es erfolgte eine Proklamation des Glaubens an die Auferstehung des Ideellen, gleichviel christliche Liebesfähigkeit wie jüdische Leidensfähigkeit enthaltend, ein Bekenntnis zu der überirdischen Kraft des Menschen. Damit aber war die geistesgeschichtliche Gegenseite des dem Naturalismus zugrunde liegenden Materialismus heraufbeschworen, eine neue Wertsicherheit geschaffen, zumindest aber der Anstoß zu einer neuen Wertsuche gegeben.

Entgegen einem derartigen Streben nach Festigung und seelischem »Behaustsein« (solche Bemühungen äußerten sich rigoros in der seinerzeit mächtig aufsprießenden »Heimatkunst«-Bewegung) verstärkte sich der Trend zur experimentellen, wagnishaft traditionslosen und absolut provokatorischen Gestaltung. Es ging geradezu um eine Demonstrierung der »Anomalie«, der von Heilsgewißheiten unverschleierten Fragwürdigkeiten, Ängste und Verfallssymptome. Ein Ausweg aus der Resignation war das Spiel mit der Abnormität, der Versuch, das Gefährliche artistisch in den Griff zu bekommen und neue faszinierende Ergebnisse hervorzubringen. Der Weg in den Expressionismus bahnte sich hier an. Das wesentliche Agens war das Prinzip grenzenloser, künstlerisch-elitärer Freiheit (erste Ansätze lassen sich im Emanzipations-Kult der Romantik, etwa im Kreise Friedrich Schlegels, entdecken).

Otto Julius Bierbaum (1865–1910), Initiator des deutschen Kabaretts, Lyriker (*Erlebte Gedichte,* 1892) und Romanautor (*Stilpe,* 1897; *Prinz Kuckuck,* 3 Bde. 1906–08), Verfechter einer frivolen und makabren Lebewelt der »Boheme«, war ein Vorläufer des Expressionismus, der Chaosdichtung eines Georg Heym und Georg Trakl.

Stilpe, Student, Bohemien, Akteur in einem Kabarett der »Zukunft«, Exponent einer »grotesk-realistischen Tingeltangelkunst«, tötet sich vor dem Publikum (»Aber nicht wahr: Meine Nummer ist gut?«). Henry Felix Hauart, der Prinz Kuckuck, in fremden Nestern aufgezogen, zusammenhanglos ins Leben geworfen, vergeblich nach dem Ursprung seines Daseins suchend, endet in der Erkenntnis satanischer Naturgesetzlichkeit, begeht Selbstmord, als er einsieht, daß er den »Fangfängen« des Schicksals ausgeliefert ist. (»Das lauschleimige Gestrudel dehnte sich aus und saß ihm nun mit tausend Sauglippen am Nacken.«) In den Gedichten entsteht das expressionistische Bild der Baals-Gottheit, der »Spinne«:

> »Meine Augen waren nächtens aufgetan,
> Starr im tiefen Traume, einem Riesenplan.
>
> Eine Ebene war es unermeßlich weit,
> Und mein Auge sahe die Unendlichkeit.
>
> War wie Blei so grau, war wie Blei so schwer,
> Eine Riesenspinne lief darüber her.
>
> Schwarze Klebefäden wob sie her und hin,
> Blind, so schien mir, war die graue Weberin.
>
> In der Spinnewebe Maschen eingenetzt
> Hingen Menschenherzen blutig und zerfetzt.«

Detlev von Liliencron (1844–1909), in Kiel geboren, war in den Kriegen von 1866 und 1870/71 Offizier, mußte aber wegen seiner Schulden den Dienst ebenso quittieren wie später eine

PLEINAIR-
DICHTUNG

Stellung als Kirchspielvogt. Dazwischen hatte er erfolglos sein Glück in Amerika versucht. Schließlich lebte er seiner Schriftstellerei in München, Berlin, Altona und Alt-Rahlstedt, wo er starb. Liliencron ließ dank seiner männlich-ritterlichen Natürlichkeit, seines kraftvollen Temperaments und einer gesund-vitalen Sinnlichkeit das blasse Epigonentum der Platen-, Scheffel- und Geibel-Nachahmer weit hinter sich und brachte eine frische Brise in das lyrische Schaffen der Zeit. Bereits seine *Adjutantenritte und andere Gedichte* (1883) zeigen – neben manchem Herkömmlichen – das Element seiner Lyrik: den malerisch, impressionistisch wiedergegebenen Augenblickseindruck, der die Technik des Sekundenstils nützt, ohne sich freilich in eine umständliche Detailschilderung zu verlieren. Der sinnliche Eindruck wird un-

mittelbar in Worte umgesetzt, unbekümmert um saloppe Wendung
oder Alltagsausdrücke. »So habt doch endlich Courage, euch den
Eindrücken hinzugeben!« fordert Liliencron und verzichtet auf Re-
flexion und Idee sowie auf Moralisieren und Ästhetisieren. Auch in
seinen späteren Bänden (*Gedichte*, 1889; *Neue Gedichte*, 1893; *Bunte
Beute*, 1905) bleibt er der unbeschwerte Reitersmann, der erotische
Abenteurer und der frohe Jäger, der das Hier und Jetzt, Natur,
Mensch und Tier im Stil der impressionistischen Freiluft-Maler als
Pleinair-Dichter einfängt und unbekümmert um Konvention ge-
staltet:

>»Die Feder am Sturmhut in Spiel und Gefahren,
>   Halli.
> Nie lernt' ich im Leben fasten noch sparen,
>   Hallo.
> Der Dirne laß ich die Wege nicht frei;
> Wo Männer sich raufen, da bin ich dabei,
> Und wo sie saufen, da sauf' ich für drei.
> Halli und Hallo.«

(Bruder Liederlich)

Der Unterschied zu C. F. Meyers plastischer wie gemeißelter Form-
kunst wird am deutlichsten, stellt man dem »Römischen Brunnen«
Liliencrons *Die Musik kommt* gegenüber.

Aus harten Lebenserfahrungen kam viel Schwermütiges in seine
Lyrik, das ihn zu Melancholie, zur Flucht in die Phantasie (vgl. sein
groteskes Epos *Poggfred*, 1896) oder zu Gedanken um den immer
nahen Tod trieb. Hierher gehören auch seine ernsthaften Anstrengungen gerade um formstrenge lyrische Gattungen sowie sein Bemühen um das einzelne, dem jeweiligen Eindruck entsprechende Wort.

Die impressionistische Aussparungstechnik evoziert Ahnung von
»Unterwelt«. Das scheinbar leicht dahinfließende Parlando trägt in
sich das Wissen um Vergängnis; es ist eine Melodie des Noch-nicht-
aber-bald.

>»Schon nascht der Star die rote Vogelbeere,
> Zum Erntekranz juchheiten die Geigen,
> Und warte nur, bald nimmt der Herbst die Schere
> Und schneidet sich die Blätter von den Zweigen,
> Dann ängstet in den Wäldern eine Leere;

> Durch kahle Äste wird ein Fluß sich zeigen
> Der schläfrig an mein Ufer treibt die Fähre,
> Die mich hinüberholt ins kalte Schweigen.«
>
> *(Acherontisches Frösteln,* aus: *Sicilianen)*

Seine Kriegsnovellen neigen zum Effekthaften, seine Erzählungen und Romane kreisen um eigene Erlebnisse, Heimat und Geschichte und sind Versuche, der bürgerlichen Enge die Träume von einem freien, ungebundenen Leben entgegenzuhalten.

»Ich wurzele zwischen Nietzsche und Liliencron«, hat **Richard Dehmel** (1863–1920) von sich behauptet, und Rilke sagte von ihm, daß er die Abscheu vor dem Schreibtischliteraten mit dessen Freund Liliencron geteilt habe.

Geboren als Sohn eines Försters in der Lausitz, studierte er in Berlin und Leipzig. Im Ersten Weltkrieg war er Soldat. Er starb in Blankenese, wo er seit 1901 wohnte.

Dehmel war ein ständig ringender Grübler, dem das Gedankliche, das Hintergründig-Symbolische und die metaphysische Spekulation in seiner Lyrik näherstanden als der gefühlsgeladene gegenständliche Eindruck. Der Eros, wichtiges Thema auch für ihn, wird nicht zu naivem Genuß wie bei Liliencron, sondern zum quälenden Problem, das – mit dem Ziel einer Erneuerung des Menschenbildes überhaupt – von rauschhafter Triebhingabe bis zur Steigerung ins Transzendente hin und her gewendet wird. Die Spannung zwischen Sucht und Zucht, in der der Geist Herr des Wahns der Seele bleibt, findet selten eine Lösung, und die Ekstase und das Pathos (besonders bei der religiösen Verklärung des Eros) lassen sprachlich und künstlerisch vieles in seinen Sammlungen als mißlungen erscheinen. Von ihnen seien erwähnt: *Erlösungen* (1891); *Aber die Liebe* (1893); *Lebensblätter* (1895) und *Weib und Welt* (1896). 1920 erschienen *Hundert ausgewählte Gedichte,* die das Beste von Dehmel enthalten. Unter seinen von sozialem Mitleid getragenen Gedichten *(Vierter Klasse; Zu eng; Der Arbeitsmann)* gibt es vollendete Lyrik mit persönlicher Sprachkunst, eigenem Rhythmus und melodischem Ton. Richard Schaukal, der Dehmel »den sicherlich seit Goethe geistreichsten aller deutschen Lyriker« nennt, schreibt über ihn:

ZWISCHEN
SUCHT UND
ZUCHT

»Dehmels vielfältig sich windender Weg als Lyriker führt vom schmalen Pfad
einer sich selbst innig belauschenden Seele ins Dickicht der ›Süchte‹, ins trübe Moor der Sinnlichkeit, durch den Wald der Zweifel an Abhängen der
Lästerung vorbei zu kurzen, hochaufatmenden Ausblicken ins Freie, bis er
endlich über den Wolken auf Höhen hinwandelt, die die dunkelstrahlende
Weisheit des Himmels überwölbt.«

Das originellste, erregendste und einflußreichste »Wagnis der Spra-
che« wurde von **Friedrich Nietzsche** (1844–1900) unternommen.
WAGNIS DER   Nietzsche stammt aus Röcken bei Leipzig, erhielt
SPRACHE   25jährig eine Professur in Basel, die er aber nur ein
              Jahrzehnt innehatte. Seit 1889 war er unheilbar gei-
              steskrank.

Nietzsches Erstling, *Die Geburt der Tragödie aus dem Geiste der Musik*
(1872), setzt Winckelmanns einseitig »apollinischem« Bild der Antike eine
»dionysische« Sicht entgegen. Er versteht darunter eine rauschhaft erlebte,
überquellende Lebenskraft, die in der Kunst auch noch aus dem Leid (Einfluß Schopenhauers) Schönheit und Adel schafft. Dieses Dionysische findet
er in den Opern Richard Wagners, von dessen Idee eines Gesamtkunstwer-
kes (das Bühnenweihespiel sollte alle Künste vereinigen) er eine notwendige
Erneuerung des abendländischen Kultur erwartet. Die schwärmerische
Freundschaft zwischen beiden kehrte sich allerdings nach Wagners »Parsifal«, in dem Nietzsche einen Rückfall Wagners ins Christentum erblickte, in
unversöhnliche Gegnerschaft. – In seinen *Unzeitgemäßen Betrachtungen*
(1873–76) lehnt sich Nietzsche gegen alles Bürger- und Bildungsphilister-
tum, den Sozialismus und Historismus sowie jede systematische Philosophie
auf und stellt ihnen in *Also sprach Zarathustra* (1883–85) am Bild des »Über-
menschen« das echte, wirkliche Leben entgegen. Für dessen »Willen zur
Macht« (Titel eines unvollendet gebliebenen Werkes) gibt es keine Moral der
Schwachen, keine Herrschaft der »Vielzuvielen« wie in der Demokratie und
im Christentum, sondern eine »Umwertung aller Werte«, ein »Jenseits von
Gut und Böse« (Titel der Schrift von 1886) mit der einfachen Ethik: Gut ist
gleich stark.
    Diese neue Lebensphilosophie sollte noch viele Nachahmer finden, die
sich gegen jede Überbetonung des Intellekts wandten und an seine Stelle das
Emotionale oder Irrationale setzten (von Henri Bergson über Ludwig Klages
bis zu den Pseudophilosophen des Nationalsozialismus).

Bezeichnend auch für den Philosophen Nietzsche war, daß er seine
Lehre in einer ganz neuen, brillanten Wortkunst des Aphorismus verkündete. In *Menschliches Allzumenschliches* (1878–80) gab er unter

dem Thema »Das Unvollständige als das Wirksame« eine Selbstdeutung seiner Stiltechnik:

»Wie Relieffiguren dadurch so stark auf die Phantasie wirken, daß sie gleichsam auf dem Wege sind, aus der Wand herauszutreten und plötzlich, irgend wodurch gehemmt, haltmachen: so ist mitunter die reliefartig unvollständige Darstellung eines Gedankens, einer ganzen Philosophie wirksamer als die erschöpfende Ausführung: man überläßt der Arbeit des Beschauers mehr, er wird aufgeregt, das, was in so starkem Licht und Dunkel vor ihm sich abhebt, fortzubilden, zu Ende zu denken und jenes Hemmnis selber zu überwinden, welches ihrem völligen Heraustreten bis dahin hinderlich war.«

Nietzsches rhythmische Prosa knüpft ans Deutsch der Lutherbibel und an die Technik der Psalmen an und steigert die Spielfähigkeit des Instrumentes der Sprache zu erregender Perfektion. Das Wort wird zur magischen Beschwörung, und die Form verselbständigt sich zu freischwebendem Spiel. »Das Rhythmisch-Vitale als Ausdruck des Lebens, das Didaktische als Lehre des Lebens, das Ästhetische als Form des Lebens und das Mimisch-Rhetorische als seine Tatwerdung müssen in ihr zur Einheit zusammenwachsen.« (Fr. Martini) Satzbau, Bewegung, Wortwahl, Pausen, Antithetik, Bild und Symbol, Gebärde und ein hochdramatisches Pathos sind einige der Register, die gezogen werden, um eine Intensität des Ausdrucks (und damit der Beeindruckung) zu erreichen, wie sie seither selten gekannt wurde.

Diese sprachschöpferische und bildnerische Kraft bestimmt auch seine Lyrik, die in die Nähe derjenigen Hölderlins rückt. Dabei bleibt Nietzsche Impressionist und als solcher einem außerordentlich zarten Gefühl für das Spiel der Lichter, Farben und Klänge bis in ihre feinsten Schwingungen geöffnet. (Vgl. dazu seine Gedichte *Der Herbst; Pinie und Blitz; Sils Maria; An den Mistral; Ecce Homo*)

> »An der Brücke stand
> Jüngst ich in brauner Nacht
> Fernher kam Gesang:
> Goldener Tropfen quoll's
> Über die zitternde Fläche weg.
> Gondeln, Lichter, Musik –
> Trunken schwamm's in die Dämmrung hinaus...
> Meine Seele, ein Saitenspiel,
> Sang sich, unsichtbar berührt,
> Heimlich ein Gondellied dazu,
> Zitternd vor bunter Seligkeit,
> – Hörte jemand ihr zu?...«

(Venedig)

Neben Nietzsche verblaßt **Carl Spittelers** (1845–1924) um einen
»hohen Ton« bemühtes, gedankenüberladenes Epos
Prometheus und Epimetheus (1880/81) mit seinem my-
thisch-allegorischen Inhalt ebenso wie sein *Olympi-
scher Frühling* (1900–05), mit dem er die antike Götterwelt wiederzubeleben und der modernen Zeit einen Mythos zu geben
suchte.

Vor dem hohen Ziel, »visionäre Mythenkünder« zu werden, versagen auch die jüngeren Nietzsche-Epigonen **Alfred Mombert** (1872–
1942), **Otto zur Linde** (1873–1938) und **Theodor Däubler** (1876–
1934). Mombert steigerte sich im Sprachrausch seiner Gedichte, die
ein »symphonisches Sprachwerk« darstellen sollten, wie z. B. *Die
Blüte des Chaos* (1905), *Der himmlische Zecher* (1909), in visionäre
Ekstasen, die seine Verse »in das Reich der Sinnbilder, in den Äther
metaphysischer Wahr-Bilder und in den Gesang« zu erheben gedachten. Wagner und Nietzsche vergleichbar, scheiterte er an dem Versuch, »die Einheit von Dichtung, Philosophie und Religion... in das
Musikalische der Sprache« zu binden.

Otto zur Linde war der Herausgeber der Zeitschrift *Charon*, die
sich vor allem mit religiös-mythischen Fragen beschäftigte. Diese bestimmen auch Lindes philosophische Dichtungen (*Die Kugel*, 1909;
Thule Traumland – Band 1 der Ges. Werke, 1910–1925). Aufbegehren gegen den Naturalismus kennzeichnet Lindes Sprache:

> »Sind nicht die Gipfel rot?
> Sind nicht die Himmel gelb?
> Purpurflossige Nacht!
>
> Das blaue Maul
> Sterne würgt!
>
> Rast nicht der Baum,
> Baum im Rausch?...«

Däubler dichtete ein Weltschöpfungsepos *Das Nordlicht* (1910). Neben diesem kosmischen Mythos in 30 000 Versen stehen zarte lyrische Gebilde (*Der sternhelle Weg*, 1915) und eindrucksvolle Landschaftsschilderungen aus dem Süden. Er benützte die Ausdrucksmit-
tel des Impressionismus; auf der Höhe seines Schaffens kann er zu
den Meistern des Expressionismus gezählt werden.

Christian Morgenstern (1871–1914) ist ebenfalls in diesem Kreis zu nennen. Einmal widmet er sein erstes Buch »dem Geiste Nietzsches«, zum andern bleibt er dem Charon-Kreis geistig verbunden, der vom Dichter »Kontakt der Sprachseele mit dem Objekt, Eigenbewegung der Vorstellung, Form von innen heraus« forderte. Wenn Morgenstern auch in erster Linie berühmt geworden ist durch seine grotesken, phantastischen, humoristischen, häufig mit Wortspielen arbeitenden *Galgenlieder* (1905) und die Sammlungen *Palmström* (1910), *Palma Kunkel* (1916) und *Der Gingganz* (1919), so blieb er doch im Innersten ein Grübler und Gottsucher, der in oft schwermütigen Tönen um ein mystisches Glaubenserlebnis ringt (*Einkehr*, 1910; *Ich und Du*, 1911; *Wir fanden einen Pfad*, 1914).

>»Nun wohne *Du* darin,
>In diesem leeren Hause,
>Aus dem der Welt Gebrause
>Herausfloh und dahin.
>
>Was ist nun noch mein Sinn, –
>Als daß auf eine Pause
>Ich einzig *Deine* Klause,
>Mein Grund und Ursprung, bin!«

Bildfülle, Farbenglanz und Klangfarbe bestimmen schließlich auch die impressionistische Sprachkunst des Franken **Max Dauthendey**
(1867–1918). Dehmel nennt ihn einen »Rhapsoden des
EXOTISCHER seligen Überflusses«, weil er jeden sinnlichen Reiz in
ZAUBER   seinen verträumten Landschaftsdichtungen einzufangen wußte. Er hat eine ganze Reihe von Gedichtbänden (*Ausgewählte Lieder*, 1914) veröffentlicht; dazu treten autobiographische Schriften *(Der Geist meines Vaters; Erlebnisse auf Java; Letzte Reise)* sowie Erzählungen und Novellen (*Lingam – 12 asiatische Novellen*, 1909; *Die acht Gesichter am Biwasee*, 1911; *Geschichten aus den vier Winden*, 1915), deren Schauplätze von den Weltreisen des Dichters nach Südamerika, Ägypten, Indien, China und Japan bestimmt werden und nicht selten exotischen Zauber ausstrahlen. Oskar Loerke spricht von »seinem schicksalhaft notwendigen Drang, über den Planeten zu ziehen«. In der Südsee überraschte den Bohemien der Ausbruch des Ersten Weltkrieges; dort starb er an der Malaria, »müde vom Sehnen, müde vom Warten, müde vom Heimweh«.

AMBIVALENZ DER TRADITION
UND KONSERVATIVE ERNEUERUNG

Der Naturalismus markiert den Beginn einer künstlerischen Revolution. Im Strom der Zeit verbleibt jedoch der Bereich traditionsbetonter Dichtung – vom Neuen umspült, überschwemmt, unterhöhlt und auch in Teilen hinweggerissen, oder aber diesem Neuen Widerstand leistend, sich ihm entgegenstemmend.

Der Begriff »Tradition« ist dabei vieldeutig, vielschichtig und schillernd. Viele Dichter und Denker glauben, aus geschichtlichem Rückblick Kraft und Mut für die Bewältigung der Gegenwartsaufgaben ziehen zu können; andere wenden sich zurück zum Bürgertum als dem Hort des »alten« Wertkosmos, dessen Verlust im Rahmen der sich vollziehenden Wertrelativierung mit Wehmut oder Sarkasmus registriert wird; man bekennt sich zu einer aristokratischen Welthaltung – gepaart mit dem Bemühen um klassische Formenstrenge und Formenzucht und mit einem durch Nietzsche geprägten Herrenmenschenbewußtsein, will durch Bekräftigung des Elitegedankens der Not entgegentreten. Wir finden Dichter, die ihre Kräfte vorwiegend der Pflege vergangener, häufig vergessener Kunstwerke und Epochen widmen; der Rückblick, der zu einer eindrucksvollen Bestandsaufnahme des europäischen Kulturschaffens wird, soll der »geschichtslosen Zeit der Moderne« Halt verleihen und durch die Anerkennung nationaler Eigenständigkeit das abendländische Gesamtbewußtsein stärken helfen. Diese »bewahrende und hütende Tätigkeit« im Dienste der Humaniora verbindet sich oft mit der »milden Religiosität« christlicher Dichter, die – stilistischen Experimenten abhold – im demütigen Vermitteln der Heilswahrheit ihre eigentliche Bestimmung sehen. Der Rückgriff auf die Natur, auf die bergenden Kräfte der Erde und Heimat, macht schließlich die vierte Komponente dieser traditionsverbundenen Dichtung aus: Das Gleichbleibende des natürlichen Geschehens, in dem sich Mensch und Kreatur eingebettet fühlen, wird zum Trost inmitten der Erschütterungen der Zeit.

Die im großen Umfang erst von der Romantik begründete und
seitdem (auch im Realismus) weit verbreitete geschichtliche Dichtung hatte sich trotz des Einschnitts im Naturalismus in
einer Vielzahl von Werken erhalten, die entweder als
eine wissenschaftliche positivistische »Professorenlite-
ratur« oder als monumentale Geschichtsbilder in der
Art **Felix Dahns** (1834–1912; *Ein Kampf um Rom,* 4 Bde. 1876) zum
Bücherschatz des national orientierten Bürgertums gehörten. Unter
dem Eindruck der politischen und geistigen Wende zu Beginn des
Jahrhunderts erhielt das geschichtliche Werk die Funktion des Widerstandes gegen die insgesamt modernen Strömungen und damit – ähnlich wie in der Romantik – einen ausgesprochen »ideologischen«
Zeitbezug. Den revolutionären und sogenannten »destruktiven«
Kräften tritt man mit dem Bekenntnis zur national-deutschen oder
christlich-abendländischen Haltung und dem Bewußtsein eines festgefügten, »unumstößlichen« Wertbestands entgegen. **Walter von
Molo** (1880–1959), **Thassilo von Scheffer** (1873–1951), **Wilhelm
Schäfer** (1868–1952), **Lulu von Strauß und Torney** (1873–1956) und
Jochen Klepper (1903–42) sind die führenden Schriftsteller dieser
historischen Bewegung, die (wie das Beispiel Jochen Kleppers zeigt,
der gemeinsam mit seiner jüdischen Frau Selbstmord beging) nicht
durchwegs für die nationalsozialistischen Geschichtsumdeutungen
empfänglich waren.

GESCHICHTE
ALS PRO-
GRAMM

Es geht vor allem um die sittlichen Ideale der Vergangenheit, *Ums Menschentum,* wie Molo den ersten Band seiner Schiller-Tetralogie (1912–16)
nannte, um Gestalten wie Pestalozzi in Schäfers Roman *Lebenstag eines
Menschenfreundes* (1915), um historische Personen, wie *Fridericus* und die
Königin *Luise* (1918 und 1919 von Molo), oder um den als christlich und
menschenfreundlich interpretierten preußischen Soldatenkönig Friedrich
Wilhelm I. in Kleppers Roman *Der Vater* (1937).

Religiöse Ereignisse werden als Wegweisungen für die Gegenwart wachge-
rufen, z. B. in Molos *Mensch Luther* (1928) und Kleppers Romanfragment
Die Flucht der Katharina von Bora (postum 1951). Ganze Kulturepochen
werden dichterisch verklärt, etwa von Strauß und Torney die »goldenen«
Jahrzehnte *Vom Biedermeier zur Bismarckzeit* (1932). Auch der Zauber der
Antike wird beschworen, u. a. in Scheffers *Ilias-* und *Odyssee-*Übersetzung
(1913 u. 1918), seinen Ausgaben *Griechische Heldensagen* (1924), *Römische
Götter- und Heldensagen* (1926) und seinem Epos in zwölf Gesängen *Die
Kyprien* (1934).

Im Grunde war das alles Ausdruck gutgemeinter »kulturbewußter«
Bürgerlichkeit; nur war diese Welt, die von allen Seiten, gerade auch
von innen heraus, erschüttert und gefährdet war, häufig anachronistisch, unter einer Glasur »hohen Stils« konserviert, ohne lebendige
Kraft. Allein ein »ironischer Mythenbewahrer« konnte eine wahrhafte Bilanz »bürgerlicher Wertbestände« ziehen; als solchen kann man
Thomas Mann bezeichnen.

      Thomas Mann (1875–1955) stammte aus einem großbürgerlichen
                 Haus in Lübeck und blieb der Patrizier unter den mo-
Bürgerli-   dernen Dichtern. Sein Sohn Klaus Mann (1906–49) –
che Tugend ebenfalls Schriftsteller, aber eine zerrissene, proble-
                 matische Natur, die im Selbstmord endete, – schrieb
einmal von ihm:

> »Vater, das ist die kitzelnde Berührung eines Schnurrbarts; der Duft von
> Zigarren, Eau de Cologne und frischer Wäsche; ein sinnendes, zerstreutes
> Lächeln, ein trockenes Räuspern, ein zugleich abwesender und durchdrin-
> gender Blick. Vater bedeutet eine freundliche, sonore Stimme; die langen
> Bücherreihen im Arbeitszimmer – feierliches Tableau voll geheimnisvoller
> Lockung; der wohlgeordnete Schreibtisch mit dem stattlichen Tintenfaß,
> dem leichten Korkfederhalter, der ägyptischen Statuette, dem Miniaturpor-
> trät Savonarolas auf dunklem Grund; gedämpfte Klaviermusik, die aus dem
> halbdunklen Wohnzimmer kommt.«

Thomas Mann verkörperte großbürgerliche Atmosphäre, Gepflegt-
heit, das Wissen um Herkunft, um den Wert der Tradition, um be-
wahrte wie zu bewahrende Werte. Sein Leben lang hat er – trotz viel-
facher Anfechtung durch Realität, Zynismus und Morbidität (man
vgl. besonders die Erzählung *Die Betrogene,* 1953) – einen schüt-
zenden Schild inmitten einer Zeit des Chaos und der Zerstörung vor
seine Überzeugung halten können. Dazu trugen natürlich auch die
Erfolge des Dichters bei, der schon nach seinem ersten Roman
(»Buddenbrooks«, 1901) wirtschaftlich unabhängig war und diese
Unabhängigkeit auch bewahren konnte, als er 1933 in die Schweiz
und später in die USA emigrierte – das alles konnte für den Glücklichen »ein gesittetes Abenteuer« bleiben. Nach dem Zweiten Weltkrieg kehrte er in die Schweiz zurück und starb in Kilchberg bei Zürich.

      Thomas Mann sah Werte des »bürgerlichen Zeitalters« auch noch
dort, wo sie längst im Chauvinismus und übersteigerten Nationalis-

mus untergegangen waren (*Betrachtungen eines Unpolitischen*, 1918). Das Bürgertum erschien ihm als Träger einer langen, beglückenden Tradition geistiger Werte, die aus der Aufklärung emporwuchsen, in der Klassik gipfelten, im 19. Jahrhundert ausklangen. Goethe würdigte er in einem Vortrag zu dessen 100. Todestag (1932) als den großen »Repräsentanten des bürgerlichen Zeitalters«; Schiller setzte er am Ende seines Lebens ein ergreifendes Denkmal (*Versuch über Schiller*, 1955).

»Das letzte Halbjahrhundert sah eine Regression des Menschlichen, einen Kulturschwund der unheimlichsten Art, einen Verlust an Bildung, Anstand, Rechtsgefühl, Treu und Glauben, jeder einfachsten Zuverlässigkeit, der beängstigt. Zwei Weltkriege haben, Roheit und Raffgier züchtend, das intellektuelle und moralische Niveau (die beiden gehören zusammen) tief gesenkt und eine Zerrüttung gefördert, die schlechte Gewähr bietet gegen den Sturz in einen dritten, der alles beenden würde. Wut und Angst, abergläubischer Haß, panischer Schrecken und wilde Verfolgungssucht beherrschen eine Menschheit, welcher der kosmische Raum gerade recht ist, strategische Basen darin anzulegen, und die die Sonnenkraft äfft, um Vernichtungswaffen frevlerisch daraus herzustellen.

>Find’ ich so den Menschen wieder,
Dem wir unser Bild geliehn,
Dessen schöngestalte Glieder
Droben im Olympus blühn?
Gaben wir ihm zum Besitze
Nicht der Erde Götterschoß,
Und auf seinem Königsitze
Schweift er elend, heimatlos?<

Das ist die Klage der Ceres im >Eleusischen Fest<; es ist Schillers Stimme. Ohne Gehör für seinen Aufruf zum stillen Bau besserer Begriffe, reinerer Grundsätze, edlerer Sitten, >von dem zuletzt alle Verbesserung des gesellschaftlichen Zustandes abhängt<, taumelt eine von Verdummung trunkene, verwahrloste Menschheit unterm Ausschreien technischer und sportlicher Sensationsrekorde ihrem schon gar nicht mehr ungewollten Untergange entgegen.«

Sein Roman *Königliche Hoheit* (1909) preist die »edle Zweisamkeit« zwischen dem Prinzen eines deutschen Kleinstaates und einer amerikanischen Millionärstochter: Aristokratische, stets um Haltung, Korrektheit und sachliche Distanz bemühte »Hoheit« (Klaus Heinrich, der Held des Romans, hat von Geburt an einen verkrüppelten Arm, der ihm auch physisch Beherr-

schung und Selbstüberwindung auferlegt) verbindet sich mit jugendlich
»amerikanischer« Natürlichkeit (in den Adern Immas, der Geliebten, fließt
indianisches Blut). Auf »bürgerlicher Höhe« soll sich fortan beider Leben
gestalten und vollenden: »Weiß der gar nichts vom Leben, der von der Liebe
weiß? Das soll fortan unsre Sache sein: beides, Hoheit und Liebe, – ein strenges Glück.«

Lotte in Weimar (1939) handelt vom Besuch der gealterten Charlotte
Kestner (der Heldin im »Werther«) bei Goethe im Jahre 1816. Ver-
klungen ist die Leidenschaft der Jugend; Lotte ist eingesponnen geblieben in die Gewohnheiten des alltäglichen Lebens. Auch die Gestalt Goethes tritt mit sehr einfach-menschlichen Zügen, ohne emphatische Überhöhungen, hervor. Es offenbart sich geradezu ein
»bürgerlicher Goethe«, wobei diese Typisierung – durchaus kennzeichnend für Thomas Mann – auch unterschwellige Elemente dämo-
nischer Leidenschaft und Destruktion einschließt.

Manns Tetralogie *Joseph und seine Brüder* (1933–43) ist im gleichen Geist
geschrieben. Auch hier finden sich »bürgerliche Urbanität« und Aufgeklärt-
heit, verbunden mit Anflügen von Skeptizismus. »Urvorkommnisse des
Menschenlebens«, Liebe, Haß, Segen, Fluch, Bruderzwist und Vaterleid,
Hoffart und Buße, Sturz und Erhebung werden an Hand der biblischen Erzählung demonstriert. Aus dem mythischen Dunkel führt der Weg in die Ver-
nünftigkeit des Lebens; es ist der Gedanke Lessings von dem Aufstieg und
der Erziehung des menschlichen Geschlechts zur sittlichen Höhe. »Joseph
wird wachsen wie ein Baum an der Quelle, daß die Zweige emporsteigen
über die Mauer.«

Thomas Mann hat immer einen scharfen Blick für die Gefährdung
des Bürgertums wie des bürgerlichen Geistes behalten. Der Roman
BÜRGERLI-   *Buddenbrooks* zeigt den Verfall einer Lübecker Kauf-
CHE GE-   mannsfamilie im Verlauf von drei Generationen, eine
FÄHRDUNG   schier unaufhaltsame Zerstörung solider Lebensbasis
und vitaler Geschäftigkeit. Es vollzieht sich ein Prozeß
physischer Erschlaffung, der verborgene künstlerische Kräfte freilegt
und ihnen eine durchaus destruktive Hegemonie einräumt. Das ungemein Zarte wie Exzentrische musischer Intuition zersetzen den ro-
busten Lebenswillen vollends. (Bereits hier erörterte Thomas Mann
die Diskrepanz zwischen Bürger und Künstler.) Aber auch die moralische Lauterkeit kommt ins Wanken. »Mein Sohn«, hatte der alte

Buddenbrook noch gesagt, und es war lange Zeit der Wahlspruch des Hauses gewesen, »sei mit Lust bei den Geschäften bei Tage, aber mache nur solche Geschäfte, daß du bei Nacht ruhig schlafen kannst«. Der Niedergang des Hauses zeigt sich vor allem darin, daß diese Maxime vergessen wird.

Im Roman *Der Zauberberg* (1924) schildert Mann die Situation des europäischen Großbürgertums am Vorabend des Ersten Weltkrieges in symbolhafter Darstellung. Die Katastrophe scheint unabwendbar zu sein. Körperlich und seelisch kranke Menschen finden sich als Strandgut des Lebens in hermetischer Abgeschlossenheit zusammen. Ein Lungensanatorium in der Schweiz (der Zauberberg) ist der Ort ihres makabren Rendezvous. Ein von der Schwindsucht und aufgepeitschter Erotik angetriebener zynisch-grausiger Mummenschanz rollt ab; das Leben, das Flachland, liegt fern. Es führt kein Weg zurück; nur der Weg in den Tod bleibt. Über allen Gestalten des »Zauberbergs« liegt die Abendröte des alten, versinkenden Europa: Der Zerfall der Werte ist in vollem Gange.

In *Doktor Faustus – Das Leben des deutschen Tonsetzers Adrian Leverkühn, erzählt von einem Freunde* (1947) unternimmt es Thomas Mann, in der Gestalt des Tonsetzers (dessen Geschichte sein Freund, der humanistisch gebildete Studienrat Serenus Zeitblom, erzählt) die Gefährdung der deutschen Seele, ihre Verführbarkeit und endgültige Vernichtung durch den Nationalsozialismus allegorisch darzustellen.

Die historischen und psychogenen Erscheinungen, aus denen das deutsche Verhängnis erwuchs, sollen ergründet werden. Adrian trägt in sich die Anlage des Barbarisch-Chaotischen, die Kälte des Intellekts; zugleich sehnt er sich nach Liebe, Wärme und Geborgenheit; die Zwiespältigkeit drückt sich in seinen Kompositionen aus (einer Zwölf-Ton-Musik). »Der Durst eines stolzen und von Sterilität bedrohten Geistes nach Enthemmung um jeden Preis« sei ihm – so berichtet der Dichter selbst zu seinem Roman – als Parallele erschienen zu der verderblichen deutschen, in den Kollaps mündenden Euphorie, die im faschistischen Rausch gipfelte. Zugleich ist kontrapunktisch in das Werk eine Auseinandersetzung mit der »Liebe in unserer Zeit« verwoben: Es offenbart sich eine totale Perversion der Gefühlskräfte (Leverkühn verfällt einer Dirne, die als Esmeralda seine Wahnvorstellungen und als Tonfolge h-e-a-e-es seine Kompositionen durchgaukelt). So weitet sich der Roman zu einer Diagnose der modernen Welt überhaupt, als deren Prototyp Nietzsche (dessen Werk und Leben ebenfalls implicite »verarbeitet« sind) erkannt wird.

Unbelastet von politisch-geschichtlicher Enttäuschung sind die mit jugendlichem Schwung begonnenen, im späten Alter neu gefaßten und erweiterten *Bekenntnisse des Hochstaplers Felix Krull* (1954, I. Teil).

Sie sind getragen von einer heiteren, überlegen spielenden, manchmal ins Zynische tendierenden Ironie und stellen im Gehalt eine scharfe und scharfsinnige Abrechnung mit dem Bourgeois dar. Denn daß gerade der Gauner, der Hochstapler, die Inkarnation des heruntergekommenen Bürgers ist, des Bürgers nämlich, der zu kurz gekommen ist, der nun auf allerlei krummen Wegen Anschluß an die Gesellschaft zu finden hofft, unter Anrufung sämtlicher bürgerlicher Schutzheiliger (Ehre, Vaterland, Eleganz, Lebensgenuß), ohne Skrupel und Gewissensbisse – all das hat Mann großartig erkannt und gestaltet. Und die bürgerliche Welt geht dem kleinbürgerlichen Hochstapler auf den Leim, da er unwiderstehlich »mit dem Schmelz seiner blauen Augen, dem bescheidenen Lächeln seines Mundes, dem verschleierten Reiz seiner Stimme, dem seidigen Glanz seiner links gescheitelten, in einem anständigen Hügel aus der Stirn gekämmten Haare« alle in Bann schlägt.

Für Thomas Mann ist der Künstler der absolute Gegentyp zum Bürger, und zwar nicht nur in den vordergründigen Bereichen des Biedermanns und Bohemiens. Bürgertum bedeutet ein geordnetes System der Werte, Leistung, positive Arbeit, Tradition, Gesittung, Halt und Haltung (elegisch beklagt Mann ihren Verlust, satirisch prangert er ihre Entartung an). Auf der anderen Seite finden sich das Ästhetische, die absolute Schönheit, die Genußseligkeit, auch der Nihilismus und das Gezeichnetsein vom Tode (vgl. die Novelle *Der Tod in Venedig*, 1913). Gerade diese Seite des Lebens, die dem Bürger verschlossen ist, bedeutet ihm Verlockung. »Es gibt zuletzt nur zwei Gesinnungen und innere Haltungen: die ästhetische und die moralische«, heißt es in einer Rede über Nietzsche, der neben Wagner von besonderem Einfluß auf den Dichter gewesen ist. Das Schöne und das »Normale« stehen sich unüberbrückbar gegenüber:

BÜRGER
UND
KÜNSTLER

»Wo der Begriff der Schönheit obwaltet, da büßt der Lebensbefehl seine Unbedingtheit ein. Das Prinzip der Schönheit und Form entsprang nicht der Sphäre des Lebens; seine Beziehung zu ihr ist höchstens streng kritischer und korrektiver Natur. Es steht dem Leben in stolzer Melancholie entgegen und ist im Tiefsten mit der Idee des Todes und der Unfruchtbarkeit verbunden.«

Der Gegensatz Bürger–Künstler taucht als Leitmotiv in Manns
Schaffen immer wieder auf, besonders in seinen Novellen. Der Held
in *Tonio Kröger* (1903) stammt aus einem reichen Bürgerhaus und ist
Schriftsteller geworden. Er besitzt eine feinnervige, empfindsame
Seele, die nach Schönheit dürstet, aber auch Leidenschaft, Zerrissenheit und Dämonie kennt. Solche Wesensart ist dem bürgerlichen
Hans Hansen, dem ganz andersgearteten Freunde, fremd. Er ist
»keck und wohlgestaltet, breit in den Schultern und schmal in den
Hüften«, von jener »lichten, stahlblauäugigen und blondhaarigen
Art, die eine Vorstellung von Reinheit, Ungetrübtheit, Heiterkeit
und einer zugleich stolzen und lichten, unbeirrbaren Sprödigkeit hervorruft«. Tonio Kröger empfindet sein Künstlertum als Makel: »Er
ist ein Bürger, der sich in die Kunst verirrte.«

In der Novelle *Tristan* (1903) handelt Mann elegisch-ironisch das Motiv des
Gegensatzes von künstlerischer, in musikalischem Gefühl versponnener Dekadenz und robustem, gesundem Bürgertum ab. Herr Klöterjahn bringt seine Frau ins Sanatorium »Einfried«; er ist der Typ des im Dasein fest stehenden, nüchternen und vitalen Bürgers, ganz im Gegensatz zu seiner Frau, deren Vater, wie sie sagt, mehr Künstler als Kaufmann gewesen sei. Sie ist
angeweht von dem Genius der Schönheit, selig dahinwelkend. »Da ist ein
wunderbares Geschöpf, eine Sylphe, ein Duftbild, ein Märchentraum von
einem Wesen. Was tut sie? Sie geht hin und ergibt sich einem Jahrmarktsher-
kules oder Schlächterburschen«, meint Spinell, ein Schriftsteller mit dem
Gesicht eines »verwesten Säuglings«, ein Spieler mit den Imaginationen des
Künstlerischen, verliebt in müde, schmerzlerische, winterlich morbide Stimmungen. Er vermag sie durch sein musikalisches Einfühlungsvermögen in
Wagners »Tristan« zu faszinieren. Doch bei ihr ist das Gefühl schönheitstrunkenen Dahinsterbens echt. Ihr Tod erfolgt kurz darauf; sie hat – durch das
Unverständnis ihres Mannes und durch die leichtfertige Provokation Spinells
– jede Bindung an das tatsächliche und gesunde Leben verloren.

In einem Glückwunsch an Thomas Mann aus Anlaß seines 80. Ge-
burtstags hat Hermann Hesse die Ambivalenz des Dichters dem Bürgertum gegenüber, die widersprüchliche »Gleichzeitigkeit« von Zuneigung und Abstoßung, Sarkasmus und einfühlender Liebe in die
Worte gefaßt: »Womit Sie mich zuerst auf sich aufmerksam machten,
mir imponierten und zu denken gaben, das waren Ihre bürgerlichen
Tugenden, der Fleiß, die Geduld und Beharrlichkeit, mit der Sie Ihrer Arbeit oblagen – bürgerliche und hanseatische Tugenden, die mir

um so mehr Eindruck machten, je weniger ich selbst mich ihrer rühmen durfte. Diese Selbstzucht und dies stetige treue Dienen hätte genügt, um Ihnen meine Hochachtung zu sichern. Zur Liebe aber bedarf es mehr. Und da waren es denn Ihre unbürgerlichen und entbürgerlichten Züge, die mein Herz gewannen, Ihre edle Ironie, Ihr großer Sinn für das Spiel, Ihr Mut zur Aufrichtigkeit und zum Bejahen all Ihrer Problematik – und nicht zuletzt Ihre Künstlerfreude an Experiment und Wagnis, am Spiel mit neuen Formen und Kunstmitteln, wie sie am stärksten im ›Faustus‹ und im ›Erwählten‹ (1951) sich ausgelebt hat.«

Der Ausklang einer überschaubaren Epoche – eben der bürgerlichen, mit ihrem Wertesystem – und das sich darüber einstellende Gefühl der Orientierungslosigkeit wie Verlassenheit sind das zentrale Thema der aus wertbewußten Traditionen hervorgegangenen Literatur. Die Absicht, das Neue und Fremde aufzugreifen, führt nicht selten zur Rückkehr ins Vertraute und Bewährte; die Besinnung wird zur wehmütigen Erinnerung.

BÜRGERLI-
CHES ZEIT-
ALTER AM
ENDE

Ricarda Huch (1864–1947) stammte aus einer wohlhabenden Patrizierfamilie. Getragen von einem konservativen Glauben an das »Unwandelbare«, an die Urphänomene, die Werte, »die nicht umgewertet werden können«, richtete sich ihr Denken und Dichten – trotz erstrebter Zeitbezogenheit – ins Romantische, ins bessere, glücklichere Dasein der Vergangenheit.

Wichtige Werke ihres umfangreichen Schaffens sind elegisch gehaltene Romane über den Untergang bürgerlicher Menschen und bürgerlich-liberaler Gesinnung in der anbrechenden Welt ohne Tradition: *Erinnerungen von Ludolf Ursleu dem Jüngeren* (1893), *Aus der Triumphgasse* (1902), *Michael Unger* (1903).

Dazu gesellt sich eine Reihe historischer Werke, die packend gestaltete heroische Bilder großer Krisenzeiten und revolutionärer Menschen geben: *Die Verteidigung Roms* (1906), *Der Kampf um Rom* (1907), Szenen aus dem Freiheitskampf Garibaldis, *Das Leben des Grafen Federigo Confalonieri* (1908), die Biographie eines Verschwörers gegen die österreichische Fremdherrschaft, *Wallenstein* (1915) und ein Monumentalgemälde des Dreißigjährigen Krieges, *Der große Krieg in Deutschland* (3 Bde. 1912–14), ein Querschnitt durch alle Schichten und Schicksale des damaligen Zeitalters in düsterer Vorahnung des kurz nach Erscheinen des Buches ausbrechenden Weltkrieges.

Ebenso war die Schwäbin **Isolde Kurz** (1853–1944) in Gedichten (u. a. *Aus dem Reigen des Lebens,* 1933) und in novellistischer Prosa (*Florentiner Novellen,* 1890; *Italienische Erzählungen,* 1895) um einen Rückblick ins Vergangene (namentlich ins Zeitalter der Renaissance) bemüht. Das Leitbild war Conrad Ferdinand Meyer. Ihr Roman *Vanadis* (1931) ist ein autobiographisch gefärbter Entwicklungsroman, jenem edlen Bürgertum verpflichtet, das noch Goethe mitgeprägt hatte.

Annette Kolb (1875–1967) kannte aus der Kindheit den »vornehmen Salon« und das preziöse Leben der »höheren Gesellschaft« (Romane: *Daphne Herbst,* 1928; *Die Schaukel,* 1934). Ihre Liebe zur Musik (ihre Mutter war eine französische Pianistin) offenbarte sie in den dichterischen Biographien *Mozart* (1937) und *Franz Schubert* (1941). Gerade aufgrund des mütterlichen Erbes fühlte sie sich als Europäerin; sie bemühte sich in feinsinnig kritischen Essays um eine deutschfranzösische Verständigung, überhaupt um eine abendländische Konkordanz (u. a. *Briefe einer Deutschfranzösin,* 1916; *Zarastro – Westliche Tage,* 1921; *Versuch über Briand,* 1929). 1933 emigrierte sie nach Paris.

Das Haus bürgerlicher Geborgenheit zerfällt; was nützt es, wenn es nach außen hin noch fest und dauerhaft dazustehen scheint, als werde es von »lauter Anmut und Lebensgemütlichkeit« bewohnt? So fragt **Robert Walser** (1878–1956), der Schweizer Dichtervagant, in seinem Roman *Der Gehülfe* (1908).

»Nun besteht ja allerdings ein Haus aus zwei Seiten, aus einer sichtbaren und einer unsichtbaren, aus einem äußeren Gefüge und aus einem inneren Halt, und der innere Bau ist vielleicht ebenso wichtig, ja manchmal vielleicht noch wichtiger zum Tragen des Ganzen wie der äußere. Was nützt es, wenn ein Haus schmuck und gefällig steht, wenn die Menschen, die es bewohnen, es nicht zu stützen und zu tragen vermögen?«

Beschrieben wird wehmutsvoll, mit Einblendungen skurrilen Humors, der Verfall eines Hauses, einer Familie; ein »unheimliches Idyll«, das die beginnende Unbehaustheit des bürgerlichen Menschen spiegelt.

Walser war ein Meister poetisch-subtiler Prosa, empfindsamen Schilderns, lyrischen Ausmalens und dennoch scharfen Konturierens. Seine Domäne waren die Skizze und die Kurzgeschichte. Bekannt wurden die Sammlungen *Geschichten* (1914), *Kleine Dichtungen* (1914), *Kleine Prosa* (1917), *Seeland* (1919) und der Auswahlband *Große kleine Welt* (1937). Episoden, Randereignisse und wiederum sehr exemplarische Geschehnisse sind in einem Zwielicht von Humor und Resignation eingefangen; und nicht selten geschieht eine Entrückung ins Traum- und Märchenhafte.

»Aus golden dunklen, dämonisch blitzenden Abgründen duftete edle wilde Romantik herauf, und Zaubergärten schienen rechts und links von der Landstraße zu liegen, lockend mit reifen, süßen, schönfarbenen Früchten, lockend mit geheimnisvollen unbeschreiblichen Genüssen, die die Seele schon schmelzen und schwelgen machen im bloßen flüchtigen Gedanken.« Walser weiß um die Schönheit der Welt, auch wenn sie vom Dunklen bedroht ist (der Dichter, jahrzehntelang in einer Nervenheilanstalt lebend, starb in geistiger Umnachtung); dies und die sowohl träumerische wie kernige Idyllik weisen auf Jean Paul: »Wunderbar war das Einkehren im Gasthaus und das Schlafen im sauberen, nach frischem Bettzeug duftenden Gasthausbett. Das Zimmer roch zum Entzücken nach reifen Äpfeln. Ach, und wie schmeckt ihm Käs' und Brot und die zwiebelbelegte, köstlich ländlich zubereitete Bratwurst.«

Abseits vom lautstarken Weltgetriebe gedeihen die »anmutigen Sprachkringel« der »kleinen Form«. **Ernst Penzoldts** (1892–1955) *Causerien* (Bd. I der Ges. Schriften, 1949) sind liebenswürdige Plaudereien um die kleinen und kleinsten Dinge des Lebens, in heiterer Tonart, mit Mollklängen grundiert. Als »Sohn eines Arztes und Universitätsprofessors von gutbürgerlicher, weltoffener Familientradition« der »kulturellen Sphäre« verpflichtet (Essays *Episteln,* u. a. über Carossa und Binding, 1942; *Tröstung,* 1946), wich Penzoldt, gegen Spießertum aufbegehrend, auch immer wieder in den antibürgerlichen »Spielraum« aus: *Die Powenzbande* (1930) und die »Powenziade« *Der Kartoffelroman* (1948) sind Schilderungen einer Landstreicherfamilie, eines freien Vagantentums, Parodien auf die biedermeierliche Häuslichkeit, Bekenntnisse zu einem wagnishaften Leben, das »furchtlos, fruchtbar, fröhlich« dahinfließt.

Wie Walser kennt Penzoldt »süße Bitternis« (Titel der *Gesammelten Erzählungen,* 1951, darunter *Korporal Mombour; Die Leute aus der Mohren-Apotheke; Etienne und Luise*): das Wissen, daß diese Welt aus »Schönheit und Schmerz« besteht, der Mensch in stiller Tätigkeit ums »Menschliche«

sich zu mühen hat. In beiden Weltkriegen war Penzoldt als Sanitäter eingesetzt (Novelle *Zugänge,* 1947).

Eine Reihe von Feuilletonisten kann in diesem Zusammenhang erwähnt werden; sie stehen zwar dem Naturidyll fern, sind aber in der Struktur ihrer Prosa und in dem dichterischen Wollen »bürgerlicher Idyllik« verpflichtet – wenn auch der Existenz nach »bürgerlich entwurzelt«; sie geben impressionistische Stimmungsbilder voll elegischer Rückerinnerung und entwickeln ein tiefgreifendes und echtes Kulturbewußtsein, das sich bescheiden und zurückhaltend artikuliert.

In dieser Weise schrieben **Sigismund von Radecki** (1891–1970; *Nebenbei bemerkt; Was ich sagen wollte; Im Vorübergehen*); **Peter Altenberg** (eigentlich Richard Engländer, geb. 1859 in Wien, dort 1919 gestorben; *Wie ich es sehe; Was der Tag mir zuträgt; Bilderbögen des kleinen Lebens; Neues Altes*); **Egon Friedell** (geb. 1878 in Wien, 1938 Selbstmord nach dem deutschen Einmarsch in Österreich; vor allem Schöpfer einer geistreichen *Kulturgeschichte der Neuzeit,* 1927–31); **Alfred Polgar** (1873–1955, geb. in Wien; *An den Rand geschrieben; Bei dieser Gelegenheit; Ansichten; Standpunkte*). Zugleich waren diese »Kaffeehausliteraten« – von den »Völkischen« so beschimpft – in ihrer Skepsis und Ironie standhafte und auch streitbare Verkünder wie Verfechter menschlicher Freiheit und Würde (man vergleiche Friedells Schicksal, Polgars jahrelange Emigration). »Die auf dem Balkon waren nicht taub für den Jammer heutiger Welt, und wenn ihr Herz auch zuweilen, müde des Gefühls, in harten Schlaf sank – die Natur fordert ihre Rechte, sagt man in solchem Fall –, so war es doch ein Schlaf, der sich mit qualifizierten Träumen ausweisen konnte, Träumen von Gutsein oder zumindest von Gutseinwollen« (A. Polgar: *Auf dem Balkon*). Das rückt diese Feuilletonisten in die Nähe der Kästner und Tucholsky, zumal ihr Schicksal (»Emigrantenschicksal: Die Fremde ist nicht Heimat geworden. Aber die Heimat Fremde«, A. Polgar) zugleich stellvertretend die Zerstörung wahrer Bürgerlichkeit durch den Mob der Straße dokumentiert.

DIE WELT VON GE- STERN »Wenn ich versuche, für die Zeit vor dem Ersten Weltkrieg, in der ich aufgewachsen bin, eine handliche Formel zu finden«, schrieb **Stefan Zweig** (1881–1942) in den Erinnerungen *Die Welt von gestern* (1942), »so hoffe ich am prägnantesten zu sein, wenn ich sage: Es war das goldene Zeitalter der Sicherheit. Alles in unserer fast tausendjährigen österreichischen Monarchie schien auf Dauer gegründet und der Staat selbst der oberste Garant dieser Beständigkeit.«

Zweig wurde als Sohn wohlhabender Eltern in Wien geboren. Der Erste Weltkrieg riß ihn aus der bürgerlichen Geborgenheit und Sicherheit, dem

Dorado seiner großbürgerlichen Geistigkeit. Nach der Eingliederung Österreichs 1938 floh er nach England, wo er seit 1935 eine Zweitwohnung hatte. In Brasilien schied er, von nicht zu bewältigendem Heimweh getrieben, zusammen mit seiner Frau freiwillig aus dem Leben.

Als feinfühliger Psychologe analysierte er in Novellen außergewöhnliche, namentlich erotische Probleme (*Erstes Erlebnis*, 1911; *Angst*, 1920; *Amok*, 1922; *Verwirrung der Gefühle*, 1927) und befaßte sich in Essays mit Größen der europäischen Literatur (mit Balzac, Dickens und Dostojewskij in *Drei Meister,* 1920; mit Hölderlin, Kleist und Nietzsche in *Drei Dichter ihres Lebens,* 1928). Intensive Charakterzeichnung und lebhaftes historisches Kolorit sind die Vorzüge seiner zahlreichen Biographien (u. a. *Marie Antoinette,* 1932; *Erasmus von Rotterdam,* 1935; *Maria Stuart,* 1935). In *Sternstunden der Menschheit* (1927), seinem populärsten Buch, gab er zwölf skizzenhafte, spannende Beschreibungen von Ereignissen der Weltgeschichte.

Die Absicht geschichtlicher Deutung beherrscht auch den Roman *Ungeduld des Herzens* (1938), der im Jahr 1914 in einer kleinen österreichischen Garnison spielt und die morbide Atmosphäre des alten Österreichs einfängt. Ein Leutnant macht die Bekanntschaft eines Schloßherrn und dessen Tochter, die gelähmt ist; er verstrickt sich in der Liebe des Mädchens, ohne die wirkliche Kraft zum Mitleiden aufzubringen; da er das Verlöbnis vor den Offizieren abstreitet, treibt er das Mädchen in den Tod; die Einsicht der Schuld geschieht zu spät. Der Kriegsausbruch platzt alarmierend in diese Welt der Lethargie, Unschlüssigkeit und widersprüchlichen Sentiments herein. – Ein kennzeichnendes Beispiel aus den Novellen ist *Der Brief einer Unbekannten.* Am Sterbebett ihres Kindes und zugleich in der Ahnung ihres eigenen Todes offenbart eine Frau ihre Liebe; sie hat sich dem fashionablen Schriftsteller einst als Dirne angeboten; das tote Kind ist sein Kind. Er selbst kann sich nur undeutlich erinnern. – In der *Schachnovelle* (1941) wird beim Ablauf eines Schachspiels die Erinnerung an eine Gestapo-Haft evoziert. Das Spiel (im sicheren Salon eines nach Südamerika fahrenden Dampfers) verknüpft sich mit einer unaufhebbaren Wirklichkeit.

Gerade im Bereich der österreichischen Kultur mit ihrer ausgeprägten geschichtlichen Verankerung wurde der Bruch mit der Tradition sehr empfindlich vermerkt; Resignation, Weltendstimmung, Lethargie und seelische Verwirrung stellten sich ein. Die Auflösung der bisherigen Werte spiegelte sich besonders in der Entartung der Liebe und des Familienlebens.

Während **Sigmund Freud** (1856–1939) – etwa in seiner Schrift *Die
»kulturelle« Sexualmoral und die moderne Nervosität* (1908) – die
Ambivalenz des Bürgers analysierte, der zwischen der
anerzogenen progenitiven Moral mit Zeugungspflicht
und den Ventilsitten der Pornographie und Prostitution schwankt, beschrieb **Arthur Schnitzler** (1862–
1931) den mokanten Charme des Dandys, der von einem »süßen Mä-
del« zum andern eilt und darüber vergißt, daß die Welt nicht mehr zu
ändern ist.

JUGEND IN
WIEN

Anatol, in Schnitzlers gleichnamiger »dramatischer Skizze«
(1893), bewegt sich galant wie träumerisch durch eine Welt, in der
»Mädchenblüten« und Melancholiker naiv wie mondän ihre Sensibilität kultivieren. Die Stimmung ist die des Halbdunkels eines sterbenden Nachmittags. – Eingeleitet wird der *Anatol*-Zyklus durch Verse
von Loris, einem Pseudonym des jungen Hugo von Hofmannsthal:

> »Also spielen wir Theater,
> Spielen unsre eignen Stücke,
> Frühgereift und zart und traurig,
> Die Komödie unsrer Seele,
> Unsres Fühlens Heut und Gestern,
> Böser Dinge hübsche Formel,
> Glatte Worte, bunte Bilder,
> Halbes, heimliches Empfinden,
> Agonien, Episoden...
> Manche hören zu, nicht alle...
> Manche träumen, manche lachen,
> Manche essen Eis... und manche
> Sprechen sehr galante Dinge...
> ... Nelken wiegen sich im Winde,
> Hochgestielte, weiße Nelken,
> Wie ein Schwarm von weißen Faltern...
> Und ein Bologneserhündchen
> Bellt verwundert einen Pfau an...«

In dem novellistischen Monolog *Leutnant Gustl* (1901) spielt der standesbe-
wußte Leutnant, weil er sich von einem Bäckermeister beleidigt fühlt, mit
Selbstmordgedanken; er sinniert auf seinem nächtlichen Gang durch die
Stadt über sein inhaltsloses Dasein, kann jedoch, als er am Morgen erfährt,
daß den Bäcker der Schlag getroffen habe, wieder beruhigt weiterleben. Die
Hohlheit des Ehrbegriffs hat zum Pendant die Leere des Liebesschwurs.

Die Pirsch auf das taufrische Sexualobjekt wird zum blumenbekränzten »Reigen« (*Reigen*, 1903), in dem man in Selbstvergessenheit und unter Mißachtung der Partnerin, die für die Rolle des Ausgebeutetwerdens determiniert erscheint, das Leben vertändelt. Die szenische Topographie spiegelt die soziale Misere wie die feudale Verantwortungslosigkeit:

»Morgen, gegen sechs Uhr. Ein ärmliches Zimmer, einfenstrig, die gelblichschmutzigen Rouletten sind heruntergelassen. Verschlissene grünliche Vorhänge. Eine Kommode, auf der ein paar Photographien stehen und ein auffallend geschmackloser, billiger Damenhut liegt. Hinter dem Spiegel billige japanische Fächer. Auf dem Tisch, der mit einem rötlichen Schutztuch überzogen ist, steht eine Petroleumlampe, die schwach brenzlig brennt, papierener, gelber Lampenschirm, daneben ein Krug, in dem ein Rest von Bier ist, und ein halb geleertes Glas. Auf dem Boden neben dem Bett liegen unordentlich Frauenkleider, als wenn sie eben rasch abgeworfen worden wären. Im Bett liegt schlafend die Dirne, sie atmet ruhig. – Auf dem Diwan, völlig angekleidet, liegt der Graf, im Drapp-Überzieher, der Hut liegt zu Häupten des Diwans auf dem Boden.«

Liebelei, das ist in Arthur Schnitzlers 1895 uraufgeführtem Schauspiel der unverbindliche Schwebezustand der Tändelei, in den sich Theodor und Fritz, wohlhabende junge Offiziere, mit ihren Freundinnen Mizzi und Christine versetzen. Der monotone Alltag wird ausgefüllt mit Konversation, Visite, Rendezvous. Die Sehnsucht nach zärtlicher Geborgenheit versandet in der augenblicklichen unverbindlichen Stimmung, die sich aus Schein und Lebenslüge zusammensetzt.

Nach Nicolaus Sombart vollzog sich in Wien (wie nirgendwo sonst um die Jahrhundertwende) die letzte, unerbittlichste und folgenreichste Auseinandersetzung jener alten aristokratischen, ständisch-hierarchischen, hieratisch-sakralen Kultur des christlichen Abendlandes mit den Forderungen einer demokratisch scientistischen Weltzivilisation. Auf der einen Seite eine das Monopol der Macht absolut und unangefochten innehabende feudale Oberschicht – und zwar die letzte in Europa noch intakte, nicht durch politische Kompromisse, Konzessionen, Depossedierungen und Mesalliancen in ihrer Existenz geschwächte: die Hocharistokratie des Habsburgischen Reiches; auf der anderen Seite eine machtlose, ja gedemütigte bürgerliche Intelligentsia, und zwar nicht eine bürgerliche Intellektuellenschicht schlechthin, sondern ihre Avantgarde, die sensibel-bewußten Exponenten eines anderswo schon korrumpierten, national vereinnahmten Liberalismus – die jüdische Intelligentsia Wiens. Die letzte Phase des europäischen Bürgerkrieges fand in Wien statt, nicht als Straßenschlacht oder Generalstreik, sondern im Kostüm kultureller Innovationsleistungen. »Immer ging es au fond um die gezielte Zerstörung des herrschenden Gesellschaftssystems. Der niemals klar angesprochene, nur viszeral gespürte Feind wurde nicht offensiv, sondern subversiv bekämpft – und tödlich getroffen. Denn, wie sich zeigen sollte, waren diese hypersensiblen Neurotiker außergewöhnlich erfolgreich.« Jugend in Wien – das war Tanz auf dem Vulkan, Genuß wie Deskription des Verfalls und ästhetische Revolte gleichermaßen.

Der Weltkrieg macht deutlich, was die Einsichtigen schon längst wußten: die Brüchigkeit einer entleerten Kultur. Nun seien *Die letzten Tage der Menschheit* (1918f.) angebrochen, verkündet **Karl Kraus** (1874–1936) in seinem gleichnamigen Drama. In diesem überdimensionalen Werk hat er die Wirklichkeit »beim Wort genommen« und als Chronist wortwörtlich aufgeschrieben, was ihm die Bürger, die Hofräte, Schieber, Kriegsberichterstatter, Dichter, der hohe Adel, das Offizierskorps und Franz Joseph selbst an Lüge, Heuchelei, Pharisäertum und Gemeinheit darboten. Kraus sieht den Untergang der Humanität sich vollziehen, er findet die Zeichen dafür in der Entartung der Sprache. So wurde er zu einem der schärfsten Sprachkritiker (besonders der Presse und des Alltags) in seiner Zeitschrift *Die Fakel* (seit 1908). Themata waren ihm:

> »Geschlecht und Lüge, Dummheit, Übelstände,
> Tonfall und Phrase, Tinte, Technik, Tod,
> Krieg und Gesellschaft, Wucher, Politik,
> Der Übermut der Ämter und die Schmach,
> Die Unwert schweigendem Verdienst erweist,
> Kunst und Natur, die Liebe und der Traum –
> Vielfacher Antrieb, sei 's woher es sei,
> Der Schöpfung ihre Ehre zu erstatten!
> Und hinter allem der entsühnte Mensch,
> Der magisch seine Sprache wiederfindet...«

Karl Kraus sah in einem Volk der »Dichter und Denker« die Ära der »Richter und Henker« anbrechen; deren Aufstieg und Triumph in

Deutschland mußte er noch erleben (*Die Dritte Walpurgisnacht,* 1933).

Robert Musil (1880–1942) wurde in Klagenfurt geboren und starb in der Emigration in Genf. Fast dreißig Jahre arbeitete er an seinem großen Roman *Der Mann ohne Eigenschaften* (1930–43), der dennoch unvollendet blieb. Das bedeutete für ihn wirtschaftliche Not, Entbehrung, seelische Verzweiflung und fast völliges Vergessensein zu Lebzeiten.

DER STURZ
IN DIE
LEERE

Musil hatte, dem Wunsch der Eltern folgend, als k. u. k. Offizier begonnen, war dann zum Ingenieurberuf übergewechselt und hatte schließlich Philosophie studiert. *Die Verwirrungen des Zöglings Törless* (1906) sind die psychologische Studie über einen sensiblen jungen Menschen, der fern von den Eltern in einem militärisch organisierten Internat aufwächst, inmitten brutaler, teilweise sadistisch-pervers veranlagter Kameraden seelisch zugrunde zu gehen droht, bis er sich durch seinen Weggang von dem lastenden Druck befreit, ohne jedoch jemals die Unbekümmertheit der Kindheit und Jugend zurückgewinnen zu können.

Wie eine Skizze zu seinem großangelegten Roman mutet diese Erzählung an. Die hier andeutungsweise vorgetragene Kritik an einer schal gewordenen bürgerlichen Tradition, an falschen Werten, sollte sich zur gewaltigen Analyse steigern, zur Sektion einer Gesellschaft, die im leeren Formalismus erstarrt war. »Ich frage mich oft, welchen Sturz wir erleben werden, da wir ja eigentlich auf Wolken segeln und nicht das geringste Recht auf die Festigkeit dieser angenehmen Lage haben«, heißt es in einem Brief Musils.

Ulrich, der »Mann ohne Eigenschaften«, entstammt einer Offiziersfamilie. Er lebt in guten wirtschaftlichen Verhältnissen, die es ihm erlauben, sich verschiedenen Studien hinzugeben, ohne sie je zum offiziellen Abschluß zu bringen. Trotz seines Höchstmaßes an schöpferischer Potenz kann er sich für keine Sache voll und ganz entscheiden, da keine Sache für ihn mehr voll und ganz ist. Er ist ein Mann ohne die »zusammenfassende Eigenschaft, seine Talente zweckvoll zu nützen«: »Seit langem blieb ein Hauch von Abneigung über allem liegen, was er trieb und erlebte, ein Schatten von Ohnmacht und Einsamkeit, eine universale Abneigung, zu der er die ergänzende Neigung nicht finden konnte. Es war ihm zuweilen geradeso zumute, als wäre er mit einer Begabung geboren, für die es gegenwärtig kein Ziel gab.« Damit ist seine Situation zugleich die des Staates, in dem er lebt: Österreichs, das in der

Dichtung als Kakanien (kaiserlich-königlich) erscheint. Es ist die Sinnlosigkeit eines Staates, der nur noch in abgestorbenen Traditionen lebt und seinem Untergang zutreibt.

SCHWANEN-GESANG DER DONAU-MONARCHIE

Denselben Zustand beschreiben **Joseph Roth** (1894–1939) in seinem *Radetzkymarsch* (1932) und **Heimito von Doderer** (1896–1966) in *Die Strudlhofstiege* (1951) und *Die Dämonen* (1958).

Joseph Roth, geboren im österreichischen Schwabendorf, gestorben in Paris, hinterließ neben mehreren Bänden Essays, Feuilletons, Kritiken und Erzählungen 13 Romane, von denen sein »Radetzkymarsch« am bekanntesten wurde. Heinrich Böll nannte ihn den »Schwanengesang auf das alte Österreich: in dunklem Grenzgebiet Rußland-Österreich fristet der Enkel des ›Helden von Solferino‹ – ein Leben liebenswürdiger Resignation und zugleich bedrückender Verstrickung«. Mit einer Sprache, »wie Glas gesponnen«, schildert Roth »Polens Zauber, Austrias Trauer und Galiziens Schwermut, Wolhyniens Sümpfe«. Er nennt sich mit Recht einen Europäer, einen Sohn des 19. Jahrhunderts, »des humanen Jahrhunderts, das aus dem Schoß der Aufklärung im 18. Jahrhundert entsprungen ist«. So bleibt sein großes Anliegen die Freiheit und Gleichheit, die er ständig predigt, ganz gleich, ob er es in seinem Werk mit »Kaisern und Obdachlosen, von Schwermut trunkenen k. u. k. Offizieren, Korallenhändlern, Schmugglern, Wirten und Kaufleuten« oder mit der Welt des Ostjudentums (*Hiob*, 1930) zu tun hat. Vgl. ferner seine Romane *Die Kapuzinergruft; Beichte eines Mörders; Die Legende vom heiligen Trinker*. In den Essays *Der Antichrist* (1934) steigert sich Roths »konsequenter Haß gegen Hitler ins Apokalyptische«.

Doderer, geboren in Wien, schildert in seinem Roman »Die Strudlhofstiege oder Melzer und die Tiefe der Jahre« gleichfalls Blüte und Verfall der österreichischen Gesellschaft. Dabei lehnt er den Zeitroman ebenso ab wie den historischen Roman: »Die Gegenwart des Schriftstellers ist seine wiedergekehrte Vergangenheit; er ist ein Aug’, dem erst sehenswert erscheint, was in die wirkliche Distanz rückt.« Von seinem Roman *Ein Mord, den jeder begeht* (1938) sagt er: Die Lebensgemäßheit »kann zweifellos nur der naturalistische Roman leisten, der sich jener Ingredienzien bedient, die unser Alltag bietet: den ganzen Schrecken oder Klimbim gewichtlos zu machen, ihn zum Schweben zu bringen und schließlich die immer gleichen Wände, welche uns da umschließen, in Fenster umzuschaffen, durch die wir hinausschauen, während die Transzendenz – erweislich, wegen des ganz trivialen Rahmens – hereinscheint«. – Der Roman *Ein Umweg* (1940) nimmt seinen Stoff aus dem österreichischen Barock, und die Erzählung *Das letzte Abenteuer* lädt »zum Ritt ins romantische Land« ein. – Sein Roman *Die Dämonen* (1956) greift erneut das Thema Altösterreich auf, das mit seinen Traditionen abstirbt.

Bei Musil, Roth und Doderer werden Einzelschicksale in episch-ba-
rocker Fülle dargeboten; sie stehen in einer Art »seelischer Parallelität zwischen oben und unten« für den Zustand einer sterbenden Stadt
(Wien), einer sterbenden Kultur (Donaumonarchie), darüber hinaus
aber überhaupt für das im Menschen unterirdisch schwelende Böse.
Die Gesellschaft hat kein Ziel mehr, »man hat innerlich nichts mehr
zu tun«. Die Flucht vor der Leere führt bei ihr zu Surrogaten, besonders zu einer künstlich hochgezüchteten Sexualität, die von der Geschwisterliebe bis zum Lustmord eine differenzierte Stufenfolge abgibt. Es findet sich keine Liebe mehr, nur noch die Liaison, das Verhältnis, die Liebelei; die Krise in den Liebesbeziehungen ist für Musil
(wie bei Zweig, Schnitzler) deutlichster Ausdruck der allgemeinen
Zeit- und Weltenkrise.

Österreicher war auch **Hermann Broch** (1886–1951). Der geborene-
ne Wiener wirkte zunächst als leitender Direktor eines Textilkon-
zerns, wandte sich aber 1928 der Schriftstellerei zu. 1938 floh er vor
den Nationalsozialisten in die USA, wo er auch starb.

Wie bei Musil steht bei Broch die Agonie der bürgerlichen Gesellschaft, allerdings nun nicht mehr am Topos Österreich exemplifiziert, der Zerfall der Tradition und des damit verbundenen Wertsystems im Mittelpunkt seines Schaffens.
ZERFALL   In der Trilogie *Die Schlafwandler* (1931/32) will er an
DER WERTE   einem Schicksal von »mittlerer Allgemeinheit« die geistige Struktur der Gesellschaft wie der allgemeinen Weltlage aufzeigen. Unbekümmert um ästhetische Prinzipien – l'art pour l'art war
ihm gleichbedeutend mit Kitsch – wird seine an James Joyce geschulte Darstellung (vgl. *Der Tod des Vergil,* 1945) im 3. Band durch die
Einschiebung psychologischer oder philosophischer Essays unterbrochen. Gerade dadurch soll das Individuelle und Zufällige ins Typische und Allgemeingültige erhoben werden.

In drei Bänden wird eine »dichterische wie philosophische Bestandsaufnah-
me des Zeitalters« versucht: *Pasenow oder Die Romantik; Esch oder Die
Anarchie* und *Huguenau oder Die Sachlichkeit.* An drei Personen bzw. drei
Zeitabschnitten (dem Dreikaiserjahr 1888, dem Höhepunkt der Wilhelmini-
schen Ära 1903 und dem Revolutionsjahr 1918) wird der Niedergang der
Gesellschaft deutlich. Mit »schlafwandlerischer« Sicherheit eilt die Zeit dem
Verderben zu. Die Entwicklung führt von der nationalistisch bestimmten
Pseudoromantik des 19. Jahrhunderts über die durch den technisch-materia-

listischen Fortschritt heraufbeschworene Entmenschlichung in die als »Sachlichkeit« drapierte, völlig wertfreie Zone der Nachkriegszeit. Der Held des letzten Romans begeht einen Mord: Ein Gegenspieler war ihm im Wege, die Sachlage zeigte sich günstig für dessen Beseitigung. »Jetzt fühlt sich Huguenau wohl... Daß er jemand umgebracht hatte, fiel zwar nicht in den kaufmännischen Pflichtenkreis, widersprach aber auch nicht dessen Usancen.« Nun bringt er das väterliche Geschäft hoch, heiratet eine ehrliche Frau und hat Kinder. »Seine elastische Rundlichkeit wölbte sich und wurde mit der Zeit ein wenig weichlich, auch sein strammer Gang geriet mit der Zeit zusehends ins Watscheln. Er war mit seinen Kunden höflich, war seinen Untergebenen ein strenger Chef von vorbildlichem Arbeitseifer... Er stieg zu städtischen Würden auf, er wandelte wieder auf den Pfad der Pflicht. Sahen sie doch alle gleich aus, die Huguenaus, feist und satt zwischen ihren Wangen.«

Die Rettung aus Dekadenz und Kulturkrise sollte nach Nietzsches Meinung der »Übermensch« bringen, der Herrenmensch jenseits des Mitleids im Sinne christlicher Ethik, jenseits von Gut und Böse. Der Mensch sollte Herr sein, Herr der Erde, und als Herr sich zeigen. Nietzsche, der sich selbst in »azurne Einsamkeit« begab, glaubte, Zukunftsphilosophie zu betreiben: »Die Zukunft gebe unserem Heute die Regel.« Doch sein Aristokratismus war letztlich Rückkehr zur Tradition des aus der Renaissance in die deutsche Dichtung übernommenen, im Sturm und Drang emanzipierten, in der Klassik veredelten und nun wieder neu geforderten Kults des großen, erhabenen und schönen Lebens. Damit wirkte er besonders stark auf einen Kreis geistiger Aristokraten, die in ihrer Dichtung wie in ihrem Leben den Bruch mit der zeitgenössischen Gesellschaft als höchste Aufgabe ansahen. Man leidet an diesem Bruch, ist aber zugleich stolz darauf und unterstreicht das Anderssein auf jede Weise – auch in der Kleidung, in der Schrift, in der Interpunktion.

FÜR EINEN NEUEN ADEL

Stefan George (1868–1933) legte auf diese Äußerlichkeiten, die ihm jedoch Innerliches bedeuteten, großen Wert. Sie galten als Ausdruck des neuen Adels, den er anstrebte und in einem Bund Gleichgesinnter zu verwirklichen trachtete. Das Streben nach Schönheit und ästhetisch-vollendeter Form sollte den Grundzug einer neuen Erziehungslehre abgeben, die George einer Welt der Mechanisierung, Vermassung und Demokratisierung entgegenstellte. »Nur niedre herrschen noch / die edlen starben: / Verschwemmt ist glaube und verdorrt ist liebe. / Wie flüchten wir aus dem verwesten ball?«

»... Wenn je dieses volk sich   aus feigem erschlaffen
Sein selber erinnert   der kür und der sende:
Wird sich ihm eröffnen   die göttliche deutung
Unsagbaren grauens...   dann heben sich hände
Und münder ertönen   zum preise der würde
Dann flattert im frühwind   mit wahrhaftem zeichen
Die königsstandarte   und grüsst sich verneigend
die Hehren · die Helden!«

Der Dichter will »eingreifen«: »Und schmetternd fährt er wieder ins ge-
dräng«; er lehnt es für sich ab, als »salbentrunkener prinz« zu gelten, »der
sanft geschaukelt seine takte zählte«. Als Fackelträger will er den wenigen,
den Edlen, die der Untergang bedroht, voranschreiten. Der Menge wird vor-
geworfen, daß sie sich selbst aufgegeben habe: »Ihr wandtet so das haupt bis
ihr die schönen / die großen nicht mehr saht.« Das »alte Königsbild« will
George erneuern; es sei unvergänglich, wenn auch verborgen, und offenbare
sich in Blume, Jugend und Gedicht.

Freilich war Georges Ziel einer ästhetischen Erziehung – in der Nachfolge Nietzsches und im Gegensatz zu Schillers Auffassung – weitgehend befreit von ethischer Bindung, ja dem Moralischen sogar entgegengesetzt. Das zeigt sich etwa im Gedichtband *Algabal* (1892), in
dem die Ehrenrettung eines der berüchtigtsten Herrscher der Geschichte versucht wird, was zur Verherrlichung des Amoralischen,
Satanischen führt. Die »Schwarze Blume in verwunschenen Gärten«
ist Ausdruck exotischer Schönheit und Allegorie eines elitären Gefühls, das in Verachtung und Mißachtung der Menschenmenge und
des Allzu-Gewöhnlichen ausschlägt.

Das Jahr der Seele (1897) besingt den Wandel der Liebe im Wechsel des Jahres und den Gleichklang der Natur mit dem Empfinden. *Der Teppich des Lebens und die Lieder von Traum und Tod* (1900) suchen die Ganzheit des Lebens in Symbolen eigenartiger Struktur (dem »Jugendstil« verwandt) zu versinnbildlichen. »Hier schlingen menschen mit gewächsen tieren / sich fremd
zum bund umrahmt von seidner franze / und blaue sicheln weiße sterne zieren
/ und queren sie in dem erstarrten tanze.« Das Weltwesen und die Lebensele-
mente verschließen sich in ihrer Verflechtung der Enträtselung; das »Kunst-
gebilde« jedoch, die figurative Nachzeichnung durch den Dichter, der nicht
das Leben, aber sein Erlebnis des Lebens gestaltet, bleibt von aller Verstrik-
kung frei. Damit ist auch das Wesen der Kunst im Georgeschen Sinne um-
rissen.

Der siebente Ring (1907) stellt dem »Stroh der Welt« große Gestalten der

Geschichte entgegen. Der Band enthält auch Liebesgedichte an Maximin, den verstorbenen jugendlichen Freund, den George als Inbegriff einer neuen Jugend vergötterte. Sie werden zur Apotheose des Lebens und Leibes, der Kraft und Schönheit in einer Zeit, an der George zweifelte und verzweifelte: »Schön wie kein bild und greifbar wie kein traum.«

George baute streng geformte Verse (mit genauen Entsprechungen der einzelnen Gedichte in symmetrisch komponierten Bändchen); die Sprache ist angereichert mit kostbaren Schmuckwörtern; der erlesene Gegenstand bestimmt den Inhalt. Der Park ist des Dichters Seelenlandschaft:

> »Komm in den totgesagten park und schau:
> Der schimmer ferner lächelnder gestade ·
> Der reinen wolken unverhofftes blau
> Erhellt die weiher und die bunten pfade.
>
> Dort nimm das tiefe gelb · das weiche grau
> Von birken und von buchs · der wind ist lau ·
> Die späten rosen welkten noch nicht ganz ·
> Erlese küsse sie und flicht den kranz.
>
> Vergiß auch diese letzten astern nicht.
> Den purpur um die ranken wilder reben
> Und auch was übrig blieb von grünem leben
> Verwinde leicht im herbstlichen gesicht.«

George verdeutschte bis dahin kaum bekannte Dichtungen von Baudelaire, Verlaine, Swinburne, wodurch er großen Einfluß auf eine neue Dichtergeneration gewann; er übersetzte die Sonette von Shakespeare, Teile aus Dantes »Göttlicher Komödie« und wollte die Tradition eines Klopstock und Hölderlin erneuern. Von jenem fehlte ihm jedoch die seherische Tiefe, von diesem die dichterische Leidenschaft.

Die Beurteilung des Dichters schwankt; sie reicht von der extremsten Bejahung (besonders in den Büchern seiner Verehrer, Freunde und »Jünger«) bis zu entschiedenster Ablehnung. Gerade die Zuneigung zur Antike dokumentiere die Fehlentwicklung seines Dichtertums, erweise sich als ein auf Winckelmann zurückgehendes Mißverständnis; das Ideal der »edlen Einfalt und stillen Größe« sei in Hochmut gegenüber dem »Pöbel«, in die Gestaltung poetischer Pretiosen und den Führerkult einer exklusiven Jüngerschaft ausgeartet. Es zeige

Heroisches Dandytum

sich ein »Alexandrinismus«, entsprechend der Vorliebe für die späte
Antike. Das bäuerliche Land (George stammte aus einer rheinischen
Gastwirts- und Weinhändlerfamilie) werde nur noch von der Veranda
aus gesehen. Das Naive erscheine als Spiel des Sentiments; man erge-
he sich in der reinen Form. Der Dichter werde zum »Dandy« (»nach
oben deklassierten Intellektuellen«), zum Dandy in der Pseudoge-
stalt des Priesters. Baudelaire hatte den Typus hochzuspielen versucht: »Der Dandyismus«, heißt es in den von George übersetzten
Blumen des Bösen, »ist die letzte Verwirklichung des Heroischen in
Zeiten des Verfalls.«

George – meinte Bertolt Brecht – biete »den Anblick eines Müßiggängers,
statt den vielleicht erstrebten eines Schauenden. Die Säule, die sich dieser
Heilige ausgesucht hat, ist mit zuviel Schlauheit ausgesucht, sie steht an einer
zu volkreichen Stelle, sie bietet einen zu malerischen Anblick.« »Die Form,
die er bildet«, schrieb **Eugen Gottlob Winkler** (1912–1936) über die Gestalt
Stefan Georges in unserer Zeit, »ist leer und tot, sein Ideal, selbst in seiner
Verwirklichung, ein Phantasiegebilde, und seine Erscheinung, bei aller
Großartigkeit ihrer Konsequenz, eine ungeheuerliche Pose«. Dabei ist
Winklers Anspruch der Georgeschen Haltung verwandt: »Künstler sind heute die einzigen Menschen, die noch mit Bewußtsein Menschen sind. Bei ihnen allein ist das Leben noch etwas Angeschautes und etwas Mitgetanes: ein
im höheren Sinne gemeintes Spiel.« Winkler stellte den Heillosigkeiten der
Zeit die »Reinheit der Form« entgegen; er wollte eine »Theologie des Ästhetischen« schaffen, zumindest einen Standort künstlerischer Elite markieren
(u. a. *Gestalten und Probleme,* postum 1937).

Zum George-Kreis zählte eine Reihe bedeutsamer Gelehrter und
Dichter, wie **Friedrich Gundolf** (1880–1931, als Literarhistoriker
hervorgetreten) und **Karl Wolfskehl** (1869–1948). Kongenial übertrug Wolfskehl alte deutsche Dichtung, Verse aus dem Arabischen,
Persischen, Griechischen, Lateinischen, Französischen, Englischen; seine Übersetzung des *Ulenspiegel*
von Charles de Coster erschloß diesem Werk einen
breiten Leserkreis. Bemerkenswert sind auch die lyrischen Werke, vor allem die Verse aus dem Exil (*An die Deutschen,*
1947; *Hiob,* postum 1950). Angesichts der Judenverfolgung legte er
ein Bekenntnis zur eigenen Herkunft ab; zugleich fühlte er sich als
»Mithüter des deutschen Geistes«. **Rudolf Borchardt** (1877–1945),
ebenfalls aus rassischen Gründen verfolgt, anfangs dem George-

EWIGER
VORRAT DER
POESIE

Kreis angehörend, gab eine Anthologie *Ewiger Vorrat deutscher Poesie* (1926) heraus. Auch er war ein hervorragender Übersetzer (von Platon, Pindar, Tacitus, Vergil, Dante und Swinburne), zudem ein geistvoller Kultur- und Literaturkritiker. Der Zugang zur »Moderne« blieb ihm freilich versperrt: »Sie haßt jede Notwendigkeit, die Form, jede Strenge, die Gattung, jede Reinheit, den Typus. Sie schafft verwischte Form und nennt sie ›Nuance‹, zerrissene Form und nennt sie ›Skizzen‹, Gedichte in Prosa, Freie Rhythmen – Zwittergattungen, und nennt sie ›Dokumente‹, ›Impressionen‹, ›Phantasien‹, ›Stimmungen‹, ›Tragikomödie‹.« Der eigenen Dichtung stand der Literaturhistoriker im Weg; am gelungensten erscheinen die vier Novellen unter dem Titel *Das hoffnungslose Geschlecht* (1929).

In der am Prosastil Kleists geformten Novelle *Der unwürdige Liebhaber* zerstört Konstantin von Schenius die Familie seines Schwagers, indem er dessen Frau verführt, die sich freilich ihm auch entgegenwirft, da sie der Gleichgültigkeit und Monotonie ihrer »schönen« Ehe zu entfliehen hofft; sie bleibt genauso auf der Strecke wie viele vor ihr. Von ihrem Tode erfährt Schenius, als er eben im Begriffe ist, neue galante Abenteuer einzugehen. »Nun saß er weinend... und er fühlte sich in dieser Erweichung unfähig – ja, er wäre sich unwürdig vorgekommen –, der wartenden Verabredung Folge zu leisten. Nach einer weiteren Stunde schon und immer noch mit gelegentlich wiederkehrenden Tränen fand er die Form der Absage schwierig und hatte sich nach einer weiteren halben darein gefunden, wenigstens nicht gerade abzusagen, sondern einen Mittelweg zu versuchen, welcher ihn schließlich aufnahm und in halber Wehmut zum glücklichen Ziele führte.« In der Form zwar klassischer Tradition verpflichtet, zeigt das Werk doch die Problematik der modernen Gesellschaft auf: die Zersetzung und Dekadenz einer großbürgerlichen und aristokratischen Welt und ihrer Prinzipien.

UM DEN HOHEN MENSCHEN   Georges Rückkehr zu »antiker Form und antikem Geist« fand eine Reihe von Nachahmern; es waren »Neuklassiker« – auf dem »Weg zur Form«, wie **Paul Ernst** (1866–1933) in einer Schrift über die Erneuerung der Tragödie sie nannte.

Paul Ernst kann als interessanter Theoretiker eines vom Naturalismus über die Neuromantik zu einer neoklassizistischen Form sich entwickelnden Dramas gelten. *Der Weg zur Form* (1906) ist seine wichtigste programmatische Schrift. Ins Kulturgeschichtliche und Zeitkritische extendieren die Essays *Der Zusammenbruch des Idealismus* (1919) und *Grundlagen der neuen Ge-*

sellschaft (1930). »Der schlimmste Feind alles Tragischen... ist die Ansicht von der Bedingtheit aller Sittlichkeit... dann gibt es keinen sittlichen Kampf mehr; dann gibt es eben nur noch ein Verstehen...« Die Kulturwelt, die Dichtung, vor allem die Tragödie, sollen sich um den »hohen« Menschen bemühen, der sich sittlich entscheidet und in dessen Untergang noch der sittliche Wert aufleuchtet, nicht um den »gemeinen«, der die Werte und ihre Rangordnung nicht kennt und somit nur bedauert werden kann.

Die Dramenversuche Ernsts, die alte Stoffe erneuernden Tragödien *Demetrios* (1905), *Canossa* (1908), *Brunhild* (1909), *Ariadne auf Naxos* (1912), *Kassandra* (1915), *Chriemhild* (1918) und einige Komödien (*Der heilige Crispin, Pantalon und seine Söhne*, 1912 u. 1916), haben ihre Zeit kaum überdauert. Sie knüpfen bei Hebbel an und bringen immer wieder ohne viel Handlung erstarrte Typen, die in endlosen Monologen dozieren. Damit bleibt das dramatische Werk stofflich, sprachlich und gestalterisch Epigonentum.

Seine Romane (u. a. *Der Schmale Weg zum Glück*, 1904) spiegeln den Glauben an die »organische Gesellschaft« wider.

In seiner Autobiographie *Erlebtes Leben* (1928) erzählt **Rudolf G. Binding** (1867–1938), wie er auf einer Griechenlandreise der Antike und ihrem Menschenbild mit seiner schlichten, klaren Größe für immer verfiel. Aber es blieb bei einem Bekenntnis zur Aristokratie des Geistes, die eng verbunden mit den Idealen des Soldaten, des ritterlichen Menschen und Gentleman gesehen wurde. Große Dichtung entstand nicht. Strenge Haltung, Herbheit und Betonung des Formalen kennzeichnen seine Novellen *Der Opfergang, Die Waffenbrüder* (in der Sammlung *Die Geige*, 1911) und *Wir fordern Reims zur Übergabe auf* (1935). Die Abneigung gegen christliche Frömmigkeit äußert sich in den ironischen, das Irdische verklärenden *Legenden der Zeit* (1909; *Coelestina, Die Keuschheitslegende*). Lebensfreude bestimmt die Novelle *Moselfahrt aus Liebeskummer* (1932). Der vitale Dichter war schließlich bereit, den Heldenkult des Dritten Reiches mitzumachen.

Seine bekannteste Novelle, »Der Opfergang«, zeigt die heroische Haltung einer Frau, die, als ihr Gatte todkrank ins Spital eingeliefert ist, sich in den Kleidern des Mannes vor dem Fenster ihrer gleichfalls schwer erkrankten Nachbarin sehen läßt, weil sie weiß, daß diese ihren Mann liebt. Die »Waffenbrüder« sind zwei Kriegskameraden von 1870/71, von denen der eine aus Liebe zu einem Mädchen seinen Freund verrät und daher von dessen Sohn, der die Ehre des Vaters schützt, getötet wird. In der im ersten Kriegsjahr 1914 spielenden Erzählung »Wir fordern Reims zur Übergabe auf« geht es um die soldatische Ritterlichkeit: Zwei deutsche Parlamentäre werden als

Spione verdächtigt, schließlich aber doch ehrenvoll behandelt und zu den deutschen Linien zurückgebracht. In »Moselfahrt aus Liebeskummer« nimmt eine junge Dame den Erzähler, der von dem Reiz der Mosellandschaft angetan ist, zum Begleiter; sie erscheint ihm als die Verkörperung der Landschaft: »Sind Sie nicht wirklich wie die Landschaft, die Sie so sehr lieben –?« Doch in Trier scheidet sie von ihm; sie scheut sich nach einer früheren Enttäuschung vor einer neuen Liebesbeziehung. (Es war eine der seinerzeit beliebten halbsüßlichen »Problemgeschichten«.)

Dem aristokratischen Ideal huldigt in betont eigener Weise **Ernst Jünger** (geb. 1895). Distanz, Zurückhaltung, Sinn für das Kostbare bestimmen seinen Stil, der dadurch artifiziell wirkt.

DER EIN-
ZELGÄNGER

Die noble Kühle seiner Diktion vermag zu bestechen. »Fischschuppen glänzten, ein Möwenflügel durchschnitt die Salzluft, Medusen spannten und lockerten die Schirme, die Wedel einer Kokospalme wellten sich im Wind. Perlmuscheln öffneten sich dem Licht. In Meeresgärten fluteten die braunen und grünen Tange, die Purpurgeschöpfe der Seerosen. Der feine Kristallsand von Dünen stäubte auf.«

Das Zitat stammt aus dem Roman *Heliopolis* (1949), der auf besonders charakteristische Weise Jüngers Weltbild spiegelt. Heliopolis ist eine fiktive Hafenstadt in südlichen Bereichen. Die politischen Mächte der Gegenwart sind hier allegorisch dargestellt. Da ist der Prokonsul, die Verkörperung militanter Aristokratie, der Landvogt, Repräsentant des Volkes und der Pöbeltyrannei. Dazwischen stehen – gewissermaßen als Prügelknaben – die Parsen, die ein Schicksal wie die Juden im Hitlerreich zu erleiden haben. Die technische Perfektion dieser Welt zeigt sich in Erfindungen wie dem Schwebepanzer, dem Raumschiff, dem Sicherungsschutz des Strahlengitters, dem Phonophor, einem Empfangs- und Sendegerät in Westentaschenformat, mit dem jeder zu jedem jederzeit sprechen kann. Die beiden Machthaber verkörpern die zwei Staatsformen, zwischen denen wir uns nach Jüngers Ansicht zu entscheiden haben: die Volksherrschaft, in der die Instinkte der dumpfen Masse regieren (»Die Herrschaft der vielen erhebt die Niedertracht in Permanenz«), und den aufgeklärten Staatsabsolutismus, der getragen wird von einer Elite geistig wie charakterlich hochstehender Menschen. »Wir stehen vor der Wahl, in die Dämonenreiche einzutreten oder uns auf die geschwächte Domäne des Menschlichen zurückzuziehen.« Der konservativen, aristokrati-

schen Erneuerung wird Hilfe aus dem »Burgenland« erstehen; resignierend schließt der Dichter den Roman: »Uns aber liegen diese
Tage fern.«

Die »gläsernen Bienen« im gleichnamigen Roman (1957) sind Liliput-Robo-
ter, die als Luxusautomaten durch herrschaftliche Gärten schweben, – fabriziert von Zapparoni, dem allmächtigen Automatenkönig. Ein alter Soldat,
Rittmeister a. D., erhält eine Stellung im Zauberreich, besteht aber nicht die
»Prüfung«. Er geht zu seiner Frau heim. »Es ist am Technischen viel Illusion.
Mit Treue aber behielt ich die Worte, die Theresa mir sagte, behielt das Lächeln, das sie begleitete. Es war ein Lächeln, das stärker war als alle Automa-
ten, ein Strahl der Wirklichkeit.«
    Eumeswil (1977) erinnert in seinem utopischen Grundriß an »Heliopolis«:
ein im Norden vom Meer, im Süden von der Wüste begrenzter Stadtstaat, in
dem Condor als aufgeklärter Tyrann herrscht. Die »Stadt der Epigonen« –
Eumeswil benannt nach Eumenes, einem der Diadochen, die das Reich
Alexanders des Großen aufteilten – ist ein »Mischkessel« aus den Nachkom-
men verschiedenster Nationen, ein Handelsplatz mit den Zügen der Profitge-
sellschaft. »Der Roman über Staat und Gesellschaft in einer Spät- und Verfallszeit ist zu einem guten Teil aus der Beobachtung unserer Gegenwart hervorgegangen. Einen Gegenentwurf führt Jünger nicht aus. Den Schlüssel
bietet eines der in sich geschlossenen erzählerischen Stücke des Romans, die
Parabel vom ›Totemtier‹ des jungen Venator, der Haselmaus, die sich ihre
Höhle für die öde und kalte Jahreszeit baut. Was diese kleine Erzählung
demonstriert, ist die Kunst des Überwinterns.« (Walter Hinck)

Jüngers Weltbild zielt auf die tragische, einsame Bewährung. Dabei
tauchen Reminiszenzen an den germanischen Schicksalsbegriff auf
und werden transponiert in eine technisierte, vom Arbeiter und von
»totaler Mobilmachung« bestimmte Welt. In der »Werkstätten-Land-
schaft« (Begriff aus *Der Arbeiter – Herrschaft und Gestalt,* 1932) stehen aristokratische Menschen »auf verlorenem Posten«. Das erinnert
an Kleist, Hebbel und Heidegger, auch an ausgesprochen preußisch-
soldatische Autoren, die erst »im Scheitern die Chiffre des Seins« zu
lesen glaubten. Immer stehen Einzelgänger, auserwählte, vornehme
Gestalten, im Mittelpunkt des Jüngerschen Schaffens. Im Roman
Auf den Mamorklippen (1939) leben sie in einer südlichen Landschaft
esoterischen Glanzes: »Die wilden Schroffen und Gletscher funkel-
ten weiß und rot, und zitternd formten sich die hohen Ufer im grünen
Spiegel der Marina ab.« Da bricht der »Oberförster«, eine Gestalt
voll dunkler, schrecklicher, pöbelhafter Machtgier und brutaler Will-

kür, aus der dämonischen Tiefe des »Waldes« in die Welt der blauen Heiterkeit ein. Nur mit knapper Not kann der Held dem Grauen entfliehen: »So schwur ich mir zu, in aller Zukunft lieber mit den Freien einsam zu fallen, als mit den Knechten im Triumph zu gehen.«

Jünger stammt aus Heidelberg, ging als Abiturient an die Front, wurde vierzehnmal verwundet und mit dem Pour le mérite ausgezeichnet. Über die »heroische Zeit« des Weltkrieges berichtete er in seinem Erinnerungsbuch *In Stahlgewittern* (1920). Nach dem Krieg war er zunächst bei der Reichswehr, dann freier Schriftsteller. Im Nationalsozialismus sah er die aufsteigende Herrschaft des Pöbels. Er unternahm größere Reisen und widmete sich naturwissenschaftlichen und botanischen Studien (*Blätter und Steine,* 1934). Überdies entwickelte er die Kunstform des Essays zu großer Vollendung – reflektierend, aphoristisch zugespitzt, mit betonter Akribie arbeitend, die bisweilen in Pedanterie bzw. sprachlichen Snobismus ausartet. Hierher gehören seine Kriegstagebücher *Gärten und Straßen* (1942) und *Strahlungen* (1949) sowie seine kulturkritischen und politischen Schriften *Über die Linie* (1950), *Der Waldgang* (1951), *Der gordische Knoten* (1953), *Das Sanduhrbuch* (1954), *An der Zeitmauer* (1959) und *Annäherungen* (1971).

Im hohen Alter wandte sich Jünger wieder verstärkt dem Tagebuch zu (*Siebzig verweht, Band I und II,* 1980/81), die Zeit von 1965 an umfassend. Es erschien auch die Erzählung *Eine gefährliche Begegnung* (1985), die Geschichte von Gerard, dem fünfundzwanzigjährigen empfindsamen Träumer, von »zartem, fast knabenhaftem Wuchs«, der seinem Schicksal unentrinnbar entgegengeht. »Er war nicht sicher, ob er es nur träumte, aber der Traum war schön.«

Zu Jüngers 85. Geburtstag schrieb Joachim Kaiser: »Produziert ohne Nachlassen, ohne Nachlässigkeit. Als ob er den Tod nicht fürchtete ... Alt werden zu dürfen, ist eine Gnade. Aber auch ein Verdienst. Es gehört Kraft dazu, Mut, Eigensinn, Unerschrockenheit.« Zum neunzigsten Geburtstag meinte Gerd Ueding: »Tor, Tür, Schwelle gehören zu seinen wichtigsten Denkfiguren, und die mit ihnen verbundenen Bildbereiche fehlen in keinem seiner Werke. Ihre Wurzeln reichen in die archetypischen Vorstellungsbereiche des Menschen, ihre besondere Konjunktur aber erlebten sie in jener Epoche, der Ernst Jünger seine wesentlichen Antriebe und Kunstmittel verdankt und die sein Leben und Werk ganz buchstäblich in Bewegung gesetzt hat: das ausgehende 19. Jahrhundert, Fin de siècle und Symbolismus, Gründerjahre und Zeitenwende.«

In dem Entwurf eines Menschentums, das fähig ist, alle Destruk-

tionen der Zeit zu bestehen, berührt sich mit Jünger der Elsaß-
Lothringer **Otto Flake** (1880–1963), der wie jener häu-
VOM SIEG fig aus philosophischer, weltanschaulicher Perspektive
GEISTIGER heraus zu einer grundsätzlichen und umfassenden
ORDNUNG »Weltdeutung« vorstößt. Dadurch gelangt der Roman
in die Abstraktion hinein; sein Schwerpunkt liegt im Gedanklichen
und bei Personen, welche die gedankliche Zielsetzung verkörpern.
Es entsteht eine Art »Ideen-Roman«, der dem Menschen wieder eine
Mitte geben soll. Im Roman *Nein und Ja* (1920) wird an dem Beispiel
einer Reihe von Menschen, die aus unterschiedlichen Motiven während des Weltkrieges in die Schweiz geflüchtet sind, die Frage nach
einer künftigen Zivilisation gestellt, die »Absolutes und Zeitliches,
Bejahung und Verneinung, Idee und Tat, Geistigkeit und Materiali-
tät umschließt und klare, weise, unpathetische, unsentimentale,
durchdachte, bindende Vorstellungen hat«. In dem Romanzyklus
Ruland (1913–28) werden im wesentlichen an der autobiographisch
geformten Gestalt eines jungen Studenten die politischen und kulturellen Strukturen und Entwicklungsstufen der Vorkriegszeit untersucht, wobei der feste Glaube an den Sieg der geistigen Ordnung
ausgesprochen wird. *Der gute Weg* (1924), ein Roman dieses Zyklus,
erstellt mit der Charakteristik eines Auslandsdeutschen ein Vorbild
für eine neue deutsche und europäische Generation, die frei von aller
Düsternis und Erblast ist und den drohenden Katastrophen mit Sachlichkeit und innerer Zucht begegnet. Im Vordergrund dieser Werke
steht das Streben nach einer neuen, übernationalen und innerlich ge-
festigten Gesellschaft.

Viel Selbsterlebtes liegt in Flakes Werken, vor allem die quälende Erfahrung
des deutsch-französischen Gegensatzes, die ihn – wie er es schon 1921 in
seinem *Kleinen Logbuch* sagte – zum Europäer werden ließ: »Man wird Europäer nicht aus Wahl, man wird es aus Not.« Bezeichnend sind dafür auch
seine Romantitel *Freund aller Welt* (1928; der letzte Band des »Ruland«-Zy-
klus) und *Ein Mann von Welt* (1947; der letzte Teil des kulturhistorischen
Fortunat-Zyklus). So spannte sich ein weiter Bogen bis hinüber zur »Weltfreund«-Haltung der Expressionisten, wobei allerdings Flake stets der kulturellen Tradition, der abendländischen Vergangenheit, verhaftet blieb, ja mit
aller Entschiedenheit für die Erhaltung des geistigen Erbes eintrat.

Im Umbruch der Zeit, inmitten einer Welt, die sich ziel- und rich-
tungslos darbietet, bedrängt von neuen Mächten und Gewalten, im

Zeitalter der Massen, der totalitären, wertfreien Staatssysteme, der Geheimpolizei, Lager und Funktionärstypen sucht der Dichter nach Markierungen, die Richtung und Halt zu geben vermögen. Ganz gleich, ob der Kulturpessimismus der Zeit berechtigt oder übertrieben erscheint, er fördert die Hinwendung zur Tradition, zur Wahrung des Erbes, zur tiefgreifenden geistigen Durchdringung und Wiederaufnahme des Überkommenen.

Hugo von Hofmannsthal (1874–1929) schrieb im *Brief des Lord Chandos* (1902; in *Das Märchen der 672. Nacht,* 1905), das Betroffensein vom allgemeinen Wertzerfall kennzeichnend:

ERHALTUNG DES ERBES »Die Worte zerfielen mir im Munde wie modrige Pilze.« Aus dem tiefen Erlebnis der Gefährdung heraus ist er zum Wahrer traditionellen Erbes und beredten Mahner geworden. Freilich konnte er sich nie vollständig der bürgerlichen »Spätzeitstimmung« mit ihrem elegisch-ästhetischen Schmelz entziehen. Die Versponnenheit ins Dekadent-Spielerische, die sich bereits in den frühesten Werken, vor allem den Schauspielen *Gestern* (1891), *Die Frau am Fenster* (1891) und *Der Tod des Tizian* (1892), ausdrückte, erwies sich als ein ebenso mißbilligtes wie geliebtes gestalterisches Prinzip. Es ist die Atmosphäre halbdunkler Zimmer mit offenen Fenstern, wehenden Vorhängen, hereinflutendem hellem Mondlicht, dem Schatten wilder Weinranken und wandelnder tizianhafter Gestalten, die mit vollendeter Sprachgebärde dem Leben nachsinnen, ohne es zu meistern. »Ganz vergessener Völker Müdigkeiten / kann ich nicht abtun von meinen Liedern, / noch weghalten von der erschrockenen Seele / stummes Niederfallen ferner Sterne.« Vom Künstler sagte Hofmannsthal: »Er leidet an allen Dingen, und indem er an ihnen leidet, genießt er sie.«

In seinem Lustspiel *Der Schwierige* (1921) kehrt ein Spätling der österreichischen Aristokratie aus dem Weltkrieg in die alte Gesellschaft heim und wird von ihren Allüren wieder eingefangen. Er läßt sich treiben, ohne viel Entscheidungskraft aufzubringen, ein Mann ohne die Eigenschaft des Willens, des zielbewußten Handelns. In allem spürt man die Dekadenz und Melancholie des Fin de siècle, die Leere, die sich mit rein ästhetischen, subtil-spielerischen, aber »müden« Reizen drapiert.

Den Grundton der Resignation, die gelegentlich ins Renaissancehaft-Monumentale und in eine euphorische Überhöhung des Gefühls ausbrach, setzte – aus innerer Verwandtschaft – Richard Strauß in Musik. Hofmanns-

thal schrieb die Libretti zu den Opern *Der Rosenkavalier, Ariadne auf Naxos,*
Die Frau ohne Schatten und *Arabella.*

Das Gefühl desperater Tragik steigerte sich – und hier zeigen sich ausgesprochen barocke Motive – durch die Einsicht von der Unwiderruflichkeit
des vertanen Lebens. Das Drama *Der Tor und der Tod* (1906) war eine Vor-
stufe zum großen »Jedermann«-Spiel. Claudio, ein junger Edelmann, über-
kultiviert, das Leben nur als Schauspiel betrachtend, das man zu genießen
hat, wird vom Tod seiner Torheit überführt; da er nicht aktiv in dieses Leben
eingreift, sich zu keiner Verpflichtung bereit findet, hat er es vertan. Die
Mutter vergaß er, die Liebe des Mädchens erkannte er nicht, den Freund
bedachte er mit Gleichgültigkeit. Doch nun ist es zu spät:

> »Wenn einer träumt, so kann ein Übermaß
> Geträumten Fühlens ihn erwachen machen.
> So wach ich jetzt in Fühlens Übermaß
> Vom Lebenstraum wohl auf im Todeswachen.«

Im *Jedermann* (1911) vollzieht sich – in der Art mittelalterlicher und barok-
ker Vanitas-Stücke – der unaufhaltsame Abstieg des reichen Mannes zum
Tod. Entkräftet wird der Glanz des Irdischen; die Hybris des Reichen erhält
Züge des Wahnwitzes; die abgeleugnete höhere Ordnung bricht apokalyp-
tisch herein. Das vertane Leben des Genießers ist nicht zu widerrufen; es
enthüllt sich freilich, vermittelt durch die »guten Werke«, ein neuer Sinn des
Glaubens, ein Begreifen göttlicher Gnade – im Zustand des Sterbens.

Als Wiener, von der Mutter her italienischer Abstammung, erwies
sich Hofmannsthal als Exponent einer spezifisch österreichischen
Kultur, als »der letzte und verspätete Träger und Nachfahre des ge-
samteuropäischen Rokoko der Goldoni, Watteau, Mozart, Bewunderer aller vollkommenen, ganz abgeschliffenen Form« (Friedrich
Gundolf). »Er war der letzte große Barockdichter«, meinte sein
Freund Harry Graf Kessler.

Hofmannsthals Schaffen galt nicht zuletzt der Bewahrung abendländischen Dichtungsgutes und seiner Restauration. Mit wahrer Besessenheit und genialer Souveränität umfaßte sein Geist die Fülle
poetischer Traditionen, etwa die Dramenkunst der Franzosen, Spanier und Engländer, den Bereich der attischen Tragödie, überdies
auch die Märchenwelt des Orients. »Es ist das wahrhaft Großartige
an der Gegenwart, daß so viele Vergangenheiten in ihr als lebendige
magische Existenzen drinliegen, und das scheint mir das eigentliche
Schicksal der Künstler: sich selber als den Ausdruck einer in weite

Vergangenheit zurückführenden Pluralität zu fühlen...« Dieses Bewußtsein von der Notwendigkeit der Integration bestimmte sehr wesentlich Hofmannsthals Lyrik (*Ausgewählte Gedichte*, 1903; *Gedichte*, 1922; *Nachlese der Gedichte*, 1934). Das Sich-Anlehnen ans Gültige der Vergangenheit bewirkte formvollendete, sensitive Gedichte, gewährte gleichsam eine schöpferische Sicherheit inmitten ausufernden Gefühls und leidenschaftlicher Impressionen. Wehmütiges Schönheitsverlangen und sehnsüchtige Musikalität sind in eine ästhetisch-ornamentale Konvention gebracht.

>> Es läuft der Frühlingswind
Durch kahle Alleen,
Seltsame Dinge sind
In seinem Wehn.

Er hat sich gewiegt,
Wo Weinen war,
Und hat sich geschmiegt
In zerrüttetes Haar.

Er schüttelte nieder
Akazienblüten
Und kühlte die Glieder,
Die atmend glühten...

Er glitt durch die Flöte
Als schluchzender Schrei,
An dämmernder Röte
Flog er vorbei...«

Die *Terzinen über Vergänglichkeit* (in der Ausgabe 1903), denen das Gedicht entnommen ist, machen eines der Grundthemen Hofmannsthals besonders deutlich: das »ganze unsäglich Entwürdigende, grauenvoll Erniedrigende des Sterbens« – Klage über den Tod und die Vergänglichkeit des Geistes. »Die Verzweiflung über die Vergänglichkeit treibt die Verherrlichung der menschlichen Traumexistenz hervor... Zwischen der Wirklichkeitserfahrung und der Kunsterfahrung vermittelt das Naturschöne, das Erlebnis der Allverbundenheit. So versuchte Hofmannsthal damals den ›etwas leeren Ästhetismus ins Menschlich-Sittliche hinüberzuziehen‹.« (Clemens Heselhaus)

Hofmannsthals bewahrende und sammelnde Tätigkeit äußert sich am deutlichsten in seinem umfangreichen Briefwechsel, etwa mit Ri-

chard Strauß (hrsg. 1925 und 1964), Rudolf Borchardt (hrsg. 1954), in
den Anthologien *Deutsches Lesebuch* (1922/23) und *Wert und Ehre
deutscher Sprache* (1927) sowie in zahlreichen Essays und Reden,
z. B. *Der Dichter und diese Zeit* (Bd. 1 der *Prosaischen Schriften*,
1907) und *Das Schrifttum als geistiger Raum der Nation* (1927); Sprache war ihm ein bedeutendes Bildungsgut.

Durch die Gründung der Salzburger Festspiele (1920) wollte Hofmannsthal
ein Zentrum musischen Schaffens und Erlebens im Sinne abendländischer
Kultur errichten. Die Universalität des einstigen habsburgischen Reiches
schwebte ihm vor. In Anlehnung an Calderóns »Großes Welttheater« schrieb
er für die Festspiele *Das Salzburger große Welttheater* (1922), ein allegori-
sches Drama von der göttlichen Ordnung und Sinnhaftigkeit des Daseins.
Das irdische Leid erscheint als Pendant kosmischer Harmonie. Der »Widersacher«, der sich gegen die Ungleichheit der Schicksale auflehnt, befindet
sich im Irrtum und kann den einsichtigen »Bettler« nicht für eine soziale
Revolution gewinnen.

	Festspiel und »Welttheater«, die sich gegen den »kulturellen Anarchis-
mus« wenden sollten, hatten letztlich auch einen politischen Auftrag. Aber
schon 1924 bekannte Hofmannsthal: »Wir können kaum noch ahnen, wie tief
diese Krise in alles Geistige eingegriffen, fast alles als Illusion enthüllt hat.«
Depressive Stimmungen mehrten sich bei ihm, bis er in seinem Schloß Ro-
daun bei Wien nach dem Selbstmord seines ältesten Sohnes einem Herzanfall
erlag.

	Der Turm (1925) war sein letztes Drama – sein Vermächtnis. Der Turm ist
das Symbol der Macht. In ihm liegt Prinz Sigismund, der Sohn des Königs
Basilius, gefangen, weil er sich, wie bei seiner Geburt ein Sternenorakel vor-
ausgesagt hat, eines Tages gegen den Vater erheben werde. Die Prophetie
erfüllt sich: Der Sohn reißt die Macht an sich und stürzt das alte Regime, das
überheblich, gottfern und grausam war. Aber das Recht wird wieder geopfert. Eine von dem skrupellosen Oliver entfachte Volksbewegung überzieht
das Land mit Krieg und Vernichtung. (Hofmannsthal, so berichtet sein
Freund Rudolf Alexander Schröder, habe in seinen letzten Jahren oft vom
»oliverischen« Weltwesen gesprochen. Er meinte die Ankündigung unter-
weltlichen Hasses, gemeiner Zerstörungs- und Verfolgungswut, die das
Schicksal Europas besiegeln würden.)

Adel und Untergang hatte der in Wien geborene **Josef Weinheber**
(1892–1945) seinen Gedichtband des Jahres 1934 überschrieben. Wie
Hofmannsthal sah er die Gefahren der Zeit und suchte ihnen mit dem
Adel der dichterischen Sendung entgegenzutreten, und zwar im Bekenntnis zum Schönen, zum bewahrten Erbe. Wie dieser klagte er

um den Hingang der Werte. Auch ihn umfing das Gefühl der Einsamkeit. Innere Unsicherheit führte ihn in die Nachbarschaft zum Nationalsozialismus. Im April 1945 setzte er seinem Leben selbst ein Ende.

> »Wer behütet den Sinn und wagt das Unzeitgemäße,
> Haben die Dichter nicht Mut: Klage und Trauer und Traum?
> Sie, doch ewig im Abschied, um ewig Heimat zu finden,
> Müßten sie, friedlicher Vers, Deines nicht leidvoll erneu'n?
> Ach, versuch's, ersterbender Klang! Vielleicht, daß der Götter
> Segen noch einmal dir schenkt: Zukunft, Lebendigkeit, Glück.«

»Schon ist der halbe Osten Europas auf dem Weg zum Chaos, fährt betrunken im heiligen Wahn am Abgrund entlang.« Diese Worte von **Hermann Hesse** (1877–1962) aus der Zeit nach dem Ersten Weltkrieg charakterisieren den Dichter als überzeugten Mahner und leidenschaftlich bewegten Ankläger, der nach neuer Ordnung strebt. Und diese neue Ordnung wird zur Renaissance der alten. In seinem Roman »Das Glasperlenspiel« tastet sich der Dichter, vom fiktiven zukünftigen Zeitpunkt, in eine Ära zurück, da Anhänger wahrer Bildung sich vor den Wogen des Nihilismus, Perfektionismus und Feuilletonismus in eine pädagogische Provinz zu retten suchten. Hesse erweitert den Kosmos der herkömmlichen Werte, indem er über die Grenzen des abendländischen Bereiches hinausgreift und in seine Hoffnung auf Errettung die morgenländischen Kulturen mit einbezieht (vgl. z. B. *Siddhartha. Eine indische Dichtung,* 1922). Der Morgenlandfahrer wird zur Symbolfigur dieser westöstlichen Wiedergeburt (ihm ist das »Glasperlenspiel« gewidmet). Auf der anderen Seite trägt Hesses Dichtung typisch deutsche – romantische, neuromantische – Züge. Eine Mischung von Melancholie und abgeklärter Heiterkeit bestimmt seine Lyrik (Auswahl-Band *Stufen,* 1961). »Nichts von Auflösung, von Zerstückelung der Form, gefügt, kernig, zart, unverwechselbar, voll Rückblick, voll Sehnsucht nach endlicher Ruhe. So mag manch einem der Glockenton vom heimatlichen Kirchturm Bilder der Erinnerung auf Goldgrund hervorzaubern, wehmütig und beglückend zugleich.« (Erich Pfeiffer-Belli)

MORGENLANDFAHRER UND STEPPENWOLF

Hesse, in Calw geboren, sollte Theologie studieren, floh aber aus dem Seminar im Kloster Maulbronn. Im Roman *Unterm Rad* (1906) übertrug er das

Trauma seiner Kindheitserlebnisse in die Geschichte eines Knaben, der an
den Forderungen der Schule und des ehrgeizigen Vaters zugrunde geht, einem erbarmungslosen Erziehungsprozeß ausgeliefert ist, durch Angstpsy-
chosen vollends untüchtig wird und in hoffnungslose Vereinsamung gerät. –
Die inneren Gegensätze der Jugendzeit sind im Roman *Narziß und Goldmund* (1930) dargestellt: hektische Sinnenfreude dissoniert mit spiritueller
Verinnerlichung; der dem Abenteuer, dem großen Wagnis des Erlebens sich
hingebende Goldmund, der eigentlich vitale Künstler und Schöpfer, steht
dem in eine wissenschaftliche Eremitage sich eingrenzenden Narziß, dem
Typus solider Gelehrsamkeit, gegenüber; es scheint, daß Narziß den besseren, den nützlicheren Weg gewählt hat.

Schon 1912 zog sich Hesse in die Schweiz zurück – als Einsamer, fern vom
Getriebe der Welt, lebte er seit 1921 im Tessin. »Für den Augenblick
schmeckt es wundervoll, das Gefühl der Seßhaftigkeit, des Heimathabens,
das Gefühl der Freundschaft mit Blumen, Bäumen, Erde, Quelle, das Gefühl
der Verantwortlichkeit für ein Stückchen Erde, für fünfzig Bäume, für ein
paar Beete Blumen, für Feigen und Pfirsiche.« Doch sein Herz blieb den
Problemen der Zeit mitfühlend und mitleidend verbunden, wie unzählige
Briefe aus seiner Hand beweisen. »Wir Dichter suchen unsere Zeit nicht zu
erklären, nicht zu bessern, nicht zu belehren, sondern wir suchen ihr – indem
wir unser eigenes Leid und unsere eigenen Träume enthüllen – die Welt der
Bilder, die Welt der Seele, die Welt des Erlebens immer wieder zu öffnen.
Diese Träume sind zum Teil grausige Schreckbilder – wir dürfen sie nicht
verschönern, wir dürfen nichts weglügen. Wir dürfen aber auch nicht verhehlen, daß die Seele der Menschen in Gefahr und nahe am Abgrund ist. Wir
dürfen aber auch nicht verhehlen, daß wir an ihre Unsterblichkeit glauben.«

Seelenbiographien will Hesse geben. In seinen Entwicklungsroma-
nen *Peter Camenzind* (1904) und *Demian* (1919) beschrieb er das Suchen nach innerer Formung und Reifung, das allmähliche Sichdurch-
setzen bewährter Gewißheiten, verläßlicher Normen. Letztlich geht
es um eine Vervollkommnung im Dienste der Humanität.

Peter Camenzind wächst in einem abgelegenen Schweizer Seedörfchen auf,
ein Kind gegensätzlich veranlagter Eltern, zum Träumen und Phantasieren
geneigt. Seine Studienjahre in Zürich bescheren ihm eine lang ersehnte
Freundschaft mit dem Studenten Richard, während seine Liebe zu einer Malerin unerwidert bleibt, was in ihm eine ironische Weltverachtung auslöst.
Erst die Erfahrung der heiteren italienischen Landschaft mit der Heiligenge-
stalt des Franz von Assisi läßt sein Wesen ausreifen. Doch fällt er immer
wieder in Lebensüberdruß und Zweifel an sich selbst zurück. Als er lernt,
daß die Liebe zu den Menschen und zu seinem heimatlichen Volk eine Lebenserfüllung sein kann, fühlt er sich von allen Schwächen befreit. Tätige

Liebe im Kreise des häuslichen Daseins ist das Ziel seines weiteren Lebens.

Demian, ein reifer, selbständig denkender junger Mensch, ist die Rettung für den in einem gepflegten Elternhaus aufgewachsenen und doch den Lokkungen böser Kinderphantasien verfallenen Emil Sinclair. Demian öffnet Sinclair in Gesprächen über die Religion eine neue Welt; dennoch wendet sich Sinclair von ihm ab und liefert sich damit erneut der inneren Zerrissenheit aus. Auch seine Bekanntschaft mit der Abraxas-Mythe (nichts für verboten zu halten, was die Seele wünscht) kann ihn aus seinen Verstrickungen nicht erretten, bis er auf der Universität wieder Demian begegnet, der in ihm den Willen zur Neugeburt auslöst. Der Krieg reißt zwar die Freunde auseinander, aber in Sinclair ist das Bild Demians fest begründet, und es bedeutet ihm, »das eigene Schicksal finden und es in sich ausleben«.

Im *Steppenwolf* (1927) ist Harry Haller ein Ausgestoßener, Einsamer, der wölfisch in der Steppenlandschaft des modernen Lebens umhergetrieben wird. Er steht außerhalb der bürgerlichen Welt, deren Fassadenhaftigkeit erkannt und bloßgestellt wird. Zugleich aber trägt Harry Haller die »Sehnsucht nach einer neuen Sinngebung für das sinnlos gewordene Menschenleben« in sich.

In seinen Aufzeichnungen (als solche gibt sich der Roman) treten Hallers Unschlüssigkeit, das Ungebärdige und Exzentrische seines Charakters hervor; er erhält in der nächtlichen Straße ein kleines Buch, den »Traktat vom Steppenwolf«. Der Steppenwolf, halb menschlicher, halb tierischer Natur, wird ihm zum Sinnbild seiner eigenen Existenz, die von tausendfältigen, sich widersprechenden Seelenkräften getragen ist. Der Versuch, sich in die Bürgerlichkeit zu retten, mißlingt. In einem Restaurant begegnet er – im Gedanken an Selbstmord – Hermine, die ihn von seiner Vereinsamung erlösen will, indem sie ihn in die primitive Sphäre der Tanz- und Jazzmusik einführt. Doch im Schein des Freiwerdens und der Beglückung entsteht in ihm die Sehnsucht nach dem Leiden. Hermines Freund, der Musiker Pablo, führt Haller schließlich im »Magischen Theater«, einem Psychodrom der Wünsche und Phantasien, Obsessionen und Projektionen, eine Welt ohne reale Zeit und realen Raum vor, eine Welt der vielen Lebensmöglichkeiten, in der auch Mozart erscheint und heitere Gelassenheit verkündet. Dieser Blick hinter die Erscheinungen weckt in Haller das Verlangen, das Lebensspiel mit seinen Qualen und seinem Widersinn immer wieder von neuem zu betreiben – »das Spiel nochmals zu beginnen, seine Qualen nochmals zu kosten ... die Hölle seines Innern nochmals und noch oft zu durchwandern«. – Diese Aufzeichnungen, so läßt der Dichter seinen Helden sagen, sollen dazu dienen, »die große Zeitkrankheit nicht durch Umgehen und Beschönigen zu überwinden, sondern durch den Versuch, die Krankheit selber zum Gegenstand der Darstellung zu machen. Sie bedeuten, ganz wörtlich, einen Gang durch die Höl-

le, einen bald angstvollen, bald mutigen Gang durch das Chaos einer verfinsterten Seelenwelt, gegangen mit dem Willen, die Hölle zu durchqueren...
dem Chaos die Stirn zu bieten, das Böse bis zu Ende zu erleiden.«

Am Ende der Ergründungen steht das aus fernöstlicher Weisheit
aufstrahlende Wissen um das Gleichbleibende im Wandel, um das
Wesenhafte, das nicht zerstört werden kann. Hesses
GLASPER-   »Kastalien«, die geistige Provinz seines *Glasperlen-*
LENSPIEL   *spiels* (1943), ist nicht in eine »heile Welt« eingebettet;
sein Wertbewußtsein bedeutet nie ein Sich-Verschließen vor der Wirklichkeit; aber es entsteht der Glaube an eine Welt, in
der es das Unveräußerliche gibt und in der das Wissen darum von
Generation zu Generation weitergereicht wird.

Inmitten einer nivellierten und desorientierten Gesellschaft haben sich (bis
ins Jahr 2200 hinein) einige Gruppen gehalten, die dem Geist treu geblieben
sind. Diese schließen sich in Kastalien zusammen, einem Land hinter Zeit
und Raum, einem Gelehrtenstaat, einer Provinz des Geistes. Das Glasperlenspiel ist das einigende Band dieses Staates, sozusagen die Liturgie eines
neuen Glaubens: »Das Spiel, wie ich es meine, umschließt nach absolvierter
Meditation den Spieler so, wie die Oberfläche einer Kugel ihren Mittelpunkt
umschließt und entläßt ihn mit dem Gefühl, eine restlos symmetrische und
harmonische Welt aus der zufälligen und wirren gelöst und in sich aufgenommen zu haben.« Es ist ein Spiel, in das der gesamte Kosmos der abendländischen wie fernöstlichen kulturellen Tradition mit verwoben ist, ein Stein der
Weisen, der die Welt, ursprünglich voller Zufall, Tücke und Wirrnis, als eine
esoterische Harmonie aufleuchten läßt, da der Geist des Menschen über alle
Widrigkeiten zu triumphieren vermag. Und doch muß eingestanden werden,
daß das verlockende Land eine allzu spirituelle, geradezu utopische Region
darstellt. Josef Knecht, der Glasperlenspielmeister, wendet sich selber von
Kastalien ab, er kehrt in die alte Welt zurück. Er erkennt, daß seine Flucht
nur Ausflucht war, daß er sich vor den konkreten Pflichten des Menschseins
nicht in den Elfenbeinturm des Geistes, nicht in kastalische Ferne zurückziehen darf. Er muß mit-leben und mit-leiden; Knecht sieht, nachdem er durch
das Glasperlenspiel sich selbst gefunden hat, seine Lebensaufgabe im wirkungsvollen Tätigsein: Er will einen jungen Menschen erziehen und so die
Botschaft vom neuen, aus der Tradition erneuerten Menschen weitergeben.
Im Vorgefühl der auf ihn wartenden Aufgabe folgt er seinem Schüler zum
Wettschwimmen. Er versinkt im eisigen Wasser eines Gebirgssees. In ratloser Trauer bleibt der Jüngling zurück; da aber überkommt ihn das Bewußtsein, daß der Tod des Lehrers ihn und sein Leben umgestalten und »viel Größeres von ihm fordern wird, als er bisher von sich verlangt hat«.

Das 19. Jahrhundert hatte eine Krise des kirchlichen Lebens mit sich gebracht; Selbstsicherheit und Begriffsspielerei sowie Phrasenhaftigkeit herrschten vor. Dostojewskij, Tolstoi, Kierkegaard, van Gogh, Léon Bloy und viele andere kritische Autoren und Künstler konstatierten den Verfallsprozeß und suchten nach Ansätzen einer Wiedergeburt elementaren Christentums. Namentlich in Frankreich, Skandinavien und Rußland wurden äußerst revolutionäre Vorstellungen entwickelt, während die deutsche Erneuerungs-Bewegung sich sehr zaghaft, traditionsbewußt, »idealistisch« im herkömmlichen Stil, introvertiert-poetisch verhielt. Zwar »verinnerlicht«, aber untätig stand man daher den Katastrophen gegenüber, pflegte die Integrität des guten Willens und der schuldlosen Ohnmacht. Die religiöse Literatur blieb unanfechtbar und »seriös«. Immerhin stellte sie in dem zunehmenden Chaos politischer Agitationen einen Festpunkt der Lauterkeit dar.

MILDE RELIGIOSITÄT

Betont abendländisch, mit christlichen, germanischen und antiken Zügen, gibt sich das dichterische Werk **Rudolf Alexander Schröders** (1878–1962). »Eigenes, Übertragenes, Voraussage, Nachklang, uranfängliches Verwandtsein mit entlegen scheinender Kunstübung und scharfsichtiges Erkennen und Erklären ergänzen sich in ihm; sie sind nicht zu trennen, so wenig wie bei ihm Dichtung, Übertragung und großartiger Kommentar zu trennen sind«, sagte von ihm Rudolf Borchardt.

Bürger – Weltmann – Christ – Mittler – Dichter; unter diesen bezeichnenden Begriffen steht eine Auswahl aus Schröders Werken, die unter dem Titel *Fülle des Daseins* 1958 herausgekommen ist. Schröder verfügte über die Urbanität des gebildeten Bürgers, der die Werte der abendländischen Tradition kennt und sie zum Nutzen religiöser Erziehung vermittelt (*Aufsätze und Reden*, 2 Bde. 1939). Er übersetzte die *Ilias,* die *Odyssee,* die *Äneis,* dazu Werke von Horaz, Shakespeare, Pope, Racine und Molière. Er war Christ, der in seinen Liedern um die Anfechtung, den Zweifel, die Angst weiß, jedoch eingestimmt ist auf den Grundton der Demut vor dem Unausweichlichen und darüber hinaus das Glück der in Christus geborenen Existenz besingt: »Wär's für den Klugen da wohl klug zu weinen?« Der Rettung bedürftig, wird der Dichter selbst zum Rettenden; Glaube, Liebe, Hoffnung sind ihm der Gipfel der Begnadung: »Du hast ihn erflogen, den Berg, den niemand ersteigt.«

Schröder sieht seine Aufgabe darin, den »alten Schatz der Verkündigung, der Lehre, der Ermahnung und des Trostes zu verwalten«. So ist sein Werk

überpersönlich (dabei oft allerdings »nur erbaulich«) und steht in der Nähe
zu Bibelspruch, Sprichwort, Volksweisheit:

> »Ach, Welt, bist ohne Schranke,
> Läßt alles aus und ein!
> Kein Mensch und kein Gedanke
> Darf einsam sein.«

Hans Carossas (1878–1956) dichterische Berufung ging aus schwerer
innerer Krise hervor. Als Arzt – in der unmittelbaren Begegnung mit
Krankheit und Tod – gelangte er schließlich zu einem vertieften Glauben an das dennoch Sinnvolle des Weltganzen, das ewig Gute des
Daseins und an die Macht edlen Menschentums. Goethe war sein
Vorbild. Abgesehen von der verzweiflungsvollen Arzt-Novelle der
Frühzeit, *Dr. Bürgers Ende* (1913), strahlen die Werke Gelassenheit
und Weisheit aus, mit einem unverkennbaren Zug ins Idyllische. Die
Lyrik (*Gesammelte Gedichte,* 1949) schwebt in sphärischen Harmo-
nien, wegweisenden Urerlebnissen und orientiert sich an werttrochti-
gen Aussagen der Vergangenheit.

> »Ja, wir sind Widerhall ewigen Halls,
> Was man das Nichts nennt, ist Wurzel des Alls,
> Aber das wollen wir mutig vergessen,
> Wollen die Kreise des Da-Seins durchmessen!«

Mit elitärem Bewußtsein wird die Befugnis zur »Führung«, der Anspruch auf
»Zuständigkeit« ausgesprochen. Bezeichnend sind die Titel *Führung und
Geleit* (1933), einer autobiographischen Studie über den inneren Festigungs-
prozeß und das Erlebnis großer Dichtungen, *Geheimnisse des reifen Lebens*
(1936), einer novellistischen Skizze von der Gefährdung und Bewährung
hochherzigen Mannestums, oder *Abendländische Elegie* (1946), eines Versu-
ches, die nicht immer korrekte Haltung des Dichters während der NS-Zeit
vergessen zu lassen. – Didaktische Absichten verraten auch die zahlreichen
Erinnerungsbücher aus nahezu allen Phasen des Lebens: *Eine Kindheit*
(1922), *Rumänisches Tagebuch* (1924; über Kriegsereignisse), *Das Jahr der
schönen Täuschungen* (1941), *Aufzeichnungen aus Italien* (1948).

Das Werk **Ina Seidels** (1885–1974) wurzelt in dem Gefühl der Geborgenheit im christlichen Glauben, in dem Bewußtsein von der Un-
wandelbarkeit des Wesentlichen, des Mütterlichen vor allem,

in der natürlichen Wahrheit, die den Menschen auch in seiner tra-
Das Müt- gischen Vereinzelung im Zusammenhang eines von
terliche Gott durchdrungenen Ganzen sieht. Mag der einzelne
vergehen, die Natur bleibt das ewig sich Erneuernde,
Unsterbliche. Damit klingen Gedanken Stifters und Kellers an:

> »Unsterblich duften die Linden. –
> Was bangst du nur?
> Du wirst vergehn, und deiner Füße Spur
> Wird bald kein Auge mehr im Staube finden.
> Doch blau und leuchtend wird der Sommer stehn
> Und wird mit seinem süßen Atemwehn
> Gelind die arme Menschenbrust entbinden.
> Wo kommst du her? Wie lang bist du noch hier?
> Was liegt an dir?
> Unsterblich duften die Linden.«
>
> *(Trost)*

Ina Seidels groß angelegte Familienromane spiegeln das Leid der
Zeit wider, das ihr, der realistisch Schreibenden und empfindsam
Fühlenden, so sehr am Herzen lag.

Im Roman *Das Wunschkind* (1930) wird auf dem Hintergrund der Napoleonischen Kriege das Schicksal einer Frau beschrieben, deren Mann fällt. In
tiefer Angst versucht sie, den nachgeborenen Sohn vor dem väterlichen
Schicksal zu bewahren, bis auch dieser im Kampf stirbt. »Der Tag wird kommen – und er muß kommen, da die Tränen der Frauen stark genug sein werden, um gleich einer Flut das Feuer des Kriegs für ewig zu löschen.«
  In *Lennacker* (1938) und *Das unverwesliche Erbe* (1954) wird am Beispiel
einer sächsischen Pastorenfamilie und ihrer Vorfahren ein abgründiges religiöses Ringen, ein Kampf zwischen Angst, Zweifel und Sinngebung durch
den Glauben, vergegenwärtigt und eine Vermittlung zwischen Protestantismus und Katholizismus angestrebt.
  Michaela (1959) – als Fortsetzung der Erzählung *Unser Freund Peregrin*
(1940) – schildert das tragische Schicksal einer Familie im Dritten Reich.

Auseinandersetzung mit dem Unglauben und mit tief verborgenen
Anfech- Zweifeln, ein stetes Verlangen nach Gewißheit und
tung und Geborgenheit und die Bereitschaft zum Opfer sind die
Glaube wesentlichen Themen der Romane und Novellen von
Gertrud von Le Fort (1876–1971), die 1925 zum Ka-
tholizismus übertrat.

Die Heldin des Romans *Das Schweißtuch der Veronika* (2 Bde., 1928 und 1946) ist in Rom aufgewachsen und erlebt den Konflikt zwischen Glaube und Unglaube in nächster, persönlicher Umgebung. Sie kommt nach Deutschland, muß aber in ihrem Verlobten die Verkörperung glaubensloser Verzweiflung erkennen. Sie sucht kraft ihrer Liebe – sogar unter Verzicht auf eine kirchliche Trauung – die Kluft, die beide trennt, zu überwinden. Aber das übersteigt ihre Kräfte, sie bricht körperlich zusammen.

Aus den Erzählungen ragt die Novelle *Die Letzte am Schafott* (1931) hervor, die Georges Bernanos dramatisiert hat: Karmeliterinnen sind in der Französischen Revolution zum Tode verurteilt worden, den sie tapfer auf sich nehmen. Auch eine Abtrünnige kehrt zurück; sie ist die Letzte am Schafott, die nun die Gnade Gottes im Tode erleben darf.

Wie kann der Mensch inmitten des Grauens, der Wirklichkeit des Schreckens, der leiblichen wie seelischen Anfechtung, inmitten von Qual und Martern bestehen? Es ist die Zentralfrage der modernen christlichen Dichtung (vgl. die Gedichtsammlung *Kyrie* und die *Tagebücher* von Jochen Klepper). Die Antwort wird hier aus einem humanitär-gläubigen und christlichen Weltgefühl heraus gegeben, ihre Sprache bestimmt eine an Goethe gemahnende distanzierte Weisheit.

Von Grenzsituationen geht **Werner Bergengruen** (1892–1964) aus. Geschichtliche, folkloristische Stoffe, Sagen und seltsame Begebnisse werden ihm zu Beispielen für das Wirken der göttlichen Gnade und des göttlichen Heils. »Wir wollen ja die befleckten Seelen liebhaben; liebhaben nach dem Vorgang Gottes«, heißt es in der Novelle *Die Ostergnade* (1933). In seinen Erzählungen (*Die Feuerprobe*, 1933; *Die drei Falken*, 1937; *Der spanische Rosenstock*, 1941; *Das Feuerzeichen*, 1949; *Die Flamme im Säulenholz*, 1955) und in seinem Roman *Am Himmel wie auf Erden* (1940), der die Auswirkungen einer apokalyptischen Prophetie des Jahres 1524 wiedergibt, erfahren die in Ängste und traumatische Qualen verstrickten Menschen Erlösung und Läuterung. Das Befreitwerden ist das Wunderbare, das Unfaßliche, aber Wirkliche. Bergengruen geht es um die metaphysische Pointe, »daß sich nämlich auch im abenteuerlichsten und scheinbar isoliertesten Einzelfall ewige und verbindliche und schlechthin gültige Gesetze manifestieren«.

Im Roman *Der Großtyrann und das Gericht* (1935) befiehlt der Herrscher eines italienischen Stadtstaates der Renaissance, einen Mord aufzuklären und den Täter zu stellen. In Wirklichkeit hat er selbst den Mord begangen und die Suche nach dem vermeintlichen Verbrecher in die Wege geleitet, um seine Untertanen in ihren Handlungen und Reaktionen studieren zu können. Als Untertanen kennen sie nur die Macht des Staates; sie gehorchen, auch wenn sie die Wahrheit dabei verfälschen müssen. Der Tyrann ist vielfach schuldig: Er hat sich in seinem Machtrausch göttliche Befugnisse angeeignet, nämlich das Recht, die Menschen in Versuchung zu führen, zu prüfen, zu richten und zu verdammen. So berichtet Bergengruens Buch – nach seinen eigenen Worten – »von den Versuchungen der Mächtigen und von der Leichtverführbarkeit der Unmächtigen und Bedrohten... Und es soll davon auf eine solche Art berichtet werden, daß unser Glaube an die menschliche Vollkommenheit eine Einbuße erfahre. Vielleicht, daß an seine Stelle ein Glaube an des Menschen Unvollkommenheit tritt, denn in nichts anderem kann ja unsere Vollkommenheit bestehen als in eben diesem Glauben.«

Die wichtigsten Romane von **Edzard Schaper** (1908–84) sind im baltisch-finnischen Raum beheimatet. Das entspricht der Herkunft und

DIE MACHT
DER OHN-
MÄCHTIGEN

dem bewegten Leben des Dichters, der in Ostrowo (Posen) geboren wurde, 1930 nach Estland übersiedelte, 1940 nach Finnland und dann nach Schweden fliehen mußte. 1952 konvertierte er zum Katholizismus.

Schaper stellt der Willkür staatlich-atheistischer Macht die Gläubigkeit gottverbundenen Menschentums gegenüber. In der Gefangenschaft erweist sich die innere Freiheit des Glaubens als mächtig; sie ist die eigentliche Kraft der – äußerlich – Ohnmächtigen. *Die Freiheit des Gefangenen* (1950) und *Die Macht der Ohnmächtigen* (1951) lauten die Titel zweier Romane.

Die sterbende Kirche (1936) und *Der letzte Advent* (1949) haben das Schicksal von russisch-orthodoxen Priestern im sowjetrussischen Machtbereich zum Thema. Über den Verfolgten und Geplagten steht das wunderwirkende Credo: Man kann niemals tiefer fallen als in Gottes Hand. In diesem Glauben überwinden die Verfolgten Gewalt, Terror, Schrecken und Angst und werden zu Blutzeugen für die Kirche, die äußerlich zu sterben scheint, innerlich aber aus dem Leid der Unschuldigen neue Kraft gewinnt.

Frank Thiess (1890–1977; geb. in Livland) veröffentlichte eine Anzahl von Romanen und Essays, in denen er um die Bewahrung der europäischen Kulturwerte gegen den Ungeist der Zeit kämpfte. Sein Roman *Der Tod von Falern* (1921) ist ein Schreckensgemälde sittlichen Verfalls und politischen Terrors, eine entschiedene Verneinung der Umwertung aller Werte und einer daraus resultierenden Diktatur. In dem Essay-Roman *Das Reich der Dämonen* (1941; von der NS-Zensur verboten), einer Zusammenschau hellenischer, römischer und byzantinischer Geschichte, heidnischer und christlicher Wesenszüge, ist der verhängnisvolle Weg zur Destruktion und Tyrannei nachgezeichnet.

Eine philosophisch vertiefte Geschichtsdeutung in den *Ideen zur Natur- und Leidensgeschichte der Völker* (1949) deckt die Gründe des Untergangs auf und zeigt die »furchtbare Gefahr der Entpersönlichung«. Stets gegenwärtig ist die Angst vor der Vermassung, dem Mitgetriebenwerden ins Undurchsichtige, aber auch die Angst vor der Abgründigkeit des Ichs. In Romanen aus den baltischen Adelskreisen (*Die Verdammten*, 1923) und der bürgerlichen Gesellschaftsschicht (*Der Zentaur*, 1931) ist das Unheilvolle extremer Lebenshaltungen aufgezeigt. Psychologischen Erörterungscharakter hat der um einen Kriminalfall kreisende Gegenwartsroman *Die Straßen des Labyrinths* (1951).

Fritz Hochwälder (geb. 1911 in Wien, seit 1938 in der Schweiz lebend, gest. 1986) gibt in seinem mysterienhaften Schauspiel *Die Herberge* (1956) mit Hilfe psychologischer Analysen eine Allegorie menschlicher Verworfenheit und Trägheit, aber auch der Selbstbesinnung und Sehnsucht nach Gnade.

In einem Wirtshaus, des Nachts, versammeln sich Holzfäller, Fuhrmann, Wucherer, Amtmann, Sargmann und Wanderer. Der Ort des Verweilens und der Durchreise ist ein Abbild der Welt, in der Schuld angehäuft und Sünde durch göttliche Gnade getilgt wird. Es geht um die Aufklärung eines Mordes. Der Täter bereut und sühnt. Gerechtigkeit wollen alle und belasten sich deshalb selbst; wenigstens für kurze Zeit erwacht daraus ein Gefühl mitmenschlicher Liebe. – Hochwälder schrieb außerdem ein Drama über die von sozialen Ideen inspirierte Kolonisation der Jesuiten in Südamerika (*Das heilige Experiment*, 1943), ein Stück über die Unmenschlichkeit und Widersinnigkeit totalitärer Justiz, das groteske Verfahren eines französischen Revolutionstribunals (*Der öffentliche Ankläger*, 1948), ein politisches Zeitstück über das Problem von Gehorsam und Moral (*Der Befehl*, 1965) und eine Komödie über das Weiterleben der NS-Vergangenheit (*Der Himbeerpflükker*, 1964).

Die Heimsuchung des Menschen gipfelt für **Albrecht Goes** (geb. 1908) im Krieg und seinen Schreckenstaten. Mit der düsteren Wirklichkeit verflechten sich seelische Depressionen; nur hintergründig deutet sich der Kairos des Leids an. (Gedichte *Der Hirte; Heimat ist gut,* 1934/35)

>»Kein Himmel. Nur Gewölk ringsum,
Schwarzblau und wetterschwer.
Gefahr und Angst. Sag: Angst – wovor?
Gefahr: Und sprich – woher?
Rissig der Weg. Das ganze Feld
Ein golden-goldner Brand.
Mein Herz, die Hungerkrähe, fährt
Kreischend über das Land.«

(Landschaft der Seele)

**HEIM-
SUCHUNG
DES
MENSCHEN** Gerade dem bedrohten Menschen begegnet das Heil, und zwar in der Situation des Mitleidens und der Bereitschaft zur Buße. In der Erzählung *Unruhige Nacht* (1950) wird an Einzelschicksalen die schreckliche Vereinzelung des Menschen, die Not seiner leiblichen Existenz deutlich, aus der heraus nur die Klarheit der Liebe Rettung verheißt. (Ein Wehrmachtsgeistlicher steht an der Ostfront einem wegen Verrats zum Tode verurteilten Soldaten vor der Hinrichtung bei.)

In der Novelle *Das Brandopfer* (1954) schildert der Dichter die Judenverfolgung des Dritten Reiches an dem Beispiel einer »Judenmetzig«, einer deutschen Metzgerei, in der die mit einem Davidstern gekennzeichneten Juden jeweils am Freitagnachmittag ihre dürftigen Fleischportionen holen müssen. Die Metzgersfrau, erschüttert von dem Leid, das sie mit ansehen muß, will sich zur Sühne des Unrechts bei einem Bombenangriff als »Brandopfer« darbieten; sie fühlt sich mitverantwortlich in einem höheren Sinn. Sie ist bereit, sich selbst aufzugeben, um die Welt wieder ins Gleichgewicht zu bringen.

»Allein den Betern kann es noch gelingen, / Das Schwert ob unsern Häuptern aufzuheben«, heißt es in einem Gedicht von **Reinhold Schneider** (1903–58). Als leidenschaftlicher Gegner des Nationalsozialismus sah sich Schneider zu Mahnung und Trost verpflichtet. »Ich war in gewissem Sinne einberufen, endgültig abberufen vom literarischen Leben in die religiös-geschichtliche Existenz.«

»Der christliche Dichter«, schreibt Schneider, »ist einfach Zeuge, nicht aus Absicht, sondern aus seiner Existenz. Er ist, wenn er in die Geschichte hinabsteigt, wie er nicht anders kann, der Unerträgliche, der den Protest Jesu Christi in die Zeit zu werfen sucht, der Unruhestifter, der Ankläger, der Wurm im Gewissen.« Früh verbraucht, von schwerer Krankheit heimgesucht, starb Schneider nach einem Besuch Österreichs: *Winter in Wien* (1958) ist das ergreifende Schlußwerk seines Schaffens, von dem der Lebensbericht *Verhüllter Tag* (1954) Zeugnis ablegt. Sein Weg führte vom »tragischen Nihilismus zum Glauben, von der Bindungslosigkeit zur Bindung, von der subjektiven Verlorenheit in das Geschichtliche«; es war ein Weg zur Tradition, die zuerst als Fessel, später als befreiende Form und Gestalt, als Überwindung der Not und des Zweifels empfunden wurde. Schneiders meist geschichtlichen Stoffen zugewandte Erzählungen, Dramen und Biographien (darunter *Las Casas vor Karl V.*, 1938) kreisen um das Verhältnis Christentum – Welt, Gnade – Macht, Geschichte im Zeichen des Kreuzes oder des Antichrists. Die Frage nach Gewalt und Gewissen wird immer wieder aufgeworfen und im christlichen Sinne beantwortet.

Stefan Andres (1906–70) stellte in der Novelle *Wir sind Utopia* (1943; dramatisiert unter dem Titel *Gottes Utopia*, 1950) den im Zustand der Notwehr befindlichen Menschen vor die Entscheidung, der Gesetzlosigkeit mit gesetzlosen Mitteln zu begegnen oder die Ohnmacht in Kauf zu nehmen, um die Prinzipien der Humanitas zu bewahren. Damit ist vor allem die Frage der Haltung des Christentums im totalitären Staat angeschnitten.

Im Spanischen Bürgerkrieg wird ein ehemaliger Priester als Gefangener in das Kloster eingeliefert, aus dem er einst entflohen ist. Es bietet sich ihm die Möglichkeit, den befehlshabenden Leutnant der Gegenseite, der ihn – von Gewissensängsten und Todesahnungen getrieben – zur Abnahme der Beichte bewegen will, umzubringen und damit sich und die Mitgefangenen vor der Erschießung zu retten. Das Messer, das er bereithält, wird im letzten Augenblick entdeckt, gleichsam durch einen Eingriff göttlicher Gnade. »Da kam ein Engel zwischen uns.« Der Gefangene bleibt frei von Schuld und stellt sich dem Tod als letztlich siegender Christ. Das Wort »Utopia« hat – zumindest was die irdische Wirklichkeit betrifft – zwiespältige Bedeutung.

Im Roman *Der Knabe im Brunnen* (1953) berichtete Andres von seiner Jugend, die behütet und geborgen im Glauben, in Sitte, Herkommen und in enger Verbundenheit mit der Natur verlief.

Die Novelle *El Greco malt den Großinquisitor* (1936) machte Andres als Dichter bekannt. Lange Zeit lebte er in Positano, im Süden Italiens; seine Werke versuchen des öftern, südliche Erlebnisse, Stimmungen und Menschenschicksale einzufangen (*Die Reise nach Portiuncula*, 1954; *Die Liebesschaukel*, 1951; *Positano*, 1957).

In seiner Romantrilogie *Die Sintflut* mit den Bänden *Das Tier aus der Tiefe* (1949), *Die Arche* (1951) und *Der graue Regenbogen* (1959) gibt Andres in Form einer satirisch-parabelhaften Darstellung ein Konterfei des totalitären Staates. Er zeigt, wie der Staat, die allgemeine Vermassung für sich nützend, den Menschen seiner Individualität und Freiheit beraubt, um ihn nackt und bloß zum Ding, zur Maschine, zum Roboter umzuformen. »Von der Wiege bis zum Grabe: staatliche Herstellung des Bedarfsartikels Mensch.«

Rudolf Hagelstange (geb. 1912) avancierte mit seinem *Venezianischen Credo* von 1945 zum anerkannten Lyriker. Der Sonettenzyklus galt als frühe deutsche Stimme unmittelbar nach dem Zusammenbruch, die zur Besinnung auf die Kräfte des Menschen im Dienste gültiger Werte aufrief. Mit der Zeitsituation beschäftigen sich auch seine Gedichtbände *Stern der Zeit* (1948) und *Meersburger Elegie* (1950). Symbolisch überhöht war die *Ballade vom verschütteten Leben* (1952) angelegt – eine Darstellung des Schicksals von sechs Soldaten, die bei Kriegsende in einem Bunker verschüttet werden und von denen zwei das jahrelange Eingeschlossensein überleben.

Von seinen weiten Reisen legte Hagelstange poetische Berichte vor, z. B. *Das Lied der Muschel* (1958); *Puppen in der Puppe. Reiseimpressionen aus Rußland* (1962). Erfolg hatte er auch mit seinen erzählenden Werken, wie *Spielball der Götter* (1959; Aufzeichnungen des Prinzen Paris) – einem Roman, der im besonderen dem auf »Stil« erpichten Eskapismus der Wirtschaftswunderwelt entsprach –, und *Altherrensommer* (1969), der von der Ostasienfahrt zweier betagter Freunde und der späten Liebe des einen von ihnen erzählt.

Um Erinnerung und Zeit kreisen die Romane **Peter Härtlings** (geb. 1933) – gestaltet in der Absicht, pietätvolle Unwahrhaftigkeiten dem Erbe und der Tradition gegenüber abzustellen. Im Mittelpunkt stehen literarische Figuren, so z. B. der Dichter Lenau in *Niembsch oder Der Stillstand. Eine Suite* (1964), oder *Hölderlin. Ein Roman* (1976). Lebenswege zeichnen auch die Romane *Eine Frau* (1974) und *Hubert oder Die Rückkehr nach Casablanca* (1978) nach. Wichtige Beiträge zum verbreiteten Generationenproblem sind seine Sammlung *Die Väter. Berichte und Geschichten* (1968) und *Nachgetragene Liebe,* ein autobiographischer Bericht von 1980.

Im Gegensatz zu Härtlings Überzeugung: »Literatur, die sich verpflichtet, zehrt sich aus«, schrieb **Walter Jens** (geb. 1923) – neben seinen Romanen

Nein, die Welt der Angeklagten (1950), einer Negativ-Utopie des totalitären Staates, *Der Blinde* (1951), *Vergessene Gesichter* (1953), *Der Mann, der nicht alt werden wollte* (1955) – vor allem kritische Essays und Reden, in denen er politisch Stellung bezog. *Zueignungen* (1962) bringen zwölf literarische Porträts. *Statt einer Literaturgeschichte* (1957) ist der Versuch einer »polemischen Bestandsaufnahme« heutiger »literarischer Möglichkeiten«.

Die Tradition der Naturdichtung, die von der Romantik und dem Poetischen Realismus ausging, durch die Milieukunst des Naturalismus und die großstädtisch orientierte Dichtung des
ATEM DER   Expressionismus unterbrochen wurde, findet neuen
ERDE   Anklang. Inmitten der zerstörenden Kräfte, die Technik und Zivilisation hervorgebracht haben, wendet man sich zurück zu den Urwerten der Natur, zum ewig gleichbleibenden Geheimnis des natürlichen Werdens und Vergehens. Dabei entsteht eine Natursicht, die das Abgründige und Chaotische einschließt und kaum noch etwas von Schwärmerei und Idyllik an sich hat – eine chthonische Bewußtheit.

Leid bestimmt die Verse **Oskar Loerkes** (1884–1941), »Urleid« – wie eines seiner Gedichte heißt –, das denjenigen überfällt, der Sein und Dasein auslotet; vor allem Leid an der Zeit. Beklagt wird der »Einbruch der bestialischen Mächte, der allgemeine Zusammenbruch von Kultur und Menschlichkeit«.

> »Der Felsen saust davon wie Laub, zerkräuselt.
> Du fällst im Raum. Die letzten Schrecken kamen.
> Nicht Erde hast du in der Hand, nicht Samen,
> Und füllst das Herz mit ihren Namen.«

(Schöpfung)

Loerke gewinnt Trost aus dem *Atem der Erde* (Titel einer Gedichtsammlung, 1930). Auch die anderen Gedichtbände (*Die heimliche Stadt*, 1921; *Der Silberdistelwald*, 1934; *Der Wald der Welt*, 1936) durchzieht die »Heilsamkeit des Elementaren«.

Immer kehrt das Symbol des Baumes wieder, dessen Stärke in seiner Verwurzelung beruht: Bild und Sinnbild für die Halt gewährende Natur. – Die Jugendeindrücke von der westpreußischen Heimat (Loerke wurde in der Gegend von Marienwerder geboren) bestimmen das Gefühl tiefer Geborgenheit und Harmonie.

>»Alles hat seinen Ort: hier bin ich!
Im Garten blühn Pantoffelblumen.
Ach! Und die Sterne steigen
In die verlassenen Wassertröge.«

(Weichbild)

Die Qualen in der Gesamtheit der Welt können das »blaue Herz der Welt« nicht treffen: »Sieh, über uns das blaue Herz ist offen. / Sind alle Qualen darin eingetroffen, / das blaue Herz bleibt qualenleer«, heißt es in dem Jesus-Gedicht *Steinpfad*.

Wilhelm Lehmann (1882–1968), der zweite bedeutende Vertreter der »naturmagischen Schule« (wie sie Karl Krolow nannte), berührt in seiner Lyrik historische, mythologische, philosophische Bereiche; auch er geht von der besonderen Gefährdung des modernen Menschen aus. In der Krise sucht der Dichter nach Ausweg, Zuflucht und Rettung, indem er sich der Natur zuwendet. »Mit Fingern sensitiv« zeichnet er die Natur wie mit einem Silberstift: das Detail, das Kleinste, ohne sich jedoch im Kleinlichen zu verlieren. Augenblick und Dauer vereinen sich im Wort, das einen punktuellen Vorstoß zum Wesenhaften des Seins darstellt. »Die Schwierigkeit des menschlichen Lebens erlöst sich in der Empfindung von Licht, Farbe, Dasein, des Spieles von Dunkel und Hell, Wärme und Kälte, Keimung und Vergehen: ›Zauber, ich leide dich! Leide dich gern‹. Wirklichkeit birgt den Traum, besteht aber nur im Vertrauen auf die fünf Sinne: sie lassen mich den Kommentar lesen, den die Welt sich selbst schreibt, mit ihrer Gestalt nämlich.« Die Sammlungen *Antwort des Schweigens* (1935), *Der grüne Gott* (1942), *Entzückter Staub* (1946), *Noch nicht genug* (1950), *Überlebender Tag* (1954), *Abschiedslust* (1962) sind Antworten auf die Rätselhaftigkeit der Welt.

>»Bestehen ist nur ein Sehen
Und ein Hören ist darin:
im Ohr mir Dompfaffen zirken –
Und ich halte die Augen hin.«

Die bange Frage, ob der Mensch, fern jeder kreatürlichen Geborgenheit, in seinem Dasein »verloren« und verworfen sei, löst sich für Lehmann in der Gewißheit, daß auf gleiche Weise wie das Tier der Mensch in der Natur seinen Sinn, seine Signatur finde. Entgegen allem Destruktiven (der Zeit und des Krieges) wohnt der Natur eine magische Kraft des Tröstens und Heilens inne.

> »Die Vogelkreatur
> Kann ich hören, sehn,
> Brauch ich nicht mehr zu flehn
> Um meine Signatur.«

Das Zusammenspiel von Mensch und Natur ist das Grundthema der Lyrik von **Georg Britting** (1891–1964). »Die schwarzen Krähen auf dem weißen Feld: / Der Anblick macht mein Herz erregt.« In seinen Gedichten (u. a. *Der irdische Tag*, 1935; *Rabe, Roß und Hahn*, 1939; *Unter hohen Bäumen*, 1951), seinen Novellen und dem Roman *Lebenslauf eines dicken Mannes, der Hamlet hieß* (1932), einer skurrilen Ausdeutung des Hamlet-Schicksals (Melancholie, die sich in Eßlust »materialisiert«), zeigte sich Britting als genau beobachtender, ins Kleine und Verborgene eindringender Dichter. Das Bildhafte ist zuweilen mit pastosen Tönungen versehen: Impressionen des Ineinanderwirkens von Wachstum und Verfall, Leben und Tod; durchwoben von der Daseinsfreude des »Waldgängers«, der die Schönheit der Natur bewundert, sich in sie schickt (*Lob des Weines*, 1950).

> »Sie sei ihm süß,
> Die bittere Wacholderbeere,
> Die sich der Vogel pickt,
> Und jeder lebe so mit seinem Schmerz
> Im guten Einvernehmen.«
>
> *(Der große Herbst)*

> »Leere den Weinkrug!
> Schau der Flamme goldnes Gesicht!
> Weißt du es nicht?
> Kein Bild ist Betrug.
> Hör, was das Windlicht spricht:
> Unter der Sterne Gang –
> Falterflug, Adlerflug,
> Kurz oder lang:
> Genug.«
>
> *(Das Windlicht)*

Als Nachfahrin »chthonischer Geborgenheitsdichtung« erweist sich **Sarah Kirsch** (1935 geb.; 1977 aus der DDR in die Bundesrepublik übergesiedelt). Der Boden unseres Daseins und Hierseins ist brüchig; doch ertastet die Dichterin mit der Sonde ihrer lyrischen Sprache tieferen, festeren Grund. Die »Nachrichten der Natur« signalisieren Wahrheit und Beständigkeit:

> »Eine Bannmeile schöner frischer Wald
> Mit Kuckucken Holztauben und Rotbrüstchen
> Habe ich um mich gelegt: unempfindlich
> Geh ich im Wind, und der trägt
> Nicht einen Seufzer mir zu. Gepanzert
> Und obendrein
> Einen Minengürtel Einzelheiten
> Zierlich drapiert will ich nun bleiben
> Auf freiem Feld. Selbst wenn die harten
> Hagelschläge mich treffen, der Donner.
> Abends mal ich den Teufel noch schwärzer
> Dreh Dornen in den Rosenkranz, jede
> Verwünschung: und hoffe
> So über den Winter zu kommen in diesem Frühjahr.«

Die Gedichte der Sarah Kirsch, die man die »jüngere Schwester der Droste« genannt hat (gesammelt in *Rückenwind*, 1977; *Erdreich*, 1982; *Katzenleben*, 1984), wirken wie ein bewußter Auszug aus dem »Schreckensland« in ein neues, freilich reflektiertes Arkadien.

»Sie ist schamlos, wo alle Welt verschämt tut: sie redet von Glück. Dafür ist sie sehr verschämt, wo man es längst nicht mehr zu sein braucht. Das kann Schwierigkeiten machen beim Schreiben, auch bei den Lesern. Allem Anschein nach gefällt es ihr, so zu leben, wie sie lebt, dort zu leben, wo sie lebt, mit dem Mann zu leben, mit dem sie lebt.

Auch gegen ihre Jahre hat sie nichts. Die Bäume im Herbst sind ihr bedeutende Erscheinungen, aber keine Metaphern für die Vorgänglichkeit oder das Schicksal der Epidermis. Sollte es eines Tages zu Runzeln kommen, wird sie sich mit Kohlblättern und Pfingstrosen darüber unterhalten. Sie betreibt Tageskunde und läßt das Leben laufen. So hat sie immer etwas zur Hand: einen langen Regen, einen lahmen Hund, ein Stück roten Sumpf. Die Schwalben hält sie sich im Sommer in der Nähe, im Winter an fernen Küsten.« (Peter von Matt)

Ludwig Thoma (1867–1921) aus Oberammergau, Sohn eines Oberförsters, Rechtsanwalt in Dachau, dann Schriftsteller in Tegernsee, wurde bekannt durch die Natur-, Landschafts- und Seelenschilde-

rungen seiner bayerischen Heimat und Mitmenschen. Seine Erzählungen, Romane und Theaterstücke bestimmt eine
scharfe und durchaus kritische Beobachtungsgabe, die
über die häufig humorvollen Charakterzeichnungen
hinaus den Lebensernst anzielt. Thoma kam von der
politisch-satirischen Wochenschrift *Simplicissimus,* deren Mitarbeiter er war; und mit Satire sind nahezu alle seine Werke
verknüpft. Sein Anliegen ist es dabei, in die schadhaften Stellen der
Gesellschaft, des Staates und der heimatlichen Bauernwelt hineinzu-
leuchten, über das Lachen hinaus zur Besinnung aufzurufen und die
gesunden Kräfte des einfachen Volkstums und schlichten Anstandes
zur Wirkung zu bringen. Die Kulturheuchelei der oberen Gesellschaftsschichten, ihr beruflicher und moralischer Dünkel und der von
ihnen geförderte Beamten- und Untertanengeist werden persifliert,
der harte Bauernstolz, seine Verschlagenheit und Starrköpfigkeit in
ihren tragischen Ergebnissen aufgezeigt. Der einfache, brave Mann,
der schlichte Mensch, steht als Vorbild da, und es zählt zu der Leistung Thomas, daß dieser Mensch jenseits aller sentimentalen Hei-
matschwärmerei gezeigt wird.

AUS DEN
TRIEBKRÄF-
TEN DER
HEIMAT

Gesellschaftskritisch und zugleich von Humor gewürzt waren schon seine
Lausbubengeschichten (1905), kulturkritisch und derb urwüchsig die beiden
Bände *Briefwechsel eines bayerischen Landtagsabgeordneten* (1909/12). Im
Roman *Andreas Vöst* (1906) geht es um den Gegensatz zwischen Bauernge-
meinde und Pfarrer: um die Errichtung eines neuen Kirchturms, der sich die
Bauern widersetzen; um die Rache des Pfarrers, der den Bürgermeister Andreas Vöst absetzen läßt, woraufhin Vöst den neuen Bürgermeister erschlägt
und sich somit selber zugrunde richtet. Unbeugsamkeit und Haß sind auch
die tragischen Motive im Roman *Der Wittiber* (1911), in dem der verwitwete
Bauer wegen eines Verhältnisses mit seiner Magd das Vertrauen der Kinder
verliert; der Sohn bringt die Magd um; der Hof wird zerstört. *Der Ruepp*
(1922), Thomas letzter großer Bauernroman, behandelt in psychologischer
Breite und Eindringlichkeit den Untergang eines verkommenen Bauern.
Unter den Theaterstücken ragt das Drama *Magdalena* (1912) hervor, die
Tragödie einer verachteten Bauerntochter, die von ihrem Vater ermordet
wird. Die anderen bekannten Stücke Thomas sind heitere und nicht selten
bissig-ironische Komödien. Aufgespießt wird der Untertanengeist einer kleinen Gemeinde, die sich dem Bau einer Lokalbahn widersetzen möchte, dann
aber aus Angst, die Regierung verstimmt zu haben, das Projekt befürwortet
und sehr froh darüber ist, daß ihr Bürgermeister insgeheim mit der Regierung einer Meinung war (*Die Lokalbahn,* 1902); verspottet wird die Groß-

spurigkeit zweier Bauern in einem Zugabteil und die Ängstlichkeit eines Ministerialbeamten, der ihnen nicht zu widersprechen wagt, da der eine von ihnen ein Abgeordneter ist (*Erster Klasse*, 1910). Spießbürgerliche Prüderie und Tugendphrasen werden attackiert: Auch die Mitglieder des Sittlichkeitsvereins frequentieren das galante Haus der Stadt (*Moral*, 1909).

Oskar Maria Graf (1894–1967) war der Sohn eines Bäckermeisters in Berg am Starnberger See und einer Frau aus »urseßhaftem, echt bayerisch-katholischem Bauerngeschlecht«. Graf hat seine Heimat in autobiographisch gefärbten Werken beschrieben. *Wir sind Gefangene* (1927) schildert die Flucht aus dem Elternhaus, die schweren Jahre in der Großstadt, wie der Dichter sich dem Kriegsdienst entzog und an der Novemberrevolution 1918 teilnahm. – Das Ansinnen der Nationalsozialisten, ihn für die »Blut- und Boden«-Literatur zu vereinnahmen, lehnte er entschieden ab. »Diese Unehre habe ich nicht verdient!« Er emigrierte in die USA.

Grafs schönstes Buch ist *Das Leben meiner Mutter* (1940): »In einer Zeit, da allenthalben versucht wird, durch alte und neue Schlagworte den gesunden Menschenverstand gleichsam epidemisch zu verwirren, spricht dieses Buch nur von jenen unbeachteten, natürlichen Dingen, die – mögen auch noch so scheinbar entscheidende historische Veränderungen dagegen wirken – einzig und allein das menschliche Leben auf der Welt erhalten und fortzeugend befruchten: von der stillen, unentwegten Arbeit, von der standhaften Geduld und der friedfertigen, gelassenen Liebe.«

Das Erbe humorvoller Erzählkunst des 19. Jahrhunderts (der Jean Paul, Keller, Busch, Raabe) wird in dem Roman *Der Herr Kortüm* (1938) von **Kurt Kluge** (1886–1940) wach. Sein Held, »Gastwirt und Weltfahrer ... auf den Thüringer Bergen«, ist ein »Kauz und Weiser, Phantast und Kind«, der »tumbe Tor und Hans im Glück mit leeren Händen«. Auch Kluge gestaltet das Gefühl des Zuhauseseins, das sich letztlich einstellt, wenn es einem nur gelingt, zu sich selber zu kommen.

Hermann Stehr (1864–1940) war ein Feind der »stumpfen Gegenständlichkeit«, ein Nachfahre der schlesischen Mystik, in die auch Gerhart Hauptmann einmündete. Seine Dichtung ist eine leidende und verzweifelte Auseinandersetzung mit den imaginären Triebkräften des Seelischen, ein Versinken ins dunkel Unbewußte und ein Forschen nach Helle und Licht. Sein Mensch »rührt«, wie er selbst sagte,

»aus einem geheimnisvollen Urschoß her, aus dem die Sonnen und
Monde des Weltalls rollen und in dem wir in jenen gesegneten Au-
genblicken uns ganz verwurzelt fühlen, wenn wir höher und tiefer als
das Leben, unser Werk und unser Denken sinken«.

Die Vielschichtigkeit der Konflikte und die vorwiegend emotionale Sensitivi-
tät äußern sich in einer flexiblen Symbol- und Gebärdensprache. – Der Roman *Leonore Griebel* (1900) zeigt das von physischer Schwäche und unerfüll-
ten sexuellen Wünschen verursachte Leid einer Frau und ihr Verlangen nach
einem Zustand überirdischer Entrückung. Im Roman *Der begrabene Gott*
(1905) erkennt die gepeinigte, den aus der Erde dringenden gespenstischen
Gewalten verfallene Bäuerin Exner die Vergeblichkeit religiösen Hoffens. In
der Heiligenhof-Trilogie (*Drei Nächte*, 1909; *Der Heiligenhof*, 1918; *Peter
Brindeisener,* 1924) suchen der in mystische Intuitionen verstrickte Dorf-
schullehrer Faber und die blindgeborene Bauerntochter Helene vergebens
nach einer Offenbarung Gottes; ebenso wie der ruhelos umhergetriebene
Bauernsohn Brindeisener scheitern sie an der Undurchschaubarkeit des
mörderischen Geschehens in der Natur.
    In den *Geschichten aus dem Mandelhause* (1913; vollständige Ausgabe
postum 1953), einem aus psychologischen Skizzen und skurrilen Genrebil-
dern zusammengesetzten Roman, ist vor allem ein Flickschneider porträtiert, der eine geradezu künstlerische Fertigkeit dadurch erlangt, daß er sich
von seiner Traumwelt freimacht, dann aber in sein ärmlich-groteskes Dasein
zurückkehrt. Am Schluß (nach den verflogenen Illusionen) steht das Eingeständnis der Angst. – Es ist unerklärlich, daß Stehr, der durchwegs die Brüchigkeit des Heimatdaseins, namentlich die innere Destruktion des Bauern-
und Kleinbürgertums aufdeckte, mit dem Nationalsozialismus paktierte.

Einen progressiven Weg innerhalb der Landschaftsliteratur beschrit-
ten **August Scholtis** (1901–69), **Hans Lipinsky-Gottersdorf**
(1920–91) und **Johannes Bobrowski** (1917–65), und zwar aus der Erfahrung slawischen bzw. baltischen Volkstums im östlichen Grenzland. Entgegen völkischen Tendenzen der »Heimatkunst« ist bei ihnen die Aussöhnung das Ziel. Aus regionalen Verhältnissen entsteht
eine ergiebige Kraft des Kosmopolitismus.

Scholtis befaßte sich in den ersten Romanen, *Ostwind* (1932), *Baba und ihre
Kinder* (1934), mit Volkstumsfragen der polnischen und tschechischen
Grenzgebiete Schlesiens und Mährens, schilderte das soziale Elend der Indu-
striearbeiter und Kleinbauern und forderte schließlich – unter dem Eindruck
der pangermanischen Ostpolitik – ein konsequentes Bekenntnis zur Toleranz. Seine Autobiographie *Ein Herr aus Bolatitz* (1959) legt den Leidens-

weg eines Grenzlanddeutschen dar, der dem Anliegen der Verständigung treu blieb. Lipinsky-Gottersdorf berief sich auf das kosmopolitische Ideal des Preußentums, sah in der Bismarckschen Reichsgründung die Ursache der völkischen Auseinandersetzung und suchte nach historisch unbelasteten Möglichkeiten der Annäherung. Im Roman *Fremde Gräser* (1955) wird eine Übereinkunft von östlicher und westlicher Hemisphäre postuliert. In mehreren Erzählungen (u. a. *Wanderung im dunklen Wind*, 1953; *Wenn es Herbst wird*, 1961) geht es um die Verständigung von Deutschen und Slawen. Der Roman *Die Prosna-Preußen* (1968) vergegenwärtigt ein relikthaftes Inseldasein deutsch-polnischen Zusammenlebens zur Zeit der Jahrhundertwende, im Schatten der vom Nationalismus heraufbeschworenen Weltkriegspsychose.

Bobrowski schöpfte seine Lyrik und Prosa aus dem eigenständigen Volkstum, der Geschichte und dem Mythenreichtum der ostpreußisch-litauischen Landschaft und verknüpfte die Erinnerungen mit Ausblicken auf eine endgültige nationale Konkordanz. Seine Gedichte *Sarmatische Zeit, Schattenland Ströme* (1961/62) und *Wetterzeichen* (1966) spüren der Elementarität des Landes und der Menschen nach und tendieren in die Weite östlicher, geradezu verwandter und innerlich vertrauter Gebiete. Im Gegensatz dazu wird die Fremdheit kolonisatorischen Deutschtums dargestellt. In den Romanen *Lewins Mühle* (1964) und *Litauische Claviere* (1966) werden Vorgänge aus dem Nationalitätenkampf geschildert und die natürlichen Substanzen eines vermischten Volkstums sichtbar gemacht. Nicht zuletzt aus »antinationalistischem« Bewußtsein bekannte sich Bobrowski zur DDR.

Ein Gutteil der Heimatliteratur hat sich von populärer Idyllisierung gelöst und sucht verläßliche Wege der Berichterstattung, der wahrheitsgetreuen Erörterung und Charakteristik, wenngleich romantizistische Intentionen gelegentlich noch weiterwirken.

Von seiner livländischen Heimat berichtete **Siegfried von Vegesack** (1888–1974) in der Romantrilogie *Die baltische Tragödie* (1933–35). In Böhmen spielen die Romane *Die große Glut* (1935) und *Licht über den Bergen* (1957) **Josef Mühlbergers** (1903–85). Von dem Prager **Johannes Urzidil** (1896–1970), einem Freunde Kafkas und Werfels, der auch als Lyriker hervortrat, stammt eine Reihe kulturhistorischer Schilderungen aus Böhmen (u. a. *Wenceslaus Hollar,* über einen Kupferstecher des Barock; 1936). In seinem Erinnerungsbuch *Die verlorene Geliebte – Begegnungen im goldenen Prag* (1956) beschrieb er die Geborgenheit im Elternhaus und die Flucht aus der von deutschen Truppen besetzten Stadt. (Urzidil emigrierte in die USA.)

Einer der besten österreichischen Heimatdichter war **Karl Heinrich Waggerl** (1897–1973). Seine Werke reichen in die von Armut und Bescheidenheit geprägte bäuerliche und kleinbürgerliche Welt der Jahrhundertwende zurück und vergleichen sie mit der Gegenwart (*Kalendergeschichten*, 1937; *Fröhliche Armut*, 1948; *Kraut und Unkraut*, 1968). **Richard Billinger** (1890–1965) suchte nach dem Urwüchsigen und Mythischen der Alpenlandschaft; in seinen Dramen *Rauhnacht* (1931) und *Der Gigant* (1937) spürte er eine Allmacht von Dämonien und heidnischen Mysterien auf, gleichsam eine Urgewalt von Blut und Boden. Hingegen stehen bei der Österreicherin **Enrica von Handel-Mazetti** (1871–1955) Landschaft und Menschen unter dem Signum christlicher Religiosität. Ihre Romane *Jesse und Maria* (1906) und *Die Waxenbergerin* (1934), Geschichtsbilder aus dem Konfessionsstreit, plädieren für Toleranz und ein wesentliches Begreifen der Christus-Lehre. Die religiöse Innigkeit des Gebirgsmenschen beschrieb **Max Mell** (1882–1971) in seinem *Apostelspiel* (1923): Zwei Verbrecher, die auf Raub und Mord aus sind (Verbrecher aus nihilistischem Kalkül), werden – als sie in einer einsamen Gebirgshütte einem schlichten, frommen Mädchen begegnen, das sie für zwei Sendboten Christi hält, – erschüttert und geläutert.

Manfred Hausmann (geb. 1898), der sich zunächst einem unbeschwerten Vagantendasein hingab (Erzählung *Lampioon küßt Mädchen und kleine Birken*, 1928), dann nach einem Halt im Christentum suchte (Erzählung *Demeter*, 1937), kam immer wieder auf das Paradies seiner norddeutschen Heimat zurück (etwa in dem Roman *Abel mit der Mundharmonika*, der träumerischen Geschichte einer Seefahrt; 1932). **Hans Leip** (1893–1983), Sohn eines Hamburger Hafenarbeiters, Autor des vielgesungenen Soldatenliedes von der *Lili Marleen* (1915), schrieb einen Roman über die Inflationszeit in Hamburg, *Der Pfuhl* (1923), und einen geschichtlichen Roman über die Wasserkante, *Das Muschelhorn* (1940).

Ein beachtenswerter »Ableger« der Heimatliteratur war die Balladendichtung »aus dem Geist der deutschen Landschaft«. Balladen voller Farbenpracht und Wortmalerei schufen **Börries von Münchhausen** (1874–1945), Editor des *Göttinger Musenalmanachs,* und **Agnes Miegel** (1879–1964). (Die sprachlich gewandte Miegel ließ sich auch zu Gedichten auf den »Führer« hinreißen.)

Besondere Förderung erfuhr die »arteigene« (d.h. deutschtümelnde und rassistisch orientierte) »Heimatkunst« durch den Nationalsozialismus, der auch in der Literatur nur noch gelten ließ, was seiner pseudoromantischen Vorstellung vom Germanentum entsprach: gute Anatomie, hoher Wuchs, kräftige Muskulatur und eine Seele, die Rasse hieß. »Seele bedeutet Rasse von innen gesehen. Und umgekehrt ist Rasse die Außenseite dieser Seele« (Alfred Rosenberg). Hitler wollte die Kunst ausgerichtet wissen auf die »Erhaltung der im Wesen unseres Volkstums lebenden Ewigkeitswerte. Die Kunst wird stets Aus-

BLUT UND
BODEN

druck und Spiegel der Sehnsucht und der Wirklichkeit einer Zeit sein. Die weltbürgerliche Beschaulichkeit ist im raschen Entschwinden begriffen. Der Heroismus erhebt sich leidenschaftlich als kommender Gestalter und Führer politischer Schicksale. Es ist Aufgabe der Kunst, Ausdruck dieses bestimmten Zeitgeistes zu sein. Blut und Rasse werden wieder zur Quelle der künstlerischen Intuition werden.« Vorbereitet war die »nordische Renaissance« der Nationalsozialisten durch Publikationen wie die von **Friedrich Lienhard** seit 1900 edierte Zeitschrift *Heimat*, durch **Adolf Bartels'** völkische Literaturgeschichtspropaganda und die breite Flut der im Gefolge der Alldeutschen Bewegung und **Houston Stewart Chamberlains** *Die Grundlagen des 19. Jahrhunderts* sich ergießende weltanschauliche Traktätchenliteratur. »Einen vollen Sieg hat die Heimatkunst als solche nie errungen – sie hatte eben die Judenschaft zur Gegnerin, die in ihr, da sie das deutsche Volkstum stärkte, eine natürliche Feindin erkennen mußte und, die Beherrscherin der deutschen Presse, gegen sie in der üblichen Weise vorging«, so agitierte z. B. Bartels.

In das neue Weltbild fügten sich von der älteren Generation ein: **Erwin Guido Kolbenheyer** (1878–1962), zuvor Verfasser einer *Paracelsus*-Trilogie (1927/28), und **Hans Grimm** (1875–1959), dessen Roman *Volk ohne Raum* (1926) eine besondere ideologische Strahl- und Verführkraft bewies (»vor diesem Buche müssen Glocken läuten…«). Ansonsten brachte die Blut- und Boden-Literatur kaum Erwähnenswertes hervor. Man sah in Hitler und der Partei den literarischen »Lebensborn«: »Für Deutschlands Erneuerung durfte ich als SA-Mann kämpfen, der ich heute noch bin. Als Schriftsteller bin ich meiner Heimat Meldegänger.« **(Herybert Menzel)**

Die Glorifizierung des Krieges war durch Ernst Jüngers Bekenntnis zum »reinigenden Stahlbad« des Krieges *(In Stahlgewittern; Der Kampf als inneres Erlebnis; Das Wäldchen 125; Feuer und Blut)* eingeleitet worden: »Das war der deutsche Infanterist im Krieg… Ein Bild: Der höchste Alpengipfel, ausgehauen zu einem Gesicht unter wuchtendem Stahlhelm, das still und ernst über die deutschen Lande schaut, den Rhein hinunter bis aufs freie Meer.« In seinem Gefolge marschierten die **Beumelburg, Dwinger** und **Schauwecker** mit patriotischer Phraseologie und sentimentalisiertem Kameradschaftskult, welche die blutige, grausige und grausame Wirklichkeit des Krieges zu überdecken suchten. Von besonderer negativer Bedeutung erwies sich **Hans Zöberlein**. Er war einer der beliebtesten NS-Autoren, konnte auch die breiteste Massenwirkung erzielen, da er die richtige Dosierung für den

Ungebildeten und Halbgebildeten in seinen Romanen bereit hielt: Heimatliebe mit trutziger Wehrfreudigkeit, wehmutsschwangere Innerlichkeit,
Bergromantik mit bald sexuellem, bald heroischem Einschlag, Blutsang und
Sehnsuchtsgeklampfe, Uranfangsstimmung und halsend-küssendes Mäd-
chenglück, Großstadtfeindschaft und populäre Rassenkunde – all das, was
dem Buntdruck der NS-Weltanschauung entsprach.

Die Blut- und Boden-Schriftsteller im engeren Sinne preisen die intakte
Idylle des Dorfes und seine prachtvollen, stadtfeindlichen »Zuchtmenschen«
(»Starkes, mutig-wildes Blut war durch viele Glieder der Familie gebraust«,
Josepha Berens-Totenohl); sie aktualisieren und nazifizieren germanische
Flursegen, Pflüger-, Säer-, Schnitterlieder. Es geht ihnen um stolze, herri-
sche, blondhaarige Mannen und Maiden, um verschwommene Kulte und
mythische Gottesdienste. »Urige« Vergleiche in einer altertümlichen Spra-
che pervertieren das Dichterische in eine ungenießbare Kleinbürgerstim-
mung, in der »völkische Gestalten« der Geschichte neu beschworen werden.
Man glaubt sie in Widukind, Heinrich I., Luther, Hutten, Böhme, Koperni-
kus, Veit Stoß und manch anderen gefunden zu haben. Entlegene Genitive,
Inversionen und Partizipien (nackend, er da lieget) stützen eine archaisierte
Sprache, die das neue Bild dieser Heroen glaubhaft machen soll. Von solch
vertrackter Naturfrömmelei und Geschichtsdeutung sind auch manche Dichter der »seriösen« Heimatkunst nicht frei geblieben.

Das Werk des Ostpreußen **Ernst Wiechert** (1887–1950) nimmt eine
Zwitterstellung zwischen idyllisch-trivialer und geistig differenzier-
ter Heimatliteratur ein. 1939 erschien der Roman *Das*
DAS EINFA-   *einfache Leben* über den Kapitän von Orla, der, aus
CHE LEBEN   dem Krieg heimkehrend, die Stadt flieht und sich im
Wald auf einer einsamen masurischen Insel niederläßt,
– in der Nähe des einfachen Volkes und inmitten der Unberührtheit
des Landes Rettung und Erlösung findet. Mitunter gerät Wiechert in
peinliche Nähe zur Blut- und Boden-Literatur, wobei sich seine Sprache einer bewußt elementaren Diktion mit Bibelanklängen (bei mon-
dänem Einschlag) befleißigt. »Wer einmal die Phrase hinter sich gelassen hat, für den ist der Pflug oder das Ruder oder die Büchse oder
der Spaten kein Ersatz, sondern die Wahrheit, eine einfache, unver-
dorbene und große Wahrheit.«

Andererseits hat Wiechert, der sein Leben in *Wälder und Menschen* (1936)
und *Jahre und Zeiten* (1948) beschrieb, eine mannhafte Haltung gegenüber
dem Nationalsozialismus bewiesen, mutige Ansprachen besonders an die
studierende Jugend gerichtet und die Inhaftierung im KZ auf sich genommen

(vgl. den Bericht *Der Totenwald*, 1946). In seinen zahlreichen Werken (*Hirtennovelle*, 1935; *Die Magd des Jürgen Doskocil*, 1932; *Die Majorin*, 1934; *Die Jerominkinder*, 1945/47) äußerte sich Widerstand gegen den populären, um jeden Preis idyllischen und politisch programmierten Heimat- und Naturkult. Wahrgenommen wird das wirkliche chaotische Naturgeschehen. Der ewig ringende Mensch steht im Zentrum: »Die Menschen meiner Bücher sind Fanatiker. Ich bin es auch. Sie gehen durch Wandlungen und werden niemals fertig. Ich auch. Sie lieben die Erde und haben die Trauer, die niemals endet. Ich auch.« Mit Hermann Stehr verbindet ihn der Zweifel am Wertgehalt und an der Beständigkeit des Zuhause. »Wir hatten ein Haus, und das Haus verdarb«, heißt es im Gedicht *Die Ausgewiesenen.*

Im Roman *Missa sine nomine* (1950) kommt der Freiherr Amadeus aus dem Konzentrationslager in die Heimat zurück. Sein Schloß ist von den Besatzungstruppen beschlagnahmt, so haust er zusammen mit seinem Kutscher in einem Stall. Der Knecht hat die abgründige Bosheit der Menschen auf der Flucht aus dem Osten kennengelernt. Beider Gedanken kreisen um die Frage: Wie kann Gott die Herrschaft des Bösen zulassen? Der einfältige Knecht weiß die Antwort, die aber nicht aus dem Verstand kommt, sondern mystische Einsicht ist, – hervorgegangen aus durchstandenen Zweifeln und Ängsten: »Wir bedürfen des Bösen, um gut zu sein.«

Expressionismus
und zeitgeschichtliches Engagement

Das Jahr 1871 – so schreibt Friedrich Nietzsche in den *Unzeitgemäßen Betrachtungen* (1873–75) – bedeute die »Exstirpation des deutschen Geistes zugunsten des deutschen Reiches«: »Von allen schlimmen Folgen aber, die der letzte mit Frankreich geführte Krieg hinter sich drein zieht, ist vielleicht die schlimmste ein weitverbreiteter, ja allgemeiner Irrtum: der Irrtum der öffentlichen Meinung und aller öffentlich Meinenden, daß auch die deutsche Kultur in jenem Kampfe gesiegt habe und deshalb jetzt mit den Kränzen geschmückt werden müsse, die so außerordentlichen Begebnissen und Erfolgen gemäß seien.« Angesichts chauvinistischer Überheblichkeit versiege, was bislang die deutsche Kultur gespeist habe: Wahrheit, Tiefe, Innerlichkeit. Es bleibe Saturiertheit, Glücksgefühl und Taumel. Die Dichtung werde nun betrieben von »Roman-, Tragödien-, Lied- und Historienfabrikanten«. Der Zeitgeist gefalle sich in altdeutschen und alldeutschen Sujets sowie in Gartenlaubenromantik. Positivistischer Materialismus und genießerisches Ästhetentum machten sich breit.

Inmitten dieser Welt selbstgefälliger Spießbürgerlichkeit, imperialistischen Hurra-Patriotismus, religiöser Verflachung, künstlerischen Epigonentums stellt der Expressionismus – noch vor der großen Zäsur, die der Erste Weltkrieg darstellt – die Frage nach dem wirklichen Zustand der Welt und des Menschen. Was im Naturalismus begonnen wurde – der Abbau der Fassade, falscher Geltungen und Ansprüche, die Zuwendung zu technisch-sozialer Welt und revolutionärer Stimmung, die kritische und feindselige Haltung dem Bürgertum gegenüber, die Hinwendung zum Elendsmilieu – findet seine Weiterführung und Vertiefung. Zugleich vollzieht sich die Überwindung des naturalistischen Welt- und Menschenbildes (von den Naturalisten oder in ihrem Umkreis stellenweise schon selbst vorweggenommen) durch die Bejahung geistiger Lebensprinzipien und einer, bei aller Realistik im Detail, ideell und idealtypisch orientierten Kunst.

Programmatisch kreist das expressionistische Schaffen um das Wesen des Menschen, um seine Stellung inmitten einer modernen Umwelt, die durch technische, wirtschaftliche und soziale Fragen bestimmt ist. Eine Epoche des »Brudergefühls« sei im Anbruch. Auf der anderen Seite ist der Expressionismus von tiefem Pessimismus überschattet – einer Zwiespältigkeit, die sich bis in die einzelne Dichterexistenz und das einzelne Werk verfolgen läßt. Angesichts der Furchtbarkeit des Krieges, der drohenden Vereinsamung in gigantisch aufstrebenden Städten mit ihren antlitzlosen Menschenmassen und in einer als dämonisch empfundenen, perfektionierten technischen Umwelt erstehen Alptraumbilder von Zerstörung und Untergang.

Gerade die widerspruchsvolle, dialektische Zerrissenheit läßt den Expressionismus als typisch deutsche Erscheinung erkennen: Realismus und Idealismus, Weltschmerz und romantischer Höhenflug, Weltekel und Weltglaube stehen sich gegenüber, werden aber zu Einem zusammengezwungen – was sich nicht zuletzt in einer sprunghaften, komprimierten, »expansiv-explosiven« Ausdrucksweise manifestiert.

Das Jahr 1933 setzt dem »historischen« Expressionismus ein Ende, da der Nationalsozialismus mit seiner auf die Verherrlichung äußerer, rassisch-biologischer Merkmale aufbauenden Weltanschauung für das geistige Bemühen des expressionistischen Dichters, für seinen Weltschmerz und Menschheitsglauben nur Mißachtung, Verhöhnung, Verbot und Verfolgung übrig haben konnte. Nach 1945 war die Situation verwandelt: Die Dichtung war auf neuen Wegen. Und doch steigt aus dem totalen Zusammenbruch des Zweiten Weltkrieges eine zweite Welle expressionistischen Schaffens empor – zumindest im gehaltlichen Anliegen der ersten sehr ähnlich, wenn auch im Stil sachlicher, nüchterner, vom understatement geprägt; aber selbst dies war schon in der satirischen Richtung der zwanziger Jahre vorgeprägt gewesen. 1945, angesichts des totalen Zusammenbruchs, sieht man sich wieder dem Nullpunkt gegenüber und sucht erneut, aus der Erfahrung des Nichts, Kräfte für den sozialen und menschlichen »Aufbau« zu gewinnen; der Pessimismus ist tiefer, der Fortschrittsglaube schwächer, das gesellschaftskritische Element stärker geworden. Autoren unterschiedlicher Stilrichtung zeigen ein ausgeprägtes, vielfach leidenschaftliches zeitgeschichtliches Engagement, das seinen kriti-

schen Impetus meist aus der Konfrontation mit der Wirtschaftswunderwelt bezieht; diese erscheint als verführerische Verwirklichung
des materialistischen Prinzips und als Restauration scheinbar über-
wundener autoritärer Strukturen, die eine »Brudergesellschaft« verhindern.

»Menschheitsdämmerung« und »Menschheitswerdung« sind die
beiden Pole, zwischen denen die Dichter dieser aufgewühlten Zeit
sich hin und her gerissen fühlen. »Unsere Stimme konnte die Wüste
wecken – der Mensch ertaubte vor ihr« – »Ich habe den neuen Menschen gesehen« sind beides für den Expressionismus bezeichnende
Worte Georg Kaisers. Darüber hinaus aber kennzeichnet »humanitärer Zorn« die expressionistische Strömung: Aufleh-
SCHWARZE   nung gegen all jene, die sich dem sozialen und mensch-
VISION   lichen Fortschritt in den Weg zu stellen suchen. Im Drei-
schritt vollzieht sich so das dichterische Schaffen: Sturz
und Schrei – Erweckung des Herzens – Aufruf und Empörung.

Der Expressionismus hebt an mit der Vision drohenden Untergangs, bevorstehender furchtbarer Prüfung.

>   »Die Menschen stehen vorwärts in den Straßen
>   Und sehen auf die großen Himmelszeichen,
>   Wo die Kometen mit den Feuernasen
>   Um die gezackten Türme drohend schleichen.«

So beginnt **Georg Heyms** Gedicht *Umbra vitae*; es wurde zum Titel-
träger der Sammlung aus dem Nachlaß (1912). Weltendstimmung
kennzeichnet das Werk des Dichters (der, 1887 in Hirschberg/Schles.
geboren, 1912 auf dem Wannsee bei Berlin tödlich verunglückte).
Schon die Titel seiner Novellen und novellistischen Fragmente kennzeichnen die düstere Welthaltung: *Der Irre*; *Die Sektion*; *Die Pest*;
Die Bleistadt; *Die Särge*. Auch Heyms *Tagebücher* (postum 1960)
sind Spiegel eines »an der Zeit Erstickenden«:

»Wäre es nun nicht völlig gleich gewesen, ob ich überhaupt nicht gelebt hätte
oder ob ich dies inhaltlose Dasein mit mir herumgeschleppt hätte. Ich weiß
auch gewiß nicht, warum ich noch lebe; ich meine, keine Zeit war bis auf den
Tag so inhaltlos wie diese... Ach nein, lieber Herr, ich bin von dem grauen
Elend zerfressen, als wäre ich ein Tropfstein, in den die Bienen ihre Nester
bauen. Ich bin zerblasen wie ein taubes Ei, ich bin wie alter Lumpen, den die
Maden und Motten fressen. Was Sie sehen, ist nur die Maske, die ich mit

soviel Geschick trage. Ich bin schlecht aus Unlust, feige aus Mangel an Gefahr. Könnte ich nur einmal den Strick abschneiden, der an meinen Füßen hängt.«

Auf Melancholie und Ekel, aber auch auf Empörung und Auflehnung sind Heyms Gedichte gestimmt – Abgesang auf die Epoche des Wilhelminismus, der vorgetäuschten Ausgeglichenheit und Harmonie:

»Unsere Krankheit ist, in dem Ende eines Welttages zu leben, in einem Abend, der so stickig ward, daß man den Dunst seiner Fäulnis kaum noch ertragen kann.«

Der Dichter beschwört in seiner Lyrik die Dämonie der Städte *(Berlin; Der Gott der Stadt)* und die Furchtbarkeit zerstörerischer Gewalt *(Der Krieg)*. Der Tod wird immer wieder in seiner ganzen Erbarmungslosigkeit gezeigt *(Ophelia)*, und selbst die Bilder der Landschaft *(Mitte des Winters)* sind Ausdruck der seelischen Verödung, aus der heraus die Gestaltung erfolgt:

> »Weglos ist jedes Leben. Und verworren
> Ein jeder Pfad. Und keiner weiß das Ende,
> Und wer da suchet, daß er Einen fände,
> Der sieht ihn stumm und schüttelnd leere Hände.«

Heyms Generation sollte den Umschwung der düsteren Ahnung in die grauenhafte Wirklichkeit erleben. Mit dem Jahr 1914 wird wahr, was viele fürchteten, aber auch als »Befreiung« mißverstanden (wie Heym selbst: »Geschähe doch einmal etwas... Dieser Frieden ist so faul, ölig und schmierig wie eine Leimpolitur auf alten Möbeln«). Nun zieht der Krieg ins Land.

> »Der Sommer hat das Korn verbrannt.
> Die Hirten sind fortgezogen...
> Die Mühlen und Bäume gehen leer im Abendwind.
> In der zerstörten Stadt richtet die Nacht
> Schwarze Zelte auf.«

So heißt es in dem Gedicht *Psalm* von **Georg Trakl** (1887–1914). Schwermut und Lebensangst hatten den in Salzburg geborenen

ALLE
STRASSEN
MÜNDEN IN
SCHWARZE
VERWE-
SUNG

Dichter schon in der Jugend heimgesucht und gequält.
Als Apotheker war er bei Kriegsausbruch eingezogen
und mit einer Sanitätseinheit nach Galizien gebracht
worden. Nach dem Rückzug von Gródek (»Alle Straßen münden in schwarze Verwesung ...«) wurde er –
von geistiger Umnachtung bedroht – ins Lazarett nach
Krakau eingeliefert, wo er wahrscheinlich durch Selbstmord mittels einer Überdosis Schlaftabletten starb.

Trakls Lyrik und Prosadichtungen sind traumhafte Variationen
über die Vergänglichkeit, die der Dichter auf Schritt und Tritt spürt:
in den Rissen des moosig überzogenen Gemäuers, im Spinngewebe
verlassener Kammern, im dumpfen Moderduft lichtloser Keller, im
naßkalten Hinterhof, im Schrei der Ratten, im Zusammenbruch
»weißer Tiere« im grünschwarzen Dunkel des Waldes.

Der traumhaften Sprache und Bildsymbolik tritt eine expressive Verwendung der Farben zur Seite, die mit den aus dem Unterbewußtsein aufsteigenden Worten und Sätzen zu Chiffren des Grauens werden:

> ». . . Sterbeklänge von Metall;
> Und ein weißes Tier bricht nieder.
> Brauner Mädchen rauhe Lieder
> Sind verweht im Blätterfall.«
>
> *(In den Nachmittag geflüstert)*

Selbst die seligen Erinnerungen an die Jugend *(Aus goldenem Kelch)*
und glühende Bekenntnisse zur Schönheit der Welt und Natur werden überschattet von dem Wissen um Untergang, das auch der Christ
Trakl nicht zu verwinden weiß. Was der Dichter über Tolstoi schrieb:
»Unter dem Kreuz zusammengebrochener Pan« – das gilt für ihn
selbst. Seine Naturgedichte *(Die Sonne; Im Frühling; Sommer; Ver-
klärter Herbst; Ein Winterabend; Der Herbst des Einsamen)* durchzieht die gleiche Grundstimmung, die er in *De Profundis* ergreifend
gestaltet hat:

> »Auf meine Stirne tritt kaltes Metall.
> Spinnen suchen mein Herz.
> Es ist ein Licht, das in meinem Mund erlöscht.«

Ratten tauchen immer wieder auf in den Impressionen **Friedo Lampes** (1899–1945); sie fallen alles Schöne und Gute erbarmungslos an;

sie wirken im Untergrund, zerstörerisch-dämonisch. Allem Leben
steht der Tod unmittelbar nahe. Lampes Erzählungen (*Am Rande der
Nacht*, 1934; *Septembergewitter*, 1937) sind »unheimliche Idyllen«,
Blicke durch die fließende und schwebende Welt der Erscheinungen
ins Sein, voller Wehmut, voller Schaudern, schwankend zwischen
den Polen des schwülen Dunkels (der Nacht, dem Moor, den Ratten)
und des kühlen Lichts (dem Schwan, der Flöte, dem Leuchtturm,
dem aufschwebenden Ballon).

Es ist die Tageszeit der späten Nachmittage, des anbrechenden Abends und
die Jahreszeit des Herbstes, des Septembers, die Zeit zwischen Frucht und
Verwesung, die den Dichter lockt: »Verrostete Kreuze, schief angelehnt an
die Friedhofsmauer, und die Kränze auf dem frischen Grab, halb verfault
schon in der brütenden Sonne, und die Bienen, saugend an den Blüten den
Todesseim. Das Schwarzbrot eingebrockt in die dicke Milch, die Brummer
über Schinken und Wurst in der Speisekammer, der Fleischerhund, die große
gefleckte Dogge, die das rote Fleisch zerreißt, das Philipp, der Schlachterge-
sell, ihr zuwirft, und der Mond, weich und groß überm Apfelgarten, die Küsse, das Umfangen, der Erntewagen, der am Abend langsam einfährt, Heu-
duft und die Purpurträume in der schwülen Kammer, der sanfte Schein der
Lampe in der dickbeblätterten Laube – September, so voll im Leben, so nah
am Tod.«

Die Stimmen der »verlorenen Generation« hat **Kurt Pinthus** (1886–

STURZ   1975) in der Anthologie *Menschheitsdämmerung*
UND SCHREI (1920) zu Wort kommen lassen als das lyrische Orche-
ster seiner Zeit und Generation:

»... die herbstlich-klagende Melancholie der Celli... die Paukenschläge des
Zusammensturzes... das tiefe, dunkle Raunen der Oboen... Kann eine
Dichtung, die Leid und Leidenschaft, Willen und Sehnsucht dieser Jahre zu
Gestalt werden läßt und die aus einer ideenlosen, ideallosen Menschheit, aus
Gleichgültigkeit, Verkommenheit, Mord und Ansturm hervorbrach – kann
diese Dichtung ein reines und klares Antlitz haben? Muß sie nicht chaotisch
sein wie die Zeit, aus deren zerrissenem, blutigem Boden sie erwuchs?«

Chaotisch zerrissen, zerfetzt ist auch die Sprache der hier versammelten Dichter; die leidvolle Wirklichkeit gebiert »Wortwunden«; »Sturz
und Schrei« ist der erste Teil der Anthologie überschrieben. Charak-
teristisch für die tiefgreifende Beunruhigung und Betroffenheit sind
Gedichttitel wie *Umbra vitae; Der Gott der Stadt; Der Krieg; Die*

Morgue (= Leichenschaustätte unbekannter Toter in Paris) von **Georg Heym**; *Berlin* von **Johannes R. Becher** (S. 488); *Abendschluß* von **Ernst Stadler** (1883–1914); *Fabrikstraße* von **Paul Zech** (1881–1946); *De Profundis*; *Schmerz* von **Georg Trakl**; *Fremde sind wir auf der Erde alle* von **Franz Werfel** (S. 485); *Gethsemane* von **Kurt Heynicke** (1891–1985).

Weltende (1911) hieß eine Gedichtsammlung des in der Anthologie vertretenen **Jakob van Hoddis** (geb. 1887; 1942, dem Wahnsinn verfallen, von den Nationalsozialisten ermordet).

> »Ein starker Wind sprang empor.
> Öffnet des eisernen Himmels blutende Tore.
> Schlägt an die Türme.
> Hellklingend laut geschmeidig über die eherne Ebene der Stadt.
>
> Die Morgensonne rußig. Auf Dämmen donnern Züge.
> Durch Wolken pflügen goldne Engelpflüge.
> Starker Wind über der bleichen Stadt . . .«   *(Morgens)*

Von **Gottfried Benn** (S. 593) findet man in der Pinthus-Anthologie die klinische Poesie seiner Frühzeit: unbarmherzige Diagnose, erbarmungslose Bloßlegung des Zerfalls mit eruptiver Sprachkraft. »Jeder seiner Verse ein Leopardenbiß, ein Wildtiersprung« (Else Lasker-Schüler).

Benn schildert die Sektion eines »ersoffenen Bierfahrers«, dem eine Aster im Munde steckt, die bei der Leichenöffnung ins »nebenliegende Gehirn« rutscht. »Trinke dich satt in deiner Vase, / ruhe sanft / kleine Aster.« – Er gibt das pathologische Bild der Selbstmörderin, die lange »im Schilfe gelegen hatte«; in »einer Laube unter dem Zwerchfelle fand man ein Nest von jungen Ratten«, sie nährten sich »von Leber und Niere, / tranken das kalte Blut und hatten / hier eine schöne Jugend verlebt«.

Mann und Frau gehn durch die Krebsbaracke faßt in Worte, was Verfaulen und Verwesen bei lebendigem Leibe bedeutet: »Bett stinkt bei Bett. Die Schwestern wechseln stündlich.«

Die Dichter fühlen sich totaler Sinnlosigkeit und unabwendbarem Zerfall ausgeliefert. Ihr Werk ist Aufschrei über das Leid und die Not der Welt. Schlacht- und Leichenfeld, die Morgue, das Krankenhaus, die Straßenschluchten der Großstädte sind Stätten angstvollen, verzweifelten Lebens (das auch der expressionistische Film beschwört): »Wir Namenlose, arme Unbekannte, in leeren Kellern starben wir allein« (Heym). Und immer wieder findet sich das Erleben des Krieges:

> »Die Steine feinden
> Fenster grinst Verrat
> Äste würgen
> Berge Sträucher blättern raschlig
> Gellen
> Tod.«

(August Stramm)

Einer der seinerzeit bekanntesten Schriftsteller aus diesem Kreis der »chaotischen« Dichter war der **Klabund** sich nennende Alfred Henschke (1890–1928). »Mein Name Klabund, das heißt Wandlung« – mit dieser Bezeichnung hat der Dichter nicht nur sich und seinen ziellos zerrissenen, von Angst und Anklage zerquälten Lebenslauf, sondern auch insgesamt sein vielfältiges und widersprüchliches literarisches Schaffen charakterisiert (gegen das Bürgertum: *Klabunds Karussell*, 1914; *Die Krankheit*, 1916; aus dem inneren Drang nach Neugestaltung mit dem Blick nach Ostasien: die Lyrik der *Geisha O-sen*, 1918, und die dramatische Nachdichtung *Der Kreidekreis*, 1925). Klabund hat sich in vielen Stilarten und gedanklichen Bereichen der vorangegangenen Jahrhunderte und der Gegenwart versucht; er konnte volksliedhaft schlicht, romantisch, sentimental, nüchtern und sachlich, desillusionierend und vor allem auch grotesk sein. Die Groteske mit ihren grellen Wortfetzen zerstörte schließlich jeden Versuch harmonischer Beständigkeit und hinterließ das Eingeständnis des Fragmentarischen, in dem der Blick in das Nichts, das Wesenlose und Ausweglose offenkundig wird. »Es hat ein Gott mich ausgekotzt, / nun lieg ich da im Dreck...« (Gedichtbände *Morgenrot! Klabund! Die Tage dämmern!*, 1913; *Die Himmelsleiter*, 1916; *Dreiklang – Verheißung und Erfüllung*, 1920)

»Mich hat niemand lieb«, heißt es in einem charakteristischen Gedicht der **Else Lasker-Schüler** (1869–1945). Die Dichterin stammt aus Wuppertal-Elberfeld. In dem Schauspiel *Die Wupper* (1909) hat sie in naturalistischer Weise ihre Heimat geschildert, zugleich aber auch symbolisch überhöht: der Fluß erscheint als Styx, Lethe, als Phrat (hebräisch Euphrat) des Paradieses. – Nach einem unsteten Leben emigrierte sie 1933 als Jüdin nach Jerusalem, wo sie 1945 starb. In den *Hebräischen Balladen* (1913) und in den Gedichten *Mein blaues Klavier* (1943) brechen immer wieder Todesahnungen und das Bewußtsein der Verlassenheit hervor.

EINSAM UND VERLOREN

».. . Wo soll ich hin, wenn kalt der Nordsturm brüllt?
– Die scheuen Tiere aus der Landschaft wagen sich
Und ich vor deine Tür, ein Bündel Wegerich

Bald haben Tränen alle Himmel weggespült,
An deren Kelchen Dichter ihren Durst gestillt –
Auch du und ich.«

»Dies war die größte Lyrikerin, die Deutschland je hatte«, schrieb Benn über
die Freundin. »Immer unbeirrbar sie selbst, fanatisch sich selbst verschwo-
ren, feindlich allem Satten, Sicheren, Netten, vermochte sie in dieser Sprache ihre leidenschaftlichen Gefühle auszudrücken, ohne das Geheimnisvolle
zu entschleiern und zu vergeben, was ihr Wesen war.«

Aus dem Mitleiden mit den jüdischen Menschen schrieb **Nelly Sachs**
(1891–1970) Aufrufe und Mahnungen, Bekenntnisse brüderlicher und humanitärer Gesinnung, und stellte die zweifelnde Frage nach der Bereitschaft
der Menschheit, Gutes zu tun.

> »Wenn die Propheten aufständen
> In der Nacht der Menschheit,
> Wie Liebende, die das Herz des Geliebten suchen,
> Nacht der Menschheit,
> Würdest du ein Herz zu vergeben haben?«

Wie bei Else Lasker-Schüler und Nelly Sachs ist auch die Lyrik von
Rose Ausländer (1907–88; *Gesammelte Gedichte*, 1976) in ihrer
Bildsprache, Stimmungs- und Gefühlslage sowie in ihren Themen
durch das jüdische Kulturerbe und das Schicksal ihres Volkes bestimmt; es formen sich Träume; die Natur gewinnt Gestalt.

Der Brunnen

> »Im verbrannten Hof
> steht noch der Brunnen
> voll Tränen
> Wer weinte sie
> Wer trinkt sie
> seinen Durst leer«

(Aus *Andere Zeichen*)

Von **Gertrud Kolmar** (eigentlich Gertrud Chodziesner; geb. 1894, 1943 von
den Nationalsozialisten deportiert und ermordet) wurden zu Lebzeiten nur
wenige Gedichte veröffentlicht; die Kraft ihrer erschütternden Aussage erwächst aus dem Wissen ständiger Bedrohung und der Ahnung bevorstehender Schrecknis:

> »Ich werde sterben, wie die Vielen sterben;
> Durch dieses Leben wird die Harke gehn
> Und meinen Namen in die Scholle kerben.
> Ich werde leicht und still und ohne Erben
> Mit müden Augen kahle Wolken sehn,
> Den Kopf so neigen, so die Arme strecken
> Und tot sein, ganz vergangen sein, ein Nichts...«

Die Erkenntnis des Verlorenseins, des unheilbaren Zwiespalts zwischen Ich und Umwelt bei **Max Herrmann** (1886–1941; nach seinem Geburtsort Herrmann-Neiße genannt) ist nicht erst aus der Situation des Emigranten entstanden. Schon lange vor seiner Flucht aus dem Deutschland der Nationalsozialisten durchzog seine Gedichte die Klage über das Alleinsein, über den Verlust der Beziehung zum Mitmenschen.

> »Wir ohne Heimat irren so verloren
> Und sinnlos durch der Fremde Labyrinth.
> Die Eingebornen plaudern vor den Toren
> Vertraut im abendlichen Sommerwind.
> Er macht den Fenstervorhang flüchtig wehen
> Und läßt uns in die lang entbehrte Ruh
> Des sichren Friedens einer Stube sehen
> Und schließt sie vor uns grausam wieder zu...«

Hilde Domin (geb. 1912 in Köln), Tochter eines jüdischen Rechtsanwalts, wurde in ihrem Werk durch ein 20jähriges Exil geprägt. Immer wieder reflektiertes Thema ihrer Gedichte (Sammlungen *Nur eine Rose als Stütze,* 1959; *Hier,* 1964; *Höhlenbilder,* 1968; *Ich will dich,* 1970) ist die Sprache. Aus intim-persönlichen Versen, getragen von der Zwiesprache der Autorin mit sich selber, werden später appellative, »öffentliche« Gedichte, die freilich ohne politische Terminologie auskommen und in der Genauigkeit der strengen, lapidaren Sprache oder im Festhalten am Ich schon Widerstand signalisieren.

Ihre poetologischen Texte (*Wozu Lyrik heute?,* 1968; Nachwort zu *Doppelinterpretationen,* 1966) beantworten die Frage nach dem gesellschaftlichen Zweck von Literatur betont positiv und argumentieren aus der eigenen Erfahrung in der lyrischen Werkstatt ebenso wie im Literaturbetrieb, im Wechselspiel mit dem schöpferischen Leser und aus einer das Unwägbare einschließenden Qualitätsbestimmung: Dichtung als »Steigerung des Menschen zu seinen eigenen Möglichkeiten«, als Selbstbehauptung – »Gedicht / das Unmögliches verlangt«.

Christa Reinig (geb. 1926 in Berlin) kam 1964 nach Westdeutschland, nachdem sie schon 1951 in Ostberlin als eine der »größten Begabungen unter den Nachwuchsautoren« gegolten hatte. Ihre ersten Gedichtbände *Die Stimme von Finisterre* (1960) und *Gedichte* (1963) konnten ihrer kompromißlosen Wahrheit wegen dort nicht erscheinen:

> »Ich rufe den Menschen
> antworte mir
> ich rufe – es schweigt
> nichts antwortet mir.«

Von der Verleihung des Bremer Rudolf-Alexander-Schröder-Preises kehrte sie nicht mehr in die DDR zurück und schrieb seither bevorzugt »für alle, die in diesem leben / nicht mehr nach hause finden«. Dazu gehören (in der Nachfolge Brechts) kritisch provozierender Bänkelsang (*Die Ballade vom blutigen Bomme*, 1972; *Schwabinger Marterln*, 1968, 23 freche Grabsprüche für Huren, Gammler und Poeten) und ironisch-sarkastische Gedichte (*Schwalbe von Olevano*, 1969) neben poetischer Prosa (*Orion trat aus dem Haus*, 1968). *Entmannung* (1976) ist »die Geschichte Ottos und seiner vier Frauen«, die aggressiv die Emanzipationsbewegung aufspießt.

Reinigs Prosa ist von lyrischer doppelbödiger Härte – offen für groteske Komik und Märchenhaftes, für Genuß und Leid: »Dann sagte sie: ich sterbe. Ich sagte: so leicht stirbt sich's nicht. Doch, sagte sie und starb.«

Von der Position des Einsamen und Einzelgängers aus vollzieht der expressionistische Dichter jedoch den dialektischen Schritt nach

ERWECKUNG DES HER- ZENS

vorn zum Du – »Erweckung des Herzens und Liebe den Menschen!« Pessimismus und Resignation über eine entmenschlichte Welt werden aufgehoben im glückhaften Bewußtsein, daß das Menschliche auch im »schlammigsten Antlitz« noch zu erkennen sei, das Brudergefühl im Aufstieg sich befinde.

»Die aufschwebende Sehnsucht der Violinen... die purpurnen Posaunen der Erweckung... das zukunftlockende Marciale der Trompeten... das rapide Triangelgeklingel... Man versuchte, das Menschliche im Menschen zu erkennen, zu retten und zu erwecken. Die einfachsten Gefühle des Herzens, die Freude, die das Gute dem Menschen schafft, wurden gepriesen. Und man ließ das Gefühl sich verströmen in alle irdische Kreatur über die Erdoberfläche hin; der Geist entrang sich der Verschüttung und durchschwebte alles Geschehen des Kosmos – oder tauchte tief in die Erscheinungen hinab, um in ihnen ihr göttliches Wesen zu finden« (K. Pinthus).

> »Fluchen hüllt die Erde
> Wehe schellt den Stab,
> Morde keimen Werde
> Liebe klaffen Grab
> Niemals bären Ende
> Immer zeugen Jetzt
> Wahnsinn wäscht die Hände
> Ewig unverletzt.«

– hatte **August Stramm** (1874–1915) in seiner Verzweiflung hinausgestammelt. Zugleich aber finden sich die Stimmen, die die Aufgabe des Dichters darin sehen, den verlorenen und verworfenen »alten Menschen« herauszureißen aus der Verhaftung an die Mächte der Finsternis.

> »Noch im schlammigsten Antlitz
> Harret das Gott-Licht seiner Entfaltung.
> Die gierigen Herzen greifen nach Kot –
> Aber in jedem
> Geborenen Menschen
> Ist mir die Herkunft des Heilands verheißen«

heißt es bei Franz Werfel.

Hierher gehört auch Stramms Sammlung von Liebesgedichten *Du* (1915), in denen die Zertrümmerung der Form fast ebensoweit gediehen ist wie in seinem Band Kriegsgedichte *Tropfblut* (1915), und das einzelne Gedicht, völlig subjektbezogen, zum Psychogramm wird. Alles aber bleibt noch echtes seelisches Verlangen nach einer Bewältigung der Wirklichkeit, während man späterhin (besonders in der Zeitschrift *Sturm,* in der Stramms Gedichte erschienen) häufig nur noch inhaltslose Sprachexperimente anstellte, deren Höhepunkt und Endpunkt im Dadaismus lagen (**Hans Arp** [1887–1966] und sein Züricher Kabarett »Voltaire«).

Der Dichter wird als Priester empfunden, als Erlöser. Etwas Brünstig-Religiöses, Ekstatisch-Verzücktes kennzeichnet dann den expressionistischen Stil. »Anbruch der neuen Zeit: das humanozentrische Bewußtsein. Epoche des Brudergefühls; Gemeinschaftsidee; Simultanismus; Allgegenwarts-Sinn. Erdballgesinnung, oder: der

Mensch ist um des Menschen willen da« (**Ludwig Rubiner**, 1881–
1920). Wiederum deuten einige Gedichttitel aus Pinthus' Anthologie
auf diese Seite und Haltung des Expressionismus: *Der schöne strahlende Mensch; Der gute Mensch* (Franz Werfel); *Ein Lied der Liebe;
Mein Liebeslied* (Else Lasker-Schüler); *Millionen Nachtigallen schlagen* (Theodor Däubler).

Die »Erdballgesinnung« und »Bruderschaftsekstase« fanden auch
einen Niederschlag in vielen und umfangreichen expressionistischen
Manifesten – vor allem in den Zeitschriften *Die Aktion; Sturm; Anbruch; Neues Pathos; Revolution.*

»Rededelirien! Überall stehen Menschen, kleben Plakate an, drücken sich
Aufrufe in die Hand, die der andere befolgen soll«, meinte Alfred Döblin
kritisch.

»Es kamen die Künstler der neuen Bewegung... Ihnen entfaltete das
Gefühl sich maßlos. Sie sahen nicht. Sie schauten. Sie photographier-
ten nicht. Sie hatten Gesichte«, heißt es in **Kasimir Edschmids** (1890–
1966) Manifest *Über den dichterischen Expressionismus.* Edschmid
galt seit 1915 als Wortführer der neuen Bewegung, u. a. mit den Erzählungen *Die sechs Mündungen* (später ist er zu einem der erfolgreichsten und bewundertsten Reiseschriftsteller geworden – gewissermaßen als »Flucht ins Abenteuer«). Die Expressionisten sähen
»das Menschliche in den Huren, das Göttliche in den Fabriken«. Sie
wirkten »die große Erscheinung in das Große ein, das die Welt ausmacht«. »Die Welt ist da. Es wäre sinnlos, sie zu wiederholen. Sie im
letzten Zucken, im eigentlichsten Kern aufzusuchen und neu zu
schaffen, das ist die größte Aufgabe der Kunst. Jeder Mensch ist nicht
mehr Individuum, gebunden an Pflicht, Moral, Gesellschaft, Familie. Er wird in dieser Kunst nichts als das Erhebendste und Kläglichste: er wird Mensch.«

»Und du, Dichter, schäme dich nicht, in die verlachte Tuba zu sto-
ßen. Komm mit Sturm. Zerdonnere die Wölklein romantischer Träu-
merei, wirf den Blitz des Geistes in die Menge. Laß ab von den zarten
Verirrungen und leichten Verzweiflungen des Regenwetters und der
Dämmerungsblumen. Licht brauchen wir: Licht, Wahrheit, Idee,
Liebe, Güte, Geist! Sing Hymnen, schrei Manifeste, mach Program-
me für den Himmel und die Erde. Für den Geist!« – so richtete **Yvan
Goll** 1917 seinen *Appell an die Kunst.*

1912 hatte der in Frankreich 1891 geborene Dichter (gest. 1950) seinen ersten Gedichtband mit einem Bekenntnis zu Apollinaire veröffentlicht; »Überdramen« und weitere Gedichtbände folgten. Aus Deutschland ging Goll bei Ausbruch des Ersten Weltkrieges als überzeugter Pazifist in die Schweiz, wo er mit Werfel, Jules Romains und James Joyce zusammentraf. In Paris, seiner späteren Heimat, wertete er den Expressionismus ab: ein »Lunapark aus Pappe und Stuck, mit Illusionspalästen und Menschenmenagerien... Pathos ist um 80% und Bruderliebe um 130% gesunken.« Nach Golls Flucht in die USA vor den deutschen Truppen dringt wieder die Sprache der Jugend nach vorn *(Traumkraut);* doch greift Resignation um sich. »Der Ich-Lyriker lügt, der sich von der Menschheit abtrennt, und seinen imaginären Schmerz mit Rosenöl beträuft«, hieß es im »Appell an die Kunst«; nun finden sich Verse wie:

> »Die Sage unserer Liebe laß ich in Quarz verwahren
> Das Gold unserer Träume in einer Wüste vergraben
> Der Staubwald wird immer dunkler
> Weh! Rühr diese Staubrose nicht an!«

Das humanozentrische Bewußtsein der Expressionisten war auch vorbereitet und eingeleitet worden durch eine Reihe »kosmischer« Dichter, d. h. solcher, die in ihren Liedern an die Natur und den Menschen einem verströmenden Optimismus (ihrer Qual und Zerrissenheit abgerungen) und einer mystischen Naturfrömmigkeit bis zum Pantheismus hin huldigten. Hierher gehörten u. a. Richard Dehmel, Karl Spitteler, Alfred Mombert. Daneben lief noch – dem Expressionismus in Grundhaltung und Stileigenart verwandt – eine zukunftsfreudige, technikbegeisterte, sozialfortschrittlich gesinnte »Arbeiter-Dichtung«, deren wichtigste Vertreter **Heinrich Lersch** (1889–1936), **Gerrit Engelke** (1890–1918) und **Karl Bröger** (1886–1944) waren.

Lersch war Kesselschmied; er bemühte sich, in seinen Gedichtsammlungen *Abglanz des Lebens* (1914); *Herz, aufglühe dein Blut – Kriegsgedichte eines Arbeiters* (1916); *Mensch im Eisen* (1924); *Mit brüderlicher Stimme* (1934) der Welt der Arbeit und Maschine dichterischen Ausdruck und der Arbeiterschaft einen menschlich zumutbaren Platz in der Gemeinschaft zu verschaffen. – Um ähnliche Ziele ging es dem Nürnberger Bröger, auf dessen Kriegsgedichte *Kamerad, als wir marschiert* (1916) und *Soldaten der Erde* (1918), die Sammlung *Flamme* mit glühendem Glauben an die Friedenssehnsucht und Liebesbedürftigkeit der Menschheit folgte. Bei aller Verbundenheit mit der Heimat (vgl. seinen autobiographischen Roman *Der Held im Schatten,* 1919) war es Bröger darum zu tun, die Liebe aufzurichten »aus ihrem tiefsten

Fall« und zu menschlicher Versöhnung zu gelangen. – Dichterisch am bedeutendsten ist das Werk des Malergesellen Engelke, den auch Dehmel förderte. In hymnischer Sprache versuchen seine Gedichte *(Rhythmus des neuen Europa,* 1921; darin *Welttrunkenheit; Seele – erhebe dich; All-Eins; Stadt; Ich will heraus aus dieser Stadt),* das Problem Technik und Zivilisation künstlerisch zu gestalten und im Geistigen anzusiedeln.

Der wirkliche, der wahre, der neue Mensch erscheint im Expressionismus als Abstraktum. Selbst der Arbeiter, immer wieder rhapsodisch gepriesen, ist ganz aus den gesellschaftlich-ökonomischen Bindungen gelöst; er ist Metapher für die im Rahmen der dominierenden »Kunstreligion« beschworene allgemeine Menschlichkeit. »Sei Menschenbruder! Sei Mensch! Sei Herz! Arbeiter.« (**Karl Otten,** 1889–1963)

SEI MENSCHEN-BRUDER!

Das messianische Pathos sieht Erlösung eben nicht in gesellschaftlicher Veränderung, sondern in der inneren Verwandlung des Menschen. Die Künstler der neuen Bewegung negieren weitgehend das Realitätsprinzip der industriellen Massengesellschaft. Sie sind nicht mehr den Ideen, Nöten und persönlichen Tragödien bürgerlichen und kapitalistischen Denkens unterworfen. Gegen das Atomische, Verstückte entwickeln sie ein großes umspannendes Weltgefühl; in ihm steht die Erde, das Dasein als eine große Vision. (Kasimir Edschmid)

Die Abenddämmerung zog auf, aber Nacht schien es nicht zu werden. Der schöne strahlende Mensch, das war für Franz Werfel: ein Korso auf besonnten Plätzen, ein Sommerfest mit Frauen und Bazaren:

> »... Ich will mich auf den Rasen niedersetzen
> Und mit der Erde in den Abend fahren.
> O Erde, Abend, Glück, o auf der Welt sein!!«

Die Textur expressionistischen Fühlens, Sinnens, Trachtens, Denkens, Dichtens ist durchwoben von Liebe; irdischer und überirdischer Eros gehen ineinander über; selbst die sinnlichste Körperhaftigkeit strebt einem Metaphysischen zu. »... Du bist ganz aus Gold –/ alle Lippen halten den Atem an.« (Else Lasker-Schüler)

Die der Epoche eigene, mit ihren »Verschleierungen« vor allem den Voyeur aufreizende Sinnlichkeit wird sublimiert; sie verliert dabei ihre verführerischen Zwischentöne; der Dauerton humanitärer Begeisterung schließt das Zwielichtige aus; die O-Mensch-Gesinnung umarmt jeden und alle. »Bist du Neger, Akrobat, oder ruhst du noch in tiefer Mutterhut, / klingt dein Märchenlied über den Hof, lenkst du dein Floß im Abendschein, / bist du Soldat, oder Aviatiker voll Ausdauer und Mut« – der Dichter (hier Franz Werfel) hat den einzigen Wunsch: »Dir, o Mensch, verwandt zu sein!« Alle Schicksale habe er selber durchgemacht; er wisse um das Gefühl von einsamen Harfenistinnen in Kurkapellen, um das Gefühl von schüchternen Gouvernanten im fremden Familienkreis, von Debütanten, die sich zitternd vor den Souffleurkasten stellen; er lebte im Walde, hatte ein Bahnhofsamt, saß gebeugt über Kassabücher, bediente ungeduldige Gäste; als Heizer stand er vor Kesseln, als Kuli aß er Abfall und Küchenreste.

> ». . . So gehöre ich dir und Allen!
> Wolle mir, bitte, nicht widerstehn!
> O, könnte es einmal geschehn,
> Daß wir uns, Bruder, in die Arme fallen!«

»Ich habe den neuen Menschen gesehen« – schrieb **Georg Kaiser** (1878–1945) und umriß damit sein dichterisches Programm. Der in Magdeburg geborene Dichter mußte während des Dritten Reiches in die Schweiz flüchten, wo er einsam und vergessen starb. Zeitumstände und persönliche Schicksalsschläge bewirkten, daß er immer wieder von einem tiefen Pessimismus heimgesucht wurde. Kaisers Dramen *König Hahnrei* (1913), *Rektor Kleist* (1918), *Nebeneinander* (1923), *Der Soldat Tanaka* (1940), *Das Floß der Medusa* (aus dem Nachlaß), besonders *Die Bürger von Calais* (1914) und die Trilogie *Gas* (1917–1920), die des Dichters Ruhm begründeten, stellen sich eine aktuelle und ideelle Aufgabe. Sie wollen den Menschen aus Verzweiflung und Angst, aus der Erschütterung des Weltkrieges herausholen, ihn mit einem neuen Welt- und Menschenbild tätiger Liebe versehen.

DER NEUE MENSCH

Die aktuelle Aufgabe spiegelt sich nicht zuletzt in der Bewegtheit und Weite der Schauplätze, durch die Kaiser in seinen Stücken ein Panorama des modernen Lebens entwirft: Hotelhalle, Fabrikhof, Filmbüro, Kirche, Kaschemme, Pfandleihe, Volkstribunal, Zeitungsredaktion, Sportpalast, Opernrang, Polizeiwache, Schule, Luxusjacht, Anwaltsbüro, Industrieunternehmen –

»in allen Winkeln und Zentren realer und phantastischer Geographie läßt er
die Wortgefechte und Handlungskämpfe, das Pathos und die Innerlichkeit,
das Lachen und die Verzweiflung, Arroganz und Einsicht, Gewalt und Op-
ferang, Untergang und Triumph sich entscheiden. Eine Welt-Geschichte
und Weltkunde scheinen dienlich, ›aus den Zufälligkeiten der Erscheinungen‹, aus dem ›Nacheinander von Vorfällen‹, die sinn- und zwecklos keinem
zunutze sind, das Haus des Menschen zu bauen, gütig, ›mit beflissenen Händen‹« (Walther Huder).

Der aktuelle und realistische Rahmen ist aber nur Äußerlichkeit;
das Wirkliche, Stoffliche, Vordergründige ist Mittel zu dem einzigen
Zweck, die Idee zu versinnbildlichen. Die Handlung
wird dementsprechend auf das Wesentliche hin abstra-
hiert und reduziert, auf das Skelett eines hektisch und
dialektisch sich entwickelnden Gedankengangs. Kaiser
bezeichnete sich selbst als »Denkspieler«. Die Gestalten des Dichters, der sich dabei auf Platos Dialoge berief, sind Träger von Ideen.
Das gibt – trotz aller Realistik der Schauplätze – den Figuren seiner
Dramen das Unpsychologische, Unwirkliche, Sprunghafte: »Ein
Drama schreiben heißt: einen Gedanken zu Ende denken.«

**DENK-
SPIELE**

In den »Bürgern von Calais« ist in Eustache de Saint Pierre und
dessen Opferbereitschaft, Hingabe, Liebe die Idee des »neuen Menschen« verkörpert. Als die Stadt Calais nach langer Belagerung im
Jahre 1347 dem König von England erliegt, sollen sechs der vornehm-
sten Bürger auf Forderung des Siegers dem Henker überantwortet
werden. Es melden sich jedoch sieben freiwillig zum Opfergang. Einer wird übrigbleiben; wer soll es sein? Aus der Urne ziehen sie alle
ein Todeslos. Eustache, der »dieses Spiel spielt«, will damit verhindern, daß Zwietracht und Neid in die Reihe der Opferwilligen eindringen. Die Entscheidung wird auf den nächsten Morgen verschoben.
Der soll frei sein, der dann – ein Glockenzeichen gibt den gemeinsamen Aufbruch an – als letzter auf dem Marktplatz ankommt.
Der letzte ist Saint Pierre. Alle sind schon versammelt, da wird er auf
einer Bahre hereingetragen. Er hat in der Nacht seinem Leben
selbst ein Ende gesetzt, um die Tat der anderen von Mißgunst und
Versuchung freizuhalten. Der blinde Vater begleitet den Toten:
»Schreitet hinaus in das Licht – aus der Nacht. Die hohe Helle ist
angebrochen. Das Dunkel ist zerstreut... Ich komme aus dieser
Nacht und gehe in keine Nacht mehr. Meine Augen sind offen, ich

schließe sie nicht mehr. Meine blinden Augen sind gut, um es nicht mehr zu verlieren. Ich habe den neuen Menschen gesehen – in dieser Nacht ist er geboren.«

In der Trilogie »Gas« werden der Aufstieg und Untergang des »neuen Menschen«, seine Herkunft, seine Heilsbotschaft, sein Scheitern in dieser Zeit an Hand einer Familiengeschichte aufgezeigt, die sich zur sozialen Tragödie wie zur Tragödie des technischen Zeitalters weitet.

Der Milliardär hat sich mit brutaler Ellenbogen-Gewalt nach oben gearbeitet, ohne Mitleid für die »da drunten«, die schuftenden, leidenden Proletarier. Aber sein Sohn und seine Tochter, die er fern von der Welt des Klassengegensatzes »an sonnigen Gestaden« erziehen ließ, verlassen ihn, um sich dem Bruderdienst zu widmen. (1. Teil: *Die Koralle*).

Im zweiten Teil *(Gas 1)* will der Milliardärsohn eine neue Welt schaffen. In den großen Fabrikanlagen gibt es nun keine Lohnlisten, keinen Klassengegensatz mehr. »Wir arbeiten für uns – nicht mehr in andere Taschen. Keine Trägheit – kein Streik. Ununterbrochen treibt das Werk. Das Gas wird nie fehlen.« Gas wird in ungeheuren Mengen produziert, ein neuer, geheimnisvoller Stoff, Antriebsmittel für die Maschinen der Erde. Eine furchtbare Explosion zerstört jedoch das Werk. Die Technik ist dem Menschen über den Kopf gewachsen.

In *Gas II* verkörpert der »Milliardärarbeiter«, ein Urenkel des reichen Egoisten der »Koralle«, den »neuen Menschen«. Er ist zum Proletarier herabgesunken; seine brüderliche Mission ist vergessen. Krieg ist ausgebrochen. Unbarmherzig kämpfen die »Blaufiguren« gegen die »Gelbfiguren«; die Niederlage der einen soll wettgemacht werden durch die Vernichtung der anderen; der Ingenieur der Unterlegenen hat als Vergeltungswaffe das Giftgas entwickelt. Da greift der Milliardärarbeiter ein; er appelliert an die Vernunft und Menschlichkeit: »Kehrt ins Werk um... Gründet das Reich!« Seine Stimme geht unter im Gebrüll der Massen: »Errichtet die Herrschaft! Zündet das Giftgas!« In zornig humanitärer Verzweiflung wirft der Milliardärarbeiter selbst die tödliche Phiole über sich und die andern. Sie zerbricht: »Unsere Stimme konnte die Wüste wecken – der Mensch ertaubte vor ihr!! Ich bin gerechtfertigt!! Ich kann vollenden!!!« »In der dunstgrauen Ferne sausen die Garben von Feuerbällen gegeneinander – deutlich in Selbstvernichtung.«

Ernst Toller (1893–1939) bringt in seinen Stücken *Masse Mensch* (1921), *Die Maschinenstürmer* (1922) und *Der deutsche Hinkemann* (1923) in realistischen Szenen und sozialistischen Visionen die herbe Enttäuschung über den Menschen, der nur Masse ist und sich der All-Liebe wie der menschlichen Vollendung entgegenstemmt, zum Ausdruck. Im »Maschinenstürmer« wollen die Arbeiter die Maschinen zerstören, weil sie glauben, durch sie brotlos zu werden, bis einer sie überzeugt, daß man stattdessen versuchen sollte, sie dem Menschen dienstbar zu machen. Das zynisch-grausame Spiel um Hinkemann, einen entmannten Kriegsinvaliden, der an seinem Schicksal, dem Hohn der Menschen und der vermeintlichen Untreue seiner Frau zerbricht, nimmt Borchertsche Klagen um den leidgequälten Vereinzelten vorweg, »dem kein Staat, keine Gesellschaft, keine Gemeinschaft Glück bringen kann«.

Toller war eine der zwiespältigsten und zerrissensten Erscheinungen des Expressionismus. Nach seinem Studium gehörte er 1918 dem Arbeiter- und Soldatenrat in München an und wurde 1919 zu fünf Jahren Festung verurteilt; 1933 emigrierte er in die USA, wo er 1939 Selbstmord beging.

Im Naturell war ihm verwandt – wenn auch zunächst extremer Nationalist (später Kommunist) – **Arnolt Bronnen** (1895–1959), der in seinem Schauspiel *Vatermord* (1920) den im Expressionismus oft dargestellten Vater-Sohn-Konflikt aufgriff.

In dem Drama *Der Sohn* (1914) von **Walter Hasenclever** (1890–1940, gestorben in der Emigration), einer fulminanten Auseinandersetzung zwischen den Generationen, einem Stück mit dem Zweck, »die Welt zu verändern«, ruft der Sohn dem Vater entgegen: »Ich will in die Ungeheuerlichkeit der Erde eintreten. Wer weiß, wann ich sterben muß. Ich will, ein Gewitter lang, das Erdenkliche meines Lebens in den Fingern halten – dieses Glück werde ich nicht mehr erlangen. Im größten, ja im erhabensten Blitzesschein will ich über die Grenzen schauen, denn erst, wenn ich die Wirklichkeit ganz erschöpft habe, werden mir alle Wunder des Geistes begegnen. So will ich sein. So will ich atmen. Ein guter Stern wird mich begleiten. Ich werde an keiner Halbheit zugrunde gehn.« Und an anderer Stelle: »Aus zwanzig Jahren, aus zwanzig Särgen steig ich empor, atme den ersten, goldenen Strahl – du hast die Sünde gegen das Leben begangen, der du mich lehrtest, den Wurm zu sehen, wo ich am herrlichsten stand – Zerstäube denn in den Katakomben, du alte Zeit, du modernde Erde! Ich folge dir nicht. In mir lebt ein Wesen, dem stärker als Zweifel Hoffnung geblüht hat.«

Zwischen Hoffnung und Verzweiflung steht das Suchen nach dem neuen Menschen, das **Alfred Döblins** (1878–1957) Romanschaffen kennzeichnet. *Unsere Sorge: der Mensch* heißt eine kleine Schrift, die der Dichter 1948 nach den Erschütterungen des Zweiten Weltkrieges schrieb. »Handlungen sind nicht die Hauptsache. Voran steht die Haltung. Die innere Abstimmung geht allem voraus.« Döblin spricht hier als Christ, als Katholik: Leidensbereitschaft, Demut und Gebet

UNSERE SORGE: DER MENSCH

seien die Mittel, durch die der Brückenschlag gelinge zu Gott, »dem Quellgrund, welcher schafft, aber nicht in das Geschaffene eingeht«.

Döblins Leben gleicht einer langen, leidensreichen Odyssee. In Stettin geboren, studierte er Medizin und wurde Facharzt für Nervenkrankheiten im Berliner Osten. 1933 emigrierte er als Jude zunächst nach Frankreich, dann in die USA; nach dem Krieg kehrte er nach Frankreich, zuletzt nach Deutschland zurück.

Von früher Jugend an beherrschte den Dichter eine leidenschaftliche Humanität; Kleist und Hölderlin waren seine liebsten Begleiter: »Ich stand mit ihnen gegen das Ruhende, das Bürgerliche, Gesättigte und Mäßige.« Die expressionistische Zeitschrift *Der Sturm* zählte ihn zu ihren Mitarbeitern. Aus einer Fülle von Romanen ragen die scharfen Auseinandersetzungen mit der eigenen Zeit hervor. Sie sind gekennzeichnet durch unermüdliche Sprach- und Stilexperimente: »Wang lun« ist ein Versuch, den Roman der Massen zu schreiben; »Berge, Meere und Giganten« will eine utopische Geschichtsreportage bei Verzicht auf individuelle Akteure geben; »Wadzek« und »Die Ermordung einer Butterblume« (1913) sind bestrebt, einen expressionistischen Stil zu schaffen; von »Berlin Alexanderplatz« meinte Walter Benjamin: »So hat der Gischt der Sprache den Leser noch nie bis auf die Knochen durchnäßt.«

Der Roman *Wadzeks Kampf mit der Dampfturbine* (1918) erzählt von dem Fabrikanten Wadzek, der durch seine Konkurrenten zur Seite gedrückt und darüber fast wahnsinnig wird, schließlich auf der Flucht nach Amerika wieder Halt zu finden scheint.

Die furchtbaren Folgen hochgezüchteter Technik schildert Döblin in seinem Buch *Berge, Meere und Giganten* (1924). Die staatliche Ordnung hat sich aufgelöst, wilde Horden ziehen durchs Land, die mit Hilfe von Apparaten unglaublicher Vernichtungskraft die Welt dem Untergang nahebringen. »Es war so geworden: niemand war vor Erfindungen sicher, die aus dem Hinterhalt auf die Menschen fielen. Wie früher Epidemien die Menschen verheerten, Städte ausrotteten, so jetzt das ruckweise Anwogen neuer Erfindungen.«

Hinter dem Zerrbild des Menschlichen sucht Döblin das reine Antlitz des Menschen, den Geist, die Liebe. »Die Welt durch Handeln erobern zu wollen mißlingt; sie ist von geistiger Art.« Das ist die Erkenntnis des Romans *Die drei Sprünge des Wang-lun* (1915). Im Gehalt ähnlich erweist sich Döblins letzter Roman *Hamlet oder Die lange Nacht nimmt ein Ende* (1956). Eine zerrüttete Familie steht im Mittelpunkt. Der Sohn, ein Kriegsheimkehrer, findet das Haus verödet; doch führt das Gebet die Familienangehörigen wieder zusammen: sie finden sich, weil sie Gott suchen.

Mit dem Roman *Berlin Alexanderplatz – Die Geschichte vom Franz Biberkopf* (1929) hat Döblin das große Epos der sturmbewegten zwanziger Jahre, das Epos des expressionistischen Zeitalters, geschrieben. Die Großstadt erscheint in diesem Roman als modernes Babylon, als Heimat der Gauner, Huren, Hehler und Zuhälter. Die Handlung kreist um Prostitution, Krankheit, Hunger und Not. In den Häusern ist der Unrat der Welt zusammengeschwemmt. Der Mensch wird in seinen animalischen Funktionen gezeigt, als Bestie Mensch, als Bündel von Trieben und Instinkten.

RAMPO-NIERT, ABER ZURECHT-GEBOGEN

In einer solchen Welt lebt der Zement- und Transportarbeiter Franz Biberkopf. Wegen Mordes ist er im Gefängnis gesessen. Nun hat man ihn entlassen; er will ein neues Leben beginnen. Aber bald läuft er sich fest, er wird erneut Zuhälter und Einbrecher, verliert sein Mädchen, das ein Kumpan ermordet, und landet schließlich im Irrenhaus. Da erfährt er seine Wandlung: Im Traum erscheinen ihm die Gestalten seines verpfuschten Lebens; aber es ist noch nicht zu spät.

Döblin sieht den Menschen auch im »Dreck dieser Welt«; ein neuer Mensch verläßt die Anstalt. »Das furchtbare Ding, das sein Leben war, bekommt einen Sinn. Es ist eine Gewaltkur mit Franz Biberkopf vollzogen.« Am Schluß sehen wir den Mann wieder am Alexanderplatz stehen, »sehr verändert, ramponiert, aber doch zurechtgebogen«.

»Es geht in die Freiheit, die Freiheit hinein, die alte Welt muß stürzen, wach auf, die Morgenluft. Und Schritt gefaßt und rechts und links und rechts und links, marschieren, marschieren, wir ziehen in den Krieg, es ziehen mit uns hundert Spielleute mit, sie trommeln und pfeifen, widebum, widebum, dem einen gehts grade, dem andern gehts krumm, der eine bleibt stehen, der andere fällt um, der eine rennt weiter, der andere liegt stumm, widebum, widebum.«

Stilistisch geht der Döblinsche Roman neue Wege. In der Nachfolge von James Joyce (1882–1941) wird Dichtung weitgehend zum »Monologue intérieur«, zur erlebten Rede, zur Wiedergabe des Bewußtseinsstroms, der aufsteigenden Gedanken, Gefühle, Instinkte, des Halbgewußten; sie ist Registrierung von Assoziationen, eingebaut in die Erlebniswelt der modernen Großstadt. An die Stelle einer ruhig dahingleitenden Erzählung ist ein Stil getreten, der dem Schnitt im Film vergleichbar ist. Die Bewegung der Lichter, Geräusche, Gesprächs- und Wortfetzen werden eingefügt in den »Gleich-Schnitt der Lebensmontage«.

Die Menschlichkeit freigraben aus dem Schutt und Unrat der Welt will auch **Franz Werfel** (1890–1945). »Mein einziger Wunsch ist, Dir, o Mensch, verwandt zu sein!« heißt es in seiner ersten Lyriksammlung *Der Weltfreund* (1911). Unter dem Einfluß der Psalmen, Klopstocks, Schillers, Walt Whitmans ruft er zur Menschlichkeit auf inmitten der »alten, elenden Zeit«:

DER WELTFREUND

> »Daß wir dereinst uns finden
> In den Gefühlen ohne Sprung,
> Durch uns in uns verschwinden,
> Und Schwung sind, nichts als Schwung
> Und Lieb' und jagende Begeisterung.«
>
> *(Ein geistliches Lied)*

Werfels sprachkünstlerische Gestaltung – wie auch die vieler anderer expressionistischer Dichter – ist gekennzeichnet durch ein überwogendes moralisches Pathos. In den Romanen, in Handlung umgesetzt, wird das humanitäre Wollen jedoch versachlicht, gewinnt es konkrete Überzeugungskraft.

Die Novelle *Nicht der Mörder, der Ermordete ist schuldig* (1920) verlegt das im Expressionismus beliebte Motiv vom Sohn-Vater-Konflikt, der auch als Gegensatz zwischen dem »alten und neuen Menschen« empfunden wird, in eine österreichische Offiziersfamilie.

In dem Roman *Die Geschwister von Neapel* (1931) schildert Werfel an einem süditalienischen Beispiel eine strenge und starre väterliche Familienherrschaft und ihren Zusammenbruch. – *Der veruntreute Himmel* (1939) zeigt das »trügerisch glückhafte Tauschgeschäft, das die Herrschaftsköchin Linek mit der ewigen Seligkeit abzuschließen vermeint, indem sie ihrem Tunichtgut von Neffen die Priesterlaufbahn finanziert«. Sie wird betrogen, ihrer Hoffnung beraubt. Aber nachdem sie erkannt hat, daß man den Himmel nicht durch Berechnung erobern, die Gnade nicht erzwingen kann, findet auch sie Erlösung. Der Papst betet für die arme Magd, die bei einer Pilgerfahrt während der Audienz ohnmächtig zusammenbricht.

Werfel wollte hier und in seinen anderen Werken die »höchstmögliche Form moderner Epik« erreichen: »Die mystischen Grundtatsachen des Geisterreiches (Weltschöpfung, Sündenfall, Inkarnation, Auferstehung usw.) – dargestellt mittels des verschlagen-bescheidensten Realismus in unauffälligen Geschehnissen und Figuren des gegenwärtigen Alltags.«

Werfel wurde als Sohn eines wohlhabenden Kaufmanns in Prag geboren. Nach dem Studium und der Soldatenzeit im Ersten Weltkrieg ließ sich der Dichter in Wien nieder, wo er 1938 beim »Anschluß« nur mit knapper Not dem nationalsozialistischen Terrorregime entfliehen konnte. Ähnlich erging es ihm beim Einmarsch der Deutschen in Frankreich. Auch hier gelang die Flucht nach den USA im letzten Augenblick. Auf Grund eines Gelübdes schrieb Werfel zum Dank für seine Errettung die Chronik des Wunders von Lourdes, *Das Lied von Bernadette* (1941). – Werfel erwies sich als ungemein produktiver Dichter. Unter seinen Dramen ragen hervor: *Die Troerinnen,* eine freie Übertragung nach Euripides (1915); *Jakobowsky und der Oberst* (1944). Unter seinen weiteren Romanen erzählt *Der Abituriententag* (1928) die Geschichte einer Jugendschuld; *Die vierzig Tage des Musa Dagh* (1933) stellen eine ergreifende Schilderung des heldenhaften Kampfes der Armenier gegen die türkische Ausrottungspolitik dar.

Der letzte Roman Werfels, *Stern der Ungeborenen* (1946), zeigt das pessimistische Zukunftsbild einer ganz der Technik verfallenen Menschheit, die in ihrem Streben nach Perfektion und Zivilisation die eigentlich menschlichen Werte und Aufgaben vergißt.

Um »mystische Grundtatsachen« kreist auch das Werk **Ernst Barlachs** (1870–1938). Im Gegensatz zu Werfel, der im konventionellen, gelegentlich sogar klischeehaften Sprachbereich verbleibt, zeigt der Dichter in einer eigenwilligen, »metapherngeladenen« expressiven Sprache die »menschliche Situation in ihrer Blöße zwischen Himmel und Erde« auf. Barlachs Schaffen ist christlich-protestantisch orientiert; es ist hervorgegangen aus dem Ringen zwischen Glaube und Unglaube, Angst und Hoffnung. »Es war immer noch übervoll von Schwäche, Irren, Maßlosigkeit und Verlorengehen an alles durchsichtig Ungestaltbare, voll Ungegorenheit und doch immer lauterster Hingabe an strömendes Geschehen und schwankende Weile«,

ZWISCHEN HIMMEL UND ERDE

sagt Barlach einmal über einen Abschnitt seines Lebens; dieses Wort
ist für sein ganzes Leben und Werk kennzeichnend geblieben: ein Ahnen und Suchen, ein Fragen ohne sichere Antwort, Gottsehnsucht
und Nachtverzweiflung – die Qual des Lebens, jedoch vom »Hauch
der Unendlichkeit durchweht«.

»Es donnert aus tiefer Ferne, als ob die Himmelsbrust einen verkrochenen
Husten aus einem endlos fernen Winkel ihrer Unergründlichkeit als zähes
Wirbelchen und Balsamstrom der Zeit mitzöge – hört ihr nicht?« heißt es in
Barlachs Drama *Der Graf von Ratzeburg* (Nachlaß), dem bedeutendsten
Werk des Dichters neben *Der tote Tag* (1912), *Der arme Vetter* (1918), *Die
Sündflut* (1924).

»Ich habe keinen Gott, aber Gott hat mich!« sind die letzten Worte des
Grafen Heinrich von Ratzeburg, der sich von dem angestammten Bereich,
der Heimat, den »Geltungen«, dem irdischen Genügen losreißt, um in der
Suche nach Gott sein einziges Genügen zu finden. »Iß das herrliche Brot der
nie ermattenden Unzufriedenheit.« Heinrich gelangt bis ins Heilige Land, er
trifft Adam und Eva, den gefallenen Engel Marut. Moses auf dem Berge
Sinai, den Asketen Hilarion – immer auf der Suche nach der Wahrheit, nach
der Antwort auf sein beständiges Fragen. Hilarion öffnet ihm den Sinn für
Demut; Heinrich kehrt ins mecklenburgische Land zurück und opfert sich für
seinen Sohn; er endet auf der Richtstätte von Mölln.

Expressionistisches Schaffen und Dichten ergeben einen Drei-

**AUFRUF
UND EMPÖ-
RUNG**

schritt: Erlebnis des Abgründigen – Menschheitsglau-
be als Ausweg und Hoffnung – Aufruf zu Aufruhr und
Empörung gegen die alte Welt, gegen die Mächte der
Vergangenheit, die den Aufstieg des neuen Menschen
zu verhindern suchen. René Schickele (S. 489):

>». . . Verflucht sei, wer beherrschen will.
>Die Sklaven befreien sich!
>Es sind Könige genug in ihrer Mitte,
>Sehnsüchtige Schönheit, Glauben, Sitte
>Und die Gerechtigkeit, die unsre Kränze flicht . . .«

Im Gedicht *Prolog zu jeder kommenden Revolution* von **Rudolf
Leonhard** (1889–1953) heißt es: »Wir stöhnten, wie die Menschheit
in uns schreit, / Jubelten: Menschen! Liebe! und das Donnerwort:
Gerechtigkeit!« Der Aufruf (gleichsam eine »Neue Bergpredigt«)
richtete sich nicht zuletzt an die Arbeiter, die gegen Imperialismus

und Kapitalismus kämpfenden »Kameraden«. Der Weg in die marxistische Ideologie bot sich an. Leonhard, der in den *Spartakus-Sonetten* (1921) eine neue Daseinsordnung herbeisehnte, bekannte sich im Buch *Unsere Republik, Aufsätze und Gedichte* (1951) zur DDR.

In der Pinthus-Anthologie stritt **Johannes R. Becher** (1891–1958) für »Menschheit! Freiheit! Liebe!« und proklamierte den Umsturz. »Noch noch ist's Zeit! / Zur Sammlung! Zum Aufbruch! Zum Marsch! / Zum Schritt zum Flug zum Sprung aus kananitischer Nacht!!! / Noch ist's Zeit – / Mensch Mensch Mensch stehe auf stehe auf!!!« Seine frühe Gedichtsammlung kennzeichnet der Titel *Verfall und Triumph* (1914).

Im Vorwort seines Buches *Ein Mensch unserer Zeit* (1929) berichtet Johannes R. Becher: »Wir jungen Menschen von damals: Leben und Wahrheit wollten wir fressen, ausgehungert, unersättlich waren wir. Was hatte uns diese Welt zu bieten, als wir ungebrochen und kühn darauf lossprangen?! Wir trugen in uns das Bild eines vollkommenen Menschen, das zu verwirklichen wir leidenschaftlich entschlossen waren. Der Krieg platzte in unseren Menschheitstraum. Wir fragten: Was sollen wir tun? Wir griffen ins Nichts, wir sahen das Leere, Grauen innen, Grauen außen. Fragezeichen waren wir, glühende, flammende. Wir selbst: mehr als fragwürdig...«

In den Versen *An alle* (1919) feierte Becher die Russische Oktoberrevolution; im Romanversuch *Lewisite oder der einzig gerechte Krieg* (1926) wandte er sich gegen Imperialismus und Chauvinismus; 1935–1945 leitete er in Rußland die antifaschistische Zeitschrift *Internationale Literatur – Deutsche Blätter*. Als Ausdruck dialektischen Denkens verwendete er zunehmend die strenge Form des Sonetts (u. a. *Gesammelte Sonette 1935 bis 1938,* 1939), womit sich die Disziplinierung seiner expressiven Sprache durchsetzte. Das Hineinfinden in die Normen des Sozialismus-Kommunismus war die wesentliche Forderung seiner theoretischen Schriften (u. a. *Poetische Konfession; Macht der Poesie,* 1954/55), so daß er ein maßgeblicher Mentor der DDR-Literatur wurde. Das Kämpferische der Frühzeit setzte sich in ideologischen Bahnen fort und äußerte sich vor allem in der Aversion gegen das konservative Bürgertum.

Ein elementarer Zusammenhang bestand mit der marxistischen »Arbeiterdichtung«. Die oftmals geringe gestalterische Qualität erschien belanglos in Anbetracht des gemeinsamen politischen Zieles. Zum Umkreis J. R. Bechers gehörten zahlreiche (literarisch periphere) Autoren der Arbeiterschaft. Die größte Geltung erlangte nachträglich **Hans Marchwitza** (1890–1965), der in den Romanen *Sturm auf Essen* (1930), *Schlacht vor Kohle* (1931) und *Walzwerk* (1932) den Arbeiterkampf im Ruhrgebiet schilderte und in einer Romantrilogie (*Die Kumiaks, Die Heimkehr der Kumiaks, Die Kumiaks und ihre Kinder*, 1934, 1952 u. 1959) von der Not und dem Elend der aus dem Osten zugezogenen Wanderarbeiter berichtete, voller Hoffnung auf den sozialistischen Staat der DDR. Der Roman *Roheisen* (1959) über die Errichtung eines Hüttenkombinats entspricht dem Typus sozialistischer »Aufbau-Literatur«. Der stark akzentuierte Optimismus gründet sich auf dem Vergleich zwischen dem kapitalistischen Einst und dem kommunistischen Jetzt.

Soziale Aspekte spielten auch bei denjenigen Autoren mit, die ihre politische Eigenständigkeit behaupteten. Die Idee des Umsturzes lief auf eine Neuordnung im Geiste des Liberalismus und Pazifismus hinaus – mit starken Widerständen gegen das rückschrittliche Bürgertum und dessen nationalistische Tendenzen. Ein Beispiel dafür ist **René Schickele** (1883–1940), der in dem Essay-Roman *Die Flaschenpost* (1937, geschrieben im französischen Exil) noch einmal und nun resignierend das Ideal humaner Menschheitsgesinnung aufleuchten ließ, zuvor (als gebürtiger Elsässer) für eine deutsch-französische Konkordanz eingetreten war und anfangs in der Anthologie von Pinthus zur Revolution aufgerufen hatte.

In seinem frühen Schauspiel *Hans im Schnakenloch* (1916) fällt der aus seinem Konflikt zwischen Deutschtum und Franzosentum ins französische Heer geflüchtete Elsässer im Krieg. Um eine friedliche, gewaltlose Lösung geht es in seiner Romantrilogie *Das Erbe am Rhein* mit den Teilen *Maria Capponi* (1925; der Erzähler steht zwischen einer deutschen und französischen Frau), *Blick auf die Vogesen* (1927; der Konflikt spaltet die Familie) und *Der Wolf in der Hürde* (1931; im Glauben an das Wirken des Völkerbundes wird eine Lösung erhofft). »Ich weiß: Der Mensch, bisher das traurigste der Tiere, hat seine Lage erkannt, und nichts wird ihn hindern, für seine Befreiung einen Ruck zu tun, wie die Geschichte noch keinen vermerkt hat.«

Ein Verfechter der aus dem Naturalismus aufsteigenden literarischen Revolutionsstimmung ist **Frank Wedekind** (1864–1918) gewesen. Wie alle späteren Expressionisten gibt er sich satirisch, ironisch, aggressiv und antibürgerlich. Er war Mitglied der »Elf Scharfrichter«, eines der ersten literarischen Kabaretts in Deutschland neben Ernst

von Wolzogens »Überbrettl«. In seinen Dramen zeigt der Dichter ein
ungeschminktes Bild menschlicher Niedertracht, Grausamkeit und
Gemeinheit. Dabei überzeichnet er den Menschen bis zur Fratze.
Auf der anderen Seite preist er den »großen Kraftmenschen«, den
Intuition und Instinkt leiten.

 Die jungen, revolutionär und oppositionell eingestellten Künstler, die von der Saturiertheit und Oberflächlichkeit der bürgerlichen
VERHERRLI-
CHUNG DES
EROS Gesellschaft sich lösten, sahen im Zustand des Bohemien die eigentliche Freiheit des neuen Menschen. In
Schwabing, dem Künstlerviertel Münchens, ließ sich
Frank Wedekind 1908 als Schriftsteller und Schauspieler nieder. Bald wirkte er zusammen mit seinen Gesinnungsgenossen
als Kabarettist, Satiriker (am *Simplicissimus*) und Dramatiker; ein
ausgesprochener Bürgerschreck, immer wieder bemüht, den verlogenen, prüden und heuchlerischen Zustand der Gesellschaft (die Lebenslüge) anzuprangern und die Freiheit des ungebundenen Lebens
dagegen auszuspielen. Sie lief für ihn in der Dichtung (wie im Privat-
leben, vor allem was seine Pariser Jahre betrifft) auf sexuelle Freizügigkeit und Verherrlichung des Eros hinaus. Das »neue Ethos« von
Schönheit, Gesundheit, »gewissenloser Lebenskraft« verweist deutlich auf die Revolutionäre des Sturm und Drang, im besonderen auf
Heinse: »Das Fleisch hat seinen eigenen Geist!« – »Das wahre Tier,
das wilde, schöne Tier, / Das – meine Damen! – seh'n Sie nur bei
mir«: diese Worte setzte Wedekind seinen Dramen voraus.

Frühlings Erwachen (1891), dem »vermummten Herrn« (dem geheimnisvollen Leben) gewidmet, prangert die verlogene und verbogene Erziehung an,
die den jungen Menschen die »Aufklärung« schuldig bleibt. Der eine der
beiden Gymnasiasten, deren Pubertätswirren im Mittelpunkt des Stückes
stehen, erschießt sich. Der andere kommt wegen sittlicher Verfehlung in eine
Erziehungsanstalt. Wendla, die Freundin, die ein Kind erwartet, wird auf
Anstiften der Mutter von einer Frau »auf Bleichsucht« behandelt und stirbt
an der versuchten Abtreibung.
 Erdgeist (*Lulu* und *Die Büchse der Pandora* umfassend, 1893/94) kreist um
die Gestalt einer Dirne mit der »Kindereinfalt des Lasters«, der ein Mann
nach dem andern verfällt, bis sie selbst das Opfer eines Lustmörders wird.
»In meiner Lulu suchte ich ein Prachtexemplar von Weib zu zeichnen, wie es
entsteht, wenn ein von der Natur reich begabtes Geschöpf, sei es auch aus der
Hefe des Volkes entsprungen, in einer Umgebung von Männern, denen es an
Mutterwitz weit überlegen ist, zu schrankenloser Entfaltung gelangt.« Dar-

über hinaus ist »Lulu« in metaphysischem Sinne die Geschichte einer Verlorenen und Dahingetriebenen, die (nach einem Wort von Karl Kraus) erst im Jenseits die Augen aufschlagen wird.

Der Marquis von Keith (1901) zeigt das Leben als »Rutschbahn«. Der Spekulant und Hochstapler, Genußmensch und Verführer Keith weiß das Leben zu genießen; aber er macht bankrott. Die Freundin ertränkt sich in der Isar; er, der oben war, ist jetzt unten. Doch er legt den Revolver, den er schon in der Hand hält, grinsend wieder weg und beschließt weiterzuleben.

Hier wie in den anderen Dramen überwiegt die Schilderung des Bösen, dem der Dichter, verführt von der Strahlkraft des gewissenlosen, freien, lustbetonten starken Lebens, stellenweise verfällt, freilich immer im Kampf mit dem moralischen Gebot, das ihn im Innersten bewegt.

Im Gefolge Wedekinds, zugleich aber im allgemeinen Zeitsinne (unter dem Einfluß der Freudschen Psychoanalyse und der französischen, russischen, skandinavischen, englischen zeitgenössischen Literatur – Strindbergs und Joycens im besonderen), macht sich eine zunehmende Beschäftigung mit Fragen des Sexus und Eros, der Beziehung von Mann und Frau, der Ehe und Familie bemerkbar. Das Interesse an sexuellen Problemen wie ihre Einschätzung als wesentliche und entscheidende Triebkräfte menschlicher Existenz und damit des Lebens schlechthin sind Kennzeichen der Moderne überhaupt, finden sich gleich stark in allen Strömungen und Richtungen (in den Romanen Heinrich Manns wie denen seines Bruders Thomas, bei Zweig, Schnitzler, Musil, Broch, Brecht, bei Jahnn, Kafka – vor allem auch bei Benn und als Thema moderner Lyrik).

DEUTUNG
DES EROS

Dem Expressionismus steht **Ferdinand Bruckner** (1891–1960; eigentlich Theodor Tagger) nahe. Er gibt Sexualpathologie in den Dramen *Krankheit der Jugend* (1926); *Die Kreatur* (1930). In seinem Welterfolgsstück *Elisabeth von England* (1930; Simultanbühne mit zwei Schauplätzen) werden die Beziehungen der englischen Königin zu Essex und ihre Kämpfe mit Philipp II. im Sinne einer »dramatischen Psychoanalyse« interpretiert.

Der Eros, meinte **Eduard Graf von Keyserling** (1855–1918), beherrscht »alle Verhältnisse des menschlichen Daseins, gibt ihm Farbe, kompliziert sie, legt in sie sein beglückendes oder vernichtendes Fieber, wird zur treibenden Kraft des gesellschaftlichen Lebens«.

Darin sind seine Erzählungen und Romane häufig eine Parallele zu
den Dramen Wedekinds, allerdings in sprachlich verhaltener und ge-
milderter Form. Das Erotische verzehrt und zerstört, zugleich aber
vermittelt die Kraft des Triebes das erschütternde, »grandiose« Erlebnis, das aus der Beengtheit der Konvention (Keyserlings Schaffen
spiegelt die Adelsschicht, der er selbst entstammte, mit ihren Stan-
desgeboten, Tabus und Privilegien wider) hinausführt: ins faszinierende Reich der Schönheit und Freiheit.

Im Roman *Beate und Mareile* (1903) verlangt der Mann, der zwischen der
konventionell vornehmen Beate und der triebstarken Künstlerin Mareile
steht, nach dem großen Erlebnis der Liebe. In *Dumala* (1908) gibt eine junge
Frau aus triebhafter Sehnsucht ihren alternden und schwächlichen Gemahl
zugunsten eines Weiberhelden auf. Im Roman *Am Südhang* (1916) bietet
sich die exzentrisch veranlagte Daniela, obgleich sie vom Hauslehrer geliebt
wird, dem jungen Gutsherrn an, damit er vor dem bevorstehenden Duell
»das Glück«, die Liebe, erfahre.
    Dieser Drang zum Eros kennzeichnet zugleich die typisch expressionisti-
sche Haltung der Konvention gegenüber. Die Adelswelt der Romane ist oft
mit stark negativen Farben gezeichnet. Unfreiheit, müde Resignation und
Langeweile lasten auf den Menschen. In den *Fürstinnen* (1917) kommt es
zwischen den Liebenden nie zum offenen, erlösenden Wort, die Sehnsucht
wird von der Etikette erstickt; in den *Bunten Herzen* (1909) steht den gesunden, ungezügelt lebenden Bauernburschen das Bild der adligen Fräulein gegenüber, »die vor Verlangen zittern, draußen umzugehen, und wenn sie hin-
auskommen, nicht atmen können«. Keyserling hat die Morbidität seiner
Welt erkannt, und viele Striche seiner Lebensbilder ähneln der expressionistischen Gesellschaftskritik, die freilich vor allem gegen das Bürgertum gerichtet war.

Der revolutionäre Affekt des Expressionismus wie der ihm naheste-
henden Schriftsteller, die oft genug nur der Tendenz ihrer Werkin-
halte nach zu den Expressionisten gezählt werden können, ist verdichtet in der Kritik am Bürgertum. Dieses
SPIESSER-   wird in seiner Heuchelei, Borniertheit, Rückständig-
SPIEGEL   keit, doppelten Moral und Geschäftstüchtigkeit als das
eigentliche Hindernis auf dem Weg zur politischen, sozialen und
letztlich menschlichen Freiheit empfunden. Die Satire, hinter der die
Klage um den verratenen, unterdrückten »neuen Menschen« steht,
wird zum Angriffsmittel gegen den Spießer, Dichtung zum »Spießer-
spiegel«.

In diesem Sinne ist das ganze Werk von **Heinrich Mann** (1871–1950) zu verstehen, von seinem ersten Roman *Im Schlaraffenland* (1900), der unter dem Einfluß Zolas ein Sittenbild der bürgerlichen Verfallszeit gibt, bis zum *Empfang bei der Welt* (postum 1956), einer »geisterhaften Gesellschaftssatire aus dem Nachlaß, deren Schauplatz überall und nirgends ist« (Thomas Mann).

Heinrich Mann stammte selbst aus einer großbürgerlichen Familie, hat aber – im Gegensatz zu seinem Bruder Thomas – diese Bande früh durchtrennt und sich zu einem kämpferischen sozialen Avantgardismus bekannt. Er wurde in Lübeck als Sohn eines Senators und Großkaufmanns geboren und ließ sich nach langen Wanderjahren und einem Aufenthalt in Italien in München nieder. Die Machtergreifung Hitlers zwang ihn zur Emigration, zuerst in die Tschechoslowakei, dann nach Frankreich und schließlich in die USA.

Im Wilhelminischen Kaiserreich sah Mann die Wurzel des nachfolgenden Unheils: Von »bequemen Anfängen schritten wir zur katastrophalen Vollendung«, heißt es in dem autobiographischen Buch *Ein Zeitalter wird besichtigt* (1945).

Schon sein früher Roman *Professor Unrat* (1905) ist eine Abrechnung mit der leeren Bildungsfassade des Zweiten Reiches. Gezeigt wird die Koketterie des Bildungsphilisters mit dem amoralischen Zustand der Boheme, der Zerfall der Werte am Beispiel eines Schultyrannen, der einer Kleinstadtkurtisane verfällt. Die »ethischen Prinzipien« halten dem Tingeltangel nicht stand.

Mit der Trilogie *Das Kaiserreich* (1925) hat Mann »die Romane der deutschen Gesellschaft im Zeitalter Wilhelms II.« geschrieben: *Der Untertan* (1918) als Roman des Bürgertums; *Die Armen* (1917) als Roman des Proletariats; *Der Kopf* (1925) als Roman der Führer (um Wilhelm II. kreisend).

Das erste Buch ist das gelungenste. Diederich Heßling arbeitet sich aus einfachen Verhältnissen empor. Er ist autoritätsgläubig, ein Anbeter der Macht, national, patriotisch, chauvinistisch, eine rechte Untertanenseele; so kann er Karriere machen. Nach seiner Studentenzeit, in der er ein Mädchen verführt, aber nicht heiratet, »da er als Mutter seiner Kinder eine jungfräuliche Person wünscht«, wird er Fabrikdirektor. Er hält auf Zucht, ist unsozial und tobt über die liberalen Konkurrenten, »die sich nicht entblöden, die Arbeiter am Gewinn zu beteiligen«. Höchstes Idol ist ihm der Kaiser, besonders wohl fühlt er sich bei Richard Wagner: »Schilder und Schwerter, viel rasselndes Blech, kaisertreue Gesinnung! Ha und Heil und hochgehaltenes Banner und die deutsche Eiche: man hätte mitspielen können!«

Wie ein Staat und seine Führung aussehen sollten – die Utopie als Pendant zur Kritik –, gestaltet Mann in einem anderen Werk.

Die Romane *Die Jugend des Königs Henri Quatre* (1935) und *Die Vollendung des Königs Henri Quatre* (1938) preisen einen wahrhaftigen Volkskönig, dessen »Tatkraft Güte wollte«; es ist der Traumwunsch nach einem Reich der Toleranz, Freiheit und Schönheit: »Sehnsucht nach dem neuen Menschen«, verkleidet ins Gewand des historischen Romans.

»Wer überschwenglich haßt, zerstört sein Leben«, hat Mann am Ende seines Lebens einmal geschrieben. Innerhalb seines eigenen Schaffensprozesses und lebenslangen Kampfes mit dem Falschen und Bösartigen, dem Verlogenen und Gemeinen finden sich immer wieder Werke heiter-lebensfreudiger oder leidenschaftlich-lebensgieriger Art. So bekundet *Die kleine Stadt* (1909) – eine Schauspielertruppe stiftet in einem italienischen Ort Verwirrung – das Sehnen des Dichters nach südlicher Harmonie und Sinnenfreude.

Einander sich ohne Scham angehören, die Wollust bejahen, die Verzückungen des Triebes genießen – das kennzeichnet (trotz des tragischen Endes) diesen Roman. Manns »sexuelle Revolution« (vgl. auch *Die Jagd nach Liebe,* 1903; *Zwischen den Rassen,* 1907) wendet sich gegen bigotte Prüderie, schwüle »Plüsch-Sittlichkeit« und die »Keuschheitsideologie« des Spießbürgertums; von der Hochzeitsnacht des »Untertans« heißt es: »Als sie aber schon hinglitt und die Augen schloß, richtete Diederich sich nochmals auf. Eisern stand er vor ihr, ordenbehangen, eisern und blitzend: ›Bevor wir zur Sache selbst schreiten‹, sagte er abgehackt, ›gedenken wir seiner Majestät unseres allergnädigsten Kaisers. Denn die Sache hat den höheren Zweck, daß wir Seiner Majestät Ehre machen und tüchtige Soldaten liefern.‹« Ute, der Heldin in »Die Jagd nach Liebe«, wird entgegengehalten: »Ihr macht aus euch selbst, aus eurem Körper und eurer Seele, ein Kunstwerk, zusammengesetzt aus Brusttönen und Gekreisch, aus Schminke, Atlas auf Pappe gefüttert, aus tragisch wankenden Schritten, aus – ich weiß nicht. Deine Arbeit, deine geliebte Arbeit ist darauf gerichtet, daß du deine gut gewachsenen Glieder der Reihe nach unterbindest und eine echte Empfindung nach der anderen erstickst, bis sie alle absterben. Dafür schraubst du dir Kunstglieder ein und verstellst deine Lunge, dein Hirn und deine Augen zu Kunstempfindungen.«

Auf der anderen Seite verherrlicht Mann die Lebenskraft und Leidenschaft renaissancehafter Vollblutmenschen. Violante von Assy (*Die Göttinnen oder Die drei Romane der Herzogin von Assy,* 1903) ist eine solche Gestalt. Im Geiste einer von moralischen Hemmungen freien Weltanschauung erzogen, widmet sie ihr Leben – nachdem sie sich erst in der Politik (1. Band: *Diana*), dann in den Wissenschaften (2. Band: *Minerva*) zu bewähren suchte – ungestümem Liebesgenuß (3. Band: *Venus*). Naturalistische, impressioni-

stische und expressionistische Stilelemente – »gesteigert durch den südlichen
Sprachrausch d'Annunzios« – sind in einer kolportagehaften Erzählung »des
prickelnden Reizes und der nervösen Sensation« miteinander verbunden.
(Hans Schwerte)

Heinrich Manns Generationsgefährte **Carl Sternheim** (1878–1942)
stammte wie jener aus großbürgerlichen Verhältnissen (Sohn eines
Leipziger Bankiers); in seiner Abneigung gegenüber
dem Zweiten Reich läßt er versöhnliche Züge vollends
vermissen. Er fühlt sich als »Arzt der Zeit«; doch ist
ihm die Diagnose wichtiger als die Therapie; er seziert
mit unbarmherziger Sprache. Seine Stücke sind anato-
mische Präparate, human ausgelaugt, mit beißendem Witz eingefärbt.

AUS DEM
BÜRGERLI-
CHEN HEL-
DENLEBEN

»In meinem Stück«, meinte Sternheim zu *Die Hose* (1911), »verliert ein Bür-
gerweib die Hose, und von nichts als dieser banalen Szene spricht man in
kahlem Deutsch auf der Bühne«. Aber das Besondere daran ist: Die Frau,
der das Mißgeschick widerfuhr, hat einen Beamten zum Gatten; die Hose
wird coram publico verloren, was die Karriere des Beamten gefährdet. Luise
Maske, von der ihr Mann Theobald einst mochte, daß sie »träume«, ist von
diesem ganz aufs Gehorchen abgerichtet worden; im starren Ordnungssy-
stem flattern noch ein paar sentimentale Hoffnungen, die von den Untermie-
tern, dem auf eine künstlerische Surrogatwelt fixierten, Nietzsche nachei-
fernden Frank Scarron und dem schwächlichen, in Romantizismen flüchtenden Friseur Benjamin Mandelstam, ausgenutzt werden. Theobald Maskes
Welt ist eine »heile Welt« – nach einem Seitensprung mit der Nachbarin beschließt er, seiner Frau ein Kind zu machen, damit deutsche Mannesart sich
fortpflanze. »Hat man seine Stübchen. Da ist einem alles bekannt, nacheinander hinzugekommen, lieb und wert geworden. Muß man fürchten, unsere
Uhr speit Feuer, der Vogel stürzt sich aus dem Käfig gierig auf den Hund?
Nein. Es schlägt sechs, wenn es wie seit dreitausend Jahren sechs ist. Das
nenne ich Ordnung. Das liebt man, ist man selbst.«

Diese Komödie leitete eine Reihe von gesellschaftskritischen Dramen ein, die Sternheim später unter dem Sammeltitel *Aus dem bürgerlichen Heldenleben* zusammenfaßte (*Bürger Schippel,* 1913; *Der
Snob,* 1914).

Gegen den Adel und seine Vorherrschaft in der Gesellschaft wendet sich **Fritz von Unruh** (1885–1970). Ihm fehlt die kalte, sezieren-
de Art der Sternheim, Musil, Broch; er ist expressiv bewegt, eksta-

GEGEN DIE
KASERNEN
DER MACHT
tisch, zerrissen. Selbst aus einer altpreußischen Offiziersfamilie stammend, hat er die preußische Aristokratie, den Militäradel mit seinem dynastisch-konser-
vativen Weltbild und die ihm anhängenden bürgerlichen Schichten als »Gespenster« angeprangert und ihren verderblichen Einfluß aufgezeigt. Seine Tragödie *Ein Geschlecht* (1917) greift
besonders den Militarismus an. In der Gestalt der Mutter werden die
Kräfte des Mütterlichen gegen die zerstörenden Kräfte des Krieges
beschworen. Unruh verkündet den Kampf gegen die »Kasernen der
Macht«; er hofft auf eine Wiedergeburt der »Brüderschaft der Liebenden«. In vielen anderen Dramen, Vorträgen und Artikeln (mit oft
wechselnder Qualität) folgt Unruh dem expressionistischen Programm von »Aufruf und Empörung« gegen den Krieg, der »sinnlos
zerschlägt und in die Gräber schleift«.

Die Antikriegs-Literatur ging im wesentlichen aus der Schlußphase des Ersten Weltkrieges hervor. **Reinhard Goering** (1887–1936) zeigte in dem Drama *Seeschlacht* (1917) das hoffnungslose Eingereihtsein des Soldaten in die
Kriegsmaschinerie; weder Pflichterfüllung noch Meuterei versprechen einen
Ausweg; die Matrosen sehen als machtloses Kollektiv dem Verhängnis entgegen. Walter Hasenclever (S. 482) proklamierte in seiner Bearbeitung der
Sophokleischen *Antigone* (1917) den Widerstand gegen den Krieg, nachdem
er schon in den ersten Gedichten, *Der Jüngling* (1913), und im Schauspiel
Der Sohn (1914) die Jugend zum eigenwilligen und revolutionären Handeln
aufgerufen hatte. **Leonhard Frank** (1882–1961) schrieb als »direkt wirkendes
Manifest gegen den Kriegsgeist« fünf Novellen, *Der Mensch ist gut* (1917), in
denen er Beispiele der Einsicht und Friedensbereitschaft gab. Später trat er
mit antibürgerlichen, zuweilen klassenkämpferischen Romanen und Dramen hervor (*Der Bürger*, 1924; *Das Ochsenfurter Männerquartett*, 1927; *Karl
und Anna*, 1927).

Neben **Ludwig Renns** (1889–1979) Roman *Krieg* (1928) erwies sich
vor allem *Im Westen nichts Neues* (1929) von **Erich Maria Remar-
que** (1898–1970) als ein ergreifendes Werk der Anklage gegen die
Unmenschlichkeit des Krieges und die Verantwortungslosigkeit der
»Kriegsherren« – von konservativen Kreisen erbittert bekämpft. Die
Sinnlosigkeit des »Opfergangs« wird aufgezeigt.

»Mögen die Monate und Jahre kommen, sie nehmen mir nichts mehr, sie
können mir nichts mehr nehmen. Ich bin so allein und so ohne Erwartung,
daß ich ihnen entgegensehen kann ohne Furcht. Das Leben, das mich durch

diese Jahre trug, ist noch in meinen Händen und Augen. Ob ich es überwunden habe, weiß ich nicht. Aber so lange es da ist, wird es sich seinen Weg suchen, mag dieses, das in mir ›Ich‹ sagt, wollen oder nicht…

Er fiel im Oktober 1918, an einem Tage, der so ruhig und still war an der ganzen Front, daß der Heeresbericht sich nur auf den Satz beschränkte, im Westen sei nichts Neues zu melden.

Er war vornübergesunken und lag wie schlafend an der Erde. Als man ihn umdrehte, sah man, daß er sich nicht lange gequält haben konnte –; sein Gesicht hatte einen so gefaßten Ausdruck, als wäre er beinahe zufrieden damit, daß es so gekommen war.«

In dem Roman *Der Streit um den Sergeanten Grischa* (1927) schildert **Arnold Zweig** (1887–1968), wie aus einem Gefangenenlager weit hinter der Ostfront der russische Sergeant Grischa ausbricht, weil er heim zu seiner Familie will, nach der er sich inständig sehnt. Er stößt auf eine Partisanengruppe und gibt sich – als er dort erneut in die Hände der Deutschen fällt – als Überläufer aus. Er soll erschossen werden, da er sich schon nach drei Tagen hätte melden müssen, seiner eigenen Aussage nach aber bereits mehrere Wochen im Hinterland verbracht hat. Nun entdeckt er sich; seine Personalien werden nachgeprüft, und sein Status als der eines entflohenen Kriegsgefangenen wird bestätigt. Er soll dementsprechend abgeurteilt werden. Doch befiehlt General Schieffenzahn (gemeint ist Ludendorff) die Erschießung des Sergeanten, da er es aus politischen Gründen und um die Disziplin zu festigen für günstig hält. Wochenlang geht der Streit um den Sergeanten Grischa, denn die Militärgerichtsbarkeit weigert sich zunächst, ohne juristische Begründung den erlassenen Erschießungsbefehl zu bestätigen. Doch schließlich handelt der Oberbefehlshaber eigenmächtig, indem er einfach die Erschießung vollziehen läßt.

Der Roman ist das Kernstück einer achtbändigen Zeitkritik unter dem Titel *Der große Krieg der weißen Männer* (mit den Romanen *Junge Frau von 1914*, 1931; *Erziehung vor Verdun*, 1935; *Die Feuerpause*, 1954). Nach seiner Emigration ließ sich Zweig in der DDR nieder und setzte sich für eine Liberalisierung des Kulturlebens ein.

Der nach 1918 durch die Weimarer Republik eingeleiteten Demokratisierung, Humanisierung und Sozialisierung des öffentlichen und politischen Lebens war keine lange Dauer beschieden. Die um Konsolidierung Deutschlands und internationale Verständigung sich

SATIRISCHE
WAFFEN-
GÄNGE

mühenden Politiker wurden vom Gros des Volks, besonders vom Bürgertum, nicht gestützt und unterstützt – wie dieses auch weitgehend allen Bestrebungen von Literatur und Kunst, soweit sie avantgardistisch und dem Neuen offen waren, ablehnend gegenüberstand und damit an den »goldenen zwanziger Jahren« des deutschen Geistes keinen Anteil hatte. Aus provinzieller und nationalistischer Enge heraus feierte das Gestrige, Reaktionäre fröhliche Urständ; das deutsche Bürgertum rutschte wieder nach rechts, schickte sich an »zu erwachen«, dem Untergang entgegen. Die Satiriker, die sich mit den Mitteln des Geistes der Entwicklung entgegenzustellen suchten (unter dem Motto: »Links, wo das Herz schlägt!«), hatten einen schwachen Stand, schwach wie die Demokratie, in der sie wirkten.

Zu seinem Gemälde »Deutschland, ein Wintermärchen« (1919) schreibt George Grosz in seiner Autobiographie: »In der Mitte setzte ich den ewigen deutschen Bürger, dick und ängstlich, an ein leicht schwankendes Tischlein mit Zigarre und Morgenzeitung darauf. Unten stellte ich die drei Stützen der Gesellschaft dar: Militär, Kirche, Schule ... Der Bürger hielt sich krampfhaft an Messer und Gabel fest; die Welt schwankte um ihn; ein Matrose als Symbol der Revolution und eine Prostituierte vervollständigten mein damaliges Bild der Zeit.«

Ein bevorzugter Ort der Großstadtkultur in den Zwanziger Jahren war das Kaffeehaus – nach Hermann Kesten »ein Wartesaal der Poesie«. Hier trafen sich die Schriftsteller, Feuilletonisten, Kritiker, Stadtpoeten, die von rechter Seite als »Asphaltliteraten« abgewertet wurden; die Bohemiens kamen dorthin, die Maler, Schauspieler, Schauspielerinnen, die Theater- und Filmregisseure, die Stars und Sternchen aller Sparten. Im »Romanischen Café« in Berlin, an der Ecke Tauentzien-/Budapester Straße, in der Nähe der Gedächtniskirche, hatten die Maler ihren eigenen Tisch mit Max Slevogt als »Vorsitzendem«, ebenso die Dadaisten. Das Kaffeehaus war der Ort, von dem die neuesten Strömungen ausgingen; man dachte dort à la mode und brachte die frappierendsten Attitüden hervor.

DICHTER IM
CAFÉ

Alle kamen ins »Café des Westens«, schreibt Kesten in seinen Erinnerungen *Dichter im Café* (1959). »Und viele hatten Kredit beim Geschäftsführer Hahn oder beim Oberkellner Franz oder beim buckligen, rothaarigen Zeitungsträger Richard, dem ›roten Richard‹... Die Kellner vom ›Café Größenwahn‹ wirkten lebendiger als die Literaten.« Die Atmosphäre des Kaffeehauses war eine Mischung aus Weltschmerz und Lebensfreude; in euphorischen Diskussionen wurden gegenwärtige und zukünftige Perspektiven be- und zerredet; die Kaffeehausliteraten fühlten sich am Nabel der Welt; das Kaffeehaus war eine literarische Karawanserei. Man nahm Inspirationen aus Ost und West und inspirierte seinerseits die halbe Welt. »In jenen Jahren war die Literatur freier als je in Deutschland. Es wohnten Hunderte Literaten in Berlin. Ausländische Schriftsteller kamen aus aller Welt. Die Berliner Theater, Zeitungen, Zeitschriften, Verlage, Universitäten, Museen, Kunsthandlungen und die Filmindustrie florierten.«

Dem München der zwanziger Jahre hielt **Lion Feuchtwanger** (1884–1958) mit seinem Roman *Erfolg* (1930) den Spiegel vor: »Weißblau mit Hakenkreuz.« Seine ironischen Hiebe treffen nicht nur Zivilisations- und Großstadtdekadenz, sondern auch die »kleinbürgerlichen Schändlichkeiten des flachen Landes«, wobei seine Satire wesentlich aggressiver ist als die Ludwig Thomas.

»Ignaz Mooshuber, Ökonom in Rainmochingen, wurde geboren ebenda als Sohn der Ökonomenseheleute Michael und Maria Mooshuber. Er besuchte 7 Jahre die Schule in Rainmochingen, lernte Lesen, auch einiges Schreiben. Er diente beim Militär, übernahm dann den kleinen väterlichen Bauernhof. Er besaß in der Blütezeit seiner Jahre 4 Pferde, 2 Pflüge, 1 Frau, 4 eheliche, 3 uneheliche Kinder, 1 Bibel, 1 Katechismus, 1 Christkatholischen Bauernkalender, 3 Heiligenbilder, 1 Öldruck, darstellend König Ludwig II., 1 Photographie, darstellend ihn selber beim Militär, 1 Zentrifuge zur Butterbereitung, 7 Schweine, einige Schlingen und Fallen fürs Wild, 1 Sparkassenbuch, 3 Truhen, gefüllt mit Inflationsbanknoten, 23 Nähmaschinen, die er erworben hatte, um einiges von diesem Inflationsgeld in Sachwerten anzulegen, 2 Fahrräder, 1 Grammophon. Insgesamt 204mal stieg er durchs Fenster in eine Mädchenkammer. Es ließen sich im Zusammenhang mit ihm 14mal Mädchen beziehungsweise Frauen die keimende Frucht abtreiben. Er wurde 9mal verwundet, davon 3mal durch Messer in Privathäusern, 2mal durch Kugeln im Krieg, 4mal durch zerbrochene Bierkrüge im Wirtshaus. Er nahm 9mal im Jahr ein Fußbad, 2mal ein Vollbad. Er trank 2137 Liter Wasser und 47812 Liter Bier. Er schwor 17 Eide, darunter 9 bewußt falsche, wobei er 3 Finger der linken Hand einbog, was ihn der landläufigen Meinung zufolge der Verantwortung Gott und den Menschen gegenüber enthob.«

Hermann Kestens (geb. 1900) bissig-zeitkritische Werke (darunter *Josef sucht die Freiheit*, 1927; *Glückliche Menschen*, 1931; *Der Schar-*

latan, 1932; *Die Kinder von Guernika,* 1939; *Die Zwillinge von Nürnberg,* 1947) waren bei denjenigen, die sich getroffen fühlen mußten, als »Dekadenzliteratur« verschrien. Er löckte wider den Stachel, weil er die »rücksichtslosen Apostel der Freiheit, die Bekenner der Wahrheit, die Feinde der Konventionen, die Schöpfer neuer Verfassungen, die Freunde der Menschheit, besonders die lachenden Spötter, aber auch die Gerechten und die großen Geschichtenerzähler, die in die Menschen verliebt sind«, schätzte (*Meine Freunde, die Poeten,* 1959).

Kestens satirische Begabung zeigt sich besonders in seinem aphoristisch zugespitzten Stil: »Laß die Erde zu neun Zehntel versinken, die Überlebenden werden sich bald beruhigen.« »Die Roß' waren gute Menschen, man nennt diese Menschen ganz gut, in der richtigen Erkenntnis, daß es schlimmere gibt.« »Sie zahlen ihre Steuern pünktlich und etwas zu niedrig.« »Ich will ein mittelmäßiger Mensch sein, ein mittelmäßiges Leben führen, ein Auskommen haben statt eines Vermögens, einen Verkehr statt Liebe, einen Stammtisch statt einer Familie, einen guten Ruf statt eines Ruhms, eine Stellung statt einer Position, mein Leben darf würdelos werden, nur nicht unglücklich.«

Von **Erich Kästner** (1899–1974) sagte Hermann Kesten, daß dieser seine Zeitgenossen, seine Landsleute entlarvt, desavouiert habe (»er zog sie aus und häutete sie, wie Apoll den Marsyas«). Aber statt den Schmerz und die Schläge zu fühlen, fühlten sich seine Leser amüsiert; sie rechneten es ihm hoch an, daß er sie LINKE ME- hoch nehme; es stimmte sie lustig, daß er über sie spot-LANCHOLIE te; selbst die Kinder, die ja so gerne über ihre Erzieher lachen, lachten mit ihm und merkten gar nicht, daß er sie erzog, indem er sie amüsierte und sie so besser und vernünftiger machte. Kästner sei ein Zauberer in Vers und Prosa, ein Sprachzauberer, aber ohne jeden Trick, gewesen – »es seien denn die Vernunft und der Witz, Charme und Grazie, sein Gelächter und seine Melancholie, seine kunstreiche Simplizität und seine schier naive Offenheit, seine moralische Klarheit und seine spöttische Menschenliebe nur die Tricks eines Moralisten gewesen, eines Volksfreundes und Weltpatrioten, der nichts anderes tat, als cultiver son jardin, aber sein Garten war die humane Welt«.

Erich Kästner war ein Dichter der kleinen Freiheit, ein wehmütiger Satiriker und augenzwinkernder Skeptiker. Er glaubte daran, daß die Menschen besser werden könnten, wenn man sie nur oft genug beschimpft, bittet, beleidigt und auslacht. Als er Ende der Zwanziger Jahre zu schreiben begann, sprach er als Vertreter einer Generation, die vom Feierlichen und Ehrwürdigen die Nase voll hatte und statt dessen Gebrauchskultur, Poesie für den Alltag, wünschte. In seinen Gedichtbänden *Herz auf Taille* (1928), *Lärm im Spiegel* (1929), *Ein Mann gibt Auskunft* (1930), *Gesang zwischen den Stühlen* (1932) spricht Kästner vom Leben in der modernen Großstadt, von der Arbeitslosigkeit und der politischen Gleichgültigkeit, von den Enttäuschungen der mißbrauchten Jugend und von der Hilflosigkeit des Individuums.

> »Wir haben der Welt in die Schnauze geguckt,
> anstatt mit Puppen zu spielen.
> Wir haben der Welt auf die Weste gespuckt,
> soweit wir vor Ypern nicht fielen...«

Kästners kabarettistische Lyrik war Seismograph für die Schwingungen, die das bevorstehende Erdbeben einleiteten. Er haßte Ideologien (welcher Art auch immer) und bezeichnete sich selbst als überzeugten Individualisten. In dem Gedicht *Kurzgefaßter Lebenslauf* aus dem Jahre 1930 spricht er davon, daß er sich gerne zwischen alle Stühle setze und an dem Ast säge, auf dem wir säßen. Die Ausweglosigkeit linker Intellektueller in einem Staat, der zunehmend der republikanisch-demokratischen Unterstützung entbehrte, hat Kästner in dem Roman *Fabian* (1931), der im Berlin der dreißiger Jahre kurz vor dem Ausbruch des Dritten Reiches spielt, beschrieben.

Fabian, der unheldische Held (»Geschichte eines Moralisten« lautet der Untertitel des Romans), ist Reklamefachmann; er ist meist arbeitslos und hat so ausreichend Gelegenheit, als resignierender Beobachter das hektische Treiben zu beobachten. Hinsichtlich ihrer Bewohner gleicht die Stadt einem Irrenhaus. »Im Osten residiert das Verbrechen, im Zentrum die Gaunerei, im Norden das Elend, im Westen die Unzucht und in allen Himmelsrichtungen wohnt der Untergang.« Fabian stirbt, als er einen Jungen, der ins Wasser gefallen ist, zu retten versucht. »Der kleine Junge schwamm heulend ans Ufer. Fabian ertrank. Er konnte leider nicht schwimmen.« Er geht unter in einem Fluß, der offensichtlich den Strom der Zeit symbolisieren soll. Dieser Schluß kann noch anders verstanden werden; denn jener, der gerettet werden sollte, ist ein kleiner Junge, ein Kind. Schon vorher läßt Kästner eine andere Figur des Romans sagen: »Lehrer hätte ich werden müssen, nur die Kinder sind für unsere Ideale reif.«

Die Sehnsucht nach der Kindheit war überhaupt ein Leitmotiv Kästners; er schrieb gerne Kinderbücher, z.B. *Emil und die Detektive*

(1928), *Pünktchen und Anton* (1931), *Das fliegende Klassenzimmer*
(1933), *Das doppelte Lottchen* (1949); es war Suche nach dem verlorenen Paradies, Ausdruck einer rückwärts gewandten Utopie.

Robert Neumann (1897–1975), geboren in Wien, 1934 nach England emigriert, teilte die Skepsis und den Pessimismus Kästners und schrieb dagegen
mit seinen kritisch-scharfen, gewitzten literarischen Parodien an: *Mit fremder Feder* (2 Bde. 1927 u. 1955); *Unter falscher Flagge* (1932). Es sind ironische Enthüllungen, denen – nach einem Kritikerwort – »dieselbe, manchmal
fast tödlich wirkende Qualität« zukommt, »die Max Liebermann meinte, als
er von Bildnissen sprach, die viel ähnlicher seien als die Originale«.

Satirisches und Lyrisches kennzeichnen auch das Werk von **Kurt Tucholsky** (1890–1935). »Hier ruht ein goldenes Herz und eine eiserne
Schnauze, gute Nacht!« wollte er auf seinem Grabstein haben. Im
Nachwort seines Buches *Deutschland über alles* (1929) heißt es: »Nun
haben wir auf 225 Seiten Nein gesagt, Nein aus Mitleid und Nein aus
Liebe, Nein aus Haß und Nein aus Leidenschaft – und nun wollen wir
auch einmal sagen: Ja – zu der Landschaft und zu dem Land Deutschland.«
    Unter vier Pseudonymen (nämlich Peter Panter, Theobald Tiger,
Ignaz Wrobel und Kaspar Hauser) schrieb er sich seine Liebe und
Enttäuschungen, Frustrationen und Aggressionen vom Herzen – vor
allem in der *Schaubühne*, der späteren *Weltbühne*, einer Wochenschrift, die er, gemeinsam mit **Siegfried Jacobsohn** (1881–1926) und
nach dessen Tod mit dem späteren Friedensnobelpreisträger und
Opfer des nationalsozialistischen Terrors **Carl von Ossietzky** (1889–
1938), zu einem der wirksamsten publizistischen Organe in der Weimarer Republik machte. Das Programm der Zeitschrift aus dem Jahre 1919 gleicht einem Panorama der Geisteslandschaft der zwanziger
Jahre; es zeichnet das Psychogramm einer Republik ohne Republikaner.

»Politik kann man in diesem Lande definieren als die Durchsetzung wirt-
schaftlicher Zwecke mit Hilfe der Gesetzgebung. Die Politik war bei uns eine
Sache des Sitzfleisches, nicht des Geistes ... Der Diplomat alter Schule hatte
abgewirtschaftet ... nun sollte der Kaufmann an seine Stelle treten ... Eine
wilde Überschätzung des Wirtschaftlichen hob an. Feudale und Händler
raufen sich um den Einfluß im Staat, der in Wirklichkeit ihnen beiden unter
der Führung der Geistigen zukommen sollte. Und dazu sollen wir Ja sagen?«

Für Tucholsky war die echte Satire blutreinigend; wer gesundes Blut habe, der habe auch einen reinen Teint. »Was darf die Satire? Alles!« Sein beißender Spott war dabei häufig mit Hochmut vermischt; es fehlte ihm dann das Differenzierungsvermögen; der Pointe zuliebe verkannte er die Solidität demokratischer Kräfte; so spottete er etwa über die Biederkeit Paul Löbes, der als Reichstagspräsident viel dazu getan hatte, der Volksvertretung Würde, Niveau und Leben zu geben: Dieser verrate keine Grundsätze, denn er habe keine; doch besitze er ein goldenes Herz; wenn man an den Mann denke, sähe man immer einen Gesangsvereinsdirigenten vor sich, der das Stöckchen schwinge, während die Mannen bierbeglänzt und hemdsärmelig um ihn herumstünden, die Jacken über dem Arm. In ein solches Gelächter konnten die nationalsozialistischen Rabauken mit einstimmen.

1929 ging Tucholsky nach Schweden, dem Schauplatz seiner feuilletonistischen Liebesgeschichte *Schloß Gripsholm* (1931). 1932, als Carl von Ossietzky eine Gefängnisstrafe antreten mußte, war er in Paris; er kam zu dem Ergebnis, daß es sich nicht lohne, zurückzukehren; er war Deutschland und in manchem auch der *Weltbühne,* die zunehmend kommunistischen Kurs steuerte, zu sehr entfremdet.

Man kann, stellte Tucholsky 1933 richtig fest, nicht einem Volk das Gegenteil von dem predigen, was es in seiner Mehrheit will; so gab er sich und die Republik früher auf, als diese sich selbst.

Im Dezember 1935 nahm sich der Dichter das Leben. Wieder einmal hatte die brutale Wirklichkeit die »linke Melancholie« großstädtischer Kaffeehausliteratur bestätigt: Sensible Denkungsart war dem vom Machtrausch ergriffenen Spießertum nicht gewachsen.

Das Berlin der zwanziger Jahre brachte eine besonders sensible literarische Kleinkunst hervor; die gleichermaßen gefühlvolle wie satirische Prosa und Lyrik stellte eine Art Partitur für die reichhaltig instrumentierte »Großstadtmelodie« dar. **Mascha Kaléko** (1912–1975) war zwar kein Ringelnatz, kein Tucholsky und kein Erich Kästner, aber sie hat in ihren Texten den Ton und das Timbre der Berliner Szene, zwischen Sentimentalität und Schnoddrigkeit hin und her pendelnd, treffend eingefangen. Ihr Revier waren der Reiz der Tiefe und der Hautreiz der Oberfläche, das Sich-einsam-Fühlen, über das sie die Schale kalten Spotts goß, und die Liebe zu den kleinen Dingen und kleinen Menschen.

»Jetzt ruhn auch schon die letzten Großstadthäuser.
Im Tanzpalast ist die Musik verstummt
Bis auf den Boy, der einen Schlager summt.
Und hinter Schenkentüren wird es leiser.

Es schläft der Lärm der Autos und Maschinen,
Und blasse Kinder träumen still vom Glück.
Ein Ehepaar kehrt stumm vom Fest zurück,
Die dürren Schatten zittern auf Gardinen.

Ein Omnibus durchrattert tote Straßen.
Auf kalter Parkbank schnarcht ein Vagabund.
Durch dunkle Tore irrt ein fremder Hund
Und weint um Menschen, die ihn blind vergaßen.

In schwarzen Fetzen hängt die Nacht zerrissen,
Und wer ein Bett hat, ging schon längst zur Ruh.
Jetzt fallen selbst dem Mond die Augen zu ...
Nur Kranke stöhnen wach in ihren Kissen.

Es ist so still, als könnte nichts geschehen.
Jetzt schweigt des Tages Lied vom Kampf ums Brot.
– Nur irgendwo geht einer in den Tod.
Und morgen wird es in der Zeitung stehen ...«

Joachim Ringelnatz, eigentlich Hans Bötticher (1883–1934), Schiffsjunge und Leichtmatrose, dann Freiwilliger in der kaiserlichen Marine und im Ersten Weltkrieg Leutnant zur See (*Mein Leben bis zum
Kriege,* 1931; *Als Mariner im Krieg,* 1928), gelang 1920 der literarische Durchbruch mit den beiden Bänden *Turngedichte* (1920) und
Kuttel Daddeldu (1920). Die Groteskgedichte montieren tradierte literarische Formen und Reminiszenzen, Assoziationen und Zitate,
um den gehobenen poetischen Ton sowie das hohle wilhelminische
Pathos ad absurdum zu führen.

Der 1928 erschienene Gedichtband von Ringelnatz trug den Titel
Allerdings. In seiner durch Understatement charakterisierten Lyrik
der Beiläufigkeit entwickelt der Dichter eine Liebe zum Kleinen und
Unscheinbaren; mit Vehemenz bekämpft er diejenigen, die sich auf-
spielen und mehr sein wollen, als sie sind.

Hans Fallada, eigentlich Rudolf Ditzen (1893–1947), hat in seinen
Büchern vor allem die Inflations- und Arbeitslosenzeit im Stil der

neuen Sachlichkeit, also unverblümt, doch auch mit expressiver Ge-
müthaftigkeit geschildert: *Bauern, Bonzen und Bomben* (1930); *Wer
einmal aus dem Blechnapf frißt* (1934); *Wolf unter Wölfen* (1937). In seinem 1932 erschienenen Roman *Kleiner Mann – was nun?* unternimmt er es, die Härte gesellschaftlicher Bestandsaufnahme »romantisch« zu
mildern; inhaltlich zeigt er, daß das kleine Glück die Möglichkeit bietet, inmitten ökonomischer und politischer Turbulenzen zu tragfähi-
gen »Ruhezonen« zu gelangen. Trotz Arbeitslosenelend und Wirt-
schaftskrise versucht der Angestellte Pinneberg mit »Lämmchen«,
seiner jungen, aus einer klassenbewußten Arbeiterfamilie stammenden Frau, und seinem Kind »Murkel« den Traum vom kleinbürgerlichen Idyll zu verwirklichen. »Ein Buch vom armen, geduldigen kleinen Mann, der zwischen der Not seines bedrückten Lebens und den
Werbungen der Parteien sich an das einzige hält und klammert, was
er als wirklich, als Leben inmitten von all dem Papier und Schwindel
erkennt: an seine Frau, an sein Kind, an sein bißchen bedrohtes
Glück und Menschentum.« (Hermann Hesse)

Fallada, dessen Jugend in die von Untergangsahnungen erfüllten Jahre vor
dem Ersten Weltkrieg fiel, hat in diesem Buch vieles von dem geschildert,
was er aufgrund seiner eigenen Biographie erlebt hatte. Im elterlichen Haus,
der Vater war ein hoher preußischer Beamter, konnte sich das kränkliche
Kind nicht zurechtfinden; mit siebzehn unternahm er einen Selbstmordversuch, als 18jähriger tötete er in einem Duell seinen Freund und verletzte sich
selbst lebensgefährlich; er kam in eine Heilanstalt; nach der Entlassung bestimmten die Eltern, daß er Landwirt werden solle. Er fühlte sich in doppelter Hinsicht verstoßen: aus der Zuneigung der Eltern und aus der bürgerlich
standesgemäßen Umgebung. Mit dreiundzwanzig verfiel er dem Rauschgift,
dann – um von den Drogen loszukommen – dem Alkohol. Vergebliche Ent-
ziehungsversuche folgten. Wegen Unterschlagungen wurde er zu einer Gefängnisstrafe verurteilt. (Autobiographisch sind die Werke *Damals bei uns
daheim*, 1942; *Der Trinker*, 1950.) »Wir kennen keinen zweiten Lebenslauf,
der die Symptome der Entwurzelung in dieser Ausprägung und Zusammen-
drängung aufwiese.« (Jürgen Manthey)

Im »Vorspiel« des Buches »Kleiner Mann – was nun?« wird berichtet,
wie Pinneberg, als Buchmacher in bescheidener Stellung, und
»Lämmchen«, die schwanger geworden ist, heiraten und trotz äußerster Sparsamkeit kaum den minimalen Lebensunterhalt bestreiten

können. Pinneberg fällt dem Personalabbau zum Opfer, beide ziehen nach Berlin, zur verwitweten Mutter Mia, die dort einen Zirkel von Falschspielern und Amüsiermädchen unterhält. Über den Liebhaber seiner Mutter erhält Pinneberg eine Stellung in der Herrenkonfektionsabteilung eines Warenhauses. Auch dort wird er wieder »abgebaut«; die Familie muß in ein Schreberhäuschen vor der Stadt ziehen. Den verwahrlost aussehenden Pinneberg weist ein Polizist eines Tages vom Gehsteig; nun bricht sein Selbstbewußtsein vollends zusammen. Aber die familiäre Geborgenheit gibt noch einmal Halt. Kleiner Mann – was nun? Die Frage bleibt, sozialpsychologisch gesehen, offen; individualpsychologisch betrachtet, läßt Pinneberg mit Hilfe von »Lämmchen« und »Murkel« sich nicht unterkriegen.

»Die Woge steigt und steigt. Es ist der nächtliche Strand zwischen Lehnsahn und Wiek, schon einmal waren die Sterne so nah. Es ist das alte Glück, es ist die alte Liebe. Höher und höher, von der befleckten Erde zu den Sternen. Und dann gehen sie beide ins Haus, in dem der Murkel schläft.«

Der Aufstiegswille Pinnebergs, seine immer wieder scheiternden Versuche, sich eine solide Existenz zu schaffen, sein politisches Denken, die Illusion über seine soziale Lage, die passive Anpassung, die private Anständigkeit und das Beharren auf einem bescheidenen, von außen stark bedrohten Familienglück spiegeln die Situation der Angestellten, die nun zum entscheidenden Faktor geworden waren. Ständig den politischen »Anschlägen« ausgesetzt – die »Plakatwelt« der politischen Indoktrination und Manipulation erreicht in diesen Jahren einen besonderen Höhepunkt –, versucht der kleine Mann, dem zu folgen, was er auf dem »Kompaß zum kleinen Glück« in sich glaubt wahrnehmen zu können. Moral spielt dabei keine oder nur eine untergeordnete Rolle.

»Verfolgt das kleine Unrecht nicht zu sehr, in Bälde
Erfriert es schon von selbst, denn es ist kalt:
Bedenkt das Dunkel und die große Kälte
In diesem Tale, das von Jammer schallt.
Zieht gen die großen Räuber jetzt zu Felde
Und fällt sie allesamt, und fällt sie bald:
Von ihnen rührt das Dunkel und die Kälte,
Sie machen, daß dies Tal von Jammer schallt.«

In **Bert Brecht** (1898–1956), von dem diese Verse stammen, gipfeln expressive Aufrufs- und Empörungsdichtung wie zeitgeschichtliches Engagement. Er war ein Dichter, der gegen die »großen Räuber« unbeirrt zu Felde zog und dabei zu künstlerischer Vollendung gelangte wie nur wenige andere Dramatiker des 20. Jahrhunderts. Die politische Haltung seiner letzten Lebensjahre (hinsichtlich seines Verhältnisses zu den DDR-Machthabern) ist allerdings umstritten.

Der geborene Augsburger wendet sich früh dem Theater zu und sammelt als Spielleiter Erfahrungen. 1933 flieht er aus Deutschland und kommt nach langer Irrfahrt in die USA. Nach dem Krieg geht er nach Ost-Berlin und wird Leiter des »Berliner Ensembles« im Theater am Schiffbauerdamm. Dort kommt es zu Riesenerfolgen seiner meisten Schauspiele.

Drama und Dramaturgie sind für Brecht etwas anderes als ehedem; er wehrt sich gegen den (wie er sagt) »Seelenkäse« des bürgerlichen Theaters. Die »neue« Bühne soll zu intellektueller, Aufruf zur moralischer und sittlich-sozialer Entscheidung aufrufen. Aktion Unter Verwendung desillusionierender Mittel (offene, rampenlose Bühne, Zwischentexte und -songs, kommentierende Sprecher, Plakate, Anachronismen u. a.) soll der Eindruck von der »Wirklichkeit des Spiels« zerstört werden (»Glotzt nicht so romantisch!«). Das Stück wird zur Parabel, zur Fabel, aus der der Verstand seine Nutzanwendung zu ziehen hat. Die Absicht bestimmt den Dichter, den Zuschauer gefühlsmäßig vom Geschehenen zu distanzieren und ihn von jeder voreiligen Mit-Leidenschaft zu befreien, so daß er um so gründlicher über das Erlebte nachdenken kann. »Da das Publikum ja nicht eingeladen wird, sich in die Fabel wie in einen Fluß zu werfen, um sich hierhin und dorthin unbestimmt treiben zu lassen, müssen die einzelnen Geschehnisse so verknüpft sein, daß die Knoten auffällig werden: die Geschehnisse dürfen sich nicht unmerklich folgen, sondern man muß mit dem Urteil dazwischen kommen können... Die Teile der Fabel sind also sorgfältig gegeneinanderzusetzen, indem ihnen ihre Struktur, eines Stückchens im Stück, gegeben wird.« (*Kleines Organon für das Theater,* 1948) Der »klassischen« Form des Theaters stellt Brecht die »epische« gegenüber. Während jene den Zuschauer in die Bühnenaktion verwickle, seine Aktivität verbrauche, ihm Gefühle ermögliche, ihm zum Erlebnis werde, mache diese den Zuschauer zum Betrachter. Seine mo-

ralische Aktivität werde geweckt, Entscheidungen würden von ihm
erzwungen, er müsse argumentieren und sich um Erkenntnisse bemühen, seinen Verstand in die Waagschale werfen. Diese geistig-mo-
ralische Reaktion des Zuschauers soll die Folge des »Verfremdungs-
effektes« sein, unter dem das Geschehen auf der Bühne zu stehen
habe. Der Schauspieler hat sich so weit von seiner Rolle zu distanzieren, daß er das Pädagogische seines Tuns nicht überspielt. Die Bühne, nun nicht mehr die Welt bedeutend, sondern nur abbildend, verliert ihren Illusionscharakter.

Die Kritik an der bürgerlichen Gesellschaft ist der Grundton von
Brechts Dramen. »Was hilft da Freiheit? Es ist nicht bequem. / Nur
wer im Wohlstand lebt, lebt angenehm«, heißt es ironisch in einem Song der *Dreigroschenoper* (1928), die
durch die Gleichung: Der Räuber als Bürger, der Bürger als Räuber bestimmt ist. Die Frage nach Gut und
Böse wird zusammen mit der sozialen Frage aufgeworfen. Der Dichter wollte Volksstücke für eine »soziale Pädagogik« schaffen.

SOZIALE
PÄDAGOGIK

Dabei greift er auch alte Dramen auf, die er mit sicherem Griff für Aktualität
und Effekt neu bearbeitet (neben der »Dreigroschenoper« nach John Gay
z. B. *Antigone; Coriolan; Der Hofmeister* von Lenz; *Pauken und Trompeten*
von Farquhar). Nach dem Motto »Nehm' jeder sich heraus, was er grad
braucht! Ich selber hab' mir was herausgenommen« (*Sonett zur Neuausgabe
des François Villon*, 1930) übernimmt Brecht auch gern Motive und Einzel-
teile aus anderer Dichtung, was ihm den »bürgerlichen Vorwurf« des Plagiats
einbrachte. Mit ironischen Zitaten und Parodien rückt er der »bürgerlichen
Klassik« zu Leibe, wobei er sich zum Beispiel in der »Heiligen Johanna der
Schlachthöfe« auch an Hölderlin (»Hyperions Schicksalslied«) »vergreift«:

>»Den Preisen nämlich
>War es gegeben, von Notierung zu Notierung zu fallen
>Wie Wasser von Klippe zu Klippe geworfen
>Tief ins Unendliche hinab. Bei Dreißig erst hielten sie.«

Antibürgerlich gemeint sind auch die unverhüllte Aussprache sexueller Dinge, die »beim Namen genannt werden«, sowie die Fülle makabrer Motive
(während der Bürger sich immer das »Hohe«, »Schöne«, »Gute« in der
Kunst wünsche). Die lyrische *Hauspostille* (1927) hat man des »Teufels Ge-
betbuch« genannt. »Alle Vorgänge, Tages- und Jahreszeiten, Ströme des Regens und Wuchern der Wälder, Geburt, Begattung und Tod sind in der pene-
tranten Terminologie der Verwesung geschildert. Da ist nichts fest, hart,

spröd, frisch, unversehrt, alles verschwimmt und verschlammt, zerfließt und zerquillt in Brackwasser, Lauge und fauligem Cocktail.« (H. Lüthy)

Der Satz »Die Wahrheit ist konkret« (jahrelang – auf ein Stück Pappe geschrieben – über seinem Schreibtisch hängend) bestimmte Brecht beim Schreiben; »konkret sein« hieß für ihn »historisieren« – das Theater sollte den Sinn geschichtlicher, sozialgeschichtlicher Vorgänge und Veränderungen enthüllen, im Sinne marxistischer Konzeption durchschauen lehren. Darüber hinaus aber ist Brecht, der eine Schwarz-Weiß-Darstellung zu vermeiden wußte, der Vorstoß zum Allgemein-Menschlichen gelungen (wenn dies auch nicht seiner programmatischen Zielsetzung entsprach): in seiner Lyrik (mit der großartigen Ballade *Legende von der Entstehung des Buches Taoteking auf dem Weg des Laotse in die Emigration*, 1949) und in seinen Stücken.

Brecht beginnt mit kraß-zynischen Versuchen von agitatorischer Wirksamkeit. »Jeder Mann ist der Beste in seiner Haut« heißt es in *Trommeln in der Nacht* (1922). Zu *Im Dickicht der Städte* schreibt der Dichter selbst: »Sie befinden sich im Jahre 1912 in der Stadt Chikago. Sie betrachten den unerklärlichen Ringkampf zweier Menschen und wohnen bei dem Untergang einer Familie, die aus den Savannen in das Dickicht der großen Städte gekommen ist. Zerbrechen Sie sich nicht den Kopf über die Motive des Kampfes, sondern beteiligen Sie sich an den menschlichen Einsätzen, beurteilen Sie unparteiisch die Kampfform der Gegner und lenken Sie Ihr Interesse auf das Finish.«

Dann geht Brecht zu Parabeln über, welche die Niedertracht der Gesellschaft schildern und die immer wiederkehrende Tatsache, daß der einfache, einfältige Mensch unter die Räder gerät. *Mann ist Mann* (1926) zeigt die »Verwandlung des Packers Galy Gay in den Militärbaracken von Kilkoa im Jahre 1925«, d. h. die Entindividualisierung eines Menschen und seine Umnormung für das Kollektiv. In *Die heilige Johanna der Schlachthöfe* (1930) wird die moderne Johanna durch ein Mädchen der Heilsarmee verkörpert, deren Güte und Menschlichkeit man ausnützt, bis sie im Ausbeutermilieu von Chikago zugrunde geht. »In solchen Städten, die von unten brennen / und oben schon gefrieren, reden immer / noch einige von dem und jenem, das / nicht ganz in Ordnung ist.« Das Stück »lehrt«, daß idealistische Humanität ein ungeeignetes Mittel für politisches Handeln darstellt, der Klassenkampf an ihre Stelle zu treten hat.

In der Komödie *Herr Puntila und sein Knecht Matti* (1940), einem in Finnland spielenden Volksstück, ist der Knecht der Proletarier, der Getretene, Geschundene, der Herr Puntila der Ausbund des Bourgeois.

>»Wir zeigen nämlich heute abend hier
Euch ein gewisses vorzeitliches Tier
Estatium possessor, auf deutsch Gutsbesitzer genannt
Welches Tier, als sehr verfressen und ganz unnützlich bekannt
Wo es noch existiert und sich hartnäckig hält
Eine arge Landplage darstellt.«

Allerdings ist Puntila nur ein Leuteschinder, wenn er nüchtern ist, wenn er
betrunken ist, erweist er sich als kraftstrotzender Kerl, der das Herz auf dem
richtigen Fleck hat.

Mit eisiger Schärfe diagnostiziert Brecht die gesellschaftliche Misere:
»Denn wie man sich bettet, so liegt man / es deckt einen keiner da zu /
und wenn einer tritt, dann bin ich es / und wird einer getreten, dann
bist's du!« »Erstens, vergeßt nicht, kommt das Fressen / zweitens
kommt der Liebesakt. / Drittens das Boxen nicht vergessen, / viertens
Saufen, laut Kontrakt. / Vor allem aber achtet scharf / daß man hier
alles dürfen darf.« (*Aufstieg und Fall der Stadt Mahagonny*, 1930)
Im *Verhör des Lukullus* (1939) klagen die Kleinen die Großen an –
die Soldaten, die Mutter, die Braut treten auf. Lediglich einmal tat der
Feldherr Gutes, als er die Kirsche nach Europa brachte.

Das *Leben des Galilei* (1938) macht an historischem Beispiel das
Dilemma und Schicksal eines Naturwissenschaftlers zwischen Freiheit und Zwang, Wissen und Glaube deutlich. In der ersten Fassung
nimmt der Gelehrte bewußt die Schmach des Widerrufs auf sich, um
für die Menschheit weiterarbeiten zu können. (Dem Vorwurf: »Wehe
der Zeit, die keine Helden hat« entgegnet Galilei: »Wehe der Zeit,
die Helden nötig hat«.) In der letzten Fassung, die Brecht nach der
Atombombe von Hiroshima schrieb (»Von heute auf morgen las sich
die Biographie des Begründers der neuen Physik anders«), wird Gali-
leis Widerruf dahingehend interpretiert, daß bei ihm der Leib über
den Geist gesiegt habe: Der Wissenschaftler paßte sich an, wo er tapferen Widerstand hätte leisten müssen.

Von einem starken, aber unaufdringlichen Pazifismus wird Brechts
Chronik aus dem Dreißigjährigen Krieg (nach Motiven von Grim-
melshausen) getragen: *Mutter Courage und ihre Kinder* (1939). Der
Krieg nimmt der Marketenderin die Kinder, die Habe, die Freunde.
Der Krieg geht weiter, und auch sie muß weiter – Rad im Getriebe,
Opfer der Kräfte, die stets ihren Vorteil wahrhaben.

>Mit seinem Glück, seiner Gefahre,
Der Krieg, er zieht sich etwas hin.
Der Krieg, er dauert hundert Jahre,
Der g'meine Mann hat kein Gewinn.
Ein Dreck sein Fraß, sein Rock ein Plunder!
Sein halben Sold stiehlts Regiment.
Jedoch vielleicht geschehn noch Wunder:
Der Feldzug ist noch nicht zu End!
Das Frühjahr kommt! Wach auf, du Christ!
Der Schnee schmilzt weg! Die Toten ruhn!
Und was noch nicht gestorben ist,
Das macht sich auf die Socken nun.<

Als die bedeutsamsten Werke Brechts können *Der Kaukasische Kreide-kreis* (1945) und *Der gute Mensch von Sezuan* (1940) gelten. Zugleich wird hier das Anliegen des Dichters, dem die Bühne moralische Anstalt und politische Arena zugleich war, besonders deutlich.

Im »Kaukasischen Kreidekreis« liebt die Magd Grusche mehr als die leibliche Mutter das ihr von der fliehenden Herrin zurückgelassene Kind. Seinetwegen setzt sie sich Verfolgungen aus. Als man ihr das Kind wieder wegnehmen will – die reiche Dame ist zurückgekehrt, der Revolution ist die Restauration gefolgt, der Richter soll bestochen werden –, verkündet dieser als wahrer Volksrichter das Urteil. Das Kind gehöre derjenigen, die es aus einem Kreidekreis herausreißen kann. Die Magd tut es nicht: »Ich hab's aufgezogen. Soll ich's zerreißen? Ich kann's nicht.« Sie ist die wahre Mutter, und der Richter spricht ihr das Kind zu.

Soziale Revolutionsstimmung durchzieht das Stück. Im Richter Azdak, der auf seltsame Weise zu seinem Posten kommt (ursprünglich war er ein versoffener Dorfschreiber, der aber nun endlich einmal Recht spricht, so daß ihn das Volk nie vergessen wird), kulminiert die Gesellschaftskritik: »Immer war der Richter ein Lump, so soll jetzt ein Lump der Richter sein.« Azdaks Lebensführung ist – wie die aller Brechtschen Protagonisten – »ein von seinem Schöpfer vorgebrachter Protest gegen den alten idealistischen Heldenbegriff und gegen den als Schwindel begriffenen bürgerlichen Ideenkult überhaupt, ein Protest im Namen des chinesischen Glücksgottes gegen die Dämonie des Tragischen.« Damit hängt die Überzeugung zusammen, »daß es die reine Gerechtigkeit nicht gibt, es sei denn als schwindelhafter ideologischer Überbau einer Klassenjustiz, daß also alle Justiz Klassenjustiz sein muß. Darum ist auch der Volksrichter gehalten, parteiische Urteile zu fällen. Urteile zu-

gunsten der Armen und Ausgebeuteten. Es ist deshalb auch nicht erlaubt,
den Begriff der Bestechlichkeit im Sinne einer allgemeinen und abstrakten
Morallehre zu definieren. Man muß ihn ›konkret‹ verstehen, muß ihn ›historisieren‹, in seiner geschichtlichen Bedingtheit präzisieren. Bestechlichkeit
im Fall Azdak bedeutet: Ausbeutung der Ausbeuter oder Expropriation der
Exproprieteure und Begünstigung der Ausgebeuteten. Ein Blick genügt ja
für diesen Richter, um in einem wohlhabenden Kläger vor allem den Besit-
zenden, in einem besitzlosen Angeklagten vor allem den Armen zu erkennen.« (H. E. Holthusen)

In »Der gute Mensch von Sezuan« sind die Götter auf die Erde herab-
gestiegen, um einen guten Menschen ausfindig zu machen. Sie erkennen ihn in Shen Te, dem Freudenmädchen. Als einzige gewährt sie
den Göttern Obdach, und als sie dafür belohnt wird, hilft sie mit ihrem Geld den Armen, wo immer sie kann. Doch Shen Te muß erfahren: »Gute Taten, das bedeutet Ruin. Aber schlechte Taten, das bedeutet gutes Leben.«

Um überhaupt existieren zu können, muß selbst der gute Mensch gelegentlich die Maske des bösen Menschen annehmen. Shen Te verwandelt sich in
ihren Vetter Shui Ta, und in dieser Verkleidung verfolgt sie hart ihre Ziele.
»Ja, ich bin es, Shui Ta und Shen Te, ich bin beides. Euer einstiger Befehl, gut
zu sein und doch zu leben, zerriß mich wie ein Blitz in zwei Hälften. Ich weiß
nicht, wie es kam: gut sein zu andern und zu mir konnte ich nicht zugleich.
Andern und mir zu helfen, war mir zu schwer. Ach, eure Welt ist schwierig!
Zu viel Not, zu viel Verzweiflung! Die Hand, die dem Elenden gereicht wird,
reißt er einem gleich aus! Wer dem Verlorenen hilft, ist selbst verloren!« So
redet Shen Te die Götter an; aber diese ziehen sich aus der Affäre, ohne
einen Rat zu geben. Brechts Stück endet in der resignierenden Einsicht, daß
die Grenze zwischen Gut und Böse schwer zu ziehen ist, da beides im Menschen angelegt sei und die Welt keine eindeutigen moralischen Regeln bereit
halte. »Soll es ein anderer Mensch sein? Oder eine andere Welt? / Vielleicht
nur andere Götter? Oder keine?...« »Den Vorhang zu, und alle Fragen offen.« Der Sprecher wendet sich an das Publikum und fordert es zur »Aktion«
auf:

> »Der einzige Ausweg wär aus diesem Ungemach:
> Sie selber dächten auf der Stelle nach
> Auf welche Weis dem guten Menschen man
> Zu einem guten Ende helfen kann.
> Verehrtes Publikum, los, such dir selbst den Schluß!
> Es muß ein guter da sein, muß, muß, muß!«

Brecht war bis 1978 der meistgespielte Autor auf deutschen Bühnen. Die Theorie seines Theaters schien Zukunftsperspektiven zu eröffnen, war gegen das Konsumverhalten der Wohlstandsgesellschaft gerichtet und hielt ein Instrumentarium bereit, die jüngste Vergangenheit aufzuarbeiten und die Besonderheiten der Industriegesellschaft zu erfassen. Seither gibt es viele kritische Stimmen gegen sein angeblich wirklichkeitsfremdes, die Realität stark vereinfachendes, illusionäres Denken, sein ästhetisch und weltanschaulich zu oberflächliches Material und seine allzu rationalistische, die soziale Determiniertheit des Menschen zu wenig hinterfragende Denkart. Max Frisch prägte das vielzitierte Wort von der »durchschlagenden Wirkungslosigkeit« des »Klassikers Brecht«.

Im Sinne Brechts muß das dichterische Bemühen **Günther Weisenborns** (1902–1969) verstanden werden, eines ausgesprochen sozialkritischen, revolutionären und daher inhaltlich häufig umstrittenen Dramatikers und Erzählers. Sein Schauspiel *Die Mutter* (1931), gemeinsam mit Brecht geschrieben, zurückgehend auf den gleichnamigen Roman von Maxim Gorki, zeigt bereits die starke antibürgerliche, klassenkämpferische Stimmung, die auch seine anderen Werke prägt. In der Tragödie *Babel* (1946) wird gegen das Wirtschaftsmonopol der Kapitalisten (eines südamerikanischen Fleischhändlers) Stellung bezogen, während in dem Stück *Vom Eulenspiegel, vom Federle und von der dicken Pompanne* (1949) ein Vagabund sich als ein Revolutionär für Freiheit und Menschenwürde erweist.

Der zu den erfolgreichsten Schülern Bert Brechts zählende **Peter Hacks** (geb. 1928) nimmt in seinen geschichtskritischen Stücken einen pazifistischen und sozialistischen Standpunkt ein.

BRECHT
UND
DIE
FOLGEN

In der *Eröffnung des indischen Zeitalters* (1954) zeichnet er das Bild der Entdeckung und Eroberung Mittelamerikas; er entwirft eine politische Parabel über Columbus, der ausfährt, um Gerechtigkeit und Wohlstand zu verbreiten, »eine neue Zeit mit der goldenen Angel an Land zu ziehen«, aber an den Eigenmächtigkeiten der Konquistadoren, der kapitalistischen Ausbeuterklasse, scheitert. Die Szenenfolge *Das Volksbuch vom Herzog Ernst oder der Held und sein Gefolge* (1956) ist eine Karikatur des mittelalterlichen Feudalherrn (der Herzog vollbringt gänzlich unnötige Abenteuer auf Kosten seiner Gefolgsleute und steht machtlos und untätig da, als diese sich von ihm abwenden).

Gegen den Nimbus des preußischen Soldatentums und Friedrichs des Großen richten sich die beiden Schauspiele *Die Schlacht bei Lobositz* und *Der Müller von Sanssouci* (1956 und 1958).

Der rücksichtslose Menschenverschleiß in der Schlacht widerlegt das Gerede von den humanen und vaterländischen Idealen. Der Musketier Ulrich Bräker (der selbst auftretende Verfasser der *Lebensgeschichte und natürlichen Abenteuer des armen Mannes im Toggenburg,* 1789, aus der die wichtigsten Teile der Handlung stammen), anfangs noch seinem Leutnant hörig, begreift den Verrat der Aristokratie am kleinen Mann und desertiert. Auch der Müller von Sanssouci ist – wenngleich in einem komödiantischen Spiel – eine exemplarische Figur des mißbrauchten Untertanen. Die bekannte Anekdote ist auf den Kopf gestellt: Der König zwingt den absolut friedfertigen Müller, sich gegen ihn aufzulehnen, damit jene Legende entstehe und zum Nutzen landesväterlicher Popularität in Umlauf komme. – Aus der gleichen Absicht historisch-politischer Kritik schrieb Hacks 1963 eine Neufassung des »Sturm-und-Drang«-Dramas *Die Kindermörderin* von Heinrich Leopold Wagner. (»Das moralische Elend war zum politischen geworden und damit abschaffbar. Die Furcht hatte sich in Mißbilligung gewandelt.«)

    Hacks, der sich auch mit Problemen der sozialistischen Gegenwartsgesellschaft auseinandersetzte (*Die Sorgen und die Macht,* 1960; *Moritz Tassow,* 1961), wurde im Osten wegen seines angeblichen Ästhetizismus und im Westen, weil er der Ausweisung des Liedermachers Wolf Biermann aus der DDR zustimmte, scharf kritisiert; gleichwohl wurde er in der Bundesrepublik und der DDR mehrfach ausgezeichnet.

In Ost-Berlin qualifizierte sich auch **Heiner Müller** (geb. 1929), in ähnlicher Weise mit Zeit- und Gesellschaftskritik beschäftigt (*Die Korrektur,* 1957/58; *Der Bau,* 1963/64) und immer bemüht, eine der Aktualität seiner Stoffe aus der Übergangsepoche zwischen »Eiszeit und Kommune« adäquate Theaterform zu erproben, die Gattungsgrenzen überwindet, Themen sich überlagern und Figuren und Situationen sich vielfach brechen läßt. So entstanden komplexe und vieldeutige Stücke. Gleiches gilt für seine Bearbeitungen antik-klassischer Stoffe (*Philoktet,* 1958–64; *Ödipus, Tyrann,* 1967; *Prometheus,* 1969; *Der Horatier,* 1975).

In »Philoktet« sollen Odysseus und Neoptolemos, Achills Sohn, den Titelhelden, der vor zehn Jahren wegen seiner Wunden auf Lemnos ausgesetzt wurde, und dessen Mannschaft zurückholen, da sonst Troja nicht eingenommen werden kann. Philoktet und Neoptolemos hassen Odysseus; das ganze Stück dreht sich um die schlau wechselnde Überredungskunst des Odysseus, der die Widerstrebenden gegeneinander ausspielt, gefügig macht und das Heer des (nunmehr toten) Philoktet in die Schlacht zurückführt.

Die Auseinandersetzung mit Bert Brecht ist für das zeitgenössische Drama von großer Bedeutung, ganz gleich, ob man ihm anhängt – wie z. B. **Thomas Brasch** (geb. 1945, 1976 von Ost- nach West-Berlin emigriert) mit seinem Schauspiel in zwölf Bildern *Rotter,* einem· »Märchen aus Deutschland« (1977); oder ob man sich NEUE ZEIT- seiner zu erwehren sucht – wie z. B. **Tankred Dorst** STÜCKE (geb. 1925) mit seinen Stücken *Gesellschaft im Herbst* (1959); *Toller. Szenen aus einer deutschen Revolution* (1968) und mit dem Welttheater *Merlin* (1980). Die Absage an Nachahmung und Illusion, die Hinwendung zur Parabolik und die Erprobung neuer dramaturgischer Mittel sind ebenso wie die Thematisierung des Politischen und die Wendung vom privaten Schicksal auf der Bühne weg zum gesellschaftsrelevanten Paradigma wichtige Ergebnisse solcher Auseinandersetzung.

Der Fleischerlehrling Karl Rotter, der vor 1933 einen Selbstmordversuch unternahm, überfällt 1934 mit seinen SA-Kumpanen ein jüdisches Geschäft; seine Impotenz kompensierend, wird er Wehrmachtsausbilder. Nach dem Krieg zum Brigadeleiter aufgerückt, schlägt er sich mit Streikenden herum, verliert seine Frau und wird schließlich als »Held der Arbeit« in den Ruhestand geschickt. Der Dramenschluß führt seinen Tod in zwei Varianten vor.
   Ernst Toller ist zusammen mit Erich Mühsam und Gustav Landauer Mitglied des Münchener provisorischen Revolutions-Zentralrats. Die Revolution wird in Massenszenen mit Arbeitern und Soldaten sichtbar; daneben stehen Schwabinger Kabarettszenen, eine Universitätsrede Landauers und eine Privatlesung aus Tollers »Masse Mensch«. Gegen die idealistischen literarischen Revolutionäre ficht der kommunistische Funktionär Leviné an. Aber beide Richtungen scheitern. Der zweite Teil des Dramas bringt den blutigen Kampf zwischen Weiß- und Rotgardisten. Am Ende bleibt nur Toller übrig, den man als Schriftsteller nicht ernstgenommen und begnadigt hat. Die anderen Mitglieder der Räterepublik werden für schuldig befunden und hingerichtet.

Marieluise Fleißer (1901–74) nahm ihre Heimatstadt, die sie bald als Gefängnis, bald als mythischen Zufluchtsort empfand, zum Modell für den »mit Kleinstadtdumpfheit und· verklemmt-katholischen Vorstellungen geladenen« Schauplatz ihrer Dramen *Fegefeuer in Ingolstadt* (1924) und *Pioniere in Ingolstadt* (1928). Bertolt Brecht verhalf ihr zum Erfolg in Berlin, wo sie sich nach ihrem humanistischen

und theaterwissenschaftlichen Studium in München
(mit Kontakten zu Lion Feuchtwanger und Brecht) bis
1933 aufhielt; dann kehrte sie, mit einem Schreibverbot
durch die Nazis belegt, nach Ingolstadt zurück.

In »Fegefeuer in Ingolstadt« geht es, in Anklang an Wedekinds
»Frühlings Erwachen«, um die von Tabus und Prüderie eingeengte
pubertäre Situation von Jugendlichen, die in ihrem Alleingelassen-
sein religiöse (sadistisch und masochistisch unterlegte) Wahnvorstellungen entwickeln. Das kleinstädtische Milieu stellt sozusagen eine
Verdinglichung der sozial- wie sexual-pathologischen Deformationen
des Spießers und seiner Ideologie dar.

Auf die Frage an Marieluise Fleißer, ob in das Stück »Fegefeuer in Ingolstadt«, das Anfang der zwanziger Jahre spielt, bestimmte Probleme dieser
Generation oder eine bestimmte gesellschaftliche, gar politische Stimmung
dieser Jahre eingegangen seien, antwortete die Dichterin:
»Im Anfang der zwanziger Jahre ist ein Krieg noch gar nicht so lang verloren. Die Illusionen der früheren Generation sind zerstört. Eine Inflation hat
den Vätern den Boden unter den Füßen weggerissen und alle betrogen. Die
jungen Menschen glauben nicht an die Väter. Sie sind in einer religiösen
Erziehung verfangen, aus der sie auszubrechen versuchen. Sie drücken an
gegen einen Druck. Alles Vorgeformte stimmt nicht mehr. Sie können aber
nichts Neues dagegensetzen. Sie suchen sich zu erlösen und können sich nicht
erlösen.
Der Vorsatz zum Heiligwerden ist bei diesem Roelle die Sucht nach einer
persönlichen Übersteigerung und die Antwort darauf, daß man ihn nicht gelten läßt. Roelle und Olga sind von der Gesellschaft ausgestoßen, ohne daß
sie begreifen warum, sie sind eben anders als das Rudel und fordern durch ihr
bloßes So-Sein das Rudel heraus. Roelle und Olga bewegen sich aufeinander
zu, aber sie können sich nicht echt begegnen. Sie können sich nicht einer am
anderen erfüllen, weil ihre Verstörung zu groß ist. So fügen sie einer dem
anderen zu, was man ihnen zugefügt hat, und können aus dem Höllenkreis
nicht heraus. Im Stück handelt es sich um eine unerlöste Gesellschaft, die
tritt, damit sie nicht getreten wird. Im Zustand dieses Unerlöstseins steckt
die Sucht nach einem Erlöser, auf der ein falscher Erlöser und politischer
Rattenfänger später fußen kann.«

»Pioniere in Ingolstadt« zeigt, wie die ängstlich behüteten Tugendbe-
griffe der ländlichen Dienstboten- und kleinbürgerlichen Geschäfts-
welt unter dem Ansturm einer Kompanie Soldaten, die eine Brücke
über die Donau schlagen, in nichts zerstieben. – In der Komödie *Der
starke Stamm* (1946) wird mit Hilfe überlieferter Schwankmotive

(wie Leichenschmaus, Erbschaftsspekulationen, Verhältnis des gealterten Witwers zur jungen Magd) die Rolle der Schwägerin Balbina im Hause des Sattlers Bitterwolf, dessen Frau man eben beerdigt hat, einmal zum Abbild des rigorosen Gewinnstrebens, zum andern zum Nachbild der Mutter Courage, die alles auszunutzen und zu erjagen trachtet, weil sie selbst eine Ausgenützte und Gejagte ist. So gut sie alles meinen mag, es gerät unter gesellschaftlichen Zwängen zum Bösen: »Und ist doch so, daß du die Tür aufreißen möchtest und soviel Verlangen hast in dir drin, daß dir Flügel herauswachsen müßten aus dem, was die andern anschaun für deinen Buckel, wenn eins bloß Augen dafür hätt und hätt an dich noch einen Glauben, aber das gibts ja net auf der beschissenen Welt. Was dich beißt, sind nicht deine Flügel, wo herausstoßen mit aller Gewalt, das bleibt ewig dein Buckel.«

Wie Marieluise Fleißer greift auch **Ödön von Horváth** (1901–38) die geistige Misere der Kleinbürger, welche die wirtschaftliche und politische Krise im Freizeitgenuß verdrängen bzw. im Mief der Provinz zu ersticken drohen, auf.

VOLKS-
STÜCKE
Den Problemen des »Volkes«, das Horváth als sein »Vaterland« bezeichnet, gelten die wichtigsten seiner Dramen. *Italienische Nacht* (1931), *Geschichten aus dem Wienerwald* (1931), *Kasimir und Karoline* (1932) und *Glaube Liebe Hoffnung* (1936) behandeln Themen, die sich unmittelbar Interessen der breiten Masse der Bevölkerung – nicht nur zu Horváths Lebzeiten – zuwenden: Inflation, Weltwirtschaftskrise, Arbeitslosigkeit, Aufkommen des Faschismus und politische Streitigkeiten der bürgerlichen Parteien, Angestelltenmentalität und Kleinbürgerillusionen.

Horváth schrieb »Volksstücke«. In einem Rundfunkinterview 1932 sagte er: »Es hat sich nun durch das Kleinbürgertum eine Zersetzung der eigentlichen Dialekte gebildet, nämlich durch den Bildungsjargon. Um den heutigen Menschen realistisch schildern zu können, muß ich also den Bildungsjargon sprechen lassen. Der Bildungsjargon (und seine Ursachen) fordern aber natürlich zur Kritik heraus – und so entsteht der Dialog des neuen Volksstückes, und damit der Mensch, und damit erst die dramatischen Handlungen – eine Synthese aus Ernst und Ironie. Mit vollem Bewußtsein zerstöre ich nun das alte Volksstück, formal und ethisch – und versuche die neue Form des Volksstückes zu finden. Dabei lehne ich mich mehr an die Tradition der Volkssänger und Volkskomiker an, denn an die Autoren der klassischen Volksstücke.«

Die Demaskierungen, die Horváth auf diese Weise vornimmt, sind voller Mitleid für die geschundene, ausgebeutete, depravierte klein-bürgerliche Kreatur. Er habe nur zwei Dinge, gegen die er schreibe: das seien die Dummheit und die Lüge; und zwei, wofür er eintrete: das seien die Vernunft und die Aufrichtigkeit. Das soziale Engage-ment verstellte dem Dichter aber nicht den »klinischen Blick« für die jeweils präzis-»historisch« fixierten Wirklichkeitsausschnitte, wie sie seine Stücke darstellen. Er bevorzugte dabei nicht die Arbeitsver-hältnisse, sondern die charakteristischen kläglichen Freizeitvergnü-gungen der kleinen Leute: Picknick an der Donau, Oktoberfest, Heuriger, Zoobesuch, Italienische Nacht; sie verdeutlichen auf be-sondere Weise den Verlust, den Menschen erleiden, wenn sie als Hül-sen für Surrogate behandelt werden. Ihre Suche nach Identität bleibt angesichts der sozialen Lage, die für sie eine personale Verwirkli-chung kaum zuläßt, meist vergeblich.

In »Kasimir und Karoline« – ein Liebespaar der Inflations- und Arbeitslosen-zeit besucht das Oktoberfest, zerstreitet sich und geht neue Verbindungen ein – sagt Kasimir einmal: »In dieser heutigen Welt ist alles auf das Geld aufgebaut. Du strebst dahin, arbeitest, bist ehrlich, und dann kommt so eine Krise, und du stehst draußen. Warum? Weil die Herren unfähig sind, Rind-viecher haben wir als Wirtschaftskapitäne und Halunken, keiner kümmert sich um die Kleinen! Nur gehängt werdens, aber die Großen lassens laufen! Die müßten sich ja auch selber hängen! Es ist dir das eine Scheißwelt, eine dreckige! Wenn ich mir jetzt denk, wenn ich Arbeit hätt, wie schön, daß wir leben könnten, dann täten wir jetzt zusammen Achterbahn fahren, hernach ein Bier trinken, aber vielleicht erleb' ich es noch, daß es besser wird.«

In den »Geschichten aus dem Wienerwald« – verlogenem Operetten-kitsch und sentimentaler Heurigenromantik bewußt entgegengestellt – wartet ein junger, schwerfällig-plumper Metzgermeister, ein böses Tier mit einer sentimental-schmierigen Kruste, »demutsvoll-haßer-füllt« auf die Rückkehr der Verlobten Marianne; sie war auf einen gaunerhaften Phrasendrescher hereingefallen und hatte das Eltern-haus verlassen, worauf sie der Vater verstieß; nachdem sie durch alle Niederungen und Erniedrigungen gegangen ist, findet sie wieder heim. Sie hofft auf Vergebung, ist »reuevoll« – verstört wie zerstört. Der Metzgermeister nimmt sie mit Genugtuung »in die Arme«; er wird sie nun in der Gruft eines »trauten Familienlebens« lebendig einsargen. Da Mariannes uneheliches Kind gestorben ist, von der bigotten Großmutter entsprechend lieblos behandelt, hat sich – im Weltbild des Metzgers – »alles eingerenkt«.

Der Schoß des Kleinbürgertums war fruchtbar. Für Horváth, 1901 geboren, 1938, nach der Emigration – die Nationalsozialisten hatten ihn als »entarteten Künstler« eingestuft – in Paris von einem herabstürzenden Ast bei einem Gewitter erschlagen, war das Kleinbürgertum als bislang unterdrückte Schicht auf dem Weg zur Herrschaft; es bildete den Mutterboden, aus dem die Ideologien und Aggressionen des Faschismus hervorsprossen, zumal, wie der Dichter in der »Italienischen Nacht« zeigt, die linken Republikaner aufgrund ihrer Vereinsmeierei und privater Eifersüchteleien dem Ansturm der Nazis, durch Gemeinschafts- und Führerkult zusammengeschweißt, hilflos ausgeliefert waren.

Franz Xaver Kroetz (geb. 1946), der sich als Fleißer-Schüler »in gewissem Sinn« bezeichnet, »aber auch als Horváth-Schüler«, scheint auf das bayerische Volkstheater zurückzugreifen; aber er verneint für sich dessen Tradition und versteht sich in seinen Stücken, die aufklären und nicht unterhalten sollen, als politischer Autor. Seine Figuren (z. B. in *Wunschkonzert, 1971*) sind Opfer der Gesellschaft, Unterdrückte, die einander wieder selber unterdrücken, Sprachlose. Erst in späteren Stücken (*Oberösterreich, 1972; Das Nest, 1974; Mensch Meier, 1976/77*) können sie sich zu einem Entschluß durchringen und zeigen so Verantwortung und eigenes Handeln, statt ihre Lage in sprachloser Dumpfheit hinzunehmen. Alle seine Stücke gehen nicht von einer Theorie aus, sondern leben aus persönlich gewonnener Anschauung.

Der Ausfahrer Heinz (in »Oberösterreich«), scheinbar in glücklicher Ehe mit der Verkäuferin Anni bieder dahinlebend, ist für die Abtreibung ihres zu erwartenden Kindes, weil er beruflich noch aufsteigen und die Liebe seiner Frau nicht mit »Familienzuwachs« teilen möchte. Anni wehrt sich, selbst auf die Gefahr hin, Heinz zu verlieren. Als dieser in schwieriger Lage (Verlust des Führerscheins, der eine Voraussetzung für seinen beruflichen Aufstieg gewesen wäre) die Treue und Liebe seiner Frau erfährt, bekennt er sich zu seinem Kind – trotz voraussichtlicher materieller Schwierigkeiten.

Eine Durchschnittsfamilie bilden auch der Fließbandarbeiter Otto, seine Frau Martha und ihr Sohn Ludwig, der Maurer werden möchte, nach elterlicher Meinung aber zu Höherem bestimmt ist (»Mensch Meier«). Als Ludwig, um an einem Rockfestival teilzunehmen, 50 Mark aus der Haushaltskasse nimmt und der Vater ihn daraufhin durchsucht, bis er nackt vor ihm steht,

kommt es zum Bruch in der Familie. Sohn und Mutter verlassen den Vater,
der, völlig hilflos, alles versucht, beide wieder zurückzugewinnen. Ob es gelingt, läßt das Stück offen, denn Mutter und Sohn wollen endlich ganz »auf
die eigene Füß stehn«.

Bei Kroetz fällt der Sprache eine besondere Rolle zu. Ihre Austrock-
nung in den Dialogen seiner kleinen Leute suggeriert auf beklem-
mende Weise die Verkümmerung des Menschlichen, wobei der Dialekt noch die Unmittelbarkeit der Darstellung verstärkt.

Ungelöst ist das Dilemma: Wie lassen sich beschreibender Realismus und kommunistischer Fortschrittsglauben vereinen? Indem
Kroetz vom Menschen und menschlichen Grundsituationen ausgeht,
bleibt er dem Theater und seinem Publikum, das ihn zum meistgespielten Dramatiker der Bundesrepublik machte, und nicht der Ideologie verpflichtet. Seine frühere »Wohnküchen-Dramaturgie« ist
nicht mehr sein vorwiegendes theatralisches Mittel. Neuerdings
(z. B. in *Nicht Fisch nicht Fleisch,* 1981) gibt es neben einer spürbaren
Distanz zu den Figuren auch Szenen, die in ihrer surrealen Metaphorik den bisherigen Erwartungshorizont des Volksstückes völlig
sprengen.

Anknüpfend an das Grimmsche Märchen vom Brüderchen und Schwester-
chen – »Komm wir wollen miteinander in die weite Welt gehen« – erzählt
Franz Xaver Kroetz in seinem Stück *Bauern sterben* (1985) eine Geschichte,
die »irgendwo zwischen Landshut und Kalkutta« angesiedelt ist. Ein Blut-,
Kot- und Erdendrama. »Dieses Leben ist der Tod« – ein Weg vom Elend des
Landlebens (Rationalisierung und Mechanisierung haben jedem ruralen
Idyll den Garaus gemacht) ins Elend des Stadtlebens – »Menschnviech auf da
Schdraß, awa weimas Fleisch ned fressn ko, kriangs koa Fuada«. Die realistische Thematik wird in expressionistische Metaphysik gesteigert; die Passion
zweier Menschenkinder, die sich in der kalten Welt verirren, steht stellvertretend für die furchtbaren Geschehnisse im irdischen Jammertal. Am Ende
erfolgt die Heimkehr ans Grab des Vaters. Der Schnee fällt. Die Eiszeit
kommt.

In seinen *Jagdszenen aus Niederbayern* (1965–67) zeigt **Martin Sperr**
(geb. 1944), der von sich sagt: »Ich habe von der Flei-

MONSTROSI-   ßer viel gelernt, ohne das Bedürfnis zu haben, sie zu
TÄTEN   kopieren«, am Dorf Reinöd, wie unter den Leitbegrif-
             fen Sauberkeit, Reinheit und Ordnung im Jahr der

Währungsreform die Verfolgung Fremder, Andersgesinnter oder -gearteter sowie Zurückgebliebener aus einem unüberwindlichen Vorurteil heraus mittels Verdächtigung, Verleumdung und Denunziation auch nach der Nazizeit weitergeht.

Abram, der junge Homosexuelle, von dem die Dienstmagd Tonka ein Kind erwartet, findet nach seiner Heimkehr ins Dorf und zur Mutter nur beim Dorftrottel Rovo einen Gesprächspartner. Als sie zärtlich zueinander werden, wird Abram angezeigt und wie ein Wild gehetzt, zumal er, von seiner Vaterschaft hörend, auch noch Tonka im Jähzorn umgebracht hat. Rovo begeht Selbstmord, als man ihn in eine Anstalt abschieben will. Die Unmenschlichkeit der Dorfgemeinschaft steht stellvertretend für allgemeines Verhalten in der Nachkriegsgesellschaft.

Die *Landshuter Erzählungen* (1967), zweiter Teil einer *Bayerischen Trilogie,* zeigen an zwei mittelständischen Bauunternehmen die gesellschaftlich bedenkliche Entwicklung in der Bundesrepublik der endfünfziger Jahre.

Die österreichische Tradition des kritischen Volksstückes wird spürbar in **Peter Turrinis** (geb. 1944 in Kärnten) *Rozznjogd* (= Rattenjagd) (1971), *Sauschlachten* (1972) und *Kindmord* (1973). Daneben wirkt Antonin Artauds »Theater der Grausamkeit« nach. Die beabsichtigte Schockwirkung durch Über- und Untertreibung, Überzeichnung und Karikatur in dialektangereicherter, rhetorisch wirksamer Sprache steht im Dienste aggressiver Gesellschaftskritik und der moralischen Überzeugung von der Veränderbarkeit der Lage.

In »Rozznjogd« fährt ein junger Automechaniker seine neue Freundin auf dem Motorrad zum Müllplatz und schießt dort aus Enttäuschung über die bislang mißglückte Kontaktaufnahme Ratten. Dem folgenden Liebesspiel widersetzt sich erst das Mädchen, weil man sich doch noch kaum kenne, entledigt sich aber dann mit ihm aller »Konfektions- und Konsumgüter« (wie falscher Wimpern, Haarteile, Kosmetika, Tascheninhalte, Kleidung). In wilder Raserei paaren sie sich, anscheinend glücklich, sich selber und einen anderen gefunden zu haben. Da werden sie als vermeintliche Ratten von Passanten abgeschossen.

In »Sauschlachten« bricht der Bauernsohn Valentin jeden sprachlichen Kontakt mit seiner Umwelt ab und grunzt nur noch. Das Dorf lacht ihn als »Schwein Volte« aus, während der Vater mit Rücksicht auf die Dorfgemeinschaft versucht, ihn zur Vernunft zu bringen. Als er damit keinen Erfolg hat, machen ihn alle »zur Sau«, indem sie ihn mißhandeln, mit Schweinefutter füttern und in den Stall zerren. Als auch noch die Honoratioren des Dorfes, Pfarrer, Doktor, Lehrer, das Verhalten der Masse gutheißen und sie in ihrem

Haß auf den Außenseiter bestärken, wird Valentin als Opfer der Dorfgemeinschaft abgestochen, und dies »von urgemütlicher, ländlicher Musik begleitet«, wie es in der Regieanweisung heißt.

Ein »Lustbad in Trauer-Sätzen« stellen die Dramen und Erzählungen
des Österreichers (seinem Land in Haßliebe verbundenen) **Thomas
Bernhard** (1931–89) dar. Als barocker, sich in immer neue Abgründe
hinabstürzender, in der Suada seiner Sprache sich jedoch abfedernder
grandioser Nörgler liegt er mit Mensch und Welt in stetem Hader. Sein
Werk übersteigert ein im »Granteln« angelegtes, in philosophisch-
pessimistische Tiefen reichendes Taedium vitae (das freilich auch mit
Augenzwinkern, als ob alles nicht ganz so schlimm sei, daherkommt)
auf fulminante Weise. Vor allem die autobiographischen Romane *Die
Ursache* (1975), *Der Keller* (1976), *Der Atem* (1978), *Die Kälte* (1981),
Ein Kind (1982) variieren das Grundmotiv seiner Dichtung: die Todes-
angstkrankheit der modernen Menschen, die im Nichtsmehrundnoch-
nichts vegetieren und nicht ein noch aus wissen. »Alle Menschen sind
Monster, sobald sie ihren Panzer lüften. Im übrigen kenne ich mich gut
genug, um es zu merken, wenn ich meine Gefühle auf andere projizie-
re. Gewiß, das Monströse fasziniert mich, aber ich erfinde es nie.
Wenn Ihnen die Wirklichkeit weniger erstaunlich erscheint als meine
Erfindung, so hängt das einzig daran, daß die Tatsachen in zerstreuter
Form auftreten. In einem Buch muß man unbedingt Leerlauf vermeiden. Das Geheimnis besteht darin, die Wirklichkeit unerbittlich zu
raffen. Vielleicht nennt man das gewöhnlich Phantasie.«

In seinen Theaterstücken *Der Präsident* (1975), *Die Berühmten*
(1976), *Vor dem Ruhestand* (1978/79) »erforscht« Bernhard mit insi-
stierendem Sprachduktus gesellschaftliche und politische Abgründigkeit.

In »Vor dem Ruhestand. Eine Komödie von deutscher Seele« wird ein ehemaliger stellvertretender KZ-Kommandant und Militärrichter, nunmehr
Amtsträger der Demokratie, von seiner Vergangenheit eingeholt. Das Zeitstück enthüllt die Perversität eines Lebens mit unbewältigter Vergangenheit:
statt wirklicher Familie nur alte Geschwister, statt Geburtstagsfeier ein Leichenschmaus, statt Ruhestand der Tod. »Ein Endspiel mit Figuren, die erschöpft sind vom Wiederholungszwang, vom Monologisieren, das aus ihnen
hervorbricht wie Sprechdurchfall, wie eine Gedankenentleerung unter psychischen Überdruck-Figuren, die erstarrt sind von Kälte und Einsamkeit.« (S.
Kienzle) Und trotzdem ein Versuch, der Vergangenheit nicht auszuweichen.

Den Volksstücken, mit denen **Carl Zuckmayer** (1896–1977) sein dramatisches Schaffen begann, fehlt die realistisch-hart zupackende wie sprachlich-eindringliche Art der Fleißer oder Horváths; sie sind komödiantisch-unterhaltsam bzw. sentimental-rührend, aber ohne besondere künstlerische Originalität. Anders ist dies bei den Zeitstücken des Dichters: Deutsches Schicksal wird an exemplarischen Figuren transparent gemacht und damit eine faszinierende Geschichtsdeutung geboten.

Der Dichter stammte aus Nackenheim am Rhein. Seine ersten Stücke nach dem Weltkrieg 1914/18, an dem er als Kriegsfreiwilliger teilgenommen hatte, sind der Atmosphäre seiner engeren wie weiteren Heimat verpflichtet: *Der fröhliche Weinberg* (1925) ist eine Komödie um die Tochter eines Weingutsbesitzers, *Schinderhannes* (1927) ein Schauspiel vom Räuberhauptmann Johann Bückler aus der Napoleonzeit. *Katharina Knie* (1928) gibt das Schicksal einer Zirkusdirektorentochter wieder, die auf ihre Liebe verzichtet, um das väterliche Unternehmen weiterführen zu können. *Ulla Winblad* (1938) ist ein »dramatischer Bilderbogen« von Liebe und Leid des schwedischen Vagantendichters Carl Michael Bellman und seiner Geliebten Ulla Winblad. 1933 emigrierte Zuckmayer nach Österreich, später in die Schweiz und dann in die USA.

Mit dem *Hauptmann von Köpenick* (1931) – gleichfalls im Bilderbogenstil – gelang Zuckmayer sein stärkstes gesellschaftskritisches Stück. Er nennt es ein deutsches Märchen, da die Ereignisse, die ihm zugrunde liegen (und sich wirklich ereignet haben), höchst unglaubwürdig erscheinen.

Ein vorbestrafter Schustergeselle, der sich, um Arbeit zu bekommen, einen Paß besorgen will, ihn aber nicht erhält, verschafft sich sein Recht, indem er die Uniform eines Hauptmanns anzieht, einen Trupp Soldaten zu seiner speziellen Verfügung abkommandiert und sich in der Amtsstube auch gleich der Kasse annimmt. »Wieso man ihn, das Stiefkind aller Amtsstuben, gleich nach seiner Hochzeit (mit der Uniform) als unumschränkten Herrn und Herrscher anschaute, weshalb gerade er, der Wilhelm Voigt, etwas gemerkt hatte, was sechzig Millionen guter Deutscher auch wußten, ohne etwas zu merken, all das versucht das Schauspiel im Ablauf weniger Stunden zu zeigen.«

DIE ZEIT-
BÜHNE

Das Drama *Des Teufels General* (1946) wurde der größte Theatererfolg nach dem Zweiten Weltkrieg. Zuckmayer, der aus seinem

amerikanischen Exil 1945 als Zivilbeauftragter der amerikanischen
Regierung für Kulturfragen nach Deutschland zurückgekommen
war, wollte mit diesem Stück am Beispiel des sympathischen Flieger-
generals Harras aufzeigen, wie ein Spezialist, einer, der einen Narren
an der Fliegerei gefressen hat, den Nationalsozialisten verfällt, obwohl er die Partei eigentlich ablehnt.

Dem Stoff zugrunde lag das Schicksal von Ernst Udet, Generalluftzeugmei-
ster der Wehrmacht, der 1941 beim Ausprobieren einer neuen Waffe tödlich
verunglückte, vielleicht auch umgebracht wurde; er erhielt ein Staatsbe-
gräbnis.

Selbsterkenntnis und die Einsicht in seine Mitschuld bringen den General schließlich dazu, daß er bewußt in eine defekte Maschine steigt,
um sich so den Tod zu geben. Die Differenzierung in den Gestalten –
als Gegenpol zu Harras erscheint der Gestapo-Mann Dr. Schmidt-
Lausitz, ein eiskalter, gefährlicher Funktionär –, der Verzicht auf jede Schwarzweißmalerei, die das Stück durchziehende Diskussion um
Schuld und Sühne machten das Ganze, so schrieb die *Neue Zürcher
Zeitung,* zu *dem* deutschen Trauerspiel. Gibt es eine sittliche Pflicht,
gegen eine verbrecherische Regierung zu revoltieren, oder ist man
auch dann noch an seinen Treueeid gebunden? Darf man sein Können gegen die eigene Gesinnung einsetzen, oder bedeutet das ein
Schuldigwerden vor sich, seinem Land und seinem Volk? Das waren
Fragen, die im besonderen die aus dem Krieg Heimgekehrten beweg-
te – wurde ihnen doch damit, zumindest im nachhinein, die eigene
Schuldfrage vor Augen geführt.

Das kalte Licht (1955) behandelt den Konflikt eines Atomspions, der den
Verrat aus ideellen Gründen begangen hat, während *Der Gesang im Feuer-
ofen* (1949) vom Schicksal einer Gruppe von französischen Widerstands-
kämpfern berichtet, die, von einem der Ihren verraten, von der SS niederge-
macht werden.

Das Zeittheater – dokumentarisch orientiert und zugleich humanitär
überhöht – vertritt neben Zuckmayer vor allem **Rolf Hochhuth**
(geb. 1931). In dem »christlichen Trauerspiel« *Der Stellvertreter*
(1963) wird am Beispiel von Papst Pius XII., der während der Zeit des
Dritten Reiches den Judenverfolgungen gleichgültig gegenüberstand
und, »hoch über den Geschicken der Welt und der Menschen ste-

hend«, keinen Blick für die Not der Verfolgten übrig hatte, der moralische Tiefstand einer erstarrten Kirche demonstriert. – In dem Drama *Die Soldaten* (1967) wird Winston Churchill des Mordes aus Staatsräson an dem polnischen Exil-General Sikorski angeklagt. An diesem Fall wie an der Strategie der englischen Luftkriegsführung gegen deutsche Städte wird die moralische Hinfälligkeit bedeutender historischer Persönlichkeiten exemplifiziert. Denjenigen, die wegsehen, wenn man den Bruder totschlägt, stellt Hochhuth immer wieder »reine« Gestalten gegenüber, die den verderbten Machenschaften der »Großen« und der »Banalität des Bösen« ein von (Schillerschem) Pathos getragenes »Nein« entgegensetzen. Überhaupt liebt Hochhuth das hochdramatische Spiel, die große Emotion, den hochgespannten Wortduktus (vgl. auch *Guerillas* [1970], ein »Revolutionsstück fürs heutige Amerika«).

In der Nachfolge Hochhuths versuchte **Dieter Forte** (geb. 1935) mit seinem Luther-Stück (*Martin Luther und Thomas Münzer oder Die Einführung der Buchhaltung,* 1970) die »Demontage einer Legende«.

Heinar Kipphardt (1922–82) kam nach seiner Tätigkeit als Arzt an der Charité und als Chefdramaturg am Deutschen Theater in Berlin 1959 in die Bundesrepublik, wo er als Dramaturg in Düsseldorf und an den Münchener Kammerspielen wirkte.

Mit seinem internationalen Erfolgsstück *In der Sache J. Robert Oppenheimer* (1964) wurde er zum angesehensten Vertreter des deutschen Dokumentartheaters.

An der Gestalt des »Vaters der Atombombe« wird mit dokumentarischem Verhörmaterial, mit Monologen und Projektionen die Verantwortlichkeit des modernen Naturwissenschaftlers zur Diskussion gestellt; entgegen den Tatsachen vollzieht sich ein Wandel im Denken Oppenheimers. Aus dessen anfänglicher Überzeugung, »daß Entdeckungen weder gut noch böse sind«, wird am Schluß die Frage, »ob wir den Geist der Wissenschaft nicht wirklich verraten haben, als wir unsere Forschungsergebnisse den Militärs überließen, ohne an die Folgen zu denken«.

Shakespeare dringend gesucht (1954) war eine satirische Auseinandersetzung mit der sozialistischen Borniertheit, Theater als »moralische Schulung« zu begreifen. *Joel Brand* (1965) brachte »die Geschichte eines Geschäfts« (Eichmanns Angebot, eine Million Juden aus Ungarn gegen 10000 Lastwa-

gen zu tauschen) und strebte mit authentischen Unterlagen eine Abrechnung
mit den NS-Bürokraten an. Dasselbe gilt für *Bruder Eichmann* (1983), dessen kleinbürgerliches Fortleben als mechanisch funktionierendes Rädchen
im Getriebe der Gegenwart gezeigt wird.

In der Form fiktiver Montagen ist der Roman *März* (1976) geschrieben,
der Leben und Leiden eines Schizophrenen vorführt und damit gegen die
Gesellschaft protestiert.

»Hier ist eine Generation von Umgetriebenen, Ausgetriebenen und
Unsteten, von Märtyrern und Duldern, von Kämpfern und Beharr-

**DIE VERLO-
RENE GENE-
RATION**
lichen, von Frühverstorbenen und in Leiden Gealterten, wie sie sicherlich niemals und nirgends in einer
Weltliteratur vorhanden war« – schreibt Kurt Pinthus
über die expressionistischen Weggefährten von 1920 in
der Neuauflage seiner Anthologie (1959). Er hätte damit auch die
»Geschlagenen« von 1945 charakterisieren können. Wieder kam
man – wenn man das Glück hatte, überlebt zu haben – vom Krieg
»heim«, stand vor Trümmern und Chaos, Vernichtung und Zerstörung. »Wir sind die Generation ohne Bindung und ohne Tiefe. Unsere Tiefe ist Abgrund. Wir sind die Generation ohne Glück, ohne Heimat und ohne Abschied. Unsere Sonne ist schmal, unsere Liebe grausam, und unsere Jugend ist ohne Jugend. Und wir sind die Generation ohne Grenze, ohne Hemmung und Behütung«, heißt es bei **Wolfgang Borchert** (1921–47). Seinem ursprünglich als Hörspiel verfaßten Drama *Draußen vor der Tür* (1947), einem »Stück, das kein Theater spielen und kein Publikum sehen will«, setzte er die Worte voraus:

»Ein Mann kommt nach Deutschland. Er war lange weg, der Mann.
Sehr lange. Vielleicht zu lange. Und er kommt ganz anders wieder,
als er wegging. Äußerlich ist er ein naher Verwandter jener Gebilde,
die auf den Feldern stehen, um die Vögel (und abends manchmal
auch die Menschen) zu erschrecken. Innerlich – auch. Er hat tausend
Tage draußen in der Kälte gewartet. Und als Eintrittsgeld mußte er
mit seiner Kniescheibe bezahlen. Und nachdem er nun tausend
Nächte draußen in der Kälte gewartet hat, kommt er endlich doch
noch nach Hause. Ein Mann kommt nach Deutschland.«

Dem Kriegsheimkehrer Beckmann ist die Frau untreu geworden; sie liegt mit
einem andern im Bett. Das Söhnchen wurde von einer Bombe zerrissen. Da
wirft sich der Heimkehrer in die Elbe; aber diese weist ihn ab. Beckmann
humpelt ins Leben zurück. Eine Frau nimmt ihn auf – ihr Mann ist vermißt;

doch er kommt in dem Augenblick zurück, als Beckmann sie umarmen will. So wird er unschuldig schuldig. Das Leid, das er selbst erlitt, fügt er jetzt einem andern zu. Nun will er seinem Vorgesetzten aus dem Krieg die Verantwortung zurückgeben, denn seine Seele ist schwer belastet von den furchtbaren Ereignissen. Doch der Oberst sitzt wieder gemütlich in seiner Stube bei Frau und Kind und hat Geld und Essen. Beckmann steht draußen vor der Tür. Am Ende seines Leidensweges, als er hört, daß seine Eltern in ihrer Verzweiflung Selbstmord begangen haben, wird er wohl wieder in die Elbe gehen, die aller Not ein Ende bereiten könnte.

Wie in diesem Drama hat der junge Dichter auch in seinen Kurzgeschichten (*Nachts schlafen die Ratten doch; Das Brot; Die Küchenuhr; Die Hundeblume; Die lange, lange Straße lang* u. a.) stellvertretend für seine Generation die Anklage hinausgeschrien: im zerfetzten Sprachstil eines an der Welt Verzweifelnden.

Borchert stammte aus Hamburg, war zunächst Buchhändler geworden, dann Schauspieler. 1941 kam er als Soldat an die Ostfront und wurde schwer verwundet. Wegen Äußerungen »wehrzersetzender Art« wurde er einer Strafkompanie zugeteilt. 1945 kehrte er in die Trümmer seiner Heimatstadt zurück, chronisch fieberkrank, an Körper und Seele gebrochen. Er starb in Basel.

Der ethische, aus Menschenliebe und Humanismus gespeiste Wille einer verlorenen Generation zeigt sich auch in den Situationen des Kriegstagebuchs *Die unsichtbare Flagge* (1952) von **Peter Bamm** (eigentlich Curt Emmrich, 1897–1975), des Dramas *Der Traum von Wassilikowa* (1952) und des Romans *Verlöschende Feuer* (1956) von **Horst Lange** (1904–71), der mit dämonisch verdüsterten, traumhaft dunklen Werken begonnen hatte (u. a. *Schwarze Weide, Ulanenpatrouille*, 1937 und 1940). »Dort, wo die tiefsten Niederbrüche, die entsetzlichsten Entartungen und die schlimmsten Verheerungen erlebt und erduldet worden sind, können auch die entschiedensten Konsequenzen gezogen werden« (H. Lange). Aus unmittelbarem Miterleben und zugleich aus dem Abstand des Chronisten gestaltete **Felix Hartlaub** (geb. 1893, bei den Kämpfen um Berlin 1945 verschollen) seine »Aufzeichnungen aus dem Zweiten Weltkrieg« *Im Sperrkreis* (postum 1955); er war zeitweise ins Führerhauptquartier abkommandiert.

Alfred Andersch (1914–80) begab sich 1944, in Opposition zum Dritten Reich stehend, in amerikanische Gefangenschaft (vgl. *Die*

Kirschen der Freiheit, 1952). Der Roman *Sansibar oder der letzte Grund* (1957) gibt einen exemplarischen Einblick in das Deutschland am Vorabend des Zweiten Weltkrieges.

In einer einsamen Hafenstadt an der Ostsee (Rerik) kreuzen sich die Schicksale von fünf Menschen; da sind die fliehende Jüdin, der kommunistische Instrukteur, der protestantische Geistliche, der alte Fischer, der in der Untergrundbewegung mitwirkt; auch der kleine Schiffsjunge sehnt sich nach der Küste der Freiheit (»deren Name Schweden ist oder Sansibar«): »Man mußte Rerik verlassen, erstens, weil in Rerik nichts los war, zweitens, weil Rerik seinen Vater getötet hatte, und drittens, weil es Sansibar gab, Sansibar in der Ferne, Sansibar hinter der offenen See, Sansibar oder den letzten Grund.«

Paul Schallück (1922–76) ließ in dem Familienroman *Ankunft null Uhr zwölf* (1953) Einzelschicksale aus der Kriegs- und Nachkriegszeit erstehen und untersuchte im Roman *Engelbert Reineke* (1959) den Fortbestand faschistischer Ideologie.

Reineke lernt die Unbelehrbaren, die sich den geschichtlichen Einsichten widersetzen, in seiner Heimatstadt kennen und hassen. Er ist Studienrat, wie einst sein Vater, der in ein Konzentrationslager verschleppt und umgebracht wurde. Er wirkt an derselben Schule; die Vergangenheit ist unbewältigt, die Ideologie des Ungeistes und der Unmenschlichkeit grassiert noch. Er sucht dem allen zu entfliehen; allein das Opfer des Vaters bestimmt ihn, zu bleiben und sich den jungen Menschen zu widmen.

Anna Seghers (1900–83) zeichnete vom Standpunkt des Marxismus in Romanen und Erzählungen das Bild einer verhängnisvollen Entwicklung kapitalistischer und rechtsradikaler Tendenzen. In ihrem thematisch umfassendsten Werk, *Die Toten bleiben jung* (1949), sind die politischen und gesellschaftlichen Verhältnisse in der Zeit 1918–45 skizziert und die geradezu zwanghaften Schritte in die totale Katastrophe gleichnishaft dargestellt. Ihre Romane beginnen mit dem Kampf des Proletariats in den zwanziger Jahren, durchleuchten mit psychologischer Gründlichkeit den Werdegang des Nationalsozialismus und münden schließlich in die Hoffnung auf den endgültigen Sieg der Arbeiterklasse. Die analytisch-klare, an den französischen und russischen Realisten und Naturalisten des 19. Jahrhunderts geschulte Sprache verleiht den meisten Werken eine dokumentarische Diktion.

Im Roman *Die Gefährten* (1932) wird der Widerstand der Kommunisten gegen das Anwachsen des Faschismus in verschiedenen Ländern geschildert. Der Roman *Der Kopflohn* (1933) zeigt das Umsichgreifen des Nationalsozialismus in einem deutschen Dorf. *Der Weg durch den Februar* (1935) ist eine Reportage über Arbeiterunruhen in Wien. Der Roman *Die Rettung* (1937) beschreibt die soziale Not im belgischen Kohlenrevier. Die eindringlichste Analyse des NS-Staates gab Seghers im Roman *Das siebte Kreuz* (1942), indem sie die Vielschichtigkeit der Einstellungen, die Bejahung brutaler Gewalt, die Indifferenz des Abwartens und die Entschlossenheit zum Widerstand, mit scharfer, nuancierter Charakteristik darlegte. (Von sieben aus dem KZ-Lager entflohenen Häftlingen entkommt einer mit Hilfe seiner Freunde, während die anderen durch das Zutun der fanatisierten Masse in den Tod getrieben werden.) Die ideologische Auseinandersetzung ist im Roman *Transit* (1943) und der Erzählung *Der Ausflug der toten Mädchen* (1946), Reflexionen über das Schicksal der Emigranten, fortgeführt. *Die Entscheidung* (1959) und *Das Vertrauen* (1968), programmatische Romane der DDR, verweisen auf die gegenwärtige und zukünftige Gültigkeit des Sozialismus.

Anna Seghers (in Mainz geboren) schloß sich 1928 der KPD an, emigrierte 1933 nach Frankreich, 1941 nach Mexiko und beteiligte sich nach 1947 maßgeblich an der Konstituierung der DDR-Literatur.

Erst in den sechziger Jahren wurde **Elias Canetti** (geb. 1905) in Deutschland bekannt, obwohl Thomas Mann und Hermann Broch auf seinen Roman *Die Blendung* (1935 in Wien, 1948 in München erschienen) hingewiesen hatten. Es mochte sein, daß man ihn (der aus Bulgarien stammt und seit 1938 in London lebt) nicht als eigentlich deutschen Autor ansah. Zudem befinden sich weder in dem Roman noch in seinen drei Schauspielen evident zeitgeschichtliche Bezüge (die eine breitere Leserschaft in den Nachkriegsjahren gerade von einem Emigranten erwartete); sie ergaben sich vielmehr aus psychologischen, anthropologischen und philosophischen Erörterungen, an denen Canetti seit 1925 arbeitete. 1960 erschien der erste Teil, 1973 die Gesamtausgabe der Essays *Masse und Macht*: eine kritische Analyse von Massenphänomenen und Machtanwendungen, besonders in frühen Kulturen und archaischen Gesellschaftssystemen.

MASSE UND
MACHT

Untersucht werden z. B. »Verfolgungsgefühl«, »Panik«, »Zerstörungssucht«, »Zähmung der Massen in den Weltreligionen«, Erscheinungsformen der »Hetzmassen« (die Vernichtung und Tötung beabsichtigen), »Fluchtmassen« (die Drohungen zu entgehen versuchen), »Verbotsmassen« (die nicht

mehr das tun wollen, was sie bisher getan haben), »Umkehrungsmassen«
(die sich auflehnen) und »Festmassen« (die sich dem Genuß hingeben). Ausführlich wird der Begriff der »Meute« definiert: als eine relativ kleine Gruppe, die auf Jagd zieht, Kriege führt und deshalb danach trachten muß, sich
möglichst zahlreich zu vermehren (»Vermehrungsmeute«). In diesem, aber
auch in anderem Zusammenhang (etwa mit einer »Doppelmasse« von Lebendigen und Toten) werden Fragen nach dem Sinn und der Sinndeutung von
Geburt und Tod gestellt. Dabei geschieht vor allem eine totale Desillusionie-
rung des Todes, der Jenseitserwartung. Nicht zuletzt aus diesem Grund erfolgt eine Ablehnung des Krieges.

   Tagebuchartige Marginalien, spontane Einfälle und Aphorismen, die bei
der Arbeit an diesem Werk entstanden, sowie Ergänzungen und Erklärungen
befinden sich in den Bänden *Aufzeichnungen 1942–1948* (1965) und *Die Provinz des Menschen, Aufzeichnungen 1942–1972* (1973).

Wesentliche Anschauungen, die Canetti (z. T. erst später) in den Essays aussprach, übertrug er in den Roman. Dort ist es ein Wissenschaftler, der sich sozusagen einer »Hetzmasse« ausliefert, sich unter
diesen Leuten nicht zurechtfindet und einsieht, daß er ihnen nicht
gewachsen ist. Er begeht Selbstmord, indem er seine Bibliothek anzündet.

Dr. Peter Kien, ein anerkannter Sinologe, läßt sich mit seiner Haushälterin,
Therese Krumbholz, ein und heiratet sie. Er gerät in einen Abgrund des
Pöbels, der Gewalt und Niedertracht. Therese, an die »Macht« gelangt, ver-
treibt ihn aus der Wohnung; er ist unfähig, sich zu wehren, sucht irgendwo
einen Unterschlupf und kommt in eine Gruppe üblen Straßengesindels. Die
mitgenommenen Ersparnisse werden ihm von einem Gauner, der sich als
Freund anbietet, entwendet. Seit dem Verlust seiner Wohnung gibt er sich
wahnwitzigen Vorstellungen und absurden Wunschträumen hin. Er möchte
jenen helfen, die in der Pfandleihanstalt Bücher abgeben, und er glaubt,
Therese getötet zu haben. Er begegnet ihr und ihrem Komplizen, dem Hausmeister Benedikt Pfaff. Zwar kann er mit Hilfe seines Bruders, der in Paris
lebt und ihn besucht, nach Hause zurückkehren; doch überwindet er nicht
die Angst, umstellt, gefangen zu sein. »Er hält sich die Ohren zu. Er versteckt
sich hinter ein Buch… Er will darin lesen. Die Buchstaben tanzen auf und
ab. Kein Wort ist zu entziffern… Vor seinen Augen flimmert es glutrot.«

   Motive aus den Essays sind ebenso in den Dramen enthalten. Im satirischen Milieu-Stück *Hochzeit* (1932) vollzieht sich eine Selbstzerstörung be-
sitzgieriger und vom Geschlechtstrieb besessener Kleinbürger (einer primitiven »Festmasse«). Die *Komödie der Eitelkeit* (1950) beschreibt eine von
»oben« (gleichsam von einer »Meute«) befohlene Entindividualisierung des
Menschen, das Entstehen einer gesichtslosen Einheitsmasse. Und in der Tra-

gikomödie *Die Befristeten* (1956) wird eine groteske Gesellschaft vorgeführt, in der es scheinbar keine Klassen- und Rangunterschiede gibt.

Canetti erhielt 1981 den Nobelpreis für Literatur. – In den Bänden *Die gerettete Zunge* (1977), *Die Fackel im Ohr* (1980) und *Das Augenspiel* (1985) beschrieb er seinen Lebenslauf bis ins Jahr 1937.

Seine Familie (in Rustschuk a. d. Donau), ein begütertes Handelshaus, stammte von spanischen Juden ab, die am Ende des 15. Jahrhunderts ins türkische Reich eingewandert waren. Zu Hause wurde Spanisch und Deutsch gesprochen. Nach Aufenthalten in Manchester und Lausanne ging er in Wien, Zürich und Frankfurt/M. zur Schule. 1924–29 studierte er an der Wiener Universität. 1928 und 1930/31 besuchte er Berlin, wo er u. a. Bertolt Brecht kennenlernte. Der politische Umschwung in Österreich (1938) veranlaßte ihn zur Emigration.

Grundlegend für sein Schaffen war die Wiener Literatur: mit Karl Kraus, Hermann Broch und Robert Musil, aber auch das Erlebnis der Werke Kafkas. Daraus ergaben sich zahlreiche Essays (etwa in dem Band *Das Gewissen der Worte*, 1975: über Kraus, Broch, Kafka).

Viel Verwandtes begegnet im Lebenslauf und Werk **Manès Sperbers** (1905–84). Auch er – östlich-jüdischer Herkunft – wurde in Wien ansässig und verblieb dann in dem Ort seiner Emigration, in Paris. Auch er schrieb (stark beeinflußt von der Psychologie) zahlreiche Essays, in denen er sich mit Phänomenen der Masse und der Macht auseinandersetzte. Und schließlich wurde auch er in Deutschland sehr spät bekannt. 1959 hatte sich Hermann Kesten für ihn eingesetzt und die Deutschen aufgefordert, ihn zu entdecken; aber erst mit der endgültigen Ausgabe seiner drei Romane unter dem Titel *Wie eine Träne im Ozean* (1970) hatte Sperber Erfolg.

Genauso wie Canetti wandte sich Sperber gegen jedwede (etwa wirtschaftliche, religiöse, ideologische) Machtausübung; er widersprach Doktrinen, Heilsverheißungen und populären Manifesten. Jedoch ging er auf anstehende, konkrete (nicht so sehr auf kulturhistorische und anthropologische) Fragen ein. Er war Kommunist gewesen, hatte sich freigemacht von den Zwängen des Parteisystems und betrachtete seine Epoche aus sehr gegenständlichen Aspekten und Erfahrungen (*Zur Analyse der Tyrannis / Das Unglück, begabt zu sein,* 1938 u. 1975; *Leben in dieser Zeit / Sieben Fragen zur Gewalt,* 1972; *Nur eine Brücke zwischen Gestern und Morgen,* 1981).

Darin befinden sich Abhandlungen über Macht und Ohnmacht moderner Diktatoren (etwa Stalins und Hitlers), die Verführbarkeit der Massen und die Außenseiter-Rolle des einsichtigen Intellektuellen, über den Gegensatz von politischer Utopie und Wirklichkeit, die Zwiespälte im Denken und Handeln Lenins, über die Entwicklung und den Durchbruch einer Schreckensherrschaft und die Pflicht des Widerstandes, aber auch über die Problematik des Attentats (am Beispiel der Ermordung des amerikanischen Präsidenten John F. Kennedy, 1963) und zudem über manche Ergebnislosigkeit des Fragens und Nachdenkens. »Ja, ich gebe zu, ich lebe seit Jahrzehnten immer wieder in großer Verzweiflung.«

Die meisten Essays werden vollends durchsichtig durch den Einbezug der dreibändigen Autobiographie, die bis ins Jahr 1955 reicht, *All das Vergangene* (1974, 1975, 1977). In Zablotow am Pruth (im damals österreichischen Galizien) war der Vater ein wohlhabender Rabbiner. Der Krieg brach herein, 1916 flüchtete die Familie nach Wien. Sperber besuchte ein Gymnasium, wurde mit deutscher Literatur vertraut, erlebte das Elend, das in Wien herrschte, und schloß sich – vor allem beeindruckt von revolutionären Aussagen Nietzsches – der linksradikalen Jugendbewegung an.

Auf der Wiener Volkshochschule hörte er Vorlesungen Alfred Adlers (eines Psychologen, der sich gegen die generellen Sexual-Motivationen Sigmund Freuds aussprach und dafür das Konzept einer »Individualpsychologie« entwarf). Die Adlersche Forderung, die Individualität müsse endlich in ein »Gemeinschaftsgefühl« hineinwachsen, faszinierte den jungen Kommunisten. (In dem Buch *Alfred Adler*, 1970, sind Zusammenhänge, aber auch Mißverständnisse aufgedeckt.)

Von 1927 bis 1934 hielt sich Sperber in Berlin auf; er beteiligte sich an der KPD-Propaganda und an Saalschlachten mit der SA. Als Hitler an die Macht kam, wurde er verhaftet, aber auf Grund seiner österreichischen Staatsbürgerschaft freigelassen. Er ging nach Jugoslawien, nach Frankreich und in die Schweiz. 1945 (unterstützt von dem Schriftsteller und Essayisten André Malraux) fand er eine Bleibe in Paris.

Die Enttäuschung über den Kommunismus (zuerst wegen der Moskauer Säuberungsprozesse 1937, dann durch den Pakt Stalins mit Hitler) war der Anlaß zu der Roman-Trilogie. Allmählich ergab sich eine exemplarische Darstellung zeitgeschichtlicher Vorgänge überhaupt, eine Beschreibung der europäischen Katastrophe am Vorabend und während des Zweiten Weltkrieges. Es entstanden vielgliedrige, an verschiedenen Orten sich abspielende Handlungen. Verknüpfungen sind hergestellt durch eine äußerst rationale Kombinationstechnik, durch psychologische Vergleiche, eine exakte, beziehungsreiche Sprache und durch die ständige Gegenwart des Leitmotivs: »Die neuen Schergen der neuen Herren gingen aus, jene auszurotten, die die Wahrheit sagten.«

Im ersten Roman, *Der verbrannte Dornbusch* (1949), sind Wien und Berlin die vorrangigen Schauplätze. Soennecke, zu Beginn der dreißiger Jahre ein führender Kommunist, wird auf Geheiß Moskaus ermordet. Faber, ein untergeordneter Funktionär, mißtraut den Praktiken des Parteiapparats. Er schließt sich aus, verlegt sich auf die Rolle des Zuschauers, hofft, durch Indifferenz durchzukommen, muß allerdings auf die Parteifreunde verzichten, sich mit dem Alleinsein abfinden.

Tiefer als der Abgrund (1951): In Österreich marschieren die Deutschen ein. Faber begegnet einem seiner Lehrer, dem Historiker Stetten, der ein Attentat auf Hitler plant, verhaftet wird und nach Frankreich flieht. Auch Faber emigriert nach Paris. »Wegen einer Idee von der Welt, wie sie sein sollte und könnte, nahm er alles auf sich, lebte er, ohne zu leben, irrte er durch die Welt in steter Unruhe.« In Paris hat man wenig Interesse an deutschen und österreichischen Emigranten. Nachrichten über Stalins Konzentrationslager treffen ein. Der Krieg bricht aus. Die französischen Armeen ziehen sich zurück. Faber versucht vergeblich, nach England zu entkommen. Ein Deutscher teilt ihm mit, die Franzosen seien bereit, politische Flüchtlinge an Hitler auszuliefern.

Die verlorene Bucht (1955): Es vollzieht sich ein mörderischer Krieg an den Fronten und im Hinterland. Soldaten schießen Wehrlose nieder; Juden werden abtransportiert und liquidiert. Faber entflieht nach Dalmatien und wird Mitglied einer politisch unabhängigen Partisanengruppe. Er gerät in einen Wirrwarr von Idealismus, Tapferkeit und erbärmlichster Feigheit, Verräterei und Niedertracht. Am Ende des Krieges entscheidet er sich für die westliche Seite; er kehrt nach Paris zurück. Aber das ist eine Scheinlösung. »Nicht Kapitalismus, nicht Kommunismus – was bleibt dann noch? Sich einen Pflasterstein um den Hals binden und in die Seine! Das wäre das einzig Konkrete...«

Wien und Prag, vor allem die dortige Welt der jüdischen Bürger und Literaten und schließlich deren Untergang schilderte **Friedrich Torberg** (1908–79), und zwar – noch stärker als Canetti und Sperber – unter dem Einfluß von Karl Kraus. Seine Zeitbilder und Porträts sind äußerst scharf, mitunter hart und derb konturiert und sehr oft mit grotesken Randskizzen versehen. Wie Kraus und sein zweites Vorbild, Alfred Polgar, war er ein leidenschaftlicher Feuilletonist (u. a. Theaterkritiker); einen Gutteil seiner Arbeit widmete er dem Literaturbetrieb.

WIENER UND PRAGER PORTRÄTS

Torberg hatte sich schon in den dreißiger Jahren einen Namen ge-

macht, aber nach der Zäsur durch den Nationalsozialismus gelang
ihm der »Durchbruch« erst sehr spät, etwa 1966–75. (Dabei spielte
mit, daß er die israelischen Humoresken und Satiren Ephraim Ki-
shons übersetzte.)

Torberg (eigentl. Kantor-Berg) wurde in Wien geboren, kam 1924 nach Prag,
besuchte das Real-Gymnasium und studierte Philosophie. In Prag und in
Wien (wo er sich zeitweise aufhielt) lernte er Brod, Werfel, Kraus, Musil und
Polgar kennen. 1930 erschien sein Roman *Der Schüler Gerber hat absolviert*,
eine Anklage gegen das autoritäre Schulsystem. (Gerber, intelligent, aber
nicht unterwürfig, wird von einem Lehrer, der alle Macht in der Hand hat, in
die Enge getrieben und begeht Selbstmord.)
    Torberg emigrierte 1938 in die Schweiz. Über Frankreich, Spanien und
Portugal gelangte er in die USA. 1951 kehrte er nach Wien zurück. 1954–65
gab er die kulturpolitische Monats-Zeitschrift *Forum* heraus; er schrieb Theaterkritiken (ges. in den Bänden *Das fünfte Rad am Thespiskarren*, 1966/
67) und zahlreiche Essays und Glossen, u. a. gegen den Kommunismus und
Nationalsozialismus. Als entschiedener Antikommunist wandte er sich gegen Bertolt Brecht und den »Brecht-Kult«. Für Horváth setzte er sich ein,
außerdem für Dürrenmatt und Hochhuth.

In Amerika schrieb er die Novelle *Mein ist die Rache* (dt. Ausg.
1947). Darin ist das Thema seines Romans *Hier bin ich, mein Vater*
(1948) angekündigt. Die Gewißheit, davongekommen, am Leben geblieben zu sein (Torbergs Mutter und eine Schwester kamen im KZ
um), evoziert ein Trauma der Schuld, mit den anderen nicht mitgelit-
ten zu haben, nicht mitgestorben zu sein.

In der Novelle ist es ein Rabbinatskandidat in einem KZ, der den Leidensge-
nossen erklärt, man müsse die Rache Gott überlassen, dann aus dem Lager
ausbricht und fortan von dem Gedanken gepeinigt wird, die anderen im Stich
gelassen zu haben.
    Im Roman stellt sich ein jüdischer Musiker in Wien (kurz nach der Beset-
zung) den Nazis zur Verfügung und leistet Spitzeldienste, um seinen ins KZ
eingelieferten Vater freizukaufen. Er erfährt, daß sein Vater längst umgebracht wurde. In Paris, vom französischen Geheimdienst verhaftet, begreift
er die Schuld des Überlebens und hängt sich in seiner Zelle auf.

Der Roman *Die zweite Begegnung* (1950) zeigt die Ausweglosigkeit
eines Emigranten, der nach Prag zurückkehrt und dort die neuen
Verhältnisse des Kommunismus antrifft. Aus der Resignation und
der Absicht heraus, trotzdem das einstige Fluidum von Prag (und

überdies auch von Wien) festzuhalten, entstanden die Geschichten, Anekdoten und Skizzen *Die Tante Jolesch* (1975).

Im »Kaffeehaus« treffen sich namhafte Literaten, unbekannte Redakteure und ganz unliterarische Personen. Die Prostituierte Liesel scheint den bevorstehenden »Untergang« zu ahnen, denn sie ist an einen »Masochisten« geraten: »Zeiten san des, Zeiten.« Aber noch gibt es die böhmischen und österreichischen Sonderlinge: den konfusen Religionslehrer Grün, den spitzfindigen Rechtsanwalt Sperber, den ausgepichten Kartenspieler Schwarz, den Herausgeber des »Prager Tagblatts«, Keller, dessen Hobby die Biochemie ist, den kompromißlosen Eigenbrötler Onkel Hahn und natürlich die Tante Jolesch, die den Lauf der Welt so und auch so kommentiert und sich letztlich auf ihre Kochkunst verläßt. Von ihr stammen die Aussprüche: »Ein lediger Mensch kann auch auf dem Kanapee schlafen«; »Am Land kann man nicht übernachten«; »Alle Städte sind gleich, nur Venedig ist e bissele anders«; »Gott soll einen hüten vor allem, was noch ein Glück ist«.

Mit Torberg läßt sich **Hans Weigel** (1908–91) vergleichen, ein Schüler von Karl Kraus, ein polemischer, glossenreicher Theaterkritiker, Essayist und Charakterzeichner.

Er entstammte einer begüterten jüdischen Familie in Wien, war Volontär bei der Berliner Zeitschrift *Die literarische Welt* und verfaßte zuerst (ab 1926) musikalische Lustspiele und kabarettistische Stücke. 1938 emigrierte er in die Schweiz. 1945 nach Wien zurückgekehrt, schrieb er kulturgeschichtliche Abhandlungen (*Flucht vor der Größe*, u. a. über Schubert, Nestroy, Grillparzer und Stifter; 1960), Theaterkritiken, ein Buch *Karl Kraus oder Die Macht der Ohnmacht* (1968) und zahlreiche Feuilletons. Bertolt Brecht und viele andere lehnte er ab.

Den Roman *Der grüne Stern* (Buchausg. 1946) schrieb Weigel bereits in der Schweiz. Ein Diktator (Hitler), Mitläufer und Widerständler werden porträtiert. Ein (namentlich nicht genannter) Staat geht unter, weil die Massen einen Führer haben wollen, und auch der Führer geht unter, weil er die Massen nicht befriedigen kann.

Einer der fast unbekannten österreichisch-jüdischen Feuilletonisten ist **Joseph Wechsberg** (1907–83), der aus Mährisch-Ostrau stammte, in Wien Musik studierte, am *Prager Tagblatt* mitarbeitete, 1938 in die USA emigrierte und zuletzt in Wien lebte. Er schrieb Zeitglossen in englischer Sprache (z. T. als Bücher ersch.), nach dem Krieg wieder deutschsprachige Artikel (etwa über Verhältnisse in der Tschechoslowakei), autobiographische Skizzen, in denen er auch einer mährischen Köchin ein Denkmal setzte (*Lebenskunst und andere Künste*, 1963), und einen Reisebericht über das geteilte Deutschland (*Land mit zwei Gesichtern*, 1964).

Jean Améry war ein Wiener jüdischer Abkunft (eigentl. Johann Mayer, 1912 geb., 1978 in Salzburg durch Selbstmord geendet). Er hatte in Wien Literaturgeschichte und Philosophie studiert, war 1938 nach Belgien entkommen, dort 1943 von der Gestapo entdeckt und ins KZ eingeliefert worden (Autobiographie *Unmeisterliche Wanderjahre*, 1971). Nach dem Krieg hielt er sich zumeist in Brüssel auf (fühlte sich überall als »ein Fremder«). Sein Hauptwerk sind die Essays *Jenseits von Schuld und Sühne* (1966), Gedanken über Auschwitz, die Folgen der Tortur (»Wer gefoltert wird, bleibt gefoltert.«) und den Irrsinn unmenschlichen Verhaltens.

Unter den westdeutschen Autoren befaßt sich mit Österreich und seiner Vergangenheit vor allem **Hermann Lenz** (geb. 1913). »Österreich ist sein Stimulans... Wien, das er bis zum Jahr 1957 nicht aus eigener Anschauung kannte und in dem er keine Vorfahren hat.« (Dieter Hoffmann) Der Anlaß war sein Faible für Kunstgeschichte, die Kultur des Biedermeier und die Prosa Adalbert Stifters. Ihn beeindruckte die Stimmung des Untergangs, die allgemeine Ohnmacht, das Fehlen eines Heldentums, die müde und doch kulturgeschichtlich schöne Threnodie. Nicht zuletzt aus der Zuneigung zu Hofmannsthal schreibt Lenz einen milden, verhaltenen, rhythmisch ausgewogenen Stil.

IM INNEREN
BEZIRK

Seine erste Erzählung (1947) trägt den Titel *Das stille Haus*. Geschildert wird der allmähliche und geradezu ereignislose Zerfall der Donau-Monarchie und einer Familie am Ende des 19. Jahrhunderts.

Stephan Clary, ein junger Adliger, ist nur imstande, den Zerfall zu registrieren. Sein Vater, ein Diplomat alter Schule, gibt alles verloren und kann nichts anderes vorbringen als einen geistreichen Zynismus. Die Mutter hält sich an die Natur und den Gang der Jahreszeiten. Trotz seiner Bindung an die Mutter ist Stephan hilflos, ratlos: »Immer noch stand alles in der Luft, und es war mir zumut, als ginge ich auf einem Boden, der an vielen Stellen löcherig geworden war und dessen Löcher von Dunkelheit verwischt und eingenebelt wurden.«
In Österreich spielen außerdem die Erzählungen *Das doppelte Gesicht* (1949) und *Dame und Scharfrichter* (1973), die Novelle *Die Abenteurerin* (1952) und der Roman *Die Augen eines Dieners* (1964), ein Rückblick auf politische Geschehnisse, soziale und gesellschaftliche Wandlungen seit der Jahrhundertwende.

Ein Pendant zum »Stillen Haus« ist der dreiteilige Roman *Der innere Bezirk* (Gesamtausg. 1980), ein Psychogramm untergehender Aristokratie, wehrloser Kultiviertheit, hinfälliger Tradition – ein Gleichnis aus Deutschland, vor allem aus der NS-Zeit.

Im ersten Teil, *Nachmittag einer Dame* (ersch. 1961), geschieht die unausweichliche Auflösung der Familie des Franz von Sy (eines Offiziers und Diplomaten). Seine Frau, an ein feudales Leben gewöhnt, begeht Selbstmord. Margot, jung und unsicher, klammert sich an den Vater, besucht eine Schauspielschule in Wien und findet sich nicht zurecht.

Im inneren Bezirk (1970): Mit ihrem Vater lebt sie in einem Unterschlupf in München. Um ihn zu schützen, läßt sie sich mit einem NS-Mann ein. Der Vater wird zur Wehrmacht eingezogen, ins besetzte Frankreich beordert und gerät in Gefangenschaft.

Constantinsallee (1980): Nach dem Krieg kehrt Margot mit ihrem Vater in das Haus in der Stuttgarter Constantinsallee zurück. Eine Befangenheit ist vorhanden, eine Unfähigkeit, das Vergangene zu durchdenken. »Wahrscheinlich verbarg sie etwas vor ihm... Eingedunkelte Stunden... Buschwildnis auf einem Trümmerhügel.« Aber dann doch: ein Gefühl der Sicherheit im Haus, inmitten vertrauter Möbel, im Garten und in der unversehrten Natur.

Obgleich von Thomas Mann geschätzt, wurde Lenz lange Zeit kaum beachtet. Eigentlich kam er erst ins Gespräch durch seine autobiographischen Romane *Verlassene Zimmer* (1966), *Andere Tage* (1968) und *Neue Zeit* (1975) und die energische Fürsprache Peter Handkes (1973). Er setzte die Romanreihe fort: *Tagebuch vom Überleben und Leben* (1978), *Ein Fremdling* (1983), *Der Wanderer* (1986).

Geboren in Stuttgart (der Vater war Gymnasiallehrer), studierte Lenz in Heidelberg und München Kunstgeschichte, Germanistik und Archäologie. 1940 wurde er Soldat; 1946 kehrte er aus der Gefangenschaft zurück. Er kam in den Literaturbetrieb nicht hinein, wurde abgelehnt und mußte sich jahrelang mit kleinen Verlagen und minimalen Auflagen begnügen.

Die Roman-Reihe beginnt – weit ausholend – mit Erinnerungen an die Großeltern, die aus Amerika nach Schwaben heimkehrten, und Schilderungen des bürgerlichen Elternhauses. Eugen Rapp (»empfindlich«, nicht so »handfest« wie sein Vater und seine Schwester Margret, eher der Mutter verwandt) verlegt sich auf Kunstgeschichte und verliebt sich in München in eine Kommilitonin, eine Halbjüdin, Hanni Treulein. Doch die »neue Zeit« bricht herein. Rapp (dem »jeder Uniformknopf, jedes Gefühl von Eisen widerwärtig« ist) wird eingezogen, in Rußland, dann im Westen eingesetzt und von Amerikanern gefangengenommen.

Das »Tagebuch vom Überleben und Leben« testiert den mühsamen Neubeginn in den Nachkriegsjahren. Hanni hat die NS-Zeit überlebt; Rapp heiratet sie und haust mit ihr in einer Kammer, von der Idee besessen, Schriftsteller zu werden. – Am Schluß (»Ein Fremdling«, »Der Wanderer«) ergeben sich Enttäuschungen: Infolge des Wirtschaftswunders ist auch Literatur gefragt, aber Rapp kann nicht mithalten. Er resigniert, fühlt sich als »Außenseiter«. »Er merkte, daß er keinen festen Platz hatte unter den Menschen.«

Krieg, Not der Nachkriegsjahre und Wohlstandswelt sind die wesentlichen Geschehensbereiche im Werk **Heinrich Bölls** (1917–85), und zwar aus der Sicht des Einzelgängers, des freiwilligen oder unfreiwilligen, jedenfalls unbedingt kritischen Außenseiters. Der Antagonist (oder wie Böll sagte: »Anarchist«), der sich gegen Cliquen und solidarisierte Massen wehrt, ist in der Literatur kein neuer, aber immer wieder sympathischer Typus. Vielleicht erklärt sich daraus der ungeheure Erfolg der Werke, auch im Ausland. 1972 erhielt Böll den Nobel-Preis.

DAS GE-
WISSEN
SPRECHEN
LASSEN

Selbsterlebtes war der traumatische Anlaß des Schreibens. Böll, in Köln geboren, Sohn eines Bildhauers und Schreinermeisters, diente den Krieg hindurch als Infanterist, wurde viermal verwundet, zuletzt an der Westfront eingesetzt und geriet dort in Gefangenschaft. Nach der Entlassung konnte er in Köln, einer fast zerstörten Stadt, nur mühsam vorankommen. Er arbeitete in der Schreinerei seines Bruders und in einem Verwaltungsbüro, studierte Germanistik und schrieb Kurzgeschichten. 1951 entschloß er sich, Schriftsteller zu werden.

Sein erster Roman, *Wo warst du, Adam?* (1951), hat den Leitsatz: »Der Krieg ist eine Krankheit. Wie der Typhus.« Neun ringartig angeordnete Geschichten bezeichnen einen Reigen mechanischen Tötens, ein infernalisches Ritual des Sterbens, einen makabren Totentanz.

Eine Brücke, die für die zurückflutenden Soldaten errichtet wurde, wird gesprengt. Auswege sind versperrt. Eine Jüdin wird ins KZ abtransportiert. Die deutschen Truppen lösen sich auf; kümmerliche Reste werden an die Fronten geworfen und verheizt. Der Landser Feinhals möchte sich heraushalten, aber im letzten Moment, ein paar Meter vor seinem Elternhaus, wird er von einer verirrt einschlagenden Granate getötet.

Der Roman *Und sagte kein einziges Wort* (1953) vergegenwärtigt das Elend in einer zerbombten Stadt, – Wohnungsnot, Existenzangst und

Zerwürfnisse in der Familie. Im Roman *Haus ohne Hüter* (1954) sind es Witwen und Kinder gefallener Soldaten, die sich nicht zurechtfinden. Die Erzählung *Das Brot der frühen Jahre* (1955) geht in die Denkweise des »Wirtschaftswunders« hinein und deckt deren Schwächen und Lücken auf. (Der Antagonist ist ein Handwerker, der auf eine billig zu erreichende Karriere verzichtet.)

Böll befaßte sich auch späterhin mit der NS-Zeit und den unmittelbaren Folgen, aber er konzentrierte sich zunehmend auf gesellschaftliche, politische und religiöse Fragen der Gegenwart. Vor allem drei zeitkritische Romane trugen dazu bei, daß er der meistbeachtete deutsche Gegenwartsautor wurde: *Billard um halbzehn* (1959), *Ansichten eines Clowns* (1963) und *Gruppenbild mit Dame* (1971).

Dr. Robert Fähmel (Baustatiker), der versucht, beim täglichen Billardspiel der »Gegenwärtigkeit der Zeit« zu entfliehen, begreift den Zwang, sich mit dem »Hier, Heute, Jetzt« auseinanderzusetzen. Innerhalb der Rahmenhandlung eines einzigen Tages (im Jahr 1958) enthüllt sich die fünfzigjährige Geschichte einer Architektenfamilie. Robert ließ in den letzten Kriegstagen eine von seinem Vater erbaute Abtei sprengen, weil die Mönche sich zur NS-Herrschaft (zum »Sakrament des Büffels«) bekannten. Das Vergangene bricht in die Gegenwart ein. Von den Menschen des Widerstandes (die am »Sakrament des Lammes« festhielten) sind nur noch wenige am Leben; hingegen breiten sich viele Nazis aus (z. B. ist ein Polizeichef nun ein bedeutender Mann der Konservativen). Roberts Mutter schießt – aus Verzweiflung – auf einen dieser wiederaufgestiegenen Würdenträger.

In den »Ansichten eines Clowns« ist das Geschehen ebenfalls in die Erzählspanne eines Tages verlegt. Durch Rückblenden entsteht eine Biographie. Hans Schnier, 27 Jahre alt, hatte das Gymnasium vorzeitig verlassen, war Pantomime, Komiker, geworden. Es kam zum Bruch mit seinem Vater, einem Großindustriellen, und der Mutter (die eine fanatische Anhängerin Hitlers gewesen war und sich nun in einem Komitee hervortut, das der Versöhnung der Rassen dienen soll). Schnier lebte mit einem katholischen Mädchen zusammen, lehnte jedoch die konfessionellen und bürgerlichen Abmachungen einer Ehe ab. »Nicht religiös, nicht einmal kirchlich«, blieb er ein Außenseiter. Als Pantomime unbrauchbar geworden, setzt er sich an den Eingang des Bonner Bahnhofs, spielt Gitarre, wird Bettelmusikant. Sieger sind die »miesen Spießer«, die »Idioten«, die »eitlen Phrasendrescher«.

Im »Gruppenbild mit Dame« ist es die Tochter eines Kölner Bauunternehmers, Leni Pfeiffer, die sich nicht anpassen kann. Die Biographie ergibt sich aus Recherchen eines fiktiven Verfassers. Während des Krieges, als Hilfskraft in einer Friedhofsgärtnerei, verliebte sie sich in einen russischen Gefangenen, wurde als »Kommunistenhure« verabscheut, mußte sich rechtfertigen. Jahre darauf, in der Ära der Demokratie, befreundet sie sich mit einem türkischen Gastarbeiter und begegnet den gleichen Aversionen und Vorurteilen: nazistischen Anschauungen und zeitlosen Dümmlichkeiten.

In der Nähe der drei Romane stehen die Erzählungen *Ende einer Dienstfahrt* (1966) und *Die verlorene Ehre der Katharina Blum* (1974), Parabeln von der Courage und Machtlosigkeit des einzelnen. Der Bundeswehrsoldat Gruhl, der daheim, in der Tischlerei, nützliche Arbeit leisten könnte, wird beauftragt, mit einem Jeep herumzufahren, damit die Verwendung des Fahrzeugs nachgewiesen werden kann. Aus Protest verbrennt er den Jeep, aber die Sache wird unter den Teppich gekehrt, damit kein Aufsehen entsteht. – Katharina Blum hat einen Terroristen beherbergt und gerät in die Fänge der Boulevard-Presse. Abgestempelt als »Mörderbraut« und »Kommunistensau«, erschießt sie einen Redakteur; aber dadurch hat sie endgültig ihre Ehre verloren, »weil nicht nur die ZEITUNG, auch andere Zeitungen tatsächlich den Mord an einem Journalisten als etwas besonders Schlimmes, Schreckliches, fast Feierliches... behandelten«.

Die beiden letzten Romane, *Fürsorgliche Belagerung* (1979) und *Frauen vor Flußlandschaft* (postum 1985), enthalten zahlreiche bereits dargelegte Motive und daher auch weitläufige und weitverzweigte Handlungen. Mitunter kam keine schlüssige Konstruktion zustande.

Die Verstrickungen, in die ein Zeitungsverleger und seine Familie geraten, werden ausgelöst von Überwachungssystemen in der Bundesrepublik, von Eingriffen in die Privatsphäre, von rigorosen Maßnahmen gegen Andersdenkende. Ein enormer Plan taucht auf: die Autos zu vernichten; aber auch er verliert sich in der Masse der Begebenheiten, einer stereotypischen Masse von Ansichten. – In der »Flußlandschaft« der Bundeshauptstadt Bonn tritt politische und wirtschaftliche Prominenz hervor. Vor allem sind es Frauen (Ehefrauen und Kurtisanen), die das gängige Verfahren der Vertuschung und Lüge nicht mitmachen, z. B. die Verharmlosung der NS-Zeit nicht ertragen können.

Bölls treffende, geradezu routinierte Kleinmalerei, Milieu- und Charakterzeichnung beweisen sich vor allem in seinen Kurzgeschichten, Novelletten und Skizzen (ges. u. a. in den Bänden *Wanderer, kommst du nach Spa . . .*, 1950; *Erzählungen, Hörspiele, Aufsätze*, 1961; *Erzählungen 1950–1970*, 1972; *Du fährst zu oft nach Heidelberg*, 1979).

Kriegserlebnisse sind wiedergegeben (*Damals in Odessa; Wiedersehen in der Allee*), dann Versuche, sich in den Trümmern der Städte zurechtzufinden

(Der Mann mit den Messern; Lohengrins Tod), danach der wirtschaftliche Aufschwung und das Entstehen einer Wohlstandsgesellschaft *(Wie in schlechten Romanen; Der Bahnhof von Zimpren)*. Daneben finden sich ausschließlich psychologisch angelegte, »zeitlose« Skizzen *(Im Tal der donnernden Hufe; Doktor Murkes gesammeltes Schweigen; Der Lacher)*.

Böll (»Linkskatholik«) wurde ein unerbittlicher Kritiker, eine »Stimme des deutschen Gewissens«, ein »Provokateur« liberaler Haltung, der ebenso leidenschaftlich wie besonnen das »Prinzip der Einmischung« vertrat, auch einer Einmischung in die Verhältnisse anderer Staaten. Dies zeigt sich nicht zuletzt an seinen zahlreichen Essays und Memoranden.

Ein Teil der publizistischen Arbeiten erschien in den Sammlungen *Aufsätze, Kritiken, Reden* (1967), *Neue politische und literarische Schriften* (1973), *Berichte zur Gesinnungslage der Nation* (1975) und *Einmischung erwünscht, Schriften zur Zeit* (1977). Darin befinden sich Plädoyers für die Freiheit des Denkens und Schreibens, für inhaftierte und emigrierte Autoren (etwa Alexander Solschenizyn), für die Studenten, die 1969 in West-Berlin demonstrierten, für Gastarbeiter, Minderheiten, Benachteiligte, für ein Engagement des Christentums; zugleich werden heftige Einwände erhoben gegen die Notstandsgesetze, den Radikalenerlaß, gegen Gesinnungsschnüffelei und neofaschistische Umtriebe, aber auch gegen die Revolutionstheorien eines Herbert Marcuse und die Terroraktionen von Linksextremisten.

In der Frage der »Nachrüstung« der NATO stand Böll auf der Seite der »Friedensbewegung«. Ihn erschreckte nicht nur die Zahl der möglichen Toten, sondern auch der mögliche Tod des einzelnen. »Wenn es um Menschen geht, ist es immer noch die Ziffer und die Zahl Eins, die uns nahegeht.«

Das Literarische war für ihn ins Politische eingebunden. Vor allem in den vier *Frankfurter Vorlesungen* (1963, ersch. 1966), im Referat *Georg Büchners Gegenwärtigkeit* (1967) und im Essay *Versuch über die Vernunft der Poesie* (1973) postulierte er die Pflicht des Schriftstellers, sich mit der Gegenwart zu befassen: als freier Künstler, der »keinen irdischen Herrn über sich anerkennt und die Würde des Menschen im Wort bewacht und verteidigt«.

Fast gleichzeitig mit Bölls Frühwerken wandte sich **Wolfgang Koeppen** (geb. 1906) gegen gesellschaftliche und politische Entwicklungen in der Nachkriegszeit und der Anfangsphase der Bundesrepublik. Mindestens ebenso eindeutig äußert sich bei ihm eine autobiographische Intention der Sorge, der Angst, mitunter sogar der Hoffnungslosigkeit. Vor allem sind es wiederauftauchende imperialistische und faschisti-

IM TREIB-
HAUS

sche Vorstellungen, die Koeppen daran zweifeln lassen, daß ein Ausweg aus den Spannungen und Krisen gefunden werden kann. Erinnerungen an die Weimarer Republik und das Dritte Reich evozieren Vergleiche.

In Greifswald geboren, in Ortelsburg (Ostpreußen) aufgewachsen, studierte Koeppen u. a. in Greifswald und Berlin Theaterwissenschaft, Literaturgeschichte und Philosophie. Dann leitete er die Feuilleton-Redaktion des *Berliner Börsen-Couriers* (an dem namhafte Autoren mitarbeiteten). Nach der »Machtübernahme« schlug er sich mühsam durch, u. a. als Drehbuchautor.

Sein erster Roman, *Eine unglückliche Liebe* (1934), hatte keinen Erfolg. Der Inhalt war seinerzeit zu »dekadent«. Friedrich, ein Idealist und Phantast, klammert sich an ein Mädchen vom Varieté, läßt sich von ihr betrügen und demütigen. »Sie zu lieben, ist mein Schicksal, ich muß es annehmen.« Auch eine Flucht nach Italien befreit ihn nicht aus den Verstrickungen.

Die Romane *Tauben im Gras* (1951), *Das Treibhaus* (1953) und *Der Tod in Rom* (1954), beeinflußt von Joyce, Dos Passos, Faulkner und Döblin, setzen sich aus kaleidoskopischen Szenen zusammen, aus Montagen, inneren Monologen, Telegrammstil-Aussagen, realistischen Beschreibungen und assoziativen Verknüpfungen. Alle Verfahrensweisen dienen der Diagnose. Gesellschaftliche Umbrüche werden festgestellt und auf geschichtliche Vorgänge zurückgeführt.

Der Roman »Tauben im Gras« besteht aus fragmentarischen Bildern eines Tagesablaufs in München 1948, kurz vor der Währungsreform. Gegebenheiten und Geschehnisse erklären sich aus dem verlorenen Krieg. Amerikanische Touristen besichtigen die Trümmerfelder der Stadt. Ein Negersoldat hat eine deutsche Freundin. Ein englischer Modedichter tritt im »Amerika-Haus« auf. Die Frau eines Filmstars wünscht sich eine deftige Party. Der Schriftsteller Philipp, kraftlos, ausgemergelt, macht sich an eine Amerikanerin heran. »Aufgescheucht und wirr laufen die Menschen durcheinander.«

Dann, in der jungen Republik, namentlich in Bonn, wird ein erdrückendes »Treibhaus«-Klima konstatiert. Der »Kanzler« setzt die Wiederaufrüstung durch. Keetenheuve, Bundestagsabgeordneter der Opposition, ein aufrechter Mann, der unter den Nazis gelitten hat, gilt in der eigenen Partei als Sonderling. Imperialistische Vorstellungen grassieren. Hektik und undurchsichtige Machenschaften reiben ihn auf. Er begeht Selbstmord. »Die Revolution war tot. Sie war verdorrt... Ihre Möglichkeiten waren nicht genutzt worden.«

Im Roman »Der Tod in Rom« tauchen (durch den Korea-Konflikt und den »Kalten Krieg« geradezu herbeigerufen) die alten Nazis auf. Ein ehemaliger

SS-General steigt ins Waffengeschäft ein; und ein hoher Parteigenosse, der sich bei den Christlich-Konservativen einschmeichelt, wird Oberbürgermeister. Die Deutschen insgesamt sind wieder ganz oben. An der Fontana di Trevi singt eine Touristengruppe »Am Brunnen vor dem Tore«.

In den folgenden Jahren schrieb Koeppen drei gedankenreiche und stilistisch meisterhafte Reisebücher, *Nach Rußland und anderswohin* (1958), *Amerikafahrt* (1959), *Reisen nach Frankreich* (1961), in denen sich Eingeständnisse der Flucht, der Selbsttäuschung und Resignation abzeichnen. »Mein Mund ist stumm. Ich habe nichts zu erzählen«, heißt es in einer Skizze des Rußland-Buches. Erst 1976 erschien eine größere belletristische Arbeit, *Jugend,* ein autobiographisch eingefärbter »Bericht« aus der Zeit 1913–23.

Greifswald wird geschildert, das Spießertum der Honoratioren, Professoren, Offiziere, Studenten und Kleinbürger. »Pommerland ist abgebrannt, noch nicht, noch lange nicht oder bald.« Am Ende des Krieges bricht die Fassade zusammen. Unruhen entstehen, Armut und Elend breiten sich aus. »Die Stadt entblößte sich vor mir. Sie war nicht ehrbar.« Der gescheiterte Gymnasiast, ein Einzelgänger (»Ich wollte ich sein, für mich allein.«), macht sich davon, läßt sich als Matrose anheuern, aber er weiß, daß er sich dem geschichtlichen Ablauf nicht entziehen kann. »Ich sah die große graue See. Eine unendliche Grabplatte, wie aus Blei. Ich sah Seeschlachten, Versenkungen, Bombardierungen. Ich sah die großen Untergänge, die kommen sollten.«

Eine modrige Gesellschaft und deren Treibhausklima beschreibt in allen Einzelheiten und oft mit scharfer Satire **Martin Walser** (geb. 1927). Er wird häufig mit Koeppen verglichen, zumal auch er einen variantenreichen Stil verwendet. Nicht wenige Rezensenten halten ihn für einen der gegenwärtig besten deutschen Stilisten. »Bei Walser wird unentwegt Brillanz bestätigt.« (Joachim Kaiser) Einige Kritiker bemängeln die zuweilen krasse »sozialistische Tendenz« und ein schier »undiszipliniertes« Ausufern von Einfällen und Emotionen.

Die Wahrheit proben

Walser, in Wasserburg am Bodensee geboren (sein Vater war Gastwirt), ging in Lindau zur Schule, wurde zum Arbeitsdienst und Militär eingezogen und studierte ab 1946 in Regensburg und Tübingen Literaturwissenschaft, Philosophie und Geschichte. 1950–57 war er Funk- und Fernsehregisseur in Stuttgart. Mehrmals hielt er sich (u. a. als Dozent) in den USA auf.

Er promovierte mit der Abhandlung *Beschreibung einer Form, Versuch über Franz Kafka* (Buchausg. 1961). Im Band *Erfahrungen und Leseerfahrungen* (1965) und in anderen Essays befaßte er sich mit den Möglichkeiten eines total-kritischen Realismus. »Schreiben ist: die Wahrheit proben.« Im Sinne von Kierkegaard und Marx wird vom Schriftsteller das Ziel einer Weltverbesserung verlangt. »Herrschaftslegitimierer und Klassenverklärer« (Goethe, Thomas Mann) erleiden eine Abfuhr zugunsten »revolutionärer« Dichter (zu denen auch Hölderlin gezählt wird). Jedoch wehrt sich Walser gegen eine Ideologisierung der Literatur (man könne sie nicht »in Dienst nehmen«).

Um Symptome des Wirtschaftsgetriebes, der ökonomischen Macht und der gesellschaftlichen Scheinwelt geht es vor allem im Roman *Ehen in Philippsburg* (1957), in der »Kristlein-Trilogie« (*Halbzeit*, 1960; *Das Einhorn*, 1966; *Der Sturz*, 1973) und den beiden »Liszt-Romanen« (*Jenseits der Liebe*, 1976; *Brief an Lord Liszt*, 1982).

Beumann, Redakteur im Pressedienst eines Industrieverbandes, wird in die »besseren« Kreise Philippsburgs eingeführt, erlebt ein totales Durcheinander von Liebschaften und ehelichen Zerwürfnissen und verstrickt sich selber darin. Anfangs sozial engagiert, fügt er sich den Gegebenheiten. Partys und Zusammenkünfte in einer Bar sind Beispiele einer absurden Kommunikation, aber auch einer Allmacht der Reichen.

Anselm Kristlein, Handelsvertreter, Werbefachmann und Trivialschriftsteller, ein zwielichtiges Kind des Wirtschaftswunders, hat sich hochgearbeitet, dabei auch manche Amouren genossen. Zuletzt ist er Leiter eines Erholungsheims (einer Zufluchtstätte für Außenseiter, Arbeitslose und Anarchisten) und erleidet selber einen »Sturz«, weil das Unternehmen in andere Hände gelangt und er entlassen wird. Sein Resümee: »Ich hatte nie Spaß daran, unauffällig zu sein, ich hatte nur nicht die Kraft, mich durchzusetzen; also mußte ich versuchen, mich anzupassen... Jetzt habe ich auch die Kraft der Anpassung nicht mehr.«

Franz Horn (in den »Liszt-Romanen«), Vertreter eines zahntechnischen Labors, umherreisend, Absatzmärkte suchend, muß Mißerfolge eingestehen, sich mit dem Chef und dem Rivalen, Dr. Liszt, auseinandersetzen. Alkoholisiert und heruntergekommen, betrachtet er sich in einem Spiegel, empfindet die »Widerlichkeit seines Pendants«. Dann schreibt er einen Brief an den ihm überlegenen »Lord« Liszt, der eine Anklage und zugleich auch ein Geständnis ist. »Wenn man sich gefügt hat, vergißt man mit der Zeit, daß man den Druck nur deswegen nicht mehr spürt, weil man sich gefügt hat... Mein Vater, der Arbeiter war, hatte am Schluß nur noch einen Satz: Beschiß ist alles.«

Auf Grund der Verneinung »nachgemachter Authentizität« versuchte sich Walser in einer ausgesprochen experimentellen Prosa. Die grotesken Skizzen *Fiction* (1970) kommentierte er: »Ich bin jetzt gegen Abbildung der Welt als geordnete Geschichte.« Hier und in dem folgenden Roman, *Die Gallistl'sche Krankheit* (1972), finden sich nicht nur die witzigen, pikaresken Macharten und parodistischen Effekte der früheren Werke, sondern vor allem bruchstückhafte, elliptische, das Absurde tangierende Stilelemente.

In »Fiction« ist es ein anonymer Icherzähler, ein geistreicher Schelm und Playboy, der in München auf Abenteuer auszieht. »Ich. Es gibt. Ich gehe. In die Stadt. Eine Menge Menschen. Es gibt immer. Wo ich hinkomme. Eine Menge Bilder. Ich folge... Vor mir geht eine. Schwarze, gelbe, Bluse, Hose, weit aus, aber dann auch eng, jetzt hält sie vor einem Stoß Zeitungen... Vorsichtig trete ich hinter sie, ein Schlapphut, pink, und schon sieht sie nicht, wie ich an sie herantrete und mitlese...«

Als »Gallistl'sche Krankheit« wird ein allgemeiner (gesellschaftlicher) Zustand der Schwäche, der Orientierungslosigkeit und des Selbstekels bezeichnet. »Sintflutbilder«, »Schwindel«, »Weh« und »Zucken« stellen sich ein. »Wir können nichts mehr verbergen, dazu fehlt uns einfach die Kraft.« Der infizierte Mann hat den Namen Gallistl. »Ich stopfe mir meine Pfeife, mein Hund schaut mir zu, er hält mich jetzt für einen Surrealisten...« Zuletzt ergibt sich ein Ausblick ins sozialistische Kollektiv: »Der Sozialismus braucht den entwickelteren Menschen. Er verlangt ihn nicht nur, er ermöglicht ihn auch.«

Chancen für den einzelnen (nicht für die Gesellschaft), mit der Gegenwartsmisere fertig zu werden, zeigen sich in den beiden schwäbischen Romanen *Seelenarbeit* (1979) und *Das Schwanenhaus* (1980), aber auch im Roman *Brandung* (1985). Es sind Bindungen an die Heimat, vor allem an die Frau, zudem (wenngleich tragikomische) Anwandlungen der Menschenliebe und Gefühle stoischer Gelassenheit, die eine innere Balance zustande bringen.

Xaver Zürn, bäuerlicher Herkunft, Chauffeur eines Fabrikanten, von Ort zu Ort fahrend, 15 Jahre im Dienst, betrinkt sich in einer schwachen Stunde, wird daraufhin degradiert, in die Werkstatt versetzt. Er findet sich damit ab. Seine Frau hält zu ihm. »Sie erträgt ihn. Sie erträgt ihn sehr gern. Er ist ihr überhaupt nicht widerlich.«

Im anderen Roman heißt der Held Gottlieb Zürn. Er kämpft um das Schwanenhaus, ein idyllisch gelegenes, fast exotisches Gebäude. Er unter-

liegt einem Konkurrenten, der auf dem Terrain Luxusappartements errichten will. Die Schwäne werden erschossen, das Haus wird gesprengt. Mit Hilfe
seiner Frau setzt er sich darüber hinweg. »Jemand, der jetzt zur Tür hereingekommen wäre, hätte den Eindruck haben müssen, sie schütze ihn.«

Gleichermaßen emotionell motiviert ist der »helle Schluß« in der unmittelbar am Bodensee spielenden Novelle *Das fliehende Pferd* (1978). Helmut
Halm (mit seiner Frau Sabine) begegnet seinem Jugendfreund Klaus Buch
und dessen Frau Helene, zwei kräftigen, braungebrannten Personen, die
Überlegenheit ausstrahlen und anscheinend immer das »Richtige« tun. Er
macht sich von ihnen frei, indem er sich vornimmt, bewußt das Falsche zu
tun. »Das Falsche ist das Richtige.«

Im Roman »Brandung« ist Helmut Halm, der sich als Gastdozent in Kalifornien aufhält, zunächst von der Pracht des Landes und dem Prunk der Städte bezaubert, erlebt allerdings im Kreis seiner Bekannten ein Dasein voller
Konflikte und Zerwürfnisse. Er selber verstrickt sich in ein Liebesverhältnis;
die Studentin, die er scheu und zärtlich liebt, kommt an der Küste, in der
Brandung, um. Aus dem Gleichgewicht gebracht, sehnt er sich schließlich
nach seiner schwäbischen Heimat und seiner Frau zurück. »Ach Sabine, sagte er, mir bleibt nichts anderes übrig... Der kleine warme Dunkelraum seines Bettes schützte ihn.«

In Walsers Schauspielen dienen dem angestrebten »Realismus« zeittypische, zum Teil kommunikationslose Dialoge, farcenhafte Skizzen und auch kabarettistische Einlagen mit Songs und
Musik. Dabei lehnt er die Didaktik Brechts ebenso ab
wie die »Unverbindlichkeit« des »Absurden Theaters«. Als sein Vorbild nannte er Anton Tschechow.
Zumindest zwei Stücke entsprechen der gesellschaftskritischen Intim-Szene Tschechows: *Die Zimmerschlacht* (1967) und *Ein Kinderspiel* (1970).

SKIZZIERTE
SZENEN

Felix Fürst, Erdkundelehrer, von den Schülern gedemütigt, und seine Frau,
Trude, mütterlich, aber aufbegehrend, beschimpfen sich, dekuvrieren die
Armseligkeit ihres kleinbürgerlichen Daseins. Schließlich, am späten
Abend, gehen sie doch zu dem Schulkollegen Benno, der sie eingeladen hat,
um ihnen seine junge, prächtige Frau vorzuführen.

Die Geschwister Asti und Bille, der Schule entwachsen, gescheitert, improvisieren Sketche, in denen sie allerhand Leute und den Vater nachahmen
und parodieren. Der Vater, der eintrifft, hört sich ein verquollenes Gerede
(im Anarchisten-Jargon) an und erschießt Bille (nicht Asti, der ihn eigentlich
töten wollte).

Einfacher und eingängiger konstruiert sind die geschichtlich-dokumentarischen Stücke, *Eiche und Angora* (1962), *Der schwarze Schwan* (1964), Bilder aus den Jahren 1945–60, *Überlebensgroß Herr Krott* (1963), eine Allegorie des Kapitalismus, und *In Goethes Hand* (1982), eine Studie über Johann Peter Eckermann.

In »Eiche und Angora« will der NS-Kreisleiter Gorbach – im April 1945 – die Höhen am »Eichkopf« verteidigen. Das letzte Aufgebot, der »Volkssturm«, wird herangezogen. Alois Grübel, der als »Roter« im KZ saß und nun Angorakaninchen züchtet, ein pfiffiger ›Schwejk‹, macht mit, um sich reinzuwaschen, sabotiert aber die Verteidigung. Nach einigen Jahren ist Gorbach wieder ganz oben, und Grübel ist sein Hausmeister, ein Mensch, den man nicht ernst nimmt.

Professor Goothein, Arzt in einer Nervenklinik, ist der berüchtigte »Schwarze Schwan«, der Gaskammerspezialist des Konzentrationslagers Rosenwang. Als ein eindeutiger Beweis auftaucht, bringt er sich nicht um; sein Sohn begeht Selbstmord.

Auch Krott überlebt, eine »goldene Kröte«, ein steinreicher Mann, der sich in ein Gebirgs-Hotel zurückgezogen hat und sich von Nutznießern bedienen läßt. Seine Schandtaten sind vergessen, und auch der Gewerkschaftsfunktionär Strick fügt sich der Macht seines Geldes.

Eckermann, in einer windigen Behausung lebend, meint, er habe für die Unsterblichkeit Goethes viel getan, nur dürfe Hannchen (seine Verlobte) nicht aufs Geld sehen. Freilich, von Goethe habe er keinen Pfennig erhalten, und »siebzigtausend kassieren die Erben, ich fünfhundert«. Ein Jahrzehnt nach Goethes Tod rekapituliert er ein von Hoffnungen und Verzagtheit zerrissenes Leben.

Ein zerrspiegelartiger Realismus und eine – selbst das Banale einbeziehende – »barocke« Sprachvirtuosität finden sich noch häufiger

Der Reiz des Blasphemischen und drastischer im Werk von **Günter Grass** (geb. 1927). Erzählerische Besessenheit, Lust am Kritisieren und Fabulieren, der Wille, Tabus zu durchbrechen, und ein Hang zum Abnormen erzeugen immense Handlungen, genaueste Beschreibungen« von Details, groteske Szenen und verschiedenste Stilarten. Grass knüpfte an den »grobianischen« und »pikaresken« Roman des 16. und 17. Jahrhunderts an. Satzungeheuer, deftigster Jargon, blendende Formulierungen und nüchterne Aussagen stehen nebeneinander. Skurrile und schockierende Gags sind eingesetzt. In der Barockliteratur hieß es, ein »verblüffender Effekt« müsse erzielt werden.

Es entbrannte eine Schlacht um Günter Grass. Man empörte sich über »pornographische«, »fäkalische« und sonstwie »anstößige« Stellen; auf der Gegenseite lobte man das »Gewagt-Neue«, den »Reiz des Blasphemischen«. »Grass erschien wie ein plötzliches Sommergewitter über dem literarischen Horizont, und seine epische Substanz entlarvte die modischen Diagnosen über den Tod des Romans.« (Peter Demetz)

Grass stammt aus Danzig. Die Eltern (seine Mutter war Polin) hatten ein Kolonialwarengeschäft. Er ging aufs Gymnasium, wurde 1944 zur Heimatflak eingezogen, geriet in die Rückzugskämpfe hinein, wurde verwundet und nach Bayern gebracht. 1949–53 besuchte er die Düsseldorfer Kunstakademie und die Berliner Hochschule für Bildende Künste. (Vor allem seine Gedichte illustrierte er mit eigenen Zeichnungen.) 1956–60 hielt er sich in Paris auf; dann übersiedelte er nach West-Berlin.

Danzig war der Ansatzpunkt seines ersten und »einschlagenden« Romans, *Die Blechtrommel* (1959). Aus totalem Mißtrauen gegen die »Heimat« und jedweden moralischen Topos entstand das Porträt eines Zwerges, eines Gnoms, der sich ins Gewissen der Leute hineintrommeln will, aber auch an der gesellschaftlichen Misere mitwirkt, keine Bedenken kennt, lediglich einen Bericht erstattet, mit dem Vorbehalt, daß er lügt.

Oskar Matzerath schreibt 1952 in einer Heil- und Pflegeanstalt (er wird verdächtigt, eine Krankenschwester ermordet zu haben) seine Erinnerungen nieder. Im Alter von drei Jahren suggerierte er sich einen Stillstand des Wachstums. Er zog mit seiner Kindertrommel umher, gebärdete sich infantil und beobachtete das Kleinbürger-Milieu, das sexuelle Treiben und die Heimlichkeiten (vor allem seiner Mutter). Im Grunde kam es ihm darauf an, Wirrwarr anzustiften, die Erwachsenen zu konsternieren. In der NS-Zeit (er erlebte u. a. die Ausschaltung der polnischen Minderheit in Danzig) nutzte er die einzige Chance: Seine Fähigkeit, durch schrillen Schrei Glas zerspringen zu lassen, demonstrierte er in Varietés der Wehrmacht. Nach dem Krieg war er Modell in der Düsseldorfer Kunstakademie, Steinmetz und Jazzmusiker. Er hat in seinen Aufzeichnungen manches erfunden und verdreht, aber anscheinend nichts verschwiegen. »Es gibt Dinge auf dieser Welt, die man – so heilig sie sein mögen – nicht auf sich beruhen lassen darf.«

An diesen Roman schlossen sich zunächst die Novelle (bzw. Erzählung) *Katz und Maus* (1961) und der Roman *Hundejahre* (1963) an. Es ergab sich eine »Danziger Trilogie«. Hinzu kam der Skizzenband (oder auch Roman) *Aus dem Tagebuch einer Schnecke* (1972). Wenngleich sehr unterschiedlich angelegt, enthalten sie den gleichen thematischen Gedanken, die Überzeugung, daß es keinen Ort der Sicherheit, nur eine Illusion von Sicherheit gibt, daß der heimatliche Archetypus ein Nonsens ist.

Joachim Mahlke, ein Danziger Gymnasiast, dessen hervorquellender Adamsapfel einer gehetzten, ängstlichen Maus ähnelt und Katzen und Menschen veranlassen könnte, ihn anzugreifen, versucht, die Mißbildung, die Schwäche, dadurch zu kompensieren, daß er Mut aufbringt, ins Wrack eines versenkten polnischen Kriegsschiffes hinabtaucht und sich – als Soldat – einen hohen Orden verschafft, der am Hals getragen wird und den Knorpel verdeckt. Schließlich verschwindet er in dem Wrack, das sein Refugium geworden ist. Ein Klassenkamerad berichtet über ihn.

Sehr verzweigt konzipiert ist der Roman »Hundejahre«. In drei Kapiteln äußern sich Eddi Amsel, ein Halbjude, Walter Matern, sein Freund, aber auch diabolischer Feind in Danzig, und Harry Liebenau, einstmals Luftwaffenhelfer, über Geschehnisse im Dritten Reich. Amsel hatte Vogelscheuchen hergestellt und richtete nach dem Krieg in einer Schachtanlage, in Grubenstollen, ein Vogelscheuchen-Kabinett ein. Matern hatte mit den Nazis mitgemacht und sucht, aus englischer Gefangenschaft entlassen, nach den Verantwortlichen. Liebenau ist Rundfunkredakteur geworden. Man trifft sich und fragt: »Bist du es?«

In den Skizzen »Aus dem Tagebuch einer Schnecke« sind Eindrücke einer Propaganda-Reise für die SPD, Erinnerungen an Danzig und (sowohl biologisch exakte als auch abwegige) Erörterungen über die Spezies von Schnecken miteinander verknüpft. Der Autor registriert während der Wahl-Kampagne 1969 die Reaktionen der Zuhörer und die politischen Klimate einzelner Städte und Landschaften. Seinen Kindern gegenüber rechtfertigt er sein Engagement, indem er auf Danzig (die Machtergreifung der NSDAP und den Untergang der Juden) verweist. Um ein positives Beispiel zu bringen, erfindet er einen Studienassessor Ott, der sich mit Juden einließ, sich vor den Nazis verstecken mußte, fast irrsinnig wurde, sich jedoch behauptet hat, nicht übermäßig, aber halbwegs. »Heute lebt Hermann Ott mit seiner Lisbeth zurückgezogen und ganz normal: ein alter Herr, der noch gelegentlich Vorträge an der Volkshochschule hält. Über die Schnecke als Heilmittel und antikes Fruchtbarkeitssymbol; über Empfindsamkeit und Hypochondrie.«

Im Roman *Der Butt* (1977) ist »die mündende Weichsel der exemplarische Ort« mythologisch verbrämter, ebenso realer wie phantastischer Geschichten, in denen der Märchen-Fisch Butt und der seit Urzeiten lebende Icherzähler die »Schlüsselfiguren« sind. Durch Rückblenden in die Jahrtausende ergibt sich eine Fülle von sagenarti-

gen und historischen Bildern, Marginalien und Pointen. »Das Welttheater des Günter Grass ist wieder einmal ein Panoptikum, makaber
und komisch, bizarr und deftig zugleich.« (Marcel Reich-Ranicki)

Der Icherzähler berichtet seiner Frau, Ilsebill (die ebenfalls schon immer da
war), von Erlebnissen im Verlauf der Zeiten, von dem dreibrüstigen, ma-
triarchalischen Steinzeit-Weib Aua und weiteren sehr ungewöhnlichen, namentlich in der Liebe und der Kochkunst bewanderten Frauen des Weichsel-
landes – und zuletzt von einer Kantinenköchin in Gdańsk, deren Verlobter
bei den Arbeiterunruhen 1976 erschossen wurde. Auch das parallele Geschehen (dem das Märchen »Von dem Fischer un syner Fru« zugrunde liegt) mündet in die Gegenwart ein. Der Butt, einst von dem Fischer Edek (dem Icherzähler) an Land gezogen und freigelassen, revanchiert sich, indem er ihm
Ratschläge erteilt, ihm das Bewußtsein männlicher Überlegenheit beibrin-
gen will. Von Feministinnen gefangen, in eine Badewanne eingesperrt, wi-
derruft er seine maskuline Ideologie und propagiert ein neues Zeitalter humanitärer Frauenherrschaft. Es handelt sich um eine hoffnungslose Farce,
denn Ilsebill, Prototyp aller Frauen, ist ein »zänkisches Miststück« und erklärt: »Übrigens brauchen wir endlich eine Geschirrspülmaschine.«

Aus einer Randszene des Romans entstand die Erzählung *Das Treffen in Telgte* (1979), die Fiktion einer Zusammenkunft deutscher Barockdichter, eine Parabel vom großen literarischen Willen und geringen Erfolg, zudem eine – kritische und laudative – Anspielung auf die
»Gruppe 47«.

Grass wählte das Jahr 1647. Der Ostpreuße Simon Dach arrangiert das Treffen, Grimmelshausen hilft ihm dabei und besorgt ein Quartier in Telgte (zwischen Münster und Osnabrück, wo über den Frieden verhandelt wird). Arrivierte Dichter (etwa Gryphius, Hofmannswaldau, Angelus Silesius, Paul
Gerhardt) und zweitrangige Autoren finden sich ein, »ausgehungert auf literarische Wechselworte«. Man liest aus eigenen Werken vor, zerstreitet sich,
diskutiert über »die Not und das Glück der Poeterei wie das Elend der Vaterlandes«, beschläft zwischendurch die Wirtin und die Dienstmägde, entschließt sich zu einem Manifest, das sich gegen das »Unrecht« wendet. Das
Manifest verbrennt bei einer Feuersbrunst, aber immerhin: Man hat zur Förderung des Schrifttums etwas getan.

Zum politischen Zeitgeschehen äußerte sich Grass im Schauspiel
Die Plebejer proben den Aufstand (1966), im Roman *Örtlich betäubt*
(1969), vor allem aber in Reden und Essays. Im Gedichtband *Gleis-*

**DENK-
ZETTEL**

dreieck (1960) heißt es: »Wer jene Fäulnis, / die lange hinter der Zahnpaste lebte, / freigeben, ausatmen will, / muß seinen Mund aufmachen.«

Die zwielichtige Rolle Bert Brechts am 17. Juni 1953 wird interpretiert. Der Dichter, der eine Theateraufführung arrangiert, zieht sich auf seine Arbeit zurück, empfindet den Trubel, den die Demonstranten auslösen, als lästig. Er erweist sich als egozentrischer Intellektueller, dem die eigenen Ideen mehr bedeuten als die Forderungen der »Plebejer«.

In »Örtlich betäubt« ist die Unruhe in West-Berlin eingefangen. Schüler protestieren gegen den Krieg in Vietnam, gegen Hunger und Gewalt. Damit die Berliner »kapieren, daß die Amis da unten Menschen verbrennen«, will man auf dem Kurfürstendamm einen Hund verbrennen, aber man tut es nicht; alles bleibt eine halbe Sache und versandet in billigen Phrasen. Der Studienrat Starusch (der sich in Behandlung eines Zahnarztes befindet), liberal, aber nicht radikal eingestellt, hält es für das Beste, Schmerzen nur örtlich zu betäuben.

Aufsätze, Reden, Briefe und Kommentare erschienen u. a. in den Ausgaben *Über das Selbstverständliche* (1968), *Der Bürger und seine Stimme* (1974), *Im Wettlauf mit den Utopien* (1978) und *Denkzettel* (1978). Reiseberichte (insbesondere über China), Glossen über Politiker (etwa Franz Josef Strauß) und belletristische Skizzen sind vereint in dem Band *Kopfgeburten oder Die Deutschen sterben aus* (1980).

Für eine Versöhnung in einem europäischen Konsens plädierte Grass im Roman *Unkenrufe* (1992), wenngleich mit bewußt märchenhaften Motiven und Szenen (ein Deutscher und eine Polin finden zueinander und verfolgen die Absicht einer nationalen Übereinkunft, auch im Hinblick auf die deutsche Vergangenheit). – Ebenso wie Böll ist Grass ein Gegner trivialer Propagandismen und jedweder Machtkalküle.

Mit Symptomen der Unfreiheit, namentlich mit Zuständen im totalitären Staat, setzte sich **Siegfried Lenz** (geb. 1926) auseinander: in

**PARABELN
UND
STORIES**

den Schauspielen *Zeit der Schuldlosen* (1961) und *Das Gesicht* (1964) – und in den Romanen *Es waren Habichte in der Luft* (1951), *Stadtgespräch* (1963) und *Deutschstunde* (1968). Die anfangs stark »symbolistische« und »metaphorische« Aussage verringerte Lenz zugunsten einer mehr »denkspielerischen« und (wahrscheinlich unter dem Einfluß der Kurzgeschichten Hemingways) einfach-sachlichen Diktion. Er schreibt einen unkomplizierten Stil, verwendet ein eingängiges Vokabular. Seine Satire und Ironie halten sich in Grenzen.

Die beiden Dramen, Fiktionen und Gleichnisse, tragen sich in »erdachten« Diktaturen zu. Ein Attentat bringt den Präsidenten auf den Gedanken, Schuldlose zu inhaftieren, in die Ermittlungen einzuspannen; er erwartet, daß einer von ihnen den Attentäter überführt oder umbringt. – Ein Gouverneur mißbraucht einen Mann aus dem Volk; er läßt ihn seine Stelle einnehmen und Schandtaten ausführen, die er selber beabsichtigte; der Mann (ein Friseur) erweist sich als williger Diener.

Der erste Roman spielt in Finnland während des Ersten Weltkrieges und zeigt die Ohnmacht des einzelnen gegenüber bolschewistischen Fanatikern. »Stadtgespräch« gibt ein Parallelbeispiel aus dem Zweiten Weltkrieg, aus Norwegen: unbescholtene Bürger werden von Deutschen als Geiseln erschossen.

Im Roman »Deutschstunde« berichtet ein Insasse einer Jugendstrafanstalt, Siggi Jepsen, weil er einen Aufsatz über die »Freuden der Pflicht« schreiben soll, von stumpfsinniger, unmenschlicher Pflichtauffassung in der NS-Zeit. Sein Vater, damals Landpolizist in Schleswig-Holstein, hatte den älteren Sohn, Klaas, der durch Selbstverstümmelung dem Kriegsdienst entgehen wollte, im Stich gelassen; und er hatte den zu den »entarteten« Künstlern gezählten und gemaßregelten Maler Nansen (gemeint ist der Expressionist Emil Nolde) unnachsichtig überwacht. Aus einer violenten Angst heraus, Nansens Gemälde könnte verlorengehen, versuchte Siggi, sie – auch nach dem Krieg, als sie längst wieder anerkannt wurden, – sicherzustellen, zu stehlen; deshalb wurde er in die Strafanstalt eingeliefert. Er büßt anstelle des Vaters. Die junge Generation ist einbezogen in die Schuld der Eltern.

Siegfried Lenz ist – neben Böll und Grass – einer der populärsten Autoren. Die ersten Erfolge erzielte er mit den ostpreußischen Heimatgeschichten *So zärtlich war Suleyken* (1955) und den Romanen *Der Mann im Strom* (1957) und *Brot und Spiele* (1959), Parabeln von untauglich gewordenen Menschen (einem Taucher in Hamburg, der nicht mehr mithalten kann, und einem Sportler, der versagt).

Im Roman *Das Vorbild* (1973) versuchte Lenz, den psychologischen Aspekt der »Deutschstunde« fortzusetzen (drei Pädagogen bemühen sich vergeblich, ein Lesebuch zustande zu bringen, das den Jugendlichen Vorbilder präsentieren soll). Zudem schrieb er weiterhin Geschichten und kurze Erzählungen. In den Romanen *Heimatmuseum* (1978) und *Exerzierplatz* (1985) kam er noch einmal auf Ostpreußen zurück.

Er stammt aus der masurischen Kleinstadt Lyck (wo sein Vater Zollbeamter war), legte 1943 das übliche »Notabitur« ab und wurde zur Marine eingezogen. Am Kriegsende war er in Dänemark. Nach kurzer Gefangenschaft fand er eine Unterkunft in Hamburg, studierte dort Philosophie, Literaturgeschichte und Anglistik und arbeitete an einer Zeitung mit.

Ein Großteil seiner Kurzprosa erschien in den Bänden *Gesammelte Erzählungen* (1970) und *Einstein überquert die Elbe bei Hamburg* (1975). Das Meer, das Küstenland und die Stadt Hamburg sind die vorwiegenden Schauplätze. Einige (sehr gelungene) Skizzen vergegenwärtigen das NS-Reich (u. a. *Stimmungen der See; Gelegenheit zum Verzicht*).

Das Bändchen *Der Geist der Mirabelle* (1975) enthält zwölf Humoresken über Bollerup, eine holsteinische Gemeinde in der Gegenwart. Bollerup könnte auch das Dorf Suleyken sein, aber Lenz kam es gerade auf den örtlichen und zeitlichen Abstand an.

Die Distanz zum verlorenen Land und zur Vergangenheit ist das Thema des Romans »Heimatmuseum«. Der Weber Zygmunt Rogalla webt in einen Teppich die »scheckige Geschichte« Masurens ein; er überliefert Mythen, Volksbräuche, Lebensgewohnheiten und mancherlei tragische und kuriose Geschehnisse. Nach dem Krieg, in der Nähe von Schleswig, gründet er ein kleines masurisches Museum, sammelt einen »wunderbaren Ramsch«, allein aus dem Verlangen, ihn »in Sicherheit zu bringen«. Als ein Heimatverein sich einmischt, um daraus politisches Kapital zu schlagen (»historische Rechte« anzumelden), zündet er das Museum an. »Die gehüteten Befunde sind zerfallen, die Spuren gelöscht. Die Vergangenheit hat zurückbekommen, was ihr gehört.«

Im Roman »Exerzierplatz« wird – in durchaus schlichter Weise – ein Mensch anerkannt, der »alles verloren hatte, aber deswegen noch lange nicht bereit war, aufzugeben und beiseite zu stehen«. Konrad Zeller, 1945 aus Ostpreußen nach Schleswig-Holstein geflüchtet, legt auf einem ehemaligen Exerzierplatz eine Baumschule an, – nicht zuletzt auch als Zeichen eines neuen, friedfertigen Daseins. Allerdings gerät er in Konflikt mit modernen ökonomischen Denkweisen (etwa seiner beiden Söhne); und die eigentlich tragische Figur des Romans, Bruno, sein Gehilfe (ein schwerfälliger, kindhaft gebliebener Mann), ist unfähig, die Kriegserlebnisse in Ostpreußen zu vergessen.

Gemeinsam mit Grass befürwortete Lenz den Vertrag mit Polen (1970); doch sind seine politischen Äußerungen sehr zurückhaltend. Im Essayband *Beziehungen* (1970) betonte er zwar die Notwendigkeit des Protestes, sprach sich aber für eine autonome, von den Aktualitäts-Zwängen der Politik freie Literatur aus.

ENGAGEMENT DER FRAU

Seit 1945 äußern sich in zunehmendem Maß Schriftstellerinnen geschichts- und zeitkritisch, und zwar vorwiegend aus emanzipatorischen Motiven. Vor allem **Luise Rinser** (geb. 1911) verfaßte pointierte und polemische Analysen des Bürgertums. Ein wesentliches Thema ist die

Selbstverwirklichung der Frau gegenüber politischen und gesellschaftlichen Zwängen. Die Unterdrückung während der NS-Diktatur wird beschrieben. Trotz deprimierender Erfahrungen (auch in der Gegenwart) hofft Rinser auf die Kraft einer integren Demokratie und eines »progressiven Katholizismus«.

In Pitzling (Oberbayern) geboren, studierte sie in München Pädagogik und Psychologie, war Volksschullehrerin, wurde 1944 verhaftet und ins Traunsteiner Gefängnis eingeliefert. Dort entstand ihr *Gefängnistagebuch* (veröffentl. 1946). In den Nachkriegsjahren war sie Literatur-Rezensentin bei der amerikanischen *Neuen Zeitung* (München). Später unternahm sie zahlreiche Reisen (in die USA, die Sowjetunion und nach Ostasien) und berichtete darüber in Büchern und Aufsätzen.

Ihre frühen Erzählungen und Novellen befassen sich mit Frauen und Mädchen, die zu sich selber finden und anderen helfen wollen. Eine der eindrucksvollsten Geschichten ist *Jan Lobel aus Warschau* (1948). Eine Frau und ein Mädchen beschützen einen KZ-Häftling, dem es gelungen ist, zu fliehen; sie verstecken ihn, aber der Tod holt ihn ein. Beim Versuch, ins israelische Palästina zu gelangen, kommt er um.

Die Suche nach »Identität« ist das Motiv der beiden »Frauenromane« *Mitte des Lebens* (1950) und *Abenteuer der Tugend* (1957; 1961 in einem Bd. unter dem Titel *Nina* ersch.). Erinnerungen, Tagebuchaufzeichnungen und Briefe sind zu einer Biographie zusammengestellt.

Nina, Psychologiestudentin, später Schriftstellerin, hilft in der NS-Zeit (gemeinsam mit einem Arzt) politisch Verfolgten, wird des »Hochverrats« angeklagt und ins Zuchthaus gebracht. Danach, in der Ära der Freiheit, sucht sie einen »Neubeginn«, eine »Liebe und Ehe als Erfüllung«, wird enttäuscht, verliert aber nicht den Glauben an die »ordnende Kraft« des Christentums.

Um die Erkundung der »Identität« geht es auch im Roman *Ich bin Tobias* (1966), nur jetzt aus der Perspektive eines jungen Mannes und mit sehr unsicheren und verschwommenen Ausblicken. Tobias verlangt ein Vorbild. In der etablierten Gesellschaft findet er niemanden. Ein Pastor, ein Manager und ein schwächlich-hyperthymer Intellektueller bieten ihm Lebensweisheiten an; aber es scheint, daß er keinen Ersatz für das »verlorene Vaterbild« findet.

Dem frühen Roman *Die Stärkeren* (1948), einer Chronik bürgerlicher Schuld in den Jahren 1914–45, fügte Rinser eine noch schärfere Abrechnung hinzu: *Der schwarze Esel* (1974), eine Ermittlung deutscher Vergangenheit und Gegenwart, die in den Satz ausmündet: »Was ist gepredigt worden nach dem Krieg, wie war man bußfertig und voll guter Vorsätze. Und was ist herausgekommen?«

Die Autorin begegnet in dem Ort, in dem sie einst lebte, dem »schwarzen Esel«, d. h. einem Sud von Untaten und Rechtfertigungsversuchen. Die Mehrheit hatte den Nationalsozialismus akzeptiert, den Terror begünstigt. Danach hat man sich den Amerikanern angebiedert, und nun befaßt man sich mit der Wirtschaft und dem Lebensstandard. »Diese Stadt ernährt sich von dem Aas der Hoffnungen ihrer Einwohner heute wie damals... jetzt, in dieser Nachmittagsstunde, liegt sie da und wiederkäut Jahrzehnte ganz ohne Skrupel und Reue.«

Gleichermaßen provokativ sind Rinsers in jüngster Zeit erschienene Aufsätze, Reise- und Tagebuchnotizen. Zur Sprache kommen u. a. Zustände der Unfreiheit, Erscheinungen eines übermäßigen Wohlstands und Fragen des Verhältnisses von Mann und Frau.

Im Band *Unterentwickeltes Land Frau* (1971) wird die patriarchalische (von der Kirche sanktionierte) Gesellschaftsordnung angeklagt, aber auch ein Phlegma der Frau, eine geistige Immobilität. Rinser distanziert sich von den maßlosen »Feministinnen«; ihr geht es allein um den »Abbau des überstrapazierten männlichen Leitbildes«.

In den Essays *Wie, wenn wir ärmer würden* (1974) verlangt sie einen Verzicht auf den Reichtum, einen größeren sozialen Einsatz, eine »freiwillige Armut« zugunsten der Ärmsten (namentlich in den unterentwickelten Gebieten) und einen hellwachen Widerstand gegen diktatorische Tendenzen.

Politisches bzw. gesellschaftskritisches Engagement und Bestrebungen im Sinne des Frauen-Liberalismus finden sich ebenso in den meisten Werken von **Ingeborg Drewitz** (1923–86). Aus der Absicht heraus, Mißstände zu dekuvrieren, »Widersinn zu entlarven«, schrieb auch sie in einem präzisen, ausgesprochen analytischen Stil (mit erklärenden Monologen, Rückblenden, dokumentarischen Texten, Briefen und Tagebuchblättern). Allerdings teilte sie nicht unbedingt den religiösen Optimismus Rinsers, sondern verließ sich vielmehr auf die Wirkung allgemein-»aufhellender« Literatur.

Sie wurde in Berlin geboren, studierte Germanistik, Geschichte und Philosophie, promovierte 1945 und suchte Anschluß an kleine Theatergruppen. Sie blieb in West-Berlin (Autobiographie *Hinterm Fenster die Stadt,* 1985), schrieb Schauspiele über den Nationalsozialismus, die KZ-Lager und den Widerstand.

Im ersten Roman, *Der Anstoß* (1958), leuchtete sie in die Welt des Kleinbürgers, eines Buchhalters, hinein (der durch einen Selbstmord schockiert und aus der Bahn gebracht wird). Im Roman *Das Karussel* (1962) porträtierte sie eine Reihe von Bürgern, die mit den Nazis nicht fertig wurden. – *Wer verteidigt Katrin Lambert?* (1974) ist eine Roman-Recherche über eine Sozialfürsorgerin, die trotz ihrer Mühe scheiterte. Der Roman *Das Hochhaus* (1975) vergegenwärtigt den Alltag in einem Berliner Massenquartier, das kontaktlose Beisammenwohnen und hektische Beschäftigtsein mit der eigenen Existenz. Das Getriebe wird zur gespenstischen Stille. »Manchmal im Traum das Erschrecken, in einer ausgestorbenen Stadt zu leben ... Straßennamen, Plätze, der Stadtplan, ein Gitterwerk aus Namen.«

Die Selbstbehauptung der Frau im NS-Staat und im modernen Massendasein ist der gemeinsame Inhalt der Romane *Oktoberlicht* (1969) und *Gestern war Heute* (1978). Entgegen einem überschwenglichen Emanzipations-Kult wird die soziale Rolle der Frau in der Familie und Gesellschaft betont; vor allem wird von ihr gefordert, für Recht und Freiheit einzutreten, Risiken in Kauf zu nehmen, nicht »an die eigenen Defizite zu denken«.

Die Frau im »Oktoberlicht« (aus einer Klinik entlassen) kümmert sich um ihre Mutter in einem Altersheim, um ihre Kinder und ihren Mann, den sie als ihren Freund in der NS-Zeit bei sich unterbrachte und der nun ein heruntergekommener Schauspieler ist. Zugleich befaßt sie sich mit Vorgängen der Gegenwart, den Unruhen der Studenten, den Brüchigkeiten im Staat.

Gabriele M. (in »Gestern war Heute«), Rundfunk-Journalistin, hat Aufmärsche und Hitler-Reden miterlebt, sich nicht angepaßt; und nun hält sie – trotz vieler Vorbehalte – zu ihrem Mann und ihrem Sohn. Die Hilfe, die sie leistet, gibt ihr das Selbstvertrauen, Artikel zu schreiben, die »gegen die Sentimentalität, gegen die zur Phrase heruntergekommene Freiheit anreden«.

Den Gedanken, daß die Frau nicht nur Forderungen stellen, sondern sich auch bewähren müsse, übernahm Drewitz aus der Emanzipations-Bewegung des 19. Jahrhunderts. Ihre Monographien über fortschrittliche *Berliner Salons* (etwa den »Salon« der Rahel Varnhagen; 1965) und über *Bettine von Arnim* (1969) zeigen das damals (trotz aller »Romantik«) sehr nüchterne Ziel, durch geistige Mobilität und soziale Tat frei zu werden.

Begreiflicherweise stellten Schriftstellerinnen der DDR Fragen nach dem Standort der Frau im sozialistischen Staat. **Christa Wolf** (geb. 1929), neben Anna Seghers (S. 528) die bekannteste DDR-Autorin, gab unter gesellschaftspolitischem Aspekt angeblich die Meinung der Mehrheit wieder: »Unsere Verhältnisse haben es Frauen ermöglicht, ein Selbstbewußtsein zu entwickeln, das nicht zugleich Wille zum Herrschen, zum Dominieren, zum Unterwerfen bedeutet, sondern Fähigkeit zur Kooperation.« Andererseits befürchtete sie eine »Zerstörung der menschlichen Persönlichkeit«. »Mir graut vor der neuen Welt der Phantasielosen. Der Tatsachenmenschen.«

In Landsberg a. d. Warthe geboren, 1945 infolge der polnischen Besetzung ausgesiedelt, kam sie nach Mecklenburg und studierte in Jena und Leipzig Germanistik. Dann war sie Verlags-Lektorin, Redakteurin bei der Zeitschrift *Neue Deutsche Literatur* und Leiterin schriftstellernder Arbeitergruppen.

In ihren Essays *Lesen und Schreiben* (1971) und *Fortgesetzter Versuch* (1979) bekannte sie sich zu Anna Seghers, der Tradition sozialistisch-kommunistischer Literatur, aber auch zu Ingeborg Bachmann und einer Literatur, die »den Wandlungen und Gefahren im Innern des Menschen« nachspürt.

Aus dieser Polarität erklärt sich das zentrale Thema: die Problematik der Wechselbeziehungen zwischen Zeitgegebenheit und Einzelschicksal. Im Roman *Der geteilte Himmel* (1963) erfolgt noch eine relativ einfache (wenngleich schmerzhafte) Entscheidung zugunsten des Sozialismus. Zwiespältig sind hingegen die Befunde im Roman *Nachdenken über Christa T.* (1968), schon deshalb, weil zwei Personen (Christa T. und Christa Wolf) sich nicht nur gegenüberstehen, sondern auch miteinander identisch sind. Undurchsichtig ist auch das Resultat des Romans *Kindheitsmuster* (1976), des Versuchs, eine Selbstverwirklichung durch Erinnerungen und zugleich nüchternes Begreifen der Gegenwart zu erreichen. Den unschlüssigen Aussagen entspricht ein sehr intuitiver, pastoser, mit emotionalen Zufälligkeiten überladener Stil.

Im ersten Roman ist die inhaltliche Schlichtheit sentimental aufgeputzt. Rita Seidel, die in einer Waggonfabrik die Vorteile des Sozialismus erkannt hat, gerät in Verwirrung, als ihr Freund, verbittert, mit allem unzufrieden, in den Westen geht. Sie schließt sich ihm an, kehrt aber nach Ost-Berlin zurück, ergriffen vom »Sog einer großen geschichtlichen Bewegung«.

Christa T. stirbt an Leukämie. Der Arzt stellt fest: »Todeswunsch als Krankheit, Neurose als mangelnde Anpassungsfähigkeit an gegebene Umstände.« Aus ihren Aufzeichnungen und aus Mitteilungen von Bekannten geht hervor, daß sie »anders als andere«, »wirklichkeitsfremd«, »unzeitgemäß«, »ein bißchen anfällig für Überirdisches« war. Die Berichterin distanziert sich von ihr, betrachtet sie nicht als »Vorbild«, aber Christa T. hat fast den gleichen Lebenslauf, gelangte aus dem Grenzland in die Sowjetische Besatzungszone, studierte in Leipzig und versuchte, zumindest »schreibend über die Dinge zu kommen«.

Christa Wolf (in »Kindheitsmuster«) fährt ins polnische Landsberg, fahndet nach ihrer Kindheit, dem Ursprung, dem Zuhause, akzeptiert die Polen, trifft auf eine ungute Vergangenheit der Deutschen, erinnert sich an ihr eigenes Leben im NS-Reich, wird mit dem »andauernden Gefühl von Selbstfremdheit« nicht fertig und fragt am Schluß: »Das Kind, das in mir verkrochen war – ist es hervorgekommen? Oder hat es sich, aufgescheucht, ein tieferes, unzugänglicheres Versteck gesucht?«

In der Erzählung *Kassandra* (1982), dem bisher besten Werk Christa Wolfs, sucht die einst privilegierte und nun gefangene trojanische Seherin eine Einigkeit mit sich selbst. Den überaus männlichen Achill und die militante Penthesilea verabscheut sie ebenso sehr wie den Staatsfunktionär Eumelos; und Klytaimnestra, die ganz und gar »weibliche« Frau, wünscht ihren Tod. So bleibt aus ihrer »Zukunftssprache« nur ein Satz übrig: »Ich werde heute erschlagen werden.«

Es waren nicht wenige DDR-Autoren, die versuchten, den »Standort« der Literatur zu bestimmen, »Klärungsprozesse« vorzunehmen.

KLÄRUNGS- Im Bereich der Essayistik ist **Franz Fühmann** (1922–84)
PROZESSE zu nennen. In den Reisenotizen *Zweiundzwanzig Tage oder Die Hälfte des Lebens* (1973), den Aufsätzen *Erfahrungen und Widersprüche* (1975), *Der Sturz des Engels* (über Georg Trakl; 1982) und in einem »Werkstatt«-Gespräch des Auswahlbandes *Den Katzenartigen wollen wir verbrennen* (1983) äußerte er sich in gleicher Weise wie Christa Wolf, bekannte sich zu den Grundmaximen des Sozialismus, widersetzte sich jedoch einem trivialen »Nützlichkeitsdenken« und plädierte für einen Spielraum der Phantasie, der »Zaubersprüche«.

Er bejahte eine Verpflichtung gegenüber der Gemeinschaft, eine Literatur »jenseits individueller Strukturiertheit«, und verlangte den Schritt vom »Ich« zum »Wir«. Andererseits wünschte er sich »eine schöpferisch-kritische Atmosphäre«, eine freie, poetische, »magische« Selbstaussage. »Doch der Preis ist eben die Vereinzelung.«

Fühmann (geboren in Rochlitz/Böhmen) war SA-Mitglied und ein williger deutscher Soldat. Er entschuldigte sich nicht mit der Unreife der Jugend. In sowjetischer Gefangenschaft lernte er um, arbeitete als Handwerker in der

DDR (Reportage *Kabelkran und Blauer Peter*, 1961), setzte sich mit der SED auseinander und zog sich nach Märkisch-Buchholz zurück.

Die Erzählungen *Das Judenauto* (1962) und *Der Jongleur im Kino oder Die Insel der Träume* (1970) rechnen mit dem eigenen Versagen in der NS-Zeit ab, mit einem vom Bürgertum infizierten »Elite«-Bewußtsein. – Auch die meisten kürzeren Geschichten befassen sich mit dem Nationalsozialismus und dem Krieg (die erste Sammlung erschien u. d. T. *König Ödipus*, 1966). Als einzig mögliche »Anti-Welt« wird der Sozialismus-Kommunismus angesehen (etwa in den humorvollen Skizzen *Köpfchen, Kamerad*, 1965).

Mit sozialistischer Einfärbung schrieb Fühmann Nacherzählungen griechischer und deutscher Sagen (*Das hölzerne Pferd*, 1968; *Prometheus*, 1974; *Das Nibelungenlied*, 1971).

Günter de Bruyn (geb. 1926 in Berlin), von Jean Paul und Fontane beeinflußt, forderte einen kritischen Realismus (mit dezidierten »Warum-, Wieso-, Inwiefern-Fragen«) und zugleich eine Literatur »der Phantasie, des Traums, des Vagen, des Geheimnisvollen«, in jedem Fall eine »subjektive Erzählweise«. Zumindest in zwei Romanen leuchtete er sehr eigenwillig in die mittelständische Schicht der DDR hinein. In *Buridans Esel* (1968) flippt ein parteitreuer Bibliotheksleiter aus, von Sex und Liebe gepackt, bringt verquere politische Argumente vor, besinnt sich aber und sehnt sich nach seiner Ehefrau. Im Roman *Die Preisverleihung* (1973) muß ein Literaturdozent eine Laudatio halten auf ein Opus voller »Schablonen«, ein Machwerk, an dem die Zensoren und auch er selber herumbastelten, damit es einen Preis erhält.

Ulrich Plenzdorf (geb. 1934 in Berlin) schuf eine Schauspiel-Fassung von »Buridans Esel« (1975). Sein großer Erfolg war das Stück *Die neuen Leiden des jungen W.* (1972). Ein 17jähriger Lehrling, weggelaufen, in einem Gartenhaus untergekrochen, liest Goethes »Werther«, liebt vergebens ein Mädchen und kommt durch eine elektrische Maschine um, die er hergestellt hat. Er wünscht absolute Freiheit, und die Blue jeans, die er trägt, sind eine Allegorie dafür. »Ich meine, Jeans sind eine Einstellung und keine Hosen.«

Aus einer Film-Szene (*Die Legende von Paul und Paula*, 1974) entstand der Roman *Die Legende vom Glück ohne Ende* (1979). Die verstorbene Paula scheint in der Person der Laura weiterzuleben; Mysteriöses wird vermutet. Doch ist auch ein wenig Realität vorhanden, Ost-Berliner Alltag mit geringer Sensation: Paul arbeitet in der Außenhandelsbehörde und erleidet einen Unfall.

»Für mich ist Sozialismus und Freiheit im Grunde nicht trennbar«, erklärte **Stefan Heym** (geb. 1913) in seinem Essaybuch *Wege und Umwege* (1980). »Wer die Kunst irgendwelchen taktischen Bedürfnissen unterwerfen will, vernichtet gerade die Kunst, die der Sozialismus braucht.«

Stefan Heym (eigentl. Hellmuth Fliegel), geboren in Chemnitz, emigrierte als Student in die Tschechoslowakei und dann in die USA. Dort leitete er die antifaschistische Wochenzeitung *Deutsches Volksecho* (1937–39). 1953 übersiedelte er in die DDR und kam sehr bald mit parteiamtlichen Meinungen in Konflikt.

Seine in Amerika veröffentlichten »Zeitromane« erschienen in deutscher Sprache, u. a. *Der bittere Lorbeer* (1950; DDR-Ausgabe u. d. T. *Kreuzfahrer von heute*), eine pazifistische Reportage über den Vormarsch der amerikanischen Armee in Frankreich, und *Der Fall Glasenapp* (1958), eine Szene aus dem tschechischen Widerstand gegen die deutsche Besatzung.

Geschichtliches, Legendäres und politisch Aktuelles verknüpfte Heym in den Romanen *Die Papiere des Andreas Lenz* (1963; westdt. Ausg.: *Lenz oder die Freiheit*, 1965), einer Schilderung der Revolution in Baden 1849, *Lassalle* (1969), einem Porträt des »sehr zwiespältigen« Sozialisten, und in den beiden Allegorien *Der König David Bericht* (1972) und *Ahasver* (1981).

Auf Geheiß von König Salomo ist eine Historikerkommission beauftragt, Material zu sammeln über König David, der nicht nur ein Sänger, sondern auch ein skrupelloser Tyrann war. Die Aufzeichnungen sollen die Tatsachen nicht verfälschen (weil sie dann unglaubwürdig wären), jedoch mit einer gewissen »Diskretion« geschehen. Ein Historiker, der eine »Schwäche für die Wahrheit« hat, wird eliminiert, »zu Tode geschwiegen«. »Keines seiner Worte soll das Ohr des Volkes erreichen.«

Ahasver ist der umhergetriebene Jude, der kein Mitleid mit Christus hatte. In der Zeit der Reformation taucht er in Holstein auf und wird vom Gottorper Herzog und vom Superintendenten verfolgt. Zwischendrein streiten sich ein DDR-Philosoph und ein israelischer Professor darüber, ob es ihn gegeben hat und jetzt noch gibt. Ahasver ist ein Gegenspieler des Luzifer, aber auch von Christus. Er verlangt einen revolutionären Umsturz, einen »Sturm auf die heilige Ordnung«.

In zwei Romanen ging Heym direkt auf DDR-Verhältnisse ein, vorsichtig und doch couragiert. *Fünf Tage im Juni* (1974) ist ein relativ »neutraler« Bericht über die Arbeiter-Demonstrationen 1953; *Collin* (1979), eine Auseinandersetzung zwischen einem Schriftsteller und einem Funktionär, deckt Fehler auf, die in der Vergangenheit gemacht wurden. – Letztlich geht es auch im Roman *Schwarzenberg* (1984) um die DDR; der Idealismus in einer winzigen Republik (die 1945 tatsächlich existierte) verweist auf vertane Chancen.

Die Ereignisse im Juni 1953 werden auf Einwirkungen westlicher Agenten, aber auch auf Mißstände im eigenen Staat zurückgeführt. In einem Kommentar sagte Heym: »Die Ursache ist nicht der Anlaß – und die Ursache liegt in der DDR.«

Collin, ein renommierter Schriftsteller, erkrankt, wird in eine Klinik eingeliefert und begegnet dem vom Tode gezeichneten mächtigen Parteimann Urack, der sich für einen guten Kommunisten hält und meint, er sei ein »Hirn der Klasse, Schild der Klasse«. Vergangenes kommt zur Sprache, u. a. ein von Urack eingefädelter politischer Prozeß. Collin arbeitet an einem Buch, um sich von der eigenen Last freizuschreiben; aber er wird nicht geheilt, bleibt krank und stirbt geradezu freiwillig: »Collin sah merkwürdig gelöst und zufrieden aus.«

Eine »Republik Schwarzenberg« entsteht, weil weder die Russen noch die Amerikaner diesen Winkel des Erzgebirges besetzen. Menschen, die unter dem Nationalsozialismus gelitten haben, kommen zusammen. Ein »Aktionsausschuß« bildet sich aus Kommunisten, Sozialdemokraten und Parteilosen. Man will ein Muster schaffen für die Zukunft, ohne die »führende Hand« einer Großmacht und ohne ideologische »Säuberungen«. Aber nach sechs Wochen rücken sowjetische Truppen ein.

In einem Interview (1981) äußerte **Stephan Hermlin**: »Wir sind zwar keine Politiker, wollen aber die Politik beeinflussen.« Fraglich ist, ob dies sehr ernst gemeint war; in seinem Buch *Begegnungen 1954–1959* (1960) hatte er von der Literatur verlangt, Verzicht zu üben, »auf der Seite des Fortschritts ihre eigentliche Domäne einzuschränken«.

Stephan Hermlin (Ps. für Rudolf Leder), 1915 in Chemnitz geboren, trat mit 16 Jahren in den Kommunistischen Jugendverband ein, emigrierte 1936, nahm am Spanischen Bürgerkrieg teil und gelangte nach Frankreich und in die Schweiz. 1947 ließ er sich in Ost-Berlin nieder, wurde Mitglied der SED, zerstritt sich allerdings mit der Partei, legte ein Schuldbekenntnis ab und erklärte: »Niemand wird der Mund verboten.«

Hermlin ist ein in nahezu allen Epochen bewanderter Eklektiker, »ein Feinschmecker der Sprache, ein sensibler Kenner der Symbole, Bilder und Anspielungen« (Marcel Reich-Ranicki), der sich nicht und dann doch »anpassen« wollte und oft ins Triviale abglitt.

Pathetische Gebärden, Todesstimmungen, »schwarze« Visionen beherrschen seine frühe Versdichtung (*Zwölf Balladen von den großen Städten*, 1945, westdt. Ausg. u. d. T. *Städte-Balladen*, 1975; *Die Straßen der Furcht*, 1946). Im Lyrikbuch *Der Flug der Taube* (1952) zeigt sich die »Bemühung um

einen neuen Realismus«: Besungen werden die russische Oktober-Revolu-
tion, die Verteidigung Leningrads im Zweiten Weltkrieg, die Leistung Stalins
und die Taten junger Kommunisten in Griechenland und Frankreich.

Hermlin berief sich auf die Freiheit der Fiktion. In der Erzählung *Der
Leutnant Yorck von Wartenburg* (1946) verknüpfte er den deutschen
Widerstand gegen Hitler mit dem sowjetischen Antifaschismus, und
in der Titelgeschichte des Bandes *Die Zeit der Gemeinsamkeit* (1949)
führte er den jüdischen Aufstand in Warschau auf kommunistische
Initiativen zurück.

Yorck von Wartenburg, mit dem Attentat am 20. Juli 1944 in Verbindung
gebracht, zum Tode verurteilt, sieht die Sowjetunion als seine wahre »Heimat« an, als einen Staat der »Ehre, Treue, Pflicht«. – Die fiktiven Aufzeichnungen eines Warschauer Juden sollen bezeugen, daß man vor allem an Marx
und Lenin dachte und die wirklichen Helden überzeugte Kommunisten waren. Und auch da gibt es tragikomische Entgleisungen: »Was immer auch
geschehen würde . . . das Bild der getöteten SS-Männer würde über den Straßen stehen wie die Initiale vor dem ersten Kapitel einer aufgeschlagenen
Chronik.«
    In der Erzählung *Die Kommandeuse* (1954) lastete Hermlin die Unruhen
am 17. Juni 1953 allein dem Westen an. Eine wegen NS-Verbrechen verurteilte Frau wird von Rowdies aus dem Zuchthaus geholt und hält eine Rede.
»Weit hinten hatten ein paar Leute das Horst-Wessel-Lied angestimmt.«

Gegen den Westen wandte sich – im Sinne eines »antifaschistischen
Realismus« – vor allem **Rolf Schneider** (geb. 1932). Aber er reflek-
tierte auch auf »gewisse konjunktivische Möglichkeiten«, sogar auf
Aussagen »purer Unwahrscheinlichkeit«.

Schneider, in Chemnitz geboren, in Wernigerode aufgewachsen, studierte
Germanistik und Pädagogik und war Redakteur bei der Monatsschrift *Aufbau*. Seine gegen die Bundesrepublik und die USA gerichteten Stücke, Filme
und Hörspiele kamen gut an: u. a. *Prozeß Richard Waverly* (über den Abwurf
der Atombombe auf Hiroshima; 1961), *Der Mann aus England* (über neona-
zistische Kreise; 1963), *Television* (eine Attacke auf die Politik in Bonn;
1967) und *Manipulation* (eine Kritik an westlichen Massenmedien; 1971).

Andererseits finden sich in den Erzählungen *Brücken und Gitter*
(1965) sehr intuitive, geradezu traumatische Selbstbekenntnisse. Eine Brücke bricht zusammen, und ein Gitter verhindert den Ausweg.
Eine kafkaeske Situation der Hilflosigkeit wird beschworen.

»Die Brücke, über die ich erst vor ein paar Minuten gegangen war, erhob sich, um sich langsam und schräg in die Luft zu stellen.« Der Rückzug wird abgeschnitten; der Mann wird von der SS verhaftet und verdächtigt, ein Jude zu sein. – In der letzten Geschichte des Bandes wird ein Inhaftierter von der Gestapo freigelassen, damit die Genossen ihn für einen Kollaborateur halten. Er ist allein, gefangen in einem »Gitter« des »Argwohns«.

»Kafkaesk« sind auch zwei groteske Skizzen: Ein Tierarzt erkennt beim Aufwachen, daß er verunstaltet ist; und ein Angestellter einer Konservenfabrik sieht sich auf Reklameschildern als Säugling wieder, als Verbraucher von Milchpulver.

Eine Komödie und drei Romane schrieb Schneider über die DDR, mitunter kritisch, jedoch vorwiegend laudativ, dem moralischen Ziel der »Aufbau-Literatur« verpflichtet. Im Roman *November* (1979) warf er ungefällige Fragen auf, aber nicht mit polemischer Schärfe.

In der Komödie *Einzug ins Schloß* (1971) begreifen die Arbeiter einer Chemiefabrik, daß sie dem Gemeinwohl dienen. – Der Roman *Die Reise nach Jaroslaw* (ein Gegenstück zu Plenzdorfs »Die neuen Leiden des jungen W.«; 1974) ist abgefaßt als Ich-Bericht einer Schülerin, Gittie, die ohne jeden Zwang leben möchte, nach Polen ausreißt, aber zurückkehrt und sich in die sozialistische Gemeinschaft einfügt. Im Roman *Das Glück* (1976) wird Hanna (in einer Gartensiedlung asozial aufgewachsen) ein nützliches Mitglied der Gesellschaft, ist allerdings nicht immer zufrieden mit sich und ihrer Aufgabe als Lehrerin.

Natascha Roth (im Roman »November«), eine anerkannte Autorin, unterschreibt einen Protest gegen die Ausweisung des Schriftstellers Arnold Bodakov. Sie ist keine ausgesprochen positive Figur, treibt sich im Westen herum, kassiert dort Honorare und bringt kostbare Sachen mit. Eine Ärztin stellt sie zur Rede: »Ihr habt vielleicht etwas korrigieren wollen. Es ist nichts korrigiert worden... War es das wert?« Natascha entgegnet: »Bestimmte Handlungen werden getan, auch wenn sie absurd sind.«

Nicht unkritisch, aber absolut parteitreu verhielt sich **Hermann Kant** (geb. 1926), der Spitzenautor und Vorsitzende des DDR-Schriftstellerverbandes. Bereits sein erster Roman, *Die Aula* (1965), wurde fast einmütig akzeptiert. Kritik übte er an hier und da auftretenden Mängeln, Fehlplanungen und menschlichen Schwächen, nicht am politischen System. Gewisse Eigenwilligkeiten innerhalb seiner Mannschaft (»meiner Leute«) nahm er in Kauf. Im zweiten Roman, *Das Impressum* (1972), markierte er die Grenze: Man könne für irgendwelche »Ex-

DAS IMPRESSUM DER PARTEI

tratouren« Verständnis aufbringen, jedoch nicht dafür, daß jemand
»meint, er ist schlauer als die Partei«.

Zudem verkleidete Kant seine kritischen »Extratouren« mit einem
gedanklich und sprachlich sehr gewandten Witz. Was ernst genommen werden sollte, wurde ins unverfänglich Heitere verschoben, als
eine humoristische Delikatesse dargeboten.

Er wurde in Hamburg (als Sohn eines Gärtners) geboren, war Elektrikerge-
selle, dann Soldat und kam 1949 aus polnischer Gefangenschaft in die DDR.
Seit 1952 lebt er in Ost-Berlin; er studierte dort Germanistik und war eine
Zeitlang Redakteur bei der *Neuen Deutschen Literatur*.

Im Roman »Die Aula« schilderte er – auf verschiedenen Erzählebenen und
mit Hilfe von Rückblenden und inneren Monologen – die »Arbeiter- und
Bauernfakultät« in Greifswald, die er 1949–52 besucht hatte, und den weiteren Werdegang von acht Absolventen. Die ausgesprochen »antibürgerliche«
Lehranstalt dient als Beispiel für die sozialistische Bildungsrevolution. Einige Unstimmigkeiten sind vermerkt, aber im wesentlichen soll der Erfolg
nachgewiesen werden. Robert Iswall, einst Elektriker, wird Journalist; auch
fast alle anderen kommen gut voran; nur ein einziger schert aus, flüchtet in
den Westen und versucht, sich als Kneipenwirt in Hamburg durchzuschlagen.

Auch der Roman »Das Impressum« enthält zahlreiche (z. T. kuriose, aber
letztlich politisch harmlose) Episoden. Ein Chefredakteur repräsentiert den
Aufstieg der DDR. David Groth hat sich rechtschaffen hochgearbeitet, be-
folgt die Richtlinien der Partei, führt eine gute Ehe, bleibt seiner Frau treu.
Allein weil er beruflich überanstrengt ist, begeht er einen Fehler: Er kümmert sich nicht um seinen Freund, der erkrankt ist.

Der Roman *Der Aufenthalt* (1977) gibt Geschehnisse in der polnischen
Gefangenschaft wieder, Drangsalierungen, Auswüchse des Hasses, aber
auch Ansätze zu einem Verständnis mit den Polen.

Niebuhr, kaum achtzehn Jahre alt, zur Wehrmacht einberufen, wird 1944
von Polen gefangen und verdächtigt, an einem Massaker in Lublin teilgenommen zu haben. In einem Gefängnis, in dem sich Gestapo-Leute und Ge-
neräle befinden, wird er von fanatischen Nazis ebenso gequält wie von den
Wachmannschaften. Er nimmt die Tortur auf sich, weil er sich schuldig fühlt:
als Mitläufer, als »einer von den Menschen, ohne die Unmenschlichkeit nicht
gegangen wäre«.

Kants Stärke liegt in der knappen, aphoristischen Diktion, der Schilderung und Glossierung von Details. Am besten gelungen sind ihm
Erzählungen und Kurzgeschichten (u. a. gesammelt in den Bänden
Ein bißchen Südsee, 1962; *Eine Übertretung*, 1975; *Der dritte Nagel*,
1981). In einer Geschichte kommentierte er seine Schreibweise: »ein

klarer und einfacher Satz... eine Sentenz von der Geradheit einer
Linie zwischen Punkt und Punkt.«

Ein Bäcker verspricht einem Buchhalter (den er infolge eines Hörfehlers für
einen Buchhändler hält) eine bevorzugte Belieferung mit Brötchen, falls er
von ihm einen chinesischen Porno-Schmöker kriegt. »Sucht ist Sucht, Trunksucht, Freßsucht, Eifersucht, fast aussichtslos, davon wegzukommen. Also
ergibt man sich. Also zahlt man seinen Preis. Also mußte Herr Schwint seinen Kin Ping Meh erhalten.«

  Nach einer feierlichen »Jugendweihe« in einem mecklenburgischen Dorf
gerät der Schriftsteller mit seinem Auto von der Straße ab. Ein germanisches
Ungetüm, ein alter Nazi, versucht, den Wagen wieder flottzumachen. »Ein
Nazi hier auf unserm Grund, auf dieser neuverteilten Erde, in unserm Fort-
schrittsland ein Nazi hier, wie das? Das durfte doch nicht sein; war das denn
nicht verboten?«

  Ein Journalist, an einem Weihnachtsabend fast allein in der Redaktion,
spielt mit dem Gedanken, auf die Bildseite die Photographie eines nackten
Mädchens zu bringen – oder nur »Gesichter unserer Zeit«, unter denen sich
»die Porträts einer älteren Agronomin, eines landesbekannten Tierhegers,
eines beinahe ebenso bekannten Barockfachmannes und eines Angehörigen
der Feuerwehr befanden, welch letzterer von ausgreifenden und am Ende
doch eingedämmten Bränden zu träumen schien«.

  Haakon Smallfleeth (eigentlich Helmut Neumann), der im Ruf steht, »alle
Erfindungskraft an sein Pseudonym verbraucht zu haben«, möchte im Literaturbetrieb mitmischen, zumindest einen Artikel über Chamisso anbringen.
»Daß er auch kein Universallexikon besaß, hatte weniger mit Grundsätzen
zu tun, sondern vielmehr mit einer Ehescheidung und dem schamlosen Argu-
ment der gewesenen Frau Neumann, der Brockhaus erinnere sie an jene
glücklichen Jahre, in denen sie gemeinsam in ihm geblättert hätten.«

  Am Schlagbaum zwischen Ost und West werden der Autor und sein Wagen
durchsucht. »Was, zum Teufel, ist los, Genossen? Hat man euch den ganz
heißen Tip gegeben: Ein Haschmensch will durch!? Sah die Kollegin vorhin
ein Flackern der Cholera in meiner Iris? Fahndet wer nach meinem Wägel-
chen? Wollt ihr die Karre kaufen?«

  Eine Ärztin hat einen erkrankten Staatsanwalt in der Mache. Sie verlangt
strikte Unterordnung. »Ist das strafbar? Ich meine, dann wäre vieles in unserem Geschäft strafbar, weil wir uns ja doch, bei aller Schönrede, immer der
Drohung bedienen: Wenn du dies nicht tust oder jenes läßt, dann wird fol-
gendes kaum zu verhindern sein...«

Als verläßlichster und populärster Autor der DDR galt **Erwin Strittmatter** (geb. 1912). Er erhielt zahlreiche Preise, darunter dreimal den
Nationalpreis für Kunst und Literatur. Gelobt wurden vor allem sei-

ne Nähe zum Volk und seine intensive Beteiligung an der »Aufbau-Literatur«. In einer Rede (1958) bekannte er sich zur einfachen Schreibweise eines »proletarischen Optimismus«: »Der Sozialismus ist das, was schwer zu machen ist..., aber wenn man die Vorgänge noch psychologisch verkompliziert, dann ist er nicht nur schwer zu machen, sondern überhaupt nicht.«

Strittmatter, in Spremberg geboren, in einem Dorf in der Niederlausitz aufgewachsen, war u. a. Bäckergeselle, Kellner und Hilfsarbeiter, dann Soldat (gegen Ende des Krieges desertierte er). 1947 trat er in die SED ein und befaßte sich von da ab mit den Sozialisierungs-Plänen in der Landwirtschaft.

Ochsenkutscher (1950) und *Der Wundertäter* (2 Bde. 1957 u. 1973) sind autobiographische Entwicklungsromane, Aburteilungen der Vergangenheit. Die »Aufbau«-Romane *Tinko* (1954) und *Ole Bienkopp* (1963) demonstrieren (wenngleich mit einigen kritischen Anmerkungen) den landwirtschaftlichen Fortschritt.

Dem Problem des gespaltenen Deutschland spürte **Uwe Johnson** (1934–84) in seinen Romanen *Mutmaßungen über Jakob* (1959) und *Das dritte Buch über Achim* (1961) nach, wobei die DEUTSCHE politische Ratlosigkeit im Stil sich widerspiegelt: TEILUNG Mutmaßungen, Konjunktive, Fragezeichen, angeritzte Satzkonstruktionen vermitteln die Ambivalenz des »Nichts-sag-ich-dir-und-doch«. Die Auflösung in einen solchen Schwebezustand verhilft dazu, den gängigen Klischees zu mißtrauen und die Fragwürdigkeit der Lage zu überdenken.

In »Das dritte Buch über Achim« fährt ein Hamburger Journalist, von einer früheren Freundin und jetzigen bekannten Schauspielerin eingeladen, ins »andere Deutschland«. Er lernt dort Achim, den Radrennfahrer, Sporthelden und Abgeordneten der Volkskammer, kennen. Er beschließt, ein weiteres Buch über Achim (zwei sind über das Idol schon verfaßt worden) zu schreiben. Doch gelangt der Plan nicht über die Materialsammlung hinaus. Da sind nämlich einige »dunkle Punkte« – u. a. Achims wahrscheinliche Beteiligung am Aufstand des 17. Juni 1953. Partei- und Staatsstellen mischen sich ein. Das Buch bleibt ungeschrieben; der Roman ist ein Bericht über einen nicht geschriebenen Bericht.

Als »Dichter der deutschen Teilung« erweist sich Johnson vor allem in seinem opus magnum, dem vierbändigen Roman *Jahrestage* (vollendet 1984, nach einer zehnjährigen, durch schwere persönliche Krisen unterbrochenen Arbeit). Anhand eines Einzelschicksals läßt der Dichter deutsche Vergangenheit und Gegenwart erstehen. Der Roman sei, so formulierte es Johnson, »erzählt für die Kinder, die in der Klasse dieser Gesine Cresspahl [der Hauptperson] waren von 1948 bis 1952; er ist erzählt für die Leute, die im Wintersemester 1952 oder Frühjahr 1953 ein Studium an einer Universität der DDR versuchten; er ist auch erzählt für die Leute, die nach dem Aufstand vom Juni 1953 weggegangen sind, in eine ihnen anfangs sehr befremdliche Welt; er ist auch erzählt für die Leute, die in der Bundesrepublik wohnen und solche haben ankommen sehen.«

Der erste Band, Tagebuchnotizen der Jahre 1967/68, führt zurück in die Vor- und Anfangsgeschichte der kleinbürgerlichen Nazi in der mecklenburgischen idyllischen Kleinstadt Jerichow. Dort wurde Gesine 1933 geboren. Die Erzählerin lebt inzwischen als Bankangestellte in New York. Sie sucht ihre Herkunft in der Erinnerung: Kindheit und Jugend, die Eltern, die Landschaft, ihre Sprache; sie sucht für sich, aber auch für Marie, ihre Tochter, damit von der Vergangenheit aufgehoben wird, was vor dem Vergehen in der Zeit zu retten ist.

Gesines Mutter, die Selbstmord begeht, steht im Mittelpunkt des zweiten Bandes. Der dritte berichtet über Kriegs- und Nachkriegszeit; Gesines Vater, Jahrgang 1888, zunächst in der SPD, dann aus ihr ausgetreten, beruflich in England tätig, in der Nazizeit nach Deutschland zurückgekehrt, nominelles Mitglied der NSDAP, wird nach 1945 Bürgermeister; doch die Russen verhaften ihn: er kommt in ein Straflager.

Im vierten Band, als reale Zeit drei Monate im Leben der Erzählerin umfassend (Juni bis August 1968), werden wiederum amerikanische Gegenwart und aktuelles Weltgeschehen (wie es sich in den Nachrichten und Berichten der »New York Times« spiegelt) kunstvoll und assoziationsreich miteinander verschränkt. Gesine soll in geschäftlichem Auftrag nach Prag; der drohende Einmarsch der Sowjets in die Tschechoslowakei wird mit den Ereignissen und Erlebnissen aus der Nachkriegszeit konfrontiert.

»22. Juli, 1968 Montag. Was ist es denn, das bedrohte das gesittete Leben der Menschen auf der Erde? Es ist vor allem jene Bombe, die durch Kernreaktion Wärme erzeugt: sagt einer ihrer Erfinder und möchte nunmehr, daß die Sowjetunion sich vertrage mit diesem Lande, auf diesem Felde wie auch in anderer Hygiene. So tätig, die wissenschaftliche Reue. Ein anderer, ausgewiesen in Mathematik und Philosophie, hört sich ungeduldig an. Der sowjetische Ministerpräsident soll Lord Bertrand Russell und der Welt öffentlich versichern, daß die Rote Armee in der Č.S.S.R. Gewalttätigkeiten unterlassen wird. Damit man doch Bescheid hat wegen der Zukunft. Diese Ungewißheiten immer. Tatsächlich sind die Sowjets seit drei Wochen fertig mit ihren

Kriegsspielen in der Tschechoslowakei, und noch immer haben sie Truppen im Lande... Der Witwer, der Hagestolz Cresspahl hatte vom späten Sommer 1948 an gleich drei Frauen um sich. Die eine, die weißt du, eine Fünfzehnjährige rätst du, die dritte wird dich verwundern. Die eine trug, leider und vorweg geleisteter Trauer wegen, jeweils ein Stück Schwarzes, sei es Kragen oder Kopftuch, die andere wurde immerhin hinter ihrem Rücken ein Weibsstück genannt, dazu kam wie ehedem zu Besuch die Brüshaversche, die Frau Pastor.«

»In Neu-Spuhl sprach man unaufhörlich davon, was die Sachen kosten.« Aber man kennt nicht mehr die Werte. Im Gegensatz zur »Aufbau«-Literatur der DDR, die selbst dort, wo sie Kritik übte, vom richtigen Weg der sozialistischen Gesellschaftsordnung überzeugt war, wird die Bundesrepublik von einer Legion westdeutscher Autoren als Topos des Niedergangs kritisiert. Der praktizierte Materialismus ertöte Seelenleben; schöne Dinglichkeit lasse geistige Prinzipien verkümmern. In **Gerd Gaisers** (1908–76) Roman *Schlußball* (1958) ist über Neu-Spuhl, eine mittlere Industriestadt, das Wirtschaftswunder »hereingebrochen«. Der Krieg ist überwunden, aber das Menetekel war umsonst.

PRAKTIZIER-
TER MATE-
RIALISMUS

Mit einem großen Ball soll die Tanzstunde einer Oberprima zum Abschluß kommen. Von diesem Ereignis, das einen wichtigen Lebensabschnitt bedeutet, ausgehend, halten einige Beteiligte (repräsentative Figuren der Nachkriegszeit) Rückblick; der Roman ist eine Montage von Seelenmonologen. Punktuell, an Einzelbeispielen und -personen vorbei, stößt der Dichter auf den Grund der allgemeinen »Glückseligkeit«, und es bleiben Stagnation, Leere, Öde, innere Verzweiflung, seelischer Tod und hektische Vergnügungssucht.

In **Hans Erich Nossacks** (1901–77) Roman *Spätestens im November* (1955) wird die »typische Geschichte« einer reichen Frau erzählt; dem Fabrikanten- und Manager-Gemahl ist sie, was er braucht: »... für sein Haus, für das Geschäft und für die gesellschaftlichen Verpflichtungen.« Wirkliches Glück kennt sie nicht, bis sie bei einem Empfang einen Schriftsteller kennenlernt, der in allem das Gegenteil von dem ist, was sie in sterilem Glanz umgibt. Am selben Abend verläßt sie Mann und Kind. »Spätestens im November« will der Geliebte ein Theaterstück beendet haben, das seinen künstlerischen Durchbruch mit sich bringen soll; als es aufgeführt wird, ist die Frau zu ihrem Mann zurückgekehrt – verwandelt: »Sie werden es merken, daß ich glücklich gewesen bin... Wenn ich lache, werden sie es mir nicht glauben und mich beleidigt ansehen.« Am Abend nach der Vorstellung finden die beiden nochmals zusammen – zum gemeinsamen Sterben; im Auto prallen sie gegen einen Brückenpfeiler.

Die »höhere Gesellschaft«, die Nossack abkonterfeit, gleicht »toten Seelen anno 1955«; aber: »hurtige Äuglein, denen nichts entgeht, und spitze mißgünstige Mundwinkel«. »Das geringste Gefühl der Unsauberkeit oder daß irgend etwas an der Kleidung nicht korrekt sei«, raubt diesen Menschen die Sicherheit. Zufrieden sind sie, wenn sie das Oberhemd zweimal am Tag wechseln können. »Bei den Frauen schien es mir, daß ihnen alles viel selbstverständlicher war als mir und daß es ihnen nichts ausmachte, wenn beide Teile für sich lebten. Es nahm ihnen nichts von ihrer Sicherheit; die meisten waren sehr ehrgeizig, nur ihre Stellung war ihnen wichtig, und natürlich die Kinder, die auch zu dieser Stellung gehörten.« In Krisen sind sie »bewundernswert«, wenn nur im Haus alles »a-b-s-o-l-u-t« gut »funktioniert«. – Nossack begann in der Nachfolge Kafkas mit surrealistischen Erzählungen. Das Gefühl der Ausweglosigkeit – »am Rand des unsichtbaren Abgrunds« – bestimmte seinen aus dem Erlebnis der Bombennächte (der Zerstörung Hamburgs) geborenen »Bericht eines Überlebenden« *Nekyia* (1947); (ferner: *Interview mit dem Tode,* 1948; *Spirale – Roman einer schlaflosen Nacht,* 1956; *Der jüngere Bruder,* 1958; *Der Fall d'Arthez,* 1968; *Dem unbekannten Sieger,* 1969). »Hinter dem Grauen vor dem Nichts, dem Entsetzen vor der Zerstörtheit und der Zerstörung, dem Erstaunen über die Beschaffenheit der Welt, liegt keine kalte Verachtung des Menschen, sondern Mitleiden, ein Mitleiden freilich, das nicht auf dem Grunde des Christentums errichtet ist.« (W. Boehlich)

Eine »Komödie der Hochkonjunktur« nannte **Friedrich Dürrenmatt** (1921–90; geb. in Konolfingen b. Bern als Sohn eines protestantischen Pfarrers) sein Drama *Der Besuch der alten Dame* (1956). Einer antiken Schicksalsgöttin gleich, dabei aber mit allem realen Zubehör (Koffer, Diener, Scheckbuch – »reichste Frau der Welt«) bricht die »alte Dame« in die Kleinstadt ein; sie fordert Gerechtigkeit – will den Tod des ehemaligen Geliebten, der sie einst verriet; dafür ist sie bereit, eine Milliarde zu zahlen. Den Sarg führt sie schon mit. Die Versuchung rentiert sich – der Wohlstand »droht«. Einer nach dem anderen fällt von der Menschlichkeit ab: der Arzt, der Polizist, der Pfarrer, der Bürgermeister, der Lehrer; sie sind bereit, für das Geld die Humanität zu verkaufen. So verurteilen und töten sie ihren

Mitmenschen (Herzschlag sagt der Arzt). Während die alte Dame befriedigt abreist, schwingen die Bürger der kleinen Stadt im hektischen Wohlstandsglück den Scheck, den sie hinterlassen hat.

Die Szene wechselt. »Die einst graue Welt hat sich in etwas technisch Blitzblankes, in Reichtum verwandelt, mündet in ein Welt-Happy-End ein. Fahnen, Girlanden, Plakate, Neonlichter umgeben den renovierten Bahnhof, dazu die... Frauen und Männer in Abendkleidern und Fräcken, zwei Chöre bildend, denen der griechischen Tragödie angenähert, nicht zufällig, sondern als Standortbestimmung, als gäbe ein havariertes Schiff, weit abgetrieben, die letzten Signale...

> Ziemende Kleidung umschließt den zierlichen Leib nun
> Es steuert der Bursch den sportlichen Wagen
> Die Limousine der Kaufmann...
> Schätze auf Schätze türmt der emsige Industrielle
> Rembrandt auf Rubens...
>
> Es berstet an Weihnachten, Ostern und Pfingsten
> Vom Andrang der Christen das Münster...
> Es bewahre uns aber
> Ein Gott
> In stampfender rollender Zeit
> Den Wohlstand...«

Souverän verwendet Dürrenmatt in seinen Komödien (darunter *Romulus der Große*, 1948; *Ein Engel kommt nach Babylon*, 1954) die Stilmittel des Anachronismus und des modern verfremdenden Theaters, die Dialogsimultaneität des Hörspiels, die Rückblende des Films. Er mischt Allegorie, Symbol, Witz, Ironie und tiefere Bedeutung; er ist zeitkritisch und archetypisch, der antiken Mythologie verpflichtet, wie er um die Notwendigkeit der Entmythologisierung weiß (so auch in dem Spiel mit dem Tode, *Der Meteor*, 1966).

COMÉDIE HUMAINE

In *Die Ehe des Herrn Mississippi* (1952) beginnt die Handlung in einem genau beschriebenen Zimmer »spätbürgerlicher Pracht«. Saint-Claude, Repräsentant des Deklassierten, des Revolutionärs aus der Gosse, ist erschossen; aber der Tote beginnt das Spiel. In rascher Folge, wobei die Wände der Räume wie die Grenzen der Zeit immer wieder durchbrochen werden, rollt die Handlung ab: Der Richter Mississippi heiratet Anastasia, die ihren Gatten umgebracht hat, um sich – er hat selbst seine Frau getötet – dadurch zu bestrafen. Am Ende stirbt auch er an Gift. Dazwischen spielen herein Graf Bodo von

Überlohe-Zabernsee, ein verkrachter Christ und Philanthrop, der Minister Diego, die Verkörperung von Gewalt und Macht.

Auf zwei Ebenen, der realen wie surrealen, läuft das Geschehen ab – die ewige Komödie des Lebens, dessen Sinn in der Dunkelheit verbleibt: »Ob wir sterben an einer weißgetünchten Mauer, auf einem langsam zusammensinkenden Scheiterhaufen, aufs Rad geflochten, zwischen Himmel und Erde... Immer kehren wir wieder, wie wir immer wiederkamen... In immer neuen Gestalten, uns sehnend nach immer fernerer Paradiesen... Ausgestoßen aus eurer Mitte immer aufs neue... genährt von eurer Gleichgültigkeit... dürstend nach Brüderlichkeit... fegen wir hin über eure Städte... drehen wir keuchend die mächtigen Flügel... die Mühle treibend, die euch zermalmt...

> ... Eine ewige Komödie,
> Daß aufleuchtet Seine Herrlichkeit,
> Genährt durch unsere Ohnmacht.«

Einen Versuch, »die Idee des Menschen von der Wirklichkeit zu korrigieren«, stellt die Komödie *Die Physiker* (1962) dar.

Ost und West spionieren durch Agenten in der Maske Einsteins und Newtons den Atomphysiker Möbius aus, der ebenfalls einen Irren mimt, weil er so die fürchterlichen Folgen seiner Entdeckung aufhalten zu können glaubt. Alle befinden sich im Irrenhaus einer verrückten Ärztin und ermorden je eine Krankenschwester, um als Simulanten nicht entlarvt zu werden.

Die von Möbius umgebrachte Monika hat ihn geliebt. Die Chefin jedoch hat die falschen Irren längst durchschaut und die begehrten wissenschaftlichen Formeln bereits kopieren lassen und veräußert. Nun liegt die Entscheidung über das Schicksal der Menschheit in den Händen der einzigen Irren, Fräulein Dr. von Zahnd.

Auch in diesem bedeutsamen und meistgespielten Stück beweist Dürrenmatt seine Meisterschaft im Aufbau bühnenwirksamer Szenen, in der plastischen Personengestaltung und in der seinem Irrationalismus entsprechenden Darstellungsform: das anscheinend Vernünftige als falsche Reaktion zu erweisen, Komik in Grauen umschlagen zu lassen, »daß dem Zuschauer oft das Lachen in der Kehle stecken bleibt«.

Weitere Komödien von ihm, die bei der Uraufführung zumeist heftige Kritik hervorriefen, sind *Die Wiedertäufer,* 1967; *König Johann,* 1968; *Titus Andronicus,* 1970; *Porträt eines Planeten,* 1971 (Die

Menschheit zerstört die Erde); *Der Mitmacher*, 1976 (Entartung des
Kapitalismus zum Mördersyndikat), *Die Frist*, 1977 (Das langsame
Sterben eines Diktators). Neben Romanen, Kriminalromanen (*Der
Richter und sein Henker*, 1952; *Der Verdacht*, 1953; *Das Versprechen*,
1958), Erzählungen, deren Stoffe auch als Hör- oder Fernsehspiele bearbeitet wurden (*Grieche sucht Griechin*, 1955), verfaßte Dürrenmatt zahlreiche Essays (z. B. *Theater-Schriften und Reden,* 2 Bde.
1966 und 1972), die sich häufig mit seinem eigenen Schaffen befassen.
Mit Geschichten und Parabeln angereichert, erweisen sie sich als Pro-
sa-Kunstwerke von hohem Rang.

Dürrenmatt hat Schwierigkeiten, mit seinen Stoffen »fertig« zu werden; er
trägt die Welt im Kopf – als Labyrinth. »Seine Phantasie beziehungsweise
deren Lust am Labyrinthischen läßt die Gestalten der Geschichten leben und
morden, kämpfen und huren, vegetieren und sterben in einem selbstgeschaf-
fenen Labyrinth: in Schluchten, Bunkern und Schächten, in Spiegelsälen und
ungewissen Tiefen, in endlosen Höhlen- und Rolltreppensystemen. Ort der
Handlung oder des Geschehens ist immer – sei es manifest, sei es untergründig – ein Labyrinth: das systematische Chaos oder das chaotisch-anarchische
System.« (Rainer Hoffmann) Der Weg zur Erkenntnis sei ohne Wagnis von
Fiktionen nicht begehbar. Jeder Stoff will zum Weltstoff werden. Das Gesetz
dieser »erfundenen Unwirklichkeiten« ist »eine Ästhetik des Grotesken«, in
der »der Identitätssatz nicht mehr gilt«. (Vgl. auch *Stoffe I–III,* 1981, und
Werkausgabe in dreißig Bänden.)

Inmitten einer entleerten Wohlstandsgesellschaft werden die
»Brandstifter« Erfolg haben, die die Welt eines Tages wieder anzün-
den wollen. **Max Frisch** (1911–91), der aus Zürich stammte und vom
Architekten- zum Dichterberuf wechselte, zeigt in seiner Parabel
Biedermann und die Brandstifter (1958), wie die Komödie von heute
zur Tragödie von morgen werden kann.

Alle reden in der Stadt von den Brandstiftern; die Feuerwehr wacht, wird
aber nie gerufen. Immer wieder gehen Häuser in Flammen auf. Unverblümt
kommen die Brandstifter ins Haus des Biedermann und bereiten die Brandstiftung vor. Aber dieser bleibt Biedermann – sich abkapselnd und die Augen
vor der Gefahr verschließend. (»Zum Glück ist's nicht bei uns ... Zum Glück
ist's nicht bei uns ... Zum Glück –«, bis es zu spät ist und er selbst Opfer
wird.)
  Der »Chor« kommentiert das Ende:

>»Sinnvoll ist viel, und nichts
Sinnloser als diese Geschichte:
Die nämlich, einmal entfacht,
Tötete viele, ach, aber nicht alle
Und änderte gar nichts...
Was nämlich jeder voraussieht
Lange genug,
Dennoch geschieht es am End:
Blödsinn,
der nimmerzulöschende jetzt,
Schicksal genannt...
Weh uns! Weh uns! Weh uns!«

Frisch arbeitet mit kabarettistischen, modernistischen Mitteln. Er verfügt über eine reiche dramaturgische Phantasie; Stilmittel sind ihm die Zeit- und Raumauflösung, die »Regellosigkeit«. Seine Stücke sind Lehrstücke; indem sie das Vergangene aufs Allegorische hin vereinfachen – besonders den Irrsinn des Krieges – , rufen sie zur Einsicht auf (*Nun singen sie wieder,* 1946; *Als der Krieg zu Ende war,* 1949).

Wie jeder Moralist schwankt auch Frisch zwischen Optimismus und Pessimismus. Die *Chinesische Mauer* (1947) ist Symbol des »immer wiederholten Versuchs, die Zeit aufzuhalten«. In einem gespenstigen Maskenfest, zu dem der chinesische Kaiser Hwang Ti geladen hat, treffen sich die Großen der Erde: Napoleon, Columbus, Pontius Pilatus, Brutus, Philipp, Cleopatra, mit den Herren von heute: »ein Herr im Frack, ein Herr im Cut«. Ein Potpourri der Historie wirbelt vorüber in dramatischer Montage. Alles ist gleichgeblieben, die »chinesische Mauer« steht, die Menschen sind voneinander getrennt wie eh und je, Haß, Neid und Krieg finden sich noch immer, »der Rest ist Schweigen – radioaktives Schweigen«.

Mit *Stiller* (1954) und *Homo Faber* (1957) hat Frisch zwei bedeutsame Romane geschrieben. Der erste entwirft ein Panorama erstarrter gesellschaftlicher Wirklichkeit: der bürgerlich rechtschaffenen Schweiz mit ihrer prüden Enge, ihrem politischen Konservatismus und der »doppelten Moral« der Tüchtigen. Der andere wirft ein Schlaglicht auf den Menschen in einer technisierten, perfektionierten, sich zur Unmenschlichkeit hin entwickelnden Welt.

Stiller, eine Künstlernatur, sucht dem Spießerdasein und der Spießerumwelt dadurch zu entfliehen, daß er ins Ausland geht und mit gefälschtem Namen in die Heimat zurückkehrt. Er hofft so, sich von den Fesseln banaler Alltäglichkeit zu lösen und zu einer neuen Existenz zu gelangen. Aber die Flucht war vergeblich; langsam, aber sicher wird Stiller wieder in die Enge seines früheren Lebens hinabgezogen.

Faber ist ein erfolgreicher Ingenieur im Dienste der UNESCO. »Ich habe mich schon oft gefragt, was die Leute eigentlich meinen, wenn sie von Erlebnis reden. Ich bin Techniker und gewöhnt, die Dinge zu sehen, wie sie sind... Ich sehe den Mond... eine errechenbare Masse, die um unseren Planeten kreist, eine Sache der Gravitation, interessant, aber wieso ein Erlebnis?« Doch dieser Faber, dessen Glaubensbekenntnis nur auf Perfektion und Zivilisation zielt (»Wozu soll ich mich fürchten?«), erfährt das Schicksal, den Zufall, in furchtbarem Ausmaße: Die eigene Tochter, von der er nichts wußte, wird ihm zur Geliebten; er wird mitschuldig an ihrem Tod. Dazu leidet er an Magenkrebs. Als er sich endlich doch entscheidet, seine eigene schwache Natur als sein wahres Ich anzunehmen und nach Möglichkeit zu überwinden, ist es zu spät.

In dem Roman *Mein Name sei Gantenbein* (1964) läßt Frisch das erzählende Ich »Rollen wie Kleider« anprobieren. Die Wirklichkeit wird in einer Reihe von Möglichkeiten variiert – »Werkstattgespräch des Erzählers mit sich selbst über die Möglichkeit des Erzählens«. Diese Erzähltechnik ist der inhaltlichen Absicht des Romans adäquat: Es geht um die Pluralität der Freiheit, aus der heraus das Ich erst sein eigenes Dasein setzt; die Gegenwart ist der Kreuzungspunkt vieler fiktiver Entwicklungslinien; Leben ist Auswahl, Entscheidung.

Davon handelt auch sein Drama *Biografie* (1968). Der »Held«, der Verhaltensforscher Kürmann, der seiner Ehe mit Antoinette, die längst einen Freund hat, überdrüssig ist, weigert sich, »zu glauben, daß unsere Biographie, meine oder irgendeine, nicht anders aussehen könnte. Vollkommen anders. Ich brauche mich nur ein einziges Mal anders zu verhalten.«

Die Fixierung Frischs auf ein einziges Thema: daß man sich nicht fixieren, nicht festlegen dürfe, tritt wiederum im *Triptychon* (1978) zutage – ein Stück über den Tod und das Sterben-Müssen. Gelebtes Leben friert zum Standbild ein. »Es geschieht nichts, was nicht schon geschehen ist... Es kommt nichts mehr dazu. Was ich denke, das habe ich schon gedacht. Was ich höre, das habe ich gehört... Die Ewigkeit ist banal.«

Die Erzählung *Der Mensch erscheint im Holozän* (1979) berichtet von Herrn Geiser, vierundsiebzig, der in einem Gebirgstal einsam lebt. Durch andauernde Regenfälle wird das Dorf abgeschnitten. Registriert wird aber nicht nur die äußere Isolierung; der Verlust des Gedächtnisses kündigt sich an. »Offenbar fallen Gehirnzellen aus.« Geiser geht seine Bibliothek durch; schreibt ab, schneidet aus. Was gedruckt ist, nochmals abzuschreiben, mit eigener Hand (abends beim Kerzenlicht – denn ständig gibt es Stromausfälle), »ist idiotisch. Warum nicht mit der Schere ausschneiden, was wissenswert ist und an die Wand gehört... Ganz abgesehen davon, daß das Gedruckte leserlicher ist als die Handschrift eines alten Mannes... so viel Zeit hat der Mensch nicht.« Dergestalt »verzettelt« sich Geisers Leben. Er bricht zwar noch einmal auf, mit Rucksack, Hut und Regenschirm; erinnert sich an ein großes Ereignis seines Lebens: den Aufstieg auf das Matterhorn mit seinem Bruder vor fünfzig Jahren. Dann verdämmert er. »Alle Zettel, ob an der Wand oder auf dem Teppich, können verschwinden. Was heißt Holozän! Die Natur braucht keine Namen. Das weiß Herr Geiser. Die Gesteine brauchen sein Gedächtnis nicht.«

Walter Jens hat davon gesprochen, daß es in Frischs Werk keine strahlenden Helden gäbe, noch nicht einmal Schelme, die, dank ihrer List und ihres Witzes, am Ende obsiegten; vielmehr Opfer aller Art, Sterbende, Gelangweilte, Verzweifelte, Gescheiterte, Dahinlebende, Trinker... Menschen allesamt, deren Schicksal ihr Autor mit einem Maximum an Engagement und Exaktheit protokolliert: als Seelenregistrator, als richterliche Instanz, die ein Tagebuch führt – als Poet in jedem Fall, der in Bereichen Inventur macht, wo gemeinhin nur orakelt und geraunt wird, und dessen Kunst auf der nüchternen Preisgabe tabuisierter Tatbestände beruht.

Vielen zeitgenössischen Schweizer Autoren, die alle mehr oder weniger aus der Schule eines Robert Walser und Max Frisch kommen, ist gemeinsam, die »Praxis des Schreibens als kritische Praxis« zu betreiben und »Heimatgefühl als kritisches Gefühl« zu »begreifen, ihr Land als Modell eines westeuropäischen Bürgerstaates zur Zeit des ausgehenden Bürgertums verstehend« (Peter Wapnewski). Zu ihnen wären zu zählen **Peter Bichsel** (geb. 1935 in Luzern) mit *Eigentlich möchte Frau Blum den Milchmann kennenlernen*, Kurzgeschichten von 1965, und *Des Schweizers Schweiz* (1969); **Jürg Federspiel** (geb. 1931) mit dem Roman *Massaker im Mond* (1963) und der Erzählung *Der Mann, der Glück brachte* (1966); **Kurt Marti** (geb. 1921 in Bern) mit seinen »Geschichten zwischen Dorf und Stadt«: *Wohnen zeitaus,* 1965; **Herbert Meier** (geb. 1928 in Solothurn): Stücke *Rabenspiele* (1971; die Hautevolee läßt einen zum Priester bestimmten Jungen durch eine ihrer Mätressen verführen); das 20-Szenen-Panorama *Stauffer-Bern* (1974) spürt dem Maler Karl Stauffer und seinem Selbstmord nach, in den er aus politischen Gründen getrieben wurde. **Jörg Steiner** (geb. 1930 in Biel) schreibt Gefängnis-Romane: *Strafarbeit* (1962); *Ein Messer für den ehrlichen Finder* (1966). **Otto F. Wal-**

ter (geb. 1928) beleuchtet in seinen Romanen *Der Stumme* (1959) und *Herr Tourel* (1962) Vater-Sohn-Konflikte. – Der erste Roman des Germanisten **Adolf Muschg** (geb. 1934), *Im Sommer des Hasen* (1965), handelt von Stipendiaten, die für eine Festschrift ihrer Firma aus Japan berichten. Der PR-Chef der Firma schreibt ebenfalls einen langen Brief und schlägt als seinen Nachfolger Pius Gesell vor, den Stipentiaten, dem als einziger kein Aufsatz gelingt. Solche manierierte Artistik hält in den folgenden Romanen an, jetzt angewandt auf eine kritische Auseinandersetzung mit Schweizer Zuständen: *Gegenzauber* (1967), in dem Gammler ihr zum Abbruch bestimmtes Gasthaus zum Museum für Plüsch und Nippes erklären; *Mitgespielt* (1969), die Geschichte eines homosexuellen Deutschlehrers und seines Lieblingsschülers Andres; *Albissers Grund* (1974), wobei Muschg (ebenso wie in dem Theaterstück *Kellers Abend,* 1975) aus halbwegs positiven Bereichen der Vergangenheit, aus akzeptablen Überlieferungen, eine Wegweisung, sogar eine »lebensrettende Einsicht« zu gewinnen versucht.

Lyrisch-expressiv (wobei neben rhetorischer Übersteigerung kristalline Intellektualität steht) ist die Zeitkritik von **Hans Magnus Enzensberger** (geb. 1929). Der Gedichtband *Verteidigung der Wölfe* (1957) zeigt eine für sein dichterisches Werk insgesamt symptomatische Einteilung: Enzensberger faßt hier seine Gedichte in »freundliche Gedichte«, »traurige Gedichte« und »böse Gedichte« zusammen. In einem dieser »bösen Gedichte« – »bös« insofern, als es eine Reaktion darstellen will auf die Verirrungen und Perversionen unserer Welt – heißt es:

LITERATUR UND REVOLUTION

»warum war, als ich zur welt kam, der wald schon verteilt?
warum standen fest tarif und kataster?
*du hast doch die wahl zwischen dem napf des dressierten affen
und der litze, dem diktaphon des dompteurs.*«   (*option auf ein grundstück*)

Auf der einen Seite die Hingabe an eine freilich gebrochene Romantik, Konturen eines Lebens in Schönheit, die Bemühung um ein Heimischsein, eben »option auf ein grundstück«; auf der anderen Seite das Bewußtsein (in dem erwähnten Gedicht immer wieder als »Querschläger« einmontiert) von der Dominanz einer brutalen und unmenschlichen Welt. Raketen, Börsenblätter, Kontrolluhr, Konten, Kadavergehorsam, Kreuzverhör, Ratenzahlung, Gaskammer werden zu Stichworten der Barbarei. (Weitere Gedichtbände: *Landessprache,* 1960; *Blindenschrift,* 1964; Epos: *Der Untergang der Titanic,* 1978)

Aus Protest gegen den unverbindlichen Ästhetizismus des dichterischen Berufs, der diese Welt nicht zu verändern vermag, hat sich Enzensberger im Zeichen der APO-Bewegung (freilich nur für kurze Zeit) aus der Literatur zurückgezogen. Die Schicksalsfragen der Menschen würden nicht zwischen Buchdeckeln, sondern auf der Straße entschieden. »Diese linke Intelligenz«, so urteilt er über die engagierten Dichter der älteren und eigenen Generation, »war fleißig und fruchtbar, doch politisch im tiefsten Sinn unproduktiv. Sie bestand in der Hauptsache aus gebrannten Kindern, aus Alt-Sozialdemokraten, Neo-Liberalen und Spät-Jakobinern ... Mit ihrem Narrenparadies ist es vorbei, die Zeit der schönen Selbsttäuschungen hat ein Ende.« Solcher Abgesang ist freilich als Stilfigur und Attitüde dem, was er bekämpft, sehr ähnlich: eine Absage an die Welt, die expressiv (literarisch) gestaltet wird; der Ekel an den Worten wird wort-reich verkündet.

Für die Protestgeneration Ende der 6oer Jahre war die Literatur tot; eine Reihe von Intellektuellen und Künstlern schlossen sich einer solchen Meinung an; das Ziel sei nicht ästhetische Produktion, sondern politische Aktion und Agitation; dementsprechend erwiesen sich als vorrangige »literarische« Textsorten das Flugblatt, die Wandzeitung, das Plakat, das Pamphlet. Literatur wird, zusammen mit affirmativer Kultur, als kompensatorische Betätigung »entlarvt«, Rauschmittel im Sinne Freuds, der in seiner Schrift *Das Unbehagen in der Kultur* von den Künsten meint: »... tragen sie unter Umständen die Schuld daran, daß große Energiebeträge, die zur Verbesserung des menschlichen Loses verwendet werden, nutzlos verlorengehen.« Engagierte Kunst galt gleichermaßen als »Ventilsitte«; nach Herbert Marcuse kann Kunst niemals politisch werden, »ohne sich zu vernichten, ohne gegen ihr eigenes Wesen zu verstoßen, ohne abzudanken«. Als symptomatisch erwies sich in diesem Zusammenhang das Ende der Gruppe 47, des für das literarische Leben der Nachkriegszeit maßgebenden, von **Hans Werner Richter** (1908–93) geleiteten lockeren Zusammenschlusses von Schriftstellern und Publizisten.

Junge Autoren waren 1947 im Hause der Schriftstellerin Ilse Schneider-Lengyel im Allgäu zusammengekommen, u. a. Alfred Andersch, Wolfdietrich Schnurre und Günter Eich. Vielfach handelte es sich um ehemalige Mitarbeiter der von den Amerikanern wegen ihrer Kritik an den Alliierten verbotenen Zeitschrift *Der Ruf*.

»So wie wir die politischen Konzepte der Vergangenheit für nicht mehr realisierbar hielten, so waren auch die literarischen Schulen der Vergangenheit für uns veraltet ... Eine neue Literatur mußte nach diesem Zusammenbruch entstehen, nicht aber eine neue Schule, die nur die Formexperimente der alten fortsetzte. Diese Literatur mußte realitätsnah, realitätsbezogen sein, ähnlich dem Neo-Verismus, der zu dieser Zeit in Italien entstand, eine Literatur also, die dem politischen Engagement und der Wahrheit dienen sollte...

Doch was wir nicht wollten, war eine Agitationsliteratur. Sie erschien uns als Un-Literatur, als Propaganda, mit der uns das Dritte Reich und vorher die Parteien überfüttert hatten.« (H. W. Richter)

Wolfgang Weyrauch nannte wenige Monate später in einem Kurzgeschichtenband neuer Erzähler (Tausend Gramm) die Literatur, die mit diesem so privaten und intimen Treffen am Bannwaldsee sichtbar geworden war, »Kahlschlagliteratur«. Verpönt war die bürgerlich gepflegte Kunstsprache, die stilisierte »Schönschreibekunst« in allen ihren Variationen; sie erschien veraltet, verrostet, verlogen.

Bei der Tagung in Inzighofen 1950 erhielt **Günter Eich** (1907–72) den zum ersten Mal vergebenen Preis der Gruppe 47. Ausgezeichnet wurde er unter anderem für das Gedicht *Fränkisch-tibetanischer Kirschgarten* (Gedichtbände: *Abgelegene Gehöfte*, 1948; *Botschaften des Regens*, 1955; *Anlässe und Steingärten*, 1966):

>»Wen hält mit wehenden Ärmeln
>die Vogelscheuche fest?
>Mich stört nicht wie die Stare
>der Hasenbalg im Geäst.
>
>Die pendelnden Sensenschneiden,
>Stanniol, emporgeweht,
>die blechernen kleinen Mühlen,
>schnurrend vom Wind gedreht.
>
>Entferntes Sperlingszetern
>und Straßenlärm verklang,
>mit unsichtbaren Betern
>füllt sich der Kirschenhang.
>
>Lies auf den leeren Bändern:
>Om mani padme hum,
>die Zeichen aus den Ländern
>um Lhasa und Kumbum.
>
>Und hör aus solchen Zonen
>vervielfachtes Gebet,
>wenn auf den Kirschbaumkronen
>sich fremd die Mühle dreht.«

Die Preisverleihung war bezeichnend für die Veränderungen im Sprachbewußtsein innerhalb kurzer Zeit. Diente die Reduktion vorher der Konkretisierung und der Fixierung einer realen, geschichtlichen Welt, so zielte sie nun auf überzeitliche Allgemeingültigkeit. Das »reine Gedicht« kennzeichnete die Wende. Die Zeit einer »magischen Poetik«, in der das Materielle »verhaucht«, kehrte mit diesem spirituellen Verklärungsstil sprachlich zurück.

Das »reine Gedicht« hatte freilich inmitten der aufbegehrenden Jugend der endsechziger Jahre, die ihre Revolte als Revolution mißverstand, keine gesellschaftliche »Relevanz«. Die Absage an jede Literarität spiegelt auch die Entwicklung des von Hans Magnus Enzensberger mitbegründeten und herausgegebenen *Kursbuches*, das zunächst als literarische Zeitschrift begann und sich bald nicht-literarischen, auf Verstärkung des revolutionären Potentials zielenden Themen zuwandte. Im »Kursbuch« wurde durch Walther Boehlich auf dem Höhepunkt der Protestbewegung der Tod der Literatur verkündet. Der soundsovielte Tod. Dazu die Einzeltode: des Romans, des Theaters; der Lyrik sowieso. Doch brachte Enzensberger bald wieder Lyrik *(Gedichte 1955–1970)* heraus; das poetische Ich hatte sich offensichtlich inmitten von Soziologisierung und Politisierung seine große kleine Freiheit erhalten.

> »... Der ganz echte Revolutionär
> kann über den Kommunismus
> nur noch mitleidig lächeln
>
> Der ganz echte Revolutionär
> steht irgendwo ganz weit links von Mao
> vor der Fernsehkamera
>
> Der ganz echte Revolutionär
> bekämpft das System
> mit knallharten Interviews
>
> Der ganz echte Revolutionär
> ist volltransistorisiert
> selbstklebend und pflegeleicht
>
> Der ganz echte Revolutionär
> kriegt das Maul nicht zu
> Er ist ungeheuer gefährlich
>
> Er ist unser Lieblingsclown.« (Aus *Der Papier-Truthahn*)

Auf der einen Seite die Absage an die Welt des schönen Scheins, auf
der anderen die Kritik an einer agitatorischen Oberflächlichkeit, die
in ihrer Kunstfeindlichkeit die Totalität des Menschen mißachte. Der
»Jargon der Eigentlichkeit« wird mit dem »Jargon der Dialektik« bekämpft. Affirmative Kultur, stellt Herbert Marcuse fest, bekenne
sich zu einer »allgemein verpflichtenden, unbedingt zu bejahenden,
ewig besseren, wertvolleren Welt, die von der tatsächlichen Welt des
alltäglichen Daseinskampfes wesentlich verschieden ist, die aber jedes Individuum von innen her, ohne jene Tatsächlichkeit zu verändern, für sich realisieren kann... Was ein Klassiker gesagt und getan
hat, brauchte man nie so ganz ernst zu nehmen; es gehörte eben einer
anderen Welt an und konnte mit der gegenwärtigen nicht in Konflikt
kommen.« Zugleich hat Marcuse in der Kunst (Ästhetik) die große
Chance für den Menschen gesehen, sinnlichen Trieb und Formtrieb,
Stofflichkeit und Geistigkeit miteinander zu versöhnen – durch die
Selbst-Sublimierung der Sinnlichkeit und die Entsublimierung der
Vernunft.

   Die drei Bände des dichterisch-autobiographisch-philosophischen
Werkes *Ästhetik des Widerstandes* (1975–1981) und die begleiten-
den *Notizbücher 1971–1980* von **Peter Weiss** (S. 615)
ÄSTHETIK   wirken wie ein Kompendium dieser Jahre – der Frage
DES WIDER-   nach den Möglichkeiten wie Grenzen von Kunst und
STANDES   Politik intensiv nachspürend. »Es mochte zutreffen,
daß der eine beherrscht war von der Vorstellung einer unüberwindlichen Kluft zwischen der Kunst und dem politischen Leben, während
für den anderen die Kunst von der Politik untrennbar war. Vielleicht
waren dies nur verschiedene Auffassungen von ein und derselben Sache, und derjenige, der meinte, daß sie nicht gescheitert sei an dem
Druck, den die äußeren Verhältnisse auf die Kunst ausgeübt hatten,
sondern an dem beeinträchtigten Vermögen, mit der Kunst, also dem
selbständigen Denken, einzuwirken auf die scheinbar unerschütterli-
che Realität, hatte sich bloß einen Rettungsring angelegt, um sich an
der Oberfläche zu halten...« Gerade in der Kunst leuchtet die Idee
auf; der Schein ist das eigentlich Wahre. Der absoluten Sinnlosigkeit
des Sterbens so vieler Menschen, die um ihr Menschsein betrogen
werden, zu widerstehen, erweist sich als Sinn und Utopie der Kunst.
Aus Ästhetik erwächst die Kraft zum Widerstand, die Fähigkeit, verschlüsselte Botschaften zu entziffern, der Mut zum Weitermachen.

Revoltierende Theatermacher erhoben sich gegen die Vereinnahmung von Kunst; zugleich aber waren sie nicht bereit, das Theater als solches (auch nicht das subventionierte Stadttheater) zur Disposition zu stellen. Doch wurde die Frage nach der Notwendigkeit und Wirksamkeit von Theater spätestens seit der Mitte der 60er Jahre zum wichtigsten Impuls aller sich herausbildenden Entwicklungen, sowohl auf seiten des Dramas wie auf seiten der Inszenierungspraxis.

Es ist für das Theater der letzten Jahrzehnte kennzeichnend, daß die öffentliche Wirkung, Bedeutung und Brisanz einer Aufführung sich daran bestimmten, in welchem Maße sie, was immer sonst noch ihr Gegenstand sein mochte, als Theater auch die Mittel und den Sinn von Theater in Zweifel zog oder doch jedenfalls mitreflektierte. »Wo die Bühne, wenn das überhaupt denkbar schien, ausschließlich als ›Instrument der Vermittlung‹ (irgendwelcher, für sich genommener Inhalte) verstanden wurde – war das Theater tot. Seine Lebendigkeit ist also in dem Zeitraum, den wir überblicken, die seiner Selbstzweifel gewesen. Damit ist auch eine soziale Funktion definiert: Hier ist eine Institution (mit allen Merkmalen einer solchen), die sich aber in den Darstellungen, welche sie produziert, selbst nicht traut. Nur so, sich selber nicht ausnehmend, konnte das Theater sich der historisch bedeutendsten seiner Aufgaben nähern: davon zu handeln, daß auch dem Ganzen der gesellschaftlichen Ordnung, den Verhältnissen wie sie jeweils sind, nicht zu trauen ist.« (Peter Iden)

Die für die Theaterkritik dieser Dezennien maßgebliche Zeitschrift *Theater heute* hat den Zeitraum von 1960 bis 1980 u. a. mit folgenden Stichworten bedacht:

1960: Ende des repräsentativen Theaters
1964: Weiss und Kipphardt theatralisieren Dokumente
1966: Gewalt gegen Gewalt – auch auf dem Theater
1968: Die Straße dringt in das Theater ein
1969: Die Theatergruppe von Peter Stein (später Schaubühne am Halleschen Ufer Berlin) formiert sich in Bremen
1971: Die von Peter Stein zusammen mit seinem Dramaturgen Botho Strauß vorgenommene Aktualisierung von Heinrich von Kleists »Prinz von Homburg« stellt einen träumenden Homburg-Kleist vor, dem die ihn umgebende Gesellschaft wie ein Alptraum erscheint, der aber auch in der Hellsichtigkeit des Traumes sich eine Utopie erzwingt, die die Realität ihm versagt
1973: Kämpfende Frauen, heftig hassende Männer
1977: Neugierde auf Seelenabenteuer und sublimen Schrecken. »Neue

Subjektivität«, »Neue Sensibilität«, »neues Bewußtseinstheater« breiten
sich aus

1978: Pina Pauschs Tanztheater (Wuppertal) wird zum Spiegelbild von
weiblichen und männlichen Wünschen, Ängsten, Aggressionen, Frustrationen und Besessenheiten

1979: Hans Magnus Enzensbergers Nachdichtung von Molières »Menschenfeind« erweist sich als Panoptikum neudeutscher Schickeria.

Der Grundzug der beiden Theaterjahrzehnte, daß nämlich die Intensität des Verhältnisses der Bühne zur Realität abhängig ist von der
Intensität, mit der das Theater sich zunächst auf seine eigene Wirksamkeit bezieht, spiegelt sich in den Werken einer Reihe von Thea-
terautoren, die – unterschiedlichen Einflüssen unterliegend und an
unterschiedlichen Stilformen sich ausrichtend – die Brüchigkeit der
gesellschaftlichen Zustände aufzeigen, anklagen oder hinterfragen.
Die Horváth- und Fleißer-Renaissance fällt weitgehend in diesen
Zeitraum. Welcher Geschichtsbegriff kann jetzt der Orientierung
helfen? Was bedeutet es zu handeln? Was kann der Mensch sein?
Was bindet ihn? Wie kann er sich äußern? – sind »Theaterfragen«
dieser Jahrzehnte.

Botho Strauß (geb. 1944), von den einen als die große Hoffnung
des deutschen Theaters gerühmt, von den anderen lediglich als sensibler Seismograph angesehen, der geschickt die »Reprivatisierungs-
tendenzen« der Zeit gegen die vorangegangene politische Totalver-
einnahmung ausspielt, ist ein repräsentatives Beispiel für die geschil-
derte Theatersituation.

In melancholisch-resignierendem Ton und in stilisierter, symboli-
sierender, ja oratorischer Sprache untersucht Strauß mit der *Trilogie
des Wiedersehens* (1976), seiner vielgerühmten Übertragung *Som-
mergäste nach Gorki* (1974/75) als »moderne Variante« nachgezeichnet, am Beispiel des modernen Kunstbetriebs die emotionale Wirklichkeit einer zeitpolitischen Stagnation.

In *Groß und klein. Szenen* (1978) ist die Hauptperson, eine Graphikerin,
zehn Szenen hindurch in der Gesellschaft der 70er Jahre auf der vergeblichen
Suche nach ihrem Gatten, nach Liebe, nach Erleben und Lebenssinn. Aber
nicht einmal Kommunikation gelingt: Man redet und lebt aneinander vorbei.
So geht mit den erfolglos versuchten Bezügen zum Nächsten oder zu Gott
auch der Bezug zur Wirklichkeit verloren. Zum Schluß schickt sie selbst den
Arzt weg, denn – so sagt sie mit verzweifelter Ironie –: »Mir fehlt ja nichts«.

»Irresein« hatte Strauß schon 1970 als »eine ganz gewöhnliche Metapher«

bezeichnet »für das Befinden des Individuums überhaupt, für die internierten Kräfte seiner Fantasie, inmitten einer Gesellschaft, welche nur zur Raison zu bringen versteht, welche im Namen der Vernunft eine perverse Unterdrückungsherrschaft ausübt«.

»›Durch was ist Dein Haß gerechtfertigt?‹ wird man fragen. Er ist da! Ist das nicht Rechtfertigung genug?« fragte **Bernward Vesper** (1938–71) in seinem Buch *Die Reise* (1977). Die »Poesie der Verachtung« hat in **Rolf Dieter Brinkmanns** (1940–1975) Briefband *Rom, Blicke* (1979) ein ganz besonderes furioses Glaubenbekenntnis erhalten:

DEUTSCH-
LAND IM
HERBST

»›Die Rosinen mir rauspicken aus der Gegenwart?‹ Aus einem verfaulten, verfaulenden Lebensteig der Zivilisation & Kultur? / Ich sehe, was ich sehe! / Schatten, die sich bewegen, überall, Schatten in den Menschen, Menschheitsschatten in den Nervenreaktionen, ich zucke zusammen. / Draußen regnet Wasser aus den kondensierten Gasen & Dämpfen, schwarze Nachtdämpfe über den Häusern, sich biegende Bäume, schwarze, rauhe große Pfanzen / : das bisher eigenartigste waren total blattlose Bäume, an den kahlen Ästen & Zweigen hingen rote Früchte.«

Das Aufbrausen des Zorns währte freilich nur eine kurze Zeit. Die nachfolgende »neueste Stimmung« war eine solche der Resignation und Melancholie. Für die von Hans Bender herausgegebene Anthologie deutscher Gedichte der Gegenwart, *In diesem Lande leben wir* (1978), gab das »Hölderlin-Lied« von **Wolf Biermann** (geb. 1936; aus der DDR in die Bundesrepublik emigriert) den Titel ab:

> »In diesem Lande leben wir
> wie Fremdlinge im eigenen Haus
>   Die eigene Sprache, wie sie uns
>   entgegenschlägt, verstehn wir nicht
>   noch verstehen, was wir sagen
>   die unsre Sprache sprechen
> In diesem Lande leben wir wie Fremdlinge ...«

Die lyrische Aussage komprimiert und konzentriert die Stimmungslage, wie sie vielfach auch Politologie und Soziologie signalisieren: Weit verbreitet ist das Gefühl des Identitätsverlustes, der Entfremdung und Verunsicherung; kämpferischer Protest ist abgelöst durch Resignation und Pessimismus, die sich nur noch gelegentlich, und dann vorwiegend als Reaktion äußern. Der »lange Marsch durch die Institutionen« ist abgebrochen. Fluchtbewegungen verschiedenster Art machen sich breit. »Tunix« ist eine beliebte Parole, vor allem unter der Jugend. Man klammert sich an den objektiven Faktor Subjektivität, wobei Narziß als neuer Sozialisationstyp sich entwickelt.

Hartmut von Hentig sieht den Grund der Entmutigung in objektiven Tatbeständen – die Republik funktioniert nicht mehr, nicht weil die Regierungen ihre Befugnisse mißbrauchten oder ihre Kontrolle nicht ausübten oder eine Verschwörung im Gang sei, sondern weil die »Sachen« zu schwierig geworden seien, weil soviel miteinander zusammenhänge und weil keiner mehr die Wechselwirkungen und Nebenwirkungen überschaue.

Johannes Gross versteht, mehr impressionistisch-feuilletonistisch denn systematisch-analytisch, die »Misere der öffentlichen Gefühle« als dominantes, lediglich »veröffentlichtes« Bewußtsein – ein Bewußtsein, das im Widerspruch zur wahren »Lage der Nation« stehe. Die vorherrschende Überbau-Larmoyanz sei Zeichen für die notwendigerweise mit dem Wohlstand einhergehende Erschlaffung.

Bei **Günter Kunert** (geb. 1929, ebenfalls aus der DDR in die Bundesrepublik übergesiedelt) wird die »öffentliche Malaise« aufs Existentielle und Mythische hin ausgeweitet. Der Dichter identifiziert sich mit Atlas:

> »Zwar noch gebeugt
> aber die Arme schon leer
> und herabgesunken
> Die sonst steinerne Miene
> gesprungen vor Schreck
> über den Verlust der Last
> auf dem mythischen Weg
> irgendwohin durch die Zeit
>
> Plötzlich überflüssig
> ein nackter Überlebender seiner Aufgabe
> die ohne die Kugel mißlungen:
> der er folgen muß ins Vergessen
> überweht
> von ein paar Fetzen Poesie.«

Die Verfinsterung der Welt nimmt zu. Die Helle des Lichts enthält Dunkel genug. Der Weg nach Utopia (*Unterwegs nach Utopia,* 1977)

bedeutet nun wörtlich: Reise ins Nichts, ins Nirgend- und Niemands-
land. Als einzige Insel verbleibt die Toteninsel. Das Sterben liegt dem
Dichter näher als das Schreiben – aber immerhin ist Schreiben Versuch des Überlebens. »Schreiben: weil Schreiben nichts Endgültiges
konstituiert, sondern nur Impuls gibt; weil ein unaufhörlicher Anfang ist, ein immer neues erstes Mal, wie Beischlaf oder Schmerz.
Solange man schreibt, ist der Untergang gebannt, findet Vergänglichkeit nicht statt, und darum schreibe ich: um die Welt, die pausenlos in
Nichts zerfällt, zu ertragen.«

In dem Gedichtband *Abtötungsverfahren* (1980) wird Sklerose (die krank-
hafte Verhärtung von Geweben und Organen) zum Schlüsselwort. »Sklerose, Verwitterung, Versteinerung vernichten Zukunft und Geschichte, und
auch Erde und Landschaft sind zu Sand, Geröll, Fels und Zement geworden;
Natur ist nichts mehr als kahle, kalte Geologie, durchraschelt von trockenem
Laub und vergeblich beschriebenem Papier. Glas und Fensterscheiben halten keine Versprechungen mehr, sondern zeigen Begrenzungen, blinde Spiegelungen.« (Peter Demetz)

Seit den Tagen der Romantik, seit Bonaventuras »Nachtwachen« und Jean Pauls Vision der »Rede des toten Christus vom Weltgebäude herab, daß kein Gott sei«, hat der Nihilismus in einem ständig anwachsenden Strome das künstlerische Geschehen bestimmt. »Ich sehe die Fluten des Nihilismus steigen!« (Friedrich Nietzsche) War aber hier das Hintergründige, das Surreale, erklärt worden als das absolute Nichts, als Abgrund und Leere, so ist es Kennzeichen einer bestimmten Strömung moderner Literatur, daß sie an Stelle einer derart negativen Antwort auf die metaphysische Fragestellung im Zwischenbereich von Ja und Nein verhält. Die »Schwebelage« zwischen Angst und Hoffnung, Transzendenz und Immanenz, Gestaltung und Chaos, Lösung und Destruktion, Leben und Tod, Engel und Mensch, dem »Anderen« und dem, was uns im Hier bekannt und vertraut ist, diese Schwebelage wird im dichterischen Werk eingefangen und beschworen.

Darüber hinaus erweist sich der Surrealismus (nicht als kunsthistorische Stilbezeichnung gemeint) als Ausdruck des Bemühens, über die Befindlichkeit der Ambivalenz hinaus eine Realität jenseits der Realität entdecken (»erahnen«), jenseits des Frag-würdigen und seiner Deskription »festen Grund« finden zu können; er umfaßt in diesem Sinne viele »Ver- und Entschlüsselungen«.

Neben dem »Weltinnenraum« Rilkes steht Benns »ästhetischer Nihilismus«, neben der »tönenden Dunkelheit« des modernen Gedichts Kafkas Tunnel-Situation, Jahnns Holzschiff-Gleichnis und die exorbitanten (d. h. aus der Welt der Realität heraustretenden) Versuche der modernen Kurzprosa und des modernen Hörspiels. Die »neue Innerlichkeit« und »neue Betroffenheit« der Postmoderne beschwören schließlich ein Transzendieren, das von dieser Welt zu erlösen, in »reinere Gefilde« überzuführen hofft. »Traut euerm pochenden Herzen.« (Peter Handke)

Der Pessimismus überwiegt. Wenn Franz Kafka davon spricht, daß der Mensch sich in einer Situation befinde, die der in der Mitte eines langen Tunnels gleiche, ohne Licht von vorn und von hinten, voller Verzweiflung und Angst, nach einem Weg tastend, so umreißt dies die existentielle Situation des Menschen, wie sie der größte Teil der »surrealistischen« Dichter sieht. Das Wissen um die Brüchigkeit der zeitgenössischen Welt, das Naturalismus, Expressionismus und Traditionalismus bestimmt oder mitbestimmt, weitet sich zum Wissen um die Brüchigkeit der Welt überhaupt. Der Blick hinter die Maske vermittelt keine wirkliche Einsicht, keine Erklärung, geschweige denn eine Ordnung oder eine Idee. Durch die Bruchstücke der Wirklichkeit, durch die Fragmente von Zeit und Ort, durch die Absurdität des So-Seins hindurch erscheint das Ungestaltbare, das Nicht-Faßbare, etwas, das nicht mehr erklärt, sondern nur noch erahnt werden kann. Im Sprach- und Metaphernstil dieser Dichter tritt an die Stelle der Allegorie und des Symbols, der dichterischen Verdeutlichung eines festgegründeten, festgefügten Weltsystems, die Chiffre: Anrufung des Rätselhaften.

Aleatorische Entwürfe: damit ist eine Literatur gemeint, die aus der Verunsicherung und Instabilität heraus zu »Aussagen« zu gelangen sucht. Eine verkrustete, stereotypisierte Welt und Gesellschaft soll durch den »Zufall« aufgelockert werden, im »Spielerischen« ihren Zwängen entgehen. »Zufälliges« und »Spielerisches« öffnen wieder eine Dimension, die Pragmatismus, Profitorientierung, Leistungsdruck versperrten: nämlich die der Kreativität und Kommunikation. Die aleatorischen Entwürfe moderner Literatur sind weniger auf »Inhalte« und »Gehalte« ausgerichtet; sie zielen auf eine neue Ästhetik – und zwar auf die sinnliche Erkenntnis des Nichtsinnlichen.

»Suchen als Heimsuchung« – unter diesem Wort steht das Werk **Rainer Maria Rilkes** (1875–1926). Es ist bestimmt durch das leidenschaftliche, selbstgefährdende Streben, den Bezug zu Gott zu finden, zum Transzendenten vorzustoßen. »Ich kreise um Gott, um den uralten Turm, / und ich kreise jahrtausendelang«, heißt es schon im »Stundenbuch«. Und an anderer Stelle: »Der Weg zu dir ist furchtbar weit / und, weil ihn lange keiner ging, verweht.«

ICH KREISE
UM GOTT

Rilke wurde in Prag geboren und sollte Offizier werden. Die militärische Ausbildungszeit legte den Grund zu einem tiefen Trauma. Er studierte dann Rechtswissenschaften in seiner Vaterstadt. 1903 war er in Paris bei dem Bildhauer Rodin als dessen Privatsekretär. Der Dichter befand sich viel auf Reisen, unter denen vor allem sein Rußland-Aufenthalt 1899/1900 zum nachhaltigen Erlebnis wurde; er verbrachte schließlich nach dem Ersten Weltkrieg

seine letzten Jahre in Muzot, einem Schlößchen in der Schweiz (Wallis). In
Val-Mont bei Montreux ist er an Leukämie gestorben.

Die Verehrung Rilkes erreichte schon sehr früh großes Ausmaß. Vor
allem fand sich eine Reihe Gönnerinnen, die ihm ein Leben äußerer
Sicherheit ermöglichten. 1901 heiratete er die Bildhauerin Klara
Westhoff. Rilkes Frühlyrik ist preziös, wohlklingend, sentimental,
»Mädchenlyrik«:

> »Ihr Mädchen seid wie die Gärten
> Am Abend im April.
> Frühling auf vielen Fährten,
> Aber noch nirgends ein Ziel.«

Balladenhaft und gefühlvoll, voll prächtigen Bilderrausches erwies
sich Rilkes größter Erfolg: *Die Weise von Liebe und Tod des Cor-
nets Christoph Rilke* (1906), die Geschichte eines Vorfahren, der im
Kampf gegen die Türken den Tod findet.

Rilke betont in seiner Frühzeit – häufig in manierierter Weise –
die Form, das Ästhetische, Exklusive, die »Gebärde«. Wenn Rilke
ÄSTHETI-
SCHE GE-
BÄRDE
sich abends hinsetzt, um einem Besuch etwas Neuent-
standenes vorzulesen, und dabei zwei Kerzen anzündet, während der ganze Raum im Dunkel bleibt, ist
das ebenso Ritual, wie wenn er ein Gedicht, ein Prosastück oder einen Brief abfaßt. Er benutzt dabei gern ein Stehpult wie
die Mönche, von denen er im »Stundenbuch« berichtet, einem Werk,
in dem sich zum erstenmal sein religiöses Erleben herauszukristalli-
sieren begann:

> »Nichts ist mir zu klein, und ich lieb'es trotzdem
> Und mal' es auf Goldgrund und groß.«

Freilich war für Rilke die Gebärde, die gelegentlich auch kunstge-
werbliche Form annahm, letztlich nichts Äußerliches, sondern nur
äußerer Ausdruck einer inneren Gestimmtheit, einer seelisch-geisti-
gen Feierlichkeit, unter der sich ihm die Begegnung mit der Welt, den
Menschen und Dingen vollzog. Es war die Sehnsucht nach dem Schönen und Wertvollen in einer Zeit, in der immer mehr das Unschöne,
massenhaft Produzierte und Standardisierte sich durchsetzten.

»Noch für unsere Großeltern war ein Haus, ein Brunnen, ein ihnen vertrauter Turm, ja ihr eigenes Kleid, ihr Mantel, fast jedes Ding ein Gefäß, in dem sie Menschliches vorfanden und Menschliches hinzusparten. Nun dringen von Amerika her leere gleichgültige Dinge herüber, Scheindinge, Lebensattrappen. Die belebten, erlebten, die uns mitwissenden Dinge gehen zur Neige und können nicht mehr ersetzt werden.«

Der Kern des Rilkeschen Schaffens liegt freilich in einem anderen Bereich. In seiner Dichtung verkörpert sich die religiöse Situation des modernen Menschen. Das Nietzsche-Wort »Gott ist tot« stand drohend vor ihm. Rilke fühlte sich der Grundfrage gegenübergestellt: Wie kann man im Zeitalter des »toten Gottes« menschlich erfüllt leben, ohne zu verzweifeln? Rilkes Haltung schwankte im Laufe seines Lebens immer wieder. Die Reise nach Rußland ließ ihn die tiefe Religiosität einfacher Menschen erleben, die unendliche Weite des Landes, in der das Dunkel Gottes daheim zu sein schien. »Hier fand ich jeden voll von Dunkelheit wie einen Berg, jeden bis zum Halse in seiner Demut stehen, ohne Furcht, sich zu erniedrigen, und deshalb fromm.«

UNGEBOR-
GENHEIT

Das Stundenbuch (*Vom mönchischen Leben, Von der Pilgerschaft, Von der Armut und dem Tode,* 1905) ist so Ausdruck einer demütigen Bescheidung vor der Größe Gottes geworden. Gläubiger Zuversicht (wie etwa in *Werkleute sind wir*) steht aber auch hier schon der Verlust der Orientierung gegenüber, da Welt und Gott nur noch als unfaßbare Chiffren erlebt werden können, der Mensch in Einsamkeit und Angst sich verliert:

> »Du, Nachbar Gott, wenn ich dich manches Mal
> In langer Nacht mit hartem Klopfen störe,
> So ist's, weil ich dich selten atmen höre
> Und weiß: du bist allein im Saal.
> Und wenn du etwas brauchst, ist keiner da,
> Um deinem Tasten einen Trank zu reichen;
> Ich horche immer. Gib ein kleines Zeichen.
> Ich bin ganz nah.«

Bis an ein prometheisches Aufbegehren reichen Rilkes Gedichte in dieser Zeit heran:

> »Was wirst du tun, Gott, wenn ich sterbe?
> Ich bin dein Krug (wenn ich zerscherbe?)
> Ich bin dein Trank (wenn ich verderbe?)
> Bin dein Gewand und dein Gewerbe,
> Mit mir verlierst du deinen Sinn.«

Aus dem Verlust der religiösen Sicherheit ist die Daseinsangst zu verstehen, die nun immer stärker in Rilkes Werk eindringt. Er verliert den Halt und fühlt sich dem Numinosen ausgeliefert. Das Gefühl der Ungeborgenheit ist über Rilke in Paris hereingebrochen. Noch sucht er durch impressionistische Schilderungen, durch bewußte Begrenzung auf Form und Gegenstand, dieser übermächtigen Bedrohung zu entgehen (*Neue Gedichte*, 1908). Er gestaltet die »Dinge« in: *Die Fontäne, Das Karussell, Die Dame vor dem Spiegel, Die Flamingos*. Aber schon *Der Panther* (aus dem Jardin des Plantes) wird über die unübertroffene Wortzeichnung hinaus zum Symbol innerer Ausweglosigkeit:

> »Sein Blick ist vom Vorübergehn der Stäbe
> So müd' geworden, daß er nichts mehr hält.
> Ihm ist, als ob es tausend Stäbe gäbe
> Und hinter tausend Stäben keine Welt...«

In den *Aufzeichnungen des Malte Laurids Brigge* (1910), in denen Rilkes verzweiflungsvolle innere Situation erschütternd nach Aussage drängte, ist Malte Laurids Brigge – ein Mann von achtundzwanzig Jahren und von vornehmer dänischer Herkunft, der in Paris unter bedrückenden äußeren Umständen leben muß – ein »Zerdenker«, ein moderner Hamlet. Er nimmt überall das Absurde, »die Existenz des Entsetzlichen in jedem Bestandteil der Luft« wahr. Fiebrige Zwangsvorstellungen suchen ihn heim. Die Angst vor dem Tode läßt ihn nicht zur Ruhe kommen. Hinter allem Sein spürt er das Nichtsein, im Sinn den Wahnsinn. Das Nichts hat ihn ergriffen.

In den Aufzeichnungen sind die Grenzen von Realem und Surrealem aufgehoben. Der Mensch treibt im Netz unerklärbarer Bezüge; die »Dinge« sind Zeichen des Hintergründig-Dämonischen. Nicht Furcht vor etwas Bestimmten, Angst als Urphänomen ist das Zeichen dieses Surrealismus. »Elektrische Bahnen rasen läutend durch meine Stube. Automobile gehen über mich hin. Eine Tür fällt zu. Irgendwo klirrt eine Scheibe herunter, ich höre ihre großen Scherben lachen, die kleinen Splitter kichern.«

Rilke bleibt hier nicht stehen; er schreibt seinen »Werther« und überwindet dadurch dieses Stadium. Zwar behält er den Tod im Mittelpunkt seines Denkens – »Er wußte nur vom Tod, was alle wissen: Daß
er uns nimmt und in das Stumme stößt«; aber er versucht, die Angst
vor dem Tod zu überwinden.

»Ich will nicht sagen«, heißt es in einem Brief, »daß man den Tod lieben soll;
aber man soll das Leben so großmütig, so ohne Rechnen und Auswählen
lieben, daß man unwillkürlich, ihn (des Lebens abgekehrte Hälfte) immerfort mit einbezieht, ihn mitliebt. Nur weil wir den Tod ausschließen in einer
plötzlichen Besinnung, ist er mehr und mehr zum Fremden geworden und, da
wir ihn im Fremden hielten, ein Feindliches.«

Diese tragische wie heroische Situation hat Rilke im *Requiem* (1909)
eingefangen (»Wer spricht von Siegen? Überstehn ist alles«), und er
ringt um eine Lösung in den *Sonetten an Orpheus* (1923), den *Duineser Elegien* (1923) sowie den *Späten Gedichten* (postum 1934). Die
Werke seiner Endstufe sind im einzelnen schwer verständlich, oft
vieldeutig – Chiffren des »Unsäglichen und Unsagbaren«.

Die »Sonette an Orpheus« wurden als ein »Grab-Mal« für Wera Knoop geschrieben; sie war unter entsetzlichen Schmerzen an Leukämie gestorben;
die Eltern des Mädchens, mit denen Rilke befreundet war, hatten ihm zur
Jahreswende 1921/22 darüber berichtet. Der Dichter war zutiefst ergriffen
von der Fürchterlichkeit des Todes wie von der reinen Kraft, mit der Wera
dem »Unfaßbaren« entgegentrat und es überstand. Die »Sonette« wollen
den Tod deuten und den Gesang preisen; das Bewußtsein von »Erde« erwächst aus unmittelbarer Todeserfahrung. Die Zeichen menschlichen Daseins werden genannt: ... Atmen – Spiegel – Feuer ..., und in Naturgleichnis-
sen eingefangen; die Zeichen des Fortgehens werden danebengestellt – die
Vergänglichkeit, das Sterben in der Natur und im menschlichen Leben.

Rilke will nicht den Tod aus dem Bewußtsein verdrängen, sich nicht
vor ihm flüchten; er fordert seine Hinnahme als grausame, aber notwendige und daher auch zu bejahende Seite des Daseins (»Wolle die
Wandlung«, »Sei allem Abschied voran«):

> »Nur wer die Leier schon hob
> Auch unter Schatten,
> Darf das unendliche Lob
> Ahnend erstatten.«

WELTINNEN- »Aber dies: den Tod, / den sanften Tod, noch vor dem
RAUM   Leben so / sanft zu enthalten, und nicht bös' zu sein, / ist
           unbeschreiblich«, heißt es in den »Duineser Elegien«.

Sie heben an mit der Schilderung menschlichen Außer-sich-Seins über den
heillosen Zwiespalt, der Diesseitiges und Jenseitiges trennt:

> »Wer, wenn ich schriee, hörte mich denn aus der Engel
> Ordnungen? und gesetzt selbst, es nähme
> Einer mich plötzlich ans Herz: ich verginge von seinem
> Stärkeren Dasein. Denn das Schöne ist nichts
> Als des Schrecklichen Anfang, den wir noch grade ertragen,
> Und wir bewundern es so, weil es gelassen verschmäht,
> Uns zu zerstören. Ein jeder Engel ist schrecklich.«

Wo kann es »erfülltes Menschsein« geben – Glück für den Menschen, der auf
das Transzendente angelegt, und doch von ihm abgrundtief getrennt, der
einsam und ohne die Instinktsicherheit des Tieres ist? Soll er sich von der
»Übernatur« abwenden, ins Kreatürliche sich einschließen, um frei von To-
desfurcht zu werden? – »Hiersein ist herrlich« – der Auftrag der Erde läßt die
Sternbilder des Leids verblassen; der Tod soll seinen Sinn »ohne die Botschaft der Engel« (d. h. ohne einen transzendenten Bezug) bekommen. Im
Tun der einfachen Dinge (»der Seiler in Rom«, »der Töpfer am Nil«), in
Haus, Brunnen, Tor, Obstbaum, Fenster, Säule, Turm ersteht »Mitte«.

Die Trennung zwischen Physischem und Metaphysischem ist aufgehoben. Diesseits und Jenseits schließen sich zusammen. Das Da-Sein
ist zugleich Sicheinswissen mit dem, was hinter allem steht. »Weltinnenraum« ist schon vor den »Duineser Elegien« die Chiffre, unter
der Rilke diese Unio mystica der Dinge, Seelen und Geister, das In-
einanderschweben von allem und jedem, die Weltverbundenheit und
Welteinheit, das Gott-Welt- und Mensch-Gott-Gefühl umkreist:

> »Durch alle Wesen reicht der eine Raum:
> Weltinnenraum. Die Vögel fliegen still
> Durch uns hindurch. Oh, der ich wachsen will,
> Ich seh' hinaus, und in mir wächst der Baum.«

»Erscheinung und Vision kamen gleichsam überall im Gegenstand
zusammen, es war in jedem eine ganze Innenwelt herausgestellt, als
ob ein Engel, der den Raum umfaßt, blind wäre und in sich schaute«,

schrieb Rilke schon in einem Brief 1915, angesichts der spanischen Landschaft.

Aus dem Gefühl des »Weltinnenraums« erwächst Seligkeit. Die Chiffren der Angst haben sich in die Chiffren der Glückseligkeit verwandelt. Freilich ist damit die Grenze des Dichterischen erreicht:

> »Es irren auch die Besten in den Worten,
> Wenn sie Leisestes bedeuten sollen
> Und fast Unsägliches.«
>
> *(Brief an einen jungen Dichter)*

»Fanatismus zur Transzendenz« charakterisiere sein Werk – hat einmal **Gottfried Benn** (1886–1956) von sich gesagt. Er wolle das Leben »übersteigern«, einem Absoluten verpflichtet sehen; die Realität aber biete das Bild des Zerfalls – Auflösung alter Bindungen, Zerstörung der Substanz, Nivellierung aller Werte: »Der Mensch hat Nahrungssorgen, Familiensorgen, Fortkommenssorgen, Ehrgeiz, Neurosen. Aber das ist kein Inhalt im metaphysischen Sinne mehr!« »Es ist überhaupt kein Mensch mehr da, nur noch seine Symptome.« »Wer bist du – alle Mythen / zerrinnen...«

REALITÄTSZERFALL UND ARTISTIK

Das Leben »hat keinen Gehalt mehr, keinen Wert, keinen Sinn. Benns Position ist deutlich ambivalent. Er beklagt den Rangverlust des Lebens, betont ihn aber auch, übertreibt ihn; er besteht darauf, um jeden Geltungsanspruch der Welt, die ihn umgibt, abzuweisen. Er leidet am praktizierten Nihilismus der Zeitgenossen, treibt ihn aber zugleich weiter, verwendet seine ganze Intensität darauf, die nihilistische Situation kenntlich zu machen und zu vollenden, immer wieder zu behaupten, daß der Mensch keinen Inhalt mehr habe. Wenn Gott tot ist, wie Nietzsche verkündet, oder wenn er hinter einen undurchdringlichen Vorhang gerückt und der transzendente Bezug verloren ist, wie Benn es darstellt, dann eben ist nichts mehr da als das naturalistische Chaos, dann gibt es keine allgemein verpflichtenden Inhalte mehr, dann muß man sich dieser Situation bewußt werden und sie nicht mit Ersatz-Ideologien überwölken.« (Dieter Wellershoff)

Benn, Pfarrerssohn aus Mansfeld/Westpriegnitz, war Arzt. Erste Lyrik (*Morgue und andere Gedichte*, 1912) und Prosastücke (*Gehirne*, 1916) spiegeln die

Verbitterung und Verzweiflung, auch den Zynismus des Mediziners, der angesichts der unbesiegbaren Macht des Todes der Unzulänglichkeit der menschlichen Mittel gewahr wird, den Glauben aber an eine göttliche Heilsordnung, aus der heraus das Irdische auch im Allzumenschlichen seine Sinndeutung erfährt, verloren hat. »Der Mensch – ein Konglomerat das Ganze – Zähne raus, Mandeln raus, Blinddarm raus, Gebärmutter raus, geprägte Form, die prophylaktisch sich zerstückelt.« Im Rückblick auf diese *Frühe Lyrik und Dramen* (1952) meinte Benn: »Es erschien mir das Ganze als Wurf und Wahnsinn gut. ›Die Krone der Schöpfung, das Schwein, der Mensch‹, schreibt mein Freund Oelze abratend und bedenklich, sei ein entscheidender Vers in diesem Buch. Er ist nicht nur entscheidend, er ist infernalisch, er ist ungoethisch, er schmeckt nach Schwefel und Absinth, aber ich griff ihn während meines Lebens in meinen Arbeiten immer wieder auf... Laßt doch euer ewiges ideologisches Geschwätz, euer Gebarme um etwas Höheres; der Mensch ist kein höheres Wesen, wir sind nicht das Geschlecht, das aus dem Dunkel ins Helle strebt.«

Der Nihilismus Benns – »früh streifte der Tod alles von mir ab, woran sich meine Jugend gebunden hatte, es kostete Blut und Tränen, aber dann war ich allein« – fand auch immer wieder seine Nahrung an der Beziehungslosigkeit der naturwissenschaftlichen Erkenntnisse, die dem Dichter Auskunft über eine »absurde Welt« geben, in der das Ich verloren dahintreibt – ohne erkennbaren Ursprung, ohne erkennbares Ziel. *Verlorenes Ich* lautet der Titel eines seiner grundlegenden philosophischen Gedichte. Schließlich zeigt sich der meist in Berlin lebende Dichter als Repräsentant der modernen Großstadtwelt: »Ich sehe nicht viel Natur, komme selten an Seen / Gärten nur sporadisch, mit Gittern vor, / oder Laubenkolonien, das ist alles, / ich bin auf Surrogate angewiesen: Radio, Zeitung, Illustrierte.«

Dem Realitätszerfall und Verlust der Transzendenz entspricht als Stilprinzip das »montierte« Gedicht: »konkretistischer Beutezug durch die Singularitäten«; die Komposition ist ersetzt durch die Konjunktion disparater »Weltbruchstücke« (»ein Scherbenhaufen«), die keine »metaphysische Klammer« mehr zusammenhält.

Benns Lyrik ist modernistisch, nihilistisch, a-romantisch, gemütsfern; im Stil scheinbar salopp, mit Jargon und Slang durchsetzt, eine filmartige Flucht von Assoziationsreihen; voller ausschweifender Superlative und Fremdwörter. In seinen Essays (*Ausdruckswelt,* 1949; *Probleme der Lyrik,* 1951) hat Benn ausführlich über den neuen Stil der Dichtung in der technischen Welt von heute gesprochen. Der Lyriker bewege sich in einem Laboratorium, einem Laboratorium für Worte. »Hier modelliert, fabriziert er Worte, öffnet sie, sprengt, zertrümmert sie, um sie mit Spannungen zu laden, deren Wesen dann durch einige Jahrzehnte geht... Das Hirn ist unser Schicksal, unsere Aufgabe und unser Fluch.«

In die metaphysische Leere, angesichts der »zerebralen« Endsitua-
tion, versucht Benn eine neue Transzendenz zu setzen: »die Transzendenz der schöpferischen Lust«. Das Nichts sei »formfordernd«;
die Kunst solle »innerhalb des allgemeinen Verfalls der Inhalte sich
selber als Inhalt« erleben »und aus diesem Erlebnis einen neuen Stil
bilden«. »Der Dichter, eingeboren durch Geschick in das Zweideuti-
ge des Seins, eingebrochen unter acherontischen Schauern in das Abgründige des Individuellen – indem er es gliedert und bildnerisch
klärt, erhebt er es über den brutalen Realismus der Natur und schafft
eine Gliederung, der Gesetzmäßigkeit eignet. Das scheint mir die
Stellung und Aufgabe des Dichters gegenüber der Welt.« Kunst ist
dabei nicht Schmuck und Zutat des Lebens, sondern das »Ja über den
Abgründen«. Benns Nihilismus findet seine Überwindung im Kunstwerk, im Gedicht; im Wort verdichtet sich das Nichts der Zeit zum
Augenblick des Bestehens: »Nichts, aber darüber Glasur.« »Unsere
Ordnung ist der Geist, sein Gesetz heißt Ausdruck, Prägung, Stil.«

>»Ein Wort, ein Satz –: aus Chiffren steigen
Erkanntes Leben, jäher Sinn.
Die Sonne steht, die Sphären schweigen
Und alles ballt sich zu ihm hin.

Ein Wort – ein Glanz, ein Flug, ein Feuer,
Ein Flammenwurf, ein Sternenstrich –
Und wieder Dunkel, ungeheuer,
Im leeren Raum um Welt und Ich.«

(Ein Wort)

Benns »Formalismus« hat mit Ästhetizismus nichts zu tun, denn – so sagt er
selbst – »eine isolierte Form, eine Form an sich, gibt es ja gar nicht. Sie ist das
Sein, der existentielle Auftrag des Künstlers, sein Ziel«. Auch der Rhythmus, der für Benn den allerwesentlichsten Bestandteil der Form darstellt, ist
Teil des artistischen, »fast religiösen Versuchs, die Kunst aus dem Ästhetischen ins Anthropologische überzuführen«, Teil der letzten »metaphysischen
Bastion« in dieser Welt. Die Bennsche »Artistik« erblüht dabei »über einem
Grunde von Schwermut. Es ist ein selbstvergessenes Spiel, aus Leid und Mu-
sik gemischt: geboren aus Schwermut und Trauer, verwandelt in Rhythmus
und Worte, zerlegt in dialektische Chiffren und zusammengeschlossen zum
Erlebnis der Identität mit sich und dem Sein. Artistik und Schwermut tauchen als ein neuer dialektischer Gegensatz auf, der in der Faszination durch
Kunst aufgehoben wird«. (Cl. Heselhaus)

Zugleich ist die Artistik des »formvollendeten« Gedichts der dialektische Umschlag zur »Verhirnung« der Menschheit: »Das Gehirn ist
ein Irrweg. Ein Bluff für den Mittelstand. Wir wollen den Traum. Wir
wollen den Rausch. Wir rufen Dionysos und Ithaka.« Und so versenkt sich der Dichter, die Welt und ihre »Gehirne« fliehend, in die
Trunkene Flut (Titel einer Gedichtsammlung von 1949), bannt im
Wort Erlebnisse, die – aus dem Alltag herangespült – zu Momenten
der Verzückung und Berauschung werden, zu Chiffren von Glut und
Lebensmacht.

> »... Noch einmal das Ersehnte,
> Den Rausch, der Rosen Du –,
> Der Sommer stand und lehnte
> Und sah den Schwalben zu.
>
> Noch einmal ein Vermuten,
> Wo längst Gewißheit wacht:
> Die Schwalben streifen die Fluten
> Und trinken Fahrt und Nacht.«

(Astern)

Benn hat die nachfolgende Dichtergeneration entscheidend beeinflußt; zugleich ist die Struktur der deutschen zeitgenössischen Lyrik
in Zusammenhang zu sehen mit der europäischen zeitgenössischen
Dichtung, wie sie u. a. durch Baudelaire, Rimbaud, Mallarmé, Apollinaire, Valéry, Ungaretti, Alberti, Lorca, Eliot, Pound geprägt
wurde.

Die moderne Lyrik in der Nachfolge Benns ist dabei abzusetzen von der
traditionellen Lyrik, die sowohl in Gestalt wie Gehalt bewußt nach rückwärts
sich wendet und über den Naturalismus hinweg das gültige Ausgebildete des
19. Jahrhunderts wieder-holt, ohne deshalb epigonal zu wirken. Abzugren-
zen ist sie auch von der »magischen Naturlyrik« (so sehr gerade von dort
Entwicklungslinien zur Moderne hin sichtbar werden), weil diese Dichter das
Heute und Hier in ihrer poetischen Aussage weitgehend ausklammern, dafür
mit ihrer Natur- und Weltfrömmigkeit sowie dem »panischen« Gefühl in der
Romantik wurzeln. Die »Hieroglyphen« der Pflanzen und Tiere erkennen
und aufzeichnen wollte schon Philipp Otto Runge. »Ich kann die Welt und ihr
Wesen nur da feiern, wo die Zeichen der Natur aufleuchten, den Geist nur
da, wo er mit ihren Lauten spricht« (W. Lehmann), könnte auch das Wort
eines romantischen Dichters sein. – Was die Dichtung der Frühexpressioni-
sten betrifft (eines Trakl etwa), so ist diese in ihrer surrealen Bildgestaltung,

in den doppelbödigen Metaphern, welche die Wirklichkeit anritzen und Hintergründiges aufsteigen lassen, von bedeutsamer Nachwirkung für die jüngste Lyrik gewesen. – Der späte Rilke schließlich wirkte nach als der poetische Ergründer des antinomischen Daseins des Menschen, der hineingestellt ist in Angst und Tod und der um eine immanente Begründung oder um transzendenten Bezug ringt.

Vor allem spürt der moderne Dichter den »Wind der Zeit«; er sieht sich in eine »heillose« Welt geworfen und weicht dieser leidvoll erlebten Realität nicht aus. Die Wirklichkeit wird aber DER WIND nicht als etwas Abgeschlossenes, Feststehendes empfunden, sondern in ihrem Offensein dem Metaphysischen gegenüber; durch das Seiende hindurch ist das Sein ahnbar – nicht in eindeutigen Metaphern faßbar, sondern nur im dunklen Gleichnis zu beschwören.

Die »klangvolle Dunkelheit« des modernen Gedichts entspringt somit seinem eigentlichsten Wesenszug. »Erst wenn in der Dunkelheit die Worte gerade durch ihre Vieldeutigkeit, ja Unverständlichkeit, ihren eigenen Glanz, von praktischen Bedeutungsfunktionen befreit, entfalten können und in der Nacht des Bewußtseins unbekannte Sterne aufgehen, erst dann ist das Gedicht da.« (Kurt Leonhardt) – Die Dunkelheit ist auch Ausdruck der Einsamkeit, die den modernen Dichter kennzeichnet: »Es kommen härtere Tage. / Die auf Widerruf gestundete Zeit / wird sichtbar am Horizont. / Bald mußt du den Schuh schnüren / und die Hunde zurückjagen in die Marschhöfe. / Denn die Eingeweide der Fische / sind kalt geworden im Wind. / Ärmlich brennt das Licht der Lupinen. / Dein Blick spurt im Nebel: / die auf Widerruf gestundete Zeit / wird sichtbar am Horizont...« (Ingeborg Bachmann)

Die Inhalte der modernen Lyrik beziehen sich mit Vorliebe auf die Ereignisse, Erlebnisse, Gefühle und Gefährdungen unserer Epoche. Das bedeutet – verglichen etwa mit dem »hohen Anspruch« weiter Teile der Dichtung des 19. Jahrhunderts – Desillusionierung. »Bis an die Wende zum 19. Jahrhundert stand die Poesie im Schallraum der Gesellschaft, war erwartet als ein idealisierendes Bilden geläufiger Stoffe oder Situationen, als heilender Trost auch in der Darstellung des Dämonischen. Wo gemütsähnliche Weichheiten sich heute einstellen wollen, fährt ein Querschläger dazwischen, zerreißt sie mit harten, dissonantischen Worten« (H. Friedrich). Schon Baudelaire sah in der Poesie das Vermögen, Stoffe auszuwählen, die »das persönliche Herz neutralisieren«. »Und die Blumen auf dem Tisch und das Gemüt?« fragt Gottfried Benn: »Ich persönlich besitze nichts davon. Ich besitze Müdigkeiten, Melancholie, produktives Aufbrausen, Zögern, Zaudern, Zaudern, das kann ich eine Stunde durchhalten, aber Gemüt, was fange ich damit an?«

Damit wird in moderner Lyrik nicht nur eine Absage vorgenommen an eine Dichtung, die man vereinfachend idealistisch und romantisch bezeichnen könnte, sondern auch an das revolutionäre Pathos der expressionistischen Ära – ans überhöhte »Weltfreundgefühl« und die entsprechende »Erdballgesinnung«.

Der moderne Lyriker nimmt sich seine Stoffe aus der menschlichsten, allzumenschlichsten und unmenschlichsten Umwelt. Das lyrische Gebilde bekommt somit eine – von jeder ästhetischen Schutzschicht befreite – »Schärfe«: »Mein Gedicht ist mein Messer«, lautet der symptomatische Titel einer zeitgenössischen Anthologie. Der Schnitt in die Wirklichkeit mit seiner sezierenden Bloßlegung stößt aber zugleich »durch«: läßt in den derart geschaffenen »Ritzen« des Wirklichen (z. B. in Gedichten von Günter Eich und Karl Krolow) das hintergründige Böse und Furchtbare schlechthin aufsteigen. »Die Kanaldeckel heben sich um einen Spalt / Die Wegweiser haben sich gedreht« (G. Eich) – sie weisen ins Ungewisse, das dunkel verhangen bleibt.

Der Mensch

»Gehetzt von Grenze zu Grenze,
Die dünnen Lippen verkrampft,
Zerrissen von plötzlichen Feuern,
Unter den Trümmern zerstampft.

O holdestes Geschöpf: Traum deiner Mutter, Du,
Insel, darauf sie lebt in den Gewässern
Der Zeit, Du, Fleisch ihrer Seele,
Wie griff sie, süß und horchend,
In ihr gewölbtes Seidenkleid.

Stumpfes Vieh in den Transporten:
Die Nummer eingebrannt,
Das Schädeldach zerspalten,
Ödem an Knie und Hand.

Erlöser der Liebe, dich hob die zärtlichste Kraft
Mitten ins Licht: wehte der Wäsche Lavendelgeruch,
Im Fenster die Wolken, die ernsten
Bäume, schwirrten dir Schwalben nicht
Köstlich entgegen?

Blut im Kot und in den Blicken,
Leckt er seinen Suppentopf.
Böse hocken grüne Fliegen
Über seinem blöden Kopf.«

(Peter Toussel, geb. 1922)

Der moderne Lyriker sucht auch die Verbindung zur aktuellen Wirklichkeit, zu den das 20. Jahrhundert prägenden Kräften und Stoffen,
im besonderen zu den naturwissenschaftlichen Erkenntnissen, Einsichten und Formeln.

»Der Lyriker kann gar nicht genug wissen, er kann gar nicht genug arbeiten,
er muß an allem nahe dran sein, er muß sich orientieren, wo die Welt heute
hält, welche Stunde an diesem Mittag über der Erde steht ... Er muß Nüstern
haben, Nüstern auf allen Start- und Sattelplätzen, auf den intellektuellen, da,
wo die materielle und ideelle Dialektik sich voneinander fortbewegen wie
zwei Seeungeheuer, sich bespeiend mit Geist und Gift, mit Büchern und
Streiks, und da, wo die neueste Schöpfung von Schiaparelli einen Kurswech-
sel in der Mode andeutet mit dem Modell aus aschgrauem Leinen und mit
ananasgelbem Organdy. Aus allem kommen die Farben, die unwägbaren
Nuancen, die Valeurs, aus allem kommt das Gedicht.« (G. Benn) – »Nicht
Gedankenlyrik, da sei Gott ferne! doch denkende Lyriker samt sämtlichen
Prämissen«, fordert Elisabeth Langgässer; »samt dem Unsicherheitskoeffi-
zienten von Heisenberg, dem Umriß der Atomlehre, der Leibnizschen Ma-
thesis universalis und der Philosophie von Sein und Zeit, der dialektischen
Denkübung und der Umwelttheorie von Uexküll, der Sakramentenlehre moderner Pastoraltheologie und der Soziologie von Max Scheler. Er ist es, den
wir fordern müssen, soll sich nicht der kosmologische Umkreis der Lyrik zu
einem Weideplatz frommer Schäfer verändern, zu einer sanften Insel in ultra-
blauen Meeren und einer Weltraumrakete, die nach dem Leeren zielt.«

Die moderne Lyrik hat so vom Gehaltlichen her neue und entscheidende Stoffe und Motive erschlossen, sie hat das Gesicht aus dem
»ästhetischen Schmelz« in die existentielle Bedeutung zurückgeholt.
»Die harmlose Dichtung erwies sich als Teufelsinstrument; sie erfüllte nicht ihre seismographische Aufgabe, den Stand der Dinge anzu-

zeigen, das verborgene Grauen oder auch die gelinde Befreiung ins
Bewußtsein zu rufen« (W. Höllerer). Wolfgang Weyrauch nennt das
lyrische Schaffen Aktion in einer Welt, die in Selbstsicherheit und
trügerischer Selbstgefälligkeit erstarre; der Lyriker aber stößt in neue
Bereiche vor – »Ich schreibe ein Gedicht. / Ich veranstalte eine Expedition«. Der »Mord an den Rechnungen« wird vollzogen, »die Ewigkeit fortgesetzt«.

Gefragt, warum er schreibe, antwortete **Wolfdietrich Schnurre**
(1920–89): »Aus Angst vor der Vergänglichkeit. Um meine Schuldgefühle wachzuhalten. Um nicht tatenlos mit ansehen zu müssen, wie
der einzelne immer mehr in der Masse verkommt. Aus Trauer. Aus
Zorn. Aus Verzweiflung.«

Bekanntgeworden durch seine Kriegsgeschichten und sein eigenständiges
Auftreten in der Gruppe 47, veröffentlichte er Lyrik (»als Waffe«): u. a. *Kas-
siber* (1956), *Abendländler* (1957); Kurzgeschichten, Erzählungen: *Aufzeichnungen des Pudels Ali* (1962); heitere und spöttische Tierfabeln: *Protest
im Parterre* (1957); Kinderbücher sowie Hör- und Fernsehspiele. Seine Ju-
gendzeit beschreibt Schnurre im »Roman in Geschichten« von 1958: *Als Va-
ters Bart noch rot war.* Auch um Berlin geht es ihm, wie in *Das Los unserer
Stadt* (1959). Seine gesammelten Polemiken erschienen unter dem Titel
Schreibtisch unter freiem Himmel (1964). Er ist ein »Poet der schöpferischen
Widersprüche zwischen Idyllik auf Widerruf und Sarkasmus, ein nüchterner
Realist, verschmitzter Fabulierer, Verteidiger der Menschenwürde.« (Horst
Hartmann)

Was die Gestalt moderner Lyrik betrifft, so erweist sich als wichtig-
stes Strukturprinzip die »Montage«. Das »montierte« Gedicht (in
der Nachfolge Benns) stellt keine organische, einheitli-
IM SPRACH- che Schöpfung mehr dar. Die Souveränität des for-
LABORATO- menden und verdichtenden Künstlers (ehemals
RIUM »Mundstück der Götter«, von »göttlichen Entzückun-
gen« bewegt) ist durch den nüchternen Experimentalpoeten und sein
Sprachlaboratorium ersetzt. Der Künstler fügt nunmehr zusammen,
was vorhanden und zuhanden ist: die Wirklichkeit und Meta-Wirk-
lichkeit in ihrer ganzen simultanen Vielschichtigkeit und verwirren-
den Chaotik. Bald überwiegt die spielerische »Konstellation« –
»worte sind schatten / schatten werden worte / worte sind spiele /
spiele werden worte . . .« (Eugen Gomringer); bald die Assoziation
von Sinnbruchstücken.

>>Fragmente,
Seelenauswürfe,
Blutgerinnsel des zwanzigsten Jahrhunderts –
Narben – gestörter Kreislauf der Schöpfungsfrühe,
Die historischen Religionen von fünf Jahrhunderten zertrümmert,
Die Wissenschaft: Risse im Parthenon,
Planck rann mit seiner Quantentheorie
Zu Kepler und Kierkegaard neu getrübt zusammen...
Ausdruckskrisen und Anfälle von Erotik; das ist der Mensch von
Heute, das Innere ein Vakuum,
Die Kontinuität der Persönlichkeit
Wird gewahrt von den Anzügen,
Die bei gutem Stoff zehn Jahre halten.<<   (Gottfried Benn)

Der Satzbau ist fast völlig aufgegeben; nur einzelne Wortfetzen sind aneinan-
dergeklebt wie die einzelnen Teile einer *Bildzeitung,* die aus kunterbunten
Stücken, sinnlosen, aber zweckausgerichteten Berichterstattungsfragmen-
ten, Wahrheitsverzerrungen, Idolen und Illusionsgemisch besteht; das Gedicht ist von Leere und Öde durchtränkt, aber in faszinierende plakative
Metaphern gefaßt:

>>du wirst reich sein
markenstecher uhrenkleber:
wenn der mittelstürmer will
wird um eine mark geköpft
ein ganzes heer beschmutzter prinzen
turandots mitgift unfehlbarer tip
tischlein deck dich:
du wirst reich sein...<<   (Hans Magnus Enzensberger)

Die Sprachgebung des modernen Gedichts soll unter dem Gebot as-
ketischer Einfachheit erfolgen. Ästhetisch bezaubernde Gleichnisse,
pathetische und >>hohe<< Worte werden gemieden; understatement
und Reduktion auf das Allerwesentlichste werden bevorzugt, die
>>Keuschheit<< der kleinen Sprachgebilde (Sprachpräparate – aus
Wirklichkeit oder Traum herausgeschnitten). Diese Freude an der
prägnanten lyrischen >>Arbeit<< spiegelt sich immer wieder in Sätzen,
die seit Baudelaire, Rimbaud, Valéry, Benn die Runde machen und
kennzeichnend sind für das geradezu wissenschaftliche Wortbemü-
hen des Dichters von heute: Man spricht von der Geometrie der Sätze, vom Wortlaboratorium, in dem die Gedichte >>gemacht<< würden.
>>Kein beschreibender, schmückender oder oratorischer Stil, kein

ländlicher Flitter, sondern scharfe Formeln, die das Komplexe so prä-
zis wie möglich umreißen. Dichten ist wie die Arbeit eines Feinme-
chanikers. Die Poesie hat alles zu tun, um den Kühnheiten der Mathematik gleichzukommen.« (H. Friedrich)

»Das Gedicht ist ein Molekularmodell aus Vokalen
                  ein Kirchenfenster aus Substantiven
                  ein Spinnennetz aus Erinnerungen
                  ein Prisma aus Utopien
                  ein Sternbild aus Weggelassenem.« (**Albert Arnold Scholl**)

»Konkrete Poesie« zerschlägt die alten Sinnzusammenhänge. Kom-
binationen, Konstellationen, Montagen, Collagen, Ideogramme,
Letternbilder sind jedoch mehr als Spiel formaler Elemente; die Einsicht soll über Struktur und Figuration erfolgen. **Helmut Heissenbüttel** (geb. 1921) nennt seine Gedichte *Topographien* (1956). Das Noch-
nicht-Sagbare soll »angesprochen«, im Wort-Muster bloßgelegt werden. Das erkenntnisleitende Interesse seiner Dichtung – wie der von
Eugen Gomringer (geb. 1925), **Franz Mon** (geb. 1926) und **Ernst
Jandl** (geb. 1925) – hat Heissenbüttel dahingehend zusammengefaßt,
daß nicht nur das, was wörtlich aus einem fremden oder historischen
Text entnommen sei, verwendet würde, sondern alles, was sich an
Anklang, Bedeutung und historischem, auch ideellem und ideologi-
schem Umfeld damit verbinden läßt. Material sei das mehr oder weniger ausschnitthaft erfaßte Korpus der Weltliteratur selbst und seien
die das Sprachbewußtsein durchkreuzenden akuten Textsorten aus
Zeitung, Hörfunk, Fernsehen, Reklame; ferner »Wortmaterial« jeder Art:

»Intertextualität und aufs Eigenzitat gerichtete Infratextualität wären so die
ersten Schritte in einen literarischen Bereich, in dem völlig anders ›gedichtet‹
wird. Das hat nichts mehr zu tun mit der revolutionär verstandenen Forderung nach Sprachveränderung, wie sie in den ersten Jahrzehnten dieses Jahrhunderts erhoben wurde und auch nichts mit der nach Sprachreinigung und
Reduktion auf atomare Sätze (Ludwig Wittgenstein), unter der die konkrete
Poesie antrat. Das ist die Entdeckung eines neuen literarischen Kontinents.
Dieser hat Merkmale, die der künstlerischen Halluzination der elektroni-
schen Medien und der Computerverfahren parallel zu gehen scheinen. Er
setzt nicht eine neue quasi alexandrinische Bildung voraus, sondern der in-
tertextuelle Bezug muß zwar als solcher erkannt, aber nicht auf seinen Ursprung hin erraten werden. Vielmehr soll der Leser zu Konzentration und

Mitarbeit am Text durch Lesen veranlaßt werden. Die Spielräume, die sich für den Leser, der mitarbeitet, öffnen, sind enorm. Das Verständnis im herkömmlichen Sinn kann völlig irrtümlich sein, was den Ursprung der intertextuellen Bezüge betrifft, die Lesart, die er herzustellen vermag, stimmt immer dann, wenn er für sich einen Durchgang findet. Es gibt keine ›richtige‹ Lesart. Natürlich gibt es die Möglichkeit der Verirrung. Aber lieber will ich mich im Dickicht sprachlicher Zusammenhänge verirren, als vor dem planen Bericht oder dem neotheologischen Flachsinn der Peter Handke, Peter Hamm, Botho Strauß langweilen.« – Übersteigerter Sprachpurismus kann freilich auch zu leerem Wortgeklingel führen – zur formalistischen Pose, die Gehalte verachtet, weil sie der »visionären Kraft« entbehrt.

Psychische, vor allem emotionelle Tiefen will demgegenüber eine Dichtung erschließen, die in »Chiffren« (und nicht als Wortmontagen) sich artikuliert. Solcher »Wesentlichkeitslyrik« können zugerechnet werden: **Ingeborg Bachmann** (1926–73), **Paul Celan** (1920–70), **Günter Eich** (S. 578), **Walter Höllerer** (geb. 1922; *Der andere Gast*), **Hans Egon Holthusen** (geb. 1913; *Hier in der Zeit; Labyrinthische Jahre*), **Marie Luise Kaschnitz** (1901–74; *Gedichte; Ewige Stadt*), **Karl Krolow** (geb. 1915; *Gesammelte Gedichte 1 und 2*), **Heinz Piontek** (geb. 1925; *Die Furt; Die Rauchfahne; Wassermarken; Klartext*).

Die in Klagenfurt geborene Dichterin **Ingeborg Bachmann**, die in Rom starb (unter mysteriösen Umständen – möglicherweise durch Selbstmord), ist, so Joachim Kaiser, in unser Bewußtsein getreten, als die westdeutsche Nachkriegsliteratur in der Gefahr schwebte, an kargem Trümmer-Realismus zu zerbrechen. »Ein spezifischer Ton, eine hochgespannte, fast überspannte Subjektivität, Ferne, Wagnis, strenge Unerbittlichkeit.« Sie verkörperte in den fünfziger Jahren, da instrumentelle Vernunft einen besonderen Triumph feierte, die Unbeirrbarkeit eines emotionalen Irrationalismus. (*Die gestundete Zeit*, 1953; *Anrufung des großen Bären*, 1956) »In ihrer Nähe gibt es nur sie, in ihrer Nähe beginnt der Wahn«, schrieb Max Frisch, der mit ihr das Zusammenleben »ausprobierte«, in *Montauk* (1975). Da ist der dunkle Schatten, dem sie von Anfang an folgte, und da sind die Ekstasen des Subjektivismus. Aber dieses Vertrauen aufs Gefühl, das an den Schlaf des Menschen zu rühren trachtet, erkennt auch die Lage: Wir sind Schläfer aus Furcht, uns und unsere Welt wahrnehmen zu müssen. Die Chiffren und Bilder von Bachmanns Dichtung verweisen auf drohendes Unheil und die Notwendigkeit

der Bereitschaft: »Seht zu, daß ihr wach bleibt.« Scharf von Erkenntnis und bitter von Sehnsucht ist diese Dichtung, die in den 80er Jahren erneut und im besonderen Maße betroffen macht.

1959 erhielt sie für ihr Hörspiel *Der gute Gott von Manhattan*
(1958) den Hörspielpreis der Blinden. Ihre Wendung zur Prosa
brachte neben einer Reihe von Erzählungen unter den Titeln *Das
dreißigste Jahr* (1961), *Simultan* (1972) und *Gier* (1973) philosophische und poetologische Aufsätze und Essays. Daneben schrieb sie
Liedtexte und Libretti für Hans Werner Henze.

In der Erzählung *Alles* (1961) behandelt sie die Frage nach dem
(unüberbrückbaren?) Abgrund zwischen der »babylonischen
Sprachverwirrung« und einer neuen Sprache für eine gelingende
Kommunikation: Ein Vater reflektiert, durch den Tod seines Kindes
veranlaßt, die mißlungenen Versuche, diesem eine neue Sprache bei-
zubringen und damit ein gewandeltes Weltverständnis. In *Wilder-
muth* steht ebenfalls die Sprache auf dem Prüfstand: Wie weit vermögen Aussagen über die Wirklichkeit »wahr« zu sein? Die Erzählungen sind Vorstufen zum Roman *Malina* (1971).

»Malina« ist, scheinbar unter der Fiktion einer Autobiographie, die Geschichte einer Frau, die mit Malina lebt, aber Ivan liebt. In Wirklichkeit ist es die
Geschichte eines Ichs in seinen Erinnerungen und Träumen, Wünschen und
Leiden. Ivan und Malina sind Symbole. Dabei ist immer wieder von »Todes-
arten« die Rede (Arbeitstitel eines Buches, das Ingeborg Bachmann noch
schreiben wollte) und vom Tod, »in den allein« sich alle »retten können vor
der ungeheuerlichen Kränkung, die das Leben ist«. Dem steht die Liebe gegenüber als »gesunde Macht« in einer kranken Welt. Der Roman ist »das zum
Äußersten gesteigerte Porträt und Selbstporträt einer kreativen Existenz«.
(Dieter Lattmann)

Die Dichtung setzt sich nicht mehr durch, sie setzt sich aus – ein sol-
ches Signum prägte **Paul Celans** Existenz und Werk. Vor allem seine
Lyrik (mit der *Todesfuge,* die den Massenmord an den Juden im Drit-
ten Reich in Chiffren faßt) variiert den poetischen Grundsatz des
Dichters: »Wahr spricht, wer Schatten spricht.« (*Der Sand aus den
Urnen,* 1948; *Mohn und Gedächtnis,* 1952; *Sprachgitter,* 1959; *Die
Niemandsrose,* 1963; *Fadensonnen,* 1968; postum: *Lichtzwang,* 1970;
Schneepart, 1971. *Gesammelte Werke,* 1983) In Celan erreichte das
hermetische Gedicht, in dem sich das lyrische Bild absolut setzt, als

Produkt äußerster Individuation sich selbst aussagt und die Sprache selbst »zu Wort« kommen läßt, seinen Höhe- und Endpunkt.

Schnee, Eis, Stein, Asche sind Schlüsselworte des Celanschen Werkes; aber das Licht ist nicht völlig erloschen (so wie »vernichten« mit dem älteren »ichten« – etwas machen, hervorgehen – verwandt ist). »Eins und Unendlich, / vernichtet / ichten. / Licht war. Rettung.« Dichtung erweist sich als Überwindung des Verstummens, als Möglichkeit des Widerstandes. Als Celan 1958 den Bremer Literaturpreis entgegennahm, sagte er von seiner Sprache: »Aber sie mußte nun hindurchgehen durch ihre eigenen Antwortlosigkeiten, hindurchgehen durch furchtbares Verstummen, hindurchgehen durch die tausend Finsternisse todbringender Rede. Sie ging... hindurch und durfte wieder zutage treten, ›angereichert‹ von all dem.«

Dem Exodus-Wort »gedenke« folgend, bleibt Celan im Jahrtausendgespräch mit dem jüdischen Volk, dessen Leiden seine »Erzählung« bedeuten und in denen private Not aufgehoben erscheint. Seine Gedichte (und Übersetzungen) sind, getragen von schöpferischer Sprachkraft, eine »leidenschaftliche Suche« (Beda Allemann), »halten auf etwas zu« und zitieren ständig, »rufen Welt herbei, laden sie vor und möchten selber ihre knappste Wahrheit werden – Reduktion, auch bis zur Verrätselung« (Werner Weber). Die Bilder sind als Chiffren empirisch-rational nicht mehr aufschließbar; sie sind eingebettet in ihre Verknüpfungs- und Bestimmungsfelder, in klingende Visionen oder formelhafte Litaneien mit suggestiver Tonführung. Aber bei aller Dunkelheit, Faszination und Magie sind sie nach dem Willen ihres Autors eine »Flaschenpost« auf dem Weg zu ihrem Adressaten. Paul Celan resümiere für seine Person und sein Werk »ein Jahrhundert europäischer Lyrik« (Harald Weinrich).

> »Fahlstimmig, aus
> der Tiefe geschunden:
> kein Wort, kein Ding,
> und beider einziger Name,
>
> fallgerecht in dir,
> fluggerecht in dir,
>
> wunder Gewinn
> einer Welt.«

(Aus *Lichtzwang*)

Celan, eigentlich Paul Antschel, wurde 1920 in Czernowitz geboren. Die Eltern verschleppte man als Juden 1941 in ein Steinbruchlager in der Ukraine; der Vater starb dort im Herbst desselben Jahres, die Mutter im Winter 1942/43. Der Dichter, der während des Krieges in einem Arbeitslager in Rumänien bittere Erfahrungen machen mußte, war, nachdem er zunächst Medizin, dann Romanistik und Germanistik studiert hatte, Verlagslektor und Übersetzer und schließlich Lehrer an der École Normale Supérieur in Paris; 1970 nahm er sich dort das Leben.

Aus dem Sprachlaboratorium stammen auch die »Sprechstücke« von **Peter Handke** (geb. 1942 in Kärnten): Wortmontagen, Wortcollagen, die die »alte Sprache«, die Alltagssprache, die Trivialsprache, die affirmative Dichtungssprache, den Kulturjargon zerschlagen und die Bruchstücke neu kombinieren; das Pathos hat keine Chancen mehr, die Sprache wird wieder beim Wort genommen. »Für uns gibt es Sachen nur noch in Form von Wörtern« – in diesem Sinne versucht sich Handke in Lyrik, Prosa (*Die Innenwelt der Außenwelt der Innenwelt*, 1969; *Die Angst des Tormanns beim Elfmeter*, 1970) und in Theaterstücken. Der »Singsang« der *Publikumsbeschimpfung* (1966) soll dem »normalen«, kulturbeflissenen Theaterbesucher seine Bewußtseinsleere deutlich machen. Er, der »etwas« auf der Bühne »erwartet«, wird selbst zum Gegenstand des Stücks. Wortattacken leiten jedoch auch Kommunikation ein; die Provokation zerschlägt ideologische Krusten und öffnet für eine neue Naivität (dem Wort gegenüber).

PUBLIKUMS-
BESCHIMP-
FUNG

»Sie denken nichts. Sie denken an nichts. Sie denken mit. Sie denken nicht mit. Sie sind unbefangen. Ihre Gedanken sind frei. Indem wir das sagen, schleichen wir uns in Ihre Gedanken. Sie haben Hintergedanken. Indem wir das sagen, schleichen wir uns in Ihre Hintergedanken. Sie denken mit. Sie hören. Sie vollziehen nach. Sie vollziehen nicht nach. Sie denken nicht. Ihre Gedanken sind nicht frei. Sie sind befangen. Sie schauen uns an, wenn wir mit Ihnen sprechen. Sie schauen uns nicht zu. Sie schauen uns an. Sie werden angeschaut. Sie sind ungeschützt. Sie haben nicht mehr den Vorteil derer, die aus dem Dunkeln ins Licht schauen. Wir haben nicht mehr den Nachteil derer, die vom Licht in das Dunkle schauen. Sie schauen nicht zu. Sie schauen an und Sie werden angeschaut. Auf diese Weise bilden wir und Sie allmählich eine Einheit. Statt Sie könnten wir unter gewissen Voraussetzungen auch wir sagen. Wir befinden uns unter einem Dach. Wir sind eine geschlossene Gesellschaft.«

Hier, wie in der *Selbstbezichtigung* (1967) und *Weissagung* (1967), wird in einer Wortpartitur die in und durch Sprache erkennbare bzw. erlebbare Problematik zeitgenössischer Existenz eingefangen, wobei der Rhythmus und Duktus des Sprechens sowie die Sprachchoreographie (Sprechen und Bewegung der Schauspieler bilden eine Einheit!) stark von der Beatmusik beeinflußt sind. – Mit Hilfe der assoziativen Aneinanderreihung verbaler Selbstverständlichkeiten (»Der Fisch schwimmt im Wasser wie ein Fisch im Wasser. Der Mann steht auf wie ein Mann«) werden sowohl die Banalität wie der Witz der Sprache ausgebreitet. Mit der Sprache schreibt Handke gegen die Sprache an – immer mit dem Wissen, daß über das sozusagen psychosomatische Erlebnis der Sprache hinaus wenig oder nichts gesagt und ausgesagt werden kann.

In dem Hauser-Stück *Kaspar* (1968) erzählt Handke, unter Verwendung pantomimischer Effekte, die Geschichte eines Namen- und Sprachlosen, der langsam die Sprache ergreift und damit begreift, bis er innerhalb der gesellschaftlichen Sprachmechanismen (umstellt vom Echo vieler Kaspars) wieder ins Namenlose, nun sprechender Anonymität, zurückfällt. Die Identität ist nicht gefunden. »Ich: bin: nur: zufällig: ich.«

Das Stück will nicht zeigen, wie es mit dem historischen Kaspar Hauser wirklich war, sondern »was möglich ist mit jemandem« – und das wiederum mit Hilfe von »Sprechfolterung«, die optische, mimische und pantomimische Elemente einbezieht. Um Entlarvung der gesellschaftlichen Zwänge mittels sprachlicher und umgangsmäßiger Verhaltensformen ist es Handke zu tun in *Quodlibet* (1970) und *Ritt über den Bodensee* (1971). – Gegen die überlieferten Darstellungsweisen protestieren auch die frühen Romane *Die Hornissen* (1966), *Der Hausierer* (1967) und andere Prosatexte, die mit Hilfe der Collage-Technik sozialkritische Inhalte vermitteln.

Angesichts der Malaise der »Außenwelt« wird der Weg angetreten in die »Innenwelt«; Handke, der mit seiner »Publikumsbeschimpfung« die Poesie der offenen Aggression, wenn auch mehr spielerisch, eingeleitet hatte, markierte mit *Die Stunde der wahren Empfindung* (1975) die Wende. Wichtig ist, was die Gefühle und nicht die Gedanken beschäftigt, was zur Besinnung und nicht zum Handeln anregt. »Mein Ideal waren seit je der sanfte Nachdruck und die begütigende Abfolge einer Erzählung... Denn schon oft hatte ich, lesend oder schreibend, die Wahrheit der Erzählung als Helligkeit erfahren, in der ein Satz ruhig den anderen gab und das Wahre – die vorausgegangene Erkenntnis – nur an den Übergängen der Sätze als etwas Sanftes zu spüren war«, schreibt der Dichter in »Der Chinese des Schmerzes«. Die Stunde der wahren Empfindung ist die Stunde des lyrischen Ich, das einen Weg in die »Meta-Physik« sucht, mit der Hoffnung, die Schwerkraft des Lebens zu überwinden. Die Wahrheit liegt im »Wesentlichen«; »wesentlich« soll der Mensch werden.

Eine Wendung zu tradierten Formen und Sageweisen sowie ichbezogenem Ausdruck neuen Sehens und inneren Erlebens bedeutete bereits *Der kurze Brief zum langen Abschied* von 1972 (Ein Mann flieht vor den Mordabsichten seiner Frau durch die USA) und die erfolgreiche Erzählung *Wunschloses Unglück* von 1972 (mit der Lebensgeschichte der Mutter). Solche Ichfindung thematisierte auch der Bestseller *Die linkshändige Frau* (1976); sie löst die vorangegangene Negation alles Bestehenden ab; ebenso die Erzählung *Langsame Heimkehr* – ein symbolischer Titel! – von 1979. In der *Kindergeschichte* (1981) wird die eigene Tochter zur Erlöserin aus dem Verstricktsein ins eigene Ich, zur Welt hin öffnend. Das »dramatische Gedicht« (1981) *Über die Dörfer* behandelt einen geschwisterlichen Erbfall in konfliktgeladener Spannung zwischen »Heil und Hoffnungslosigkeit, zwischen Verdammung und Verklärung« (Peter Pütz), und das in einer Form, die – überraschend genug für den Avantgardisten – an den Beginn des europäischen Dramas bei Aischylos anknüpft. Am Beispiel des Amateur-Archäologen Loser, der nach Abdrücken von Türschwellen sucht, gibt der Roman *Der Chinese des Schmerzes* (1983) eine Lebensphilosophie des »Schwellenbewußtseins«, das sich in einem »universalen Warten« artikuliert. *Das Gewicht der Welt* (1975), *Die Geschichte des Bleistifts* (1982) und *Phantasien der Wiederholung* (1983) sind Tagebücher über die Arbeit des Schriftstellers.

Herbert Achternbusch (geb. 1938 in München) geht in radikal-provokativen Erzählungen (*Hülle*, 1969; *Das Kamel*, 1970), Romanen (*Die Stunde des Todes*, 1975; *Land in Sicht*, 1977) und Drehbüchern (*Das Andechser Gefühl*, 1975; *Die Atlantikschwimmer*, 1976) gegen die »Diskrepanz« der Gesellschaft an: »Man lebt systembewahrend, denkt aber systemgefährdend.« Es sind nach dem Inhalt (Erinnerungen, Fiktionen, politische Ereignisse), nach den Textsorten (Beschreibungen, Berichte, Phantasien) und nach den Darstellungsmitteln (Schriftdeutsch neben bayerischer Mundart) Arrangements von überspitzter Sozialkritik. In seinem Film *Servus Bayern* (1978) flieht ein Schriftsteller nach Grönland, weil es dort »schon mehr Eis gibt, aber nicht soviel wie bei uns«.

Die modernen surrealen literarischen Formen und Inhalte lassen sich in sehr allgemeiner Weise als »kafkaesk« bezeichnen, – als eine Weltanschauungs- und Welterfahrungs-Kategorie, die immer wieder um existentielle Grundgedanken kreist.

Die Frage nach Transzendenz liegt bestimmend dem Werk **Franz Kafkas** (1883–1924) zugrunde. Wie vor ihm Eichendorff, zu dem hin

IM TUNNEL
DES LEBENS

Verbindungslinien aufzeigbar sind (man vergleiche auch das innige Verhältnis des Dichters zu Robert Walsers »Idyllen« – einer Dichtungsgattung, die schon Schiller als Versuch deutete, auf dem Boden des Unheimlichen heimisch zu werden!), spürt er nach der »Urmelodie der Welt«, die er zu erlauschen sucht, die ihm aber verborgen bleibt. Gerade dies aber – die Urmelodie der Welt als Antwortlosigkeit und Schweigen – und die damit gegebene Brüchigkeit der Welt, ihr Auseinanderklaffen, ihre unerkennbaren Zusammenhänge sowie das »Bodenlose« der Gesellschaft fängt Kafka in »abstrakten Figurationen« ein. Für Kafka steht der Mensch in der paradoxen, absurden Situation zwischen Leben und Tod, Immanenz und Transzendenz. Aus aller festen irdischen und überirdischen Ordnung entlassen, ist er desorientiert und ziellos – ohne Licht (vom menschlichen Standpunkt aus gesehen) –, auch wenn das Vorhandensein dieses Lichtes nicht geleugnet wird. Das So-Sein ist Chiffre des Seins, das Sein mögliches Nichtsein; aber auch das Nichtsein birgt die Möglichkeit des Seins in sich: ein circulus vitiosus, der – z. B. in dem Prosastück *Auf der Galerie* (vor 1917) – als endlos-monotones Rotieren einer Kunstreiterin im Rund der Zirkusarena dichterisch beschworen wird.

»Wir sind«, meinte Kafka, »mit dem irdisch befleckten Auge gesehen, in der Situation von Eisenbahnreisenden, die in einem langen Tunnel verunglückt sind, und zwar an einer Stelle, wo man das Licht des Anfangs nicht mehr sieht, das Licht des Endes aber nur so winzig, daß es der Blick immerfort suchen muß und immerfort verliert, wobei Anfang und Ende nicht einmal sicher sind. Rings um uns aber haben wir in der Verwirrung der Sinne oder in der Höchstempfindlichkeit der Sinne lauter Ungeheuer und ein je nach der Laune und Verwundung des einzelnen entzückendes oder ermüdendes kaleidoskopisches Spiel. Was soll ich tun? Wozu soll ich es tun? sind keine Fragen dieser Gegenden.«

Freilich zeigt auch Kafkas Werk Aufbruchsstimmung, ein Streben zum Licht, erwartend den »Anruf« – »wortreich und sicher begin-

nend, wortlos und verzweifelnd endend«. Hier liegt die Würde von
Kafkas Menschen, ihr tragisches Heldentum. »Auf den Reisewagen
warten und den Tunnel auch dann verlassen, wenn die Richtung unsicher ist und das Licht vielleicht von ›hinten‹ kommt; die Botschaft
hören, wenngleich man nicht weiß, ob die Könige noch leben oder
nur die Kuriere einander die längst sinnlos gewordenen Nachrichten
zuraunen; die Schneise suchen, auch wenn man sich immer wieder im
Dickicht verirrt; im Namenlosen existieren und auf die Stimme lau-
schen, die manchmal weit, weit weg flüstert, das alles verdeutlicht die
Situation eines Menschen, der um das Ziel weiß, aber den Weg nicht
kennt« (Walter Jens). »Es gibt ein Ziel, aber keinen Weg; was wir
Weg nennen, ist Zögern«, sagte der Dichter selbst. Kafkas Dichtung
ist weder allegorisch noch symbolisch, da sie nicht »für« etwas Bestimmtes, Bestimmbares steht; die Handlungen seiner Romane, Novellen, Parabeln vermitteln »direkt« – ohne Umweg – das Weltgefühl
des Dichters, das zugleich Weltgefühl seiner Epoche ist (im Sinne der
»Evokation«, die, um »verstanden« zu werden, des »Äquivalenten«
bedarf: T. S. Eliot spricht vom »evokativen Äquivalent«). Wenn in
der »Verwandlung« der Handlungsreisende Samsa aufwacht und sich
in ein riesiges Insekt verwandelt sieht und der Dichter im weiteren den
schrittweisen Veränderungsprozeß minuziös schildert, dann ersteht
in uns das Gefühl eines schwer definierbaren Ekels und Widerwil-
lens, das aber dem Gefühl genau entspricht (äquivalent ist), das der
Dichter in uns hervorrufen (evozieren) wollte.

In der Parabel *Vor dem Gesetz* kommt ein Mann vom Lande zum Türhüter
und erbittet Eintritt »in das Gesetz«. Der Türhüter läßt ihn nicht ein. Der
Mann wartet Tage und Jahre, »bis er kindisch wird«. Niemand ist während
der ganzen Zeit durch die Tür »ins Gesetz« gegangen. Auf die wiederholten
Fragen des Mannes brüllt der Türhüter, der erkennt, daß der Mann nun am
Ende ist und daß sein Gehör vergeht, ihn an: »Hier konnte niemand sonst
Einlaß erhalten; denn dieser Eingang war nur für dich bestimmt. Ich gehe
jetzt und schließe ihn.« Evoziert wird in uns das Gefühl des Absurden, des
völlig Unsäglichen und Unbegreiflichen – und genau dies kennzeichnet die
Auffassung des Dichters von Welt und Leben.

Kafkas Sprache ist dabei von kristallklarer, harter, spröder, oft genug
äußerst einfacher Form, die mit einer bürokratisch pedantischen Genauigkeit einem Vorgang nachspürt, was um so eigenartiger wirken
muß, da es ein genaues Nachspüren des Unfaßbaren, ein detailliertes

Beschreiben des Unbeschreibbaren, ein realistisches Angehen des Unrealistischen ist: »Ich versuche immerfort etwas Nicht-Mitteilbares mitzuteilen, etwas Unerklärliches zu erklären.«

So ist Kafkas Stil paradox, der Inhalt seiner Werke absurd – Spiegel paradoxen Daseins, absurden Seins.

Franz Kafka wurde in Prag geboren. Zu Lebzeiten hatte er nur sehr wenig veröffentlicht und für seinen Tod die Verfügung getroffen, daß sein gesamter schriftlicher Nachlaß zu verbrennen sei. Sein Freund **Max Brod** (1884–1968; selbst Dichter: u. a. *Tycho Brahes Weg zu Gott,* 1916; *Stefan Rott,* 1931; *Novellen aus Böhmen,* 1936) hat jedoch dem Willen nicht entsprochen und damit ein Werk gerettet, das zum Bezeichnendsten und Größten des 20. Jahrhunderts zu zählen ist. Der Dichter, der – als er starb – nur wenigen bekannt war, wurde während seines Lebens immer wieder von schweren Depressionen heimgesucht (vgl. *Tagebücher* 1910–23 und seine Briefe); er hat neben einer Reihe von Erzählungen (*Die Verwandlung,* 1915; *Das Urteil,* 1916; *In der Strafkolonie,* 1919; *Ein Landarzt,* 1920; *Beim Bau der chinesischen Mauer,* 1931) drei Romane hinterlassen: *Der Prozeß* (1925); *Das Schloß* (1926); *Amerika* (Fragment, 1927).

In »Der Prozeß« wird der Bankangestellte K. eines Morgens von Leuten verhaftet, die »wie Dienstmänner von der Straßenecke« aussehen. Warum wird er verhaftet? Warum soll gegen ihn ein Prozeß eröffnet werden? »Das ist eben der Haken«, sagt K., »das weiß ich selbst nicht«. K. wehrt sich, er will ein gerechtes Verfahren, er will wenigstens seine Anklageschrift sehen, er will sich rechtfertigen können. In surrealistischen Erlebnissen lernt er die stickige, unnahbare Bürokratie der Anklagebehörde kennen, die ihren Sitz meistens in Dachböden von Mietskasernen hat – aber alles ist vergeblich. K. dringt nie weiter als bis zur Tür der geheimnisvollen Organisation vor. Die oberen und obersten Richter bleiben unerreichbar, sie werden über sein Schicksal entscheiden, ohne ihn gehört zu haben. Eines Tages – am Vorabend seines einunddreißigsten Geburtstages – wird das Urteil von zwei Herren (»in Gehröcken, bleich und fett, mit scheinbar unverrückbaren Zylinderhüten«) vollstreckt. Sie bringen K. in einen Steinbruch. »Seine Blicke fielen auf das letzte Stockwerk des an den Steinbruch grenzenden Hauses. Wie ein Licht aufzuckt, so fuhren die Fensterflügel eines Fensters dort auseinander, ein Mensch, schwach und dünn in der Ferne und Höhe, beugte sich mit einem Ruck weit vor und streckte die Arme noch weiter aus. Wer war es? Einer, der helfen wollte? War es ein einzelner? Waren es alle? War noch Hilfe? Gab es Einwände, die man vergessen hatte? Gewiß gab es solche. Wo war das hohe Gericht, bis zu dem er nie gekommen war? Er hob die Hände und spreizte alle Finger. Aber an K.s Gurgel legten sich die Hände des einen Herrn, während der andere das Messer ihm ins Herz stieß und zweimal dort drehte. Mit brechenden Augen sah K., wie die Herren nahe vor seinem Gesicht, Wange

an Wange gelehnt, die Entscheidung beobachteten. ›Wie ein Hund‹, sagte er
– es war, als sollte die Scham ihn überleben.«

Im Roman »Das Schloß« trifft ein Mann namens K. an einem Winterabend in einem Dorf ein, das zu einem Schloß gehört. Er sei von den »Behörden« als Landvermesser berufen; vergebens versucht er, im Schloß vorgelas-
sen zu werden. Er bemüht sich um Helfer unter den Dorfbewohnern, die unter der Willkür der Schloßherrschaft leiden. Als endlich ein Sekretär des
Schlosses die Verbindung herstellen will, ist K. bereits so erschöpft, daß er
einschläft. Das Werk blieb Fragment. Nach Max Brod wollte Kafka das
Ende so gestalten, daß Herr K. in dem Augenblick stirbt, da ihm der Aufenthalt im Dorf gestattet wird. (Wie auch immer das »Ziel« eingeschätzt werden
mag, es sollte unerreichbar bleiben.)

Kafkas Werke, besonders der Stil und die Zeichenhaftigkeit des Ge-
halts, haben großen Einfluß auf die zeitgenössische Literatur, vor
allem auch auf die neuen Dichtungsgattungen Kurzgeschichte und
Hörspiel, genommen. Viele deutsche und ausländische Dichter sind
mit ihren Werken Kafka verpflichtet; »kafkaesk« ist geradezu Kennzeichen einer eigenen Stilrichtung und literarischen Strömung geworden. Wenn dabei auch literarische Mode eine Rolle spielen mag, so
ist die Einwirkung Kafkas im besonderen dadurch zu erklären, daß
hier ein Dichter den Nerv der Zeit wie kein anderer traf.

Um die Frage: Was ist der Tod? Was steht hinter dem Leben?
kreist der Roman *Die Stadt hinter dem Strom* (1947) von **Hermann
Kasack** (1896–1966); die Kriegsatmosphäre des Elends
und der angsterfüllten Städte, die Hintergründigkeit der
geschichtlichen Vorgänge und die Untergründigkeit des
Massendaseins sind ins Werk einbezogen.

TOTENSTADT
UND LE-
BENSSCHIFF

Dr. Robert Lindhoff wird durch ein Schreiben der Stadtverwaltung zum
Kommen aufgefordert. Er fährt mit dem Zug, überquert einen großen Fluß
und erreicht bald darauf den Hauptbahnhof der »Stadt hinter dem Strom«.
Er trifft Anna, seine Geliebte, die vor wenigen Monaten aus dem Leben
geschieden ist, er trifft auch seinen toten Vater. Da wird ihm klar, daß er den
Fluß des Lebens überschritten hat, daß er sich in der Totenstadt befindet.
Aber die Stadt hinter dem Strom ist nur ein Zwischenreich: ein Bezirk zwischen dem Reich der Lebendigen und dem der endgültig Vergessenen, die
Zone letzter Erinnerung. Lindhoff kehrt eines Tages wieder ins Leben zurück; aber welche Kunde kann er mitbringen? Alle, die er liebte und kannte,
müssen auch das Zwischenreich der Stadt hinter dem Strom wieder verlas-

sen; sie werden abberufen, um ins Unbetretbare aufzubrechen. Ihnen nachzuspüren ist allen Lebenden versagt.

Ein Bild vom Geheimnis des Lebens, vom »Rätsel Mensch«, gibt
Hans Henny Jahnn (1894–1959) in seinem Roman *Das Holzschiff*
(1949; erster Teil der Trilogie *Fluß ohne Ufer*).

Ein seltsames Schiff ist am Ufer verankert. Es soll besondere Fracht aufnehmen und an einen geheimnisvollen Ort bringen; die Zollbeamten wissen davon, doch Genaues ist nur den »oberen Behörden« bekannt. Matrosen werden
an- und abgemustert. Nach längerer Zeit ist es endlich so weit; unter Führung
des Superkargos und des Kapitäns, der seine junge und schöne Tochter mit-
nimmt, sticht das Schiff (Lebensschiff) in See: »Die See stand mit gutem
Geruch um das Schiff. Die Segel waren gesetzt. Man lag vorm Winde. Meer
und Himmel waren schwarz. Die Lichter der großen Kuppel verbrannten
flimmernd in den unendlichen Weiten. Ihr kalter Schein, der das Herz vernichtet oder erhebt, brachte das trügerische Wunder erbaulicher Gedanken. Millionen Menschen (und wer wüßte, ob es die Tiere nicht tun) blicken des Nachts
auf mit den unbegreiflichen Augen und kehren in die vereinsamte oder bang
hoffende Brust zurück, ihre eigene. Sie sehen sich auserwählt oder verworfen.
Oder das Ferne ist so weit ab von ihnen, wie es vorgibt zu sein. Es bricht nicht
durch den Qualm ihres gemarterten Blutes. Die Stürme überziehen mit Lärm
den Dunst unserer Erde bei anderen Stunden. Jetzt war es der leuchtende Tau
der Einsamkeiten, der hernieder rieselte.«
    Der Verlobte des Mädchens reist als blinder Passagier mit; auch der Reeder
wird in den geheimnisvollen, apokalyptisch-verschlungenen Räumen und
Gängen des Schiffes hin und wieder gesehen. Eines Tages verschwindet das
Mädchen, ohne daß man es je wieder findet. Ein geheimnisvoller Schacht wird
entdeckt; der darunter vermutete Hohlraum soll geöffnet werden. Als man
mit dem Werkzeug die Wand durchbricht, flutet unaufhaltsam das Meerwasser
herein. Das Schiff geht unter, die Besatzung flüchtet in die Boote.
    Die Romanhandlung ist »surreal«; die Dinge werden vom Dichter »mit
ungewöhnlich überfeinerten Augen gesehen, große Fortlassungen, tiefes Hin-
zufügen zum alltäglichen Hinblicken«. Wirkliches ist transparent für Hintergründiges; dem Rätselhaften (dem Verschwinden des Mädchens etwa) wird
gequält nachgespürt; es bleibt unfaßbar und ungelöst. Kein »Zipfel vom
Schleier des Geschehens« lüftet sich. – Räume werden verschlossen und sind
dann nicht verschlossen. Türen öffnen sich von selbst. Gänge stoßen ins Uner-
gründliche (»Ein niedriger Schacht, etwa zwei Meter breit, begann unter dem
Bett und löste sich in der Ferne im Ungewissen auf.«). Die Fracht besteht aus
einer Menge von Kisten, deren Inhalt niemand kennt; als die Matrosen in den
Lagerraum eindringen und die Behälter öffnen, sind diese leer; aber es stellt
sich heraus, daß sie nur im Vorraum waren, auf Attrappen hereinfielen; die

eigentlichen Kisten bleiben weiterhin verschlossen – die Inhalte fraglich. Wer leitet und lenkt das Schiff, dirigiert es zu seinem Zielhafen? Der Kapitän? »Aber neben ihm gibt es etwas Verborgenes, das von Zeit zu Zeit das Kommando an sich nimmt.« Am Ende, als das untergehende Schiff sich nochmals aufbäumt, zeigt sich eine Galionsfigur, die vorher niemand gesehen hatte: »Ein Bild wie aus gelbem Marmor. Eine Frau. Statue einer schimmernden, rauh behäuteten Göttin. Venus anadyomene... Eine dreiste Verheißung strotzender Brüste.«

Der Mensch wird in Jahnns Roman in seiner »metaphysischen Ratlosigkeit« gezeigt: »Die Nacht. Die Blindheit. Der Tod. Und das Unbekannte, jene Null im Gebrause des Unendlichen.« »Was bezweckte die Vorsehung? Wir finden keinen Beweis gegen die Anarchie der Abläufe.« Als Ausweg verfällt der Mensch seiner schalen Leib- und brünstigen Triebhaftigkeit; von der Sinnlichkeit verfolgt und gequält, gaukeln die Träume der Matrosen (»dünne und brüchige Charaktere, eingewebt einem mangelhaften rohen und übelriechenden Fleisch«) um sexuelle, makabre Genüsse; Gerüchte gehen um, die Kisten könnten tote oder lebende Mädchen enthalten.

Als eine Versuchsreihe bezeichnete **Arno Schmidt** (1914–79) seine Erzählbände *Leviathan* (1949), *Brand's Haide* (1951), *Nobodaddy's Kinder* (1963) und *Kühe in Halbtrauer* (1964). Ihnen gemeinsam ist bei aller Gesellschaftskritik die Absicht einer Erneuerung der Prosa, die einem veränderten Weltverständnis und Lebensbewußtsein besser gerecht wird. Hermetische Sprache wandelt sich zur artistischen Sonderheit, z. B. in neuen Wortbildungen, Phonemverfremdungen, merkwürdiger Orthographie und Interpunktion, Versetzen von Textblöcken. Schmidt verzichtete auf überlieferte literarische Muster mit epischem Erzählfluß und bietet in krebsartig wuchernden Kompositionen nur noch Extrakte, anregende Unklarheiten, Rastertechnik, »ein Tagesmosaik«, und dazu ein »extensiv zur Schau gestelltes alexandrinisches Wissen« (Gerd Müller). »Hinzu kam noch meine wahnsinnige Lust an Exaktem: Daten, Flächeninhalte, Einwohnerzahlen, die sie also vermittels meiner in nochmals Wirkendes umsetzen wollten: so hätte ich früher gesagt: heute: Wer die Sein-setzende Kraft von Namen, Zahlen, Daten, Grenzen, Tabellen, Karten, nicht empfindet, tut recht daran, Lyriker zu werden; für beste Prosa ist er verloren: hebe Dich hinweg!« (*Das Steinerne Herz*, 1956)

Die lange Reihe der zahlreichen Publikationen, darunter wichtige Übersetzungen und Studien (über vermeintlich vergessene Auto-

HERMETI-
SCHE
SPRACH- ·
TRÄUME

ren, wie Brockes, Schnabel, Wieland, aber auch Karl May) findet ihren Kulminationspunkt in dem von Gigantomanie besessenen *Zettel's Traum* (1970), einem viele Kilogramm schweren, großformatigen Superbuch. Es ist über aller »Organisation sagenhafter Stoff- und Zitatmassen« (Jörg Drews) die Summa Magna der Theorie und Ästhetik des in absonderlicher Abgeschlossenheit lebenden, menschenscheuen, immens fleißigen Einsiedel-Schreibers.

Im Heidehaus Daniel Pagenstechers treffen sich ein paar Freunde zur Aussprache über E. A. Poes Werk. Dabei entwickelt der Gastgeber seine »Etym«-Theorie; sie liegt Schmidts Schaffen zugrunde.

Arno Schmidt blieb dem »Normalleser« ungeläufig, vom »Dechiffrier-Syndikat« seiner ergebenen Jüngerschaft abgöttisch verehrt, im übrigen auch unter Kollegen der große, schwierige Außenseiter und »arrivierte Sonderling« (M. Reich-Ranicki), der sein von der Außenwelt fast völlig abgeschlossenes Dasein am Schreibtisch, in leidenschaftlicher Hingabe an Bücher, auch ironisch zu genießen schien (im utopischen Roman *Die Gelehrtenrepublik*, 1957, erscheint ein dergestalt posierender Einsiedler).

Das Schauspiel *Die Verfolgung und Ermordung Jean Paul Marats, dargestellt durch die Schauspielgruppe des Hospizes zu Charenton unter Anleitung des Herrn de Sade* (1964) von **Peter Weiss** (1916–82) ist ein »philosophisch-politischer Dialog, der im Spiel, pantomimisch-exzessivem Spiel unter Irren, aufgeht«. Die Schauspieltruppe eines Irrenhauses unter Anleitung des in der Anstalt sich befindenden Marquis de Sade zeigt Wirklichkeit in doppelter Verfremdung (als Spiel von Irren!) – den Wahnwitz realer politischer und sozialer Normalität; man spielt »französische Revolution«. Die revolutionäre Ekstase, aus humanitärem Elan und sexualpathologischen wie existential-sadistischen Elementen zusammengesetzt (»Es ist ein warmes dickes Dampfen / wie in Schlachthäusern... was ist dies für eine Stadt, in der das nackte Fleisch auf den Straßen liegt / was sind das für Gesichter«), gipfelt im Toben der Wahnsinnigen, die bei aufpeitschender Musik rhythmisch marschieren und durcheinanderschreien. Dieses Bild soll vermutlich die Geburt des modernen sadistisch-totalitären Staates aus dem Geiste absoluter Verwirrung kennzeichnen:

CHAREN-
TON,
CHAREN-
TON

»Charenton, Charenton
Napoleon, Napoleon
Nation, Nation
Revolution, Revolution
Kopulation, Kopulation.«

In seinem »Oratorium« *Die Ermittlung* (1965) hat Weiss versucht, die
Geschehnisse von Auschwitz auf die (Sprech-)Bühne zu bringen: als
Klage, Erinnerung und Mahnung. Was bei Kafka noch surreale Wirklichkeit war (etwa in der Erzählung »In der Strafkolonie«), wurde
durch den Nationalsozialismus staatliche Realität; das Vernichtungs-
lager erwies sich als die Ausbildungsstätte des neuen Herrenmenschen; als Menschenmordfabrik. Weiss montiert in seinem Oratorium dokumentarisches Material aus dem Auschwitz-Prozeß, das er
in gestraffter, leicht rhythmisierter Form in »Gesängen« von Spre-
chern (Richter, Zeugen, Verteidiger, Ankläger) vortragen läßt – der
Alptraum der abgründigen Wirklichkeit kann von keiner noch so makabren Phantasie mehr übertroffen werden.

Das Geschichtsbild umprägen will Weiss mit seinem *Hölderlin* (1971). Der
Lebenslauf des Dichters wird zur Parabel der deutschen Misere, des Dichters Wahnsinn zum Vor-schein der Idee einer zukünftigen Demokratie.
Karl Marx tröstet am Ende des Stücks Hölderlin: »Daß Sie ein halbes Jahrhundert zuvor die Umwälzung nicht als wissenschaftlich begründete Notwendigkeit, / sondern als mythologische Ahnung beschrieben, ist Ihr Fehler
nicht.« Die Revolution ist vom Dichter visionär vorbereitet, vom Philosophen analytisch begründet worden.

»Fleisch und Stachel gehören unlöslich zusammen, um einen vollen
Christen zu machen«, heißt es in dem *Rechenschaftsbericht an meinen Leser* von **Elisabeth Langgässer** (1899–1950); »jede Heiligkeit ist ein Dennoch, das die Menschwerdung
Christi unserem Fleisch, dem widerspenstigen, abgerungen; jeder Sündenfall, sei er noch so tief, hat die
Möglichkeit, durch das Wirken der Gnade zur Einbruchstelle der
Heiligkeit zu werden«. Elisabeth Langgässer (von den Nationalsozialisten verfolgt und verfemt – eine Tochter war nach Auschwitz verschleppt worden) hat aus der Spannung von tiefem Pessimismus und
gläubiger Zuversicht heraus geschrieben.

FLEISCH
UND STA-
CHEL

»In jedem Glauben an die Menschheit im ganzen und an die meisten Menschen im besonderen geht bei mir der Teufel um. Ich sehe rings um mich nur Korruption, Verlogenheit, Betriebsmacherei und die scheußliche Geschäftigkeit und das Gewimmel von grau-schwarzen Ameisen, deren Bau zertreten wurde«, heißt es in einem Brief der Dichterin.

Sie sah, wie tief das Satanische im Menschen verwurzelt ist, wie Brunst und Triebhaftigkeit und das sündhafte Auskosten des Bösen dämonische Lust und Glückseligkeit bedeuten mögen. Auf solchem Hintergrund innerer und äußerer Anfechtung erwächst ihr jedoch der Glaube. So stehen in ihren Werken immer wieder Heiligkeit und Bosheit, Trieb und Askese, Bordell und Kloster nebeneinander. In diese Welt realer Brüchigkeit, seelischer Zerrissenheit, in der Zeit und Raum zerbersten und jede Ordnung menschlichen Sinnes sich verliert, fällt nach wie vor das Mysterium der göttlichen Gnade, das freilich oft genug erst im Scheitern erlebt werden kann; das Scheitern ist Chiffre des wahren Seins. Der Kampf Gottes mit dem Satan in dieser Welt steht schlecht für Gott. »Gott ist zum Scheitern verurteilt – und wer ihn liebt, ist es auch. Zu scheitern ist eigentlich das Zeichen der Auserwählung«, heißt es in dem Roman *Märkische Argonautenfahrt* (1950), in dem eine Reihe Berliner Bürger, die auf unerklärliche Weise zueinandergefunden haben, eine abenteuerliche Wanderung nach dem »Auferstehungskloster« Anastasiendorf unternehmen, von der Sehnsucht nach Reinigung und Entsühnung vom Teuflischen besessen – ein Geschehen, das sich ständig auf zwei Ebenen abspielt: der realen und der untergründigen des Weltenkampfes.

Im *Unauslöschlichen Siegel* (1946) ist der Held, Herr Belfontaine, seiner Herkunft nach Jude; er hat jedoch das »unauslöschliche Siegel« der heiligen Taufe empfangen. Aus einem Leben der Irrungen, Wirrungen und Sünde – Eros erscheint als Dämon, die Welt im mythischen Untergangsdunkel – wird er herausgerissen, als im Donner eines gewaltigen Gewitters, unter Vermittlung von Elisabeth, seiner ersten Frau, die er verlassen hatte, die göttliche Gnade über ihn kommt. »Dieses Unaussprechliche sucht ihn, während er vor ihm floh«... »Das Nichts ist der Gegenpol zu der Gnade, in die es umschlagen kann.« Nun beginnt das zweite Leben des Herrn Belfontaine: Mit der Gabe der Heilung und dem Charisma der Erweckung ist er betraut; er wird Vater Lazarus genannt, eine Gestalt, die immer mehr ihre reale Wirklichkeit verliert und ins Archetypische sich wandelt. Das Individuelle wird im transpersonalen Weltgeschehen aufgelöst.

Der christliche Roman – so führte Elisabeth Langgässer einmal aus –
hat sich, soweit er existentiell und offen ist für das Mysterium von
Sünde, Gnade und Erlösung, zurückgezogen aus dem Vordergründigen, Psychologischen, Kausalen, rational Zugänglichen, logisch Be-
gründbaren. Er stieß durch die Schicht des Realen in die surrealen
Bereiche vor, wo Zeit und Raum ihre kategoriale Bedeutung verlieren, in Zeichen das Geheimnis dieser wie der jenseitigen Welt vor uns
liegt (ohne daß wir sie deshalb zu deuten vermöchten). Es spielt sich
ein ständiges »Drama zwischen Gott und Satan« ab – der Mensch ist
der Akteur in diesem Kampfe, dessen Ausgang ungewiß sei und bleibe; der neuartige Stil müsse dem gewaltigen Inhalt entsprechen.

»Warum ich mein Anliegen nicht auch einfach und schlicht und ›verständlich‹
auszudrücken vermöge – poetisch wie Eichendorff, einfach wie Claudius...?
Ich fürchte, das Mißverständnis nicht eigentlich aufzuhellen, sondern im
Grund zu vermehren, wenn ich Dir sage, mein Leser, daß wir alle inzwischen
komplexer, d. h. bewußter geworden sind... negativ ausgedrückt: daß wir
nicht mehr im Stil des Biedermeier, in Goetheschen Gartenhäusern, von Be-
dienten umgeben, leben; in Postkutschen fahren und ohne Pässe nach den
Gegenden reisen können, wo die Citronen blühen...«

Auch die Kurzgeschichte will nicht im üblichen Sinne erzählen, beschreiben, schildern; sie deutet nur an, sie gibt einen schlaglichtartigen Ausschnitt (ohne vorbereitende Einleitung oder
HINTER DEM   nachbereitende Erklärung); aber dieses Angedeutete
PARAVENT   und Angeleuchtete, unter Umständen durchaus Alltägliche, ist zeichenhaft vor den Leser hingestellt -
transparent, ein »durchlässiger Paravent« –, so daß er im Augenblick
des äußeren Ereignisses verwiesen wird auf die Existenz einer dar-
über- oder dahinterliegenden Schicht, eine Sur- oder Meta-Realität.
Hier wie dort ist es eine fremde, fragliche, ambivalente »Wirklichkeit«, die somit auch nicht verbindlich beschrieben werden kann: Die
»offene« Struktur der Kurzgeschichte ist typisch. Ein erschüttertes
Weltbild liegt ihr zugrunde, das jedes Absolute wie die normalen Kategorien des Weltverständnisses leugnet; der Kosmos der Ordnung ist
zerbrochen, Bruchstücke allein werden vom Dichter in ihrer Vereinzelung registriert. Im Paradoxon (der einzelnen Metapher wie des
gesamten erzählten Vorgangs) wird die Absurdität der Welt aufgefan-
gen: Die Chiffre bedeutet nichts, aber sie deutet letztlich auf ein Geheimnisvolles, das uns bei jedem Schritt und Tritt umgibt. In Franz

Kafkas Kurzgeschichte *Der Nachbar* glaubt ein Grundstücksmakler, von seinem Nachbarn (den er für einen Konkurrenten hält) belauscht zu werden. Der Mann »huscht nach seiner Gewohnheit durch die Stadt und, ehe ich die Hörmuschel aufgehängt habe, ist er vielleicht schon daran, mir entgegenzuarbeiten.« In einem anderen Prosastück, *Auf der Galerie,* beobachtet der Erzähler eine »schöne Dame, weiß und rot«, die als Kunstreiterin in der Manege ihre Runden dreht; oder ist sie »hinfällig, lungensüchtig«, vom »peitschen-schwingenden erbarmungslosen Chef monatelang ohne Unterbrechung im Kreise rundum getrieben«? Das Geschehnis (aufschlußreich der Vergleich mit der Vorlage, einer Kurzerzählung von Robert Walser, die Kafka umgestaltete) weitet sich zum Gleichnis des Weltgetriebes und Menschenlebens schlechthin. Die Kurzgeschichte ist »Ärgernis«, weil sie das Reale aus den Bereichen, in denen es sinn- und zweckvoll, ordnungsgemäß und vernünftig, verständlich und erklärbar zugeht, heraushebt und ins Paradoxe verkehrt; der »Schock« solcher Verfremdung, der Augenblick der Enthebung aus der »Selbstverständlichkeit«, bewirkt aber zugleich die Ahnung des Hintergründigen, auch wenn dieses verschleiert und ungreifbar bleibt; der Durchbruch zur Transzendenz ist vollzogen.

Ilse Aichingers (geb. 1921) Erzählungen zielen auf das »neu zu Entdeckende«, das »herüberleuchtet« oder »herüberdroht«. Ein Unfall geschieht, ein Kind wird vom Zug überfahren (in *Das Plakat*). Das Furchtbare wird aus dem Blickwinkel des Leblosen (mit den Augen eines Druckbildes, eines Jungen auf einem in der Nähe hängenden Plakat) gesehen: Die Grenzen zwischen Wirklichem und Unwirklichem verwischen sich, der losgerissene »Plakatjunge« wird wie das Menschenkind überrollt; das Leben geht weiter, als sei nichts geschehen – während doch in der Ruhe des Mittags das Numinose sich zeigte. »Schuld an dem ganzen Unglück waren die Züge, die um diese Zeit so selten fuhren, als verwechselten sie Mittag mit Mitternacht. Sie machten die Kinder ungeduldig. Aber nun senkte sich der Nachmittag wie ein leichter Schatten über die Station.«

In der *Spiegelgeschichte* (1954) ereignet sich der Durchbruch durch die Realität in Form einer Umspiegelung der zeitlichen Kausalität: Das Nachher wird zum Vorher, der Lebensgang einer Frau – von der Geburt bis zum Tod im Krankenhausbett – wird rückgespult vom Tod im Krankenhaus bis zur Geburt. »Das Schwerste bleibt es doch, das Sprechen zu vergessen und das Gehen zu verlernen, hilflos zu stammeln und auf dem Boden zu kriechen, um zuletzt in Windeln gewickelt zu werden. Das Schwerste bleibt es, Zärtlichkeiten zu ertragen und nur mehr zu schauen. Sei geduldig! Bald ist alles gut.

Gott weiß den Tag, an dem du schwach genug bist. Es ist der Tag deiner
Geburt. Du kommst zur Welt und schlägst die Augen auf und schließt sie
wieder vor dem starken Licht. Das Licht wärmt dir die Glieder, du regst dich
in der Sonne, du bist da, du lebst. Dein Vater beugt sich über dich. Es ist zu
Ende – sagen die hinter dir, sie ist tot! Still! Laß sie reden.« Indem Geburt
und Tod, Anfang und Ende (man erinnere sich an Kafkas Tunnelgleichnis)
ineinanderfließen, wird das Leben in seiner ungeheuerlichen Fragwürdigkeit
gezeigt. Aus den Fragmenten des Realen, des Lebenslaufes mit seinen Mühen, seiner Zielgerichtetheit, Sinnfälligkeit – seiner scheinbaren Zielgerichtetheit und scheinbarer Sinnfälligkeit –, erhebt sich drohend die Frage: Warum? Wozu? Ist das Ende ein neuer Anfang? Ist der Anfang schon das Ende?
»Es ist der Tag deiner Geburt... Es ist zu Ende... sie ist tot? Still! Laß sie
reden.« Das Leben bleibt Chiffre, Ausdruck des Absurden – Ausdruck aber
von etwas, das ist.

Neben der »kafkaesken« Komponente erweist sich für die Kurzgeschichte vor allem der anglo-amerikanische Einfluß (das Vorbild Er-
nest Hemingways mit seinen »tough novels«) von Be-
GRAPHIK deutung. Aus kargen Wort- und Satzfolgen ergeben
DER PROSA sich prägnante Umrißlinien des Geschehens; Gefühl
und Empfindung bleiben ausgespart, werden jedoch
gerade durch und in der Aussparung »evoziert«. Die Short-story ist
eine »Graphik der Prosa«: »Durch Ausscheiden und Fortlassen wird
hier Konzentration erzeugt... sparsam und unerbittlich verleiht sie
der Welt Kontur. Ihre Linien sind messerscharf. Das wenige, das sie
umreißen, ist von einer betörenden und gleichzeitig verwundenen
Eindringlichkeit. Es schlägt uns in Bann. Uns werden die Augen geöffnet« (Heinz Piontek). Im Schnittpunkt der Dialoge, gewissermaßen in ihrem Kreuzungs- und Nullpunkt (dort, wo nichts Ausgespro-
chenes mehr verbleibt), vollzieht sich auch der Durchbruch zum Hintergründigen. »Das hohle Fenster in der vereinsamten Mauer gähnte
blutrot, voll früher Abendsonne. Staubgewölke flimmerte zwischen
den steilgereckten Schornsteinresten. Die Schuttwüste döste«, heißt
es in einer Erzählung Wolfgang Borcherts. Ein Junge hält in der Wü-
stenei Wache, denn drunten liegt noch der Bruder, von den Bomben
verschüttet und den Ratten ausgeliefert. »Nachts schlafen die Ratten
doch«, beruhigt der Mann, der hinzukommt. Er will dem Jungen ein
paar Kaninchen schenken. »Ja, rief Jürgen, ich warte. Ich muß ja
noch aufpassen, bis es dunkel wird. Ich warte bestimmt. Und er rief:
Wir haben auch noch Bretter zu Hause. Kistenbretter, rief er.« Hier –

wie in vielen anderen Kurzgeschichten von Hans Bender, Günter Eich, Paul Schallück, Herbert Eisenreich, Siegfried Lenz, Wolfdietrich Schnurre, Martin Walser, Wolfgang Hildesheimer – wird das Panische beschworen, mythische Tiefe, wenn auch im Understatement-Stil einer desillusionierten Zeit: die Ruhe als Drohung und Gefahr, das unheimliche Idyll, verborgene Schrecknis, die Glut des Bösen und der verzehrende Hauch der Unendlichkeit. Die menschliche Existenz schwankt zwischen Hier und Drüben, Angst und Hoffnung, Aufbruch und Untergang. Der Mensch ist ein »neuer Robinson« (Herbert Heckmann) – freilich ohne das Glück einer Insel, »sosehr er sich auch um eine vom Meer umfriedete Einsamkeit bemühte. Er trieb dahin, bis die Wellen ihn so abgespült hatten, daß er wie ein Kieselstein zu Grunde schaukelte – ein Insel hoffend«. Und doch widerfährt dem Menschen die Paradoxie des Glücks, das gleichermaßen hineinverwoben ist ins absurde Geschehen.

In Heinrich Bölls (S. 538) Kurzgeschichte *So ein Rummel* sucht der Erzähler (»Sehen Sie mich als einen Vertreter des Nichts an«) Hilfe bei der »Frau ohne Unterleib« im Zirkuswagen. Während die Kinder »Bunker«, »Totalgeschädigt« oder »Flüchtlinge« spielen (»»aber ich‹, sagte das Kind, ›ich soll immer sterben... Ich soll das Flüchtlingskind sein, das erfriert, und Fredi will meine Schuhe und alles verscheuern‹«), muß der um Arbeit bittende Mann gestehen, daß er wohl kaum irgend etwas richtig zu tun verstünde. »Geben Sie mir eine Chance«, fleht er; und die »Frau ohne Unterleib« sagt lächelnd: »Ich werde Ihnen eine Chance geben... Ich werde Ihnen die Kasse geben.« Absurde Hoffnung leuchtet auf: »Ich konnte nichts sagen, ich war wirklich sprachlos, ich stand nur auf und küßte ihre Hand. Dann schwiegen wir, es war sehr still, und es war nichts zu hören als ein sanftes Singen von Carlino aus dem Wagen...«

Das Hörspiel entwickelte sich zunächst aus der Lesung klassischer Schauspiele vor dem Mikrophon (in den Anfängen des Rundfunks erschienen die Schauspieler sogar noch in entsprechender Kostümierung); es wurde der szenischen Gestalt des Dramas angeglichen durch Dialoge inmitten einer als Geräuschkulisse vermittelten Theaterwirklichkeit. Als man feststellte, daß die Zuhörer Schwierigkeiten hatten, die sprechenden Personen zu unterscheiden, auch rasch ermüdeten, da sie allein aufs Hören angewiesen waren, machte man aus der Not eine Tugend: Die Hörspiele wurden novellistisch verkürzt, d. h. man be-

Im Hall-
raum

gann, das Spiel auf möglichst wenige Figuren zu beschränken und den Handlungsablauf von allem Beiwerk zu befreien. Von der Novelle übernahm das Hörspiel ferner das »außergewöhnliche Ereignis« als Mittelpunkt der Handlung. Die Verdichtung und Straffung sowie die Zurückdrängung einer durch Töne sowieso nur unzulänglich beschwörbaren Realität, ihr Ersatz durch den »Leerraum« oder »Hallraum«, der Lyrismus der Aussage und ihre komprimierte Bildhaftigkeit trugen dazu bei, daß selbst ein an sich sehr wirklichkeitsgetreu aufgegriffenes Sujet in Hörspielform den Eindruck der Ex-orbitanz aufkommen ließ. Das Gefühl wird im Hörer hervorgerufen, daß jeder Schritt auf dem Boden der Wirklichkeit gleichzeitig »außerhalb der Welt« (im »anderen« Bereich) mithallt und widerhallt bzw. das Bild dieser Welt nicht für sich, sondern als Ausdruck eines Hintergründigen steht; weil man die Dinge nicht sieht und auch nicht so hört, wie man sie sonst hört, verfremden sie sich, weisen auf Fremdes – eine andere, tieferliegende Seinsschicht – hin.

Ein »surrealistisches Hörspiel« solcher Art ist **Fred von Hoerschelmanns** (geb. 1901) *Das Schiff Esperanza* (1953). Der davongelaufene Sohn eines Kapitäns läßt sich – ohne es zu wissen – auf dem Schiff seines Vaters anheuern. Dieser bringt »schwarze Passagiere« dadurch nach »Amerika«, daß er sie – nach Zahlung des Fahrt- und Bestechungsgeldes – im Nebel irgendwo aussetzt, mit der Verheißung, das gelobte Land sei ganz in der Nähe. »Und sie schwimmen zehn Meter und zwanzig und schwimmen und schwimmen. Die merken erst viel später, daß sie mitten auf hoher See sind und überhaupt kein Strand weit und breit. Wie lange kann man so schwimmen? Außerdem in Kleidern?« Ohne daß es der Vater erfährt, tauscht der Sohn mit einem der Opfer. »Das dunkle Meer . . . das dunkle Schiff . . . der dunkle Himmel« – das Abgründige ist aufgerissen; die kreatürliche Angst wie die bestialische Gemeinheit; der Überlebende aber preist die weiterrollende Erdkugel: »Jetzt wird sie bald erscheinen, die Sonne – kaum zu glauben, daß in diese Dunkelheit und diese Stille der Tag einbrechen wird. Wie ich mich darauf freue. Als wäre ich von neuem zur Welt gekommen, eine ganz andere, herrliche, riesige Welt . . .«

In Günter Eichs (S. 578) *Die Brandung von Setúbal* (1957) bricht Caterina de Ataíde nach 27jähriger Verbannung (»Die Brandung? . . . Sie war mit der Inbegriff meiner Verbannung. Ach, ich hatte das fröhliche Gelächter aus dem Königspalast im Ohr, zärtliche Worte aus den Laubengängen im Park, Verse . . .«) auf, den Geliebten Camões, den großen Dichter, zu suchen; an der Pest soll er schon vor Jahren gestorben sein, aber: »Ich weiß jetzt, daß Camões lebt, und ich will zu ihm« ist ihr fester Entschluß. In der Hauptstadt sagen alle, daß der Dichter tot sei, aber niemand hat ihn sterben sehen. Wieder wütet die Pest, der König fällt der Krankheit zum Opfer; Caterina berührt den Toten – nun ergreift die Seuche auch sie. »Da es wahr ist, daß Camões gestorben ist, so ist es auch wahr, daß er nach mir verlangt hat. Seine Liebe, das ist die Wahrheit, und die Pest hat sie mir zurückgegeben. Welch schöner Zirkel, würdig den Bahnen des Mondes und der Sonne! Die Pest gab mir die Jugend zurück.« Krank reitet sie nach Setúbal.

Fragwürdig ist menschliches Schicksal, die Zeit zersetzt den Ruhm, Königtümer zerfallen, die Gewißheit macht sterben; Liebe aber bleibt trotz des Todes bestehen – und sei es nur in den Zeilen eines Gedichts... »die Ewigkeit beginnt an deinem Munde«. Die Brandung von Setúbal, die alles menschliche Leid und Glück übertönt, rauscht weiter.

Auch bei Hörspielen, die sich in der Handlung im Bereich des Wirklich-Möglichen halten, sind so die äußeren Vorgänge »eigentlich immer als innere Vorgänge zu deuten« bzw. als Zwiesprache mit dem Transzendenten. In konsequenter Ausnützung der durch das neue Medium des Funks geschaffenen Möglichkeiten fand das Hörspiel die ihm eigene Form: Stimmen im Dunkel. Wirkliches bleibt unsichtbar, ist »verdunkelt«, Personen verlieren ihre Zeitlichkeit, ihre individuelle Gegenständlichkeit, werden zu körperlosen »Stimmen«; Kausalitätsketten lösen sich, Zeiten und Räume schieben sich ineinander (in Eichs *Die Mädchen aus Viterbo* [1953] vollzieht sich der Untergang einer in den Katakomben von Rom verirrten Schulklasse aus Viterbo im gleichen Phantasieraum wie das Gespräch zwischen einem jüdischen Großvater und seiner Enkelin in der Nacht und Hölle ihres Zimmers, in dem sie die Deportation erwarten). Zur Charakterisierung dieser »kafkaesken« Situation kann ein bekanntes Wort Musils herangezogen werden: »... man könnte die Zeit... außer Spiel lassen, vor- und zurückspringen und gleichzeitig Verschiedenzeitiges geben. Da im Zeitablauf eine gewisse Ordnung der äußeren Ereignisse für uns liegt, müßte man ein anderes Ordnungsprinzip einführen, ›damit man sich auskennt‹.« Das neue Ordnungsprinzip des Hörspiels ist die »Blende«: der Augenblick, da das Spiel hin und her, zurück- und vor-»springt«, vom äußeren Leben ins innere, von diesem Ort zu jenem, von der Zukunft in die Vergangenheit, aus der Gegenwart in den Traum, aus der Realität in die Transzendenz, aus

STIMMEN IM DUNKEL

der Surrealität in die Wirklichkeit. »Blende« ist die Nahtstelle, wo
solche Bruchstücke zur paradoxen Reihe aneinandergefügt werden –
chiffrierte Welt zum Klingen gebracht wird: »Nachts hören, was nie
gehört wurde: / den hundertsten Namen Allahs, / den nicht mehr auf-
geschriebenen Paukenton, / als Mozart starb, / im Mutterleib vernom-
mene Gespräche« (Günter Eich).

Wolfgang Borcherts Hörspiel *Draußen vor der Tür* (1947; erst nachher zum
Drama umgeschrieben; S. 526) – ein Markstein innerhalb der neueren
deutschen Rundfunkgeschichte – spricht noch in Zeichen, die allegorisch
oder symbolisch begreifbar sind: die Elbe als mütterlicher Lebens- und To-
desstrom, der Tod als Straßenfeger, die Stimme des Anderen (des besseren
Ich); der Auseinandersetzung mit der aktuell-politischen Wirklichkeit wird
breiter Raum gegeben, der philosophische Disput wird von klar fixierten
Standpunkten aus geführt (der aufbegehrende Mensch und der »müde«
Gott). Die aneinander »geblendeten« Szenen folgen der durch den Titel ab-
gesteckten Assoziationsreihe: »draußen vor der Tür.«
    Als stärker chiffrenhaft, voll dunkler, geheimnisvoller Bildkraft erwiesen
sich die Hörspiele Günter Eichs, Ilse Aichingers, Ingeborg Bachmanns. Was
ist der Mensch? Worin besteht seine Identität, sein Ich, wo liegt der Kern der
Person? »Ich möchte mich vorstellen, Hörer, aber wer bin ich? Ich könnte
nicht einmal sagen, daß die Stimme, die du vernimmst, mit Sicherheit die
meine sei. Einiges spricht dafür, daß ich ein Tiger bin, genauer gesagt, der
Zirkustiger Jussuf. Aber nicht nur dir, auch mir kommt es merkwürdig vor,
daß ein Tiger in menschlicher Sprache soll reden können. Nein, es ist ohne
Zweifel so, daß auch viele andere Stimmen, die du hören wirst, die meinen
sind; und daraus schließe ich, daß es nicht mit Sicherheit feststeht, wer ich
bin. Beispielsweise könnte ein Gespräch zwischen der Kunstreiterin Anita
und dem Dompteur William durchaus von mir geführt sein. Vielleicht man-
gelt es dem Ohr nur an Feinheit, dergleichen wahrzunehmen. Hör zu!« (G.
Eich: *Der Tiger Jussuf*)
    Wo lebt der Mensch? Wie ist sein Haus bestellt? Was geht in ihm, was geht
um ihn vor? »Wie viele ... unhörbare Laute leben um uns? Eines Tages werden sie zu vernehmen sein und unser Ohr mit Entsetzen erfüllen« – so wie
Frau Lucy Harrison, Richmond Avenue, New York, am 31. August 1960 im
Traum sie vernahm (G. Eich: *Träume*, 1950): Mit schabendem Geräusch bei-
ßen sich die Termiten durch Beton und menschliches Fleisch – die Häuser
bersten, die hohlen Körper zerfallen, wenn man sie anrührt.
    Ein Geräusch hinter der Wand erschreckt die Knopfsortiererinnen in Ilse
Aichingers (S. 619) Hörspiel *Knöpfe* (1953). Die Mädchen stehen im Banne der geheimnisvollen Arbeitsstätte, die sie kaum mehr verlassen wollen,
obwohl immer wieder Mädchen dort verschwinden und dann neue Knöpfe
mit den Namen der Entschwundenen auftauchen. Ann kann sich dem Zau-

ber entziehen, da ihr Geliebter sie wegreißt aus dem faszinierenden Sog der
Selbstvernichtung (»Ich habe Ann lieber an meinem Arm als in der Tasche«).

Natürlich würden solche Chiffren sofort vom Lichtstrahl, der in die Phan-
tasieräume fiele, zerstört werden. Im Stimmenklang aus dem Dunkeln
spricht jedoch das Numinose, das der Mensch wie die Welt seiner Träume
erlebt: er hört, ohne voll zu verstehen.

In Ingeborg Bachmanns (S. 603) *Zikaden* (1954) suchen Menschen
auf einer Mittelmeerinsel vor der Wirrläufigkeit und den Konflikten
der Welt Zuflucht. Aber sich »ausklammern« zu wollen, gelingt nicht.
»Vergiftet von Selbstgesprächen«, fernab von der Bewährung im
Dasein, verlieren sie ihr Menschsein und werden Zikaden. »Denn die
Zikaden waren einmal Menschen. Sie hörten auf zu essen, zu trinken
und zu lieben, um immerfort singen zu können. Auf der Flucht in den
Gesang wurden sie dürrer und kleiner, und nun singen sie, an ihre
Sehnsucht verloren – verzaubert, aber auch verdammt, weil ihre
Stimmen unmenschlich geworden sind.« Gerade in Bachmanns Hörspiel (wie in ihrem *Guten Gott von Manhattan,* 1958) – dem tragischen Spiel von der Liebe, die in dieser Welt, von den »Eichhörn-
chen« inmitten der Wolkenkratzer bedrängt, keinen Platz mehr hat –
wird deutlich, wie das Hörspiel auch einem »pädagogischen« Auftrag
verpflichtet ist: Nicht singen, sondern handeln, lehren die »Zikaden«. Bald der realistischen, bald der allegorisch-symbolischen oder
chiffrenhaften Form des Hörspiels zuneigend, versuchen die Autoren
– darunter Max Frisch *(Biedermann und die Brandstifter),* Friedrich
Dürrenmann *(Die Panne),* Heinrich Böll *(Klopfzeichen),* Gerd Oel-
schlegel *(Romeo und Julia in Berlin),* Leopold Ahlsen *(Philemon und
Baukis) –,* den Menschen aufzurütteln und zu einer Aktion in Richtung Zukunft aufzurufen. Die reiche Amerikanerin, die in Eichs *Die
andere und Ich* mit ihrer Familie Ferien in Italien verbringt und in
einem seltsamen Identitätsaustausch das Leben einer anderen, einer
armen Italienerin, eine Zeitlang mitlebt, um am Ende ins eigene Dasein verändert zurückzukehren, hat nicht nur menschliches Leid
schlechthin, sondern auch das soziale Elend unserer Welt und Zeit
erlebt: Zufällig unter den Glücklichen geboren zu sein, enthebt nicht
der mitmenschlichen Verpflichtung. »Nein, schlaft nicht, während
die Ordner der Welt geschäftig sind! / Seid mißtrauisch gegen ihre
Macht, die sie vorgeben für euch erwerben zu müssen! / Wacht darüber, daß eure Herzen nicht leer sind, wenn mit der Leere eurer Her-

zen gerechnet wird! / tut das Unnütze, singt die Lieder, die man aus
eurem Mund nicht erwartet! / Seid unbequem, seid Sand, nicht das
Öl im Getriebe der Welt!« (G. Eich: *Träume*) So vermittelt gerade das
Hörspiel in einer gefährdeten Welt eine Vorstellung von dem, was
Ernst Bloch das »Prinzip Hoffnung« nennt; es bietet keine billigen
Lösungsmöglichkeiten von Krisen an, nährt aber doch die Hoffnung,
daß das Menschliche im Menschen zu erwecken sei.

Im Nachwort einer Hörspielanthologie von 1961 hatte Ernst Schnabel geschrieben: »Außerhalb der Finsternis wäre keine dieser Geschichten möglich
und nötig. Die Szene, die Ilse Aichinger entwickelte, würde augenblicklich
erlöschen wie ein Filmbild in der Dunkelkammer, fiele der schwächste Lichtstrahl ein.« – Die »neuen« Hörspielmacher wenden sich jedoch gegen diese
»innere Bühne«, gegen das »poetische Hörspiel«. Sie holen das Äußere und
Äußerlichste herein (Alltagsgeräusche, Satz- und Wortfetzen, »Ränder«) –
ein »zufälliger Mitschnitt« tonaler Wirklichkeit, die, montiert und collagiert,
als »konkretes Hörspiel« sich darbietet: Hör-Spiel nun in einem ganz anderen Sinne. Mauricio Kagel hat einem dieser Versuche den Untertitel »Ein
Aufnahmezustand« gegeben, und in der Tat spielt die Aufnahmetechnik eine
entscheidende Rolle. Mischpult und Schneidetisch ersetzen das Textbuch;
die Realität ist die Partitur, die nun in faszinierende Klangverfremdung umgesetzt wird. Damit werden zwar Geschwätzigkeit und Ideologie unmöglich
gemacht; es wird aber auch eine »neue Unverbindlichkeit« gefördert, die der
Konkretheit des »Materials« eine größere Bedeutung einräumt als der Vermittlung von »Sinn«.

»Engel bringt das Gewünschte« lautet der Titel einer handkolorierten Lithographie von Paul Klee aus dem Jahre 1920. Ohne das leiblich-liebliche Bildchen symbolisch überstrapazieren zu wollen – die Gestalt ähnelt einer Krankenschwester, die mit einem roterglühenden Herzen unter hohem Busen den dampfenden Morgenkaffee einherträgt –: Engel befördern offensichtlich mit großer Gemütsbewegung die neueste Stimmung, die sich Postmoderne nennt, ans Bett der kranken westlichen Seele. Frustriert von »steriler Ableitungslogik«, freut man sich über die »Rehabilitation der Engel«; man spricht davon, »daß der Himmel wieder sichtbar wird, als ob langsam ein Schleier vom menschlichen Bewußtsein weggezogen würde. Allmählich sieht es so aus, als ob das Zeitalter des Materialismus mit seiner furchtbaren und zerstörerischen Wirkung auf das menschliche Leben immer schneller zu Ende geht. Die materialistische Weltanschauung hat noch ihre Stützpunkte in der großen Politik und in wissenschaftlichen Zentren, aber die Flut ist nicht mehr aufzuhalten. Wenn in der nahen Zukunft immer mehr Menschen Engel begegnen, dann wird die materialistische Lebenseinstellung genauso hinweggespült werden wie die Sandburgen, die von Kindern am Strand gebaut wurden.« (H. C. Hoolenburgh)

Die Dichter der neuen Innerlichkeit schreiben gegen den Kulturpessimismus an, der von der Unwirtlichkeit der Welt – oft freilich penetrant-larmoyant – überzeugt ist. Auf einer Insel möchte man viel lieber leben, inmitten der Turbulenzen eine ökologische Nische entdecken, sich im Rückzug ausruhen, in der Enklave das Schönere, Bessere, Wahrere denken und dichten.

Unter allen Orten, die er bewohnt habe, sei er durch keinen so glücklich gemacht worden wie durch die Peter-Insel in der Mitte des Bieler Sees, schrieb Jean Jacques Rousseau.

»Kam der Abend heran, so verließ ich die Höhe der Insel und setzte mich
gern an dem sandigen Ufer des Sees in irgendeinen verborgenen Winkel.
Dann wurden meine Sinne durch das Geräusch der Wellen und durch die
Bewegung des Wassers gefesselt, das jede andere Bewegung in meiner Seele
zum Schweigen brachte, und ich überließ mich meiner angenehmen Träume-
rei, bei der mich oft die Nacht überraschte, ehe ich es gewahr wurde.«

Das Zitat findet sich im Programmheft zu einer der wohl interessan-
testen Inszenierungen der achtziger Jahre. Luc Bondy hat in der Berliner Schaubühne *Triumph der Liebe* von Marivaux so »eingerichtet«,
daß man daraus Wesentliches über die Insel-Mentalität, als Teil der
neuesten literarischen Stimmung im Westen, erfährt: eine Inszenierung, die »aufhebt«, d. h. bewahrt, wiederentdeckt, hinreißend nach-
vollzieht, was »aufgeklärtes Rokoko« an einer Philosophie und Mythologie des Vergnügens bereit hält; mit ästhetischem Raffinement
das Spiel der »Fête Galante« zu distanzierter Besichtigung freigibt;
schließlich in preziöser Sublimierung die ästhetizistische Position
überwindet, indem die Mitspieler graziöser Gefühlsverwirrung, im
Szenarium Garten-Insel-Rotunde, in ihrer Oberflächlichkeit (freilich
auch Verlorenheit) dekuvriert werden.

Theater als sinnliche Erschließung von Gedankenräumen: Aufgedeckt wird, was auch unserer rokokohaften Warenästhetik zugrunde
liegt: Plaisir; Optativ für eine Gesellschaft, die ihren Teller voll hat
und Reichtum ohne philosophische Tiefe genießt – ohne etwas davon
abzugeben, obwohl Mitleid wie Klugheit dies anraten ließen.

»Als plaisir ist der Mensch Subjekt. Das heißt: So wenig wie das Faktum des
Denkens kann das Faktum des plaisir bestritten werden, ob es nun mit richtigen oder mit unrichtigen Vorstellungen, mit lauteren oder mit unlauteren
Mitteln operiert. Plaisir ist plaisir. Wenn jemand plaisir zu empfinden behauptet, hat es keinen Sinn, ihm das zu bestreiten. Im plaisir braucht das
Subjekt also keine Kriterien, um sich seines plaisirs zu vergewissern; hier
kann es in einer Art kriterienloser Selbstreferenz seiner selbst gewiß sein.
Hier fehlt also jene verhängnisvolle Dualität des echten und des nur vorgetäuschten Liebens, die im sozialen Verkehr angesichts des Verhaltens *anderer*
die Gemüter beschäftigt.« (Niklas Luhmann)

Luc Bondys Inszenierung beobachtet mit Scharfblick und kühlem
Blut, wie sich im artifiziellen Garten die Geometrie der Gefühle entfaltet. Der Spielraum der Insel, vom Leben mit hohen Gartenhecken
abgeschirmt, ist zugleich Gefängnis. Wird das adelige Liebespaar,

das sich im Triumph der Liebe findet und die Hermetik verläßt, wirklich noch Leben gestalten können oder nur die Insel-Mentalität nach außen tragen – wodurch die Außenwelt zur Innenwelt würde? Diejenigen, die im totgesagten Park mit ihren enttäuschten und gescheiterten Hoffnungen zurückbleiben, die den Gerichtstag übers eigene Ich nicht gewagt hatten, sind wirklich tot.

Die art de plaisir führt ins Terrain der mondänen Beziehungen. Das Rokoko liegt nahe. Es zeigt sich heute als eine mit emanzipatorischen Attitüden aufgepolsterte Gefühllosigkeit, die ihre egozentrischen Obsessionen einmal im linken Palaver, zum anderen im gegenaufklärerischen Gefasel prostituiert.

Jörg Bopp stellt psychoanalytisch fest, daß die »Beziehungskisten« mit ihrer Sexualfeindlichkeit eine neue Form von kommunikativer Inkompetenz spiegelten. Erotik als eine wichtige Form der gegenseitigen Zuwendung wird als »Beziehungsarbeit« »abgehandelt«: »Die Vertreter dieser sensiblen Sexualfeindlichkeit lieben nicht und begehren nicht. Sie haben Beziehungskisten – die Särgen gleichen, in denen sie ihre Sinnlichkeit und jene, von denen sie angestachelt wird, bestatten. Da die Sinnlichkeit es – Gott sei Dank – an sich hat, immer wieder lebendig zu werden, muß man sie immer wieder begraben. Man muß ein entstehendes sinnliches Verhältnis nur in eine ›Beziehung‹ verwandeln und diese ›klären‹.«

Botho Strauß beschreibt in *Paare Passanten* (1981) eine derartige »gute moderne Zweierbeziehung«:

»Das Leben der werdenden Mutter im Kreis werdender Mütter, alle solidarisch, im gröbsten verständig. Schwangerenrat trifft sich dienstags bei Helen, nur der Hausmeister bleibt ein alter mürrischer Einsiedel. Aufgeklärt, blaß, gerade das Rauchen aufgegeben, etwas fettiges Haar, Jeans und T-Shirt und darüber eine folkloristische Strickware, nach immer mehr Aufklärung dürstend: ›Literatur‹ nennen sie's kurz und umfassend. Helens Mann, Jurist, blond, stark gelichtetes Kopfhaar, Kinnbart, ist im vierten Monat ihrer Schwangerschaft in die SPD eingetreten. Seine Neigung zu skandinavischen Abholmöbeln hat sich bei der Einrichtung ihrer Dreieinhalbzimmer-Wohnung durchgesetzt. Gute moderne Zweierbeziehung. Sie gehen lässig und freundlich miteinander um, ohne Übertreibungen, ohne Flamme. Das ›sogenannte Irrationale‹ wird mit eben dieser Floskel angepackt und unter Kontrolle gehalten. Ihre Einstellung zu Beruf und Pflichten ist, soweit eben möglich, lustbetont. Vieles macht Spaß. Beim Liebemachen machten sie ein Kind.«

In Strauß' antithetischem Denken stehen sich Begriffe wie Gegenwärtigkeit und Geschichtlichkeit gegenüber, »Konsumwelt contra Metaphysik, moderne Partnerbeziehung contra elementare Liebesleidenschaft, das vulgärpsychoanalytische Geschwätz gegen das archaische Schicksal, das aufgeklärte, schicksallose Individuum von heute gegen die Heroik früheren Lebens, die Masse der ›Gegenwartsfreaks‹ gegen den aus der Tiefe der Herkunft lebenden Einzelnen.« (Hermann Kurzke) Nach der Überzeugung von Strauß wird sich das Ich nicht selbst finden, solange es nicht zurückfindet zur Geschichtlichkeit; sie setze an die Stelle narzißtischer Selbstbestimmung, ja »Selbstvergottung«, die von der Aufklärung bekämpfte »transzendentale ›Fremd‹-bestimmung« des Menschen: »Es ist lachhaft, ohne Glaube zu leben.« Der lebensfeindlichen Erkenntnis sei das »unbegriffen Mythische als das eigentliche Kraftzentrum des Lebens« vorzuziehen. In dieser an Nietzsche und die Lebensphilosophie anklingenden Überzeugung sind auch deren Versuchungen und Gefahren eingeschlossen. Aber außer dem (folgerichtig erscheinenden) Kulturpessimismus fehlt bei Strauß die emphatische Begeisterung für das Irrationale; reflektierende Verinnerlichung wird einer Gesellschaft entgegengesetzt, die den objektiven Faktor Subjektivität zugunsten ausufernden politischen »Engagements« mißachtet.

In einem Interview antwortete 1985 Martin Walser auf die Frage, ob ihm Heinrich Bölls »Einmischung – erwünscht« noch imponiere, ob von ihm noch ein politisches Engagement zu erwarten sei: »Keines, das über Schreiben hinausgeht. Also, was ich nicht schreiben kann, das sollte ich auch nicht tun. Das ist eine Erfahrung, die ich gemacht habe. Das kann natürlich auch mit dem Alter zusammenhängen. Ich müßte mich an irgendeinem Mikrofon auf irgendeinem Platz unheimlich verstellen, ich bin halt kein Redner. Deshalb habe ich nicht das Gefühl, daß ich mich in meinen politischen Bedürfnissen geändert habe. Aber ich kann für deren Realisierung nicht mehr so schlicht auftreten, wie ich das schon getan habe.« Man kann Walsers »Altersweisheit«, die sich ja inzwischen sehr deutlich auch auf seine Bücher ausgewirkt hat, denunzieren: als Flucht in die Unverbindlichkeit; man kann aber auch angesichts der »Verhältnisse« verstehen, daß er sich gerne in die Fiktionalität ablenken läßt. Das literarische »Glasperlenspiel« beruhigt, da es den Eindruck hinterläßt, daß man aus einer wirren, chaotischen Welt eine geordnete, symmetrische herausgelöst hat.

Peter Handke hat seinen Rückzug aus dem Engagement viel direkter, pathetischer, konsequenter vollzogen. Mit jedem neuen Werk sendet er von seinem »Mönchsberg« kunst-volle Heilsbotschaften aus. »Schlechte Transzendenz« hat ein Kritiker Handkes »dramatisches Gedicht« *Über die Dörfer* (1984) genannt. Doch nötigt die Anstrengung des Idealismus mit ihrem gewaltig-gewaltsamen Bemühen um Exorbitanz auch Bewunderung ab. »Eine zärtliche Langsamkeit ist das Tempo dieser Reden« – ein solches Wort von Nietzsche, dem Drama vorangestellt, charakterisiert den einen Grundzug des ambivalenten Werkes; der andere zeigt aufgipfelndes Pathos. Die banale Geschichte (eine Erbschaftsangelegenheit zwischen Geschwistern) strömt bald heiter-gefühlvoll, bald dunkel-wogend breit dahin. Widersprüchlichkeit der Charaktere: hell-dunkle Seelen. Gregor, der älteste der Geschwister, der aus Übersee nach Hause kommt, um klug und besonnen zu sichern, was gefährdet ist (er möchte Haus und Grundstück der Eltern erhalten), ist durchaus auch in der Lage, Bruder und Schwester zu peinigen. Die mythische Figur Nova zeichnet sein fragwürdiges Psychogramm:

»Er war ohne Ohr für den unterirdischen Heimwehrchor
Mann aus Übersee, blind für die Tropfen Blut im Schnee
Zuschauermaske über den Wangen, Hand unter Händen an Haltestangen
Wanderer ohne Schatten – Nordsüdostwestherr!
Aber jetzt weiß ich nicht mehr.«

Handke freilich weiß hinsichtlich der »Stunden wahrer Empfindung« Bescheid. In hochstilisierter Vagheit schreibt er sich ins Ungewisse hinaus. Wortreich spricht er von Unsäglichem, dem symbolistischen wie expressionistischen Stil nacheifernd. Die Emanationen verklärt ein utopischer, auch ökologischer Schein.

»Kann nicht der Beton zurück zu Urgestein gedacht werden? Im Bauschutt sind Quellen, und sie werden im Hang frische Seitentäler bilden. Das Land bleibt schön und wird weiter gut tun, dachte ich. Lassen Sie ruhig die Automobile darin herumirren als die Frankensteinischen Monster.«

Im Mittelpunkt der philosophisch aufgeladenen Reflexionen über Mensch, Welt, Kosmos, Zeit – in einer »autosuggestiven Übertreibungs-Schmucksprache« (P. v. Becker) – west tiefste Betroffenheit. Stets ist der Dichter zur »Verkündigung« bereit:

»In der Erschütterung erst seht ihr scharf. Die Form ist das Gesetz, und das Gesetz ist groß, und es richtet euch auf. Der Himmel ist groß. Das Dorf ist groß. Der ewige Friede ist möglich. Hört die Karawanenmusik. Zieht dem allesdurchdringenden, allesumfassenden, alles würdigenden Schall nach.

Richtet euch auf. Abmessend-wissend, seid himmelwärts. Seht den Pulstanz
der Sonne und traut euerm kochenden Herz. Das Zittern eurer Lider ist das
Zittern der Wahrheit. Laßt die Farben erblühen. Haltet euch an dieses dramatische Gedicht. Geht ewig entgegen. Geht über die Dörfer.«

Der vornehm-noble Ton, wie er der neuen Betroffenheit, die sich an
der Gegenwart nicht schmutzig machen, sondern in sublimere Gefilde abheben wolle, häufig unterstellt wird, dürfe nicht – so Joachim
Kaiser – als etwas Überflüssiges oder Konservatives oder Kitschiges
empfunden werden. Der vornehme Ton sei deshalb so schwer zu treffen, weil in unserer von Werbung durchzogenen Welt die meisten affirmativen, positiven, lobenden Adjektive so fürchterlich abgenutzt,
phrasenhaft, verlogen wirkten. Michael Krüger bezeichnete in einer
Debatte um Handke Vernunft und Aufklärung als die »hageren
Schwestern des gesunden Menschenverstandes«, was deutlich macht,
wie tief die Verärgerung der früheren Avantgarde greift – angesichts
eines Aufklärungsfetischismus, der vom »Leben« sich immer mehr
entfernt hat.

In dem Roman *Der junge Mann* (1984) von Botho Strauß, einem
Autor, den man (obwohl er doch mehr ein Grenzgänger zwischen
den verschiedenen Bereichen der Komplexität ist) wegen seiner Zugehörigkeit zum Lager der literarischen Postmoderne bald preist,
bald schilt, heißt es an einer Stelle: »... Endlose Dünung des Schau-
ens, sanfter Schaukelgang des Dahinterkommens. Das Stundensegel
gestrichen. Ich berührte mit den Spitzen meiner Ruhe... das
Neue... das rettende Neue, das uns überflügelnde...«

Die Moderne ist, historisch gesprochen, stets ein »bewegter« Vorgang; sie entsteht als Reaktion auf das Alte, hebt es auf und wird
wiederum selbst durch die nächste Moderne aufgehoben – vernichtet, bewahrt, erhöht. Im Abseits, in Ahnung des Neuen, schöpft
Postmodernität meditativ Atem: mit den »Spitzen der Ruhe« das
Neue erspürend.

Eine Geschichte der deutschen Literatur, die in die unmittelbare
Gegenwart hereinführt, muß unvermittelt dort abbrechen, wo der
Zeitpunkt ihres Erscheinens eine Zäsur setzt. Eine Prognose, in welche Richtung der Weg des gegenwärtigen Bewußtseins führen wird,
ist nicht möglich. Die Geschichte des menschlichen Geistes ist in
keiner Epoche voraussehbar. Doch macht gerade die Geschich-

te der Literatur deutlich, daß Entwicklung ein dialektischer, ein stets vom »Festhalten« zum »Aufheben« und vom »Aufheben« zum »Festhalten« fortschreitender Prozeß ist. In den Worten von **Gert Friedrich Jonke** (geb. 1946), formuliert im *Geometrischen Heimatroman* (1969):

> »Man geht meistens viel eher mit der Zeit
> indem man gegen die Zeit geht
> in letzter Zeit ist es allerdings
> vielfach üblich geworden
> gegen die Zeit zu gehen
> so daß das Gegendiezeitgehen zum Schluß
> ein Mitderzeitgehen wieder geworden ist
> deshalb gehen manche wieder mit der Zeit
> in des Wortes ursprünglichster Bedeutung
> um so wiederum auf ihre ganz eigene Art und Weise
> gegen die Zeit zu gehen eigentlich
> und vor allem dadurch wiederum viel eher
> mit der Zeit gehen zu können.«

Daß die von Jonke angezeigte, auf »Beweglichkeit« zielende kulturelle Befindlichkeit (geistige Dialektik) gegen Ende des 20. Jahrhunderts in rapider Weise auf Weltpolitik übergreifen, jahrzehntelang erstarrte ideologische Blockbildung »zum Tanzen« bringen und den »Eisernen Vorhang« beseitigen würde, überraschte selbst die kühnsten Utopisten. Die Liberalisierung in der Sowjet-Union brachte die Vereinigung Deutschlands, die Demokratisierung der meisten früheren Ostblockstaaten, den Zerfall der UdSSR und damit das Entstehen eines neu-alten Kulturraumes, freilich auch die Regression auf Nationalismen mit blutigen, bürgerkriegsartigen Auseinandersetzungen.

Die DDR-Literatur ist zu Ende gegangen; und die westdeutsche Literatur muß sich neuen Herausforderungen stellen. Günter Kunert meint, daß das Ende der Teilung Europas und der Spaltung Deutschlands den Schriftstellern die Plattform entzogen hätte, von der aus sie vielfach gedacht und ihr Selbstverständnis entwickelt hätten:

»Nun ist Literatur nichts anderes mehr als Literatur – kein Zeugnis für oder gegen etwas, kein Mittel für irgendwelche undurchsichtigen Zwecke. Von jetzt an haben die deutschen Schriftsteller denselben Status wie die englischen und italienischen, wie die schwedischen und holländischen, und das ist insofern tröstlich, als es sich um Anzeichen einer Normalität handelt, wie sie in Deutschland so lange vermißt worden ist.«

»Was bleibt?« Am Ende ihrer gleichnamigen Erzählung – entstanden 1979 (veröffentlicht im Jahr der Wende, 1989) – zieht Christa Wolf eine antizipatorische Bilanz:

»Was bleibt. Was meiner Stadt zugrunde liegt und woran sie zugrunde geht. Daß es kein Unglück gibt außer dem, nicht zu leben. Und am Ende keine Verzweiflung außer der, nicht gelebt zu haben.«

Die Autorin vergegenwärtigt, wie die Mehrzahl der Intellektuellen im SED-Staat ihre Existenz begriff; Wagnisse und Zugeständnisse hielten sich die Waage; man bemühte sich, nicht zu sehr aufzufallen, sich einigermaßen »herauszuhalten«. Äquilibristik war gefragt, so man nicht, was die »Verführbarkeit des Geistes« wieder einmal drastisch bewies, mit der Partei kooperierte.

Was bleibt? Günter de Bruyn betont, daß das östliche Deutschland einen nicht unbeträchtlichen Beitrag zur neuen kulturellen Vielfalt leisten könne; denn die 44 Jahre andersgearteten politischen Lebens prägten das sich als beständig erwiesene Nationale in nicht nur unguter Weise: Literatur, Musik und Sozialempfinden hätten in dieser Zeit eigene Töne bekommen, deren Mitwirkung in einem künftigen deutschen Konzert man sich wünsche.

Was bleibt? Wird das Savoir-vivre bundesrepublikanischer Lebensart vom geballten DDR-Provinzialismus erdrückt oder unterwandert werden – zumal die Sehnsucht nach Regression auf bewußtloses (Konsum-)Glück auch in der früheren Bundesrepublik hinter der urbanen Fassade spießerstark ausgeprägt geblieben ist? Oder wird das deodorante Frischwärts zivilisatorischer, amerikanisierter Lebensart ungehemmt die früheren DDR-Nischen durchwehen und den DM-Patriotismus weiter hochwirbeln?

Als Reisegepäck in eine ungewisse, aber aufgehellte Zukunft werden ein heiterer Pessimismus, ein engagierter Skeptizismus, ein von Sisyphos abgeschauter zweifelnder Enthusiasmus benötigt. »Freundbruder aus Wolfsland wir wollen / Unsere Blicke anzünden an etwas glauben.« (Sarah Kirsch)

BUCHHINWEISE

ALLGEMEINES

BIBLIOGRAPHIEN UND LEXIKA

G. Albrecht, G. Dahlke (Hrsg.): Internat. Bibliogr. z. Gesch. d. dt. Lit. v. d. Anfängen bis zur Gegenwart, 1969; –, K. Böttcher u. a.: Lex. dt.-spr. Schriftsteller von den Anfängen b. z. Gegenwart, 2 Bde., 1974; R. F. Arnold: Allgemeine Bücherkunde zur neueren dt. Literaturgesch., ⁴1966 (bearb. v. H. Jacob); F. Brümmer: Lexikon d. dt. Dichter und Prosaisten v. Beginn d. 19. Jhs. bis zur Gegenwart, Bd. 1–8, ⁶1973; Deutsches Literatur-Lexikon. Biographisch-bibliographisches Handbuch. Begr. v. W. Kosch, ³1968ff.; H. W. Eppelsheimer (Hrsg.): Bibliogr. d. dt. Literaturwiss., Bd. 1–8, 1957–1969; –: Handbuch der Weltlit., ³1960; E. Frenzel: Stoffe der Weltlit.,⁴1976; H. Fromm: Germanistische Bibliographie seit 1945, 1960; H. Giebisch, L. Pichler, K. Vancsa: Kleines österreichisches Lit.-Lexikon, 1948; K. Goedeke: Grundriß zur Geschichte der dt. Dichtung aus den Quellen, 3 Bde., 1859–1881; 2., ganz neu bearb. Aufl. ab 1884 (vollständige Ausg. hrsg. von H. Jacob im Auftr. der Akademie d. Wissenschaften d. DDR), bis 1985 16 Bde.; D. Gutzen, N. Oellers, J. H. Petersen: Einführg. i. d. neuere dt. Literaturwiss., ²1977; W. Hagen (Hrsg.): Handbuch d. Editionen. Dt.-spr. Schriftsteller v. Ausgang d. 15. Jhs. b. z. Gegenwart ²1979; Herder Verlag (Hrsg.): Lexikon d. Weltlit. im 20. Jh., 2 Bde., 1960 f.; J. Hansel: Bücherkunde für Germanisten, ⁷1978; R. Heuer: Bibliographia Judaica. Verz. jüd. Autoren dt. Sprache, Bd. 1 ff., 1982 ff.; L. Hirschberg: Der Taschengoedeke, Bd. 1–2, 1970; P. Hocks: Bücherverzeichnis zur dt. Literaturgesch., 1979; W. Hofstaetter, U. Peters: Sachwörterbuch der Deutschkunde, 1930; Internat. Bibliogr. z. Gesch. d. dt. Lit. v. d. Anfängen bis zur Gegenwart (Ltg.: G. Albrecht u. G. Dahlke), 1 Bd. 1969; Kindlers Lit-.Lexikon (wissensch. Vorber.: W. v. Einsiedel; Chefred.: G. Woerner, R. Geisler), 1965-1974; J. Körner: Bibliographisches Handbuch d. dt. Schrifttums, Nachdr. d. 3. Aufl. 1966; C. Köttelwesch (Hrsg.): Bibliogr. d. dt. Sprach- und Literaturwiss., Bd. 9 ff., 1970–1984; D. Krywalski (Hrsg.): Handlexikon zur Literaturwiss., 1974; F. Loewenthal: Bibliographisches Handbuch zur dt. Philologie, 1932; P. Merker, W. Stammler: Reallexikon d. dt. Literaturgesch., 4 Bde. u. Reg., 1925–31, Neuausgabe von W. Kohlschmidt, W. Mohr, ²1958 ff.; R. M. Meyer: Grundriß der neueren dt. Literaturgesch. (Bibliogr. des 19. Jhs.), ²1907; O. Olzien: Bibliographie zur dt. Literaturgesch., 1953 (Nachträge 1953–1954 mit Ergänzungen u. Berichtigungen, 1955); C. Paschek: Personalbibliogr. zur dt. Literaturgesch. Studienausg., ²1974; H. Pongs: Das kl. Lexikon d. Weltlit., ⁶1967; P. Raabe: Einführg. i. d. Bücherkunde zur dt. Literaturwiss., ⁹1980; H. Röhl: Wörterbuch zur dt. Lit., ²1931; H. Schmidt: Quellenlexikon d. Interpretationen u. Textanalysen. Personal- u. Einzelwerkbibliogr. zur dt. Lit. v. ihren Anfängen bis zur Gegenwart, Bd. 1–8, 1984–1985; G. Schneider: Handbuch der Bibliographie, ⁵1969; G. Schweikle, I. Schweikle: Metzler-Lit.-Lexikon. Stichwörter zur Weltlit., 1984; O. Walzel (Hrsg.): Handbuch d. Literaturwiss., Bd. 1 ff., 1923 ff.; G. v. Wilpert: Dt. Dichterlexikon. Biogr.-bibliogr. Handwörterbuch zur dt. Literaturgesch., ²1976; – (Hrsg.): Lexikon d. Weltlit., 2 Bde., ²1975ff; –: Sachwörterbuch d. Lit., ⁵1969.

BETRACHTUNGEN EINZELNER GATTUNGEN UND PROBLEME

M. Anderle: Dt. Lyrik d. 19. Jhs., 1979; H. Arntzen: Die ernste Komödie. Das dt. Lustspiel v. Lessing bis Kleist, 1968; J. Bark (Hrsg.): Literatursoziologie. Begriff u. Methodik, 1974 ff.; J. Beer (Hrsg.): Reclams Romanführer, 1962 ff.; F. Beissner: Geschichte d. dt. Elegie, ²1961; W. Benjamin: Ursprung d. dt. Trauerspiels, 1969; E. K. Bennett: History of the German novelle, ²1949; O. F. Best: Das verbotene Glück. Kitsch und Freiheit i. d. dt. Lit., 1978; P. Böckmann: Formensprache. Studien z. Lit.-ästhetik u. Dichtungsinterpretation, 1966; H. H. Borcherdt: Geschichte des Romans u. d. Novelle in Deutschland, 1926–1931; I. Braak: Gattungsgesch. deutschspr. Dichtung in Stichworten, Bd. 1 ff., 1975 ff.; W. Brettschneider: »Kindheitsmuster«. Kindheit als Thema autobiogr. Dichtung, 1982; E. Catholy: Das dt. Lustspiel von d. Aufklärung bis zur Romantik, 1982; M. Dietrich: Das moderne Drama, 1961; K. Doderer: Die Kurzgeschichte in Deutschland, 1953; E. Dosenheimer: Das dt. soziale Drama, 1949; I. Drewitz: Unter meiner Zeitlupe. Porträts u. Panoramen, 1984; M. Durzak: Gespräche über d. Roman, Formbestimmungen u. Analysen, 1976; H. Emmel: Geschichte d. dt. Romans, 3 Bde., 1978; W. Emrich: Polemik, Streitschriften, Pressefehden u. krit. Essays um Prinzipien, Methoden u. Maßstäbe d. Lit.-Kritik, 1968; –: Poetische Wirklichkeit. Klassik u. Moderne, 1979; R. Engelsing: Analphabetentum u. Lektüre. Sozialgeschichte d. Lesens 1200–1920, 1973; M. Esslin: Das Theater des Absurden, 1964; W. Freund: Die dt. Ballade, 1978; –: Die dt. Kriminalnovelle von Schiller bis Hauptmann, 1975; –: Die liter. Parodie, 1981; H. Fricke: Aphorismus, 1984; H. N. Fügen (Hrsg.): Wege d. Lit.-soziologie, 1968; D. George: Dt. Tragödientheorien v. Mittelalter bis zu Lessing, 1972; M. Gerhard: Der dt. Entwicklungsroman, 1926; H. Gnüg (Hrsg.): Literar. Utopie-Entwürfe, 1982; H. Gorzawski, K. Kasprowicz (Hrsg.): Erzählgedichte d. Gegenwart, 1982; R. Grimm (Hrsg.): Arbeit als Thema in d. dt. Lit. vom MA bis zur Gegenwart, 1979; –: Zur Lyrik-Diskussion, 1966; –: Dt. Romantheorien. 16 Beiträge zu einer hist. Poetik d. Romans in Deutschland, 1968; N. Groeben: Lit.-Psychologie, 1972; K. S. Guthke: Das dt. bürgerl. Trauerspiel, ³1980; H. Häntzschel (Hrsg.): Das 19. Jh., 1981; R. Haller: Gesch. d. dt. Lyrik. Vom Ausgang d. Mittelalters b. z. Goethes Tod, 1967; H. Hartmann: Faustgestalt, Fausttage, Faustdichtung, 1979; H. E. Hass, G.-A. Mohrlüder (Hrsg.): Ironie als lit. Phänomen, 1973; G. Hay (Hrsg.): Deutsche Abschiede, 1984; H. Hiebel: Individualität u. Totalität. Zum bürgerl. Poesiebegriff v. Gottsched bis Hegel, 1974; B. Hillebrandt: Mensch u. Raum im Roman, 1971; –: Theorie d. Romans. 2 Bde. Bd. I: Von Heliodor bis Jean Paul. Bd. II: Von Hegel bis Handke, 1972; H. Himmel: Gesch. d. dt. Novelle, 1963; W. Hinck: Die dt. Ballade von Bürger bis Brecht, 1968; –: Das mod. Drama i. Deutschl., 1973; –: Von Heine zu Brecht. Lyrik i. Geschichtsprozeß, 1978; – (Hrsg.): Die Dt. Komödie, 1977; – (Hrsg.): Gesch. als Schauspiel. Dt. Geschichtsdramen, 1981; W. Hinderer (Hrsg.): Gesch. d. dt. Lyrik vom MA bis zur Gegenwart, 1983; – (Hrsg.): Geschichte d. polit. Lyrik i. Deutschl., 1978; R. Hochhuth: Räuber-Rede. Drei dt. Vorwürfe. Schiller, Lessing, Geschwister Scholl, 1982; M. Hodgart: Die Satire, 1969; G. Honnefelder: Der Brief i. Roman, 1975; J. Jacobs: Der dt. Schelmenroman, 1983; –: Wilhelm Meister u. seine Brüder. Unters. zum dt. Bildungsroman, 1972; M. Jurgensen: Das fiktionale Ich. Unters. zum Tagebuch, 1979; G. Kaiser: Wandrer u. Idylle. Goethe u. d. Phänomenologie d. Natur i. d. dt. Dichtung von Gessner bis Gottfried Keller, 1977; W. Kayser: Geschichte d. dt. Ballade, 1936; W. Keller (Hrsg.): Beitrag zur Poetik d. Dramas, 1976; R. Kilchenmann: Die Kurzgeschichte. Formen und Entw., 1967; W. Killy: Elemente d. Lyrik,

1972; J. Klein: Geschichte d. dt. Novelle, ⁴1960; –: Geschichte d. dt. Lyrik (v. Luther b. z. Ausgang des Zweiten Weltkrieges), ²1960; J. Kleinstück: Die Erfindung d. Realität, 1980; V. Klotz (Hrsg.): Zur Poetik d. Romans, 1965; H.-A. Koch: Das dt. Singspiel, 1974; H. Koopmann (Hrsg.): Handbuch d. dt. Romans, 1983; I. Kowatzki: Der Begriff d. Spiels als ästhet. Phänomen. Von Schiller bis Benn, 1973; W. Krömer: Dichtung u. Weltsicht d. 19. Jhs., 1982; W. Kuttenkeuler (Hrsg.): Poesie u. Politik. Situation d. Lit. i. Deutschl., 1973; E. Lämmert: Bauformen des Erzählens, ⁵1971; J. Lassl: Dichtung u. Gesellschaft, Aufsätze zur Lit.-soziologie, 1967; H. Laufhütte: Die dt. Kunstballade, 1979; J. Lehmann (Hrsg.): Dt. Novellen von Goethe bis Walser, 2 Bde., 1980; –: Dt. Romane von Grimmelshausen bis Walser, 2 Bde., 1982; –: Kleines dt. Dramenlexikon, 1983; E. Leibfried: Fabel, ⁴1982; F. v. d. Leyen: Das dt. Märchen. Sein Werden u. sein Leben. Erläuterungen z. d. Kinder- u. Hausmärchen d. Brüder Grimm, 1964; H. Lindner: Fabeln d. Neuzeit, 1976; A. Lubos: Gesch. d. Lit. Schlesiens (m. Einschl. d. poln. u. tschech. Lit.), 3 Bde., 1960–1974; G. Lukács: Die Theorie d. Romans, 1963; A. MacLeish: Elemente d. Lyrik, Leitfaden f. Leser, 1963; J. Mahr: Eisenbahnen i. d. dt. Dichtung. Der Wandel e. literar. Motivs im 19. u. i. beginnenden 20. Jh., 1982; O. Mann: Geschichte d. dt. Dramas, 1960; F. Martini: Das Wagnis der Sprache. Interpretationen dt. Prosa von Nietzsche bis Benn, ⁴1958; –: Lustspiele – u. d. Lustsp. J. E. Schlegel, Lessing, Goethe, Kleist, Grillparzer, G. Hauptmann, Brecht, 1974; –: Geschichte i. Drama – Drama i. d. Geschichte. Spätbarock, Sturm u. Drang, Klassik, Frührealismus, 1979; H. Meise: Die Unschuld u. d. Schrift. Dt. Frauenromane i. 18. Jh., 1983; L. A. Marx: Die dt. Kurzgeschichte, 1985; N. Mecklenburg (Hrsg.): Naturlyrik u. Gesellschaft, 1977; H. Meyer: Der Sonderling i. d. dt. Dichtung, 1984; R. Möhrmann: Der vereinsamte Mensch. Studien zum Wandel d. Einsamkeitsmotivs im Roman v. Raabe bis Musil, 1974; W. Mönch: Das Sonett, 1955; G. Müller: Geschichte d. dt. Liedes, 1925; H. Müller-Michaels (Hrsg.): Dt. Dramen. Interpretationen zu Werken v. d. Aufklärung bis zur Gegenwart, 1981; W. Nelle: Geschichte d. dt. evang. Kirchenliedes, ⁴1962; G. Neumann (Hrsg.): Der Aphorismus. Z. Geschichte, z. d. Formen u. Möglichk. einer lit. Gattung, 1976; G. Niggl: Geschichte d. dt. Autobiographie i. 18. Jh., 1977; B. J. Ortheil: Der poetische Widerstand im Roman. Geschichte u. Auslegung d. Romans im 17. u. 18. Jh., 1980; U. Paul: Vom Geschichtsdrama zur polit. Diskussion. Über d. Desintegration v. Individuum u. Geschichte bei Georg Büchner u. Peter Weiss, 1974; W. Paulsen (Hrsg.): Der dt. Roman u. seine hist. u. polit. Bedingungen, 1977; H. A. Pausch (Hrsg.): Kommunikative Metaphorik. D. Funktion d. literar. Bildes in d. dt. Lit. v. ihren Anfängen bis zur Gegenwart, 1976; K. Pestalozzi: Die Entstehung d. lyr. Ich, 1970; G. Pilz: Dt. Kindesmordtragödien. Wagner, Goethe, Hebbel, Hauptmann, 1982; H. Plaul: Illustrierte Geschichte d. Trivialliteratur, 1983; K. K. Polheim (Hrsg.): Handbuch d. dt. Erzählung, 1981; G. Rademacher: Technik u. industrielle Arbeitswelt i. d. dt. Lyrik d. 19. u. 20. Jhs., 1976; M. Reich-Ranicki (Hrsg.): Frankfurter Anthologie. Gedichte und Interpretationen, Bd. 1–8, 1976–1984; K. Riha: Moritat, Bänkelsong, Protestballade, ²1979; L. Rohner: Kalendergesch. u. Kalender, 1978; –: Theorie d. Kurzgesch., ²1976; H. Rosenfeld: Legende, ⁴1982; J. Scharfschwerdt: Grundprobl. d. Lit.-Soziologie, 1977; H. Scheuer: Biographie. Studien zur Funktion u. zum Wandel e. literar. Gattung vom 18. Jh. bis zur Gegenwart, 1979; J. Schillemeit (Hrsg.): Dt. Lyrik v. Weckherlin bis Benn, 1978; F. A. Schmitt: Stoff- u. Motivgesch. d. dt. Lit., ³1976; G. Schneider: Der Libertin. Geistes- u. Sozialgeschichte d. Bürgertums im 16. u. 17. Jh., 1970; W. J. Schröder (Hrsg.): Das dt. Versepos, 1969; H. Schumacher: Die armen Stiefgeschwister d. Menschen. Das Tier i. d. dt. Lit., 1977; H. Schwitzke: Das Hörspiel. Dramaturgie u. Gesch., 1962; A. Schöne: Säkularisation als sprachbildende Kraft. Studien z. Dichtung dt. Pfarrersöhne, 1968; W. Segebrecht: Das Gelegenheitsgedicht. Ein Beitrag zur Gesch. u. Poetik d. dt. Lyrik, 1977; R. Selbmann: Der dt. Bildungsroman, 1984; F. Sengle: Das dt. Geschichtsdrama, 1952; E. Strassner: Schwank, ²1978; F. Trommler: Roman u. Wirklichkeit. Eine Ortsbestimmung am Beispiel v. Musil, Broch, Roth, Doderer u. Gütersloh, 1966; –: Sozialistische Lit. i. Deutschl., 1977; L. Uhlig: Der Todesgenius i. d. dt. Lit. v. Winckelmann bis Th. Mann, 1975; K. Viëtor: Geschichte d. dt. Ode, 2. Aufl., photomech. Abdruck, 1961; W. Urbanek (Hrsg.): Begegnung mit Gedichten. 66 Interpret. v. MA bis zur Gegenwart, ³1977; L. Völker: Langeweile. Untersuchungen z. Vorgeschichte eines lit. Motivs, 1975; –: Muse Melancholie – Therapeutikum Poesie. Studien zum Melancholie-Problem i. d. dt. Lyrik von Hölty bis Benn, 1978; A. Weber: Dt. Lit. in ihrer Zeit. Bd. 1: Von 750–1880, 1978; K. Weimar: Anatomie marx. Lit.-Theorien, 1977; G. Weissert: Ballade, 1980; R. Wellek: Geschichte d. Lit.-Kritik, 4 Bde., 1977ff.; H. Wiegmann: Utopie als Kategorie d. Ästhetik, 1980; B. v. Wiese: Die dt. Lyrik (Interpretationen), 1956; –: Die dt. Novelle von Goethe bis Kafka (Interpretationen), 1956; –: Das dt. Drama vom Barock bis zur Gegenwart (Interpretationen), 1958; –: Die dt. Tragödie, ⁵1961; – (Hrsg.): Der dt. Roman v. Barock b. z. Gegenwart. Struktur u. Geschichte, 1963; –, R. Henss: Nationalismus in Germanistik u. Dichtg., 1967; –: Die dt. Tragödie von Lessing bis Hebbel, 1983; J. Wilke: Das »Zeitgedicht«, 1974; R. Wolf: Psychoanalyt. Lit.-Kritik, 1975; P.-W. Wührl: Das dt. Kunstmärchen. Geschichte, Botschaft und Erzählstrukturen, 1984; P. Zimmermann: Der Bauernroman. Antifeudalismus, Konservativismus, Faschismus, 1975.

LITERATURGESCHICHTEN, EPOCHENBETRACHTUNGEN, BIOGRAPHISCHE ÜBERBLICKE

E. Alker: Die dt. Lit. im 19. Jh. (1832–1914), ³1969; H. Ammon: Dt. Literaturgesch. i. Frage u. Antwort, Bd. 1–2, ⁷1968–1969; R. Bauer: Laßt sie koaxen, die krit. Frösch' in Preußen u. Sachsen. 2. Jh. Lit. i. Österreich, 1977; W. Beutin u. a.: Dt. Literaturgesch. von d. Anfängen bis zur Gegenwart, ²1984; H. d. Boor, R. Newald: Gesch. d. dt. Lit. von d. Anfängen bis zur Gegenwart, Bd. 1 ff., 1979 ff.; H. O. Burger (Hrsg.): Annalen d. dt. Lit., ²1971; G. Dietel: Reiseführer f. Literaturfreunde. Bd. 1 ff., 1965 ff.; E. Ermatinger: Dt. Dichter 1750–1900, ²1961; G. Fetzer: Die Klassiker d. dt. Lit. Die 50 großen Autoren v. d. Aufklärung bis zum Realismus, 1983; H. A. Frenzel, E. Frenzel: Daten dt. Dichtung. Chronolog. Abriß d. dt. Literaturgesch., Bd. 1–2, ¹⁸1981; W. Frey u. a.: Einführung i. d. dt. Lit. d. 12.–16. Jhs., Bd. 1–3, 1979–1982; G. Fricke, V. Klotz: Gesch. d. dt. Dichtung, ¹¹1965; G. Fricke, M. Schreiber: Gesch. d. dt. Lit., ¹⁶1974; E. Friedrichs: Die deutschspr. Schriftstellerinnen d. 18. u. 19. Jhs. Ein Lexikon, 1981; F. Gäde: Humanismus, Barock, Aufklärung. Gesch. d. dt. Lit. vom 16. bis zum 18. Jh., 1971; H. A. Glaser (Hrsg.): Dt. Lit. Eine Sozialgesch., Bd. 3 – 9, 1980–1985; W. Grabert u. a.: Gesch. d. dt. Lit., ¹⁹1978; R. Grimminger (Hrsg.): Hansers Sozialgesch. d. dt. Lit. vom 16. Jh. bis zur Gegenwart, Bd. 1 ff., 1979ff.; K.-A. Gunst, H. Lüdemann: Literaturkunde. Dichtung, Wesen und Aussage, 1977; –: Von Dichtung u. Dichtern, 1978; H. Haerkötter: Dt. Literaturgesch., ⁴⁵1978; K. H. Halbach: Vergleichende Zeittaf. zur dt. Literaturgesch., 1952; P. Hankamer: Dt. Literaturgesch., ³1952; J. Hermand: Von Mainz nach Weimar (1793–1919), 1969; P.U. Hohendahl (Hrsg.): Gesch. d. dt. Literaturkritik (1730–1980), 1985;

J. Janota u. a.: Dt. Literaturgesch. Vom MA bis Barock, 1980; K. K. Klein: Literaturgesch. d. Deutschtums i. Ausland, 1979; M. Kluge, R. Radler (Hrsg.): Hauptwerke d. dt. Lit., 1974; L. Krell, L. Fiedler: Dt. Literaturgesch., [17]1981; H. Künzel: Polit. Lyrik im 19. u. 20. Jh., 1977; K. Kunze: Grundwissen dt. Lit., [2]1976; G. Lukács: Skizze e. Gesch. d. neueren dt. Literatur. Neuausg. 1975; O. Mann: Dt. Literaturgesch. von d. german. Dichtung bis zur Gegenwart, 1976; F. Martini: Dt. Literaturgesch., [18]1984; P. Mettenleiter: Destruktion d. Heimatdichtung, 1974; G. Müller: Das Volksstück von Raimund bis Kroetz, 1979; J. Nadler: Gesch. d. dt. Lit., 1951; K. Petry: Handbuch zur dt. Literaturgesch., Bd. 1–2, 1949; W. Pfeiffer-Belli: Gesch. d. dt. Dichtung, 1954; K. Rothmann: Kleine Gesch. d. dt. Lit., [2]1979; A. Salzer, E. v. Tunk u. a.: Illustrierte Gesch. d. dt. Literatur, revidierte u. erw. Neuaufl., 6 Bde., o. J.; W. Scherer: Gesch. d. dt. Lit., [2]1949; H. D. Schlosser: dtv-Atlas zur dt. Lit., 1983; A. Schmidt: Dichtung u. Dichter Österreichs. i. 19. u. 20. Jh., Bd. 1–2, 1964; F. Schmitt, J. Göres: Abriß d. dt. Literaturgesch. i. Tab., [5]1969; H. Stadtler, K. Dickopf (Hrsg.): Fischer-Kolleg. Literatur, [9]1985; Th. C. v. Stockum: Gesch. d. dt. Lit., Bd. 1–2, [3]1961; A. Weber: Dt. Lit. i. ihrer Zeit, Bd. 1–2, 1978–1979; H. J. Willberg: Dt. Literaturepochen, [4]1972; G. v. Wilpert: Erstausg. dt. Dichtung, 1970; V. Žmegac (Hrsg.): Gesch. d. dt. Lit. vom 18. Jh. bis zur Gegenwart, Bd. 1–3, 1979–1980; – u. a.: Kleine Gesch. d. dt. Lit. Von d. Anfängen bis zur Gegenwart, [2]1984.

MITTELALTER

GESAMTDARSTELLUNGEN

E. Auerbach: Lit.-sprache u. Publikum in der lateinischen Spätantike u. im MA, 1958; H. J. Bayer: Untersuchungen z. Sprachstil weltl. Epen d. dt. Früh- u. Hoch-MA, 1962; G. Becker: Geist u. Seele im Ahd. u. Ags. 1963; K. Bertau: Dt. Lit. i. europ. MA, Bd. II: 1195–1220, 1973; W. Besch (Hrsg.): Studien zur dt. Lit. u. Sprache d. MA, 1974; B. Boesch: Die Kunstanschauung i. d. mittelhochdt. Dichtung von d. Blütezeit bis zum Meistergesang, 1976; –: Lehrhafte Literatur. Lehre i. d. Dichtung u. Lehrdichtg. im dt. MA, 1977; D. Brett-Evans: Von Hrotsvit bis Folz u. Gengenbach. MA, 2 Bde. 1975; H. Brinkmann: Zu Wesen u. Form mittelalterlicher Dichtung, 1928; H. Brunner: Die alten Meister. Studien zu Überlieferung u. Rezeption d. mittelhochdt. Sangspruchdichter i. Spätmittelalter u. i. d. frühen Neuzeit, 1975; J. Bumke: Die romanisch-dt. Lit.-Beziehungen im MA, 1967; C. Cormeau (Hrsg.): Dt. Lit. i. MA. Kontakte u. Perspektiven, 1979; E. R. Curtius: Europäische Lit. u. lateinisches MA, [3]1961; G. Ehrismann: Geschichte d. dt. Lit. bis zum Ausgang d. MA, 4 Bde., 1918–1935, Nachdruck von Teil 1 und 2, 1959; W. Fechter: Das Publikum in der mhd. Dichtg., 1966; K. Francke: Die Kulturwerte d. dt. Lit. d. MA, [2]1925; H. H. Glunz: Die Lit.-ästhetik d. europ. MA, [2]1962; W. Golther: Die dt. Dichtung im MA 800 bis 1500 (Epochen d. dt. Lit.), [2]1922; W. Hoffmann: Mittelhochdt. Heldendichtung, 1974; V. Honemann (Hrsg.): Poesie u. Gebrauchslit. i. dt. MA, 1979; W. T. H. Jackson: Die Literaturen des MA, 1967; H. R. Jauss: Alterität u. Modernität d. mittelalterl. Lit., 1977; G. Kaiser (Hrsg.): Gesellschaftl. Sinnangebote mittelalterl. Lit., 1980; G. Köpf: Märendichtung, 1978; H. Kraub: Europ. Hochmittelalter, 1981; H. Kuhn: Dichtung u. Welt im MA, 1959; –: Liebe u. Gesellschaft, 1980; M. Manitius: Gesch. d. lat. Lit. d. MA, 3 Bde., [2]1964–65; A. Masser: Bibel- u. Legendenepik d. dt. MA, 1976; Fr. Maurer: Dichtg. u. Sprache d. MA, 1963; F. Neumann: Gesch. d. altdt. Lit. (800–1600). Grundriß u. Aufriß, 1966; G. Rosenhagen: Der Geist d. dt. MA in seinem Schrifttum u. seiner Dichtung, 1929; D. Scheerer: Mittelalter. Literatur u. Epoche, 1983; K.-H. Schirmer: Stil u. Motivuntersuchungen z. mhd. Versnovelle, 1968; H. D. Schlosser: Die literar. Anfänge d. dt. Sprache, 1977; R. Schützeidel (Hrsg.): Studien zur dt. Lit. d. MA, 1979; J. Schwietering: Die dt. Dichtung des MA (Walzels Handbuch der Lit.-wissenschaft), 1941 (Neudruck 1957); M. Seidlmayer: Weltbild u. Kultur Deutschlands im MA (Handbuch d. dt. Geschichte 1,6), 1954; Stammler-Langosch: Die dt. Lit. d. MA, Verfasserlexikon, Bd. 1ff., 1978ff.; W. v. Steinen: Mensch im MA, Ges. Forschungen, Betrachtungen, Bilder, 1967; F. Vogt: Geschichte d. dt. Lit. von der Urzeit bis zum 17. Jh. (Geschichte d. dt. Lit. von F. Vogt, M. Koch, Bd. 1), [5]1934; H. Walz: Die dt. Lit. i. MA, 1976; P. Wapnewski: Dt. Lit. d. MA. Ein Abriß von d. Anfängen bis zum Ende d. Blütezeit, 1980; M. Wehrli: Formen ma. Erzählg., 1969; –: Vom frühen MA bis z. Ende d. 16. Jhs., 1980; –: Lit. i. dt. MA, 1984; L. Wolff: Das dt. Schrifttum bis zum Ausgang des MA, Neuausg. 1951.

VORCHRISTLICHE URSPRÜNGE

G. Baesecke: Vor- und Frühgeschichte d. dt. Schrifttums, 1940–1953; G. Eis: Altdt. Zaubersprüche, 1964; K. Hauck (Hrsg.): Zur germ.-dt. Heldensage, 1961; A. Heusler: Die altgermanische Dichtung (Walzels Handbuch d. Lit.-wissenschaft), Neudruck 1957; C. v. Kraus: Unsere älteste Lyrik, 1930; H. Naumann: Altgermanische u. frühdt. Dichtung (bis 1150), (in: Aufriß d. dt. Lit.-geschichte, hrsg. v. H. A. Korff, W. Linden), ³1932; –: Dt. Dichten u. Denken von der germanischen bis zur staufischen Zeit, ²1952; H. Schneider: Englische u. nordgermanische Heldensage, 1933; –: Heldendichtung, Geistlichendichtung, Ritterdichtung, neue Aufl. 1943; H. Schneider: Germanische Heldensage, ²1962; J. de Vries: Altnordische Lit.-gesch., ²1964.

ENTFALTUNG DER KIRCHLICHEN LITERATUR

H. de Boor: Die dt. Lit. von Karl dem Großen bis zum Beginn der höfischen Dichtung, (in: H. de Boor, R. Newald: Gesch. d. dt. Lit. 1), ⁴1960; H. Burger: Zeit u. Ewigkeit. Studien z. Wortschatz d. geistl. Texte d. Alt- u. Frühmittelhochdeutschen, 1972; H. Finger: Untersuchungen zum »Muspilli«, 1977; K.-E. Geith: Carolus Magnus, Karl d. Gr. i. d. dt. Lit. d. 12./13. Jh., 1977; D. Kartschoke: Altdeutsche Bibeldichtung, 1975; K. K. Klein: Die Anfänge d. dt. Lit. Vorkarlisches Schrifttum im dt. Südostraum, 1954; H. Kusch: Einführung in das lateinische MA, Bd. 1, Dichtung, 1957; K. Langosch: Waltharius, Ruodlieb, Märchenepen. Lateinische Epik des MA mit dt. Versen, 1956; –: Hymnen u. Vagantenlieder. Lateinische Lyrik des MA mit dt. Versen, ²1958; –: Das lat. MA. Einführung in Sprache u. Lit. 1963; –: Die dt. Lit. d. lat. MA in ihrer gesch. Entw., 1964; A. Masser: Bibel- u. Legendenepik d. dt. MA, 1976; W. Mohr, W. Hang: Zweimal »Muspilli«, 1977; H. Rupp: Dt. religiöse Dichtungen des 11. u. 12. Jhs. Untersuchungen u. Interpretationen, 1958; H. Schüppert: Kirchenkritik i. d. latein. Lyrik d. 12./13. Jhs., 1972; W. v. d. Steinen: Der Kosmos d. MA. Von Karl dem Großen zu Bernhard von Clairvaux, 1959; H. Süssmilch: Die lateinische Vaganten-Poesie des 12. u. 13. Jhs. als Kulturerscheinung, 1917; J. Szövérffy: Die lat. Hymnendichtg. 1964f.; W. v. Unwerth, T. Siebs: Geschichte d. dt. Lit. bis zur Mitte des 11. Jhs. (Grundriß der dt. Lit.-geschichte 1), 1920.

DIE RITTERLICH-HÖFISCHE BLÜTEZEIT

J. Bumke: Mäzene im MA. Die Gönner u. Auftraggeber d. höf. Lit. in Deutschland 1150–1300, 1979; –: Ministerialität u. Ritterdichtung, 1976; W. Braun: Studien z. Ruodlieb, Ritterideal, Erzählstruktur u. Darstellungsstil, 1962; W. Burkhard: Die Lit. des Frühmittelalters u. des höfischen Hochmittelalters, 1946; P. Dronke: D. Lyrik d. MA, 1973; W. Falk: Das Nibelungenlied i. seiner Epoche. Revision e. romantischen Mythos, 1974; W. Frey, W. Raitz, D. Seitz u. a.: Einführg. i. d. dt. Lit. d. 12.–16. Jhs., Bd. 1: Adel u. Hof– 12./13. Jh., 1979; H. Fromm (Hrsg.): Der dt. Minnesang. Aufsätze zu seiner Erforschung, 2 Bde., 1961–1985; K. R. Gürttler: Künec Artus der guote. D. Artusbild d. höf. Epik d. 12./13. Jhs., 1976; W. Hoffman: Mittelhochdt. Heldendichtung, 1974; E. Jammers: Das königl. Liederbuch d. dt. Minnesangs. Eine Einf. i. d. sog. Manessische Hs., 1965; H. Jellinghaus: Geschichte der mittelniederdt. Lit., ³1925; H. Kolb: Der Begriff der Minne u. das Entstehen der höfischen Lyrik, 1958; H. Kuhn: Die Klassik des Rittertums in der Stauferzeit, (in: Annalen d. dt. Lit., hrsg. v. H. O. Burger), ²1971; –: Minnesangs Wende, 1952; M. v. Lieres und Wilkau: Sprachformeln i. d. mhd. Lyrik bis zu Walther v. d. Vogelweide, 1965; L. Mackensen: Die Nibelungen, 1984; B. Nagel: Staufische Klassik. Dt. Dichtung um 1200, 1977; F. Neumann: Ritterliche Dichtung, 1150–1300, (in: Aufriß d. dt. Lit.-geschichte, hrsg. v. H. A. Korff, W. Linden), ³1932; –: Das Nibelungenlied in seiner Zeit, 1967; F. Ranke: Die höfisch-ritterliche Dichtung (1160–1250), (in: Dt. Lit.-geschichte in Grundzügen, hrsg. von B. Boesch), ²1961; –: Von der ritterlichen zur bürgerlichen Dichtung, 1952; H.-E. Renk: Der Mannessekreis, seine Dichter u. d. Mannes. Handschrift, 1974; K. Ruh: Höfische Epik d. dt. MA, Bd. 1–2, ²1977–1980; H. Rupp (Hrsg.): Nibelungenlied u. Kudrun, 1976; W. J. Schröder: Der Ritter zwischen Welt u. Gott, 1952; – (Hrsg.): Spielmanns-epik, 1977; F. C. Tubach: Struktur i. Widerspruch. Studien zum Minnesang, 1977; B. Wachinger: Sängerkrieg, 1973; P. Wapnewski: Waz ist minne. Studien z. mittelhochdt. Lyrik ²1979; H. Wenzel: Frauendienst u. Gottesdienst. Studien zur Minneideologie, 1974; W. Wunderlich (Hrsg.): Der Schatz des Drachentödters. Materialien zur Wirkungsgesch. d. Nibelungenliedes, 1977.

HERBST DES MITTELALTERS UND MYSTIK

B. Boesch: Die Lit. des Spätmittelalters, 1946; H. de Boor: Die dt. Lit. im späten MA – Zerfall u. Neubeginn. 1. T., 1962; H. S. Denifle: Die dt. Mystiker des 14. Jhs., 1951; W. Harms, L.-P. Johnson (Hrsg.): Dt. Lit. d. spät. MA, 1973; J. Huizinga: Herbst d. MA. Studien über Lebens- u. Geistesformen des 14. und 15. Jhs. in Frankreich u. in den Niederlanden, ⁸1961; H. Kuhn: Minnesangs Wende, ²1967; –: Entwürfe z. einer Lit.-systematik d. Spätmittelalters, 1980; G. Müller: Das Zeitalter der Mystik, 1930; K. Ruh (Hrsg.): Altdt. u. altniederländische Mystik, 1964; H. Rupprich: Die dt. Lit. v. spät. Mittelalter bis zum Barock. Teil 1: Das ausgehende MA 1370–1520, 1970; R. Stadelmann: Vom Geist d. ausgehenden MA. Studien z. Gesch. d. Weltanschauung v. N. Cusanus b. Seb. Franck, 1963; W. Stammler: Von der Mystik zum Barock, 1400–1600 (Epochen d. dt. Lit. Bd. 2, T. 1), 1950; H. Voser (Hrsg.): Spätmittelalterl. Epik, 1974; F. W. Wentzlaff-Eggebert: Dt. Mystik zwischen MA u. Neuzeit, ²1947.

DRAMA

M. Böhme: Das lateinische Weihnachtsspiel, Grundzüge seiner Entwicklung, 1917; K. Langosch: Geistliche Spiele. Lateinische Dramen d. MA mit dt. Versen, 1957; W. M. Michael: Die geistlichen Passionsspiele in Deutschland, 1947; –: Das dt. Drama d. MA, 1971.

MONOGRAPHIEN

Meister Eckhart: H. Ebeling: M. E.'s Mystik, ²1966; K. Oltmanns: M. E., ²1957; *Gottfried von Straßburg:* G. Weber: G's v. St. Tristan u. d. Krise des hochmittelalterlichen Weltbildes um 1200, 1953; *Hartmann von Aue:* E. Blattmann: Die Lieder H's v. A., 1969; C. Cormeau, W. Störmer: H. v. A. Epoche, Werk, Wirkung, 1985; G. Kaiser: Textauslegung u. gesellschaftl. Selbstdeutung. Die Artusromane H's v. A., ¹1978; H. Linke: Epische Strukturen i. d. Dichtg. H's v. A., 1969; V. Mertens: Landine. Soziale Problematik im »Iwein« H's v. A., 1978; E. Neubuhr: Bibliographie z. H. v. A., 1977; H. Sparnaay: H. v. A. Studien zu einer Biographie, Bd. 1/2, 1975; P. Wapnewski: H. v. A., ⁷1979; *Neidhart von Reuental:* D. Kühn: Herr Neidhart, 1981; K. Winkler: N. v.

R., Leben, Lieben, Lieder, 1956; *Nibelungen-Sage:* A. Heusler: N'sage und N'lied, die Stoffgeschichte d. dt. Heldenepos, [5]1955; F. Panzer: Das N'lied, die Stoffgeschichte d. dt. Heldenepos, [5]1955; –: Das N'lied, Entstehung u. Gestalt, 1955; G. Weber: Das N'lied. Problem u. Idee, 1963; *Oswald von Wolkenstein:* D. Kühn: Ich. Eine Biogr., 1977; U. Müller (Hrsg.): Oswald von Wolkenstein, 1980; A. Schwob: O. v. W. Eine Biogr., [2]1977; *Otfried von Weissenburg:* W. Kleiber (Hrsg.): O. v. W., 1978; *Ulrich von Etzenbach:* R. Kohlmayer: U's v. E. »Wilhelm von Wenden«, 1974; *Walther von der Vogelweide:* H. Böhm: W. v. d. V., Minne, Reich, Gott, [2]1949; H. F. Friedrichs: W. v. d. V., [2]1979; K. H. Halbach: W. v. d. V., 1965; C. v. Kraus: W. v. d. V., [2]1966; H. Kuhn: Minnelieder W's v. d. V., [2]1982; S. Obermeier: W. v. d. V., 1982; H.-U. Rump: W. v. d. V., 1983; A. E. Schönbach: W. v. d. V., [4]1923; *Wolfram von Eschenbach:* G. Bäumer: W. v. E., [21]1943; J. Bumke: W. v. E., [5]1981; H. Rupp (Hrsg.): W. v. E., 1966; W. Schröder (Hrsg.): W.-Studien, 1970; G. Weber: Parzival, Ringen u. Vollendung, 1948; P. Wapnewski: Die Lyrik W's v. E., 1972.

HUMANISMUS

GESAMTDARSTELLUNGEN

R. Benz: Renaissance u. Gotik. Grundfragen dt. Art u. Kunst, 1928; L. Beriger: Das Zeitalter des Humanismus u. d. Reformation, in: Dt. Lit.-geschichte in Grundzügen, hrsg. v. B. Boesch, [2]1961; E. Bernstein: Lit. d. dt. Frühhumanismus, 1978; H. Brakkert: Bauernkrieg u. Lit., 1975; K. Burdach: Vom MA zur Reformation. Forschungen zur Geschichte d. dt. Bildung, 11 Bde., 1912 ff.; –: Dt. Renaissance, [2]1918; –: Renaissance, Reformation, Humanismus. Zwei Abhandlungen über die Grundlagen moderner Bildung und Sprachkunst, [2]1926; H. O. Burger: Renaissance, Humanismus, Reformation. Dt. Lit. im europ. Kontext, 1969; A. Chastel, R. Klein: Die Welt des Humanismus. Europa 1480–1530, 1963; W. Dilthey: Weltanschauung u. Analyse des Menschen seit Renaissance u. Reformation (in: Gesammelte Schriften, Bd. 2), [6]1960; G. Ellinger: Geschichte der neulateinischen Lit. Deutschlands im 16. Jh., 1929–1933; H. Gumbel: Dt. Kultur vom Zeitalter der Mystik bis zur Gegenreformation, 1936; B. Könneker: Die dt. Lit. d. Reformationszeit, 1975; P. Merker: Das Zeitalter des Humanismus u. der Reformation (in: Aufriß d. dt. Lit.-geschichte), [3]1932; G. Müller: Dt. Dichten u. Denken vom MA zur Neuzeit, [2]1949; –: Die dt. Dichtung von der Renaissance bis zum Ausgang des Barock (in: Walzels Handbuch d. Lit.-wissenschaft), 1957; R. Newald: Probleme u. Gestalten d. dt. Humanismus, 1963; H. Oppermann (Hrsg.): Humanismus, 1970; H. Prang: Der Humanismus in Deutschland, 1947; E. Troeltsch: Renaissance u. Reformation (in: Gesammelte Schriften, Bd. 4), 1925; A. M. Warburg: Die Erneuerung der heidnischen Antike (in: Gesammelte Schriften, Bd. 1/2), 1932; M. Wehrli: Gesch. d. dt. Lit. v. frühen MA bis z. Ende d. 16. Jhs., 1980; W. Wunderlich (Hrsg.): Der dt. Bauernkrieg. Texte zur literar. Rezeption, 1978.

KULTURGESCHICHTLICHE EINZELFRAGEN

W. Andreas: Deutschland vor der Reformation, [6]1959; A. E. Berger: Die Kulturaufgaben der Reformation, [2]1908; S. Beyschlag: Städte, Höfe, Gelehrte (1430–1490) (in: Annalen d. dt. Lit., hrsg. von H. O. Burger), [2]1971; W. Brückner (Hrsg.): Volkserzählung u. Reformation. Ein Handbuch zur Tradierung u. Funktion v. Erzählstoffen u. Erzähllit. i. Protestantismus, 1974; J. Burckhardt: Die Kultur der Renaissance in Italien, 1867 (zahlreiche Ausgaben); H. O. Burger: Die Kunstauffassung der frühen Meistersinger, 1936; H. Gumbel: Dt. Sonderrenaissance i. d. Prosa. Strukturanalyse dt. Prosa im 16. Jh., [2]1965; B. Könneker: Wesen u. Wandlg. d. Narrenidee im Zeitalter d. Humanismus, 1966; B. Nagel (Hrsg.): Der dt. Meistersang, 1967; J. Spriewald u. a.: Grundpositionen d. dt. Lit. i. 16. Jh., 1972.

DRAMA

H. Brinkmann: Die Anfänge des modernen Dramas in Deutschland, Versuch über die Beziehung zwischen Drama u. Bürgertum im 16. Jh., 1933; E. J. Eckardt: Studien zur dt. Bühnengeschichte der Renaissance, 1931; A. Köster: Die Meistersingerbühne des 16. Jhs., 1920; R. Krohn: Der unanständige Bürger. Unters. zum Obszönen i. d.

Nürnberger Fastnachtsspielen d. 15. Jhs., 1974; J. Maassen: Drama u. Theater der Humanistenschulen in Deutschland, 1929; A. A. Meyer: Heilsgewißheit u. Endzeiterwartung i. dt. Drama d. 16. Jhs., 1976.

VOLKSBÜCHER

R. Benz: Geschichte u. Ästhetik d. dt. Volksbuches, ²1924; J. Görres: Die dt. Volksbücher, neu herausgg. von L. Mackensen, 1925; C. Kiesewetter: Faust in der Geschichte u. Tradition. Mit besonderer Berücksichtigung des okkulten Phänomenalismus u. d. mittelalterlichen Zauberwesens, 1893 u. 1921; H.-J. Kreutzer: Der Mythos vom Volksbuch, 1977; L. Mackensen: Die dt. Volksbücher, 1927; R. Rohde: Das englische Faustbuch u. Marlowes Tragödie, 1910; E. Wolff: Faust u. Luther, 1912.

MONOGRAPHIEN

Amadis-Roman: M. Pfeiffer: A.-Studien, 1905; *Sebastian Brant:* U. Gaier: Studien z. S. B's Narrenschiff, 1966; *Dante:* M. Barbi: D., Leben, Werk u. Wirkung, 1943; F. Schneider: D., sein Leben u. sein Werk, ⁵1960; A. Vezin: D., seine Welt und Zeit, sein Leben u. sein Werk, 1949; *Dunkelmännerbriefe:* W. Brecht: Die Verfasser der Epistolae obscurorum virorum, 1904; H. Rogge: Fingierte Briefe als Mittel pol. Satire, 1966; *Erasmus von Rotterdam:* W. P. Eckert: E. v. R., 1967; J. Huizinga: E., 1958; K. A. Meissinger: E. v. R., ²1948; *Johann Fischart:* A. Hauffen: J. F., ein Lit.-bild aus der Zeit der Gegenreformation, 1921/22; A. Leitzmann: Fischartiana, 1924; *Ulrich von Hutten:* O. Flake: U. v. H., 1929; H. Holborn: U. v. H., ³1968; *Martin Luther:* K. Aland: M. L. i. d. mod. Lit., 1973; E. Arndt, G. Brandt: L. u. d. dt. Sprache, 1983; H. Bornkamm: L's geistige Welt, ⁴1960; –: L. im Spiegel d. dt. Geistesgeschichte, 1955; M. Gregor-Dellin: L. Eine Annäherung, 1983; H. Mayer: L. Leben u. Glaube, 1982; G. Roethe: L's Bedeutung für d. dt. Lit. (in: Dt. Reden), 1927; F. Spitta: Ein feste Burg ist unser Gott. Die Lieder L's in ihrer Bedeutung für das evangelische Kirchenlied, 1905; *Petrarca:* A. Buck (Hrsg.): P., 1976; H. W. Eppelsheimer: P., 1926; *Hans Sachs:* T. Cramer, E. Kartschoke (Hrsg.): H. S. Studien zur frühbürgerl. Lit. i. 16. Jh., 1978; H. Cysarz: H. S., 1975; E. Geiger: Der Meistersang des H. S., 1956; H. Krause: Die Dramen d. H. S., 1979; M. E. Müller: Der Poet d. Moralität, 1985; W. Theiß: Exempl. Allegorik. Unters. z. einem lit.-hist. Phänomen bei H. S., 1968; R. J. Weickmann: H. S., 1975; *Shakespeare:* A. Burgess: S. Eine Biogr., 1982; H. H. Glunz: S. u. Morus, 1938; F. Gundolf: S. Wesen u. Werk, ²1949; –: S. u. d. dt. Geist, ¹¹1959; G. Müller-Schwefe: W. S., 1978; A. Schloessner: S. Analysen u. Interpret., 1977; L. L. Schücking: S. u. d. Tragödienstil seiner Zeit, 1947; *Johann von Tepl:* R. Natt: Der »Ackermann aus Böhmen« d. J. v. T., 1978; E. Schwarz (Hrsg.): Der Ackermann aus Böhmen des J. v. T. u. seine Zeit, 1968; *Jörg Wickram:* R. Jacobi: J. W's Romane, 1970.

BAROCK

GESAMTDARSTELLUNGEN UND EINZELFRAGEN

R. Alewyn u.a.: Aus d. Welt d. Barock, 1957; – (Hrsg.): Dt. Barockforschung, Dokumentation einer Epoche, 1965; R. Benz: Aus der Welt des Barock, 1946; –: Kultur des
achtzehnten Jahrhunderts, 1. Dt. Barock, 1949; W. Barner (Hrsg.): Der lit. Barockbe-
griff, 1975; H. Cysarz: Dt. Barockdichtung, 1924; G. Dünnhaupt: Bibliogr. Handbuch
d. Barocklit. 100 Personalbibliogr. dt. Autoren d. 17. Jhs., T. 1–3, 1980–1981; W.
Emrich: Dt. Lit. d. Barockzeit, 1980; E. Ermatinger: Barock u. Rokoko, ²1928; W.
Flemming: Das Jh. d. Barock (in: Annalen d. dt. Lit., hrsg. v. H. O. Burger), ²1971;
–: Die dt. Barockzeit, 1942; –: Einblick i. d. dt. Literaturbarock, 1975; L. Forster
(Hrsg.): Studien zur europ. Rezeption dt. Barocklit., 1983; K. Garber: Der locus
amoenus u. d. locus terribilis. Bild u. Funktion der Natur i. d. dt. Schäfer- u. Landle-
bendichtung d. 17. Jhs., 1974; K.-H. Habersetzer: Bibliogr. d. dt. Barocklit. Ausg. u.
Repr. 1945–1976, 1978; P. Hankamer: Dt. Gegenreformation u. dt. Barock, ³1964; –:
Die Sprache, ihr Begriff u. ihre Deutung im 16. und 17. Jh., 1927; F. van Ingen: Vanitas
u. Memento mori i. d. dt. Barocklyrik, 1966; H. Jaumann: Die dt. Barocklit., 1975; W.
Krämer: Lit. u. Gesellschaft i. dt. Barock. Aufsätze, 1979; A. Maler: D. Held im
Salon. Zum antiheroischen Programm dt. Rokoko-Epik, 1973; G. Müller: Dt. Dich-
tung von der Renaissance bis zum Ausgang des Barock, Nachdr. 1957; H. Naumann,
G. Müller: Höfische Kultur, 1929; H. Neumeister: Geistlichkeit u. Lit., 1931; R. Newald: Die dt. Lit. vom Späthumanismus zur Empfindsamkeit. 1570–1750 (in: H. de
Boor, R. Newald: Geschichte d. dt. Lit., Bd. 5, ³1960); A. Schöne: Emblematik u.
Drama im Zeitalter d. Barock, 1964; K. v. See (Hrsg.): Neues Handbuch d. Literaturwiss., 22 Bde. Bd. IX: Renaissance u. Barock I. Hrsg. v. August Buck, Bd. X: Renaissance und Barock II. Hrsg. v. August Buck, o. J.; E. Seeberg: Zur Frage der Mystik,
1921; H. Steinhagen, B. v. Wiese (Hrsg.): Dt. Dichter d. 17. Jhs. Ihr Leben u. Werk,
1984; F. Strich: Barock (in: Dt. Literaturgesch. in Grundzügen, hrsg. v. B. Boesch),
²1961; M. Szyrocki: Die dt. Lit. d. Barock, 1979; – (Hrsg.): Poetik des Barock, 1968; E.
Vogt: Die gegenhöfische Strömung d. dt. Barocklit., 1932; M. Windfuhr: Die barocke
Bildlichkeit u. ihre Kritiker. Stilhaltungen i. d. dt. Lit. d. 17. und 18. Jhs., 1966.

LYRIK

K. Berger: Barock u. Aufklärung im geistlichen Lied, 1951; R. M. Browning: Dt. Lyrik d. Barock, 1618–1723, 1980; K. O. Conrady: Lat. Dichtungstradition u. dt. Lyrik d.
17. Jhs., 1962; H. Cysarz: Dt. Barock in der Lyrik, 1936; H. P. Herrmann: Naturnach-
ahmung u. Einbildungskraft. Zur Entw. d. dt. Poetik v. 1670 b. 1740, 1970; U. Herzog:
Dt. Barocklyrik, 1979; F. Strich: Der lyrische Stil des 17. Jhs., 1916; A. Weber: Dt. Ba-
rockgedichte, 1960.

DRAMA

W. Benjamin: Ursprung d. dt. Trauerspiels, 1928; G. Brates: Hauptprobleme der Ba-
rockdramaturgie in ihrer geschichtlichen Entwicklung, 1935; H. Heckmann: Elemente

des barocken Trauerspiels, 1959; E. Lunding: Das schlesische Kunstdrama, 1940; J. Müller: Das Jesuitendrama in den Ländern dt. Zunge vom Anfang (1555) bis zum Hochbarock (1665), 1930; H. Steinhagen: Wirklichkeit u. Handeln im barocken Drama, 1977; E. M. Szarota: Künstler, Grübler u. Rebellen. Stud. z. europ. Märtyrerdrama d. 17. Jhs., 1967; –: Geschichte, Politik u. Gesellschaft i. Drama d. 17. Jhs., 1976; –: Das Jesuitendrama im dt. Sprachgebiet, 4 Bde., 1979–1987; H. Tintelnot: Barocktheater u. barocke Kunst, 1939; F. Wölcken: Shakespeares Zeitgenossen in d. dt. Lit., 1929.

PROSA

E. Cohn: Gesellschaftsideale u. Gesellschaftsroman des 17. Jhs., 1921; U. Herzog: Der dt. Roman d. 17. Jhs., 1976; A. Hirsch: Bürgertum u. Barock im dt. Roman, ³1979; C. Lugowski: Wirklichkeit u. Dichtung, 1936; V. Meid: Der dt. Barockroman, 1974; H. Meyer: Der dt. Schäferroman des 17. Jhs., 1928; H. Singer: Der dt. Roman zw. Barock u. Rokoko, 1963; W. Voßkamp: Romantheorie i. Deutschl. Von Martin Opitz bis Friedrich v. Blanckenburg, 1973.

MONOGRAPHIEN

Abraham a Santa Clara: K. Bertsche: A.a S. C., ²1922; *Angelus Silesius*: H. Althaus: Johann Schefflers Cherubinischer Wandersmann, 1956; G. Ellinger: A. S., 1927; H. Föllmi: Czepko u. Scheffler, 1968; R. v. Kralik: A.S. u. die christliche Mystik, 1902; E. O. Reichert: J. Sch. als Streittheologe, 1967; *Jakob Böhme*: E. Benz: Der vollkommene Mensch nach J. B., 1937; P. Hankamer: J. B., ²1960; E.-H. Lemper: J. B., 1976; G. Wehr: J. B., 1971 u. 1979; *Paul Fleming*: K. A. Findeisen: P. F., der Dichter u. Ostlandfahrer, 1939; H. Pyritz: P. F's dt. Liebeslyrik, 1932; *Paul Gerhardt*: K. Hesselbacher: P. G., ³1976; K. Ihlenfeld: Huldigung für P. G., ²1957; H. Petrich: P. G., 1914; *Hans Jakob Christoffel von Grimmelshausen*: H. E. Busse: G., 1939; E. Ermatinger: Weltdeutung in G's Simplicissimus, 1925; H. D. Gebauer: Grimmelshausens Bauerndarstellung, 1977; C. Hohoff: H. J. C. v. G. in Selbstzeugnissen u. Bilddok., 1978; G. Könnecke: Quellen u. Forschungen zur Lebensgeschichte G's, 1926–1928; M. Koschlig: Das Ingenium G's u. d. Kollektiv, 1977; G. Rohrbach: G's Simplicissimus u. d. Entwicklungsroman, 1959; C. Stoll: H. J. C. v. G. 1676–1976, 1976; P. Triefenbach: Der Lebenslauf d. Simplicius Simplicissimus, 1979; G. Weydt: Nachahmung u. Schöpfung im Barock. Studien um G., 1968; – (Hrsg.): Der Simplicissimusdichter u. sein Werk, 1969; –: H. J. C. v. G., ²1979; *Andreas Gryphius*: W. Eggers: Wirklichkeit und Wahrheit im Trauerspiel v. A. G., 1967; W. Flemming: A. G., 1965; G. Fricke: Die Bildlichkeit in der Dichtung des A. G., ²1967; A. G., Text + Kritik 7/8/²1980; F. Gundolf: A. G., 1927; D.W. Jöns: Das »Sinnen-Bild«. Studien z. allegor. Bildlichk. bei A. G., 1966; G. Kaiser (Hrsg.): Die Dramen d. A. G., 1968; E. Mannack: A. G., 1968; H. Steinhagen: Wirklichkeit u. Handeln i. barocken Drama, 1977; A. Strutz: A. G., die Weltanschauung eines dt. Barockdichters, 1931; M. Szyrocki: A. G., Sein Leben u. Werk,

1964; W. Voßkamp: Unters. z. Zeit- u. Geschichtsauffassg. im 17. Jh. bei G. u. Lohenstein, 1967; F. W. Wentzlaff-Eggebert: Dichtung u. Sprache des jungen G. Die Überwindung der lateinischen Tradition u. d. Entwicklung zum dt. Stil, ²1966; *Johann Christian Günther*: R. Bölhoff: J. Ch. G., 3 Bde., 1980–1983; H. Dahlke: J. Ch. G. Seine dichterische Entwicklung, 1960; J. Ch. G., Text + Kritik 74/75/1982; W. Krämer: Das Leben des schlesischen Dichters J. Ch. G., ²1980; *Christian Hofmann von Hofmannswaldau*: F. Heiduk: H. u. die Überlieferg. seiner Werke (in: Jahrb. d. Freien Dt. Hochstifts, 1975); E. Rotermund: Affekt u. Artistik, Studien z. Leidenschaftsdarstellung u. z. Argumentationsverfahren b. H. v. H., 1972; *Friedrich von Logau*: P. Hempel: Die Kunst F's v.L., 1917, Neudruck 1967; *Daniel Casper von Lohenstein*: B. Asmuth: D. C. v. L., 1971; P. Kleinschmidt u. a. (Hrsg.): Die Welt des D. C. v. L., 1978; G. Pasternack: Spiel u. Bedeutg., Untersuchungen z. den Trauerspielen D. C's v. L., 1971; *Johann Michael Moscherosch*: W. E. Schäfer: J. M. M., 1982; *Martin Opitz*: U. Bach: M. O. v.Boberfeld, 1959; R. Drux: M. O. u. sein poet. Regelsystem, 1976; K. Garber: M.O., 1976; J. L. Gellinek: Die weltliche Lyrik des M. O., 1973; M. Szyrocki: M. O., ²1974; *Friedrich Spee von Langenfeld*: M. Härtling (Hrsg.): F. v. Sp. Die anonym. geistl. Lieder v. 1623, 1979; K. Keller: F. Spee v. Langenfeld, 1968; K. Schwarz: F. v. Sp, ein dt. Dichter u. Seelsorger, 1948.

LEXIKALISCHE ANGABEN

M. Bircher (Hrsg.): Dt. Schriftsteller im Porträt, Das Zeitalter d. Barock, 1979 (vor allem empfehlenswert als Einführung in die Barocklit.); C. v. Faber du Faur: German Baroque Literature, 1958 f.; F. Heiduk (Hrsg. in Zusammenarb. mit G. Merwald): Erdmann Neumeister, De Poetis Germanicis, 1978 (eine Überarbeitung des Nachschlagwerkes aus dem Jahr 1695); I. Merkel: Barock, in: Handbuch d. dt. Literaturgesch., Abt. 2, Bibliographien, hrsg. von P. Stapf, Bd 5, 1971; H. Schüling: Bibliograph. Wegweiser zu dem in Deutschld. erschienenen Schrifttum des 17. Jhs., 1964

AUFKLÄRUNG

GESAMTDARSTELLUNGEN

A. Anger: Lit. Rokoko, 1962; E. A. Blackall: Die Entwickl. d. Deutschen z. Literatursprache 1700–1775, 1970; L. Bodi: Tauwetter i. Wien. Zur Prosa d. österr. Aufklärung 1781–1795, 1977; E. Ermatinger: Barock u. Rokoko in d. dt. Dichtung, ²1928; –: Das Zeitalter der Aufklärung, 1932; –: Dt. Dichter (1700–1900), ²1961; H. Hettner: Geschichte d. dt. Lit. im 18. Jh., 1961; G. Kaiser: Aufklärung, Empfindsamkeit, Sturm u. Drang, ²1976; D. Kimpel u. a.: Dt. Literaturgesch. Von d. Aufklärung bis zur Romantik, 1981; A. Köster: Die dt. Lit. d. Aufklärungszeit, 1925; W. Kohlschmidt: Gesch. d. dt. Lit. vom Barock bis zur Klassik, ²1981; F. Martini: Von der Aufklärung zum Sturm u. Drang, (in: F. M.: Dt. Literaturgesch.), ¹⁰1960; R. Newald: Von Klopstock bis zu Goethes Tod. Teil I. Ende der Aufklärung u. Vorbereitung der Klassik (in: H. de Boor, R. Newald: Geschichte d. dt. Lit. 6,1), 1957; K. J. Obenauer: Das dt. Schrifttum von 1700 bis 1830, 1941; P. Pütz: Die dt. Aufklärung, 1978; K. R. Scherpe: Gattungspoetik im 18. Jh. Histor. Entw. v. Gottsched bis Herder, 1968; F. J. Schneider: Die dt. Dichtung der Aufklärungszeit (Epochen d. dt. Lit. 3,1), ²1948; H. Schöffler: Dt. Geist im 18. Jh., ²1967; K. v. See (Hrsg.): Neues Handbuch d. Literaturwiss. Bd. XI: Europ. Aufklärung, Teil I. Hrsg. v. W. Hinck, 1974; J. Stenzel (Hrsg.): Das Zeitalter d. Aufklärung, 1980; K. Viëtor: Dt. Dichten u. Denken von der Aufklärung bis zum Realismus, ³1958; O. Walzel: Dt. Dichtung von Gottsched bis zur Gegenwart. 1: Der dt. Klassizismus, 1927; M. Wehrli: Das Zeitalter der Aufklärung, 1946; H.-F. Wessels (Hrsg.): Aufklärung, 1984; B. v. Wiese (Hrsg.): Dichter d. 18. Jhs., 1977; R.-R. Wuthenow (Hrsg.): Zwischen Absolutismus u. Aufklärung: Rationalismus, Empfindsamkeit, Sturm u. Drang 1740–1786, 1980.

EINZELFRAGEN

K. Aner: Die Theologie d. Lessingzeit, ²1964; A. Anger: Dichtung des Rokoko. Nach Motiven geordnet, 1958; F. Ausfeld: Die dt. anakreontische Dichtung des 18. Jhs. Ihre Beziehungen zur französischen u. zur antiken Lyrik, 1907; C. v. Brockdorff: Englische Aufklärungsphilosophie, 1924; J. Campe: Der programmatische Roman. Von Wielands »Agathon« zu Jean Pauls »Hesperus«, 1979; R. Daunicht: Die Entstehung d. bürgerl. Trauerspiels in Dtschld., ²1965; C. Gebauer: Geistige Strömungen u. Sittlichkeit im 18. Jh., 1932; P. Hocks: Literar. u. polit. Zeitschriften 1789–1805. Von der polit. Revolution zur Literaturrevolution, 1975; J. Jacobs: Prosa d. Aufklärung, 1976; H. Jäger: Naivität. Eine krit.-utop. Kategorie d. bürgerl. Lit. u. Ästhetik d. 18. Jhs., 1975; H. Kiesel, P. Münch: Gesellsch. u. Lit. im 18. Jh., 1977; D. Kimpel: Der Roman d. Aufklärung, ²1977; P. Kluckhohn: Die Auffassung d. Liebe in d. Lit. d. 18. Jhs. u. in d. dt. Romantik, 1966; H. Koopmann: Drama d. Aufklärung, 1979; A. Langen: Der Wortschatz d. dt. Pietismus, 1954; W. Martens: D. Botschaft d. Tugend. Aufklärung im Spiegel d. dt. Moralischen Wochenschriften, 1971; A. Martino: Geschichte d. dram. Theorien i. Deutschl. im 18. Jh. Bd. I: Die Dramaturgie d. Aufklärung (1730–1780), 1972; N. Miller: Der empfindsame Erzähler. Unters. an Romananfängen d. 18. Jhs., 1968; W. Oberkampf: Die zeitungskundliche Bedeutung der moralischen Wochenschriften, 1934; H. J. Piechotta: Reise u. Utopie. Zur Lit. d. Spätaufklärung,

1976; F. Pomezny: Grazie u. Grazien in d. dt. Lit. d. 18. Jhs., (in: Beiträge zur Ästhetik, hrsg. v. Th. Lipps, R. M. Werner), 1900; H. Röhl: Der Geist der Aufklärung i. d. dt. Dichtung, 1926; W. Schaer: Die Gesellschaft im dt. bürgerl. Drama d. 18. Jhs., 1963; H. Scheffers: Höfische Konvention u. d. Aufklärung. 17. u. 18. Jh., 1980; K. R. Scherpe: Gattungspoetik i. 18. Jh., 1968; Chr. Siegrist: Das Lehrgedicht d. Aufklärung, 1974; C. Träger (Hrsg.): Französische Revolution i. Spiegel d. dt. Lit., 1975; A. Wirlacher: Das bürgerl. Drama, 1968; H. Steinmetz: Die Komödie d. Aufklärung, ³1978; H. M. Wolff: Die Weltanschauung der dt. Aufklärung, ²1963; R.-R. Wuthenow: Die erfahrene Welt. Europ. Reiselit. i. Zeitalter d. Aufklärung, 1980.

MONOGRAPHIEN

Matthias Claudius: P. Berglar: M. C. in Selbstzeugnissen u. Bilddok., 1977; B. König: M. C., 1976; U. Roedl: M. C., ³1969; *Georg Forster:* G. Steiner: G. F., 1977; *Chr. F. Gellert:* C. Schlingmann: G. – Eine literarhistorische Revision, 1967; *Johann Christoph Gottsched:* Th. W. Danzel: G. u. seine Zeit, ²1855; G. Schimansky: G's dt. Bildungsziele, 1939; *Friedrich Gottlieb Klopstock:* H. L. Arnold (Hrsg.): F. G. K., Text- + Kritik Sonderband 1981; W. Flemming: Der Wandel d. dt. Naturgefühls von 15. zum 18. Jh., 1931; F. Gundolf: Hutten, K., Arndt, ²1924; G. Kaiser: K. Religion u. Dichtg., 1963; F. G. K., 1981; F. Muncker: F. G. K., ²1900; K. L. Schneider: K. u. d. Erneuerung d. dt. Dichtersprache im 18. Jh., 1960; *Gotthold Ephraim Lessing:* D. Arendt: G. E. L.: »Nathan der Weise«, 1984; W. Barner u. a.: L. Epoche, Werk, Wirkung, ⁴1981; G. Bauer, S. Bauer (Hrsg.): G. E. L., 1968; K. Bohnen (Hrsg.): L's »Nathan der Weise«, 1984; E. Brock-Sulzer: G. E. L., ²1976; R. Daunicht: L. im Gespräch, 1971; W. Drews: G. E. L. in Selbstzeugnissen u. Bilddok., 1980; S. Eichner: Die Prosafabel L's i. s. Theorie u. Dichtung, 1974; K. S. Guthke: G. E. L., ³1979; D. Hildebrandt: L. Biogr. einer Emanzipation, 1979; G. Hillen: L.-Chronik. Daten zu Leben u. Werk, 1979; M. Hoensbroech: Die List d. Kritik, 1976; O. Mann: L. Sein u. Leistung, ²1961; A. Neuhaus-Koch: G. E. L. Die Sozialstrukturen i. s. Dramen, 1977; P. H. Neumann: Der Preis d. Mündigkeit. Über L's Dramen, 1977; W. Oelmüller: Die unbefriedigte Aufklärung, 1969; P. Rilla: L. u. sein Zeitalter, ²1977; W. Ritzel: G. E. L., 1966; ─: L. Dichter, Kritiker, Philosoph, 1978; E. Schmidt: L. Geschichte seines Lebens u. seiner Schriften, ⁴1923; A. M. Wagner: L. Das Erwachen d. dt. Geistes, 1931; B. v. Wiese: L. Dichtung, Ästhetik, Philosophie, 1931; K. Wölfel (Hrsg.): L's Leben u. Werk in Daten u. Bildern, 1967; *Georg Christoph Lichtenberg:* Aufklärung über L. Mit Beitr. v. H. Heissenbüttel, 1974; C. Brinitzer: L., die Geschichte eines gescheiten Mannes, 1956; F. H. Mautner: L. Gesch. seines Geistes, 1968; P. Requardt: L., 1964; *Johann Gottfried Schnabel:* F. Brüggemann: Utopie u. Robinsonade. Unters. zu Sch's Insel Felsenburg (1731–1743), 1978; *Johann Heinrich Voß:* G. Häntzschel: J. H. V., 1977; *Christoph Martin Wieland:* G. Hemmerich: C. M. W's »Geschichte des Agathon«, 1979; W. Monecke: W. und Horaz, 1964; W. Paulsen: C. M. W., 1975; H. Ruppel: W. in d. Kritik, 1980; F. Sengle: W., 1949.

STURM UND DRANG

GESAMTDARSTELLUNGEN

W. Hinck (Hrsg.): Sturm u. Drang. Literaturwiss. Studienbuch, 1978; H. Kindermann: Entwicklung d. Sturm- u. Drangbewegung, 1925; W. Kliess: Sturm u. Drang, 1976; A. Köster: Die allgemeinen Tendenzen d. Geniebewegung im 18. Jh., 1912; W. Kohlschmidt: Göttinger Hain (in: Reallexikon d. dt. Literaturgesch., Bd. 1), ²1958; H. A. Korff: Die Dichtung von Sturm u. Drang i. Zusammenhange d. Geistesgeschichte, ²1955; –: Geist d. Goethe-Zeit. Teil 1, ²1955; B. Markwardt: Sturm u. Drang (in: Reallexikon d. dt. Literaturgesch. Bd. 3), 1928–1929; R. Pascal: Der Sturm u. Drang, ²1977; H. Röhl: Sturm u. Drang, ²1931; M. Pfeifer: Sturm u. Drang, 1983; F. J. Schneider: Die dt. Dichtung der Geniezeit (Epochen d. dt. Lit. 3,2), 1952; E. Staiger: Stilwandel, Studien z. Vorgesch. d. Goethezeit, 1963; U. Trumpke: Balladendichtg. um 1770, 1975.

DRAMA UND DRAMATURGIE

A. Huyssen: Drama d. Sturm u. Drang, 1980; G. Keckeis: Dramaturgische Probleme im Sturm u. Drang, 1907; E. Loewental: Sturm u. Drang. Kritische Schriften, 1949; S. Melchinger: Dramaturgie des Sturm u. Drang, 1929; H. Verbeek: Sturm u. Drang. Eine Auswahl dichtungstheoretischer Schriften, 1948; B. Weber: D. Kindsmörderin i. dt. Schrifttum 1770–1795, 1974.

MONOGRAPHIEN

Johann Wolfgang Goethe: H. Gose: G's Werther, 1921; W. Große (Hrsg.): Zum jungen G., 1982; R. Ibel: Der junge G., ²1958; H. Kindermann: G's Menschengestaltung. Versuch einer Anthropologie, Bd. 1, 1932; W. Martini: Die Technik der Jugenddramen G's, 1932; H. Meyer-Benfey: G's Dramen, Bd. 1: Die Dramen des jungen G., 1929; H. Schregle: G's Gottfried von Berlichingen, 1923; K. Viëtor: Der junge G., Neudruck 1950; *Johann Georg Hamann:* V. Hoffmann: J. G. H.'s Philologie, 1972; S.-A. Jorgensen: J. G. H., 1976; J. Nadler: J. G. H. Der Zeuge des Corpus mysticum, 1949; R. Unger: H. u. die Aufklärung, ²1925; *Johann Gottfried Herder:* E. Adler: Herder u. d. dt. Aufklärung, 1968; W. Dobbek: J. G. H's Weltbild, 1969; A. Gillies: H., der Mensch u. sein Werk, 1949; R. Haym: H. nach seinem Leben u. seinen Werken, Neudruck 1954; A. Kathan: H's Lit.-kritik, 1969; E. Kühnemann: H., ³1927; W. Pross: J. G. H., 1978; L. Richter (Hrsg.): J. G. H. i. Spiegel seiner Zeitgenossen, 1978; R. Stadelmann: Der historische Sinn bei H., 1928; *Friedrich Maximilian Klinger:* Ch. Hering: F. M. K., 1966; H. Segeberg: F. M. K's Romandichtung, 1974; *Jakob Michael Reinhold Lenz:* H. Haffner: L. »Der Hofmeister«, »Die Soldaten«: mit Brechts »Hofmeister«-Bearbeitung u. Materialien, 1979; C. Hohoff: J. M. R. L. in Selbstzeugnissen u. Bilddok., 1977; H. Krämer (Hrsg.): M. R. L. Die Soldaten, 1977; E. MacJunes: J. M. R. L.: Die Soldaten, 1977; *Johann Heinrich Merck:* H. Prang: M., 1949; *Karl Philipp Moritz:* J. Fümkäs: Der Ursprung d. psycholog. Romans, 1977; H. J. Schrimpf: K. P. M., 1980; *J. J. Rousseau:* W. Ritzel: J. J. R., ²1971; H. Röhrs: R.:

Vision u. Wirklichkeit, 1957; *Friedrich Schiller:* M. Mann: Sturm- u. Drang-Drama. Studien u. Vorstudien zu Sch's »Räubern«, 1974; E. Müller: Der Herzog u. das Genie. Sch's Jugendjahre, 1955; *Christian Friedrich Daniel Schubart:* K. Honolka: Sch. Dichter u. Musiker, Journalist u. Rebell. Sein Leben, sein Werk, 1985; W. F. Schoeller: Sch., 1979.

Klassik

Die geistigen Grundlagen

B. Bauch: Immanuel Kant, ³1923; W. Baumgart: Die Zeit des alten Goethe, 1951; W. Bosshard: Winckelmann – Ästhetik der Mitte, 1961; E. Cassirer: Freiheit u. Form. Studien zu dt. Geistesgeschichte, 1917; H. Cysarz: Erfahrung u. Idee. Probleme u. Lebensformen in d. dt. Lit. von Hamann bis Hegel, 1921; N. Hartmann: Die Philosophie d. dt. Idealismus, 1923–1929; K. Justi: Winckelmann u. seine Zeitgenossen, ⁵1956; H. A. Korff: Geist der Goethezeit. Teil 2. Klassik, ⁴1957; R. Kynast: Kant, sein System als Theorie des Kulturbewußtseins, 1928; K. Richter, J. Schönert (Hrsg.): Klassik u. Moderne, 1983; W. Schmidt-Dengler: Genius. Zur Wirkungsgeschichte antiker Mythologeme i. d. Goethezeit, 1978; R. Stemberger: Kant als Philosoph u. Soziologe, 1953.

Gesamtdarstellungen

I. Ackermann: Vergebung u. Gnade im klass. dt. Drama, 1968; R. Benz: Die Zeit d. dt. Klassik. Kultur des 18. Jh., 1750–1800, 1953; D. Borchmeyer: Die Weimarer Klassik. Bd. 1–2, 1980; R. Buchwald: Das Vermächtnis d. dt. Klassik, 1962; E. Cassirer: Idee u. Gestalt. Goethe, Schiller, Hölderlin, Kleist, ²1924; K. O. Conrady (Hrsg.): Dt. Lit. z. Zt. d. Klassik, 1977; W. Flemming: G. u. d. Theater seiner Zeit, 1968; E. Ermatinger: Die Lit. der Klassik u. des Idealismus, 1946; M. Hettner: Lit. Gesch. d. G.-Zeit (Sonderausg. hrsg. v. I. Anderegg), 1970; H. Holzhauer, B. Zeller (Hrsg.): Studien z. G.-Zeit, 1968; Internat. Bibliogr. dt. Klassik. 1750–1850 (Bibliogr., Kataloge, Bestandsverzeichn.), Folge 17, 2 ff., 1970 ff.; W. Kohlschmidt: Form u. Innerlichkeit. Beitr. zur Gesch. u. Wirkung d. dt. Klassik u. Romantik, 1955; M. Kommerell: Der Dichter als Führer in d. dt. Klassik. Klopstock, Herder, Goethe, Schiller, Jean Paul, Hölderlin, 1928; –: Geist u. Buchstabe der Dichtung, ²1942; B. Lecke: Lit. d. dt. Klassik, 1981; H. Mayer: Zur dt. Klassik u. Romantik, 1963; R. Mühlher: Dt. Dichter d. Klassik u. Romantik, 1976; K.-D. Müller: Autobiogr. u. Roman. Studien zur literar. Autobiogr. d. Goethezeit, 1976; W. Rasch: Die Zeit der Klassik u. frühen Romantik, 1952; T. J. Reed: Die Klass. Mitte, 1982; A. Salm u. a.: J. W. v. Goethe u. seine Zeitgenossen Schiller, Jean Paul, Hölderlin, Kleist, Bd. 1–2, 1982; F. Schultz: Klassik u. Romantik der Deutschen, ²1952; F. Strich: Dt. Klassik u. Romantik. Ein Vergleich, ³1928; H.-G. Thalheim: Zur Lit. d. G.-Zeit, 1969; B. v. Wiese: Von Lessing b. Grabbe. Studien z. dt. Klassik u. Romantik, 1968.

Johann Wolfgang Goethe

Allgemeines

Akad. d. Wiss. d. DDR (Hrsg.): Konkordanz zu G's Werken, 1973; Akad. d. Wiss. d. DDR, Akad. d. Wiss. Göttingen, Heidelberger Akad. d. Wiss. (Hrsg.): G.-Wörterbuch, Bd. 1 ff., 1978 ff.; H. L. Arnold (Hrsg.): J. W. v. G., 1982; G. Baumann: G. Dauer im Wechsel, 1977; E. Beutler: Essays um G., ⁷1980; P. Boerner: J. W. v. G. in

Selbstzeugnissen u. Bilddok., 1977; M. Brion: J. W. v. G., 1982; K. O. Conrady: G. Leben u. Werk. Bd. 1–2, 1982–1985; K. R. Eissler: G. Eine psychoanalyt. Studie 1775–1786, Bd. 1–2, 1984–1985; P. Fischer: G.-Wortschatz. Ein sprachgeschichtliches Wörterbuch zu G's Sämtlichen Werken, 1929; J. Falk: G. aus näherm persönlichem Umgange dargestellt, 1977; O. Fambach (Hrsg.): G. u. seine Kritiker. Die wesentlichen Rezensionen aus der periodischen Lit. seiner Zeit, begleitet von G's u. seiner Freunde Äußerungen zu deren Gehalt, 1953; R. Friedenthal: G. Sein Leben u. seine Zeit, ¹⁰1982; J. Göres: G's Leben in Bilddok., 1981; R. K. Goldschmidt-Jentner: G. Eine Bildbiogr., Neuaufl., 1981; H. G. Gräf: G. über seine Dichtungen. Versuch einer Sammlung aller Äußerungen des Dichters über seine poetische Werke, 1902–1914; V. J. Günther: J. W. v. G. Ein Repräsentant d. Aufklärung, 1982; H. Hamm: Der Theoretiker G. Grundpositionen s. Weltanschauung, Philosophie u. Kunsttheorie, 1976; W. Henze: J. W. v. G., 2 Bde., 1968–1969; L. Kreutzer: Mein Gott G., 1980; W. Leppmann: G. u. d. Deutschen. Vom Nachruhm eines Dichters, Erw. Neufass. 1982; Th. Mann: G's Laufbahn als Schriftsteller, 1982; H. Mayer (Hrsg.): G. im 20. Jh. Spiegelungen u. Deutungen, 1967; –: G. Ein Versuch über d. Erfolg, 1982; C. Michel (Hrsg.): G. Sein Leben i. Bildern u. Texten, 1982; F. v. Müller, M. Reich-Ranicki: Betrifft G. Rede (1832) u. Gegenrede (1982), 1982; H. Nicolai: Zeittafel zu G's Leben u. Werk, 1977; R. Otto, P.-G. Wenzlaff (Neuhrsg.): G. i. vertraulichen Briefen seiner Zeitgenossen, Bd. 1–3, 1982; H. Pyritz: G.-Bibliographie, 1955 ff.; F. W. Riemer: Mitteilungen über G. Aus mündlichen u. schriftlichen, gedruckten u. ungedruckten Quellen, Neudruck 1921; E. Schaeffer (Hrsg.): G., seine äußere Erscheinung, 1980; K. Schröter, H. Riege: J. W. G. Leben, Werk, Wirkung, 1983; U. Wertheim: G.-Studien, 1968; J. Zeitler: G.-Handbuch, 3 Bde., 1916–1918. 2. Aufl., hrsg. v. Alfred Zastrau, 4 Bde., 1955 ff.

EINZELFRAGEN

O. Badelt: Das Rechts- u. Staatsdenken G's, 1966; G. Balzer: G. auf Reisen, 1979; W. Binder: Das Ungeheure u. d. Geordnete. Die Schweiz i. G's Werk, 1979; S. Blessin: Die Romane G's, 1979; D. Borchmeyer: Höfische Gesellschaft u. franz. Revolution bei G., 1977; G. Brandes: G., 1930; C. Bürger: Der Ursprung d. bürgerl. Institution Kunst im höf. Weimar. Literatursoziolog. Unters. z. Klass. G., 1977; K. Burdach: Vorspiel. Bd. 2: G. u. sein Zeitalter, 1926; R. Denecke: G's Harzreisen, 1980; B. Eckert: G. in Dtld. 1945–1982, 1982; G's Erzählwerk. Interpretationen. Hrsg. v. P. M. Lützeler, J. E. McLeod, 1985; D. Grieser: G. in Hessen, 1982; F. Gundolf: G., 1917; W. Hellpach: Universelle Psychologie eines Genius: G., der Mensch u. Mitmensch. Das Geschöpf im Schöpfer, 1952; W. Hinderer (Hrsg.): G's Dramen, 1980; W. Hof: Wo sich der Weg im Kreise schließt. G. und Charlotte v. Stein, 1957; F. Koch: G's Gedankenform, 1967; H. A. Korff: Die Lebensidee G's. 1925; –: G. im Bildwandel seiner Lyrik, 1958; K. R. Mandelkow (Hrsg.): G. im Urteil seiner Kritiker, 1975 ff.; –: G. in Dtld., Bd. 1 ff., 1980 ff.; H. Meyer: G., das Leben im Werk, 1951; G. Möbus: Die Christus-Frage i. G's Leben u. Werk, 1964; F. v. Müller: G's Persönlichkeit. Drei Reden, gehalten in den Jahren 1830 u. 1832, 1901; H. Prang: G's Mutter, 1949; H. Pyritz: G. u. Marianne v. Willemer, ³1948; H. Reiss: G's Romane, 1963; R. Riemann: G's Romantechnik, 1902; M.Ruetz: Auf G's Spuren. Stätten u. Landschaften, 1978; K. Scherpe: Werther u. Wertherwirkung. Bürgerl. Gesellschaftsordnung im 18. Jh., 1970; G. Schmidt: G. u. die Naturwissenschaften, 1940; A. Schöne: Götterzeichen,

Liebeszauber, Satanskunst. Neue Einblicke in alte G.-texte, 1982; F. Sengle: G's Verhältnis zum Drama. Die theoretischen Bemerkungen im Zusammenhang seines dramatischen Schaffens, 1937; E. Spranger: G's Weltanschauung, ²1949; E. Staiger: G., Bd. 1–3, 1970–1978; P. Stöcklein: Wege zum späten G. Dichtung, Gedanke, Zeichnung, Interpretation um ein Thema, ²1960; H. Thielicke: G. u. d. Christentum, 1982; F. Weinhandl: Die Metaphysik G's, 1932; M. Wünsch: Der Strukturwandel i. d. Lyrik G's, 1975; R. C. Zimmermann: Das Weltbild d. jungen G., Bd. 1–2, 1969–1979.

EINZELWERKE

F. Baron: Faustus. Geschichte, Sage, Dichtung, 1982; W. Böhm: G's Faust in neuer Deutung. Ein Kommentar für unsere Zeit, 1949; E. Borkowsky: G's u. Schillers Lyrik, 1923; H. C. Buch (Neuhrsg.): J. W. G., die Leiden d. jungen Werther, 1982; A. Daur: Faust u. der Teufel, 1950; G. Diener: Fausts Weg zu Helena, Urphänomen u. Archetypus, 1961; T. Friedrich, L. J. Scheithauer: Kommentar zu G's Faust, Nachdr., 1985; K. F. Gille (Hrsg.): G's »Wilhelm Meister«, 1979; H. Helmerking: Hermann u. Dorothea, Entstehung, Ruhm u. Wesen, 1948; M. Karnick: »Wilh. Meisters Wanderjahre« oder Die Kunst des Mittelbaren, 1968; H. A. Korff: Der Geist des Westöstlichen Divans. G. u. der Sinn seines Lebens, 1922; D. Lohmeyer: Faust u. d. Welt. 2. Teil d. Dichtg., 1975; H. A. Maier: G. West-östl. Divan. Krit. Ausg. d. Ged. mit textgesch. Kommentar. 2 Bde., 1965; H. Maus: Faust. Eine dt. Legende, 1980; K. May: Faust II in der Sprachform gedeutet, ²1962; K. Mommsen: Natur- u. Fabelreich in Faust II, 1968; G. Müller: Gestaltung – Umgestaltung in Wilhelm Meisters Lehrjahre, 1948; –: Gesch. d. dt. Seele. Vom Faustbuch z. G's Faust, 1962; P. Müller: Zeitkritik u. Utopie i. G's »Werther«, 1969; W. Rasch: G's Torquato Tasso. Die Tragödie des Dichters, 1954; H. Reiss: G's Romane, 1962; P. Requadt: G's Faust I. Leitmotivik u. Architektur, 1972; W. Resenhöfft: G's »Faust« – Gleichnis Schöpfer. Sinnerfassung, 1975; H. Rickert: G's Faust, 1932; E. Rösch (Hrsg.): G's Roman »Die Wahlverwandtschaften«, 1975; H. Schlaffer: »Wilhelm Meister«, 1980; K. Schlechta: G's Wilhelm Meister, 1985; J. Schmaus: G's Iphigenie auf Tauris, 1925; F. Strich: G's Faust, 1964; B. v. Wiese: Faust als Tragödie, 1946; M. Wundt: G's Wilhelm Meister u. die Entwicklung des modernen Lebensideals, ²1932.

FRIEDRICH SCHILLER

K. L. Berghahn (Hrsg.): F. Sch. Zur Geschichtlichkeit seines Werkes, 1975; R. Buchwald: Sch., ⁴1959; F. Burschell: F. Sch. in Selbstzeugnissen u. Bilddok., 1978; H. Cysarz: Von Sch. zu Nietzsche, 1928; W. Düsing: F. Sch., 1981; M. Dyck: Die Gedichte Sch's. Figuren d. Dynamik d. Bildes, 1967; K. Hamburger: Philosophie d. Dichter. Novalis, Sch., Rilke, 1966; B. v. Heiseler: Sch., 1983; W. Hinderer (Hrsg.): Sch's Dramen. Neue Interpretationen, 1979; W. Hinderer: Der Mensch i. d. Gesch. Ein Versuch über Sch's »Wallenstein«, 1980; H. Jensen: Sch. zwischen Goethe u. Kant, 1927; G. Kaiser: Von Arkadien nach Elysium, 1978; E. Kretschmar: Sch. Sein Leben in Selbstzeugnissen, Briefen u. Berichten, 1938; M. Kommerell: Sch. als Gestalter des handelnden Menschen, 1934; H. Koopmann: F. Sch., Bd. 1–2, ²1977; P. Lahnstein: Sch's Leben, 1984; K. May: F. Sch., Idee u. Wirklichkeit im Drama; 1948; N. Oellers: Sch. Gesch. seiner Wirkung bis zu Goethes Tod. 1805–1832, 1967; – (Hrsg.): Sch.,

Zeitgenosse aller Epochen. Dok. zur Wirkungsgesch. Sch's. Seine Genesis, T. 1–2, 1970–1976; J. Petersen: Sch. u. die Bühne, 1904; H.-G. Pott: Die schöne Freiheit. Eine Interpretation zu Sch's Schrift Über d. ästh. Erziehung d. Menschen in einer Reihe v. Briefen, 1980; G. Ruppelt: Sch. i. nationalsozialist. Dtld., 1979; G. Sautermeister: Idyllik u. Dramatik i. Werk F. Sch's, 1971; W. Spengler: Das Drama Sch's. Seine Genesis, 1932; E. Staiger: F. Sch., 1967; G. Storz: Das Drama F. Sch's, 1938, –: Der Dichter F. Sch., 1959; F. Strich: Sch., sein Leben u. seine Werke, 1928; R. Weltrich: Sch. Geschichte seines Lebens u. Charakteristik seiner Werke, neue Ausgabe 1899; Fr. Wetzlaff-Eggebert: Sch's Weg zu Goethe, 1963; B. v. Wiese: F. Sch., ⁴1978; G. v. Wilpert: Sch.-Chronik. Sein Leben u. Schaffen, 1958; B. Zeller, W. Scheffler (Hrsg.): Sch. Leben u. Werk in Daten u. Bildern, 1977.

ROMANTIK

GEISTIGE UND PHILOSOPHISCHE GRUNDLAGEN

D. Bänsch (Hrsg.): Zur Modernität d. Romantik, 1977; E. Benz: Schelling, Werden u. Wirken seines Denkens, 1955; R. Benz: Die dt. Romantik, Geschichte einer geistigen Bewegung, [5]1956; K. v. Borries: Die Romantik u. die Geschichte. Studien zur romantischen Lebensform, 1925; W. Dilthey: Das Erlebnis u. die Dichtung, [13]1957; K. Jaspers: Schelling, Größe u. Verhängnis, 1955; T. Kappstein: Schleiermachers Weltbild u. Lebensanschauung, 1921; P. Kluckhohn: Das Ideengut d. dt. Romantik, [5]1966; H. A. Korff: Humanismus u. Romantik, 1924; –: Geist der Goethezeit, Bd. 3 u. 4, Neudruck 1974; J. Petersen: Die Wesensbestimmung d. dt. Romantik, Neudruck 1973; R. Schneider: Fichte. Der Weg zur Nation, 1932; F. Schultz: Klassik u. Romantik der Deutschen, 2 Bde., [3]1959; I. Strohschneider-Kohrs: D. romant. Ironie in Theorie u. Gestaltung, 1977; M. Wundt: Fichte, sein Leben u. seine Lehre, 1927.

GESAMTDARSTELLUNGEN

R. Bach: Dt. Romantik, [2]1948; W. Baumgart: Die Zeit des alten Goethe (in: Annalen d. dt. Literatur, hrsg. v. H. O. Burger), [2]1971; E. Borkowsky: Die dt. Romantik, 1929; G. Busse: Romantik, 1982; F. Gundolf: Romantiker, 1930–1931; R. Haym: Die romantische Schule, Nachdr. der 1. Aufl., 1961; B. Heimrich: Fiktion u. Fiktionsironie in Theorie u. Dichtg. d. dt. Romantik, 1968; G. Hoffmeister: Dt. u. europ. Romantik, 1978; R. Huch: Die Romantik. Ausbreitung, Blütezeit u. Verfall, [5]1979; P. Kluckhohn: Die dt. Romantik, 1924; W. Kohlschmidt: Gesch. d. dt. Lit. von d. Romantik bis z. späten Goethe, 1979; H.-U. Lindken: Die dt. Frühromantik, 1985; G. Mehlis: Die dt. Romantik, 1922; R. Mühler: Dt. Dichter d. Klassik u. Romantik, 1976; W. Paulsen (Hrsg.): Das Nachleben d. Romantik i. d. mod. dt. Lit., 1969; K. Peter (Hrsg.): Romantikforschung seit 1945, 1980; H. Prang (Hrsg.): Begriffsbest. d. Romantik, [2]1972; E. Ribbat (Hrsg.): Romantik, 1979; E. Ruprecht: Die romantische Bewegung, 1948; G. Stefansky: Das Wesen d. dt. Romantik, 1923; H. Steffen (Hrsg.): Die dt. Romantik. Poetik, Formen u. Motive, [3]1978; F. Strich: Die zweite Generation der Goethezeit (Romantik), 1930; –: Dt. Klassik und Romantik oder Vollendung u. Unendlichkeit, [5]1962; S. Vietta (Hrsg.): Die literar. Frühromantik, 1983; O. Walzel: Dt. Romantik. Eine Skizze, [5]1923–26; B. v. Wiese (Hrsg.): Dt. Dichter d. Romantik. Ihr Leben u. Werk, [2]1983.

EINZELFRAGEN

B. Anton: Romant. Parodieren, 1979; F. Arnold: Die Dichter der Befreiungskriege, 1908; R. Benz: Märchendichtung der Romantiker, [2]1926; W. Brüggemann: Span. Theater u. dt. Romantik, 1964f.; R. Buchmann: Helden u. Mächte d. romant. Kunstmärchens, 1976; H. O. Burger: Schwäbische Romantik. Studie zur Charakteristik des Uhland-Kreises, 1928; P. Buchka: Die Schreibweise d. Schweigens. Ein Strukturvergl. romant. u. zeitgenöss. Lit., 1974; G. Dischner, R. Faber (Hrsg.): Romant. Utopie – utop. Romantik, 1979; A. Lubos: Schlesisches Schrifft. d. Romantik u. Popularromantik, 1978; P. M. Lützeler (Hrsg.): Romane u. Erzählungen zwischen Romantik u. Realismus, 1983; – (Hrsg.): Romane u. Erzählungen d. dt. Romantik, 1981; L. Pikulik: Romantik als Ungenügen an d. Normalität, 1979; H. Schanze: Romantik u. Aufklärung. Unters. zu Friedr. Schlegel u. Novalis, ²1976; G. Salomon: Das Mittelalter als Ideal der Romantik, 1922; H. Schumacher: Narziß an d. Quelle. Das romant. Kunstmärchen, 1977; H. Scurla: Rahel Varnhagen (insgesamt über romant. Kreise), 1978; O. Seidlin: Von erwachendem Bewußtsein u. vom Sündenfall. Brentano, Schiller, Kleist, Goethe, 1979; G. Storz: Schwäbische Romantik, 1967; M. Susman: Frauen der Romantik, ³1961; M. Thalmann: Romantik i. krit. Perspektive, 1976.

MONOGRAPHIEN

Achim von Arnim: G. Falkner: Die Dramen A. v. A's. Ein Beitrag zur Dramaturgie d. Romantik, 1962; H. V. Geppert: A. v. A's Romanfragment »Die Kronenwächter«, 1979; H. M. K. Riley: A. v. A., 1979; –: A. v. A's Jugend- u. Reisejahre, 1978; I. Seidel: A. v. A., 1944; *Bettina von Arnim:* I. Drewitz: B. v. A., 1978; G. Mander: B. v. A., 1982; F. M. Reuschle: An d. Grenze e. neuen Welt. B. v. A's Botschaft v. freien Geist, 1977; über das Pseudonym *Bonaventura:* J. Schillemeit: Bonaventura. Der Verf. d. »Nachtwachen« (gemeint ist E. A. F. Klingemann), 1973; *Clemens Brentano:* K. Bode: Die Bearbeitungen der Vorlagen in Des Knaben Wunderhorn, 1909; W. Vordtriede (Hrsg.): C. B. Der Dichter über sein Werk, 1978; K. Feilchenfeldt: B.-Chronik, 1978; W. Frühwald: Das Spätwerk C. B's (1815–1842), 1977; W. Pfeiffer-Belli: C. B., ein romantisches Dichterleben, 1947; H. M. K. Riley: C. B., 1985; I. Seidel: C. B., ¹⁵1948; *Adelbert von Chamisso:* U. Baumgartner: A. v. Ch's Peter Schlemihl, 1944; W. Feudel: A. v. Ch. Leben u. Werk, 1980; W. Freund: A. v. Ch., Peter Schlemihl, Geld u. Geist. Ein bürgerl. Bewußtseinsspiegel, 1980; P. Lahnstein: A. v. Ch., 1984; *Joseph von Eichendorff:* W. Frühwald: E.-Chronik, 1977; K.-D. Krabiel: Tradition u. Bewegung. Zum sprachl. Verfahren E's, 1973; J. Kunz: E. Höhepunkt u. Krise der Spätromantik, ³1973; H. J. Lüthi: Dichtg. u. Dichter bei J. v. E., 1966; H. Ohff: J. F. v. E., 1983; A. Schau: Märchenformen bei E., 1970; O. Seidlin: Versuche über E., ²1978; P. Stöcklein (Hrsg.): E. heute. Stimmen d. Forschg. mit e. Bibliogr., 1960; –: J. v. E. in Selbstzeugn. u. Bilddokum., 1963; M. Wettstein: Die Prosasprache J. v. E's, Form u. Sinn, 1975; *Friedrich de la Motte Fouqué:* A. Schmidt: F. u. einige seiner Zeitgenossen. Biographischer Versuch, 1958; *Joseph Görres:* R. Saitschick: G. u. d. Abendländische Kultur, 1953; *Brüder Grimm:* H. Gerstner (Hrsg.): Die Brüder G. Ihr Leben u. Werk in Selbstzeugnissen u. Bilddokumenten, 1973; D. Grieser: Mit den Brüdern G. durch Hessen, 1985; R. Michaelis-Jena: Die Brüder G., 1979; K. Schmidt: Die Entwicklung der G'schen Kinder- u. Hausmärchen seit der Urhandschrift, 1932; H. Rölleke: Die Märchen d. Brüder G., 1985; J. Weishaupt: Die Märchenbrüder, 1985; *Karoline von Günderode:* R. Wilhelm: Die G., 1975; *Wilhelm Hauff:* S. Beckmann: W. H., 1976; F. Pfäfflin: W. H., der Verf. d. »Lichtenstein«, 1981; *J. P. Hebel:* M. Heidegger: H. der Hausfreund, ⁴1977; G. Hirtsiefer: Ordnung u. Recht in d. Dichtg. J. P. H's, 1968; R. Kawa (Hrsg.): Zu J. P. H., 1981; *E. T. A. Hoffmann:* W. Bergengruen: E. T. A. H., ⁴⁴1961; Th. Cramer: Das Groteske bei E. T. A. H., 1966; F. Fühmann: Fräulein Veronika Paulmann aus d. Pirnaer Vorstadt o. Etwas ü. d. Schauerliche b. E. T. A. H., 1984; K. Günzel: E. T. A. H., 1979; W. Harich: E. T. A. H. Das Leben eines Künstlers, 1922; E. Roters: E. T. A. H., 1984; R. Safranski: E. T. A. H., 1984; W. Segebrecht: Autobiographie u. Dichtung. Eine Studie z. Werk E. T. A. H's, 1967; *Novalis:* T. Haering: N. als Philosoph, 1954; K. Hamburger: Philosóphie d. Dichter. N., Schiller, Rilke, 1966; E. Heftrich: N. Vom Logos d. Poesie, 1969; J. Hegener: Die Poetisierung d. Wissensch. bei N., 1975; F. Hiebel: N., der Dichter der blauen Blume, 1951; H. Kamla: N's Hymnen an die Nacht. Zur Deutung u. Datierung, 1954; H.-J. Mähl: Die Idee d. goldenen Zeitalters im Werk d. N. Studien z. Wesensbestimmung d. frühromant. Utopie u. z. ihren ideengeschichtl. Voraussetzungen, 1965; – (Hrsg.): N., 1976; H. Ritter: Der unbekannte N. Fr. v. Hardenberg im Spiegel seiner Dichtg., 1967; –: N's »Hymnen an d. Nacht«, ²1974; M. E. Schmid: N., 1976; *Brüder Schlegel:* J. Körner: Romantiker u. Klassiker. Die Brüder Sch. in ihren Beziehungen zu Schiller u. Goethe, 1924; O. Mann: Der junge Friedrich Sch. Eine Analyse von Existenz u. Werk, 1932; K. K. Polheim: Die Arabeske. Ansichten u. Ideen aus Fr. Sch's Poetik, 1966; *Ludwig Tieck:* K. Günzel: König d. Romantik. Das Leben d. Dichters L. T., 1981; J. P. Kern: L. T., Dichter einer Krise, 1977; E. Ribbat: L. T. Studien zur Konzeption u. Praxis romant. Poesie, 1978; W. Segebrecht (Hrsg.): L. T., 1976; R. Stamm: L. T's späte Novellen, 1973; M. Thalmann: L. T., der romant. Weltmann aus Berlin, 1955; *Ludwig Uhland:* H. Froeschle: L. U. u. d. Romantik, 1973; H. Schneider: U's Gedichte u. d. dt. Mittelalter, 1920; –: U. Leben, Dichtung, Forschung, 1920; G. Schwarz: L. U., 1964; *Wilhelm Heinrich Wackenroder:* M. Frey: Der Künstler u. sein Werk bei W. H. W. u. E. T. A. Hoffmann, 1970; E. Gülzow: W. Neue Beiträge zur Lebensgeschichte, 1930; *Zacharias Werner:* G. Kozielek: Das dram. Werk Z. W's, 1967.

Im Umkreis von Klassik und Romantik

Geistige Grundlagen und Gesamtdarstellungen

H. Cysarz: Von Schiller zu Nietzsche, 1928; W. Dilthey: Das Erlebnis u. d. Dichtung, [13]1957, S. 349–459; E. Fischer: Von Grillparzer zu Kafka, 1962; W. Höllerer: Zwischen Klassik u. Moderne. Lachen u. Weinen in der Dichtung einer Übergangszeit, 1958; H.-C. Kirsch (Hrsg.): Klassiker heute. Zwischen Klassik u. Romantik, 1980; W. Kohlschmidt: Gesch. d. dt. Lit. von d. Romantik bis zum späten Goethe, 1979; –: Gesch. d. dt. Lit. vom Jungen Dtld. bis zum Naturalismus, 1975; W. Kosch: Geschichte d. dt. Lit. im Spiegel d. nationalen Entwicklung. Abt. 1, 1813–1848, 1925–1928; J. Krauss: Studien über Schopenhauer u. den Pessimismus in d. dt. Lit. d. 19. Jhs., 1931; F. Kummer: Dt. Literaturgesch. d. 19. Jhs., nach Generationen dargestellt, [16]1922; F. Lion: Romantik als dt. Schicksal, 1947; T. Litt: Hegel. Versuch einer kritischen Erneuerung, [2]1961; W. Moog: Hegel u. die Hegelsche Schule, 1930; U. Treder: Von d. Hexe zur Hysterikerin. Zur Verfestigungsgesch. d. »Ewig-Weiblichen«, 1984; O. Walzel: Die Geistesströmungen d. 19. Jhs., [2]1929; S. Zweig: Der Kampf m. d. Dämon. Hölderlin, Kleist, Nietzsche, Neudruck 1981.

Biedermeier

M. v. Boehn: Biedermeier. Deutschland von 1815–1847, [4]1922; U. Eisenbeiss: Das Idyllische i. d. Novelle u. d. Idyllmotive i. Biedermeier u. Biedermeiertradition, 1973; M. Greiner: Zwischen Biedermeier u. Bourgeoisie. Ein Kapitel dt. Literaturgesch. im Zeichen Heinrich Heines, 1954; J. Hermand: Die lit. Formenwelt des Biedermeiers, 1958; J. Hermand, M. Windfuhr (Hrsg.): Z. Lit. d. Restaurationsepoche 1815–1848, 1970; H. H. Houben: Der gefesselte Biedermeier. Lit., Kultur, Zensur in der guten alten Zeit, 1924; E. E. Pauls: Der Beginn der bürgerlichen Zeit. Biedermeier-Schicksale, 1924; –: Dt. Leben. Bd. 7: Der politische Biedermeier, 1925; F. Sengle: Biedermeierzeit. Dt. Lit. im Spannungsfeld zw. Restauration u. Revolution 1815–1848. 3 Bde., 1971 ff.; B. Witte (Hrsg.): Vormärz: Biedermeier, Junges Deutschl., Demokraten 1815–1848, 1980.

Das junge Deutschland

H. Adler: Soziale Romane i. Vormärz, 1980; U. Baur: Dorfgeschichte. Zur Entstehung u. gesellschaftl. Funktion einer literar. Gattung i. Vormärz, 1978; H. Bloesch: Das Junge Deutschland in seinen Beziehungen zu Frankreich, 1903; W. Dietze: Junges Deutschland u. dt. Klassik, [3]1962; H. H. Houben: Jungdeutscher Sturm u. Drang, 1911; W. Kandowsky: Vernunft u. Geschichte. Heinrich Heines Studium, 1975; H. v. Kleinmayr: Welt- u. Kunstanschauung des Jungen Deutschland, 1930; H. Koopmann: Das Junge Deutschland. Analyse seines Selbstverständnisses, 1970; G. Mattenklott u. a. (Hrsg.): Demokratisch-revolutionäre Lit. i. Dtld., 1974; H.-P. Reisner: Lit. u. d. Zensur. Die polit. Lyrik d. Vormärz, 1975; P. Stein: Epochenproblem »Vormärz«. 1815–1848, 1974; S. Weigel: Flugschriftenlit. 1848 i. Berlin. Gesch. u. Öffentlichkeit e.

volkstüml. Gattung, 1979; E. Zellweker: Aus d. dt. Revolution. Dt. Dichterschicksale 1848–1850, 1914; E. Ziegler: Literar. Zensur i. Dtld. 1819–1848, 1983.

MONOGRAPHIEN

Ludwig Börne: L. Marcuse: B. Aus d. Frühzeit d. dt. Demokratie, 1968; G. Ras: B. u. Heine als politische Schriftsteller, 1926; *Ferdinand Freiligrath:* J. Ruland, P. Schoenwaldt (Hrsg.): F. F. 1876–1976, 1976; *Franz Grillparzer:* E. Alker: F. G., ein Kampf um Leben u. Kunst, 1930; G. Baumann: F. G. Sein Werk u. das österreichische Wesen, 1954; –: F. G., Dichtg. u. österreichische Geistesverfassung, ²1966; –: Zu F. G. Versuche z. Erkenntnis, 1969; E. Frey-Staiger: G. – Gestalt u. Gestaltung d. Traums, 1966; U. Fülleborn: Das dramat. Geschehen im Werk F. G's. Ein Beitrag z. Epochenbestimmung d. dt. Dichtg. im 19. Jh., 1965; J. Nadler: F. G., 1952; W. Naumann: G. Das dichterische Werk, 1956; W. Paulsen: Die Ahnfrau. Zu G's früher Dramatik, 1962; Z. Škreb: G., 1976; *Karl Gutzkow:* E. W. Dobert: K. G. u. seine Zeit, 1968; *Heinrich Heine:* N. Altenhofer: Harzreise in die Zeit. Zum Funktionszusammenhang v. Traum, Witz u. Zensur in H's früher Prosa, 1972; M. Brod: H. H., ³1956; K. H. Brokerhoff: Über d. Ironie b. H. H., 1964; J. Brummack (Hrsg.): H. H. Epoche, Werk, Wirkung, 1980; H. Clasen: H. H's Romantikkritik, 1979; L. Feuchtwanger: H. H's »Rabbi von Bacharach«, 1985; W. Grab: H. H. als polit. Dichter, 1982; S. Grubačić: H's Erzählprosa, 1975; G. Heinemann: H. H., »Reisebilder«, 1981; H. H., Text + Kritik 18/19/ ⁴1982; J. Hermand: Streitobjekt H., 1975; R. G. Hooton: H. H. u. d. Vormärz, 1978; R. Immerwahr, H. Spencer (Hrsg.): H. H. Dimensionen seines Wirkens, 1979; K. T. Kleinknecht (Hrsg.): H. in Dtld. Dok. seiner Rezeption 1834–1956, 1976; L. Kopelev: Ein Dichter vom Rhein. H. H's Leben u. Leiden, 1981; W. Kraft: H., der Dichter, 1983; W. Kuttenkeuler (Hrsg.): H. H. Artistik u. Engagement, 1977; L. Marcuse: H. H. Ein Leben zwischen Gestern u. Morgen, ²1951; W. Maier: Leben, Tat u. Reflexion. Unters. z. H. H's Ästhetik, 1969; F. Mende: H.-Chronik, 1984; W. Preisendanz: H. H., ²1983; F. Raddatz: H., 1979; C. F. Reinhold: H. H. Sein Leben in Selbstzeugnissen, Briefen u. Berichten, ²1947; L. Rosenthal: H. H. als Jude, 1973; G. Storz: H. H's lyr. Dichtung, 1971; W. Vontin: H. H. Lebensbild, 1949; W. Wadepuhl: H. H. Leben und Werk, 1974; M. Walser: H's Tränen, 1981; B. v. Wiese: Signaturen. Zu H. H. u. seinem Werk, 1976; M. Windfuhr: H. H., 1969; L. Zagari, P. Chiarini (Hrsg.): Zu H. H., 1981; *Paul Heyse:* W. Martin (Hrsg.): P. H. Eine Bibliogr., 1978; P. Zincke: P. H's Novellentechnik, 1927; *Friedrich Hölderlin:* A. Bach: Darstellung u. Begriff der Natur in den Gedichten H's, 1959; H. Bachmaier, Th. Horst, P. Reisinger: H. Transzendentale Reflexion d. Poesie, 1979; A. Beck: H's Weg zu Dtld., 1982; – u. P. Raabe: H., 1970; Fr. Beissner: H. – heute, 1963; P. Bertaux: F. H., 1978; W. Binder: H-Aufsätze, 1970; U. Geier: Der gesetzliche Kalkül, H's Dichtungslehre, 1962; A. v. Grolman: H's Hyperion, 1919; R. Guardini: H. Weltbild u. Frömmigkeit, ²1955; O. Heuschele: H's Freundeskreis, 1975; J. Klein: H. in unserer Zeit, 1947; M. Konrad: H's Philosophie im Grundriß, 1967; G. Kurz: Mittelbarkeit u. Vereinigung, 1975; J. Laplanche: H. u. d. Suche nach d. Vater, 1975; W. Michel: Das Leben F. H's, ¹¹1949; R. Nägele: Lit. u. Utopie. Versuche zu H., 1978; A. Pellegrini: F. H. Sein Bild in d. Forschg., 1965; J. Schmidt: H's Elegie »Brod und Wein«. Die Entw. d. hymn. Stils in d. eleg. Dichtg., 1968; F. Strack: Ästhetik u. Freiheit. H's Ideen, 1976; P. Szondi: Der andere Pfeil, Zur Entstehungsgesch. v. H's hymnischem Spätstil, 1963; K. Viëtor: Die Lyrik H's, 1921; S. Wacknitz: F. H., 1985; *August Heinrich Hoffmann von Fallersle-*

ben: I. Heinrich-Jost: A. H. H. v. F., 1982; *Jean Paul:* J. Alt: J. P., 1925; H. Bade: J. P's polit. Schriften, 1974; G. de Bruyn: D. Leben d. J. P. Friedrich Richter, 1976; F. Burschell: J. P. Die Entwicklung eines Dichters, 1926; G. W. Fieguth: J. P. als Aphoristiker, 1969; D. Hedinger-Fröhner: J. P., 1977; J. P., Text + Kritik Sonderband ³1983; W. Köpke: Erfolglosigkeit, 1977; M. Kommerell: J. P., ⁵1977; F. W. Korff: Diastole u. Systole. Zum Thema J. P. u. A. Stifter, 1969; M. Lösel: Die Sphinx. Studien z. Romanwerk J. P's, 1984; H.-J. Ortheil: J. P. Mit Selbstzeugnissen u. Bilddok., 1984; W. Proß: J. P's geschichtl. Stellung, 1975; U. Schweikert (Hrsg.): J. P., 1974; – u. a.: J.-P.-Chronik. Daten zu Leben u. Werk, 1975; P. Sprengel: Innerlichkeit, 1977; – (Hrsg.): J. P. i. Urteil seiner Kritiker, 1980; H. Vinçon: Topographie: Innenwelt – Außenwelt bei J. P., 1970; R. Vollmann: Das Tolle neben d. Schönen, 1975; *Heinrich von Kleist:* K. Birkenauer: K., 1977; G. Blöcker: H. v. K. oder Das absolute Ich, ²1962; K.-M. Bogdal: H. v. K.: Michael Kohlhaas, 1981; R. Dürst: H. v. K. Dichter zw. Ursprung u. Endzeit. K's Werk im Licht idealist. Eschatologie, ²1977; P. Fischer: H. v. K., 1982; W. Hinderer (Hrsg.): K's Dramen, 1981; C. Hohoff: H. v. K. in Selbstzeugnissen u. Bilddokumenten, ³1962; L. Hoverland: H. v. K. u. d. Prinzip d. Gestaltung, 1978; T. Kaiser: Vergleich der verschiedenen Fassungen von K's Dramen, 1944; Fr. Koch: H. v. K. – Bewußtsein u. Wirklichkeit, 1958; H. J. Kreutzer: Die dichter. Entw. H's v. K., 1968; J. Maass: K. Die Fackel Preußens. Ein Lebensbericht, 1957; F. Martini: H. v. K. u. die geschichtliche Welt, 1940; W. Müller-Seidel (Hrsg.): H. v. K. Aufsätze u. Essays, 1967; – (Hrsg.): K's Aktualität, 1981; E. v. Reusner: Satz, Gestaltung, Schicksal. Untersuchungen über die Struktur der Dichtung K's, 1962; J. Schmidt: H. v. K. Studien z. seiner poetischen Verfahrensweise, 1974; H. Sembdner: K's Lebensspuren. Dokumente u. Berichte der Zeitgenossen, 1957; – (Hrsg.): H. v. K's Nachruhm. Eine Wirkungsgeschichte in Dokumenten, 1967; –: In Sachen K., ²1984; S. Streller: Das dram. Werk H. v. K's, 1966; H. M. Wolff: H. v. K., die Geschichte seines Schaffens, 1954; J. K.-H. Müller: Die Rechts- u. Staatsauffassung H. v. K's, 1962; *Nikolaus Lenau:* H. Bischof: N. L's Lyrik, 1920–1921; M. Schaerffenberg: N. L's Dichterwerk als Spiegel der Zeit, 1935; D. Statkov: N. L's poetische Welt, 1971; *Johann Nepomuk Nestroy:* O. Basil: J. N. i. Selbstzeugnissen u. Bilddok., ³1977; S. Brill: Die Komödie d. Sprache. Unters. z. Werke J. N's, 1967; S. Diehl: Zauberei u. Satire im Frühwerk N's, 1969; B. Hannemann: J. N. Nihilist. Welttheater u. verflixter Kerl. Zum Ende d. Wiener Komödie, 1977; R. Preisner: J. N. – Der Schöpfer d. trag. Posse, 1968; O. Rommel: J. N., 1930; H. Weigel: J. N., ²1972; *August Graf von Platen:* R. Schlösser: A. v. P., 1910–13; *Ferdinand Raimund:* K. Kahl: F. R., 1977; H. Kindermann: F. R., ²1943; F. Schaumann: Gestalt u. Funktion d. Mythos in F. R's Bühnenwerken, 1970; *Friedrich Rückert:* K. Kahl: F. R., 1977; K. Kühner: Dichter, Patriarch u. Ritter. Wahrheit zu R's Dichtung, ³1930.

REALISMUS

GESAMTDARSTELLUNGEN UND EINZELFRAGEN

M. Anderle: Dt. Lyrik d. 19. Jhs., 1979; H. Aust: Lit. d. Realismus, 1977; H. Bieber: Der Kampf um die Tradition. Die dt. Dichtung im europäischen Geistesleben 1830–1880, 1928; R. Brinkmann: Wirklichkeit u. Illusion. Studien über Gehalt u. Grenzen des Begriffes Realismus für die erzählende Dichtung d. 19. Jhs., 1971; K. Bullivant, H. Ridley (Hrsg.): Industrie u. dt. Lit. 1830–1914, 1976; H. O. Burger: Der Realismus des 19. Jhs., (in: Annalen d. dt. Lit.), ²1971; –: Studien z. Triviallit., 1968; C. David: Zwischen Romantik u. Symbolismus 1820–1885, 1966; H. Denkler (Hrsg.): Romane u. Erzählungen d. Bürgerl. Realismus, 1980; Dt. Literaturarchiv in Marbach a. Neckar (Hrsg.): Dichter-Porträts in Photographien d. 19. Jhs., 1976; C. Heselhaus: Das Realismusproblem, (in: Hüter der Sprache – Perspektiven d. dt. Lit.), 1959; W. Höllerer: Zwischen Klassik u. Moderne. Lachen u. Weinen in der Dichtung einer Übergangszeit, 1958; H.-D. Huber: Historische Romane i. d. 1. Hälfte d. 19. Jhs., 1978; H.-O. Hügel: Untersuchungsrichter, Diebsfänger, Detektive. Theorie u. Gesch. d. dt. Detektiverzählungen i. 19. Jh., 1978; H. Kaiser: Studien zum dt. Roman nach 1848, 1977; W. Killy: Wirklichkeit u. Kunstcharakter. Neun Romane des 19. Jhs., 1963; H. Koopmann (Hrsg.): Mythos u. Mythologie i. d. Lit. d. 19. Jhs., 1979; J. Kunz: Die dt. Novelle im 19. Jh., ²1978; W. Linden: Das Zeitalter des Realismus (1830–1885), (in: Aufriß d. dt. Literaturgesch., hrsg. v. H. A. Korff u. W. Linden), ³1932; G. Lukács: Probleme des Realismus, ²1955; –: Dt. Realisten des 19. Jhs., ⁵1956; –: Die Grablegung des alten Deutschland. Essays z. dt. Lit. d. 19. Jhs., 1967; P. M. Lützeler: Romane u. Erzählungen zwischen Romantik u. Realismus, 1983; F. Martini: Dt. Lit. im bürgerl. Realismus 1848–1898, ⁴1981; K. May: Form u. Bedeutung. Interpretationen dt. Dichtung d. 18. u. 19. Jhs., 1957; R. Minder: Kultur u. Lit. in Dtld. u. Frkr., 1962; –: Dichter in d. Gesellschaft. Erfahrungen mit frz. u. dt. Lit., 1966; K. D. Müller (Hrsg.): Bürgerlicher Realismus, 1981; W. Preisendanz: Wege d. Realismus, 1977; C. Richter: Leiden an d. Gesellschaft. Vom literar. Liberalismus zum poet. Realismus, 1978; G. Schmidt-Henkel: Mythos u. Dichtung. Zur Begriffs- u. Stilgeschichte d. dt. Lit. im neunzehnten u. zwanzigsten Jh., 1967; O. Scholz: Arbeiterselbstbild u. Arbeiterfremdbild z. Zt. d. industriellen Revolution, 1980; K. Vondung, K. Riha u. a.: Dt. Literaturgesch. 19. Jh., 1980; A. Weber: Dt. Novellen d. Realismus, 1975; H. Widhammer: Die Literaturtheorie d. dt. Realismus, 1848–1860, 1977; B. v. Wiese (Hrsg.): Dt. Dichter d. 19. Jhs. Ihr Leben u. Werk, ²1979; G. Witkowski: Die Entwicklung d. dt. Lit. seit 1830, 1912; J. Worthmann: Probleme d. Zeitromans. Studien zur Gesch. d. dt. Romans im 19. Jh., 1974; A. Zäch: Der Realismus, 1946.

MONOGRAPHIEN

Georg Büchner: H. Anton: B's Dramen, 1975; G. Baumann: G. B., ²1976; A. Behrmann, J. Wohlleben: B., »Dantons Tod«, 1980; F. Ebner: G. B. – ein Genius d. Jugend, 1964; G. B. Text + Kritik Sonderbände 1–3/1979–1981; L. Fischer (Hrsg.): Zeitgenosse B., 1979; W. Hinderer: B. – Komm. zum dichterischen Werk, 1977; G. Jankke: G. B. Genese u. Aktualität seines Werkes, ³1979; J. Jansen: G. B. »Dantons Tod«. Das Zeitalter d. Restauration u. d. Lit. d. »Jungen Dtld.«, 1978; G. P. Knapp: G. B.,

²1984; H. Mayer: G. B. u. seine Zeit, ²1960; J. Thorn-Prikker: Revolutionär ohne Revolution. Interpretationen d. Werke G. B's, 1978; K. Viëtor: G. B. Politik, Dichtung, Wissenschaft, 1949; W. Wittkowski: G. B. Persönlichkeit, Weltbild, Werk, 1978; R. St. Zons: G. B. Dialektik d. Grenze, 1976; *Wilhelm Busch:* F. Bohne: W. B. Leben, Werk, Schicksal, 1958; P. Haage: W. B., 1980; W. Pape: W. B., 1977; G. Ueding: W. B., 1977; *Annette von Droste-Hülshoff:* P. Berglar: A. v. D.-H. in Selbstzeugnissen u. Bilddok., 1980; G. Frühbrodt: Der Impressionismus in der Lyrik der A. v. D., 1930; G. Häntzschel: Tradition u. Originalität, 1968; C. Heselhaus: A. v. D. Die Entdeckung des Seins in der Dichtung des 19. Jhs., 1943; –: A. v. D. Sämtliche Werke, Nachwort, 1952; –: A. v. D. Werk u. Leben, 1971; M. Lavater-Sloman: Einsamkeit. Das Leben der A. v. D., ²1957; A. v. D.-H., 1981; J. Nettesheim: Die geistige Welt d. Dichterin A. v. D., 1967; *Marie von Ebner-Eschenbach:* A. Bettelheim: M. v. E's Wirken u. Vermächtnis, 1920; B. Kayser: Möglichkeiten u. Grenzen individueller Freiheit. E. Unters. z. Werk M. v. E.-E's, 1974; *Theodor Fontane:* K. Attwood: F. u. d. Preußentum, 1970; H. Aust: Th. F. »Verklärung«. Eine Unters. zum Ideengehalt s. Werke, 1974; – (Hrsg.): F. aus heutiger Sicht, 1980; R. Brinkmann: Th. F. Über die Verbindlichkeit des Unverbindlichen, 1967; P. Demetz: Formen d. Realismus: Th. F. Krit. Untersuchungen, 1964; K. Gärtner: Th. F., 1978; C. Grawe: Führer durch d. Romane Th. F's, 1980; V. J. Günther: Das Symbol im erz. Werk F's, 1967; C. Jolle: Th. F., ²1976; C. Liesenhoff: F. u. d. literar. Leben seiner Zeit, 1976; J. Mittenzwei: Die Sprache als Thema. Unters. z. F's Gesellschaftsromanen, 1970; W. Müller-Seidel: Th. F. Soz. Romankunst i. Deutschl., 1975; H. Nürnberger: Der frühe F: Politik, Poesie, Geschichte. 1840–1860, 1967; H. H. Reuter: F. 2 Bde., 1968; H. Scholz: Th. F., 1978; H. Spiero: F., 1928; U. Tontsch: Der »Klassiker« F., 1977; E. Verchau: Th. F., 1983; K. Wandrey: F., 1919; *Gustav Freytag:* R. Herrmann: G. F., 1974; H. Lindau: G. F., 1907; *Jeremias Gotthelf:* W. Bauer: J. G., 1975; R. Buhne: J. G. u. das Problem der Armut, 1968; K. Fehr: J. G., 1967; W. Muschg: G. Die Geheimnisse des Erzählers, ²1967; *Christian Dietrich Grabbe:* A. Bergmann: Ch. D. G.: Chronik seines Lebens, 1801–1836, 1954; F. J. Schneider: Ch. D. G., Persönlichkeit u. Werk, 1934; W. Steffens: Ch. D. G., ²1976; *Friedrich Hebbel:* E. A. Georgy: Das Tragische bei F. H., 2 Bde. Bd. 1: Die Tragödien F. H's nach ihrem Ideengehalt, ³1922; H. Kaiser:.F. H., 1983; H. Kraft: Poesie der Idee. Die trag. Dichtung F. H's, 1971; J. Müller: Das Weltbild F. H's, 1955; A. Scheunert: Der Pantragismus als System der Weltanschauung u. Ästhetik H's, ²1930; H. Stolte: F. H., 1977; K. Strecker, F. H. Sein Wille, Weg u. Werk, 1925; W. Wittkowski: Der junge H., 1969; K. Ziegler: Mensch u. Welt i. d. Tragödie F. H's, ²1966; *Karl Leberecht Immermann:* B. v. Wiese: K. I. Sein Werk u. Leben, 1969; M. Windfuhr: I's erzählerisches Werk. Zur Situation des Romans in der Restaurationszeit, 1957; *Gottfried Keller:* H. Boeschenstein: G. K., ²1977; E. Ermatinger: G. K's Leben, Briefe u. Tagebücher, ⁷1924–1925, 8. Aufl. (ohne Briefe u. Tageb.) 1950; A. Frey: Erinnerungen an G. K., 1979; A. Hauser: G. K., Geburt u. Zerfall d. dichterischen Welt, 1959; F. Hildt: G. K. Literar. Verheißung u. Kritik d. bürgerl. Gesellschaft i. Romanwerk, 1978; E. Howald: G. K. Schweizer, dt. Dichter, Weltbürger, 1933; G. Kaiser: G. K., 1985; M. Kaiser: Lit.-soziol. Studien z. G. K's Dichtg., 1965; H. Laufhütte: Wirklichkeit u. Kunst i. G. K's Roman »Der grüne Heinrich«, 1969; R. Luck: G. K. als Lit.-Kritiker, 1970; G. Lukács: G. K., ²1947; A. Muschg: G. K., 1977; B. Neumann: G. K. Eine Einf. i. sein Werk, 1982; H. Richartz: Lit.-Kritik als Gesellschaftskritik. G. K's Erzählkunst, 1975; H. Richter: G. K's frühe Novellen, 1966; P. Schaffner: Der Grüne Heinrich als Künstlerroman, 1919; H. Steinecke: Zu G. K., 1984; L. Wiesmann: G. K. Das Werk als Spiegel d. Persönlichkeit, 1967; A. Zäch:

G. K. im Spiegel seiner Zeit. Urteile u. Berichte von Zeitgenossen über den Menschen u. Dichter, 1952; *Otto Ludwig:* H. Schöneweg: O. L's Kunstschaffen u. Kunstdenken, 1941; H. Theissing: O. L's dramaturg. Anschauungen, 1967; *Karl May:* V. Böhm: K. M. u. d. Geheimnis seines Erfolges, [2]1979; G. Klußmeier (Hrsg.): K. M. Biogr. in Dok. u. Bildern, 1978; H. Schmiedt: K. M., 1979; – (Hrsg.): K. M., 1983; H. Wollschläger: K. M., 1976; *Conrad Ferdinand Meyer:* F. Baumgarten: Das Werk C. F. M. u. die antike Mythologie, 1966; M. Burkhard: C. F. M., [2]1980; R. Faesi: C. F. M., [2]1948; K. Fehr: C. F. M's Renaissance-Empfinden u. Stilkunst, neue Auflage 1948; A. Frey: M., sein Leben u. seine Werke, [4]1925; L. Hohenstein: C. F. M., 1957; D. A. Jackson: C. F. M. in Selbstzeugnissen u. Bilddok., 1975; H. Maync: C. F. M. u. sein Werk, 1925; *Eduard Mörike:* G. v. Graevenitz: E. M. Die Kunst d. Sünde. Zur Geschichte d. lit. Individuums, 1978; D. F. Heilmann: M's Lyrik u. d. Volkslied, 1913; H. Maync: E. M. Sein Leben u. Dichten, [5]1944; H. Meyer: M., 1950; U. Pillokat: Verskunstprobleme bei E. M., 1969; H.-U. Simon: M.-Chronik, 1981; G. Storz: E. M., 1967; B. v. Wiese: E. M., 1979; *Wilhelm Raabe:* E. Beaucamp: Lit. als Selbstdarstellung. Studien zu W. R., 1968; P. Derks: R.-Studien, 1976; H. Helmers: W. R., [2]1978; K. Hoppe: W. R. Beiträge z. Verständnis seiner Person u. seines Werkes, 1967; G. Matschke: Die Isolation als Mittel d. Gesellschaftskritik b. W. R., 1975; J. Meyer: W. R., 1981; H. Ohl: Bild u. Wirklichkeit. Studien z. Romankunst R's u. Fontanes, 1968; H. Oppermann: W. R. in Selbstzeugnissen u. Bilddok., 1977; H. Pongs: W. R.: Leben u. Werk, 1958; H. Spiero: R.-Lexikon, 1927; – (Hrsg.): W. R. u. sein Lebenskreis, 1931; *Fritz Reuter:* H. C. Christiansen: F. R., 1975; M. Töteberg: F. R. in Selbstzeugnissen u. Bilddok., 1978; *Arthur Schopenhauer:* J. Krauss: Studien über Sch. u. den Pessimismus in d. dt. Lit. d. 19. Jhs., 1931; *Adalbert Stifter:* E. Eisenmeier: A. St. – Eine Bibliogr., Bd. 1 ff., 1964 ff.; M. Enzinger: A. St. im Urteil seiner Zeit, 1968; S. Gröble: Schuld u. Sühne im Werk A. St., 1965; A. v. Grolman: A. St's Romane, 1926; A. R. Hein: St., sein Leben u. seine Werke, [2]1952; C. Hohoff: A. St. Seine dichterischen Mittel u. die Prosa des 19. Jhs., 1949; M.-U. Lindau: St's »Nachsommer«, 1974; J. Müller: A. St.: Weltbild u. Dichtung, 1956; U. Naumann: A. St., 1979; W. Rehm: Nachsommer. Zur Deutung von St's Dichtung, 1951; U. Roedl: A. St., Geschichte seines Lebens, 1980; M. Selge: A. St. Poesie aus d. Geist d. Naturwiss., 1976; K. Steffen: A. St. Deutungen, 1955; L. Stiehm (Hrsg.): A. St., 1968; G. Weippert: St's Witiko. Vom Wesen d. Politischen, 1967; *Theodor Storm:* M. K. Altmann: Th. St., 1980; P. Goldammer: Th. St., 1968; K. E. Laage: Th. St. Studien zu seinem Leben u. Werk, 1985; –: Th. St. Leben u. Werk, [2]1980; H. Müller: Th. St's Lyrik, 1975; P. Schütze: Th. St. Sein Leben u. seine Dichtung, [4]1925; F. Stuckert: Th. St., seine Welt u. Werk, 1955; –: Th. St., der Dichter in seinem Werk, [2]1952; H. Vincon: Th. St. in Selbstzeugnissen u. Bilddok., 1978; *Friedrich Theodor Vischer:* H. Glockner: F. Th. V. u. d. 19. Jh., 1931.

DIE MODERNE

GEISTESWISSENSCHAFTLICHE FRAGEN

H. Barbusse: Zola. Der Roman seines Lebens, 1932; N. Berdjajew: Die Weltanschauung Dostojewskijs, 1925; J. M. Fischer: Fin de siècle. Komm. zu einer Epoche, 1978; H. Glaser: Die Kultur der Wilhelminischen Zeit, 1984; H. S. Gormann: James Joyce, sein Leben u. sein Werk, 1957; G. Gran: Henrik Ibsen. Der Mann u. sein Werk, 1928; H. Hinterhäuser: Fin de siècle. Gestalten u. Mythen, 1977; H. Kreuzer: Die Boheme. Beitr. zu ihrer Beschreibg., 1968; D. Leblond-Zola: Zola. Sein Leben, sein Werk, sein Kampf, 1932; F. Lieb: Der Mythos des nationalsozialistischen Nihilismus, 1938; L. Löwenthal: Lit. u. Gesellsch. Das Buch i. d. Massenkultur, 1964; R. Möhrmann: Der vereinsamte Mensch. Einsamkeitsmotive von Raabe bis Musil, 1974; A. Mohler: Die konservative Revolution in Deutschland 1918–32. Grundriß ihrer Weltanschauungen, 1950; H. Plessner: Das Schicksal dt. Geistes im Ausgang seiner bürgerlichen Epoche, 1936; 2., erw. Auflage 1959 ([3]1962) u. d. Titel: Die verspätete Nation; H. Rauschning: Die Revolution des Nihilismus, [3]1938; H. Scherer: Bürgerl.-oppositionelle Literaten u. sozialdemokrat. Arbeiterbewegung nach 1890, 1974; H. J. Schrimpf: Lit. u. Gesellschaft. Vom 19. ins 20. Jh., 1963.

DARSTELLUNGEN, ESSAYS, LEXIKA

J. Alberts: Arbeiteröffentl. u. Lit., 1977; E. Alker: Profile u. Gestalten d. dt. Lit. nach 1914, 1977; B. Allemann (Hrsg.): Ars poetica. Texte von Dichtern d. 20. Jhs. zur Poetik, 1966; H. Althaus: Zwischen Monarchie u. Republik. Schnitzler, Hofmannsthal, Kafka, Musil, 1976; D. Amir: Leben u. Werk d. deutschspr. Schriftsteller in Israel. Eine Biogr.-Bibliogr., 1980; H. Arntzen: Der mod. dt. Roman. Voraussetzungen, Strukturen, Gehalte, 1962; H. L. Auer (Hrsg.): Handbuch zur dt. Arbeiterlit., Bd 1–2, 1977; H. J. Baden: Lit. u. Bekehrung, 1968 (u. a. über R. A. Schröder, A. Döblin, R. Schneider); R. Baumgart: Aussichten d. Romans oder hat Lit. Zukunft? 1968; H. Bayerdörfer (Hrsg.): Im Zeichen Hiobs. Jüd. Schriftsteller u. dt. Lit. i. 20. Jh., 1985; H. Bayerdörfer, H. Schanze (Hrsg.): Lit. u. Theater i. Wilhelminischen Zeitalter, 1978; W. J. Bekh: Dichter d. Heimat, 1984; J. Berg u. a.: Sozialgesch. d. dt. Lit. v. 1918 bis zur Gegenwart, 1981; A. Bergstraesser: Staat u. Dichtg., 1967; G. Bollenbeck u. a.: Dt. Literaturgesch.: 20. Jh., 1981; W. Bortenschlager: Deutschspr. Lit. d. 20. Jhs., 1975; –: Gesch. d. spirituellen Poesie, 1977; G. K. Brand: Werden u. Wandlung, eine Geschichte d. dt. Lit. von 1880 bis heute, 1933; M. Brauneck (Hrsg.): Der dt. Roman im 20. Jh., 2 Bde. 1976; – (Hrsg.): Autorenlexikon deutschspr. Lit. d. 20. Jhs., 1984; – (Hrsg): D. dt. Drama vom Expressionismus bis zur Gegenwart, [2]1972; K. P. Carmely: Das Identitätsproblem jüd. Autoren im dt. Sprachraum. Von d. Jahrhundertwende bis zu Hitler, 1981; P. Cersowsky: Phantast. Lit. im ersten Viertel d. 20. Jhs., 1983; W. Duwe: Ausdrucksformen dt. Dichtg. v. Naturalismus b. z. Gegenwart. Eine Stilgeschichte d. Moderne, 1965; –: Dt. Dichtg. d. 20. Jhs., 1962 ff.; R. Eppelsheimer: Mimesis u. Imitatio Christi bei Loerke, Däubler, Morgenstern, Hölderlin, 1968; H. Friedmann, O. Mann: Christliche Dichter der Gegenwart, 1955; – u. a.: Dt. Lit. im 20. Jh. Strukturen u. Gestalten, [4]1961; D. Fringeli: Von Spitteler zu Muschg, 1975; R. Geissler: Möglichkeiten des modernen dt. Romans, 1979; H. Glaser: Lit. d. 20. Jhs. in Moti-

ven, Bd. 1-2, 1978-1979; W. Grenzmann: Dt. Dichtung der Gegenwart, [2]1955; -:
Dichtung u. Glaube. Probleme u. Gestalten d. dt. Gegenwartslit., [4]1960; R. Grimm
(Hrsg.): Das epische Theater, 1966; -: Nach d. Naturalismus, 1978; O. J. Groeg
(Hrsg.): Who's who in literature, Bd. 1-2, 1978-1979; K. S. Guthke: Die mod. Tragi-
komödie. Theorie, Gestalt, Geschichte, 1968; H. Hartung: Experimentelle Lit. u.
konkrete Poesie, 1975; J. Haupt: Natur u. Lyrik. Naturbeschreibungen i. 20. Jh., 1983;
U. Heimrath (Hrsg.): Dt. Dichter im Wilhelminischen Zeitalter, 1978; C. Heselhaus:
Dt. Lyrik der Moderne, 1961; W. Höllerer: Theorie d. mod. Lyrik. Dokumente z.
Poetik 1, 1965; C. Hörburger: Das Hörspiel d. Weimarer Republik, 1975; O. Holl: Der
Roman als Funktion u. Überwindg. d. Zeit. Zeit u. Gleichzeitigkeit in dt. Romanen d.
20. Jhs., 1968; M. Jurgensen (Hrsg.): Frauenlit., 1983; K. G. Just: Von d. Gründerzeit
bis z. Gegenwart, 1973; H. Keckeis: Das dt. Hörspiel 1923-1973, 1973; H. Kinder-
mann: Das lit. Antlitz der Gegenwart, 1930; O. Knörrich: Die dt. Lyrik d. Gegenwart,
1971; H. Koopmann: Der klass.-moderne Roman i. Dtld. Th. Mann, A. Döblin, H.
Broch, 1983; K. Kreiler: Die Schriftstellerrepubl. Zum Verhältnis v. Lit. u. Politik in d.
Münchner Räterepublik, 1978; J. Kunz: Die dt. Novelle im 20. Jh., 1977; P. K. Kurz
(Hrsg.): Über mod. Lit. Standorte u. Deutungen, 7 Bde., 1967ff.; K. A. Kutzbach:
Autorenlexikon der Gegenwart. Schöne Lit. in dt. Sprache, 1950; E. Lämmert u. a.
(Hrsg.): Romantheorie. Dokumentation ihrer Gesch. i. Deutschl. seit 1880, 1975; H.
Lehnert: Gesch. d. dt. Lit. Bd. V: Vom Jugendstil zum Expressionismus, 1978; F.
Lennartz: Dt. Dichter u. Schriftsteller d. Gegenwart, [11]1978; -: Dt. Schriftsteller d. 20.
Jhs. im Spiegel d. Kritik, Bd. 1-3, 1984; K. Leonhard: Mod. Lyrik. Monolog u. Mani-
fest. Ein Leitfaden, 1963; F. v. d. Leyen: Dt. Dichtung in neuer Zeit, [2]1927; M. H.
Ludwig: Arbeiterlit. in Dtld., 1976; I. v. d. Lühe (Hrsg.): Entwürfe v. Frauen i. d. Lit.
d. 20. Jhs., 1982; P. M. Lützeler (Hrsg.): Dt. Romane d. 20. Jhs., 1983; G. Lukács:
Skizze einer Gesch. d. neueren dt. Lit., 1964; W. Mahrholz: Dt. Dichtung d. Gegenwart. Probleme, Ergebnisse, Gestalten, 1926; O. Mann, W. Rothe (Hrsg.): Dt. Lit. im
20. Jh. Strukturen u. Gestalten, [5]1967; J. Mathes (Hrsg.): Theorie d. literar. Jugend-
stils, 1984; H. Mayer: Dt. Lit.-Kritik d. Gegenwart. Bd. IV, 2: Vorkrieg, 2. Weltkrieg
u. Nachkriegszeit (1933-1967), 1972; B. Melzwig: Dt. sozialist. Lit. 1918-1945. Bibliogr. d. Buchveröffentl., 1975; F. N. Mennemeier: Modernes dt. Drama, Bd. 1 ff.,
[2]1979ff.; Ch. Moeller: Der Mensch vor dem Heil. Eine Untersuchung mod. Lit., 1967;
E. Momber: 's ist Krieg! 's ist Krieg! Versuch z. dt. Lit. über d. Krieg 1914-1933, 1982;
H. Motekat: Experiment u. Tradition. Vom Wesen d. Dichtg. im 20. Jh., 1962; L.
Munzinger (Hrsg.): Literaten. 250 deutschspr. Schriftsteller d. Gegenwart, 1983; W.
Muschg: Die Zerstörung d. dt. Lit., [2]1956; H. Naumann: Die dt. Dichtung der Gegen-
wart, [2]1924; H. Olles: Lit.-Lexikon des 20. Jhs., 3 Bde., 1971; W. Paulsen (Hrsg.): Die
dt. Komödie i. 20. Jh., 1976; M. Prill: Die Klassiker d. modernen dt. Lit., 1984; H.
Pross: Lit. u. Politik, 1963; W. Rasch: Zur dt. Lit. seit d. Jahrhundertwende, 1967; M.
Reich-Ranicki: Lit. d. kleinen Schritte. Dt. Schriftst. heute, 1967; -: Nachprüfung.
Aufsätze über dt. Schriftsteller v. gestern. Neuausg., 1984; W. H. Rey: Poesie d. Antipoesie. Mod. dt. Lyrik, 1978; K. H. Rossbacher: Heimatkunstbewegung u. Heimatroman. Zu e. Literatursoziologie d. Jahrhundertwende, 1975; W. Rothe (Hrsg.): D. dt.
Lit. i. d. Weimarer Rep., 1974; D. Scheunemann: Romankrise. Die Entstehungsge-
schichte d. mod. Romanpoetik i. Dtld., 1978; A. Schmidt: Literaturgesch. Wege u.
Wandlungen moderner Dichtung, [2]1959; E. Schönwiese: Lit. in Wien zwischen 1930 u.
1980, 1980; J. Schramke: Z. Theorie d. mod. Romans, 1974; W. Schuder (Hrsg.):
Kürschners Dt. Lit.-Kalender, [59]1984; E. Schütz, H. Vogt, J. Vogt: Einführung in d.
dt. Lit. d. 20. Jhs., Bd. 1-3, 1977-1980; K. v. See (Hrsg.): Neues Handbuch d. Litera-

turwiss. Bd. XVIII: Jahrhundertende – Jahrhundertwende. 1. Teil. Hrsg. v. H. Kreuzer, 1976; J. Serke: Frauen schreiben, 1979; A. Soergel, C. Hohoff: Dichtung u. Dichter der Zeit. Vom Naturalismus bis zur Gegenwart, 1961–1962; R. Taeni: Drama nach Brecht – Möglichkeiten heutiger Dramatik, 1969; J. Tismar: Das dt. Kunstmärchen d. 20. Jhs., 1981; E. Trunz: Dt. Dichtung der Gegenwart, 1937; H. Wagner (Hrsg.): Zeitkrit. Romane d. 20. Jhs., 1975; O. Walzel: Dt. Dichtung der Gegenwart, 1925; –: Dt. Dichtung von Gottsched bis zur Gegenwart, Bd. 2, 1930, S. 289–375; P. Wapnewski: Zumutungen. Essays zur Lit. d. 20. Jhs., 1979; D. Weber (Hrsg.): Dt. Lit. d. Gegenwart in Einzeldarst., 1976ff.; W. Welzig: Der dt. Roman im 20. Jh., 1967; B. v. Wiese: Dt. Dichter d. Gegenwart. Leben u. Werk, 1973; H. Wiesner u. a. (Hrsg.): Handbuch d. dt. Gegenwartslit., Bd. 1–3, ²1969–1970; – (Hrsg.): Lexikon d. deutschspr. Gegenwartslit. Begr. von H. Kunisch, 1981; L. Winckler (Hrsg.): Antifaschistische Lit., Bd. 1–3, 1977–1979; P. Wittkop: Dt. Dichtung d. Gegenwart, 1924.

NATURALISMUS

H. Claus: Studien zur Geschichte d. dt. Frühnaturalismus. Die dt. Dichtung von 1880–1890, 1933; S. Höferl: Das Drama d. Naturalismus, ³1979; H. Kasten: Die Idee der Dichtung u. des Dichters in d. lit. Theorien des sog. »Deutschen Naturalismus«, 1938; U. Köster: Die Überwindung d. Naturalismus. Begriffe, Theorien u. Interpretationen z. dt. Lit. um 1900, 1979; T. Meyer (Hrsg.): Theorie des Naturalismus, Neuauflage 1984; H. Pongs: Vom Naturalismus zur Neuen Sachlichkeit (in: Aufriß d. dt. Literaturgesch., hrsg. v. H. Korff u. W. Linden), ³1932; H. Scheuer: Arno Holz i. lit. Leben d. ausgehend. 19. Jhs. (1883–1896), 1971; W. Stammler: Dt. Lit. vom Naturalismus bis zur Gegenwart, ²1927; J. P. Steffenes: Vom Naturalismus zur Neuen Sachlichkeit, 1932.

EXPRESSIONISMUS

A. Arnold: Die Lit. d. Expressionismus. Sprachl. u. themat. Quellen, 1966; J. Bab: Die Chronik d. dt. Dramas (1900–1926), 1922–1926; H. Bahr: Expressionismus, 1920; O. F. Best (Hrsg.): Theorie d. Expressionismus, 1976; R. Brinkmann: Expressionismus, 1980; M. F. E. van Bruggen: Im Schatten des Nihilismus. Die expressionistische Lyrik im Rahmen u. als Ausdruck der geistigen Situation Deutschlands, 1946; H. Denkler: Drama d. Expressionismus, ²1979; M. Durzak: Das expressionist. Drama, 1979; W. Duwe: Dt. Dichtung des 20. Jhs. Die Geschichte der Ausdruckskunst, 1936; F. Emmel: Das ekstatische Theater, 1924; C. Eykman: Denk- u. Stilformen d. Expressionismus, 1974; M. Freyhan: Das Drama der Gegenwart, 1922; H. Friedmann, O. Mann: Expressionismus: Gestalten einer lit. Bewegung, 1956; P. U. Hohendahl: Das Bild d. bürgerl. Welt im expressionist. Drama, 1967; R. Huelsenbeck: En avant Dada. Die Gesch. d. Dadaismus, ²1978; – (Hrsg.): Dada. Ein literar. Dok., 1984; H. Ihering: Die Zwanziger Jahre, 1948; H.-G. Kemper: Vom Expressionismus z. Dadaismus, 1974; G. P. Knapp: Die Lit. d. dt. Expressionismus, 1979; H.-J. Knobloch: Das Ende d. Expressionismus. Von d. Tragödie z. Komödie, 1975; E. Kolinsky: Engagierter Expressionismus. Eine Analyse expr. Zeitschriften, 1970; W. Krull: Polit. Prosa d. Expressionismus, 1982; F. Martini: Was war Expressionismus? Deutung u. Auswahl seiner Lyrik, 1948; E. Neis: Impressionismus u. Expressionismus i. dt. Lit., 1983; K.

Otten: Ahnung u. Aufbruch, Expressionistische Prosa, 1957; –: Schrei u. Bekenntnis, Expressionistisches Theater, 1959; W. Paulsen: Expressionismus u. Aktivismus. Eine typologische Untersuchung, 1935; K. Pinthus: Menschheitsdämmerung. Ein Dokument des Expr., [9]1969; H. G. Rötzer (Hrsg.): Begriffsbestimmung d. literar. Expressionismus, 1976; W. Rothe (Hrsg.): Expr. als Lit., 1969; –: Der Expressionismus, 1977; F. J. Schneider: Der expressive Mensch u. d. dt. Lyrik der Gegenwart. Geist u. Form moderner Dichtung, 1927; K. L. Schneider: Zerbrochene Formen. Wort u. Bild im Expressionismus, 1967; W. H. Sockel: Der lit. Expressionismus. 20. Jh., 1970; F. Schonauer: Lit. u. Volksfront. Die Expressionismus-Diskussion aus dem Jahre 1938, 1967; A. Soergel: Im Banne des Expressionismus, [6]1930; H. Steffen (Hrsg.): Der dt. Expr., Formen u. Gestalten, 1965; W. Stuyver: Dt. expressionistische Dichtung im Lichte der Philosophie der Gegenwart, 1939; H. Thomke: Hymnische Dichtung i. Expressionismus, 1972; E. Utitz: Die Überwindung des Expressionismus. Charakterologische Studien zur Kultur der Gegenwart, 1927; –: Über die geistigen Grundlagen der jüngsten Kunstbewegung, 1929; S. Vietta, H.-G. Kemper: Expressionismus, 1975.

NATIONALSOZIALISMUS

F. Berger (Hrsg.): In jenen Tagen. Schriftsteller zwischen Reichstagsbrand u. Bücherverbrennung, 1983; G. Berglund: Der Kampf um d. Leser im Dritten Reich, 1980; H. Denkler, K. Prümm (Hrsg.): Die dt. Lit. i. Dritten Reich, 1976; H. Glaser: Das Dritte Reich – Anspruch u. Wirklichkeit, 1961; G. Hartung: Lit. u. Ästhetik d. dt. Faschismus, 1984; E. Loewy (Hrsg.): Lit. unterm Hakenkreuz. Das Dritte Reich u. seine Dichtung, [3]1977; L. Poliakov, J. Wulf: Das Dritte Reich u. seine Denker, 1959; N. Schiffhauer, C. Schelle (Hrsg.): Stichtag d. Barbarei. Anm. z. Bücherverbrennung 1933, 1983; R. Schnell: Literar. innere Emigration, 1933–1945, 1976; F. Schonauer: Dt. Lit. im Dritten Reich, 1961; K. Schwedhelm (Hrsg.): Propheten d. Nationalismus, 1969; J. Serke: Die verbannten Dichter, 1982; D. Strothmann: Nationalsozialistische Lit.-politik, 1960; H. Wagener (Hrsg.): Gegenwartslit. u. Drittes Reich, 1977; J. Wulf: Lit. u. Dichtg. im Dritten Reich. Eine Dokumentation, 1983.

EMIGRATIONSLITERATUR

W. A. Berendsohn: Die humanistische Front. Einführung in d. dt. Emigrantenlit. Teil 1–2, 1976–1978; S. Bock, M. Hahn (Hrsg.): Erfahrung Exil. Antifasch. Romane 1933–1945, [2]1981; I. Drewitz: Die zerstörte Kontinuität. Exillit. u. Lit. d. Widerstandes, 1981; R. Drews, A. Kantorowicz: Verboten u. verbrannt. Dt. Lit. 12 Jahre unterdrückt, 1947; C. Fritsch, L. Winckler (Hrsg.): Faschismuskritik u. Deutschlandbild i. Exilroman, 1981; F. N. Mennemeier, F. Trapp: Dt. Exildramatik 1933–1950, 1980; A. Kantorowicz: Dt. Schicksale. Neue Porträts, 1949; –: Politik u. Lit. im Exil, 1978; D. Pike: Dt. Schriftsteller im sowj. Exil. 1933–1945, 1981; A. Stephan: Die dt. Exillit. 1933–1945, 1979; W. Sternfeld, E. Tiedemann: Dt. Exillit. 1933–1945. Eine Bio-Bibliogr., [2]1970; E. Tiedemann: Dt. Exillit. 1933–1945, 1962; H. A. Walter: Dt. Exillit. 1933–1950, 1972 ff.; F. C. Weiskopf: Unter fremden Himmeln. Ein Abriß d. dt. Lit. im Exil 1933–1947. Mit einem Anhang von Textproben, 1948; M. Winkler (Hrsg.): Dt. Lit. i. Exil 1944–1945, 1977.

GEGENWART: ÜBERBLICKE

H. L. Arnold: Literaturbetrieb in Deutschland, 1971; –: Gespräche mit Schriftstellern, 1975; – (Hrsg.): Kritisches Lexikon z. dt.-sprach. Gegenwartslit., 1978ff.; –, T. Buck (Hrsg.): Positionen d. Erzählens. Analysen u. Theorien zur Lit. d. Bundesrepublik, 1976; K. Batt: Revolte intern. Betrachtungen z. Lit. i. d. Bundesrepubl. Deutschland, 1975 (DDR-Ausg.: Betrachtungen z. Lit. i. d. BRD); P. Demetz: Die süße Anarchie. Dt. Lit. seit 1945, 1970; R. Döhl: Dt. Lit. nach 1945, 1970; M. Durzak (Hrsg.): Dt. Gegenwartslit. Ausgangspositionen u. aktuelle Entwicklungen, 1981; E. Endres: Autorenlexikon d. dt. Gegenwartslit. 1945–1975, 1975; –: Die Lit. d. Adenauerzeit, 1980; J. Glenn: Dt. Schrifttum d. Gegenwart, 1971; M. Gsteiger (Hrsg.): Die zeitgenöss. Lit. d. Schweiz, 1974; N. Honsza: Zur lit. Situation nach 1945 in d. BRD, in Österr. u. in d. Schweiz, 1974 (poln. Ausg. in dt. Sprache); W. Jens: Statt einer Literaturgesch., 1957; –: Dt. Lit. d. Gegenwart, Themen, Stile, Tendenzen, 1961; – (Hrsg.): Lit. u. Kritik, 1980; A. Kantorowicz: Etwas ist ausgeblieben. Zur geistigen Einheit d. dt. Lit. nach 1945, 1985; H. Kesting: Dichter ohne Vaterland, 1982; Kindlers Literaturgesch. d. Gegenwart, Bd. 1–12, 1980; Th. Koebner (Hrsg.): Tendenzen d. dt. Lit. seit 1945, 1971; H. Kunisch (Hrsg.): Handb. d. dt. Gegenwartslit., 1964; P. M. Lützeler, E. Schwarz (Hrsg.): Dt. Lit. i. d. Bundesrepubl. seit 1965, 1980; H. Mayer: Zur dt. Lit. d. Zeit. Zusammenhänge, Schriftsteller, Bücher, 1967; I. Meidinger-Geise: Welterlebnis in dt. Gegenwartsdichtung, 1956; J. Moras, H. Paeschke: Dt. Geist zwischen Gestern und Morgen. Bilanz der kulturellen Entwicklung seit 1945, 1954; D. Papenfuss, J. Söring (Hrsg.): Rezeption der dt. Gegenwartslit. im Ausland, 1976; W. Paulsen (Hrsg.): Der Dichter u. seine Zeit. Politik im Spiegel d. Lit., 1970; M. Reich-Ranicki: Lauter Verrisse, 1970; –: Entgegnung. Zur dt. Lit. d. siebziger Jahre, Neuausgabe 1982; –: Dt. Lit. in West u. Ost, 1983; H. Spiel (Hrsg.): Die zeitgenöss. Lit. Österreichs, 1976; R. H. Thomas, K. Bullivant: Westdt. Lit. d. sechziger Jahre, 1975; D. Weber (Hrsg.): Dt. Lit. der Gegenwart in Einzeldarstellungen, Bd. 1 (= 3. Aufl.) u. 2, 1976–1977; B. v. Wiese (Hrsg.): Dt. Dichter der Gegenwart, 1973; H. Wolfheim: Die dt. Lit. nach dem Kriege, 1955; M. Zeller (Hrsg.): Aufbrüche »Abschiede«, Studien z. dt. Lit. seit 1968, 1979.

EINZELFRAGEN ZUR GEGENWARTSLITERATUR

H. L. Arnold (Hrsg.): Text + Kritik, Zeitschr. f. Lit. (Hefte über einzelne Schriftsteller); –: Als Schriftsteller leben. Gespräche m. Peter Handke u. a., 1979; – (Hrsg.): Die Gruppe 47, 1980; – (Hrsg.): Literaturbetrieb i. d. Bundesrepublik Dtld. Ein krit. Handb., ²1981; – u. a.: Positionen i. dt. Roman d. sechziger Jahre, 1974; P. Bekes u.a.: Dt. Gegenwartslyrik. Von Biermann bis Zahl, 1982; W. Brettschneider: Die moderne dt. Parabel, ²1980; –: Zorn u. Trauer. Aspekte dt. Gegenwartslit., 1979; W. Buddecke, H. Fuhrmann: Das dt.-sprach. Drama seit 1945, 1981; L. Büttner: Von Benn zu Enzensberger. Eine Einf. i. d. zeitgenöss. dt. Lyrik 1945–1970, ³1975; A. Datta: Kleinformen i. d. dt. Erzählprosa seit 1945, 1972; M. Dierks, A. Mensak (Hrsg.): Lit. i. Kreienhoop. Bericht aus einer Schriftstellerwerkstatt, 1984; M. Durzak: Gespräche über den Roman, 1976; –: Der dt. Roman d. Gegenwart. Entwicklungsvoraussetzungen u. Tendenzen, ³1979; –: Die dt. Kurzgeschichte d. Gegenwart, 1980; F. Fühmann: Wandlung, Wahrheit, Würde. Aufsätze u. Gespräche 1964–1981, 1985; L. Goldmann: Soziologie des modernen Romans, 1970; H.-J. Greif: Zum modernen Drama, ²1975; V. Hage: Die Wiederkehr d. Erzählers. Neue dt. Lit. d. 7oer Jahre, 1982; H. Hartung: Dt. Lyrik seit 1965, 1985; H. Heckmann (Hrsg.): Lit. aus d. Leben. Autobiogr. Tendenzen i. d. deutschspr. Gegenwartsdichtung, 1984; G. Hensel: Das Theater d. siebziger Jahre, 1980; F. Hoffmann, J. Berlinger: Die neue dt. Mundartdichtung. Tendenzen u. Autoren am Beispiel d. Lyrik, 1977; W. Jens u. a.: H. W. Richter u. d. Gruppe 47, 1979; M. Jurgensen: Erzählformen des fiktionalen Ich. Beitr. z. dt. Gegenwartsroman, 1980; –: Dt. Frauenautoren d. Gegenwart, 1983; H. M. Kepplinger: Realkultur u. Medienkultur. Lit. Karrieren i. d. Bundesrepubl., 1975; P. G. Klussmann, H. Mohr (Hrsg.): Lit. i. geteilten Dtld., 1980; O. Knörrich: Die dt. Lyrik seit 1945, ²1978; F. Kröll: Die »Gruppe 47«, 1977; D. Krumme: Lesemodelle. Elias Canetti, Günter Grass, Walter Höllerer, 1983; K.-J. Kuschel: Weil wir uns auf dieser Erde nicht ganz zu Hause fühlen. 12 Schriftsteller über Religion u. Lit., ²1985; R. Lettau: Die Gruppe 47. Bericht, Kritik, Polemik. Ein Handbuch, 1967; P. Mertz: Und das wurde nicht ihr Staat. Erfahrungen emigrierter Schriftsteller m. Westdtld., 1985; K. Migner: Theorie des modernen Romans, 1970; T. Moser: Romane als Krankengeschichten. Über Handke, Meckel, Martin Walser, 1985; H. Motekat: Das zeitgenöss. dt. Drama, 1977; H. Müller: Formen moderner dt. Lyrik, 1970; R. Paulus, U. Steuler: Bibliogr. zur dt. Lyrik nach 1945, ²1977; J. Pernkopf: Der 17. Juni 1953 i. d. Lit. d. beiden dt. Staaten, 1982; Polit. Lyrik, Text + Kritk 9/9a/³1984; H. Puknus (Hrsg.): Neue Lit. der Frauen, 1980; W. H. Rey: Poesie der Antipoesie. Moderne dt. Lyrik, 1978; K. Riha: Dt. Großstadtlyrik, 1983; J. Sang: Fiktion u. Aufklärung. Werkskizzen zu Andersch, 1980; A. Schlütter: Lyrik, 25 Jahre. Bibliogr. d. deutschspr. Lyrikpubl. 1945–1970, Bd. 1–2, 1974–1983; K. Schuhmann: Weltbild u. Poetik. Zur Wirklichkeitsdarstellg. i. d. Lyrik d. BRD bis z. Mitte d. siebziger Jahre, 1979; H. Spiel (Hrsg.): Die zeitgenössische Lit. Österreichs, 1976; V. Suchy: Lit. in Österreich von 1945–1970, ²1973; P. Szondi: Theorie des modernen Dramas, 1970; J. Theobaldy, G. Zürcher: Veränderung d. Lyrik. Über westdt. Gedichte seit 1965, 1976; H. Wagener (Hrsg.): Zeitkritische Romane d. 20. Jhs., 1975; – (Hrsg.): Gegenwartslit. u. Drittes Reich. Dt. Autoren i. d. Auseinandersetzg. mit der Vergangenheit, 1977; K. Weissenberger (Hrsg.): Die dt. Lyrik. 1945–1975, 1981; M. Zeller: Gedichte haben Zeit. Aufriß e. zeitgenöss. Poetik, 1982; G. Zürcher: »Trümmerlyrik«. Polit. Lyrik 1945–1950, 1977.

LITERATUR DER DDR

H. P. Anderle: Mitteldt. Erzähler, Buchgemeinschafts-Ausg., o. J.; M. Behn: DDR-Lit. i. d. Bundesrepublik Dtld. Die Rezeption d. ep. DDR-Lit. i. d. BRD 1961–1975, 1977; H. Blumensath, Ch. Uebach: Einführg. i. d. Literaturgesch. der DDR, 1975; W. Brettschneider: Zwischen lit. Autonomie u. Staatsdienst. Die Lit. i. d. DDR, ²1974; M. Diersch, W. Hartinger (Hrsg.): Lit. u. Geschichtsbewußtsein. Entwicklungstendenz d. DDR-Lit. i. d. 6oer u. 7oer Jahren, 1976; M. Eifler: Dialektische Dynamik. Kulturpolitik u. Ästhetik im Gegenwartsroman der DDR, 1976; B. Einhorn: Der Roman i. d. DDR 1949–1969, 1978; W. Emmerich: Kleine Literaturgesch. d. DDR, ²1984; Th. Feitknecht: Die sozialist. Heimat. Zum Selbstverständnis neuerer DDR-Romane, 1971; H. Fischbeck (Hrsg.): Literaturpol. u. Literaturkritik i. d. DDR, ²1979; K. Franke: Die Lit. d. Dt. Demokrat. Republ., 1971; H. J. Geerdts (Hrsg.): Lit. i. d. DDR in Einzeldarstellg., 1972; I. Gerlach: Bitterfeld. Arbeiterlit. u. Lit. d. Arbeitswelt i. d. DDR, 1974; –: Der schwierige Fortschritt. Gegenwartsdeutg. u. Zukunftserwartg. im DDR-Roman, 1979; H. Haase u. a. (Hrsg.): Gesch. d. dt. Lit.: Lit. d. Dt. Demokrat. Republik, 1976; H. Herting, W. Jehser (Hrsg.): Parteilichkeit u. Volksverbundenheit. Zu theoret. Grundfragen unserer Lit.-entwicklg., 1972; P. U. Hohendahl, P. Herminghouse (Hrsg.): Lit. d. DDR i. d. siebziger Jahren, 1983; (Hrsg.): Lit. u. Lit.-theorie i. d. DDR, 1976; J. Hoogeveen, G. Labroisse (Hrsg.): DDR-Roman u. Literaturgesellsch., 1981; M. Jäger: Sozialliteraten. Funktion u. Selbstverständnis der Schriftsteller i. d. DDR, 1973; K. Jarmatz, Ch. Berger (Hrsg.): Weggenossen. 15 Schriftsteller der DDR, 1975; –: Der Fortschritt i. d. Kunst d. sozialist. Realismus, 1974; R.-D. Kluge (Hrsg.): Gegenwartslit. in Osteuropa u. der DDR, 1982; H. Kuhrig, W. Speigner (Hrsg.): Zur gesellschaftl. Stellung der Frau i. d. DDR, 1978; G. Laschen: Lyrik i. d. DDR, 1971; A. Löffler (Hrsg.): Auskünfte. Werkstattgespräche mit DDR-Autoren, 1974; J. Maczewski: Der adaptierte Held. Untersuchungen zur Dramatik i. d. DDR, 1978; B. Meyer: Satire u. polit. Bedeutung. Die literar. Satire i. d. DDR, 1985; G. Pareigis: Krit. Analyse d. Realitätsdarst. i. ausgew. Werken d. »Bitterfelder Weges«, 1974; F. J. Raddatz: Traditionen u. Tendenzen. Materialien zur Lit. d. DDR, 1972; M. Reich-Ranicki: Zur Lit. der DDR, 1974; H. Richter (Hrsg.): Schriftsteller u. lit. Erbe. Zum Traditionsverhältnis sozialist. Autoren, 1976; J. R. Scheid (Hrsg.): Zum Drama i. d. DDR: H. Müller u. P. Hacks, 1981; W. Schivelbusch: Sozialist. Drama nach Brecht, 1974; M. Silbermann (Hrsg.): Zum Roman i. d. DDR, 1980; S. Töpelmann: Autoren, Figuren, Entwicklungen. Zur erzählenden Lit. i. d. DDR, 1975; F. Trommler: Sozialist. Lit. in Dtld., 1976; P. Zimmermann: Industrielit. d. DDR. Vom Helden d. Arbeit zum Planer u. Leiter, 1984.

MONOGRAPHIEN

Ilse Aichinger: D. C. G. Lorenz: I. A., 1981; *Peter Altenberg:* H. C. Kosler (Hrsg.): P. A. Leben u. Werk i. Texten u. Bildern, 1981; *Alfred Andersch:* E. Schütz: A. A., 1980; V. Wehdeking (Hrsg.): Zu A. A., 1983; *Stefan Andres:* St. A. Ein Reader z. Person u. Werk, 1980; *Hans Arp:* R. Döhl: Das lit. Werk H. A. 1903–1930, 1967; *Ingeborg Bachmann:* H. L. Arnold (Hrsg.): I. B., 1984; I. B.: Wir müssen wahre Sätze finden. Gespräche u. Interviews, 1983; M. Jurgensen: I. B., 1981; *Ernst Barlach:* W. Flemming: E. B., Wesen u. Werk, 1958; K. Graucob: E. B's Dramen, 1969; *Johannes R. Becher:* M. Rohrwasser: Der Weg nach oben – J. R. B., 1980; *Gottfried Benn:* B. Allemann: G. B., 1962; H.-P. Brode: B.-Chronik, 1978; G. B., Text + Kritik 44/²1985; R. Grimm, W.-D. Marsch (Hrsg.): Die Kunst im Schatten des Gottes. Für u. wider G. B., 1962; R. Grimm: G. B., die farbliche Chiffre in der Dichtung, ²1962; G. Klemm: G. B., 1958; E. Nef: Das Werk G. B's, 1958; O. Sahlberg: G. B's Phantasiewelt »Wo Lust u. Leiche winkt«, 1977; J. Schröder: G. B., 1978; P. Schünemann: G. B., 1977; N. P. Soerensen: Mein Vater G. B., ²1984; H. Steinhagen: Die statischen Gedichte von G. B., 1969; D. Wellershoff: G. B. Phänotyp dieser Stunde, 1958; *Werner Bergengruen:* H. Bänziger: W. B., 1983; P. Meier: Die Romane W. B's, 1967; E. Sobota: Das Menschenbild bei B. Einführg. i. d. Werk d. Dicht. 1962; *Thomas Bernhard:* J. Dittmar (Hrsg.): T. B. Werkgesch., 1981; N. J. Meyerhofer: T. B., 1985; *Wolf Biermann:* A. M. Reinhard: Erläuterungen z. W. B., Loblieder u. Haßgesänge, 1977; *Johannes Bobrowski:* B. Gajek, E. Haufe: J. B. Chronik, Einf., Bibliogr., 1977; G. Wolf: J. B., 1982; *Heinrich Böll:* A. M. dell'Agli (Hrsg.): Zu H. B., 1984; H. J. Bernhard: Die Romane H. B's, 1970; H. Beth (Hrsg.): H. B. Eine Einführg. in d. Gesamtwerk in Einzelinterpretationen, ³1980; K.-H. Götze: H. B.: »Ansichten eines Clowns«, 1985;

L. Hoffmann: H. B. Einführg. in Leben u. Werk, ²1973; K. Jeziorkowski: Rhythmus u.
Figur, 1968; M. Jurgensen (Hrsg.): B. Untersuchungen z. Werk, 1975; W. Lengning
(Hrsg.): Der Schriftsteller H. B., Ein biogr.-bibliogr. Abriß, ⁵1977; C. Linder: B.,
1978; W. Martin: H. B. Eine Bibliogr. seiner Werke, 1975; R. Matthaei (Hrsg.): Die
subversive Madonna. Ein Schlüssel z. Werk H. B's, 1975; H. Moling: H. B. – eine
»christliche« Position?, 1974; R. Nägele: H. B. Einführg. in d. Werk u. in d. For-
schung, 1976; G. Rademacher (Hrsg.): H. B. als Lyriker, 1985; M. Reich-Ranicki
(Hrsg.): In Sachen B. Ansichten und Einsichten, ⁶1977; W. J. Schwarz: Der Erzähler
H. B., ³1973; J. Vogt: H. B., 1978; *Wolfgang Borchert:* G. J. A. Burgess: W. B., 1985;
Interpretationen zu W. B. Verf. v. einem Arbeitskreis, ⁹1980; St. H. Kaszynski: Typo-
logie u. Deutg. d. Kurzgesch. von W. B., 1970; J. Rosellini: V. B., 1983; *Bert Brecht:*
O. F. Best: B. B., Weisheit u. Überleben, 1982; S. Bock: B. B.: Ausw. u. Ergänzungs-
bibliogr., 1979; C. Bohnert: B's Lyrik i. Kontext, 1982; K. Boie-Grotz: B., der unbe-
kannte Erzähler, 1978; B.-Jahrbuch. 1974–1980, 1974–1980; R. Grimm: B. B., die
Struktur seines Werkes, 1959; –: B. B., 1961; –: B. B. und die Weltliteratur, 1961; R.
Hayman: B. B., 1985; W. Hecht: B's Weg zum epischen Theater, ²1977; C. Hill: B. B.,
1978; W. Hinck: Die Dramaturgie des späten B., ²1960; W. Hinderer (Hrsg.): B's
Dramen, 1984; H. Jendreiek: B. B. Drama d. Veränderung, 1969; W. Jeske (Hrsg.):
B's Romane, 1984; H. Jesse: Spaziergang mit B. B. durch Augsburg, 1985; V. Klotz:
B. B. Versuch über das Werk, 1957; J. Knopf: B.-Handbuch. Lyrik, Prosa, Schriften,
1984; –: B.-Handbuch. Theater, 1980; K.-H. Ludwig: B. B. Philos. Grundlagen u.
Implikationen seiner Dramaturgie, 1975; –: B. B. Tätigkeit u. Rezeption, 1976; J. K.
Lyon: B. B. in Amerika, 1984; O. Mann: B. B. – Maß oder Mythos? Ein kritischer
Beitrag über die Schaustücke B. B's, 1958; Hans Mayer: B. B. u. die Tradition, 1961;
F. N. Mennemeier: B. B's Lyrik, 1982; K.-D. Müller: Die Funktion d. Gesch. im Werk
B. B's. Studien z. Verh. v. Marxismus u. Ästhetik, 1967; –: B.-Kommentar zur erzäh-
lenden Prosa, 1980; H. Pabst: B. u. d. Religion, 1977; Kl.-D. Petersen: B. B.-Biblio-
graphie, 1967; K. Rülicke-Weiler: Die Dramaturgie B's, 1968; K. Schuhmann: Der
Lyriker B. B. 1913–1933, 1964; E. Schumacher: Die dramatischen Versuche B. B's
1918–1933, 1955; E. Schumacher, R. Schumacher: Leben B's in Wort u. Bild, ²1979;
P. P. Schwarz: Lyrik u. Zeitgesch., 1978; G. Seidel: Bibliogr. B. B., Bd. 1ff., 1975ff.;
I. Vinçon: Die Einakter B. B's, 1980; K. Völker: B. B., 1976; –: B.-Chronik. Daten zu
Leben u. Werk, 1984; –: B.-Komm. zum dramat. Werk, 1983; J. Willet: Das Theater
B. B's, 1963; *Rolf Brinkmann:* G. W. Lampe: Ohne Subjektivität. Interpretationen
zur Lyrik R. B's vor d. Hintergrund d. Studentenbewegung, 1983; *Georg Britting:* In-
terpretationen zu G. B., 1974; *Hermann Broch:* T. Collmann: Zeit u. Gesch. in H. B's
Roman »Der Tod des Vergil«, 1967; M. Durzak: H. B. Der Dichter u. seine Zeit, 1968;
–: H. B., Dichtung u. Erkenntnis, 1978; E. Kahler: Die Philosophie von H. B., 1962;
P. M. Lützeler: H. B. Eine Biogr., 1985; D. Meinert: Die Darstellung der Dimensio-
nen menschl. Existenz in B's »Tod des Vergil«, 1962; H. Steinecke: H. B. u. d. polyhi-
stor. Roman. Studien z. Theorie u. Technik eines Romantyps d. Moderne, 1968; J.
Strelka: Kafka, Musil, B. u. die Entwicklung des modernen Romans, ²1959; – (Hrsg.):
B. heute, 1978; *Max Brod:* B. W. Wessling: M. B., 1984; *Elias Canetti:* F. Aspetsber-
ger, G. Stieg (Hrsg.): E. C. Blendung als Lebensform, 1985; A.-M. Bischoff: E. C.
Stationen zum Werk, 1973; M. Curtius: Kritik der Verdinglichung in C's Roman »Die
Blendung«, 1973; D. Dissinger: Vereinzelung u. Massenwahn. E. C's Roman »Die
Blendung«, 1971; M. Durzak (Hrsg.): Zu E. C., 1983; H. G. Göpfert (Hrsg.): C. lesen.
Erfahrungen mit seinen Büchern, 1975; E. Piel: E. C., 1984; D. Roberts: Kopf u. Welt.
E. C's Roman »Die Blendung«, 1975; *Hans Carossa:* V. Michels (Hrsg.): Über H. C.,

1979; A. Langen: H. C. Weltbild u. Stil, 1955; H. Falkenstein: H. C., 1983; *Paul Celan:* I. Chalfen: P. C., 1983; M. Janz: Vom Engagement absoluter Poesie, 1984; D. Kim: P. C. als Dichter d. Bewahrung, 1969; P. C., Text + Kritik 53/54/²1984; *Theodor Däubler:* E. Buschbeck: Die Sendung Th. D's, 1920; C. Schmitt: D's Nordlicht, 1916; H. Wegener: Gehalt u. Form v. T. D's dichterischer Bilderwelt, 1962; *Max Dauthendey:* K. Seyfarth: M. D., 1960; H. G. Wendt: M. D., 1936; *Richard Dehmel:* H. Fritz: Literar. Jugendstil u. Expressionismus. Z. Kunsttheorie, Dichtung u. Wirkung R. D's, 1969; P. vom Hagen: R. D. Die dichterische Komposition seines lyrischen Gesamtwerks, 1932; *Heimito von Doderer:* W. Schmidt-Dengler (Hrsg.): H. v. D. 1896–1966, 1978; A. Reininger: Die Erlösung d. Bürgers. Studie z. Werk H. v. D., 1975; D. Weber: H. v. D. – Studien z. seinem Romanwerk, 1963; *Alfred Döblin:* O. Keller: D's Montageroman als Epos d. Moderne, 1980; R. Links: A. D., 1981; P. E. H. Lüth (Hrsg.): A. D. zum 70. Geburtstag, 1948 (Sammelband); R. Minder: A. D. zum 70. Geburtstag, 1948; E. Ribbat: Die Wahrheit des Lebens im frühen Werk A. D's, 1970; I. Schuster (Hrsg.): Zu A. D., 1980; *Tankred Dorst:* H. Laube (Hrsg.): Werkbuch über T. D., 1975; R. Taeni: T. D., Toller, 1977; *Ingeborg Drewitz:* T. Hänssermann (Hrsg.): I. D., 1983; *Friedrich Dürrenmatt:* H. Badertscher: Dramaturgie als Funktion d. Ontologie, 1979; E. Brock-Sulzer: F. D. Stationen seines Werkes, 1960; F. D., Text + Kritik 50/51/1977, 56/1980; G. P. Knapp: F. D., 1980; – (Hrsg.): F. D. Studien z. seinem Werk, 1976; –: F. D., 1980; J. Knopf: F. D., ³1980; U. Profitlich: F. D. Komödienbegriff, Komödienstruktur, 1973; *Kasimir Edschmid:* U. G. Brammer (Hrsg.): K. E. Bibliogr., 1970; *Günter Eich:* R. Lieberherr-Kübler: Von d. Wortmystik zur Sprachtechnik, 1977; S. Müller-Hanpft (Hrsg.): Über G. E., 1970; P. H. Neumann: Die Rettung d. Poesie im Unsinn, 1981; K. D. Post: G. E. Zwischen Angst u. Einverständnis, 1977; *Hans Magnus Enzensberger:* H. Falkenstein: H. M. E., 1977; H. M. E., Text + Kritik 49/²1985; R. Grimm (Hrsg.): H. M. E., 1984; J. Schickel (Hrsg.): Über H. M. E., 1970; *Paul Ernst:* N. Fuerst: P. E., 1985; *Hans Fallada:* T. Crepon: Leben u. Tode d. H. F. Eine Biogr., 1984; W. Liersch: H. F., 1981; *Leonhard Frank:* Ch. Frank, H. Jobst: L. F. – Sein Leben u. Werk, 1962; *Lion Feuchtwanger:* W. Huder, F. Knilli (Hrsg.): L. F. »... für die Vernunft, gegen Dummheit und Gewalt«, 1985; W. Köpke: L. F., 1983; V. Skierka, S. Jaeger: L. F. Eine Biogr., 1984; W. v. Sternburg: L. F. Ein dt. Schriftstellerleben, 1984; R. Wolf (Hrsg.): L. F. Werk und Wirkung, 1984; *Marieluise Fleißer:* G. Lutz: Die Stellung M. F's i. d. bayer. Lit. d. 20. Jhs., 1979; F. Kraft (Hrsg.): M. F., 1981; S. Tax: M. F., 1984; *Max Frisch:* H. Bänzinger: F. und Dürrenmatt, ⁷1976; T. Hauhart: M. F. Zufall, Rolle u. literar. Form, 1976; M. Jurgensen: M. F., Die Dramen, ²1976; –: M. F., die Romane, ²1976; R. Kieser: M. F. Das literar. Tagebuch, 1975; G. P. Knapp (Hrsg.): Studien zum Werk M. F's, Bd. 1–2, 1978–1979; M. F., Text + Kritik 47/48/³1983; C. Petersen: M. F., ⁶1978; J. H. Petersen: M. F., 1978; W. Schmitz: M. F.: Das Spätwerk (1962–1982), 1985; M. E. Schuchmann: Der Autor als Zeitgenosse, 1979; A. Stephan: M. F., 1983; H. Mayer: Dürrenmatt und F., Anmerkungen, 1963; *Franz Fühmann:* E. Arendt, H. J. Bernhard u. a.: F. F. z. 50. Geburtstag, 1972; *Gerd Gaiser:* A.-R. Schaufelberger: Das Zwischenland d. Existenz b. G. G., 1974; *Stefan George:* H. Arbogast: Die Erneuerung d. dt. Dichtersprache in den Frühwerken St. G's, 1967; L. Asbeck-Strausberg: St. G., 1951; R. Boehringer: Mein Bild von St. G., 1951; Cl. David: St. G. Sein dichterisches Werk, 1967; M. Durzak: Der junge St. G., 1968; –: Zw. Symbolismus u. Expressionismus, St. G., 1974; M. Gerhard: St. G. Dichtung u. Kündigung, 1962; E. Heftrich: St. G., 1968; K. Hildebrandt: Das Werk St. G's, 1960; K. Landfried: St. G., Polit. d. Unpolitischen, 1975; C. Petersen: St. G., 1980; E. Salin: Um St. G., neue Ausgabe 1954; F. Schonauer: St. G., 1960;

F. Wolters: St. G. u. die Blätter für die Kunst, 1930; R.-R. Wuthenow (Hrsg.): St. G. i. seiner Zeit, 1980; –: St. G. u. d. Nachwelt, 1981; *Günter Grass:* H. Brode: G. G., 1980; G. Cepl-Kaufmann: G. G. Eine Analyse d. Gesamtwerkes unt. d. Aspekt von Lit. u. Politik, 1975; M. Durzak (Hrsg.): Zu G. G., 1985; R. Geißler: G. G. Ein Materialienbuch, 1976; M. Jurgensen (Hrsg.): G. Kritik, Thesen, Analysen, 1973; –: Über G. G., 1974; G. Loschütz: Von Buch zu Buch. G. G. i. d. Kritik, 1968; H.-R. Müller-Schwefe: Sprachgrenzen. Das sog. Obszöne, Blasphemische u. Revolutionäre bei G. G. u. H. Böll, 1978; V. Neuhaus: G. G., 1979; J. Rothenberg: G. G. Das Chaos in verbesserter Ausführung, 1976; W. J. Schwarz: Der Erzähler G. G., ²1971; K. L. Tank: G. G., ⁵1974; G. G., Text + Kritik 1/1978; *Oskar Maria Graf:* H. F. Pfanner: O. M. G. Eine krit. Bibliogr., 1976; R. Recknagel: Ein Bayer i. Amerika, 1978; *Peter Hacks:* W. Schleyer: Die Stücke v. P. H., 1976; C. Trilse: P. H. Leben u. Werk, 1980; *Peter Handke:* M. Durzak: P. H. u. d. dt. Gegenwartslit., 1982; R. Fellinger (Hrsg.): P. H., 1985; M. Jurgensen (Hrsg.): H., 1979; M. Mixner: P. H., 1977; R. Nägele, R. Voris: P. H., 1978; R. G. Renner: P. H., 1985; G. Sergooris: P. H. u. d. Sprache, 1979; *Gerhart Hauptmann:* N. E. Alexander: Studien z. Stilwandel im dram. Werk G. H's, 1964; C. F. W. Behl, F. A. Voigt: Chronik von G. H's Leben u. Schaffen. Bis zum Tode G. H's fortgeführt. Vollst. Neufassung der Chronik von 1942, 1957; H. v. Brescius: G. H., 1976; R. C. Cowen: H.-Kommentar z. dram. Werk, 1980; –: H.-Komm. zum nichtdramat. Werk, 1981; R. Fiedler: Die späten Dramen G. H's, 1954; J. Gregor: G. H. Das Werk u. unsere Zeit, 1951; K. S. Guthke: G. H. Weltbild im Werk, ²1980; F. W. J. Heuser: G. H. Zu seinem Leben u. Schaffen, 1961; E. Hilscher: G. H., 1970; A. Lubos: G. H., 1978; R. Michaelis: Der schwarze Zeus. G. H's zweiter Weg, 1962; W. A. Reichart: G.-B.-Bibliogr., 1969; H. Schreiber: G. H. u. das Irrationale, 1946; H. J. Schrimpf (Hrsg.): G. H., 1976; P. Sprengel: G. H. Epoche, Werk, Wirkung, 1984; F. A. Voigt: G. H. u. d. Antike, 1965; *Manfred Hausmann:* K. Schauder: M. H. Weg u. Werk, ²1979; *Helmut Heissenbüttel:* H. H., Text + Kritik 69/70/1981; R. Rumold: Sprachl. Experiment u. literar. Tradition, 1975; *Stephan Hermlin:* W. Ertl: St. H. u. die Tradition, 1977; *Hermann Hesse:* H. Ball: H. H. Sein Leben u. sein Werk, ⁷1957; G. W. Field: H. H. Komm. zu sämtl. Werken, 1977; R. Freedman: H. H. als Autor d. Krisis. Eine Biogr., 1982; E. Gnefkow: H. H., Biogr., 1952; –: H. H. Rückblick, 1952; H. H., Text + Kritik 10/11/1977; A. Khera: H. H's Romane d. Krisenzeit i. d. Sicht seiner Kritiker, 1978; R. B. Matzig: H. H. Studien zu Werk u. Innenwelt des Dichters, 1949; V. Michels (Hrsg.): H. H. Sein Leben in Bildern u. Texten, 1979; J. Mileck: H. H. Dichter, Sucher, Bekenner. Biogr., 1979; M. Pfeifer: H.-Komm. zu sämtl. Werken, 1980; M. Schmid: H. H., Weg u. Wandlung, 1957; S. Unseld: H. H. Werk u. Wirkungsgesch., erw. Fassung 1985; T. Ziolkowski: Der Schriftsteller H. H. Wertung u. Neubewertung, 1979; *Georg Heym:* H. Korte: G. H., 1982; F. Loewenson: G. H. oder Vom Geist des Schicksals, 1962; *Stefan Heym:* R. Zachau: St. H., 1982; *Wolfgang Hildesheimer:* B. Dücker: W. H. u. d. dt. Lit. d. Absurden, 1976; H. Puknus: W. H., 1978; *Rolf Hochhuth:* W. Hinck (Hrsg.): R. H. Eingriff i. d. Zeitgesch., 1981; R. Hoffmeister (Hrsg.): R. H. Dok. zur polit. Wirkung, 1980; S. Melchinger: R. H., 1967; R. H., Text + Kritik 58/1978; *Hugo von Hofmannsthal:* R. Alewyn: Über H. v. H., ⁴1967; E. Kobel: H. v. H., 1970; W. Mauser: H. v. H. Konfliktbewältigung u. Werkstruktur, 1977; W. Metzeler: Ursprung u. Krise von H's Mystik, 1956; K. J. Naef: H. v. H's Wesen u. Werk, 1938; R. Tarot: H. v. H., 1970; H. Weber: H. v. H. Werke, Briefe, Gespräche, 1972; –: H. v. H. Bibliogr. d. Schrifttums 1892–1963, 1966; *Arno Holz:* G. Schulz: A. H. Dilemma e. bürgerl. Dichterlebens, 1974; *Ödön von Horváth:* S. Kienzle: Ö. v. H., 1977; T. Krischke: Ö. v. H., Kind seiner Zeit, 1980; H. Kurzenberger: H's

Volksstücke, 1974; *Ricarda Huch:* M. Baum: Leuchtende Spur. Das Leben R. H's, [17]1954; H. Baumgarten: R. H., [2]1968; E. Hoppe: R. H., [2]1950; O. Walzel: R. H., Ein Wort über Kunst des Erzählens, 1916; *Hans Henny Jahnn:*H. H. J., Text + Kritik 2/3/ [3]1980; P. Kobbe: Mythos u. Modernität. Zum Werk H. H. J's, 1973; H. Mayer: Versuch über H. H. Jahnn, 1984; *Ernst Jandl:* W. Schmidt-Dengler (Hrsg.): E.-J.-Materialienbuch, 1982; *Walter Jens:* U. Barls: W. J. als polit. Schriftsteller u. Rhetor, 1984; M. Lauffs: W., J., 1980; *Uwe Johnson:* R. Baumgart (Hrsg.): Über U. J., 1970; I. Gerlach: Auf der Suche nach d. verlorenen Identität, 1980; R. Gerlach, M. Richter (Hrsg.): U. J., 1984; B. Neumann: Utopie u. Mimesis, 1978; N. Riedel: U. J. Bibliogr. Bd. 1–2, 1976–1978; W. Schmitz: U. J., 1984; U. J., Text + Kritik, 65/66/1980; W. J. Schwarz: Der Erzähler U. J., 1970; *Ernst Jünger:* E. Brock: Das Weltbild E. J's. Deutung u. Darstellung, 1962; H. P. DesCoudres, H. Mühleisen: Bibliogr. d. Werke E. J's, 1985; W. Kaempfer: E. J., 1981; G. Kranz: E. J's symbol. Weltschau, 1968; G. Loose: E. J. Gestalt u. Werk, 1957; A. v. Martin: Der heroische Nihilismus u. seine Überwindung. E. J's Weg durch die Krise, 1948; G. Nebel: E. J. Abenteuer des Geistes, 1949; *Erich Kästner:* H. Bemmann: Humor auf Taille. E. K., Leben u. Werk, 1983; R. Benson: E. K. Studien zu seinem Werk, 1973; H. Kiesel: E. K., 1981; W. Schneyder: E. K. Ein brauchbarer Autor, 1982; R. Wolff (Hrsg.): E. K. Werk u. Wirkung, 1983; *Franz Kafka:* M. Almasi u. a.: F. K. Nachwirkungen eines Dichters, 1984; J. Amann: F. K. Eine Studie über d. Künstler, 1983; C. Bezzel: Natur bei K. Studien u. Ästhetik d. poet. Zeichens, 1964; H. Binder (Hrsg.): K.-Handbuch in 2 Bde., 1979; –: K. Der Schaffensprozeß, 1983; –: K.-Komm. z. d. Romanen, Rezensionen, Aphorismen u. zum Brief a. d. Vater, 1976; –: K.-Komm. z. sämtl. Erzählungen, 1975; J. Born (Hrsg.): F. K. Kritik u. Rezeption z. seinen Lebzeiten, 1912–1924, 1979; M. Brod: F. K's Glauben u. Lehre, 1948; –: F. K. Eine Biographie, [2]1962; E. Canetti: Der andere Prozeß. K's Briefe a. Felice, 1984; M. L. Caputo-Mayr (Hrsg.): F. K. Eine Aufsatzsamml., 1978; L. Dietz: F. K. Die Veröffentl. z. seinen Lebzeiten (1908–1924), 1982; W. Emrich: F. K., [8]1975; –: Der mündige Mensch jenseits v. Nihilismus u. Tradition, 1964; K.-H. Fingerhut: Die Funktion d. Tierfiguren im Werke F. K's, 1969; B. Flach: K's Erzählungen. Strukturanalyse u. Interpretation, 1967; R. Hackermüller: Das Leben d. mich stört, 1984; R. Hayman: K. Sein Leben, seine Welt, sein Werk, 1981; G. Kurz: Traum-Schrecken. K's literar. Existenzanalyse, 1980; – (Hrsg.): Der junge K., 1984; R. Meurer: F. K., Erzählungen, 1985; B. Nagel: F. K. Aspekte z. Interpretation u. Wertung, 1974; – : K. u. d. Weltlit., 1983; H. Politzer: F. K., der Künstler, 1965; – (Hrsg.): F. K., 1973; M. Robert: Einsam wie F. K., 1985; U. Ruf: F. K. Das Dilemma d. Söhne, 1975; G. Stolte: F. K. Eine Geometrie d. Wahrheit, 1979; J. Strelka: K., Musil, Broch u. die Entwicklung des modernen Romans, [2]1959; H. Tauber: F. K., eine Deutung seiner Werke, 1941; J. Unseld: F. K., ein Schriftstellerleben, 1982; K. Wagenbach: F. K. Eine Biographie seiner Jugend, 1883–1912, 1958; H. Walther: F. K. Die Forderung d. Transzendenz, 1977; H. D. Zimmermann: D. babylonische Dolmetscher. Zu F. K. u. Robert Walser, 1985; *Georg Kaiser:* A. Arnold (Hrsg.): G. K., 1980; R. Bussmann: Einzelner u. Masse. Zum dram. Werk G. K's, 1978; B. Diebold: Der Denkspieler G. K., 1924; E. A. Fivian: G. K. u. seine Stellung im Expressionismus, 1947; M. Freyhan: G. K's Werk, 1926; W. Paulsen: G. K. Die Perspektiven seines Werkes, 1960; W. Steffens: G. K., 1969; *Hermann Kant:* L. Krenzlin: H. K. Leben u. Werk, 1979; *Marie Luise Kaschnitz:* E. Pulver: M. L. K., 1984; U. Schweigert (Hrsg.): M. L. K., 1984; A. Strack-Richter: Öffentl. u. privates Engagement. D. Lyrik v. M. L. K., 1979; *Hermann Kesten:* A. Winkler: H. K. im Exil (1933–1940), 1977; *Jochen Klepper:* D. Block (Hrsg.): J. K. Auserwählt i. Ofen d. Elends. D. Christ u.

Dichter J. K. Ein Lebensbild, 1982; H. Grosch: Nach J. K. fragen, 1982; R. Thalmann: J. K. Ein Leben zwischen Idyllen u. Katastrophen, 1977; *Wolfgang Koeppen:* D. Erlach: W. K. als zeitkritischer Erzähler, 1973; U. Greiner (Hrsg.): Über W. K., 1976; M. Koch: W. K. Lit. zwischen Nonkonformismus u. Resignation, 1973; *Karl Kraus:* W. Kraft: Das Ja d. Neinsagers. K. K. u. seine geistige Welt, 1974; A. Pfabigan: K. K. u. d. Sozialismus. Eine polit. Biogr., 1976; M. Schneider: Die Angst u. d. Paradies d. Nörglers. Versuch über K. K., 1977; *Franz Xaver Kroetz:* R.-P. Carl: F. X. K., 1978; F. X. K., Text + Kritik 57/1978; O. Riewoldt (Hrsg.): F. X. K., 1985; *Karl Krolow:* H. S. Daemmrich: Messer u. Himmelsleiter. Einf. i. d. Werke K. K's, 1980; K. K., Text + Kritik 77/1983; R. Paulus, G. Kolter: Der Lyriker K. K., 1983; *Günter Kunert:* D. Johnsson: Widersprüche, Hoffnungen, 1978; M. Krüger (Hrsg.): K. lesen, 1979; *Elisabeth Langgässer:* E. Augsberger: E. L. Assoziative Reihung, Leitmotiv u. Symbol in ihren Prosawerken, 1962; J. P. J. Maassen: Die Schrecken d. Tiefe. Unters. zu E. L's Erzählungen, 1973; A. W. Riley: E.-L.-Biogr., 1970; *Else Lasker-Schüler:* S. Bauschinger: E. L.-Sch. Ihr Werk u. ihre Zeit, 1980; J. Kuckart: Im Spiegel d. Bäche finde ich mein Bild nicht mehr. Gratwanderung e. anderen Ästhetik d. Dichterin E. L.-Sch., 1985; *Gertrud von Le Fort:* E. Biser: Überredung zur Liebe, 1980; *Wilhelm Lehmann:* J. Jung: Mythos u. Utopie. Darst. zur Poetologie u. Dichtung W. L's, 1975; H. D. Schäfer: W. L., 1969; *Hermann Lenz:* I. Kreuzer, H. Kreuzer (Hrsg.): Über H. L., 1981; *Siegfried Lenz:* W. Bassmann: S. L., [3]1978; H. Pätzold: Theorie u. Praxis moderner Schreibweisen am Beisp. von S. L. u. H. Heißenbüttel, 1976; T. Reber: S. L., 1973; C. Russ (Hrsg.): Der Schriftsteller S. L. Urteile u. Standpunkte, 1973; W. J. Schwarz: Der Erzähler S. L., 1974; S. L., Text + Kritik 52/[2]1982; H. Wagener: S. L., [4]1985; R. Wolff (Hrsg.): S. L. Werk u. Wirkung, 1985; *Rudolf Leonhard:* B. Jentzsch: R. L., Gedichteträumer, 1984; *Detlev von Liliencron:* H. Benzmann: D. v. L., ein dt. Lyriker, 1904; H. Maync: D. v. L. Eine Charakteristik, 1920; P. Remer: D. v. L., 1904; H. Stolte: D. v. L. Leben u. Werk, 1980; *Oskar Loerke:* W. Gebhard: O. L's Poetologie, 1968; W. P. Schnetz: O. L., 1967; G. Walter: O. L's Poetologie, 1968; *Heinrich Mann:* W. Berle: H. M. u. d. Weimarer Republ., 1983; J. Haupt: H. M., 1980; H. Ihering: H. M., 1951; G. Loose: Der junge H. M., 1979; F. Trapp: Kunst als Gesellschaftsanalyse u. Gesellschaftskritik bei H. M., 1975; U. Weisstein: H. M. Eine hist.-krit. Einführung in sein dichterisches Werk, 1962; R. Werner (Hrsg.): H. M. Texte zu seiner Wirkungsgesch. in Dtld., 1977; R. Wolff (Hrsg.): H. M. Das Werk i. Exil, 1985; – (Hrsg.): H. M. Werk und Wirkung, 1984; *Klaus Mann:* W.-J. Adler: K. M. (1906–1949), 1981; M. Grunewald: K. M. 1906–1949. Eine Biogr., 1984; F. Kroll (Hrsg.): K. M.-Schriftenreihe, Bd. 1 ff., 1976ff.; B. Weil: K. M. Leben u. literar. Werk i. Exil, 1983; R. Wolff (Hrsg.): K. M. Werk und Wirkung, 1984; *Thomas Mann:* P. Altenberg: Die Romane T. M. Versuch einer Deutung, 1961; H. Anton: Die Romankunst T. M's, [2]1979; H. L. Arnold (Hrsg.): T. M., 1976; A. Banuls: T. M. u. sein Bruder Heinrich, eine repräsentative Gegensätzlichkeit, 1968; W. A. Berendsohn: T. M. u. die Seinen, 1974; G. Bergsten: T. M's Dr. Faustus, 1974; H. Brand, H. Kaufmann (Hrsg.): Werk und Wirkung T. M.'s in unserer Epoche, 1978, A. Eloesser: T. M., sein Leben u. Werk, 1925; J. Fest: Die unwissenden Magier. Über T. u. H. M., 1985; I. Feuerlicht: T. M. u. die Grenzen des Ich, 1966; V. Hansen: T. M., 1984; E. Heller: T. M. Der ironische Deutsche, 1959; M. Henning: Die Ich-Form u. ihre Funktion in T. M's »Doktor Faustus« u. in d. dt. Lit. d. Gegenwart, 1966; E. Hilscher: T. M., Leben u. Werk, 1983; G. E. Hoffmann: Das Motiv der Auserwählten bei T. M., 1974; A. Hofmann: T. M. u. d. Welt d. russ. Lit. Ein Beitrag z. lit.-wiss. Komparativistik, 1967; H. Jendreiek: T. M. Der demokr. Roman, 1977; K. W. Jonas: Die T.-M.-Lit., Bd. 1–2, 1972–1979; H. Koop-

mann: Die Entwicklung d. »Intellektuellen Romans« b. T. M., ³1980; H. Lehnert:
T. M. Fiktion, Mythos, Religion, 1965; J. Lesser: T. M. in der Epoche seiner Vollen-
dung, 1952; F. Lion: T. M. Leben u. Werk, erw. Aufl., 1955; G. Lukács: T. M., 1949;
E. Mann: Das letzte Jahr, 1984; H. Mayer: T. M. Werk u. Entwicklung, 1950; –: T. M.,
1980; P. de Mendelssohn: Nachbemerkungen z. T. M., Bd. 1–2, 1982; E. Neumeister:
T. M's frühe Erzählung, 1975; J. Northcote-Bade: Die Wagner-Mythen im Frühwerk
T. M's, 1975; H. P. Pütz: Kunst u. Künstlerexistenz bei Nietzsche u. T. M. Zum Problem des ästhet. Perspektivismus, 1963; J. Scharfschwerdt: T. M. u. d. dt. Bildungsroman. Eine Untersuchg. z. d. Problemen einer lit. Tradition, 1967; P. Scherer, H. Wys-
ling: Quellenkrit. Studien z. Werk T. M's, 1967; H. Stresau: T. M. u. sein Werk, 1963;
H. R. Vaget: T.-M.-Komm. z. sämtl. Erzählungen, 1984; L. Voss: Die Entstehung von
T. M's Roman Dr. Faustus, 1975; H. M. Wolff: T. M., 1957; M. Zeller: Väter u. Söhne
bei T. M., 1974; *Agnes Miegel:* R. M. Wagner (Hrsg.): Leben, was war ich dir gut.
A. M. z. Gedächtnis, 1979; *Alfred Mombert:* R. Benz: A. M., 1947; K. H. Stobl:
A. M., 1906; *Franz Mon:* F. M., Text + Kritik 60/1978; *Christian Morgenstern:* M.
Bauer: Ch. M's Leben u. Werk, ²⁵1954; F. Hiebel: Ch. M.: Wende u. Aufbruch eines
Jhs. 1957; J. Walter: Sprache u. Spiel in Ch. M's Galgenliedern, 1966; *Heiner Müller:*
H. M., Text + Kritik 73/1982; G. Schulz: H. M., 1980; G. Wieghaus: H. M., 1981;
Adolf Muschg: J. Ricker-Abderhalden (Hrsg.): Über A. M., 1979; R. Voris: A. M.,
1984; *Robert Musil:* E. Albertsen: Ratio u. »Mystik« im Werk R. M's, 1968; H. Arnt-
zen: M.-Komm., Bd. 1–2, 1980–1982; G. Baumann: R. M. zur Erkenntnis d. Dichtg.,
1965; E. v. Büren: Zur Bedeutg. d. Psychologie im Werk R. M's, 1970; K. Dinklage:
R. M. Leben, Werk, Wirkung, 1960; A. Frisé: Plädoyer f. R. M., 1980; W. Graf: Er-
fahrungskonstruktion. Eine Interpretation v. R. M's Roman »Der Mann ohne Eigenschaften«, 1981; R. v. Heydebrand (Hrsg.): R. M., 1982; J. Kühne: Das Gleichnis.
Studien z. inneren Form v. R. M's Roman »Der Mann ohne Eigenschaften«, 1968;
R. M., Text + Kritik 21/22/³1983; R. L. Roseberry: R. M. Ein Forschungsbericht, 1974;
U. Schelling: Identität u. Wirklichkeit bei R. M., 1968; I. Strelka: Kafka, M., Broch u.
die Entwicklung d. modernen Romans, ²1959; *Friedrich Nietzsche:* I. Beithahn: N. als
Umwerter d. dt. Lit., 1933; I. Frenzel (Hrsg.): F. N. in Selbstzeugnissen u. Bilddok.,
1968; H. Hellenbrecht: Das Problem der freien Rhythmen in bezug auf N., 1931; K.
Jaspers: N. Einführung in das Verständnis seines Philosophierens, ³1950; J. Klein: Die
Dichtung N's, 1936; R. F. Krummel: N. u. d. dt. Geist, 1973; W. Ross: D. ängstliche
Adler. F. N's Leben, 1980; L.-A. Salomé: F. N. in seinen Werken, 1924, Neudr. d.
Ausg. von 1894; P. Pütz: F. N., 1967; R. Richter: N., sein Leben u. seine Werke, ⁴1922;
Hans Erich Nossack: J. Kraus: H. E. N., 1981; *Carl von Ossietzky:* F. Baumer: C. v.
O., 1984; H. Vinke: C. v. O., 1979; *Karl Otten:* B. Zeller, E. Otten (Hrsg.): K. O.
Werk u. Leben, 1982; *Ulrich Plenzdorf:* P. J. Brenner (Hrsg.): P's »Neue Leiden d.
jungen W.«, 1982; S. Mews: U. P., 1984; *Alfred Polgar:* U. Weinzierl: Er war Zeuge.
A. P. Ein Leben zwischen Publizistik u. Lit., 1978; *Erich Maria Remarque:* F. Baumer:
E. M. R., ²1984; H. Rüter: E. M. R. »Im Westen nichts Neues«, 1980; *Rainer Maria
Rilke:* J. F. Angelloz: R. Leben u. Werk, 1955; D. Bassermann: Der späte R., 1948; F.
Buddenberg: Denken u. Dichten des Seins. Heidegger, R., 1956; R. Eppelsheimer:
R's Larische Landschaft, 1975; R. Grimm: Von d. Armut u. vom Regen, 1981; W.
Günther: Weltinnenraum. Die Dichtung R's, ²1952; K. Hamburger: Philosophie d.
Dichter. Novalis, Schiller, R., 1966; –: R. Eine Einführung, 1976; H. Imhof: R's
»Gott«. R. M. R's Gottesbild als Spiegelung d. Unbewußten, 1983; K. Kippenberg:
R., ⁴1948; H. Kunisch: R. M. R. Dasein u. Dichtung, ²1975; W. Leppmann: R. Sein
Leben, seine Welt, sein Werk, ²1981; R. Pettit: R. M. R. in u. nach Worpswede, 1983;

I. Schnack: R. M. R. Chronik seines Lebens u. seines Werkes, Bd. 1–2, 1975; W. Seifert: Das epische Werk R. M. R's, 1969; A. Stahl: R.-Komm. zu d. »Aufzeichnungen d. Malte Laurids Brigge«, zur erzähler. Prosa, zu d. essayist. Schriften u. zum dramat. Werk, 1979; –: Rilke-Komm. zum lyr. Werk, 1978; J. Steiner: R's Duineser Elegien, ²1969; *Joachim Ringelnatz:* H. Bemmann: Daddeldu, ahoi! Leben u. Werk d. Dichters, Malers u. Artisten J. R., 1982; W. Pape: J. R. Parodie und Selbstparodie im Leben u. Werk, 1974; *Luise Rinser:* R. Grimm u. a.: L. R. Zu ihrem 60. Geburtstag, 1971; A. Scholz: L. R's Leben u. Werk, 1968; L. R.: Den Wolf umarmen, 1981; *Joseph Roth:* D. Bronsen: J. R. Eine Biogr., 1981; R. Koester: J. R., 1982; W. Sieg: Zwischen Anarchismus u. Fiktion. Zum Werk v. J. R., 1974; P. *Nelly Sachs:* E. Bahr: N. S., 1980; W. A. Berensohn: N. S., 1974; H. Falkenstein: N. S., 1984; Suhrkampf Verlag (Hrsg.): N. S. zu Ehren, 1966; *Arno Schmidt:* H.-M. Bock: Bibliogr. A. Sch. 1949–1978, ²1979; – (Hrsg.): Über A. Sch., 1984; R. Finke: »Der Herr ist Autor.« Die Zusammenhänge zwischen literar. u. empir. Ich bei A. Sch., 1982; W. Proß: A. Sch., 1980; H. Suhrbier: Zur Prosatheorie v. A. Sch., 1980; *Reinhold Schneider:* K.-W. Reddemann: Der Christ v. e. zertrümmerten Welt, 1978; B. Scherer: Die Geisteswelt R. S's, 1966; C. P. Thiede (Hrsg.): Über R. Sch., 1980; *Arthur Schnitzler:* N. Abels: Sicherheit ist nirgends. Judentum u. Aufklärung b. A. Sch., 1982; G. Baumann: A. S. – Die Welt von Gestern eines Dichters von Morgen, 1965; H. Scheible: A. Sch. u. d. Aufklärung, 1977; – (Hrsg.): A. Sch. in neuer Sicht, 1981; H. Schnitzler u. a. (Hrsg.): A. Sch. Sein Leben, sein Werk, seine Zeit, 1981; R. Urbach: Sch.-Komm. z. d. erzählenden Schriften u. dramat. Werken, 1974; R. Wagner: A. Sch., 1981; *August Scholtis* (auch *Hans Lipinsky-Gottersdorf* u. *Heinz Piontek*): A. Lubos: Von Bezruč bis Bienek, 1977; *Rudolf Alexander Schröder:* H. Lölkes: R. A. Sch., 1983; *Anna Seghers:* A. S., Text + Kritik 38/²1982; E. Haas: Ideologie u. Mythos, 1975; I. Lorisika: Frauendarstellungen bei Irmgard Keun u. A. S., 1985; H. Neugebauer: A. S., Leben und Werk, 1978; W. Roggausch: Das Exilwerk v. A. S., 1933–1939, 1979; K. Sauer: A. S., 1978; *Manès Sperber:* W. Kraus (Hrsg.): Schreiben in dieser Zeit. Für M. S., 1976; A. Pfaffenholz: M. S. zur Einführung, 1984; *Carl Spitteler:* R. Faesi: C. S. Weg u. Werk, 1933; J. Fränkel: C. S. Huldigungen u. Begegnungen, 1945; L. Beriger: C. S. in der Erinnerung seiner Freunde u. Weggefährten, 1947; W. Staufacher: C. S's Lyrik, 1950; *Hermann Stehr:* E. Freitag: H. S., Gehalt u. Gestalt seiner Dichtg., 1936; A. Lubos: H. S., 1977; F. Richter (Hrsg.): H. S., Schlesier, Deutscher, Europäer, 1964; *Carl Sternheim:* R. Billetta: S.-Kompendium, 1975; M. Durzak: Das expressionist. Drama. C. S., Georg Kaiser, 1978; –: Zu C. S., 1982; M. Georg: C. S. u. seine besten Bühnenwerke, 1923; W. Wendler: C. S., Weltvorstellung u. Kunstprinzipien, 1966; –: C. S. Materialienbuch, 1980; *Botho Strauß:* B. S., Text + Kritik 81/1984; *Hermann Sudermann:* W. T. Rix (Hrsg.): H. S. Werk u. Wirkung, 1980; *Ludwig Thoma:* H. Ahrens: L. T., sein Leben, sein Werk, seine Zeit, 1983; P. Haage: L. T., Bürgerschreck u. Volksschriftsteller, 1982; R. Lemp: L. T., 1984; G. Thumser: L. T. u. seine Welt. Biographie, 1966; *Ernst Toller:* W. Frühwald, J. Spalek (Hrsg.): Der Fall T., 1979; C. de Haar: E. T., 1977; J. Hermand (Hrsg.): Zu E. T. Drama u. Engagement, 1981; *Friedrich Torberg:* J. Strelka (Hrsg.): Der Weg war schon das Ziel. Festschr. für F. T. zum 70. Geburtstag, 1978; *Georg Trakl:* R. Blass: Die Dichtung G. T's. Von d. Trivialsprache z. Kunstwerk, 1969; E. Bolli: G. T's »dunkler Wohllaut«, 1978; L. Dietz: Die lyrische Form G. T's, 1959; F. Fühmann: Der Sturz d. Engels, 1982; W. Held: Mönch u. Narziß. Stunde u. Spiegel im Werk G. T's, 1965; W. Killy: Über G. T., 1960; L. Ficker: Erinnerung an G. T., neue Ausgabe 1959; S. Klaus: Traum u. Orpheus, 1955; W. Schneditz: Gesammelte Werke 3: Nachlaß u. Biographie, 1949; *Kurt Tucholsky:* I. Ackermann (Hrsg.): K. T. Sieben

Beiträge zu Werk u. Wirkung, 1981; H. J. Becker: Mit geballter Faust, 1978; B. P. Grenville: K. T., 1983; W. J. King: K. T. als polit. Publizist. Eine polit. Biogr., 1983; K. T., Text + Kritik 29/³1985; G. Zwerenz: K. T. Biogr. e. guten Deutschen, 1979; *Fritz von Unruh:* I. Götz: Tradition u. Utopie i. d. Dramen F. v. U's, 1975; *Siegfried von Vegesack:* F. Baumer: S. v. V., 1974; *Martin Walser:* Th. Beckermann (Hrsg.): Über M. W., 1970; –: M. W. oder die Zerstörung eines Musters, 1972; W. Brändle: Die dramat. Stücke M. W's, 1978; H. Doane: Gesellschaftspolit. Aspekte in W's Kristlein-Trilogie, 1978; M. W., Text + Kritik 41/42²1983; K. Pezold: M. W. Seine schriftstell. Entwicklg., 1971; J. W. Preuß: M. W., 1972; W. J. Schwarz: Der Erzähler M. W. (mit einem Beitr. von H. Karasek: Der Dramatiker M. W.), 1971; K. Siblewski (Hrsg.): M. W., 1981; A. E. Waine: M. W., 1980; *Robert Walser:* E. Fröhlich, P. Hamm (Hrsg.): R. W. Leben u. Werk i. Daten u. Bildern, 1980; K. Kerr (Hrsg.): Über R. W., Bd. 1–3, 1978–1979; R. Mächler: Das Leben R. W's. Eine dokumentar. Biographie, 1976; E. Pulver (Hrsg.): R. W., 1984; R. W., Text + Kritik 12/12a/²1975; C. Seelig: Wanderungen m. R. W., 1977; O. Zinniker: R. W., 1947; *Jakob Wassermann:* E. Ammon (Hrsg.): J. W., 1973; W. Goldstein: W., sein Kampf um Wahrheit, 1929; H. Rettich: D. Recht bei J. W., 1957; *Frank Wedekind:* P. Fechter: F. W. Der Mensch u. das Werk, 1920; J. Friedmann: F. W's Dramen n. 1900, 1975; F. Gundolf: F. W., 1954; H.-J. Irmer: Der Theaterdichter F. W. Werk u. Wirkung, 1975; A. Kutscher: W. – Leben u. Werk, 1964; F. Rothe: F. W's Dramen, Jugendstil u. Lebensphilosophie, 1968; K. Völker: F. W., 1977; *Peter Weiss:* P. W., Text + Kritik 37/²1982; P. Engel (Hrsg.): P. W., 1982; R. Gerlach (Hrsg.): P. W., 1981; K.-H. Götze (Hrsg.): Die »Ästhetik d. Widerstands« lesen. Über P. W., 1981; M. Haiduk: Der Dramatiker P. W., 1977; H. Rischbieter: P. W., 1967; A. Stephan (Hrsg.): Die Ästhetik d. Widerstands, 1983; H. Vormweg: P. W., 1981; *Franz Werfel:* A. v. Puttkammer: F. W. Wort u. Antwort, 1952: R. Specht: F. W.: Versuch einer Zeitspiegelung, 1926; *Christa Wolf:* M. Behn (Hrsg.): Wirkungsgesch. v. C. W's »Nachdenken über Christa T.«, 1978; S. Hilzinger: Kassandra. Über C. W., ²1984; M. v. Salisch: Zwischen Selbstaufgabe u. Selbstverwirklichung. Zum Problem d. Persönlichkeitsstruktur im Werk C. W's, 1975; K. Sauer (Hrsg.): C. W. Materialienbuch, ²1983; A. Stephan: C. W., ²1979; –: Forschungsber. C. W., 1980; Ch. Thomassen: Der lange Weg zu uns selbst, 1977; *Carl Zuckmayer:* C. Z. '78. Ein Jahrbuch, 1978; B. Glauert (Hrsg.): C. Z. Das Bühnenwerk i. Spiegel d. Kritik, 1977; H. Wagener: C. Z., 1983; *Arnold Zweig:* G. V. Davis: A. Z. i. d. DDR, 1977; D. R. Midgley: A. Z. Zu Werk und Wandlung, 1927–1948, 1980; G. Wenzel (Hrsg.): A. Z. 1887–1968. Werk u. Leben in Dok. u. Bildern, 1978; M. Wiznitzer: A. Z. Das Leben eines dt.-jüd. Schriftstellers, 1983; *Stefan Zweig:* H. Arens (Hrsg.): Der große Europäer. St. Z., 1981; D. A. Prater: St. Z. Das Leben eines Ungeduldigen, 1981; J. Strelka: St. Z. Freier Geist d. Menschlichkeit, 1981.

PERSONENREGISTER

Kursiv sind anonyme Werke vermerkt.
ff. bedeutet: die zwei folgenden Seiten.

DIE AUTOREN:

Hermann Glaser, Dr. phil., geboren 1928 in Nürnberg, Schul- und Kulturdezernent der Stadt Nürnberg, Hon. Professor an der Technischen Universität Berlin, PEN-Mitglied. Veröffentlichungen u.a.: *Spießer-Ideologie; Bürgerrecht Kultur; Sigmund Freuds Zwanzigstes Jahrhundert; Kultur der Wilhelminischen Zeit; Kulturgeschichte der Bundesrepublik Deutschland* (3 Bde.); *Das Verschwinden der Arbeit.* Als Ullstein-Taschenbuch: *Spurensuche, Deutsche Familienprosa.*

Jakob Lehmann, Dr. phil., geboren 1919 in Bamberg, ordentl. Professor an der Universität Bamberg. Veröffentlichungen u.a.: *Deutsche Novellen von Goethe bis Walser* (Hrsg.); *Deutsche Romane von Grimmelshausen bis Walser* (Hrsg.); *Kleines deutsches Dramenlexikon* (Hrsg.); *Fränkischer Literaturbarock.*

Arno Lubos, Dr. phil., geboren 1928 in Beuthen/Oberschlesien, Studiendirektor, PEN-Mitglied. Veröffentlichungen u.a.: *Geschichte der Literatur Schlesiens* (3 Bde.); *Linien und Deutungen; Deutsche und Slawen; Schlesisches Schrifttum der Romantik und Popularromantik; Jochen Klepper; Gerhart Hauptmann.* Als Ullstein-Taschenbuch: *»Die ganze Welt ist dumm . . .«, Blütenlese aus dem vorigen Jahrhundert* (Hrsg.).

Die »Geschichtliche Darstellung« erschien 1986 im gleichen Verlag als illustrierte Hardcover-Ausgabe.

Bitte beachten Sie
die folgenden Seiten

Hermann
Glaser/
Jakob
Lehmann/
Arno Lubos

Wege der
deutschen
Literatur

Ein Lesebuch

Neuausgabe

Ullstein Buch 34493

Die Edition will die literarischen Entwicklungslinien innerhalb des deutschen
Sprachbereichs und die vielfältigen Wege der Literatur an
Textbeispielen aufzeigen.
Die exemplarisch zu verstehenden Quellenauszüge spiegeln – über ihren rein geschichtlichen Aspekt hinaus –
Tendenzen der Epochen und
der sie tragenden Gesellschaften wider.

Die Textauswahl entspricht
der vorliegenden *Geschichtlichen Darstellung*.

Ullstein Sachbuch

Hermann Glaser

Spurensuche

Roman

Ullstein Buch 20753

In Texten, die die Schärfe von Momentaufnahmen haben, schildert der Autor eine bürgerliche Welt mit ihren liebenswerten Zügen, aber auch mit ihren Anfälligkeiten und Gefährdungen. Aus dieser literarischen »Spurensuche«, dem zunächst scheinbar privaten Bereich des Erinnerns, entsteht auf diese Weise ein objektives, manchmal bestürzend objektives Bild unserer Zeit und ihrer Wurzeln.

ein Ullstein Buch

Hermann Glaser/ Jakob Lehmann/ Arno Lubos

Wege der deutschen Literatur

Ein Lesebuch

Neuausgabe

Ullstein Buch 34493

Die Edition will die literarischen Entwicklungslinien innerhalb des deutschen Sprachbereichs und die vielfältigen Wege der Literatur an Textbeispielen aufzeigen. Die exemplarisch zu verstehenden Quellenauszüge spiegeln – über ihren rein geschichtlichen Aspekt hinaus – Tendenzen der Epochen und der sie tragenden Gesellschaften wider.

Die Textauswahl entspricht der vorliegenden *Geschichtlichen Darstellung*.

Ullstein Sachbuch